A VIDA DO
BEBÊ

DR. RINALDO DE LAMARE

A VIDA DO BEBÊ

42ª EDIÇÃO

Ensinamentos e conselhos modernos e práticos, escritos especialmente para as mães criarem e educarem os seus filhos, desde o primeiro dia de vida até eles completarem dois anos, a idade mais importante, mais difícil e interessante do ser humano.

REVISÃO E ATUALIZAÇÃO
DR. GERALDO LEME

A
AGIR

A maior felicidade e proteção do bebê
é ter os seus pais perfeitamente esclarecidos
quanto a sua criação e educação

"As mulheres que concebem e amamentam apresentam uma espécie de rejuvenescimento em todo o organismo, acompanhado de um caráter mais forte, mais resistente à dor, com refinamento de todas as qualidades mais belas da alma feminina: a bondade, a ternura, a resignação, o espírito de sacrifício e a abnegação."

Pinard

Este livro é dedicado àquelas crianças
desamparadas da sorte e da fortuna,
cuja observação e estudo permitiram a
formação profissional do autor,
e que pela sua mesa de exame desfilaram
nos diversos hospitais, humilde, chorosa
e sofridamente.

O autor

Por sua magnífica colaboração,
beijo as mãos, agradecido, de minha querida
Germana, esposa e secretária.

Produção editorial JULIANA ROMEIRO

Revisão VERA LOPES, SANDRA PÁSSARO,
ELIANA RINALDI E JANE CASTELLANI

Projeto gráfico MIRIAM LERNER

Bebê da capa ISABELLA FILARDI LERER,
vencedora do concurso "Bebê da Capa",
promovido pela Ediouro, Infoglobo e *Jornal Extra*.

Foto MARCELO THEOBALD / AGÊNCIA O GLOBO

Fotos internas PEDRO BOTELHO E ARQUIVO

Produção de fotos LYGIA DE CASTRO

CIP - BRASIL. CATALOGAÇÃO-NA-FONTE
SINDICATO NACIONAL DOS EDITORES DE LIVROS, RJ

D378L
42. ed.

De Lamare, Rinaldo, 1910-
A vida do bebê / Rinaldo de Lamare. – 42. ed. – Rio de Janeiro : Agir, 2009

ISBN 978-85-220-1035-6

1. Crianças – Saúde e higiene. 2. Crianças – Cuidado e tratamento. I. Título.

01-0825. CDD 649.1
CDU 1

---

09 10 11 12 45 44 43 42

AGIR EDITORA LTDA.
RUA NOVA JERUSALÉM, 345 - BONSUCESSO
CEP 21042-235 - RIO DE JANEIRO - RJ
TEL. (21) 3882-8200 - FAX: (21) 3882-8313

Sumário

Capítulo 1

O Bebê Vai Nascer

O bebê vai nascer

INTRODUÇÃO

Todos os bebês devem ser tratados com atenção e competência. Sua saúde nos dois primeiros anos é fundamental para toda a vida. Os melhores cuidados com eles nesta fase (o propósito deste livro) são indispensáveis para a formação de uma personalidade saudável.

Destacamos aqui dez normas essenciais para auxiliar os pais a alcançarem tão trabalhoso objetivo:

1) O casal, antes de planejar uma gravidez, deverá observar a personalidade de cada um;

2) A gravidez deverá ser acompanhada por um obstetra;

3) Os partos normais demorados podem trazer problemas para o bebê, além do sofrimento materno. A parturiente não deve temer o parto cesáreo; atualmente, com os progressos da cirurgia e da anestesia, quase não existe risco;

4) O recém-nascido deve ser alimentado ao seio pelo menos até os seus seis primeiros meses;

5) O bebê deverá receber, com regularidade, as vacinas obrigatórias nos seus dezoito primeiros meses de vida;

6) A criança deverá ter a presença diária da mãe e do pai (que, maravilha!), pelo menos nos seus dois primeiros anos;

7) Um desmame para a introdução de outros alimentos deverá ser bem-orientado, observando e respeitando as rejeições, evitando-se o excesso de sal, de açúcar e de temperos em quantidades inadequadas;

8) Será necessário um bom treinamento emocional, mantendo ao máximo a mesma rotina diária.

9) Será uma sorte o bebê ter seus pais felizes, transmitindo-lhe alegria, boas condições de saúde e segurança;

10) Os pais devem escolher um pediatra baseando-se em confiança e compreensão recíprocas.

A criança bem assistida nos seus dois primeiros anos de vida, que na idade escolar não se empanturrou com doces e frituras e na adolescência não fumou, não consumiu bebidas alcoólicas, não experimentou drogas e se dedicou a um esporte, terá toda a probabilidade de chegar aos cem anos.

Os pais deverão sempre acompanhar seu filho, sobretudo na idade escolar e na adolescência, cuidando de sua saúde física-mental-emocional para que ele possa enfrentar com êxito e paciência a competitividade da vida, convenientemente preparado.

Durante a gestação, a mãe deve ser acompanhada por um obstetra, fazendo todos os exames solicitados.

PROVIDÊNCIAS QUE DEVERÃO SER TOMADAS ANTES DE O BEBÊ NASCER

a) os pais fizeram exame pré-concepcional?

b) durante a gestação a mãe foi acompanhada e controlada por um obstetra, fazendo todos os exames por ele solicitados?

c) procurou freqüentar algum curso de puericultura para aprender a cuidar do seu bebê ou leu algum livro com ensinamentos para melhor cuidar do seu filho?

d) nesses primeiros trinta dias pós-parto, você terá alguém para auxiliá-la? Será o pai, a avó, uma enfermeira, uma babá, uma amiga ou algum parente? Esta pessoa tem experiência suficiente ou apenas boa vontade? Tem bom equilíbrio emocional? É calma? Às vezes, uma auxiliar nervosa cria mais problemas do que soluciona;

e) no caso de trabalhar fora, já solicitou sua licença de gestante? É um direito;

f) na impossibilidade de o bebê ter o próprio quarto, o que é ideal, ele poderá ficar no quarto dos pais. Neste caso, deverá ter o seu cantinho, com berço e mesinha com gavetas, que poderá servir também como trocador, além dos seus objetos próprios. Alguns pais, em vez do berço, compram uma cama, que servirá quando ele tiver mais idade;

g) providenciou o enxoval, com roupas adequadas ao clima de sua cidade? O ideal são roupas simples, claras e de fácil manuseio. E as fraldas estão em quantidade suficiente? Lembre às suas amigas que fraldas como presente são sempre bem-vindas! Em média, um recém-nascido usa de 8 a 12 fraldas por dia;

h) aprendeu como cuidar das fraldas e das roupinhas do bebê? Já aprendeu como cuidar dos bicos, mamadeiras e outros utensílios, inclusive como esterilizá-los?

i) sabe alguma coisa de dieta infantil?

j) de acordo com seu futuro pediatra, já comprou os medicamentos que deverão fazer parte da farmacinha do bebê?

l) escolheu os produtos de higiene que usará com seu filho?

m) procurou falar com o médico que cuidará do bebê? Isto é muito importante;

n) está decidida a amamentar seu filho? Você sabia que as mães que amamentam seus filhos dificilmente terão câncer de mama? Que a queda dos seios é mais freqüente nas mães que não querem amamentar? Que a afinidade entre mãe e filho é muito maior entre aquelas que amamentam do que naquelas em que a mamadeira substitui o seio? Acredite, amamentar seu filho é o maior prêmio que você pode ter!

"O recém-nascido que é amamentado raramente adoece e, quando adoece, raramente morre."

AS VANTAGENS DA ALIMENTAÇÃO NATURAL

O bebê amamentado com leite humano, o único alimento com defesas contra doenças, torna-se forte, inteligente e emocionalmente feliz!

a) a criança nasceu para alimentar-se no seio materno. As vantagens do leite humano sobre o leite artificial, por mais modificado que ele seja, são incontestáveis;

b) o colostro (nome dado ao leite na primeira semana de vida) é a primeira "vacina" que a criança recebe; ele possui lactoferrina e lisozima, substâncias que protegem o bebê contra infecções; possui elementos poderosos, chamados macrófagos e linfócitos, que produzem o interferon, importante na defesa contra viroses. Possui anticorpos (defesas) contra várias doenças, principalmente as diarréias infecciosas. O colostro protege a mucosa (parede) do intestino contra as infecções através da igA secretória (imunoglobulina A secretória), que impede a fixação de micróbios na mucosa intestinal. Assim, ao nascer, a criança possui defesa, que passa pela placenta por meio das imunoglobulinas G, fabrica sua defesa através das imunoglobulinas M e recebe pelo leite a imunoglobulina A, que não é encontrada no leite enlatado. A grande importância das imunoglobulinas é o fato de elas serem a maior defesa que os bebês têm contra as infecções;

c) é mais nutritivo. O cálcio do leite humano é mais bem assimilado do que o do leite de vaca e o de remédios. As crianças têm probabilidade de se tornar mais altas e mais inteligentes;

d) é mais higiênico, não havendo perigo de estar contaminado, causando perigosa infecção intestinal. O colostro é naturalmente amarelado e espesso, não se trata de pus! A falta de compreensão deste fenômeno natural leva ao desmame de muitas crianças;

e) mamar ao seio não satisfaz apenas o organismo do bebê, mas também o seu espírito. A mamadeira dificilmente poderá substituir o seio materno, principalmente quando dada por outra pessoa;

f) a mulher que amamenta conserva e aprimora sua beleza, destituindo de fundamentos a crendice de que amamentar faz os seios caírem. Entretanto, a nutriz (mulher que amamenta) deve evitar mingaus, cervejas pretas etc. que podem fazê-la engordar exageradamente. A dieta dela deve ser normal, com um pouco mais de leite e frutas, sem açúcar. Ela volta à atividade sexual, após o período puerperal (um mês), sem problemas;

g) dar o seio facilita a volta do útero ao seu tamanho normal. A involução uterina é mais rápida e a perda de sangue é menor, pois durante a sucção do seio há contrações uterinas que facilitam a involução;

h) o fator psicológico de querer amamentar é um fato incontestável; a mãe que deseja amamentar facilita a saída do leite;

i) o leite materno protege contra a obesidade, pois a criança só toma a quantidade necessária, sem excessos, na composição exata para as suas necessidades;

j) a mulher que nunca amamentou costuma apresentar seios doloridos após os 35 anos de idade;

l) a amamentação protege contra o câncer de mama, que é muito raro em mulheres que amamentaram;

m) dar o seio não modificará sua aparência, consistência ou volume, destituindo de fundamento a crendice de que o ato de amamentar faz os seios caírem;

n) o leite materno é gratuito!

AS DESVANTAGENS DA ALIMENTAÇÃO ARTIFICIAL

a) sempre existe o risco de contaminação do leite animal, desde a ordenha até sua comercialização;

b) pode ocorrer o preparo inadequado das mamadeiras, devido à manipulação das fórmulas de preparo por babás inexperientes, avós emotivas ou mães distraídas;

c) o alimento artificial não fornece, como o leite humano, anticorpos, isto é, partículas existentes no sangue para defesa contra infecções;

d) a dificuldade na digestão do leite de vaca pode predispor o bebê a vômitos, à diarréia e a anemia, além de sua assimilação e digestão poderem ser mais difíceis;

e) o bebê alimentado ao seio resiste muito melhor às infecções;

f) o afastamento precoce de mãe e filho pode gerar futuros problemas psicológicos;

g) o leite de vaca pode causar alergia alimentar muitas vezes grave, com ocorrência de asma, dermatites, diarréias, sinusites, otites etc;

h) o leite de vaca só deve ser dado após um ano de idade;

g) o gasto com leite artificial para o bebê pode pesar no orçamento da família.

Preparo dos seios para amamentar

A partir do quinto mês de gravidez, cada seio deve ser submetido a massagens diárias, durante cerca de dez minutos, com alguma substância oleosa, visando ativar sua circulação e promover maior resistência dos mamilos (bicos dos seios). Desta forma também poderão ser corrigidos os bicos invertidos ou retraídos, que, se não forem cuidados a tempo, dificultarão enormemente a amamentação do recém-nascido. Os mamilos devem ser tracionados (puxados) suavemente, para ficarem mais salientes, obtendo-se melhor resultado se simultaneamente for comprimida a área circunvizinha. É de grande utilidade tentar a retirada de secreção láctea durante cada massagem.

Tem-se comprovado que estes cuidados, principalmente o último conselho, tornam a amamentação muito mais fácil, diminuindo consideravelmente o temido "empedramento" do leite materno. Quando os mamilos são planos ou invertidos, a mãe deverá usar um protetor de mamilo dentro do sutiã nos últimos três meses de gravidez, para facilitar sua saída.

Os primeiros dias são decisivos para a produção e a descida de leite, que deverá continuar até os seis meses ou mais.

A mãe precisará da presença ou do auxílio de alguém experiente. E deve ter um sutiã firme e bem ajustado, pois os seios habitualmente ficam cheios nos dois primeiros dias e às vezes até o quarto dia. Deve-se usar o sutiã nos primeiros três meses de amamentação.

Seios flácidos (seios caídos)

É indispensável um sutiã adequado durante a gravidez e depois do parto, mesmo que a mãe não pretenda amamentar, porque os seios ficam muito mais volumosos e vão afrouxando os ligamentos que os sustentam, o que pode contribuir para um futuro seio caído. Caso seja possível, deve-se expor o seio por alguns minutos ao ar livre e ao sol. Isto tornará a pele dos seios mais resistente, sendo também importante na prevenção de problemas com os mamilos durante a amamentação.

Com estes cuidados, as mães estarão preparando da melhor maneira uma amamentação prolongada e sem os obstáculos, tão freqüentes mas facilmente evitáveis, como os mamilos invertidos ou retraídos, pele dolorida, fissuras (rachaduras) etc. Para que o período inicial da amamentação transcorra sem problemas, com os seios (fissuras, rachaduras e dor), devem ser tomados os seguintes cuidados: aplicar compressas mornas nos seios antes de amamentar; massagear o seio na direção dos mamilos para que o leite comece a sair. Após a mamada, tente esvaziar o seio com uma bomba manual ou elétrica. Quanto mais vazio o seio estiver após a mamada, mais leite será produzido na próxima. Ainda um conselho oportuno: as mulheres que têm tendência a apresentar varizes estão propensas a tê-las durante a gravidez. O uso de meias-calças adequadas, que exercem compressão proporcional e reduzem a dilatação das veias, facilitando, assim, a circulação do sangue em velocidade normal, é um recurso aconselhável.

Submeter-se à cirurgia plástica para aumentar os seios não interfere na amamentação, porém diminuí-los apresenta riscos de serem cortados os dutos lácteos, e o transplante dos mamilos pode impedir a amamentação.

O ENXOVAL IDEAL

Uma das tarefas mais agradáveis para a futura mãe é a de fazer ou comprar o enxoval do seu bebê, e se for então o primeiro, que alegria! Apresentaremos as necessidades ideais do enxoval para o recém-nascido:

O tecido mais convenientemente usado é o algodão. Os bordados, sem exagero, ficarão a critério da mãe. Evite os tecidos com fios soltos. Os mais aconselháveis são os de fibras com propriedades macias, flexíveis e facilmente laváveis. Os tecidos sintéticos, náilon, dácron e tergal, não são indicados. Providencie doze camisas de pagão ou de opala, sendo seis com manga e seis sem manga, seis casaquinhos, sendo quatro de malha e dois de fustão, seis macacões, sendo três de malha e três de *plush* (tecido atoalhado). Eles são úteis para as crianças que se agitam muito à noite, descobrindo-se. Os pés do macacão devem ser vestidos como se fossem meias, seis sapatinhos lisos, sem fiapos nem bolas de algodão, quatro meinhas de algodão, oito babadores de *plush,* quatro mantas de flanela de algodão, de malha de fio de seda ou de algodão, ou de fibra acrílica virgem. Reserve uma para os passeios, uma capa para passeio, de seda, malha de fio de seda ou de fibra acrílica virgem, seis jogos de cama (lençóis e fronhas). Os lençóis e fronhas deverão ser lisos, sem bordados ou fiapos. Geralmente as crianças só usam travesseiros após os seis meses de idade. Evite travesseiros de paina ou de pena. Seis lençóis para o carrinho e um bebê-conforto acolchoado de algodão, seis toalhas de banho, sendo três de tecido de fralda e três de tecido atoalhado; as toalhas de papel descartáveis estão sendo mais usadas do que as de tecido, por serem mais práticas e mais higiênicas.

Os tradicionais panos de prato são absolutamente contra-indicados para enxugar louças, mamadeiras e talheres do bebê.

Acessórios

Berço com colchão, carrinho tipo guarda-chuva, banheirinha plástica, sacola para fraldas, cesto de roupa suja, protetor de berço, cesta de toalete, impermeável para cobrir o colchão antes de colocar o lençol – deverão ser preferidos os de tecido impermeável, pois os emborrachados esquentam muito e poderão irritar a pele do bebê –, esteirinha de praia para ser colocada entre o lençol e o impermeável durante o verão, "moisés" (porta-bebê – não coloque o bebê diretamente sobre o plástico; deve-se forrá-lo com tecido de algodão), cortinado de náilon (lave-o freqüentemente, tomando cuidado para não acumular pó). *Baby-bag* para transportar o recém-nascido no banco traseiro do automóvel (nunca leve-o ao colo, sobretudo no banco da frente).

Roupas

O bebê deverá ser vestido de acordo com a temperatura. Deverão ser evitadas fitas e colchetes. Não confeccione roupas que sejam enfiadas pela cabeça do bebê; não faça costuras debaixo dos seus braços, pois são desconfortáveis. Tenha roupas que sejam fáceis de lavar; a limpeza terá de ser impecável, pois a pele do bebê é muito sensível a infecções. Evite botões e lacinhos, use fechos de velcro, mais rápidos, práticos e seguros. A abertura para passagem da cabeça, tanto de camisas quanto de suéteres, deverá ser suficientemente larga, para evitar a dificuldade de vesti-las e despi-las, irritando a criança.

Não tenha preocupação de ter roupas elegantes; bastará a do batismo: esta sim pode ser caprichada.

No começo seu filho crescerá muito depressa. O peso e o tamanho de um bebê no primeiro ano de vida mudam tão depressa que, ao se preparar o enxoval, deve-se pensar nas três etapas às quais correspondem os diferentes tamanhos de suas roupas; o primeiro vai até seis meses; o segundo, de seis meses a um ano; e o terceiro, de um a dois anos.

Deverão ser abolidos os tecidos de lã que soltem fiapos. Estes, como as partículas de pó do talco, penetram pelos orifícios nasais, irritando a mucosa que os protege internamente, sobretudo em bebês sensíveis, provocando resfriados e roncos com tendências crônicas.

Devemos chamar a atenção dos pais para o fato de que roupas modernas, feitas com tecidos sintéticos, como náilon, tergal, dácron e outros, são adicionadas de uma substância química antiinflamável, para evitar que o tecido em contato com o fogo, mesmo a fagulha de um fósforo, se queime rapidamente. Estas roupas deverão ser lavadas três vezes com água fervente antes de serem usadas pela primeira vez. Cuidado igual se deve ter ao lavar a roupa com produtos amaciantes. Não se deve esquecer que algumas crianças têm o hábito de chupar a roupa, o que é prejudicial, pois esses produtos possuem substâncias tóxicas ou podem causar alergias.

Toda roupa para uso do bebê deve ser lavada separadamente das roupas dos adultos, com sabão líquido neutro e evitando o uso de alvejantes e amaciantes comuns.

Vestindo o bebê

Primeiro tempo – fraldas: atualmente usam-se fitas adesivas para prender as fraldas descartáveis, com a vantagem de elas serem de uso simples e sem perigo. No caso dos alfinetes, os melhores são os tradicionais. Quando estes são de ponta grossa, pode-se passar sabão na extremidade para facilitar a aplicação. Alfinetes de plástico em formato de animais quebram com facilidade e não são indicados. O lugar mais seguro para colocar os alfinetes de fralda quando não em uso é o vestido da mãe ou o avental da babá. Ao colocar o alfinete, deve-se ter o cuidado de introduzir dedos da mão livre entre o corpo e a fralda, para controlar a ponta do alfinete.

Segundo tempo – camisa de pagão.

Terceiro tempo – macacão.

Quarto tempo – casaquinhos, conforme a temperatura.

Quinto tempo – babador.

Sexto tempo – sapatinhos.

Toucas, capas, calças de borracha etc. só por ocasião de passeios.

As fraldas impermeáveis ("calça-enxuta"): tanto as de tecido emborrachado quanto as de plástico apresentam dois inconvenientes:

1) elas mantêm a umidade;

2) aumentam a temperatura corporal, facilitando a instalação de micróbios e bactérias que, em contato com a urina, acabam irritando a pele, provocando assaduras e cheiro forte de amônia. Calças impermeáveis com elásticos na cintura e nas coxas são contra-indicadas. O impermeável deverá ser lavado diariamente com sabão e deve ser exposto ao sol. No verão, reduza, tanto quanto possível, as roupas do bebê. No Rio de Janeiro, durante o primeiro trimestre do ano, por exemplo, quase sempre bastam a fralda e a camisinha de pagão, sem sapatinhos.

Deve-se proceder do modo mais prático possível. É prudente não deixar acumular muitas roupas sujas, lavando-as diariamente.

Fraldas

Qual é o tipo mais indicado? De algodão ou descartável? As tradicionais fraldas de algodão são bem toleradas e mais baratas. Atualmente têm seu uso diminuído. As fraldas descartáveis são atualmente as mais usadas por sua praticidade. As de boa qualidade não causam nenhuma irritação à pele do bebê. Atualmente as fraldas descartáveis substituíram em grande parte o uso de fraldas de algodão pelo seu baixo custo e pela grande variedade no mercado. Existem várias marcas, e estão disponíveis em tamanhos pequeno, médio e grande, já que durante o primeiro ano, com o crescimento rápido do bebê, há necessidade de se usar tamanhos diferentes, que se ajustem bem e que não apertem a cintura. Nas primeiras semanas, usualmente o tamanho pequeno é adequado, mas bebês maiores ao nascimento podem já de início necessitar de fraldas de tamanho médio. Desta forma, não é conveniente comprar grande quantidade de fraldas do mesmo tamanho, para que depois não se tornem pequenas e inadequadas.

Algumas crianças podem apresentar quadros de alergia cutânea ao contato com um tipo de fralda, às vezes relacionado à fita adesiva, ao elástico ou ao *floc-gel* absorvente. Habitualmente, essas alterações melhoram com a troca da marca e com tratamento local recomendado pelo pediatra.

Vale ressaltar que o uso diário de fraldas descartáveis é de cerca de oito a doze e que nos primeiros dias poderá ser maior devido às evacuações mais freqüentes (cerca de oito a dez), o que é normal e relacionado às mamadas mais freqüentes (reflexo gastrocólico).

A higiene das fraldas de pano

Deverá haver um balde próprio, com tampa, que comporte cerca de quarenta fraldas. As fraldas urinadas deverão ser lavadas ligeiramente na torneira e colocadas de molho no balde, com água e sabão neutro em pó. Jogue as fezes das fraldas no vaso sanitário; a seguir, lave-as também e coloque-as de molho no balde. As fraldas poderão ficar de molho até 24 horas. Diariamente, jogue fora a água, enxagüe-as e torça-as ligeiramente, colocando-as (de preferência) na máquina de lavar, na qual será colocado também sabão em pó neutro. Não deverão ser usados amaciantes, alvejantes ou produtos que perfumem os tecidos. Após retirar as fraldas da máquina, deixe-as secar, se possível, ao sol, e passe-as. O tecido que reveste a tábua de passar deverá estar sempre limpo. Não há necessidade de ferver as fraldas, e está contra-indicado o uso de detergentes, a não ser em situações especiais, sob orientação do pediatra (crianças com piodermite, por exemplo). Quando não houver máquina de lavar, enxagüe-as várias vezes, para retirar todo o resíduo de sabão em pó.

Cuidados para evitar assaduras no recém-nascido

a) cada vez que trocar a fralda, lave as nádegas e adjacências para evitar assaduras;

b) mude a fralda toda vez que estiver molhada ou suja;

c) use pomada à base de óxido de zinco ou similar na região perianal. Conforme a melhor aceitação da pele do recém-nascido, pode-se usar também óleo mineral;

d) mantenha-o algumas horas sem fralda;

e) no caso de apresentar assadura (dermatite), ver pág. 133

Lenços umedecidos

A limpeza freqüente e necessária da pele na área coberta pela fralda aumenta o seu ressecamento. Ao mesmo tempo, a pele fina dos recém-nascidos e das crianças pequenas reage de maneira especialmente sensível às irritações mecânicas como a fricção. Uma maneira prática, higiênica e, além de tudo, muito suave de fazer a limpeza de seu bebê a cada troca de fraldas é o uso de lenços umedecidos. Assim como as fraldas descartáveis, os lenços umedecidos proporcionam a praticidade que a vida moderna exige e são muito úteis para limpar o bebê, inclusive durante o passeio. No caso de alergias ao lenço umedecido, interrompa seu uso e use somente água filtrada fervida.

A FARMACINHA DO BEBÊ

Material de toalete

Este deve ser o mais simples possível: sabonete neutro, óleo e cremes próprios para o bebê, nada de perfumes, pinça, seringa de borracha, vidro de 220ml para água fervida, um pacote de algodão hidrófilo de 500g, fita adesiva (esparadrapo), cálice graduado de 100ml, colher de chá, plástica ou de metal, três termômetros (um clínico, de mercúrio, para temperatura retal, outro de recipiente comprido para temperatura axilar e um termômetro de banho), um tubo de vaselina e um vaporizador.

Medicamentos

a) de rotina: solução de violeta genciana a 1%, sem álcool (20ml), água oxigenada a 10 volumes, 1 vidro (100g) de supositórios de glicerina para crianças pequenas, 1 vidro de álcool a 70º, guardados fora do quarto do bebê (frasco de 100ml de plástico; evite a garrafa de 1 litro de vidro, é perigoso);

b) para febre: antitérmicos e analgésicos, em gotas ou em comprimidos (aspirinas, acetaminofen, dipirona). Para cólica, Luftal; para as narinas: solução fisiológica; para a pele, ferimentos e queimaduras, pomada de bacitracina; para irritação e erupções, pomada de subnitrato de bismuto a 10% ou pasta d'água (ver pág. 168); para manifestações alérgicas, cremes ou pomadas à base de cortisona.

Cuidado com os medicamentos

a) os antibióticos em xarope devem ser conservados em lugar fresco e bem fechados. Os antibióticos em pó, após adição de água, só poderão ser usados até quinze dias;

b) as soluções de gotas nasais só devem ser usadas, uma vez abertas, durante três meses;

c) a dose de aspirina para um bebê deve ser de 10 a 15mg/kg/dose, podendo ser repetida a cada quatro horas, não ultrapassando a dose de 60 a 80 mg/kg/dia;

d) as ampolas: verifique bem sua validade;

e) frascos para aplicação de injeções: uma vez abertos, deverão ser usados logo; de acordo com instrução médica, poderão ser empregados dentro de 24 horas;

f) pomadas contendo antibióticos ou sulfas, bem como os medicamentos em pó, não devem ser conservados por mais de três meses;

g) os pós deverão estar ao abrigo da umidade;

h) xaropes, contendo algumas substâncias químicas, inclusive sulfamidas, bem como gotas nasais, não deverão ser conservados por mais de três meses;

i) supositórios deverão ser conservados no refrigerador;

j) as pomadas e os antibióticos para os olhos e para a pele não devem ser aplicados por mais de sete dias sem recomendação médica;

l) a água do vaporizador deve sempre ser fervida, não use a da torneira.

Não use remédios sem orientação do seu pediatra.

O QUARTO DO BEBÊ

Luz apagada, vidraça aberta e porta fechada

O quarto deverá ser bem arejado e receber sol pela manhã e não à tarde. As paredes pintadas com cores discretas, de preferência azul-claro ou cinza, a óleo ou revestidas de papel, deverão ser facilmente laváveis com água e sabão. São contra-indicadas paredes com cores vivas (vermelho, rosa) ou cheias de figuras que acabarão por fatigar ou irritar o bebê.

Os desenhos são permitidos em cortinas e no revestimento de cadeiras. Não pendure nas paredes muitos quadros ou mesmo enfeites diversos; no máximo dois. Recomenda-se um piso oleado, sem tapete; o piso cerâmico vitrificado é indicado.

Os revestimentos de fórmica também poderão ser utilizados, sendo práticos e de fácil limpeza.

Quando, por motivo de espaço, o bebê não pode ter o próprio quarto, que ele possa ter pelo menos seu cantinho, isto é, uma parte separada por pára-vento e contendo uma mesinha para os seus objetos. Nunca coloque seu bebê num quarto recém-pintado. Não coloque o berço no eixo janela/porta, a fim de evitar correntes de ar.

O quarto não deverá ser limpo com vassoura ou espanador; use um aspirador de pó e também passe pano úmido. Se possível, o bebê deverá dormir só ou acompanhado; se não puder ter o seu quarto, poderá dormir no quarto dos pais. Mais de duas pessoas no quarto do bebê não é aconselhável.

Os bebês, como as flores, são muito sensíveis às alterações de temperatura e umidade, bem como à ventilação e à poluição. O ambiente recomendável é entre 22 e 25°C e a umidade entre 40 e 60%. A ventilação dependerá da posição da casa e do quarto e da poluição da cidade e do bairro em que vive a família. Os recursos práticos disponíveis são o ar-condicionado ou os circuladores de ar.

Ventilador de teto

Pode ser usado sempre no modo exaustão em velocidade moderada, devendo as pás serem limpas uma vez por semana para retirada de mofo e poeira. Não se deve colocar vento diretamente em cima do bebê.

Ar-condicionado

a) evite expor o bebê a temperaturas muito baixas pela madrugada;
b) não deixe que o quarto fique com janelas e portas todas fechadas;
c) deixe, de preferência, uma porta entreaberta;
d) para evitar nariz e garganta secos, coloque no quarto uma bacia grande com água à noite;
e) não deixe a criança despida; agasalhe-a de acordo com a temperatura;
f) ligue o aparelho com a criança já no quarto, não a traga depois;
g) não coloque a cama próxima ao ar-condicionado;
h) o filtro do ar-condicionado deverá ser lavado com detergente neutro uma vez por semana.

Os móveis

Os móveis laqueados são os que apresentam melhores condições de higiene por poderem ser lavados. Use móveis lisos, sem entalhes, para não acumular poeira. São necessários um armário, uma cômoda, uma cama, uma mesa e uma cadeira. Um tipo de cômoda muito prática é a que na parte superior tem um colchonete para vestir, limpar e trocar a roupa do bebê, pois no berço, ou na cama dos pais esta tarefa torna-se incômoda. Além de tudo facilita a visita do pediatra. Sobre a mesa, pode-se ter um abajur de luz fraca, que, quando aceso, não acorde a criança.

Os berços

Existem três tipos: o berço fixo, o portátil e o balouçante.

Berço fixo: a cama do bebê. O tamanho do berço geralmente é de 90cm de comprimento e 40cm de largura; entretanto, pode-se comprar uma cama, que servirá por mais tempo (de 1,20 a 1,40m de comprimento e 60 a 70cm de largura, de preferência de madeira).
Local: deverá ser afastado das paredes, longe das janelas, num lugar ventilado, sem que receba corrente de ar e evitando-se luz direta sobre seus olhos. De acordo com a situação econômica, deverá ficar em quarto próprio ou no quarto dos pais ou dos irmãos.

As grades: deverão ser altas e o colchão baixo (arredondadas, fortes e separadas uma da outra, a fim de evitar a introdução da cabeça), devendo ser móveis e seguras; quando abaixadas, deverão ter meio metro de distância do colchão – não deve haver travessas entre elas, para evitar que a criança trepe; sem parafusos grandes, com pontas e com arestas agudas. Evite que sejam cobertas com plástico, que possam quebrar.

Encosto das extremidades: as tábuas deverão ser lisas, sem enfeites. As aplicações de decalques coloridos não devem estar do lado de dentro, pois eles saem com facilidade; podem ser colocados do lado de fora do berço como decoração.

O estrado: deverá ter duas barras de estabilização, para evitar que se descompense.

O colchão: deverá ser do tamanho do berço. Evite espaços grandes entre as grades e as tábuas das extremidades (2cm, no máximo). O colchão de molas não é aconselhável; a criança de um a dois anos começa a pular. Colchões de crina, palha e algodão são alergizantes; recomendam-se os de espuma de borracha com ventilação lateral revestidos com tecido resistente. Ao se fazer a cama do bebê, deve-se colocar o impermeável sobre o colchão antes do lençol.

Travesseiros: não deverão ser usados os pequenos e baixos, pois são perigosos e podem causar sufocação. O bebê tem a cabeça grande e o pescoço curto, em relação ao corpo; por isso, usando travesseiros ele pode forçar sua coluna, causando tensão. Após os dezoito meses ele poderá ser usado, se a criança preferir. Entretanto, aos três meses, pode-se colocá-lo por baixo do colchão e deverá ser tão largo quanto este, criando uma suave elevação para o lado em que o bebê coloca a cabeça.

Brinquedos no berço: deverão ser lisos e sem tinta, não muito pequenos, que possam ser mordidos ou até engolidos, nem muito grandes, para que o bebê não suba neles e possa assim cair do berço. As crianças maiores de um ano deverão brincar dentro do berço; os brinquedos deverão ser dados na hora de dormir, para relaxar.

Almofadas no berço: são os acolchoados laterais, úteis dos três meses em diante, devendo ser bem amarrados para evitar sufocação (devem recobrir todos os lados do berço para impedir que o bebê se machuque). Quando o bebê começa a ficar de pé, é bom retirá-los, senão ele pode trepar e cair do berço. Estes acolchoados devem ser lavados periodicamente.

No verão uma esteirinha entre o lençol e o impermeável é aconselhável para tornar este mais fresco. Os impermeáveis de plástico funcionam como verdadeiros emplastros, não permitindo que a pele do bebê respire, acabando por macerá-la, devido à transpiração abundante e predispondo ao impetigo, à piodermite e a outras infecções da pele.

Berço portátil: denominado "moisés", é prático, leve, passando facilmente pelas portas e podendo ser carregado à vontade. Só é indicado para crianças com até 75cm de altura (doze meses), passando em seguida para o berço fixo. Geralmente é usado dos seis aos nove meses, dependendo do tamanho do bebê. No clima quente o uso do cesto de palha é aconselhável, pois é mais arejado que o de plástico ou o de lona. Nunca use travesseiros. Poderá ser colocado na cama, sobre duas cadeiras protegidas, ou mesmo no chão, se este estiver limpo, encerado e de pouco movimento. Cavaletes, muito cuidado! Tome providências contra cães, gatos, baratas e ratos.

Berço balouçante: ainda é usado. A criança balança com o berço e não rola dentro dele (deve haver uma tranca para imobilizá-lo, quando desejar). Ver na página 178 o novo conceito sobre o embalo do bebê.

Cadeira de balanço

Os norte-americanos concluíram que ela aumenta o efeito tranqüilizador que o seu bebê sente quando você o segura balançando suavemente. Uma música suave o ajudará a dormir melhor do que com tranqüilizantes.

Banheiras

As antigas são as de metal, sustentadas por pés altos; a bacia não deixa de prestar bons serviços. As modernas são de plástico e mantidas em cavaletes. Elas apresentam a vantagem de poder ser guardadas quando não estão em uso e de não machucarem as crianças que gostam de bater os pés quando tomam banho. A higiene deve ser feita com água, sabonete neutro e álcool.

Balança

Será necessária no caso de o pediatra indicar pesagem freqüente, mais de uma vez na semana, principalmente no caso de bebês prematuros e/ou com baixo peso ao nascimento (menos de 2.500g), ou, ainda, naqueles com dificuldade de recuperação do peso ao nascimento nos primeiros quinze dias. Nesses casos, uma balança pode ser alugada a preços bem acessíveis (Baby Filizola).

Habitualmente o bebê deve ser pesado entre sete e dez dias após a alta da maternidade, para que possa ser controlada a perda de peso normal neste período e acompanhada sua recuperação posterior. A pesagem inicial deverá ser feita na primeira consulta ao pediatra, que então orientará sobre a necessidade de controle mais freqüente do peso.

ESCOLHENDO O PEDIATRA

Por ocasião do nascimento do primeiro filho, os pais, ao escolherem o pediatra, o fazem com a maior emoção. Geralmente aceitam ou mesmo pedem a indicação da parteira, do médico da família ou de algum parente médico. Os parentes e amigos também costumam indicar o "seu" pediatra, tecendo louvores sobre sua especial particularidade de "acertar" com as doenças.

Os pais deverão se certificar se o profissional é habilitado pela Sociedade Brasileira de Pediatria. Se o recém-nascido for prematuro, deverá ser assistido por um neonatologista, uma subespecialidade da pediatria que exige um treinamento de três anos. O bebê deverá ser levado ao pediatra semanalmente até completar 2,5kg e, depois, mensalmente.

Esta não é uma decisão a ser tomada facilmente pelos pais. O ideal, no médico escolhido, seria a conjugação da sua capacidade técnica ao perfeito relacionamento com os pais e a criança. Não satisfaz um médico competente, mas frio, pouco solícito ou inacessível, como também não resultará positivo em doença grave, de difícil diagnóstico, evolução e tratamento, o médico bondoso e abnegado, porém com conhecimento insuficiente. Não há dúvida de que a decisão obedece à influência dos princípios da "confiança e simpatia", especialmente se esta decisão obtiver a aprovação do médico da família. Porém ainda há outro detalhe: deve-se procurar saber se o médico pode ser encontrado facilmente.

Nada é mais compreensível do que os pais desejarem tê-lo num momento de aflição, ou num contato telefônico imediato.

É atendendo a esta necessidade que os pediatras estão se organizando em grupos ou em clínicas. A instalação de prontos-socorros infantis, que vão se difundindo pela maioria das cidades, veio resolver o problema do atendimento imediato.

A prática tem-nos revelado que alguns pais têm seu próprio médico, podendo procurá-lo sem cerimônia, tendo consultório e residência às vezes no mesmo bairro. Entretanto, dispõem também de um pediatra experiente, que consultam em casos graves e levam seu filho para exame periódico de quatro em quatro ou de seis em seis meses.

O que deve ficar estabelecido é a confiança e a compreensão recíprocas. Se não houver, é preferível mudar de pediatra, respeitando o código da ética médica.

Atualmente alguns pais, devido à sua situação econômica, têm de recorrer a pediatras públicos ou conveniados; deverão pedir informações a parentes, amigos, obstetras sobre os mais recomendáveis.

ESCOLHENDO A BABÁ

Exija uma radiografia dos pulmões

A tradicional babá representa na vida dos nossos filhos um papel muito importante. Os pais, quando a contratam, não devem fazê-lo de modo indiferente ou leviano. Devem escolhê-la com cuidado: em primeiro lugar, indagando sobre sua saúde, o que deverá ser feito com o auxílio do médico. As candidatas à função que tenham doenças de pele, tosse crônica, dentes ruins e amígdalas infectadas, ameaças permanentes para o bebê, deverão ser descartadas ou tratadas antes de serem contratadas.

Recomenda-se dispensá-las se não houver certeza de seu caráter e seriedade profissional. Cuidado com as mistificadoras: na presença dos patrões, são uns anjos; na ausência, umas pestes! As muito jovens, ao brincar demais, podem excitar o bebê; as mais idosas, por comodidade, gostam de manter as crianças quietas, atemorizando-as com histórias do "bicho-papão" e outras bobagens, quando não lhes dão calmantes, por conta própria. Entretanto não se esqueça de tratar sua babá com simpatia e carinho, para que ela faça o mesmo com o seu filho!

A primeira babá deve ser apresentada a seu filho com carinho. Nunca os deixe a sós pela primeira vez; a mãe deverá permanecer próxima algum tempo durante alguns dias, uma a duas horas pelo menos, antes que tenha de sair. Mantenha seu filho no colo enquanto estiver conversando com a babá pela primeira vez.

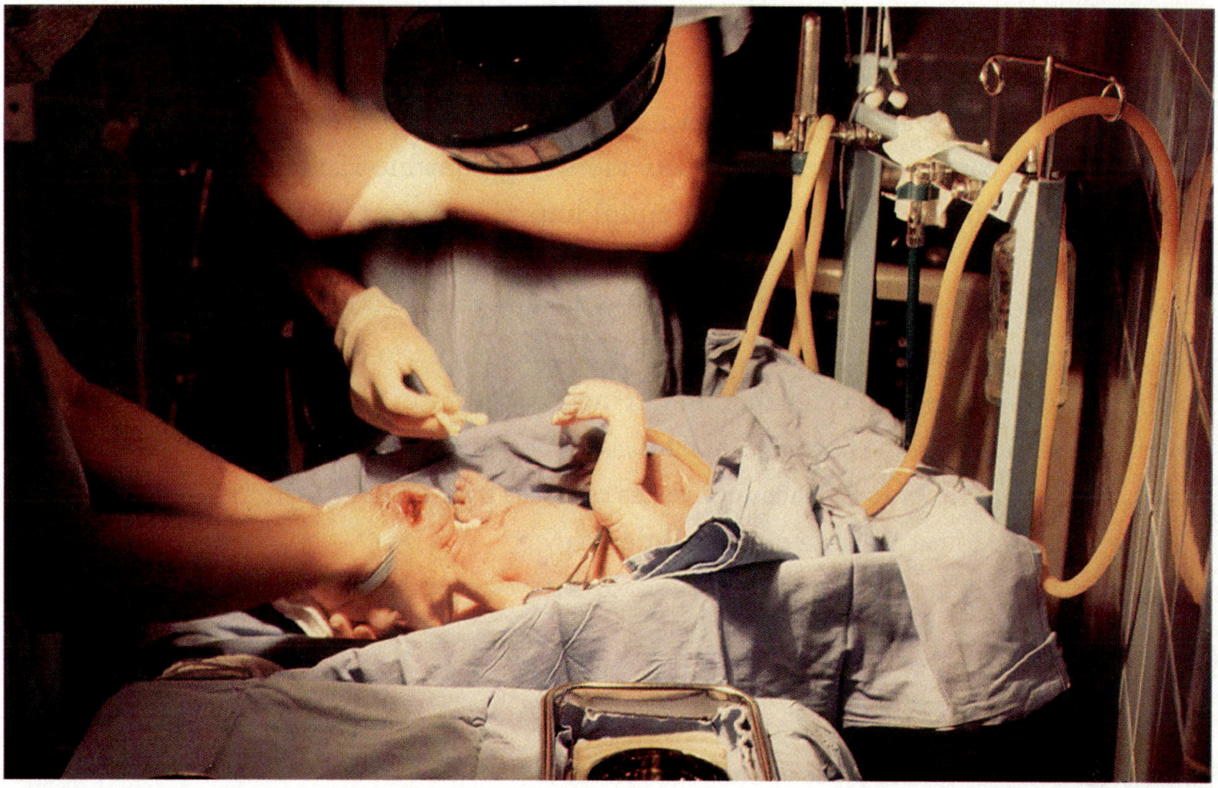

É muito importante que a sala de parto seja um local agradável para o bebê, evitando-se ruídos desagradáveis e luzes fortes.

Existem serviços que oferecem babás temporárias (*baby-sitter*). Os pais deverão se informar da qualidade desses serviços.

No caso de não ser possível contratar uma babá, ou uma *baby-sitter*, deve ser cogitada, no impedimento da mãe ou sogra, a ajuda de parentes, amigos ou vizinhos.

ESCOLHENDO O HOSPITAL

A escolha do melhor local para o parto, seja uma clínica, seja um hospital, deverá ser feita em comum acordo entre o casal, o obstetra e o pediatra. Existem vários locais que oferecem conforto e segurança para a mãe e para o bebê. Recomenda-se que, além de confortável, disponha de sala de pré-parto e de um centro cirúrgico bem-equipados, além de UTI neonatal, para o caso de haver uma emergência, e UTI adulto, caso a mãe seja portadora de alguma complicação da gravidez ou doença crônica como hipertensão, diabetes etc. No caso de gravidez de alto risco, além do suporte da UTI, a presença do neonatologista é imprescindível.

Recomenda-se ainda que o estabelecimento seja próximo à residência do casal e de fácil acesso para a equipe médica. Vale a pena visitar esses locais antes do parto para se fazer uma boa escolha.

O casal que tem plano de saúde poderá escolher o hospital que preencher esses requisitos.

BEBÊ ADOTADO

A emoção dos pais que adotam uma criança é semelhante à dos pais naturais; só que estes tiveram nove meses para se acostumar, e os pais adotivos geralmente não têm este tempo.

O pediatra desempenhará uma função muito importante nos preparativos da chegada do filho adotivo.

As visitas médicas deverão ser realizadas normalmente.

Um histórico de saúde materna, do seu pré-natal, do seu parto e também das condições do nascimento e pós-parto são de grande importância para o futuro acompanhamento.

Muitas vezes são necessários exames laboratoriais na primeira visita ao pediatra.

Suas dúvidas devem ser esclarecidas em visitas especiais para aconselhamento:

"Quando se deve contar à criança que ela é adotada?"

Resposta: dois a quatro anos, isto é, o mais cedo possível, e use sempre a linguagem da criança. Diga-lhe sempre a verdade; a mentira "tem pernas curtas" e logo ela saberá que foi enganada, e isto é muito pior!

Não a pressione se ela se mostrar amedrontada.

"Existe algum problema especial para se preocupar?"

Resposta: não, os problemas são os mesmos para qualquer criança.

"Deve-se contar aos outros que ela é adotada?"

Resposta: se for perguntado, responda honestamente, não fique dando muitas explicações ou detalhes se sua criança estiver por perto, às vezes isto a incomoda.

"E se ela quiser conhecer os verdadeiros pais?"

Resposta: deixe a criança discutir o assunto e mostrar os seus sentimentos. Diga que você vai ajudá-la a procurar, se esta for sua vontade quando crescer. Não a force a procurá-los, não a desencoraje, se isto for importante para ela.

Quando ela for maior, explique o quanto foi difícil encontrar seus pais fisiológicos. Seu pediatra deverá estar apto a esclarecer mais dúvidas sobre estas e outras questões a respeito da adoção.

TESTE DE PATERNIDADE

Atualmente existe um exame que identifica, e compara, genes do material genético (DNA) obtido pelo sangue do filho, da mãe e do suposto pai. Metade dos padrões de DNA é herdada do pai e metade da mãe. Quando as características do pai são compatíveis com as do (a) filho (a), a probabilidade de ser o pai biológico pode chegar a 99,99%, porém se os padrões genéticos do pai não forem compatíveis com os do filho ou da filha, certamente não é o pai biológico.

Capítulo 2

O Primeiro Dia

O primeiro dia

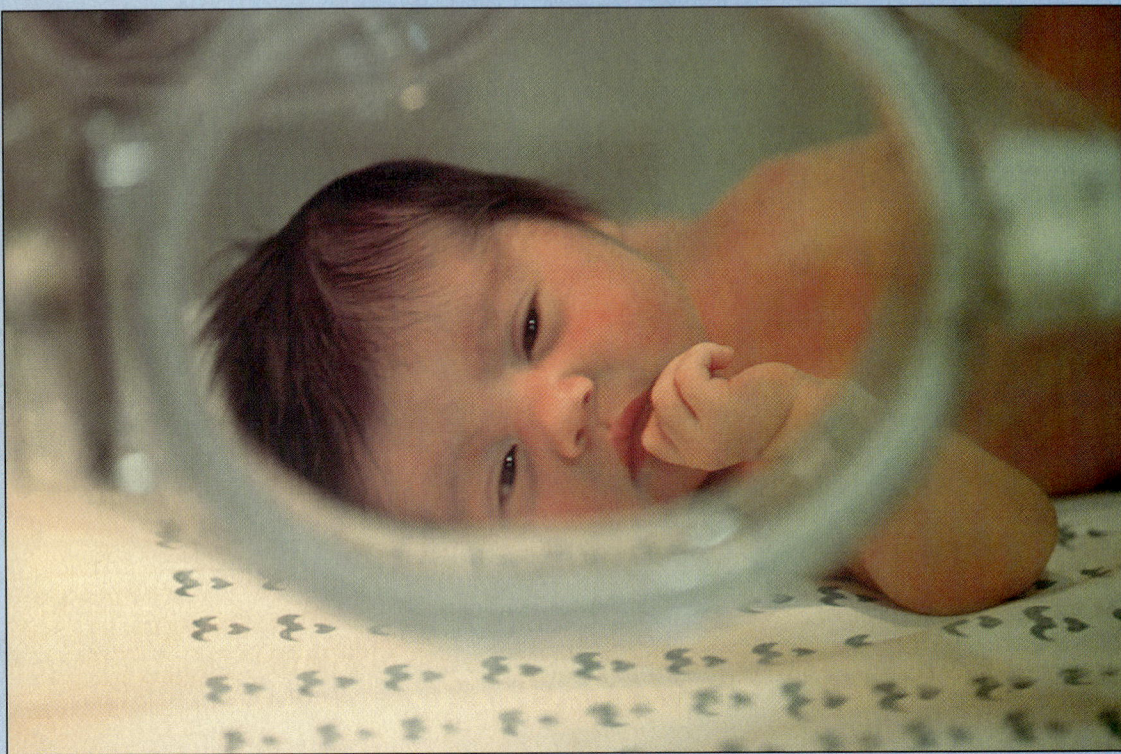

Após o nascimento, o bebê recebe cuidados para se manter aquecido e adaptar-se ao novo ambiente.

Estudos completos sobre recém-nascidos provaram que eles são muito mais espertos, sensíveis e influenciados em seu relacionamento com as pessoas e o ambiente do que se acreditava. É esta a razão por que eles nascem chorando e gritando. Os especialistas começaram a considerar os conselhos do médico francês Leboyer, que adverte que esta situação é devida às tremendas agressões que o bebê sofre ao nascer, pois:

- O bebê não nasce cego, por isso sente a luz forte dos refletores da sala de parto em seus olhos.
- O bebê não nasce surdo, por isso ouve os ruídos dos equipamentos cirúrgicos e as vozes na sala do parto.
- O bebê tem olfato e sente o cheiro, para ele desagradável, dos desinfetantes usados.
- O bebê não é insensível e sofre com os puxões violentos pelos pés e pernas, e sua pele, sobretudo a das costas, é de grande sensibilidade, sendo constantemente seguro e apertado por mãos que mais parecem garras.

Dizer que o recém-nascido nada sente é a maior maldade que o homem já cometeu, e Leboyer aconselha que as salas de parto sejam locais mais agradáveis para ele. O bebê deverá ser recebido sempre com respeito e carinho.

Evitando-se luzes diretas sobre seus olhos, segurando-o com carinho, levemente, sem fazer muito ruído, verificaremos que o recém-nascido pára de chorar e nasce sorrindo!

Existem, evidentemente, situações em que o bebê nasce deprimido, sendo necessária a intervenção do pediatra. Quando possível, feito o primeiro atendimento, deve-se voltar a criança à mãe para que não se quebre este importante contato.

OS PRIMEIROS CUIDADOS

A futura mãe, na sala de parto, assistirá ao pediatra tomar os primeiros cuidados com seu filho:

Cuidados com a pele do recém-nascido

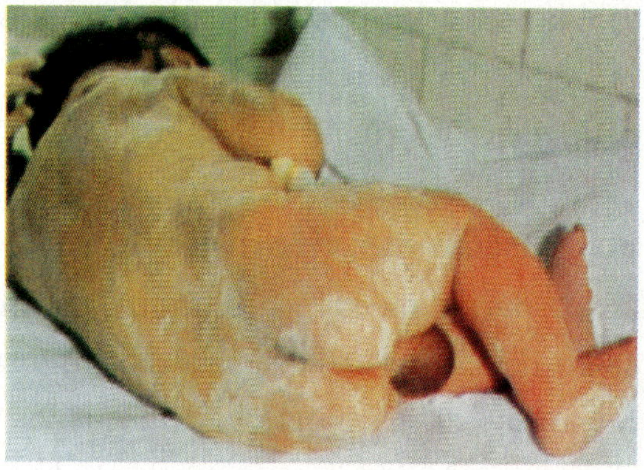

O bebê, ao nascer, vem recoberto por um revestimento sebáceo denominado vernix caseosa.

A pele do recém-nascido encontra-se revestida por um material graxento, chamado *vernix caseosa.* Este deriva parcialmente da secreção das glândulas sebáceas, como também é produto da decomposição da camada mais superficial da pele do bebê, representando uma proteção fisiológica. Embora sua função não esteja esclarecida, muitos estudos sugerem que não deve ser removida, pois age como proteção. Este material será eliminado sucessivamente através da roupa, geralmente dentro das primeiras semanas de vida.

Os cuidados com a pele do bebê devem envolver limpeza com produtos não tóxicos, não abrasivos, e sim neutros. A limpeza das nádegas e da região perianal deverá ser feita com água e algodão. Um sabonete suave, com posterior enxágüe, deve ser utilizado quando for necessária a troca das fraldas.

Normalmente, pode-se observar uma descamação cutânea nos recém-nascidos, geralmente no período de 24 a 36 horas após o nascimento, podendo estender-se até a terceira semana de vida.

Secagem, aspiração e oxigenoterapia

Assim que o bebê nasce, ele é entregue pelo obstetra ao pediatra ou neonatologista, que procederá então às primeiras manobras para que o bebê se mantenha aquecido e com boas condições de adaptação ao novo ambiente. É realizada uma rápida secagem, para que ele não sinta frio, e é feita uma aspiração na boca e nas narinas com uma sonda, para que ele possa respirar com facilidade. Neste momento é fornecido (ou não) oxigênio, dependendo da cor e da reação do bebê, e então se procederá a aspiração no estômago. Esta decisão cabe ao pediatra, que também avaliará a necessidade de procedimentos adicionais, muitas vezes importantes para bebês que nascem deprimidos ou com dificuldade inicial para respirar. Se o recém-nascido estiver em boas condições, poderá então ser levado até sua mãe e ficar em seu colo e até mesmo sugar um pouco o seio. O pediatra então avaliará o melhor momento para que o bebê possa ser identificado e levado ao berçário, para ser aquecido em incubadora ou berço aquecido por duas a três horas.

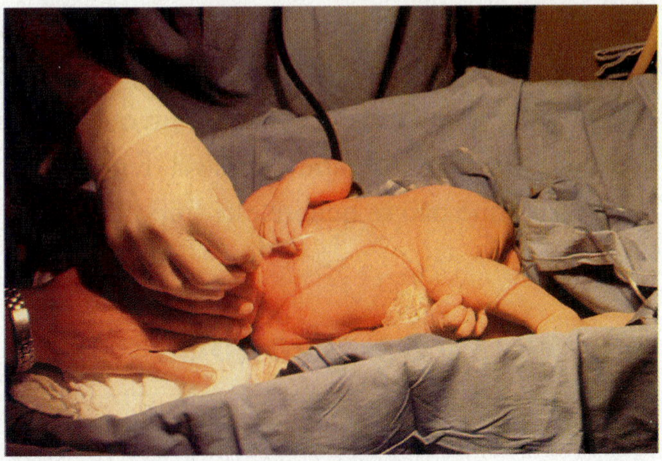

Alguns recém-nascidos podem apresentar quadro de adaptação respiratória com respiração rápida nas primeiras horas de vida, podendo necessitar de permanência na incubadora com oxigênio por quatro a seis horas. Caso não melhorem, deverão ser transferidos para a UTI neonatal para monitorização e tratamento.

Aplicação de vitamina K

Este procedimento é necessário para todo recém-nascido que nos primeiros dias de vida apresente deficiência de vitamina K, importante na coagulação, podendo desenvolver distúrbios hemorrágicos se esta não for ministrada. A vitamina K é aplicada por via intramuscular, no berçário, na dose de 1mg, nas primeiras duas horas após o nascimento, por enfermeira especializada.

A colocação no berço

No berço o bebê deverá estar sempre na posição horizontal ou com a cabeça ligeiramente elevada. Deverá ficar sempre de lado ou de barriga para cima. Colocar o bebê de barriga para baixo não é recomendado devido à possibilidade de regurgitações após as mamadas, podendo então se sufocar por não conseguir virar a cabeça. Esta orientação vale também para quando ele for para casa e durante os seis primeiros meses de vida.

A amamentação

Toda mãe deve ter oportunidade de amamentar seu filho assim que possível, mesmo que o parto tenha sido cesáreo, se ambos estiverem em condições satisfatórias. Os primeiros momentos de adaptação geralmente são críticos; nas páginas 77 a 81 são dadas instruções indispensáveis para iniciar uma amamentação perfeita.

O curativo do coto umbilical

Uma vez ligado o cordão umbilical, uma pequena parte, denominada *coto*, que deverá ser de 3cm acima da pele (anel umbilical), fica presa à parede abdominal, caindo, geralmente, entre o sétimo e o 15º dia de vida. Às vezes ele poderá cair antes ou depois deste tempo, sem maior conseqüência. O máximo de higiene é indispensável, pois o recém-nascido poderá sofrer infecções graves a partir da contaminação do umbigo. O coto umbilical deverá ser tratado com álcool absoluto três vezes por dia. Deixe-o exposto ao ar, não use cinteiros, ataduras ou gaze.

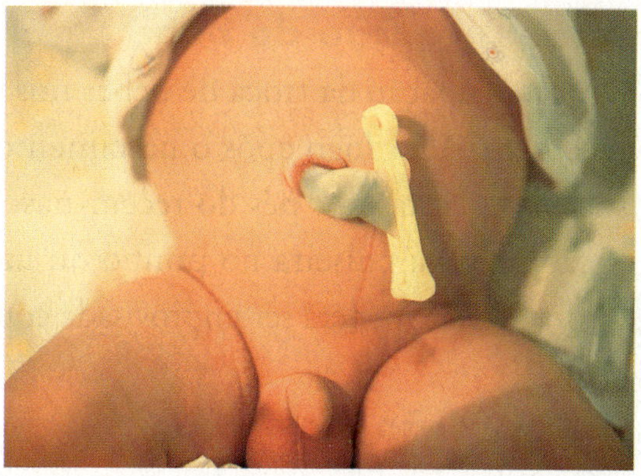

O coto cairá, geralmente, entre o sétimo e o 15º dia.

A desinfecção dos olhos

É obrigatória em alguns países, inclusive no Brasil, para os partos normais, sendo previstas punições pelo Código Penal brasileiro a quem não a pratica. Deverá ser feita pela instilação de uma gota de solução recente de nitrato de prata a 1% em ambos os olhos do recém-nascido. Esta prática é chamada de credetização, ou simplesmente "credé". A penicilina aquosa, na diluição de 1.000UI para cada ml, poderá ser utilizada na impossibilidade de obter o nitrato. Outras soluções propostas não se mostraram eficientes. A solução de nitrato de prata deverá ter, no máximo, cinco dias de preparo, se mostrar eficiente e ser acondicionada em vidro bem fechado para, evitando a evaporação, não permitir a concentração de nitrato de prata. Alguns bebês poderão apresentar reação inflamatória (conjuntivite) pelo nitrato de prata. Convém que o pediatra examine se é realmente alergia ao nitrato ou se já existe infecção.

A higiene do bebê

O primeiro banho poderá ser dado após duas horas de repouso em incubadora ou berço aquecido. Isto evita o resfriamento do corpo do recém-nascido nas horas posteriores à sua saída do ambiente quente e protegido do útero da mãe. Deve-se utilizar água filtrada ou fervida somente até a queda do coto, quando passa-se a utilizar água corrente ou comum. A temperatura deve ser levemente morna, em torno de 33°C. Tome cuidado para não molhar o coto, para que, ficando bem seco, ele caia mais rapidamente.

A higiene da boca

A prática de higienizar a boca do bebê para livrá-lo de secreções ou mucosidades deverá ser feita com suavidade, evitando-se possíveis lacerações das mucosas da boca. No momento do nascimento deverá ser passada uma sonda de tamanho adequado através das narinas, até o estômago, para verificar a permeabilidade das fossas nasais e do esôfago. A aspiração suave do conteúdo do estômago ajuda a evitar regurgitações nas primeiras horas após o nascimento, comuns depois de um parto cesáreo ou pelo uso de analgésicos e sedativos pela mãe.

A identificação do bebê

A preocupação da troca de bebês nos berçários resultou na obrigação de identificação dos recém-nascidos logo após o nascimento. A identificação perfeita é executada pelas impressões das plantas dos pés do recém-nascido, dos dedos maternos na mesma ficha e da colocação de uma pulseira no punho ou na perna com o nome da mãe e o número do leito.

Esta pulseira poderá ser improvisada com esparadrapo e deverá permanecer até a alta hospitalar.

A colocação no berço

O recém-nascido, quando colocado no berço, deverá estar com a temperatura axilar acima de 36°C. Se estiver abaixo desta temperatura, o bebê deverá ser aquecido e examinado pelo pediatra. Verifique se as vias aéreas estão perfeitamente desobstruídas, permitindo-lhe uma respiração silenciosa e ritmada.

O bebê deverá ser colocado no berço com a cabeça ligeiramente mais elevada que os pés, em posição oblíqua, para evitar que ele se sufoque com vômitos. Evite luminosidade excessiva. O recém-nascido poderá nascer com sede, fome, chorando; basta colocá-lo ao seio para acalmá-lo. Nos primeiros dias, na maternidade, seu peso deverá ser aferido diariamente. A temperatura, enquanto no berçário, deverá ser tomada a cada doze horas.

Em casa não há necessidade de tomar constantemente a temperatura. As roupinhas do recém-nascido deverão ser sem botões, fáceis de ser colocadas e tiradas. Não forre o berço com plástico, tecido emborrachado ou oleado, pois estes materiais esquentam e dificultam a respiração da pele do bebê. No verão é prudente colocar uma esteirinha macia entre o lençol e o impermeável. Sinta sempre se o bebê está aquecido através de suas extremidades (mãos e pés).

As visitas

O melhor presente para o recém-nascido são as fraldas, aliás muitas fraldas. Ele só deverá receber uma visita de cada vez. Não é aconselhável manter janelas e portas trancadas. O bebê não apenas se resfria por corrente de ar ou pouco agasalho; ele pode ser contaminado por pessoas sujeitas a faringites ou amigdalites. Visitas de parentes podem atrapalhar na hora da mamada, do banho ou de ele dormir. Paz e sossego para o bebê e sua mãe! Para ter um bebê sadio, forte e em boas condições nos primeiros meses de vida, é aconselhável limitar seus contatos com as pessoas, principalmente com as que estão resfriadas. Constitui-se num problema a visita de parentes, amigos e conhecidos logo que o bebê vai com sua mãe para casa. Todos querem vê-lo, pegá-lo etc. O que se nota são diversas pessoas falando ou tossindo dentro do quarto do bebê, com ruídos, excitação, nervosismo da mãe e perigo de infecção. Lavar as mãos antes de tocar o bebê é fundamental.

Sugestão de cartaz para ser colocado diante dos visitantes na maternidade e em casa:

- NÃO me beije.
- NÃO faça gracinhas no meu rosto.
- NÃO fale alto.
- NÃO fale debruçado sobre mim.
- NÃO me segure ao colo.
- NÃO segure minhas mãos sem antes lavar as suas.
- NÃO bata a porta.
- NÃO tussa no meu quarto.
- NÃO acenda luz forte.
- NÃO venha com muita gente.
- NÃO venha resfriado.
- SIM, dê-me presentes úteis e seguros.

OS CUIDADOS PSICOLÓGICOS

Todo recém-nascido tem seus sentidos bem desenvolvidos e deverá ser tratado com respeito e carinho desde o seu primeiro minuto de vida.

O bebê, desde o seu primeiro dia de vida, também precisará de cuidados psicológicos se apresentar distúrbios de comportamento ou de aprendizagem, bem como o escolar, o adolescente ou o adulto. Porém seus problemas são outros: dificuldade de mamar, de conciliar o sono, tendência a vômitos e cólicas, prisão de ventre ou diarréias dolorosas, mal-estar devido à febre alta ou demorada, erupções pruriginosas (que coçam) da pele, sensibilidade exagerada aos ruídos, à luz forte, resistência a se adaptar a horários estabelecidos. A presença amorosa e tranqüilizadora da mãe, seu contato com ela desde o primeiro momento, o colo, o embalo, o carinho, o sorriso, a voz suave, as canções em sussurros, a maneira acolhedora de segurá-lo e o socorro aos seus problemas ensinarão que o mal-estar e a frustração têm um limite, que depois deles virá a gratificação (alimentos gostosos, um banho agradável, um ambiente alegre e um brinquedo ou objeto amado...) e o bebê desenvolverá normalmente várias funções mentais e psíquicas indispensáveis para o seu futuro.

O bebê nascido de gravidez acidentada, de parto difícil, demorado ou cirúrgico, com necessidade de técnicas de reanimação (massagens, ventilação, encubadora), que não tenha tido leite materno e ao recorrer ao leite artificial apresenta grave e demorada rejeição (vômitos, diarréias, desidratação, cólicas terríveis, parada de peso), levando semanas ou meses para se recuperar, terá probabilidade de apresentar problemas na sua evolução motora, psíquica e equilíbrio emocional.

Tudo o que acontece com uma criança desde o seu primeiro dia de vida pode influenciar, favorável ou desfavoravelmente, sua futura personalidade.

Um dos aspectos mais importantes do relacionamento entre mãe e filho é o que se refere ao olhar que se estabelece entre eles. A mãe o olha da cabeça aos pés e o tem através deste olhar; o bebê primeiramente olha o seio, depois o rosto materno e, além de tudo, se sente também observado, adquirindo assim a primeira experiência como pessoa. Por meio da fisionomia materna ele sentirá a confiança e a segurança que todo filho deposita em sua mãe. É este o motivo de, no futuro, toda vez que estiver em dificuldade, a primeira atitude será gritar: mamãe!

A alimentação ao seio constitui a chave principal da boa saúde mental, tanto para quem amamenta como para quem mama. A pediatria moderna pode, e freqüentemente o faz, substituir o leite materno por outros alimentos; porém, o que nunca poderá substituir é o fator da alimentação ao seio como extraordinário elemento de boa higiene mental. Não é fácil iniciar a amamentação pela primeira vez. Existem muitos livros para ensinar as mães a amamentar, porém o melhor processo é ter os conselhos de uma amiga ou parente que já amamentou com sucesso, ou então recorrer à denominada liga Amigas do Peito, que existe em muitas cidades em nosso país, ou recorrer às enfermeiras de berçários competentes.

OS ÓRGÃOS DOS SENTIDOS

O paladar do recém-nascido

Está provado que este sentido está presente desde o primeiro dia de vida do bebê, pois não há dúvida de que ele prefere o alimento doce ao amargo, pois ele suga mais depressa uma solução adocicada do que uma acidificada ou amarga e às vezes até a cospe.

A visão do bebê

Está provado que o recém-nascido possui uma visão clara. Esta é uma das mais sensacionais descobertas no estudo do recém-nascido. Admite-se que ele consegue enxergar um objeto ou alguém a 15 ou 20cm de distância. Testes cuidadosamente realizados provaram que ele procura enxergar um objeto amarelo ou vermelho colocado a 20cm de seus olhos, a sua face se ilumina, ele mantém o corpo quieto e procura seguir o objeto, virando vagarosamente a cabeça. Os pediatras não levam a sério quando algumas mães afirmam que o seu filho olha para elas quando o seguram.

O teste do reflexo vermelho, um teste de triagem, se tornará obrigatório e deve ser realizado pelo pediatra antes da alta da maternidade. Consiste em transluminar os olhos do bebê, usando-se um oftalmoscópio, para observar o reflexo vermelho da retina pela presença dos vasos retinianos. A ausência do reflexo vermelho ou opacidade dos olhos vão revelar a presença de catarata congênita, glaucoma congênito ou tumores como o retinoplastoma, que requerem intervenção imediata e tratamento específico.

A audição do bebê

Os bebês já nascem escutando. Desde o quinto mês de gravidez, o feto responde a sons de vários tipos. Os pesquisadores acreditam que a gestante que pratica música continuamente durante a gravidez, por algumas horas diárias, predispõe seu filho a uma natural sensibilidade ao ritmo. O bebê, em resposta a um ruído forte, se atira para trás e sua respiração se acelera.

Também prefere alguns sons a outros; algumas mães observaram que a música suave ou a voz humana, sussurrada, acalma o seu bebê desde a primeira semana de vida. Está provado através do eletroencefalograma que a luz forte e o barulho agridem o bebê.

Atualmente já se encontra disponível em alguns países e também no Brasil o teste para pesquisa de surdez congênita ("teste da orelhinha"), que procura detectar precocemente crianças com déficits de audição. Este exame deverá ser realizado em todo bebê até três meses de vida. A pesquisa da audição é difícil no recém-nascido e a interpretação do teste pode levar a falsos resultados e a falsos diagnósticos de surdez.

Todavia, este teste já é obrigatório no Brasil e somente pesquisa a presença de surdez condutiva (má formação do canal auditivo etc.) e não neurológica. No caso de bebês que não passem no teste, o exame deve ser repetido com três meses de vida para confirmar ou não o primeiro teste auditivo. Caso o exame persista alterado, o bebê deverá realizar a audiometria de tronco cerebral (BERA) para confirmar ou não o diagnóstico. De qualquer forma, toda criança, independentemente do resultado da triagem auditiva deverá realizar a audiometria na idade escolar.

O olfato do bebê

Ao nascer o bebê tem o olfato completamente desenvolvido e, portanto, sente o odor desagradável ou não. Esta questão, contudo, tem sido negligenciada. Não use desinfetantes fortes em casa, para não agredi-lo. Não use perfumes no recém-nascido. Cuidado com os inseticidas, todos são tóxicos e fazem mal ao bebê. Evite o uso de talco, pelo perigo de aspiração e alergia respiratória.

O BEBÊ NORMAL

O peso

Habitualmente considera-se normal o peso do bebê ao nascimento entre 2.500 e 3.500g. Recém-nascidos com peso inferior a 2.500g são classificados como tendo baixo peso ao nascimento e deverão ter seu peso controlado rigorosamente nas primeiras semanas para evitar uma possível desnutrição. Já os bebês com peso superior a 3.700g, apesar de normais, são chamados de grandes ou macrossômicos e estão mais predispostos à hipoglicemia (baixa taxa de açúcar no sangue) após o nascimento, que muitas vezes pode ser evitada com a alimentação precoce e mais freqüente nas primeiras horas de vida. Atualmente, bebês prematuros e com peso inferior a 1.800g necessitam ficar internados em unidades especializadas para melhor acompanhamento e recuperação nutricional.

Hoje em dia, com toda tecnologia disponível, bebês tão pequenos, com idade gestacional de 25 a 26 semanas e peso entre 500 e 600g, já sobrevivem no Brasil. Todavia, requerem longo tempo de internação em UTI neonatal, às vezes noventa dias ou mais, com a possibilidade de seqüelas relacionadas à gravidade do quadro inicial e à prematuridade extrema, além de internação muito onerosa para quem não tem plano de saúde.

O comprimento

O comprimento ideal é de 50cm para os meninos e de 48, 49cm para as meninas. A altura sofre menos oscilação do que o peso; existem recém-nascidos que atingem 54 a 55cm.

Os perímetros

Têm grande importância. O perímetro cefálico mede, em média, 34cm, e o torácico, 32; portanto, vemos que, em condições normais, o perímetro cefálico é maior do que o torácico.

A cabeça

Tem o formato ovóide, parecendo muito grande em relação ao corpo, com a pequena curvatura correspondendo ao queixo. Na parte superior da cabeça nota-se a fontanela (moleira), sobre a qual existem as mais variadas interpretações de um povo, acreditando alguns não poder ser tocada, pondo em risco a vida do bebê. Nada disto é verdade. A fontanela é uma das disposições da natureza para facilitar o parto, permitindo a diminuição do perímetro craniano; é tão resistente como uma lona.

As orelhas (pavilhões auriculares) variam de tamanho e de formato, algumas apresentam-se moles, porque sua cartilagem ainda não está perfeitamente solidificada. Nos casos de "orelha-de-abano" não adianta colocar esparadrapo ou touca, ela acabará ficando em posição certa naturalmente, ou então, entre os cinco e seis anos, poderá ser submetida à cirurgia plástica.

A moleira (fontanela)

Toda mãe sabe que, em condições normais, na parte superior da cabeça do seu bebê encontra-se uma parte mole, percebida pela pressão suave das pontas dos dedos, que é denominada de moleira, e pelo médico, de fontanela. Sua presença é uma das misteriosas providências da natureza. O bebê ao nascer não tem as quatro tábuas ósseas que formam o crânio (uma frontal, dois parietais e uma occipital) soldadas, e sim apenas justapostas, para facilitar o trabalho de parto, permitindo o alongamento do crânio, de acordo com a passagem no canal vaginal, protegendo o cérebro da criança. Entre estes ossos existem dois pequenos espaços ainda vazios, um na parte superior da cabeça – a fontanela anterior – e o outro na parte posterior – a fontanela posterior. A mais conhecida é a superior, que é composta de uma faixa membranosa, resistente como uma lona, que pode se apresentar abaulada por ocasião do choro forte e em algumas doenças do sistema nervoso central; ou então deprimida, quando a criança está dormindo; a depressão torna-se mais acentuada quando a criança está desidratada. A moleira pode apresentar, quando tocada, um certo batimento, mais perceptível quando o bebê chora, e em algumas crianças mais acentuados que em outras, fato que assusta os pais, sem ter, entretanto, qualquer significado. A fontanela apresenta-se aberta ao nascimento, tem forma de losango, variando sua largura de dois a quatro centímetros, podendo aumentar um pouco, não muito, em condições normais, até os seis meses, iniciando então sua diminuição até fechar definitivamente, o que pode acontecer em condições normais entre os nove e os dezoito meses. Às vezes a percepção de uma fontanela demasiadamente dura não é fácil, preocupando os pais, julgando-a fechada precocemente. Tanto o fechamento precoce, antes dos nove meses, como sua permanência depois dos dezoito meses, devem ser comunicados ao pediatra.

A coluna vertebral

É reta, não apresentando curvaturas como a dos adultos, pois estas vão aparecendo à medida que a criança progride seu desenvolvimento motor. A curvatura cervical aparece quando a criança começa a sustentar a cabeça; a dorsal, ao sentar; e a lombar, ao ficar de pé.

O tórax

É relativamente curto em relação ao abdome. As costelas são horizontais e a atitude é francamente inspiratória.

Os membros

São curtos e magros em relação ao tronco.

Os pés

Não têm arco plantar, apresentando, nesta região, tumefação, formada por tecido gorduroso.

As pernas

São ligeiramente curvas.

A pele

No começo é levemente arroxeada, tomando, horas depois, uma coloração avermelhada, passando a rósea no final da primeira semana de vida. É recoberta por penugem fina e tênue, denominada lanugo ou lanugem. Cabelos extras na testa, nas faces e nas orelhas desaparecerão no primeiro mês de vida.

Atitudes ou posição ou jeito

É a mesma que ele mantinha dentro do útero, com as pernas e os braços fletidos. Quando os recém-nascidos choram muito, basta, às vezes, colocá-los nesta posição para eles se aquietarem.

"Língua presa"

O "freio" da língua é bem aparente, dando a impressão de que a língua está presa. Foi por muito tempo prática comum cortar o freio da língua para a criança mamar perfeitamente e não apresentar dificuldades posteriores para falar. De modo geral, pode-se afirmar que a criança pondo sem embaraço a língua de fora, não apresentará qualquer problema. Ocasionalmente o freio da língua estende-se até a ponta desta, interferindo em sua protusão (dificuldade de pôr a língua para fora), o que mais tarde poderá afetar a própria alimentação ou a fala. Considerando a possibilidade de hemorragia ou infecção, e mesmo o relaxamento espontâneo do freio da língua no decorrer dos primeiros meses, não é aconselhável a incisão precoce. Entretanto, se persistir o fato, deverá ser feita uma pequena intervenção cirúrgica após os dez meses de idade. Deve ser lembrado que a ponta da língua cresce mais que o corpo da língua, nos primeiros meses de vida.

Fisionomia

É característica os olhos pequenos e separados, nariz em botão e chato, orifícios redondos e relativamente grandes, lábios grossos, ausência de bossas frontais e, segundo alguns, lembrando a expressão fisionômica dos selvagens.

Urina

Logo que o bebê nasce, os pais ficam preocupados se ele urinou. A formação da urina, no início, é pequena, e apenas 23% das crianças urinam logo ao nascer, 90% nas primeiras 24 horas e 100% nas primeiras 48 horas.

Se a criança não urinar após decorridas 24 a 48 horas, deverá ser examinada pelo médico.

Evacuação (dos primeiros dias à primeira semana)

Os bebês evacuam relativamente cedo fezes pretas, às vezes com um tom verde-escuro, chamadas pelos leigos de "ferrado", e tecnicamente, mecônio. São matérias especiais, pois não são realmente fezes, não contendo resíduos alimentares, mas substâncias como fermentos, células descamadas do tubo digestivo, bile e líquido amniótico. O mecônio é às vezes expelido durante o parto. Nos três ou quatro primeiros dias há de três a quatro dejeções de mecônio por dia. No quinto vão-se apresentando modificações e as fezes tornam-se granulosas e de tom amarelado. Finalmente, ao sexto dia, tomam o aspecto normal (cor amarelo-ouro, aspecto compacto e cheiro ácido), que permanecerá durante o primeiro ano. O mecônio deverá ser expelido nas 24 horas seguintes ao parto, pelas crianças normais e nas 36 horas pelas prematuras. Se a criança não evacuar neste período, deve-se chamar o pediatra, pois isto pode se tratar de uma malformação, como imperfuração anal, ausência ou estreitamento de partes do intestino, que exigem providências imediatas. Para facilitar a expulsão do mecônio, dispensam-se os purgantes, pois o leite materno nos primeiros dias (colostro) tem ação laxante. O número de evacuações diárias varia muito nos primeiros dez dias de vida. Há bebês que evacuam, em condições normais, até oito, nove vezes, e outros uma ou duas. A higiene deve ser feita com lenços umedecidos ou algodão molhado ou, caso ele fique muito sujo, com banho em água filtrada e fervida até a queda do coto.

Temperatura

Logo ao nascer é mais elevada do que a materna, passando, em seguida, para 37°C, e neste nível se mantém durante 24 a 36 horas. Sendo importantes as variações, tanto para mais como para menos, deverão ser comunicadas ao pediatra. A temperatura axilar pode variar de 36°C a 37°C, e a retal de 37°C a 38°C em condições normais.

A respiração

Deverá ser rápida (60 movimentos respiratórios por minuto), não muito regular e superficial; da sua observação o pediatra pode fazer interpretações importantes. O nariz e a garganta deverão estar desobstruídos de qualquer secreção ou líquido que tenha sido aspirado durante o parto. Alguns bebês, no primeiro mês de vida, podem apresentar movimentos respiratórios acelerados sem qualquer significado e, segundo as mães, como se fora um "cachorrinho cansado". É importante que ele se mostre satisfeito, dormindo e se alimentando bem para ser considerado normal.

O pulso

Deverá ser rápido, com 120 a 150 batimentos por minuto, e percebido da mesma forma que nos adultos.

O sono

Deverá ser tranqüilo e contínuo, cortado pelo choro de acordo com suas necessidades. O choro deverá ser forte. Todas as vezes em que o recém-nascido ainda não tiver chorado, convém chamar a atenção do pediatra.

Os órgãos genitais

Os meninos deverão apresentar, ao nascimento, os testículos (grãos) na bolsa escrotal. As meninas os dois lábios vaginais de igual tamanho, às vezes um catarro na vagina, e outras vezes secreção com uma cor sanguinolenta, devido aos hormônios maternos, revelando a primeira crise pubertária, crise hormonal do recém-nascido.

A ereção do pênis é comum e sem significado no recém-nascido, a nosso ver mais freqüente nos nascidos de parto difícil, "alguns nascendo até urinando".

A boca

Os lábios apresentam freqüentemente, na parte mediana, uma saliência volumosa, com descamação e modificação da coloração mais para pálida.

A cor dos olhos

A maioria apresenta olhos cinza-azulados; existem, porém, crianças que os têm castanho-escuros desde o primeiro dia de vida. Geralmente a cor dos olhos só se definirá depois dos seis meses.

O QUE A MÃE DEVE CONTAR AO PEDIATRA

É indispensável que ao primeiro exame do recém-nascido a mãe informe ao pediatra como evoluiu a gravidez e como ocorreu o parto.

Como evoluiu a gravidez

A área da pediatria referente ao recém-nascido progrediu tanto que já é considerada uma subespecialidade, denominada neonatologia. A mãe deve informar ao pediatra, com todos os detalhes, como se desenvolveu sua gravidez.

A gestação compreende três períodos bem definidos:

Primeiro período: denominado *germinativo*, desde a fecundação até o fim da segunda semana, também denominada *fase pré-embrionária*, quando pode ocorrer a morte do ovo fecundado, mesmo sem que a mulher perceba.

Segundo período: do fim da segunda semana até o fim da oitava semana. É o período embrionário, da organogênese (formação dos órgãos), em que o desenvolvimento do embrião está altamente predisposto a sofrer alterações da normalidade sob a influência de causas diversas (ver malformações fetais, na pág. 66), o que pode acarretar aborto ou então malformações em diversos graus.

Terceiro período: é o período fetal que se inicia na nona semana. É o período da diferenciação, o ovo está estabelecendo o que será no futuro a cabeça, o tronco e os membros; a

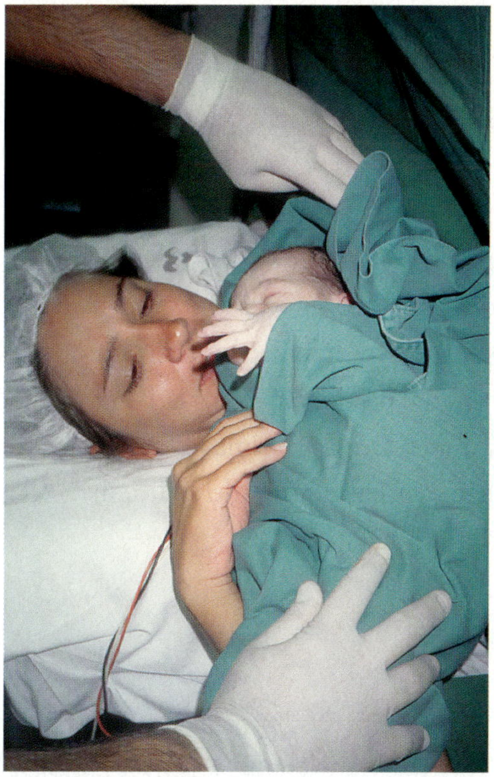

A indescritível felicidade ao olhar, pela primeira vez, o seu bebê.

partir da 16ª semana, diminui gradativamente o perigo de agressão ao feto.

A mãe deverá informar diversos fatos ao pediatra quando ele estiver fazendo a ficha do seu filho:

a) quando grávida, se ainda perdia sangue, se houve ameaça de aborto;

b) se teve, sobretudo nos primeiros três meses, doença grave, ou então esteve em contato com qualquer pessoa com doença infecciosa, sobretudo no mesmo domicílio, especialmente doença eruptiva, entre elas a rubéola, a varicela e o herpes;

c) se tomou alguma vacina nos primeiros meses de gravidez, principalmente com vírus atenuados (sarampo, rubéola e caxumba);

d) se foi operada, tipo de operação e duração da anestesia;

e) se foi submetida a exame de raios X, em que época e qual foi o número de chapas;

f) se fumou, especialmente depois do quinto mês de gravidez (geralmente isto é uma das causas de bebê com baixo peso ao nascimento);

g) se sofreu algum acidente;

h) se houve grande aborrecimento durante a gravidez (nos referimos a contrariedades que atingem a alma, isto é, decepção com o marido ou perda de algum parente extremamente querido, estas são as causas mais freqüentes);

i) os remédios que tomou, se usou tranqüilizantes, antibióticos, enfim, qualquer droga, como aspirina, e em que período da gestação;

j) é importante a mãe relatar se tem consangüinidade com o marido, especialmente se são primos-irmãos, isto é, filhos de dois irmãos, e se existem doenças hereditárias na família;

l) deve informar ao pediatra o relatório do médico obstetra, sobretudo os exames feitos.

Como ocorreu o parto

Deverão ser informadas ao pediatra as seguintes condições:

a) se o parto foi normal, por via vaginal, sem qualquer auxílio, a duração das horas do trabalho de parto, se houve sofrimento fetal, se foi necessária reanimação, se o bebê esteve na incubadora e por quanto tempo;

b) se o bebê foi tirado a ferro (nasceu de parto a fórceps). Existe uma grande prevenção contra seu uso; entretanto os obstetras acham que, quando aplicado no segundo período do parto, denominado fórceps de alívio, em mãos de parteiros hábeis não provoca lesões maiores. A mãe deve informar se a criança nasceu machucada, se os fórceps foram aplicados depois de muitas horas de trabalho de parto, se o bebê foi reanimado, se foi mantido na incubadora e mais detalhes que puder dar;

c) a mãe deve informar as razões que levaram o obstetra a decidir quanto ao parto cesáreo. Se foi com hora marcada ou se foi resolvido depois de iniciado o trabalho de parto, depois de ter sido tentado o parto normal. Se o recém-nascido chorou logo em seguida ou se foi preciso reanimação em incubadora. Outrora se dizia que o parto cesáreo resolvia o problema do obstetra, mas criava um problema para o pediatra. Esta afirmação não é verdadeira. Num parto cesáreo bem indicado, sem sofrimento materno ou fetal, o feto tem as mesmas condições, em alguns casos até melhores, do que se fosse nascido de parto vaginal demorado e difícil;

d) as condições em que o bebê nasceu, se foi realizado o teste de Apgar.

O EXAME DO RECÉM-NASCIDO

O recém-nascido poderá apresentar algumas contingências sem gravidade, e outras, infelizmente, de conseqüências mais ou menos graves. Entre as primeiras estão colocadas as particularidades próprias do recém-nascido. Entre as outras estão os acidentes do parto, as doenças do recém-nascido e, por último, desgraçadamente, as malformações. A primeira preocupação dos pais é indagar ao pediatra, após o primeiro exame, se o bebê é normal, perfeito. Uma vez confirmado, querem saber se o bebê está em boas condições de saúde.

Apesar do exame clínico, as garantias do pediatra de que o recém-nascido é 100% perfeito são relativas, porquanto são necessários testes de avaliação do funcionamento dos órgãos dos sentidos, como audição e visão, e capacidade funcional de alguns aparelhos, como o digestivo, e o exame de sangue, que só com o tempo se revelam. Não é nosso propósito assustar os pais, mas sim resguardar a reputação profissional do pediatra que, no desejo de dar boas notícias à jovem família, possa fazer a afirmação que o futuro, infelizmente, não confirme. Na realidade, somente após completar o terceiro mês é possível ser feito o diagnóstico de um bebê normal. Quanto à segunda parte, no que se refere às condições de saúde do recém-nascido, conseqüentes à inevitável violência do parto, a médica americana Virginia Apgar imaginou uma avaliação baseada em números que traduzem as condições do recém-nascido e que vem sendo usada nos berçários de todos os países. Basta observar os sinais do quadro e escrever a nota correspondente. Se o recém-nascido tiver nota inferior a 5, está em condições sérias, os que têm acima de 5, até 7, estão em condições razoáveis, acima de 8, condições boas, porém o ideal é nota 9 ou 10.

O teste de Apgar permite melhor avaliação do estado do recém-nascido e orienta a conduta terapêutica nas primeiras horas de vida.

A avaliação deverá ser feita sessenta segundos após o nascimento e ser repetida a cada cinco minutos, quantas vezes forem necessárias, até ser obtida a nota 8, quando ele será considerado fora de perigo. Os recém-nascidos com nota 7 ou inferior são considerados com deficiência de oxigênio, condição de extrema gravidade, que deve ser imediatamente corrigida.

QUANDO O RECÉM-NASCIDO ESTÁ EM PERIGO

O pediatra deverá ser avisado imediatamente:

a) quando o recém-nascido apresentar coloração azulada nos lábios, no rosto e nas mãos. Causas: dificuldade respiratória, açúcar no sangue, queda de temperatura, infecção ou problema cardíaco;

b) palidez. Causas: perda interna de sangue, eliminação de sangue pelo intestino, necessidade de oxigênio ou tendência ao estado de choque;

Avaliação das condições de saúde (vitalidade) do recém-nascido – (teste de Apgar)			
Valor dos pontos Sinais	0	1	2
Freqüência do pulso por minuto	Ausente	Lenta (abaixo) 100	Boa Acima de 100
Respiração	Ausente	Lenta e irregular Choro fraco	Boa Choro forte
Contração muscular	Flácida	Alguma flexão das extremidades	Movimentos ativos
Reação às cócegas nas solas dos pés ou à sonda no nariz	Nula	Careta	Choro
Cor	Azul-pálida	Corpo rosado, extremidades azuladas	Completamente rosado
Nota	0	5	10

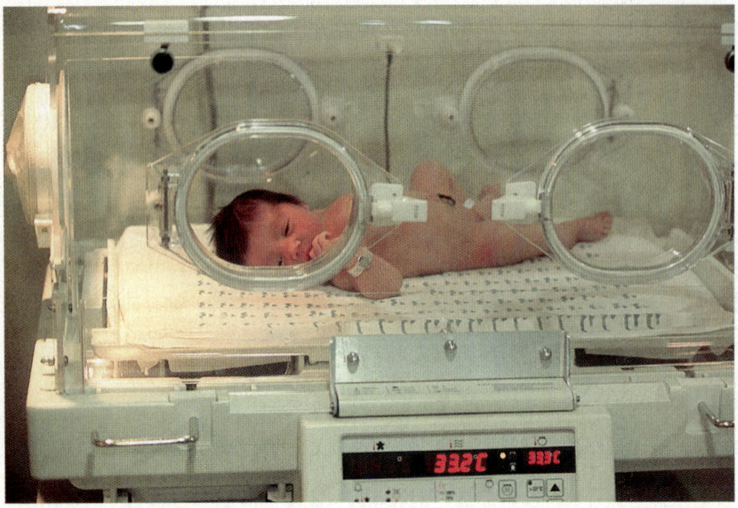

A incubadora evita o resfriamento do corpo do recém-nascido nas horas posteriores à saída do útero da mãe.

c) tremores ou convulsões. Causas: problema cerebral, infecção, desidratação, deficiência de açúcar;

d) prostração (letargia). Causas: conseqüência da anestesia materna, traumatismo cerebral, febre;

e) irritabilidade, gritos, choro indicando desconforto. Causas: problemas abdominais, cerebrais ou inflamação de ouvido;

f) agitação, inquietude permanente, sobretudo em prematuros. Causas: falta de oxigênio ou queda de açúcar ou de cálcio no sangue;

g) quando rejeita o seio ou a mamadeira. Causas: problema cerebral, inflamação na boca ou da faringe, fraqueza muscular e muitas outras, que deverão ser pesquisadas pelo médico;

h) aumento de temperatura. Causas: sede, aquecimento exagerado da incubadora ou do quarto, excesso de roupa, mamadeira muito concentrada. As infecções nos recém-nascidos geralmente não são acompanhadas de febre;

i) dificuldade respiratória exigindo esforço ou então paradas transitórias da respiração, comuns em prematuros de baixo peso. Causas: problema cerebral, problemas das vias respiratórias;

j) icterícia, principalmente se surgiu no primeiro dia de vida ou nas primeiras 48 horas;

l) vômitos sistemáticos: não confundir com regurgitação (ver págs. 158 e 210);

m) fezes líqüidas, com ou sem catarro ou muco;

n) distensão abdominal – barriga abaulada, com indiscutível sensação de mal-estar;

o) imobilidade de um braço ou uma perna. Causas: fratura, distensão dos nervos, infecção, sífilis congênita.

RECÉM-NASCIDO COM DOR

Os recém-nascidos também sentem dor. O choro e a inquietude são os sinais mais evidentes. A causa da dor deve ser pesquisada, se possível identificada e tratada porque pode ter repercussões emocionais e funcionais, que prejudicam seu comportamento.

Sinais

- Expressão facial contraída
- Choro resmungando ou vigoroso

- Respiração acelerada
- Braços e pernas agitados
- Alterações no sono e no apetite

As causas da dor poderão variar, desde uma simples cólica até doenças graves que necessitam da presença imediata do pediatra. O choro ininterrupto é um sinal de alerta. Ofereça água com açúcar ou chupeta; são os recursos que a mãe pode tentar.

PARTICULARIDADES DO RECÉM-NASCIDO

O recém-nascido poderá apresentar alguns fenômenos, que em condições normais, sem maiores conseqüências, entretanto, poderão assustar os pais.

Às vezes o bebê poderá apresentar dentes ao nascer. Se estiverem bem firmes, nada há a fazer; se estiverem moles, deverão ser extraídos, pois poderão ser aspirados, indo parar nos brônquios; sua presença não tem maior significado, e habitualmente caem no decorrer do primeiro mês de vida.

Descamação epitelial

Logo em seguida ao nascimento começa uma descamação, principalmente nos pés e nas mãos, como se o bebê estivesse mudando de pele. É às vezes muito intensa, chegando a impressionar os pais, depositando-se em grande quantidade pelo lençol. Até o quinto ou sexto dia esta descamação terminará.

Espirros

O espirro é um tipo de defesa e a criança espirra para se libertar das secreções que, por acaso, tenha deglutido ou inalado durante o momento do parto. Às vezes o excesso de talco ou de tecido que solte fiapos pode provocá-lo.

Febre

Nem sempre é devida a infecções. Pode ser causada por temperatura ambiente elevada, excesso de agasalho, falta de ingestão adequada de leite etc. Evite agasalhos exagerados; o uso de ar-condicionado no quarto ou berçário presta excelente auxílio nos dias quentes. Nestes casos, nada de usar antibióticos. Às vezes pequenas doses de antitérmico podem ser empregadas. O pediatra deve sempre ser consultado.

Fezes

Nas crianças alimentadas exclusivamente ao seio, as fezes costumam ser aguadas, com alguns grumos, dando a impressão das evacuações de galinhas e patos. Comumente evacuam de quatro a seis vezes ao dia, mas crianças de mães com constipação intestinal podem passar mais de um dia sem evacuar, e quando o fazem eliminam fezes com as mesmas características daquelas que o fazem todos os dias. O reflexo gastrocólico é comum nos primeiros 15 dias de vida (fezes líquidas de oito a dez vezes por dia).

Sangramento vaginal

As recém-nascidas podem apresentar nos primeiros dias de vida uma secreção sanguínea não purulenta da vagina, fato que assusta bastante as pessoas não avisadas. O seu aspecto é de uma verdadeira regra, porém, sem conseqüência, cedendo espontaneamente dentro de 24 ou 48 horas.

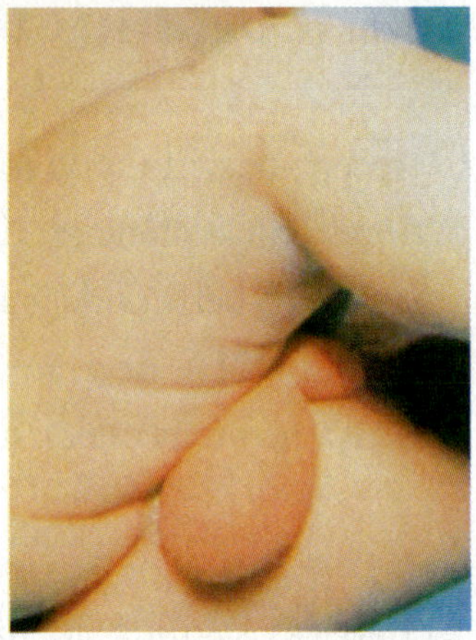

Hidrocele

É o acúmulo de líquido na bolsa escrotal. A cura é quase sempre espontânea, após o quarto mês. São necessárias a avaliação e a orientação do pediatra.

Pele amarelada (icterícia fisiológica)

Metade dos bebês recém-nascidos apresenta visível cor amarelada da pele, que se inicia entre o segundo e o terceiro dias, acentuando-se entre o quarto e o quinto, começando a regredir no sétimo e desaparecendo, o mais tardar, no 14º dia. É considerada fisiológica e normal porque é absolutamente inócua. O bebê continua a se comportar bem, chorando, mamando e dormindo em condições perfeitas. A icterícia que se apresenta no primeiro dia de vida exige, com urgência, a presença do médico, e a que se prolonga além do 14º dia necessita igualmente de investigação clínica. A impregnação na pele da cor amarela inicia-se na face e no tórax, estendendo-se aos membros superiores e inferiores; em seguida para as costas e abdome. A tonalidade varia do amarelo-claro até o amarelo, ligeiramente esverdeado.

A causa está no aumento da bilirrubina no sangue, devido à degradação da hemoglobina liberada pelos glóbulos vermelhos destruídos. O feto, quando no útero, necessita de maior quantidade de glóbulos vermelhos do que o recém-nascido; uma vez estabelecida a respiração pulmonar, este excesso é desnecessário e a destruição é uma adaptação fisiológica. Todos os bebês apresentam este aumento transitório da bilirrubina, que é de cor amarela, mas somente em 50% tornam-se visíveis através da pele. Admite-se que em bebês com fígado mais competente há eliminação rápida do excesso de bilirrubina, não permitindo maior concentração no sangue. Nos prematuros, em que o funcionamento hepático é satisfatório, como no recém-nascido normal, a icterícia está quase sempre presente. Para a icterícia fisiológica não há tratamento. Deve-se aguardar sua redução sem outras providências. Cerca de 70% dos bebês normais desenvolvem icterícia fisiológica, mas somente em 50% dos casos ela se torna visível. Apesar de normalmente ser um quadro benigno, cerca de 3 a 5% dos bebês apresentam icterícia mais acentuada nos primeiros dez dias. Nestes bebês, além do excesso de bilirrubina produzido, ocorre diminuição da sua eliminação nas fezes, propiciada por algumas substâncias presentes no leite materno. Nos casos em que os níveis de bilirrubina atingem mais de 15mg%, está indicada a fototerapia em bebês com peso ao nascimento superior a 2.500g. Quanto menor for o bebê, menor será o nível para se indicar o tratamento. O objetivo da fototerapia é o de facilitar a eliminação deste pigmento do organismo e evitar que os níveis superem o nível de 20mg% quando há risco de impregnação do sistema nervoso central com lesões que poderão ser irreversíveis.

Fototerapia

Consiste no tratamento da icterícia pela luz. A aplicação de luz tem sido usada para abreviar a duração da icterícia no recém-nascido, a critério do pediatra. Tal prática se denomina fototerapia, que consiste na colocação do recém-nascido despido e com os olhos protegidos com uma venda, sob oito tubos de 40W de luz fluorescente branca ou azul, a 60cm de altura. O tempo de exposição mínima é de 24 horas. Atualmente, além dos aparelhos convencionais, com várias lâmpadas de luz fria, existem opções mais modernas e mais eficazes para o tratamento da icterícia do recém-nascido. Entre elas estão a fototerapia *Bilispot*, com lâmpada halógena, única de alta intensidade, e o *biliberço*, em que o bebê permanece deitado sob uma cuba acrílica com silicone e a irradiação vem por baixo, diminuindo consideravelmente a distância entre a luz e o bebê. Estas novas modalidades da fototerapia vêm apresentando resultados excelentes e rápidos, diminuindo bastante o tempo de internação. Atualmente, está em uso o *Bilitron*, fototerapia azul de grande eficácia e ótimos resultados.

Infarto úrico

A urina do recém-nascido apresenta característica peculiar a este período de vida; contém grande quantidade de uratos e de ácido úrico, que fazem com que ela manche as fraldas com um tom alaranjado. Este fato impressiona muito as mães jovens, que julgam tratar-se de sangue. É um fenômeno normal, que passará com os dias.

Manchas roxas

Localizam-se geralmente nas costas (região sacra), denominadas no Norte do Brasil de "jenipapo" e pelos médicos de "manchas mongólicas". São atualmente interpretadas como sinais de cruzamento de raças, evidenciando caracteres de mestiçagem, ainda que em gerações remotas, ou acúmulo de melanina localizada na parte mais profunda da pele.

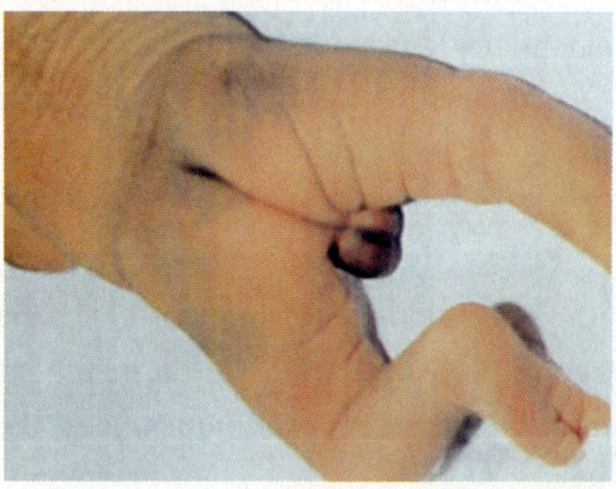

Manchas vermelhas ("bicadas da cegonha")

Denominadas de manchas ectásicas, são manchas que aparecem principalmente na testa, nas pálpebras e na nuca. São cor-de-rosa, avermelhadas ou vinhosas, uma ou mais de contornos irregulares, desaparecendo com simples pressão do dedo. São ectasias (dilatações) vasculares passageiras, que quando cedem acarretam o esmaecimento da coloração da pele. Existe ainda um segundo tipo de mancha, menos freqüente, mas parecido com a primeira, de forte coloração, que não desaparece pela pressão. É chamada *nevus* e é definitiva, congênita.

Mãos e pés arroxeados

A instabilidade dos vasos sanguíneos capilares, artérias e veias da pele do recém-nascido é a causa das modificações da sua coloração logo após o nascimento. As variações da coloração vão desde o vermelho profundo, purpúrico, até a coloração violácea, arroxeada, sobretudo das mãos e dos pés quando estão frios. Existe modalidade particular, que se caracteriza quando o bebê apresenta um lado da face e o tronco normais e outro vermelho-forte: é o chamado "bebê arlequim". Trata-se de um fenômeno transitório, que não necessita de tratamento. No entanto, deve-se ficar atento se o bebê permanecer arroxeado nas mãos, nos pés e nos lábios quando chora ou quando suga o seio. Estes sinais poderão ser de alerta para problemas cardíacos, e no caso de ficar roxo durante ou após as mamadas, isto pode ser expressão do refluxo gástrico. Nestas situações é imprescindível contactar imediatamente o pediatra para que o bebê seja examinado e se faça a investigação necessária.

Miliária

É a presença de brotoejas em áreas fechadas, como o pescoço, as nádegas, as dobras dos braços e das pernas e nas faces. Habitualmente ocorrem devido à obstrução dos poros por secreção sebácea, podendo ser removidas com o uso de pasta d'água ou à base de óxido de zinco.

Eritema tóxico

É uma mancha avermelhada com fundo esbranquiçado, de tamanho variado e contornos irregulares que pode surgir nos três primeiros dias de vida por toda a superfície da pele. Ocorre devido ao contato da pele sensível do bebê com roupas, cueiros, mantas etc. Desaparece espontaneamente e não necessita de nenhum tratamento.

Pérolas de Ebstein

São pequenos cistos brancos e de aspecto perolado que podem ser vistos no céu da boca quando o bebê chora. São também cistos sebáceos e podem ser confundidos com o sapinho. Desaparecem espontaneamente, não precisando de tratamento.

Vômitos e regurgitações

Também podem ocorrer, principalmente quando ainda há líquido residual no estômago no primeiro dia após o parto. Às vezes há necessidade de se aspirar este líquido por meio de sonda quando a quantidade é grande. As regurgitações (pequenas golfadas) após a mamada podem ser normais, principalmente se o bebê não arrotou satisfatoriamente.

Soluços

São normais após a mamada e podem persistir por alguns minutos. Ocorrem devido à contração do diafragma, estimulado pela distensão do estômago por ar e leite quando o bebê acaba de mamar. Cessam espontaneamente e não há necessidade de se oferecer chás nem água.

Milium

São nódulos diminutos ("cabeça de alfinete"), cor-de-cera, que costumam aparecer no nariz.

Pele

No recém-nascido, a cor da pele das mãos, dos pés, das pernas e dos braços pode apresentar variações que preocupam os pais. As variações podem se apresentar desde o vermelho-escuro até a tonalidade arroxeada ou azulada, quando a criança chora por muito tempo.

Mais tarde, quando o bebê for levado ao colo, pode apresentar as pernas e os pés arroxeados, pela simples compressão dos vasos sanguíneos pelo braço materno. Basta a criança parar de chorar ou mudar de posição para restabelecer a coloração rósea normal. Isto é devido à instabilidade da circulação sanguínea periférica (da pele) nas primeiras semanas de vida. Sua causa está no fato de as artérias e as veias que conduzem o sangue da pele se contraírem ou dilatarem com extrema facilidade sob a influência das causas mais simples, como frio, posição, pressão, choro forte e prolongado, não se podendo, entretanto, nos casos de maior intensidade, afastar as possibilidades de estar em jogo uma lesão do coração ou dos pulmões.

Pêlos

Alguns dias após o nascimento, a criança poderá se apresentar "peluda", com os cabelos crescendo em pontas para todos os lados, aparecendo pêlos atingindo o supercílio e a região sacra (parte inferior das costas), chamado lanugem. Felizmente, dentro de poucos dias estes pêlos, que tanto enfeiam o bebê, caem.

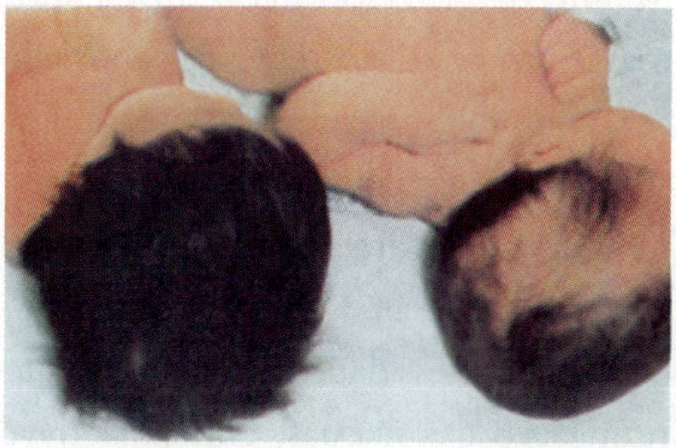

Perda de peso

Logo após o nascimento o peso diminui, geralmente, em 10% do peso inicial. Esta perda de peso não é súbita, e sim gradativa, nos primeiros quatro dias. É conseqüência da eliminação do mecônio, da urina, perda de água pela eliminação da pele, e à pausa alimentar a que o bebê é submetido. Alguns puericultores acham que quanto maior a criança maior a perda, e que as do sexo masculino sofrem perda de peso mais pronunciada. Em média, no décimo dia, o peso inicial deverá estar recuperado, dependendo do volume de leite materno ingerido. Quando o bebê demora a recuperar o peso, deve-se apurar a causa: a primeira a ser pesquisada é a insuficiência do leite, outras causas podem ser uma constituição anormal ou infecção na criança.

Baixo peso

Todo recém-nascido com peso inferior a 2.500g é considerado "de baixo peso", "prematuro", se nasceu antes dos nove meses de gestação, e "desnutrido intra-uterino", se apresenta baixo peso em relação ao tempo de gestação. Estes bebês necessitam de cuidados especiais e os pais não devem ficar desanimados, pois é muito freqüente ver-se bebês que nasceram com peso mínimo chegar ao fim do primeiro ano com dez quilos, perfeitamente normais. A vigilância sobre a alimentação, o apuro da dieta alimentar e a colaboração materna são fatores indispensáveis para que o pediatra bem-orientado alcance excelentes resultados. A literatura médica apresenta casos de serem criados recém-nascidos com 600g, bem como já foram registradas crianças gigantes, até com onze quilos ao nascer. Do ponto de vista clínico, toda criança que nasce com peso acima de cinco quilos é considerada gigante.

Tumefação da mama

Fato interessante e freqüente é a hipertrofia das glândulas mamárias do recém-nascido, denominada por alguns de "mamite fisiológica", atingindo, em alguns casos, tamanho apreciável. Se espremidas, jorram leite, idêntico ao materno, que "as comadres" chamam de "leite de bruxa". Sendo um fato normal, não há, absolutamente, razão para dar "interpretações feiticeiras" traduzindo a ignorância de quem as pronuncia. É um fenômeno normal no desenvolvimento do recém-nascido, havendo outros da mesma natureza; nas meninas, pode haver até um derramamento sanguíneo vulvar, verdadeira "regra". Nos meninos, pode haver aumento dos testículos (grão de bolsa) e pregueamento da bolsa escrotal. Ambos cedem espontaneamente. Faz parte também desta fase o milium da face e do nariz, apresentando-se na forma de um pontilhado de pequenos grânulos cor-de-cera, indolores, nas regiões citadas. O aparecimento da crise é registrado geralmente do terceiro ao décimo dia, e desaparece, sem maior cuidado, dentro de algumas semanas.

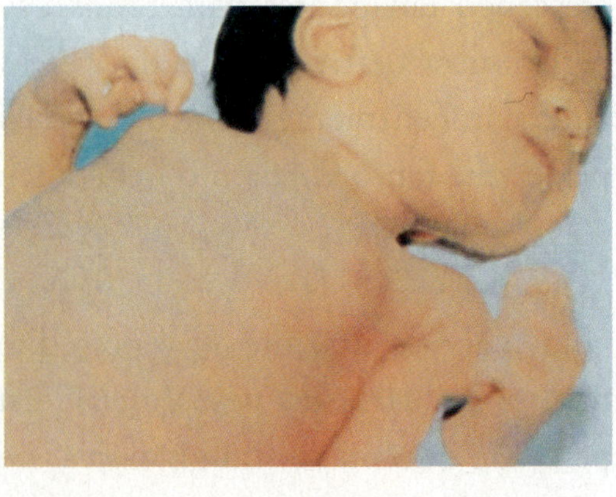

Não há necessidade de qualquer tratamento para a tumefação das mamas. Nunca se deve espremê-las, pois poderá traumatizar e inflamar, formando um abscesso que exigirá o uso de antibiótico e possível intervenção cirúrgica.

Vômitos

Os vômitos nas primeiras horas de vida são conseqüência geralmente do uso de drogas sedativas ou analgésicas durante o trabalho de parto.

ACIDENTES NO RECÉM-NASCIDO

São manifestações clínicas decorrentes do trabalho de parto, denominados na medicina de tocotraumatismo (*tocos*, palavra grega que significa *parto*). As irregularidades que o feto pode apresentar, devido à sua posição no útero, também serão comentadas neste capítulo.

Cabeça

Asfixia – o feto não apresenta coloração avermelhada ao nascer, e sim inteiramente branca (asfixia lívida) ou azulada (asfixia cianótica). São problemas do início dos movimentos respiratórios, que em alguns casos pode demorar a se estabelecer devido a partos difíceis, demorados ou rápidos demais ou em conseqüência de anestésicos administrados à parturiente, ou ainda em conseqüência da aspiração de líquido amniótico.

Bolsa serossanguínea na cabeça (*Caput succedaneum*)

Em alguns recém-nascidos nota-se um aumento da cabeça para cima e, ao passar os dedos, percebe-se uma inchação difusa, amolecida, indolor, de todo o couro cabeludo que recobre a parte superior do crânio.

Sua causa reside na pressão existente na parte da cabeça primeiramente exposta durante o trabalho de parto. A denominação de *bolsa serosa* é conseqüência de ser formada por um líquido ligeiramente alaranjado. É destituída de qualquer perigo e desaparecerá nos primeiros dias de vida. Não confundir com céfalo-hematoma estudado a seguir.

"Cabeça pontuda"

O crânio pode ser moldado de forma alongada nas partes posterior e superior. É mais freqüente em bebês de primeiro parto, sobretudo se a cabeça esteve esmagada por tempo considerável em partos demorados. A cabeça do recém-nascido em parto cesáreo ou na apresentação de nádega é identificada facilmente pelo crânio redondo. A forma comprida, desde que não tenha havido sofrimento fetal, não requer maior preocupação, retomando o crânio, com o correr dos dias, em média doze semanas, seu aspecto normal, sem qualquer conseqüência.

Cara torta

A face do recém-nascido pode se apresentar assimétrica (torta) devido à posição do feto no útero, quando sua mandíbula (queixo) esteve sendo pressionada pelos ombros ou pelos membros. A tendência é de melhorar com os meses, se não tiver outra causa mais séria, como defeitos de crescimento de cartilagens ou dos ossos durante sua formação.

Céfalo-hematoma

Apresenta-se sob a forma de um tumor amolecido e indolor na parte superolateral da cabeça do recém-nascido. Às vezes de um só lado, outras vezes bilateral. É decorrente de hemorragia localizada entre a tábua óssea e o couro cabeludo.

É freqüente nos partos a ferro (fórceps), mas também pode se estabelecer em partos normais. Não há necessidade de intervenção cirúrgica; sua reabsorção se processa normalmente, dentro de quatro a oito semanas.

O bebê com céfalo-hematoma pode ficar mais ictérico que o habitual e deverá ser acompanhado para indicar se há a necessidade ou não de fototerapia.

Fratura do crânio

É relativamente rara, devido à propriedade do crânio de se adaptar e de se moldar. É menos freqüente em partos espontâneos do que em partos a ferro (fórceps), resultando da pressão do crânio, pelas colheres do fórceps, ou em partos muito trabalhosos devido ao trauma da bacia em relativa desproporção com o crânio da criança, resultando da pressão deste sobre os ossos da bacia. As fraturas podem ser lineares ou então com afundamento, não sendo necessário corrigir este último, que acaba por desaparecer após algumas semanas, espontaneamente. Quando não há lesão intracraniana o prognóstico é bom, sem maiores conseqüências.

Manchas avermelhadas nos olhos (hemorragia subconjuntival)

As hemorragias verificadas nos olhos do recém-nascido são causadas pelo aumento da pressão intratorácica durante a passagem do tórax através da vagina. Não têm maior conseqüência e desaparecerão dentro de uma ou duas semanas. Aplique uma ou duas gotas de colírio fisiológico, uma vez por dia; isto pode ser feito, sem ser indispensável. Em alguns casos, devido às pálpebras edemaciadas, inchadas, após o nascimento, retarda-se a percepção e só posteriormente serão notadas, com grande susto da mãe.

Paralisia facial

A paralisia facial é quase sempre conseqüente à compressão do nervo facial pelo fórceps ou da face contra a pelve. Seu reconhecimento é fácil. A boca, desviada para o lado são, é o que se torna mais evidente durante o choro. A paralisia do músculo orbicular da pálpebra impede o fechamento dos olhos, que pode resultar em ulceração do globo ocular. Na maioria das vezes se cura espontaneamente.

Queixo torto

Alguns recém-nascidos poderão apresentar assimetria da face, devido a um lado do queixo se apresentar deprimido em contraste com o outro. Geralmente é devido à posição forçada no útero, comprimido por um dos braços. Com o tempo, se não houver dano à mandíbula, ficará em condições normais.

Rosto edemaciado, inchado, de cor violácea, arroxeada: o bebê pode se apresentar assim nos partos de apresentação de face, o que cede com o tempo, sem maiores conseqüências.

Torcicolo (pescoço torcido)

Alguns bebês poderão apresentar, ao nascer, um grau de torcicolo, isto é, a cabeça virada para um dos ombros. Em média, dois terços desaparecem com ou sem pequenos exercícios. Em alguns casos deve ser feita a ginástica corretiva, flexionando a cabeça vinte vezes para o lado oposto, duas séries por dia, na hora do banho e, à tarde, na hora do lanche. Alguns pediatras aconselham que estes exercícios sejam feitos 25 vezes, com três séries por dia. O torcicolo verdadeiro é o encurtamento fibroso do músculo correspondente ao desvio e exige a intervenção do cirurgião-ortopedista.

As mães devem deixar as crianças com o lado afetado voltado para a parede, de forma que os ruídos, estímulos luminosos e outras coisas que interessem à criança obriguem-na a virar-se para o outro lado e, conseqüentemente, alongando o músculo contraído.

Caroço no pescoço

No recém-nascido, pode ser verificado aos quinze dias um caroço no lado direito ou esquerdo do pescoço; este é devido a uma hemorragia do feixe muscular de um importante músculo do pescoço; denomina-se hematoma do esternocleidomastóideo. Revela-se um caroço duro, fibroso e indolor, que costuma desaparecer depois de alguns meses. É causado por manobra durante o parto. É um acidente independente da habilidade do obstetra e que não desabona sua competência. Em alguns casos pode haver fibrose e encurtamento do músculo, exigindo tratamento: exercícios ou intervenção cirúrgica.

Tronco – fratura da clavícula

É a mais freqüente de todas as fraturas e às vezes pode passar despercebida, só sendo notada no primeiro exame com o pediatra. Costuma acontecer no momento em que o obstetra tenta liberar o ombro do bebê ao nascimento em bebês grandes (macrossômicos) ou que estão de lado, dentro do útero (córmico). Nestes casos costuma haver uma redução dos movimentos dos braços do bebê no lado fraturado. Na maioria das vezes são fraturas incompletas, chamadas de "fratura em galho verde". Estas fraturas curam-se naturalmente, não necessitando de imobilização. Recomenda-se que a mãe tenha cuidado ao pegar o bebê, para ele não sentir dor. O prognóstico é excelente, sem apresentar nenhum prejuízo futuro para a criança. Na dúvida, deve-se conversar com o pediatra.

Hemorragia das vísceras

A hemorragia de certos órgãos, como o baço, o fígado e a glândula supra-renal é rara, embora no parto de apresentação de nádegas possa ocorrer a da supra-renal. São manifestações clínicas da maior gravidade; em caso de suspeita, consulte imediatamente o pediatra.

Paralisia do nervo frênico

O nervo frênico controla o diafragma, músculo importante nos movimentos respiratórios. Os sintomas são respiração acelerada e cianose. A radioscopia revela a lesão por meio dos movimentos irregulares da mecânica pulmonar (alterações dos movimentos do diafragma).

Braço

Os acidentes mais freqüentes são a fratura do úmero e a paralisia do braço.

Fratura do úmero (braço)

O úmero, quando fraturado por ocasião do parto, geralmente não apresenta fratura total, mas a forma "de galho verde quebrado". Esta fratura é evidenciada pela falsa paralisia ou irregularidade do braço afetado em comparação com o normal. A cicatrização é rápida, com formação de um calo, não resultando em qualquer defeito, mesmo nos casos em que a correção (alinhamento) não foi muito perfeita. A duração da consolidação da fratura é em média de quatro semanas. O tratamento consiste na imobilização do braço junto ao tórax com atadura de crepom.

Paralisia do braço

A paralisia do(s) braço(s) e da(s) mão(s) é denominada de paralisia braquial, porque atinge os nervos cervicais ou suas raízes, existentes na parte da medula (espinha) cervical que corresponde ao pescoço. Os nervos cervicais controlam os movimentos dos braços, dos antebraços e das mãos. Esta paralisia pode ser provocada pela distensão ou ruptura desses nervos, pela distensão extensiva do pescoço, especialmente durante o parto de apresentação de nádegas.

De acordo com os nervos atingidos, existem três formas de paralisia: a primeira, mais freqüente, denominada de Erb-Duchenne, quando são atingidos o quinto e o sexto nervos cervicais (do pescoço), o braço fica imóvel ao lado do tronco, com o antebraço rodado para dentro e os dedos fletidos. A criança não consegue levantar o braço ou afastá-lo (abdução) do tronco. O tratamento consiste em colocá-lo na posição correta para evitar não apenas a deformidade, mas também a fixação em posições viciosas devido à retração dos tendões e músculos, provocando atrofias, que podem ser prevenidas por meio da fisioterapia. Um neurologista é indispensável neste caso.

O segundo tipo de paralisia das mãos, denominada paralisia de Klumpke, é mais raro do que o do braço; são os últimos nervos cervicais atingidos e o primeiro da parte torácica. A terceira é a forma mista, isto é, a paralisia dos braços e das mãos associada à mesma criança.

Pernas

As fraturas da coxa (fêmur) são muito raras e sua consolidação leva cerca de seis semanas depois de feita sua imobilização na posição certa.

Pés

Ao nascer, as deformidades dos pés são devidas à posição intra-uterina forçada. As mais comuns são talipe, eqüino varo, talo valgo, calcâneo valgo. Quando há flexibilidade passiva, isto é, os pés podem ser postos na posição certa apenas com o movimento das mãos, feito pelo médico, por uma enfermeira ou mesmo pela mãe, em exercícios apropriados, começando no berçário, podem ser corrigidos facilmente alguns tipos destas irregularidades. O tratamento deverá ser iniciado dentro dos primeiros dez dias de vida. Quando não há flexibilidade passiva inicial, uma botinha de gesso especial deverá ser aplicada, pelo menos com intervalos semanais, corrigindo esta deformidade em quatro a seis semanas de aplicação. Em outros casos, suportes noturnos com exercícios são necessários por diversos meses para manter a correção.

Os pés "espalhados", abdução da parte anterior do pé, quando passivamente corrigíveis, usualmente respondem rapidamente por exercícios de esticamento cada vez que se mudar a fralda. Quando as irregularidades do pé não são passíveis de flexibilidade, a aplicação de gesso ou intervenção cirúrgica é necessária em alguns casos; geralmente não deverá ser feita nos primeiros anos de vida; a correção poderá ser mantida por suportes noturnos, sapatos ortopédicos e exercícios durante o período de crescimento. Entretanto, a decisão da melhor ocasião para a intervenção deve ser dada pelo cirurgião-ortopedista.

AS DOENÇAS NO RECÉM-NASCIDO

O recém-nascido pode ser acometido por um grande número de doenças, sobre as quais existe literatura adequada no Brasil e em diversos países. Relataremos neste livro tópicos que possam ser úteis às mães.

Recém-nascidos de alto risco (que podem nascer sob perigo de vida)

O conceito recente de recém-nascido de alto risco se refere àqueles recém-nascidos provenientes de gestações ou trabalhos de parto com algumas características que indicam maior probabilidade de problemas.

Os sinais de risco são os seguintes: primeiro, referentes ao lado materno: grávida menor de dezesseis anos; com primeiro filho acima de 35 anos; mães obesas, ou com altura inferior a 1,50m; nova gravidez antes de decorridos três meses do último parto; mãe desnutrida; mãe solteira; perda de sangue nos primeiros três meses de gravidez; ruptura prematura das membranas; perda de água; parto demorado; filhos anteriores com histórico de doenças ou defeitos congênitos.

Durante a gravidez poderão ocorrer diversas doenças maternas que podem vir a prejudicar o feto, como o diabetes, doenças reumáticas, cardiopatias, distúrbios da tireóide, epilepsia e doenças hereditárias. Existem também as condições clínicas da mulher grávida, como toxemia (eclâmpsia), anemia, incompatibilidade sanguínea, fumantes crônicas ou habituadas a drogas, viroses durante a gravidez, grande crise emocional, excesso ou escassez de líquido amniótico.

As variações de volume do líquido amniótico indicam às vezes problemas. Admite-se que, quando há excesso de líquido – polidrâmnio —, o feto pode nascer com graves problemas no sistema nervoso central ou no aparelho digestivo, como defeitos na deglutição, no esôfago ou no intestino (atresias e estenoses). Ao contrário, quando há pouco líquido – oligoidrâmnio —, o bebê pode apresentar, ao nascer, distúrbios renais e crises respiratórias. Atualmente o obstetra, quando percebe uma gravidez de alto risco, convoca um neonatologista, para estar presente na sala de parto durante o nascimento.

Icterícia grave

Infelizmente nem todos os tipos de icterícia são fisiológicos, benignos, como vimos à pág. 48. Existem as icterícias graves, que o recém-nascido apresenta logo ao nascimento ou no primeiro dia de vida. Este tipo de icterícia compromete o estado geral: a criança apresenta-se sonolenta, vomitando, negando-se a mamar e com tremores musculares; a urina apresenta-se escura e o branco dos olhos mostra-se amarelado, o que não acontece com a icterícia fisiológica. As causas mais comuns são incompatibilidade sanguínea materno-infantil (fator Rh), obstrução ou ausência dos canais biliares (neste caso o surgimento de icterícia é mais tardio), infecção, vírus da hepatite, septicemia por bactérias, sífilis etc.

O tratamento deverá ser iniciado o mais rápido possível, antes que o pigmento amarelo, a bilirrubina, atinja e se impregne no cérebro; nestes casos é melhor deixar a solução entregue a Deus para evitar que se confirme a frase trágica de um médico francês: "O médico-assistente, com o seu trabalho, acabará por substituir o feto morto por um idiota vivo." O tratamento imediato, com a substituição do sangue e outras medidas, tem obtido vitória completa e definitiva.

As causas mais comuns são a incompatibilidade sanguínea (mãe Rh negativo e bebê Rh positivo) e a incompatibilidade ABO (mãe O e bebê B ou A). Nos dois casos poderá haver anemia e icterícia de início precoce e progressão rápida. Com a fototerapia e em alguns casos com a troca de sangue, estes casos evoluem bem, habitualmente sem seqüelas quando o diagnóstico e o tratamento são realizados imediatamente.

Na obstrução dos canais biliares, a cirurgia pode conseguir a cura completa em alguns casos; em outros deverá ser tentado o transplante de fígado.

Incompatibilidade sanguínea

A incompatibilidade do fator Rh, denominada doença hemolítica, já está no domínio público. Assim, alguns esclarecimentos devem ser dados neste livro. A doença hemolítica do recém-nascido é a expressão clínica de uma incompatibilidade do sangue da mãe e do filho, herdado de seu pai. Nos indivíduos de raça branca, 85% das mães possuem nos glóbulos vermelhos um elemento que se aglutina, são portanto Rh positivo e, em outros 15%, os glóbulos vermelhos não possuem este elemento, sendo classificados de Rh negativo. Se a mãe é Rh negativo e o filho é Rh positivo, por herança paterna, e se este elemento aglutinógeno – por motivos ainda desconhecidos – do feto atravessa a placenta e vai circular no sangue materno, este sangue, para se defender deste elemento indesejável, produz outro elemento, denominado anticorpo, para destruí-lo, e este, uma vez formado no sangue materno, volta ao feto pela circulação placentária; circulando no feto, ataca os glóbulos vermelhos que possuem Rh, provocando então a doença hemolítica. Esta doença pode se apresentar de três formas: anêmica, ictérica e hidrópica (inchação generalizada). Nas duas primeiras é facilmente resolvida, quando tratada a tempo; na última, geralmente o feto nasce morto. Atualmente as gestações são acompanhadas pela ultra-sonografia, e quando detectado um feto hidrópico, realiza-se a troca do sangue fetal ainda dentro do útero com uma agulha especial. Com este procedimento tem-se evitado a morte de muitos bebês.

Não é regra que toda mãe Rh negativo casada com pai Rh positivo tenha um filho com doença hemolítica. É raro que o sangue da mãe prejudique o feto durante a primeira gravidez, somente nas seguintes é que poderão ocorrer problemas. O diagnóstico é fácil e pode ser feito pelo exame do sangue materno, ainda durante a gravidez, e por exames de sangue do recém-nascido, começando com o do cordão umbilical, coletado por ocasião do nascimento. Caso a incompatibilidade seja grave (mãe muito sensibilizada), o tratamento consistirá na substituição do sangue da criança. Casos menos graves poderão ser tratados pela fototerapia, que consiste em expor a criança a banhos de luz especiais, com proteção dos olhos. A passagem do sangue do feto para a mãe e posterior doença hemolítica no bebê é bem mais rara do que se poderia esperar pelo número de mães Rh negativo que dão à luz filhos Rh positivos.

O diagnóstico de incompatibilidade sanguínea. Entre mãe e filho pode ser feito desde o terceiro mês de gravidez por meio de pesquisa no sangue materno dos denominados anticorpos anti-Rh. Nas mulheres Rh negativo, quando nesta época o exame ainda se mostra negativo, é obrigatória sua repetição no quinto mês e nos meses subseqüentes, pois pode haver maior demora na formação desses anticorpos.

Vacina anti-Rh (aplicação de imunoglobulina). Atualmente, para evitar a ocorrência da doença nos filhos após a primeira gestação, faz-se uma neutralização dos fatores que podem causar doença por meio da aplicação de imunoglobulina anti-D, que deve ser injetada na mãe por via intramuscular. A proteção só é útil quando aplicada em até três dias (72 horas) após o parto, enquanto os fatores (antígenos) do feto podem ser bloqueados antes que provoquem no organismo materno a formação e presença no sangue dos anticorpos que afetarão o próximo filho. A finalidade é evitar que a mãe, ficando sensibilizada, possa ter problemas numa gravidez posterior. Para o bebê nascido com a doença hemolítica, de nada servirá, o mesmo acontecendo para a mãe que já teve um filho com doença hemolítica ao nascer.

Dificuldade respiratória do recém-nascido

Ao nascer, logo após o parto, o bebê pode apresentar dificuldade respiratória com sinais de desconforto. Algumas causas são de natureza benigna e outras são mais sérias, exigindo maior atenção. As causas mais sérias freqüentemente são aspiração do líquido amniótico, pneumonia intra-uterina, malformação das vias aéreas superiores e hemorragia pulmonar. De todas, a que tem merecido maior atenção é a síndrome da membrana hialina, que analisaremos logo a seguir.

Convulsão do recém-nascido

A convulsão é um sintoma grave e de prognóstico reservado quanto à sobrevivência e suas conseqüências. As convulsões devidas a traumatismo (pancada) na cabeça ou infecção do sistema nervoso são muito graves. Tremores, irritabilidade ou mesmo convulsões também podem se dever à falta de oxigênio e à diminuição na taxa de açúcar (hipoglicemia) ou de cálcio (hipocalcemia) no sangue. O tratamento deverá ser instituído imediatamente, pois qualquer demora aumenta muito o risco de lesão definitiva no sistema nervoso.

Doença da membrana hialina

Esta doença é revelada pela acentuada dificuldade respiratória, levando o bebê a extremo grau de asfixia. O bebê já nasce com um grau de sofrimento respiratório, que aumenta progressivamente. Sua causa é a deficiência de uma substância no pulmão, denominada surfactante. Sem esta substância o recém-nascido tem de fazer um esforço muito maior para respirar. A continuidade deste esforço pode levar o bebê ao esgotamento. Os prematuros, os nascidos de cesárea e os filhos de mãe diabética são os mais predispostos. Não é uma doença sempre fatal, existindo muitos casos com recuperação espontânea. Entretanto, sempre que possível, estas crianças deverão ser transferidas em incubadoras especiais para serviços específicos de neonatologia e unidades de cuidados intensivos neonatais, onde serão tratadas por neonatologistas.

Às vezes é necessário colocá-las em respiradores artificiais, e algumas delas, embora se recuperem da doença, ficam posteriormente sujeitas a problemas respiratórios, devendo ser acompanhadas atentamente pelo médico-assistente.

Atualmente já existe uma opção de tratamento muito eficaz, que é o uso do surfactante medicamentoso (sintético ou extraído de animais), que pode ser introduzido nos pulmões do recém-nascido por meio de um tubo em sua traquéia, com excelentes resultados.

Infecções em geral

Não deverão conviver com o recém-nascido enfermeiras, babás ou adultos que sejam portadores dos seguintes males:

- Infecção crônica ou aguda da pele
- Amigdalite crônica ou aguda
- Herpes simples. Embora considerado um vírus oportunista, pode causar infecções cutâneas simples ou formas graves generalizadas. O bebê pode ser contaminado durante o parto.

Como o recém-nascido pode ser contaminado?

Pode ocorrer antes, durante ou após o nascimento. Antes do nascimento, pode haver contaminação através da placenta ou pelo líquido amniótico; contaminação durante a passagem pelo canal do parto ou após o parto, pelas mãos do pessoal que lida com o bebê; focos que possam existir na garganta das enfermeiras, nos aparelhos, incubadoras, sondas, agulhas e mamadeiras são freqüentes.

As infecções são um grande perigo! Os germes responsáveis por estas infecções, os estafilococos, os germes intestinais, as bactérias da água e os vírus são os que habitualmente atacam o recém-nascido.

A maior parte das infecções no recém-nascido é transmitida pelas mãos dos adultos que lidam com ele, sendo importante lavar as mãos, antes de tocar no bebê. No recém-nascido, qualquer doença de pele, furúnculo, impetigo, piodermite (pequenas pústulas), pode ser considerada um problema sério, porque pode evoluir com pneumonia, meningite, septicemia (infecção no sangue) ou osteomielite (infecção dos ossos).

A prevenção de infecções no recém-nascido deverá ser feita principalmente com as seguintes medidas:

a) trabalho de parto bem conduzido por parteiro experiente e vigilante, visando evitar sofrimento do feto;

b) aplicação de credé (ver pág. 482, desinfecção dos olhos);

c) curativo adequado do coto umbilical (ver pág. 32, curativo do coto umbilical);

d) alojamento conjunto, isto é, o bebê deverá ficar junto de sua mãe logo após o nascimento, no quarto, e não no berçário, que deve ficar reservado para os recém-nascidos doentes;

e) aleitamento materno logo após o nascimento. No caso de parto cesáreo, dê algumas horas de intervalo, antes de colocá-lo ao seio;

f) evite contato com pessoas portadoras de doenças infecciosas, mesmo que sejam apenas resfriados;

g) higiene rigorosa no berçário, para os recém-nascidos, com atenção especial para a lavagem e anti-sepsia das mãos, cuidados com a água de nebulização, que deverá ser estéril, com esterilização das mamadeiras, limpeza e asseio ambiental e pessoal etc.;

h) evite os procedimentos traumáticos nos recém-nascidos, inclusive as injeções, exceto quando forem indispensáveis.

Os antibióticos profiláticos para evitar infecções deverão ser evitados, pois não são eficazes e podem espalhar germes resistentes no ambiente hospitalar e familiar. Entretanto, em algumas poucas circunstâncias, seu uso poderá justificar-se a critério do pediatra.

Afecções umbilicais

São várias, podendo ocorrer por conta de malformações ou infecções. Entre as malformações destacam-se as hérnias congênitas, sempre volumosas e raramente estranguladas. Estas hérnias geralmente regridem espontaneamente até os dois anos de idade. Mais raras do que as hérnias são as fístulas umbilicais, todas de alçada do cirurgião. Quanto às infecções, verificam-se desde as mais benignas, como a ligeira secreção purulenta do umbigo (onfalite), até o abscesso e a gangrena. É pelo umbigo do recém-nascido que penetra a infecção tetânica, provocando o tão temido mal-de-sete-dias, que antigamente, quando não havia noções mínimas de higiene e assepsia da ferida umbilical, levava à morte. De todas as lesões umbilicais, a mais freqüente é o granuloma do umbigo, carne esponjosa e úmida, desaparecendo com facilidade pelo toque sistemático com lápis de nitrato de prata, uma vez ao dia, após o banho, durante vários dias seguidos.

Tétano

O tétano é caracterizado pela hipertonia dos membros – as pernas e os braços ficam duros, sem flexão – e por contrações musculares generalizadas. É conhecido popularmente como mal-de-sete-dias, e o queixo da criança fica rígido, impedindo-a de abrir a boca para sugar a mamadeira ou o seio.

A profilaxia é o tratamento adequado da ferida umbilical (ver pág. 32) e higiene do recém-nascido até a queda do cordão umbilical.

Tem sido recomendado o uso rotineiro da vacinação antitetânica em todas as gestantes, tendo em vista o grande aumento do número de casos de tétano materno e neonatal no nosso país. O tratamento é feito com a aplicação de toxóide tetânico, em três doses, com um intervalo mínimo de trinta dias de uma dose para outra. A última dose deverá ser aplicada pelo menos vinte dias antes do parto.

Tetania

Não deve ser confundida com tétano. O tétano é uma infecção, ao passo que a tetania é um estado de hiperexcitabilidade dos nervos e dos músculos, caracterizada por contrações musculares, variando de ligeiras a violentas. A causa da tetania é a baixa de cálcio no sangue, abaixo de 7mg%. No recém-nascido, aparece geralmente por volta do 10º dia de vida. O tratamento é fácil e rápido, por meio da administração de cálcio por injeção ou pela boca, de acordo com a prescrição do médico-assistente.

Onfalocele

Consiste na dilatação exagerada do cordão umbilical, com passagem de alças intestinais e até outros órgãos para seu interior, necessitando de cirurgia imediata.

Conjuntivite

A inflamação das conjuntivas do recém-nascido é freqüente, podendo ser debelada com o uso de água boricada ou soro fisiológico. Em outras ocasiões tem causa mais grave, como infecção blenorrágica adquirida no organismo materno, lesão esta que, não sendo tratada convenientemente, pode levar à cegueira. O tratamento precoce com penicilina pode curá-la rapidamente.

Luxação congênita dos quadris

Esta anomalia, que consiste na má articulação do fêmur (osso da coxa) com a bacia (osso ilíaco), pode passar despercebida aos familiares e ao próprio médico durante o primeiro ano de vida do bebê. Somente quando a criança começa a caminhar é que a perturbação da marcha chama a atenção dos pais. Entretanto, o exame médico cuidadoso, que deverá ser feito como rotina, descobrirá com facilidade o defeito desde o nascimento. A importância do diagnóstico precoce se deve ao fato de que a luxação congênita dos quadris é corrigida facilmente quando o tratamento se inicia nos primeiros dias de vida, garantindo normalidade futura, ao passo que quando o diagnóstico é feito com atraso o tratamento é penoso por vários meses, com aplicação de gesso, exigindo até, às vezes, intervenção cirúrgica.

O diagnóstico é feito por meio da manobra de Ortolani e confirmado pela ultra-sonografia, sendo em alguns casos de interpretação difícil, sobretudo antes do sexto mês de vida. A manobra consiste em pôr a criança deitada, na posição de rã; com as mãos o examinador segura as coxas do bebê, abrindo-as o máximo que puder no sentido para baixo, com os joelhos quase tocando a cama; quando uma ou as duas coxas apresentarem-se resistentes, não permitindo um afastamento regular, deverá ser feita uma ultra-sonografia. A simplicidade do tratamento, quando iniciado logo após o nascimento, com uma fralda dupla, evita a permanência de uma articulação defeituosa das coxas. É seis vezes mais freqüente nas meninas do que nos meninos e requer acompanhamento ortopédico.

Hérnia inguinal

É a presença de abaulamento ou tumoração na região da virilha, surgindo principalmente quando o bebê chora ou faz qualquer esforço. Pode aparecer em um ou nos dois lados, sendo mais freqüente nos meninos. É mais comum nos bebês prematuros e ocorre devido à fraqueza da musculatura neste local, com comunicação e passagem de alças do intestino para dentro da bolsa escrotal. Na menina o ovário também pode entrar por esta comunicação. O tratamento é sempre cirúrgico, para evitar encarceramento e sofrimento das alças intestinais. De acordo com o pediatra a intervenção deverá ser feita tão logo se confirme o diagnóstico. Em caso de encarceramento ou estrangulamento, a cirurgia deve ser imediata e de urgência, por cirurgião infantil.

Hérnia umbilical

É causada pela obturação imperfeita ou fraqueza do anel umbilical. Consiste na expulsão de pequena parte do intestino delgado, variando a largura de 1 a 5cm. Hérnias maiores são muito raras.

A hérnia pode estufar quando a criança chora, porém não causa dor e nem há perigo de se estrangular.

As hérnias precoces, que aparecem antes dos seis meses, geralmente desaparecem espontaneamente aos doze meses; as maiores podem ocorrer entre os seis meses e seis anos. No caso de a hérnia aumentar de volume, é prudente operá-la por volta de três anos de idade. Raramente ela se estrangula. O uso de fita adesiva (esparadrapo) é discutido por alguns pediatras; pessoalmente temos a impressão de que bem colocada é útil, abreviando sensivelmente o período da cura. O método é bem simples: faz-se uma prega com a pele em volta do umbigo, pressionando a hérnia de volta para o interior do abdome. Coloca-se uma tira de esparadrapo, segurando a prega e forçando a hérnia para dentro. O único inconveniente é a irritação da pele em alguns bebês, o que pode ser atenuado com o pincelamento prévio do local com tintura de Benjoim Coloidal.

O uso de um esparadrapo especial elástico (Elastoplast) tem dado bons resultados, sendo usado pelas mães norte-americanas.

Fimose

O estreitamento do prepúcio, pele que recobre a glande do pênis, é normal nos primeiros meses de vida. É chamado de fimose fisiológica. Durante este período, devem ser feitos exercícios suaves para se reverter a fimose, mas a cirurgia corretiva só será indicada se o estreitamento persistir após os quatro anos, ou caso haja infecções de repetição na glande (postites) ou estrangulamento (parafimose).

HEMORRAGIAS NO RECÉM-NASCIDO

O recém-nascido apresenta tendência espontânea a hemorragias. Sua causa está na fase de adaptação à vida própria, com todos os mecanismos iniciando suas atividades, como a estrutura da coagulação, o funcionamento do fígado e a condição de fragilidade das paredes das artérias e capilares, predispostos às pancadas (traumatismo) inevitáveis durante o trabalho de parto. Das hemorragias, as mais freqüentes são as umbilicais, devido ao trauma (golpes, choques) por ocasião do parto, ficando o cordão umbilical eliminando sangue de 24 a 48 horas no máximo. Outra causa, e a mais provável, é a ligadura malfeita do cordão umbilical. Um tipo de hemorragia que assusta os pais é a hemorragia vaginal do período neonatal, sem maiores conseqüências, observada na primeira semana de vida e curando-se espontaneamente. Sua causa reside no ajustamento hormonal recebido do sangue materno. Não é obrigatória, algumas meninas a apresentam, e outras não. A denominada doença hemorrágica do recém-nascido, que se manifesta geralmente entre o terceiro e o quinto dias de vida, podendo o bebê perder sangue pela urina ou pelo intestino, tem como causa o retardamento de conversão de um elemento importante no fenômeno da coagulação sanguínea, a protrombina, respondendo imediatamente pela aplicação intramuscular de vitamina K. A doença hemorrágica do recém-nascido é mais freqüente em bebês prematuros.

DEFORMAÇÕES CONGÊNITAS

Lábio leporino

O lábio leporino é uma fenda (brecha) congênita uni ou bilateral que varia desde um simples rasgo da mucosa e da pele do lábio superior até uma grande abertura atingindo as fossas (buracos) do nariz. O lábio fendido é um problema estético que não compromete a alimentação; as aberturas amplas excepcionalmente dificultam a sucção por muito tempo, porém a criança acaba se adaptando à malformação. O tratamento é exclusivamente cirúrgico. Quando as condições físicas são favoráveis, pode-se fazê-lo entre um mês e meio e dois meses; caso contrário, espere até os três meses, aguardando que a curva de peso assuma um curso favorável. Aproximadamente um terço das crianças que apresentam "lábio-de-lebre" ou "goela-de-lobo" tem um ou mais parentes com o mesmo defeito. Não está provado que estas irregularidades possam ter como causa qualquer influência materna antes ou durante a gravidez.

Fenda palatina

Também conhecida popularmente como "goela-de-lobo", consiste numa abertura (brecha) que pode variar desde uma simples fenda da "campainha" (úvula bífida) até um amplo rasgo que divide em dois o "céu da boca", permitindo a comunicação das cavidades bucal e nasal.

Geralmente inicia-se a alimentação por meio de sonda nelaton nº 6, sob forma de gota a gota; em seguida passa-se ao uso de colherinhas, e dentro de uma ou duas semanas fazem-se as primeiras tentativas com a mamadeira. A intervenção cirúrgica não deverá ser feita antes de a criança completar um ano de idade (é mais recomendável por volta dos dezoito meses), por sua dificuldade técnica, devido ao tamanho da cavidade bucal.

Se a brecha for muito ampla e o estado geral da criança não for conveniente, pode-se esperar até os dois ou três anos para realizá-la.

Úvula bífida

É o nome médico da "campainha" do céu da boca quando está partida, dividida. Dois por cento das crianças norte-americanas brancas a apresentam. Algumas vezes ela está associada a um defeito no céu da boca, a abóbada palatina; os bebês que a têm são suscetíveis a otites e a problemas de fala e audição.

DOENÇAS ADQUIRIDAS E GENÉTICAS

Por que alguns bebês nascem com defeitos? A fatalidade de os pais terem um filho com alguma deformação ou doença grave já está interpretada, e em parte com possibilidade de ser evitada. As causas podem ser divididas em dois grupos:

1. causas adquiridas
2. causas genéticas

Para o primeiro grupo, o das causas adquiridas, o conhecimento dos fatores comumente responsáveis dá recursos à medicina de evitá-las em inúmeros casos. Para o segundo grupo, o das causas genéticas (ver pág. 71), nas condições atuais do seu progresso já é possível em muitos casos que o médico possa prever a probabilidade de uma condição inaceitável. A prática da amniocentese (ver pág. 72) trouxe uma contribuição positiva para o esclarecimento definitivo do problema.

Primeiro grupo: na causa adquirida, temos o ovo formado para ser perfeito, mas fatores estranhos o agrediram quando no útero, nos três primeiros meses de gravidez. A mais freqüente de todas as causas adquiridas é a rubéola, acometendo a mulher grávida nos três primeiros meses de gestação. O vírus da doença atinge o embrião, acarretando futuramente catarata, surdez, defeitos do coração, do sistema nervoso central e outras lesões.

Não é obrigatório, porém, que toda mulher grávida, vítima de rubéola nos primeiros meses de gravidez, tenha seu bebê com defeito. A decisão de interromper ou não a gravidez será estritamente pessoal e familiar.

Hoje temos conhecimentos mais positivos de como se passam os fatos. Assim, quando a rubéola se manifesta no primeiro mês de gravidez, a agressão ao feto verifica-se na quase totalidade dos casos; se for mais tarde, durante o segundo mês, atingirá apenas a metade dos casos; se a grávida se infectar no terceiro mês, as probabilidades são bem menores. Do quarto mês em diante admite-se que seja mínimo o risco de nascer um bebê com deformações. Quando a rubéola acontecer no último mês de gravidez, ele nascerá normal e poderá, entretanto, apresentar lesões da fase aguda da doença na pele. O vírus da rubéola adquirido *in utero* persiste geralmente por vários meses após o nascimento, sendo eliminado pelas secreções da faringe e pela urina. A conclusão prática deste conhecimento é de que a mulher grávida, no primeiro trimestre, não deve ter contato com um bebê nascido de mãe que teve rubéola na sua gravidez.

Os autores modernos chegam a admitir que os fatores que prejudicam o embrião variam não só na sua intensidade (quantidade de dose), como, e principalmente, na ocasião em que atinge o ovo. Obedecendo a esta determinação de tempo, acredita-se que haja um verdadeiro "horário" de malformações (horário embriopático).

Se a rubéola ataca no primeiro mês, o feto poderá apresentar malformações múltiplas (catarata, cardiopatia, lesões do sistema nervoso etc.). A infecção no final do primeiro trimestre poderá causar lesões de órgãos isolados, principalmente defeitos de audição.

Admite-se que diferentes agentes podem provocar o mesmo tipo de lesão no período embrionário correspondente ao "horário embriopático". Não só o vírus da rubéola pode ser responsável por lesões no feto. O vírus da doença de inclusão citomegálica, o parasita denominado *Toxoplasma gondii,* e a sífilis, por exemplo, também podem agredi-lo. Um pré-natal cuidadoso, sob orientação médica adequada, poderá evitar algumas destas causas de doença fetal. Por exemplo, em relação à rubéola, a vacinação da mulher não-grávida, evitando-se a gravidez durante os três meses seguintes; em relação à toxoplasmose (doença provocada pelo toxoplasma), evitar contatos com gatos durante a gestação e a ingestão de carne crua ou malpassada de qualquer animal; em relação à sífilis, tratamento adequado da gestante com exame sorológico positivo etc. Não há medidas profiláticas ou terapêuticas conhecidas para evitar a doença de inclusão citomegálica. Há estudos a respeito de uma vacina, ainda não aprovada.

Outro fator que pode atuar desfavoravelmente na formação do feto são pais alcoólatras e fumantes inveterados, incompatibilidade do fator Rh e alimentação materna deficiente em vitaminas A e D. Das doenças crônicas maternas, o diabetes ocupa lugar indiscutível, porém não obrigatório; somente em 15% dos casos o recém-nascido apresenta lesões do coração ou do sistema nervoso central. São contra-indicados os compostos de cortisona, bem como outras substâncias químicas. A tendência atual é dar à mulher grávida, especialmente nos primeiros meses, o mínimo possível de remédios.

Medicamentos que podem ser prejudiciais

Muitos medicamentos tomados durante a gestação podem provocar defeitos na formação do bebê – são considerados drogas teratogênicas e os seus efeitos se fazem sentir de maneira variável, tendo extraordinária importância o momento da gestação em que é tomada a sua dose.

Algumas dessas drogas podem igualmente provocar aborto, que será um mal menor; como conselho de ordem geral, nenhum medicamento deve ser tomado sem autorização médica.

Alguns medicamentos portadores de efeitos prejudiciais:

Iodeto de potássio (causa o bócio)

Antitireoidiano (causa hipotireodismo congênito)

Quinino (provoca tendência hemorrágica e aborto)

Talidomida (provoca focomelia, atrofia dos braços e das pernas)

Clorotiazida (diurético, tendência hemorrágica)

Metiltestosterona (hormônio, provoca masculinização do feto feminino)

Progesterona (hormônio, provoca feminilização do feto masculino)

Aspirina A questão da aspirina tem merecido especial atenção dos pesquisadores. Em estudos feitos em pacientes grávidas que tomaram salicilato entre 60 e 90 dias de gestação nada foi observado, mas antes de 60 dias, especialmente no período crítico de 27 a 40 dias, doses elevadas podem atingir o feto em 1%. Naturalmente são doses excessivamente elevadas de aspirina.

Dos antibióticos, o mais perigoso para a gestante é a tetraciclina, que, aplicada por via venosa, produz lesão grave do fígado, colocando em perigo a vida da mãe e do feto em 60% dos casos. Além disso, a tetraciclina também é acusada de provocar manchas no esmalte dos dentes de leite, e ainda há suspeita de que possa interferir desfavoravelmente no desenvolvimento dos ossos dos braços e das pernas do feto. É importante que a mãe não tome remédios durante a gravidez sem orientação médica.

Indometacina e antiinflamatórios não-esteróides (podem provocar fechamento precoce do canal arterial e há relatos de hipertensão pulmonar no recém-nascido).

O CIGARRO

É o grande inimigo do bebê antes e depois do nascimento. Está provado que pais fumantes prejudicam gravemente a saúde do bebê com este vício.

Mãe fumante

a) poderá ter um bebê com baixo peso ao nascimento e pouca altura;

b) poderá apresentar anomalia congênita (nascer com defeito físico ou funcional). O sulfato de nicotina que a fumaça contém atinge e danifica o embrião;

c) poderá causar morte súbita do bebê durante o sono;

d) mais tarde, pode haver atraso da mobilidade motora dos membros, sobretudo das mãos e, em seguida, dos braços e das pernas;

e) poderá haver diminuição na capacidade de aprendizagem da leitura e da matemática.

No primeiro trimestre de gravidez, dez cigarros por dia podem provocar hemorragia, aborto ou morte do bebê durante o parto. Quando a mãe fumante amamenta, a nicotina passa ao leite e poderá aparecer na urina do bebê em quantidade considerável; mais de dez a vinte cigarros por dia são suficientes para o bebê apresentar excitação e falta de sono.

É importante que não se fume onde está o bebê, pois ele também fumará (fumante passivo)!

Pai fumante

a) poderá gerar filhos pequenos e aumentar o risco de morte do recém-nascido, mesmo a mãe não sendo fumante;

b) fumante inveterado: há a possibilidade de ter alterações cromossômicas e o filho nascer com defeito;

c) depois de quinze anos com o vício de fumar (tabagismo), existe a possibilidade da diminuição da capacidade de procriar pela diminuição da mobilidade dos espermatozóides.

A mãe que usa drogas (narcóticos)

Prejudica sensivelmente o seu bebê, sobretudo usando morfina, heroína e cocaína. O recém-nascido de uma mãe viciada apresenta tremores, agitação, choro, vômitos, dificuldade de se alimentar e até convulsão.

As mães alcoólatras

Poderão ter filhos apresentando defeitos graves, desde o baixo peso até a microcefalia, isto é, crânio pequeno, de conseqüências lamentáveis e definitivas; outras deformações têm sido apontadas, como a fenda palpebral estreita, osso maxilar (queixo) hipoplásico (pequeno) e defeitos das articulações e doenças congênitas do coração.

Quando o ovo fica mal implantado no útero, pode ser deficientemente irrigado pelo sangue e apresentar um feto anormal. As doenças maternas causadas por distúrbios glandulares, como, por exemplo, o diabetes, podem causar problemas no desenvolvimento dos fetos.

Há cientistas sérios que, de acordo com a crença popular, admitem que o estado emocional da mãe nos primeiros três meses de gravidez pode prejudicar a formação do óvulo. Não se referem, todavia, a um pequeno susto inconseqüente, mas às emoções violentas e profundas que, no dizer de Marañon, "podem atingir fundo a alma".

As mães que estiverem submetidas a severas e demoradas tensões emocionais, durante as últimas semanas do último trimestre de gravidez, podem gerar filhos neuróticos, cujas manifestações clínicas são choro excessivo; pouco sono; dificuldades de alimentação; demora em ganhar peso; enfim, bebês difíceis que deixam os pais e pediatras de cabelos brancos.

Infecções pré-natais

As infecções pré-natais podem acontecer:

1) através da placenta;

2) subindo pelo canal vaginal e atingindo o útero; e

3) também durante o parto normal.

1) Através da placenta o recém-nascido poderá ser infectado por:

Vírus:

rubéola, citomegalovírus, poliovírus, varicela, coxsackie, echo, vacina, hepatite B e C, herpes simples, caxumba, HIV, dengue, parvovírus.

Bactérias:

estreptococos do grupo B.

Espiroqueta:

Treponema palidum (sífilis).

Parasita:

Toxoplasma gondii, plasmódio, *Tripanosoma cruzii.*

Há um parasita, o toxoplasma, que através da mãe pode atingir o ovo, provocando a toxoplasmose fetal, que se manifesta por microcefalia (cabeça pequena) ou hidrocefalia (cabeça-d'água).

2) Transcervical

Bactérias:

estreptococos do grupo B e outros tipos de bactérias.

Fungos:

Candida albicans e *Cryptococus neoformans.*

Vírus:

citomegalovírus, herpes simples, HIV.

3) Durante o trabalho de parto:

Vírus:

herpes simples, hepatite B, citomegalovírus, varicela, poliovírus, echo, HIV.

Bactérias:

estreptococos do grupo B, *Neisseria gonorhoea, Chlamydia trachomatis.*

Fungos:

Candida albicans.

Parasitas:

toxoplasma, plasmódio.

Vamos considerar o segundo grupo.

O ser humano se parece com seus antecedentes, seus ancestrais.

Ao ver o recém-nascido, os amigos e parentes indagam com quem ele se parece. Com o pai? Com a mãe? E os olhos, testa, queixo, enfim, toda a fisionomia é analisada. O mecanismo biológico pelo qual certas características são transmitidas de pais para filhos, cujo processo é denominado de hereditariedade, tem despertado grande interesse.

Assim, ao lado da transmissão dos traços fisionômicos – o jeito de andar, de falar, de gesticular, a tonalidade da voz –, os pais podem transmitir aos seus filhos algumas doenças suas ou de seus antepassados. O estudo da hereditariedade é uma ciência denominada Genética.

Casamento de primos-irmãos

Se não houver genes anormais, não deverá haver perigo para a normalidade dos filhos. É indispensável consultar antes do casamento ou da gravidez um geneticista.

No ato sexual, ao se efetuar a fecundação – que é a união da célula feminina, o óvulo, com a célula masculina, o espermatozóide –, forma-se uma célula única, o ovo (ou zigoto). O ovo adere à parede interna do útero e começa a passar por uma série de modificações, transformando-se em embrião e posteriormente, feto.

No início o ovo se compõe de duas porções distintas, o citoplasma e o núcleo. Logo no início ocorrem alterações no núcleo e formam-se os cromossomos, cujo número total é o resultado da soma dos cromossomos do pai e da mãe, 46 cromossomos ao todo. Cada cromossomo apresenta aspecto quantitativo e qualitativo que o individualiza e torna possível identificá-lo.

Por sua vez, os cromossomos contêm no seu interior numerosas unidades, denominadas genes, calculando-se existir 1.600 em cada cromossomo. As alterações originárias desordenadas nas combinações genéticas podem ser localizadas de modo isolado nos genes, acarretando as genopatias, ou abranger o cromossomo por inteiro, dando as cromossopatias.

As genopatias e as cromossopatias não têm tratamento A cirurgia plástica tem indicações em alguns casos, de acordo com as circunstâncias.

A medicina tem procurado contribuir, considerando a possibilidade de prever quando a mulher terá um filho portador de uma doença genética grave e provavelmente irrecuperável. Quando há suspeita, a clínica apresenta a prática da amniocentese, e, se confirmada, a execução do aborto terapêutico deverá ser discutida com os pais com a maior seriedade.

As genopatias são estados patológicos recebidos dos ascendentes aos descendentes. Constituem as doenças genéticas provocadas por um ou por pares de genes defeituosos existentes nos cromossomos dos seus ascendentes.

As genopatias podem acarretar a morte do embrião ou do feto, ainda no útero, ou apresentar dois tipos de manifestações: os vícios da constituição e vícios de conformação.

No primeiro grupo há, contudo, uma série de doenças funcionais estranhas, felizmente raras, produzidas por distúrbios metabólicos dos aminoácidos, dos hidratos de carbono, proteínas, vitaminas, enzimas, gorduras, doenças familiares e doenças raciais (no grupo de doenças familiares os indivíduos de origem judia sofrem mais).

No segundo grupo, as doenças de conformação, conhecidas por malformações, que constituem os defeitos físicos do rosto, nariz, boca, olhos, crânio, braços, pernas, dedos, enfim, qualquer parte. Neste grupo estão incluídos a espinha bífida, a osteogênese imperfeita, a acondroplasia, o gargulismo e várias outras.

A cromossomopatia

São diferentes alterações cromossômicas, constituindo aberrações na forma, no número ou na posição. Neste grupo está incluído o mongolismo – a síndrome de Down, que é uma alteração no cromossomo 21 –, a trissomia do cromossomo 18 (síndrome de Edwards), a do 13 (síndrome de Patau) e várias outras, dependendo do número de cromossomos atingidos e na alteração destes.

A amniocentese

É feita por meio da introdução de uma agulha perfurando a pele, indo do abdome ao útero, coletando-se uma pequena amostra do líquido amniótico (líquido em que o feto está mergulhado) para analisar os cromossomos antes do parto. Este líquido contém células flutuantes desprendidas do feto. Os cromossomos destas células são idênticos àqueles que originaram o feto e mostrarão anormalidades se existirem.

O risco de a amniocentese causar aborto espontâneo é de 1 ou 2%, ou menos.

Segue uma lista de condições em que o diagnóstico antes do nascimento pode ser feito pela amniocentese (segundo Vaughan e Mackay). Também está sendo usada para determinação do sexo.

Hipertrofia da supra-renal, translocação de cromossomos, mongolismo (síndrome de Down), doenças de Fabry, galactosemia, doença de Gaucher, doença de acumulação de glicogênio, doença de Tay Sachs, síndrome de Hunter, síndrome de Hurler, deficiência de fosfatase ácida, "doença da urina com odor de xarope de maçãs", doença de Niemann-Pick.

A amniocentese também é utilizada para outras pesquisas, como diagnóstico do sofrimento fetal crônico ou da morte do feto, na determinação da incompatibilidade do fator Rh (doença hemolítica), diagnóstico do sexo fetal, bem como determinação do grupo sanguíneo.

Exames

Já é rotina, há alguns anos, o acompanhamento da gravidez com o auxílio da ultra-sonografia. Este exame, que substituiu a utilização de radiografias para o acompanhamento da gestação, é isento de risco para o feto, já que, diferente dos raios X, não provoca qualquer lesão no organismo em formação. A rotina varia de acordo com o obstetra, mas são feitos geralmente três ou quatro exames durante toda a gravidez. Por meio do ultra-som poderá ser avaliada a vitalidade do feto, se ele apresenta alguma malformação, seu tamanho e peso aproximado e até o sexo.

A ULTRA-SONOGRAFIA

A ultra-sonografia pode fornecer informações desde o primeiro semestre de vida, sem qualquer perigo para o ovo e o embrião, podendo ser repetida quantas vezes for necessária, como no caso do acompanhamento da gravidez de alto risco, dando informações precisas para o obstetra e o pediatra.

Indicações para ultra-sonografia

a) determinar a idade do feto;

b) determinar a imagem e o tamanho do feto, medindo as dimensões da cabeça, do tórax, do abdome e do fêmur;

c) avaliar a maturidade, acompanhando a evolução do crescimento;

d) esclarecer a suspeita de morte fetal;

e) localizar exatamente a posição da placenta, para evitar danos com a realização da amniocentese e diagnosticar placenta baixa ou descolada;

f) diagnosticar a posição fetal, uma gravidez gemelar ou múltipla;

g) diagnosticar *mola hidatiforme* (massa carnosa, tumor benigno), formada pela proliferação e pela degenerescência das membranas fetais;

h) determinar anormalidades congênitas;

i) identificar a deficiência dos ossos longos, braços e pernas;

j) substituir o uso da radiografia, cuja prática está sendo cada vez menos usada, considerando as possibilidades de risco para o bebê ou para a criança no futuro.

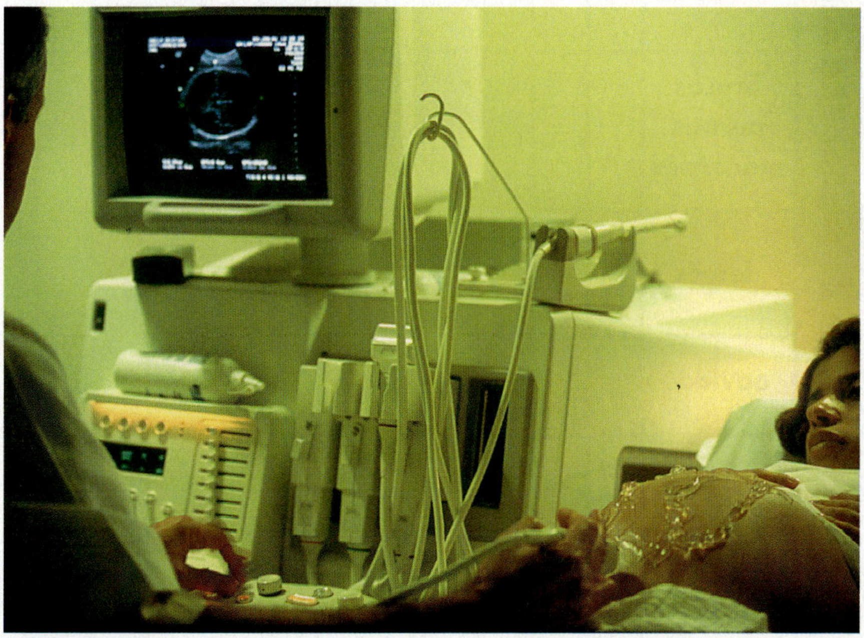

A ultra-sonografia é um auxílio para o diagnóstico precoce dos possíveis problemas do bebê, a fim de que o obstetra e o pediatra tomem as providências devidas.

OS TRÊS PRIMEIROS MESES DE GRAVIDEZ SÃO OS MAIS PERIGOSOS

Calendário da doença do embrião

(três primeiros meses de vida intra-uterina)

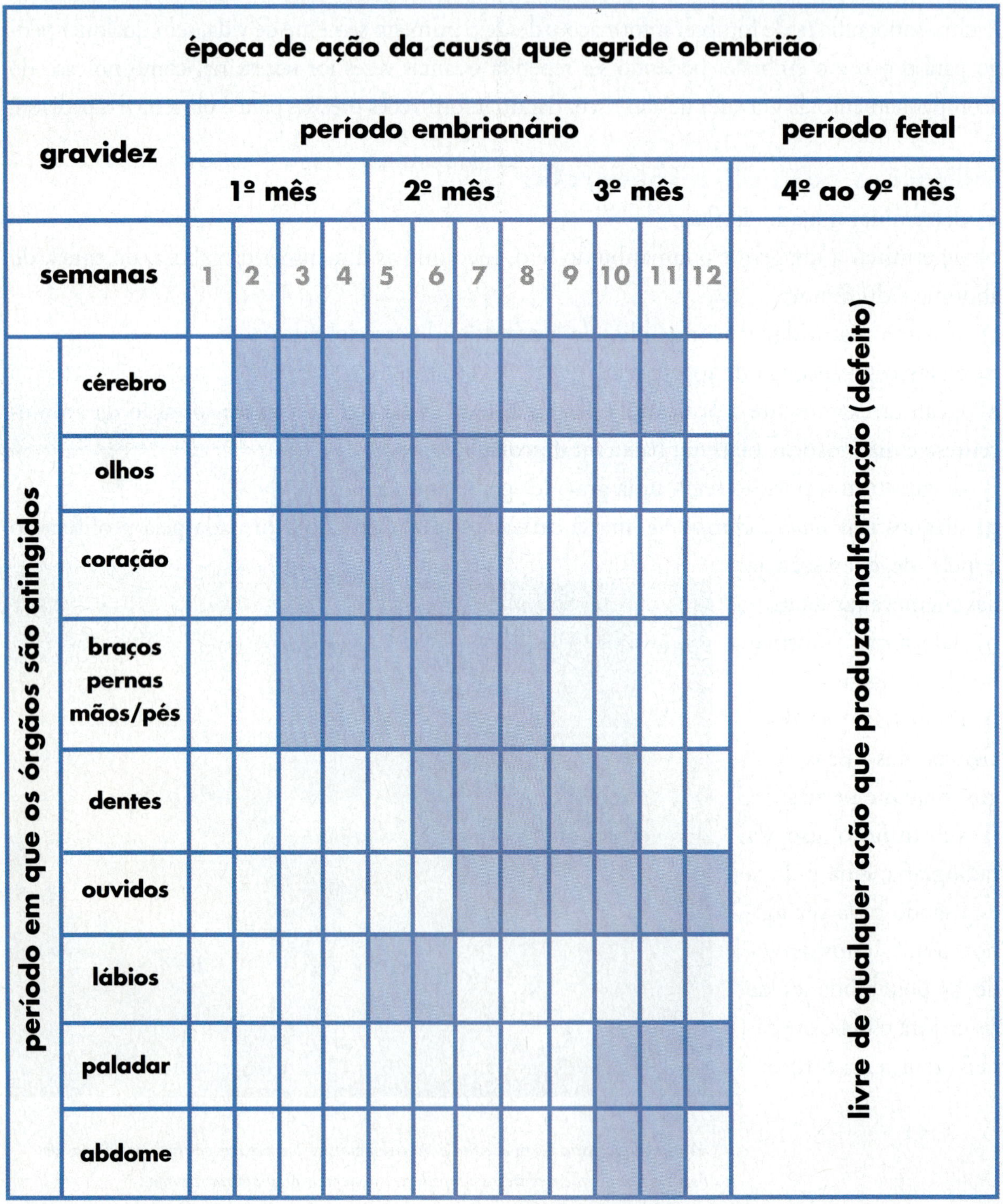

Capítulo 3

O Segundo Dia

O segundo dia

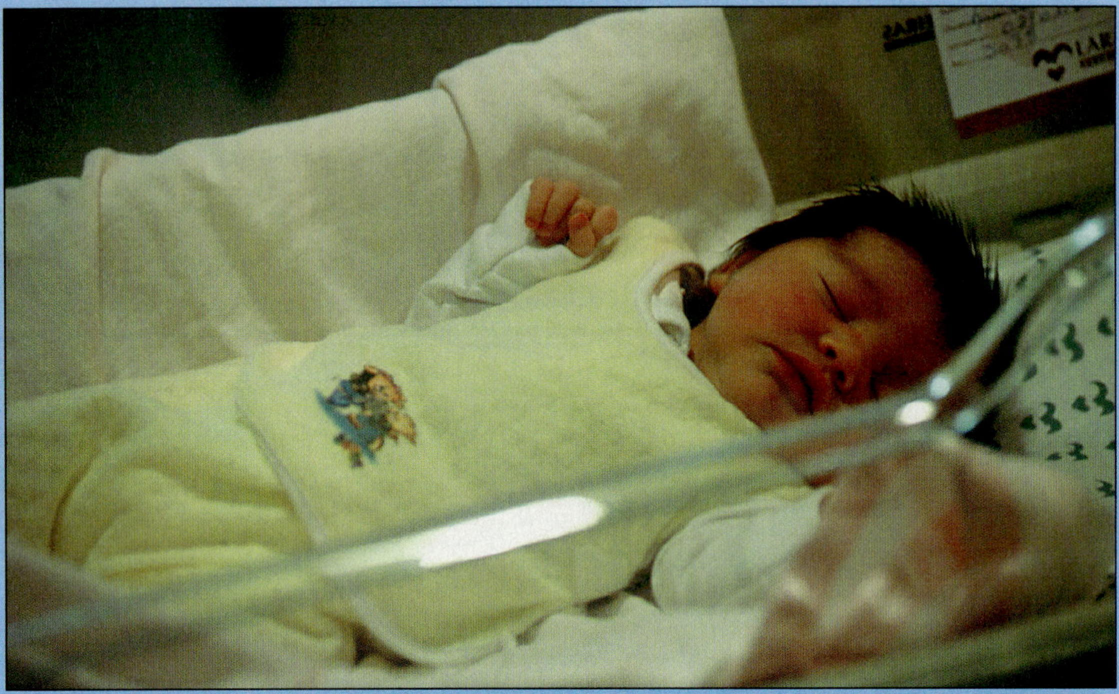

No berço o bebê deve ficar sempre de lado ou com a barriga para cima, com a cabeça ligeiramente elevada. Esta orientação vale também para quando ele for para casa e durante os seis primeiros meses de vida.

Providências e problemas:

a) o curativo deve ser feito diariamente, tocando o coto umbilical com álcool a 70%;

b) mamando ao peito, a criança não terá necessidade de beber água ou chá. Em circunstâncias excepcionais (calor e febre, por exemplo), a água poderá ser oferecida;

c) se a criança estiver sendo alimentada com mamadeira, a água deverá ser oferecida de acordo com a sede da criança (10 a 30ml por vez), sem forçá-la;

d) a urina deve ser eliminada várias vezes ao dia, sendo bem clara e pouco concentrada. Quando a criança se desidrata, sua urina é mais escura, a boca fica seca, a pele quente e muitas vezes a temperatura oscila e atinge mais de 37,5ºC;

e) a criança costuma chorar, expressando fome ou sede;

f) sapinho são pequenas manchas brancas que surgem na boca, por volta do segundo dia de vida;

g) deixe o bebê apenas com fralda e camisinha em ambientes quentes e mais agasalhado nos mais frios. Não enrole as pernas e o corpo do bebê para ele ficar durinho;

h) pele: bem fina e rosada. Nas crianças que passam do tempo para nascer, ela se apresenta áspera e seca;

i) não estando com fome ou com sede, é comum os recém-nascidos ficarem quase imóveis no berço, dormindo a maior parte do dia;

j) os vômitos não são raros, principalmente quando as mães tomaram sedativos ou analgésicos durante o trabalho de parto ou quando da cesariana. Deve-se fazer, ainda na sala de parto, uma cuidadosa aspiração da boca e do estômago;

l) espirros e tosse são freqüentes, devido à irritação provocada pela descamação das células da mucosa nasal. Não indicam resfriado;

m) o seio deverá ser oferecido à medida que a criança chora, sem horário rígido, dez minutos de um lado e dez do outro, invertendo a ordem na mamada seguinte. Se a criança ficar mais de quatro horas dormindo, deverá ser acordada e colocada ao seio, principalmente quando se tratar de prematuro ou criança de baixo peso. A produção do leite, além da parte hormonal normal, depende muito do estímulo que o bebê provoca no seio quando o suga; por isso, mesmo que a mãe ache que não tem leite, ela deverá colocar o bebê para sugá-lo todas as vezes que ele desejar. Não existe leite forte ou fraco; todo leite materno é bom. Na impossibilidade de dar leite materno, pode-se recorrer à alimentação artificial, não esquecendo suas desvantagens em relação à alimentação ao seio. O recém-nascido poderá ser levado ao seio imediatamente após o nascimento, quando suas condições e as da mãe forem satisfatórias. É um erro separar o bebê da mãe, se o parto foi normal e a mãe não precisar de maiores cuidados. O choro do recém-nascido estimula o reflexo da produção do leite. Quando o bebê está ausente, a mãe fica ansiosa, o que dificulta sua produção.

A alimentação exclusiva com leite materno deverá ser dada até o sexto mês de idade, sem qualquer prejuízo para o bebê. Geralmente o bebê da sexta semana em diante regulariza automaticamente seu apetite, passando a mamar em intervalos regulares, geralmente a cada três horas.

O bebê alimentado com leite materno tem menos atração no futuro para os alimentos doces. A lactose, o açúcar contido no leite materno, é menos doce que a sacarose (açúcar de cana). Não habituar o bebê a alimentos doces é a primeira providência para se evitar cáries, obesidade e diabetes.

A importância da vitamina K

A quantidade reduzida de vitamina K no leite materno pode contribuir para o surgimento de doença hemorrágica (ver pág. 65); a administração de 1mg de vitamina K (ver pág. 65), em injeção intramuscular, é recomendada para todos os recém-nascidos.

O INÍCIO DA LACTAÇÃO (produção do leite)

No primeiro dia após o parto, a mãe tem pouco leite, cerca de 10 a 20ml, cerca de uma, duas ou até três colheres (das de sopa), em 24 horas. Este leite inicial é, como foi dito anteriormente, o colostro, de aspecto branco-amarelado, espesso, servindo como a primeira vacina que a criança recebe em sua vida. Do terceiro ao quinto dia, o leite materno revela características comuns, sendo quase aquoso, levemente esbranquiçado, ralo, pois contém menos proteínas e sais minerais que o de vaca. Isto não significa que o leite materno maduro seja fraco; pelo contrário, o que importa é a qualidade e não a quantidade. Também pela menor quantidade de proteínas e sais minerais, a criança amamentada ao seio não precisa de água suplementar, justamente porque ele é feito para alimentar e saciar a sede ao mesmo tempo, o que é de valor inestimável para evitar a desidratação.

Em algumas mães a transição do colostro para o leite propriamente dito é mais demorada. Somente no 10º dia de lactação ele se torna abundante. A mãe oferecerá seu seio de acordo com a solicitação do bebê. Isto é muito importante para estimular a produção de leite, não dando importância a horários. Deve-se evitar o uso de mamadeiras. A sucção mais fácil do bico desestimulará a alimentação ao seio. A sucção pelo bebê é indispensável à produção e descida do leite, funcionando como um estímulo cerebral para a liberação de dois hormônios, a prolactina, que estimula a produção de leite, e o outro, a ocitocina, que controla os canais do seio, movimentando o leite e facilitando sua eliminação.

Quando o recém-nascido é levado ao seio, a mãe, deitada em posição oblíqua, adapta ao bico a boca da criança. Um recém-nascido em condições normais pegará o seio. A mãe deverá oferecer seu seio em várias posições, mudando o seio, para que a criança não sugue sempre no mesmo lugar do bico. Não dê o seio durante mais de 25 minutos de cada vez; se a criança tiver muita fome, é preferível oferecê-lo um maior número de vezes, em intervalos curtos.

Nos primeiros três dias o recém-nascido dorme quase todo tempo, não costumando sentir muita fome. Este é um período de descanso para o bebê e para sua mãe. Nos primeiros três dias o recém-nascido não está, às vezes, em condições de digerir o leite, ele se engasga com o muco (secreção) que aspirou por ocasião do parto e se localizou na nasofaringe (nariz e garganta). A natureza previu esta possibilidade e o recém-nascido nasce com uma "reserva" de açúcar, gordura e água no seu corpo, que o sustentará até o terceiro dia, quando deverá estar disponível o leite materno.

O seio vaza entre as mamadas apenas nas primeiras seis semanas.

A higiene dos seios

A nutriz deverá tomar banho diariamente, se possível com sabonete de glicerina, e retirar durante o dia o leite que escorrer do bico com água pura, sem sabonete. Estes são os únicos cuidados higiênicos necessários. O excesso de higiene, principalmente com sabonete e antiséptico, predispõe às dolorosas fissuras (rachaduras do seio).

Os mamilos (bicos do seio) ficam salientes nos últimos meses da gravidez nas primíparas (mães pela primeira vez). Nas multíparas eles já estão protrusos.

Os bicos do seio doloridos são mais freqüentes nas mulheres que são mães pela primeira vez; esta sensação é transitória e desaparece logo que a produção do leite (lactação) se tornar franca.

O bico do seio poderá variar em tamanho e posição, mas o bebê acabará por se adaptar; porém o problema é o bico do seio dolorido. Para evitar isto, o melhor é não usar cremes que contenham álcool e que destruam a oleosidade natural da pele que o reveste. Sua ausência aumenta a dor. O mais indicado é a exposição ao ar, ao sol e a aplicação de lanolina pura no local. Proteja os bicos com algodão e gaze esterilizada e protetores comerciais.

Já antes do nascimento, e no primeiro dia, a quantidade de leite humano é pequena nas primeiras 24 horas, cerca de 10 a 20ml (1 ou 2 colheres das de sopa). A secreção vai aumentando e ao quinto dia já adquiriu as características do leite materno, bem fluido, esbranquiçado, ralo e adocicado. Em algumas mães esta modificação é mais demorada, só ocorrendo no décimo dia.

Problemas que podem aparecer ao iniciar a primeira mamada

1) Defeitos no bico dos seios

a) bicos retraídos (ver a pág. 82)

b) bicos doloridos (ver a pág. 82)

c) rachaduras (fissuras) (ver a pág. 82)

Se apenas um mamilo apresentar fissuras, suspenda a amamentação neste seio por dois a três dias, tirando o leite manualmente.

d) ingurgitamento (caroço avermelhado, denso e dolorido no seio, conseqüente ao entupimento do canal lactífero).

- não use sutiãs apertados;
- não aperte demais seus seios na hora de amamentar ou tirar manualmente o leite;
- faça massagens ou aplique compressas de água morna (ver a pág. 91)

e) abscessos (ver a pág. 83).

2) Diminuição ou falta de leite (hipogalactia)

Tire o leite manualmente, com bomba mecânica ou elétrica. A doação de amigas ou parentas não convém, porque não é a solução. Amas-de-leite não se encontram mais disponíveis.

O banco de leite materno (ver a pág. 90) é um recurso que poderá ser utilizado desde que este banco seja de confiança absoluta dos pais. Nos Estados Unidos as denominadas "fórmulas" (leite industrializado) têm sido preferidas pelas mães e médicos, reservando o leite materno unicamente para os casos de intolerância a qualquer outro tipo de leite.

Direitos da nutriz

Terá direito à licença de 120 dias (segundo o artigo 392 da Constituição Federal, conforme a CLT de 1991), que poderá, em casos excepcionais, ser aumentada mediante atestado médico. A mulher que amamentar seu filho até os seis meses de idade terá direito durante o período de trabalho a dois descansos especiais de meia hora cada um (art. 396).

A lei nº 11.770, de 9 de setembro de 2008, prevê ainda a possibilidade de prorrogação de 60 dias da licença-maternidade, mediante concessão de incentivo fiscal ao empregador.

A primeira mamada

Estando a mãe e o bebê em boas condições, segundo alguns pediatras a mãe deverá oferecer seu seio, logo que possível, depois do parto que ocorreu sem problemas. Outros preferem aguardar algumas horas. Os primeiros dias são críticos, sobretudo para a mãe, que oferecerá seu seio pela primeira vez. Para facilitar a sucção, o recém-nascido deverá abocanhar a aréola (círculo pigmentado ao redor do bico) o máximo que puder. O recém-nascido normal estará alerta e espontaneamente pegará o bico; no caso de estar sonolento ou se teve um parto demorado terá alguma dificuldade. Depois de três, quatro minutos, a mãe introduzirá seu dedo indicador (lavado) no canto da boca do bebê para interromper a sucção, e em seguida oferecerá o outro seio por igual tempo, podendo repetir este ato diversas vezes no primeiro dia de duas em duas ou de três em três horas. A mãe e o bebê não deverão ser separados nas primeiras 24 horas (alojamento comum) ou unidades pós-parto nos hospitais modernos. No dia seguinte, o intervalo poderá passar de duas em duas a até cinco em cinco horas. Será criado um intervalo de acordo com o recém-nascido, se ele estiver acordado ou dormindo. Uma sucção demorada poderá machucar os seios e até provocar fissuras. A mãe poderá amamentar deitada ou sentada numa cadeira de balanço, que dá melhor conforto e relaxamento. A mãe deverá procurar a melhor posição, variando até achar a melhor. Deverá mudar a posição do mamilo na boca do bebê nas mamadas. No terceiro dia uma mamada pode levar dez minutos. Do quarto dia em diante, o hábito de dar água com açúcar não é aconselhável; a mãe e o pediatra decidirão nas circunstâncias dos dias de muito calor.

Cuidados com o bico do seio

Desde o início, o maior cuidado é mantê-lo seco. Se estiver irritado, use calor seco de uma lâmpada de 60 watts, a uma distância de 50cm por vinte minutos depois de cada mamada.

Pode-se usar um secador de cabelos de baixa potência a uma distância de 15cm, durante quinze minutos. O hábito de deixar após todas as mamadas um pouco de leite cobrindo os mamilos e as aréolas até secar tem sido usado com sucesso. Nunca use pomadas, loções e sutiãs de forro plástico.

O aleitamento após o parto cesáreo

No caso de a mãe e o recém-nascido estarem em boas condições, a amamentação poderá começar nas primeiras doze horas. A administração à mãe de um analgésico (Tylenol, Novalgina, Aspirina) logo depois da mamada facilitará a produção de leite para a mamada seguinte. A mãe deverá estar em posição semideitada e o recém-nascido sobre um travesseiro. O corte transversal baixo habitualmente usado nas cesáreas no Brasil é melhor que o corte vertical, no qual o peso do recém-nascido pode incomodar a mãe.

O leite aparece em maior quantidade no terceiro ou quarto dia após o parto. A secreção do leite é desencadeada pelo hormônio prolactina, estimulado pela sucção. Para que as glândulas mamárias funcionem, é necessário que a criança as sugue.

Oferecer precocemente alimento artificial é um erro!

No segundo ou terceiro dia de vida, devido à afobação da família e do médico e à comodidade da enfermeira do berçário, o oferecimento antecipado de alimento artificial impede a sucção vigorosa do bebê no seio materno e a descida do leite. O bebê, farto com a mamadeira, não se esforça em chupar o seio, faltando assim o melhor estímulo para a secreção da glândula mamária que, uma vez funcionando, durará certamente por seis meses ou mais.

A alimentação artificial precoce, na primeira semana de vida, está sendo acusada de ser a causa de várias manifestações alérgicas que os bebês apresentam (ver alergia ao leite de vaca nas págs. 111 e 628).

A mamada noturna é importante

Estudos recentes comprovaram que a mamada durante a noite é um fator excelente. Entretanto, se o bebê espontaneamente não solicitá-la após os primeiros 30 a 60 dias, poderá ser abolida. Coloque seu bebê num horário flexível. Alimente-o com duas a quatro horas de intervalo, e à noite, se ele quiser. À medida que ele crescer, o intervalo de apetite se regularizará, e aos três meses ele estará perfeito.

Quanto o recém-nascido deve mamar?

Na primeira semana de vida ele mama a cada vez tantos gramas quanto forem os dias de nascido menos um, multiplicados por dez.

Exemplo: no quarto dia, 4 – 1 = 3 x 10 = 30 gramas; portanto, ele mama 30g de cada vez. A alimentação artificial não deverá ser iniciada por qualquer motivo, pois na maioria dos casos o leite materno surge em quantidade suficiente.

Tipo de recém-nascido segundo o modo de mamar (segundo Barnes)

Robusto, corpulento e voraz: suga violenta e rapidamente, suga grande quantidade de leite, ferindo freqüentemente o bico do seio. *Nervoso*: agarra e solta o bico do seio, resmungando. Há necessidade de acalmá-lo, levando-o pacientemente ao seio diversas vezes. *Indiferente*: não se interessa em sugar. Se o leite é pouco ou muito é o mesmo para ele. *Guloso*: saboreia ruidosamente as primeiras gotas que lhe caem na boca. Chupeteia, chegando a se lamber. *Folgado*: mama um pouco e descansa; torna a mamar e vai assim, folgadamente, até terminar.

QUANDO A MÃE NÃO DEVE AMAMENTAR

Em relação às doenças infecciosas, existem duas situações em que a amamentação está contraindicada: quando a mãe tem hepatite B e quando é portadora do vírus HIV (Aids).

No caso de a mãe ser portadora do vírus da hepatite B

O bebê deverá receber após o nascimento, já no primeiro dia, a imunoglobulina e a vacina contra o vírus. Deverá, então, se iniciar o aleitamento artificial. A mãe deverá estar consciente da importância de não amamentar, para evitar o contágio por este vírus.

No caso de a mãe ser portadora do vírus HIV

Várias medidas antes, durante e após o parto serão importantes. Para evitar a transmissão do vírus no final da gravidez e durante o parto, a futura mãe deverá receber a medicação antiviral (AZT) por via venosa antes e durante o trabalho de parto. Após o nascimento, o bebê deverá receber o AZT sob a forma de xarope até seis semanas de vida e a amamentação estará contra-indicada. O diagnóstico da possível contaminação do bebê só poderá ser feito durante o primeiro ano de vida e com exames específicos.

Com relação ao uso de medicações, hoje em dia poucas drogas contra-indicam formalmente a amamentação, e dentre elas estão os agentes quimioterápicos (imunossupressores e antineoplásicos), o carbonato de lítio, os antitireoidianos e o metronidazol (Flagyl) em doses elevadas.

QUANDO A MÃE TEM DIFICULDADE EM AMAMENTAR

Esta hipótese é verificada quando a mãe quer amamentar e, no entanto, não pode fazê-lo por algum dos seguintes impedimentos:

Anomalia dos seios

Pequenos, grandes, bipartidos, de bico retraído, ausência de bico (neste caso, as massagens e os sugadores são usados para controlar a dificuldade).

Hiperestesia da mama

Dor exagerada quando a criança suga, de modo que não é possível continuar a amamentar. Usam-se, para evitar este fato, protetores de bico do seio e, nos intervalos, compressas geladas ou quentes, conforme a mãe se sentir melhor.

Escoriações do bico do seio (rachaduras)

Provocam dor à sucção. O preparo prévio da mama, como acentuamos no capítulo anterior, evita este contratempo. Tratam-se estas fissuras com pomadas cicatrizantes e protetores de seios. Deixe os seios livres de sutiãs por várias horas todos os dias. Tente usar protetores de seio.

Abscesso no seio

É muito doloroso. Alguns médicos recomendam que, a despeito de tudo, a mãe deve sempre oferecer seu seio. A solução para estes casos é cirúrgica. O obstetra pode, às vezes, evitar seu aparecimento pela elevação dos seios mal apareçam os primeiros indícios, e sugerir o uso de antibióticos. A mãe poderá continuar amamentando.

Diminuição ou falta de leite materno (hipogalactia)

Por fim, o mais importante de todos os impedimentos: a diminuição ou a falta do leite materno. O diagnóstico da falta de leite só pode ser feito pelo médico. A mãe tem leite bastante para amamentar, e sua ausência é raríssima, excepcional. A vida moderna, trepidante e mecanizada, cada vez mais difícil e cheia de emoções, faz com que os médicos confessem que, hoje, esta porcentagem é mais reduzida.

Apesar de tudo, para os primeiros dias, e mesmo meses, as mães têm sempre um pouco de leite para seus filhos.

Prováveis causas da diminuição do aleitamento materno

a) o afastamento dos bebês na primeira semana de vida. A mãe fica nervosa com a dúvida de se o seu filho estará sendo tratado convenientemente no berçário;

b) precipitação em oferecer a mamadeira antes do quinto dia. A criança não se esforça em sugar o seio, a secreção láctea;

c) o hábito de oferecer água ou chá em mamadeira de bicos fáceis de sugar. Seria preferível dá-los às colheradas para os bebês normais, mas não aos doentes e prematuros;

d) fadiga: mães que têm vida atribulada dentro ou fora do lar e, além de tudo, noites maldormidas devido a filhos que despertam diversas vezes pedindo atenção;

e) descontrole emocional: em primeiro lugar, por temperamento da própria mãe (neurose etc.). Falecimento de um parente ou amigo direto. E, por fim, os maridos que provocam ciúme ou que não dão valor ao esforço e ao zelo da esposa que se dedica intensamente ao lar, aos filhos e a ele mesmo;

f) motivos sociais: trabalho fora de casa e compromissos sociais inadiáveis para não citar motivos fúteis.

Quando a criança não pode ou não quer mamar

Várias causas poderão estar em jogo:

Vício de conformação: lábio leporino (lábio superior fendido); "goela-de-lobo" (véu do palato aberto); queixo pequeno demais (micrognatia) ou língua grande demais (macroglossia).

Inflamação da boca: "sapinho", estomatite e aftas, que tornam a sucção dolorosa.

Rinites: provocando obstrução nasal, o bebê não mama porque fica sufocado.

Crianças fracas (prematuras ou com baixo peso ao nascimento): não dispõem de força suficiente para sugar o seio, sendo necessário coletar o próprio leite, no volume necessário, e dá-lo em mamadeira ou por sonda gástrica, nunca em colher.

Bebê neuropata: que "cisma" em não sugar e tem "horror" ao seio. Estes casos, bastante delicados, exigem da mãe e do pedriatra assistência cuidadosa.

Bebê vítima de debilidade mental (idiotia): causada por deficiência da tireóide, mongolismo ou outras causas.

Doenças neuromusculares: hipotonia acentuada e impossibilidade de sugar e deglutir.

CONTRA-INDICAÇÕES À AMAMENTAÇÃO

a) infecção aguda materna, se o bebê não tiver a mesma infecção. Pode-se esvaziar o seio e dar o leite ao bebê se as condições maternas permitirem;
b) doenças: septicemia, nefrite, eclâmpsia, hemorragias, tuberculose ativa, tifo, malária, neuroses graves, psicose pós-parto;
c) bicos do seio invertidos (embutidos), fissuras, mastite (abscesso do seio);
d) recém-nascido fraco, sem força para sugar (que se alimenta por sonda gástrica);
e) alguns alimentos da dieta materna podem provocar reações intensas no bebê e a mãe percebe que o seu filho reage com distensão abdominal, fezes líqüidas, vômitos, prisão de ventre, agitação e perda de sono;
f) a doença hemolítica (eritroblastose fetal/fator Rh) não é contra-indicação, se o bebê estiver em boas condições. Os anticorpos do leite materno são inativados no intestino e não provocam a destruição dos glóbulos vermelhos do recém-nascido;
g) Aids – o vírus da Aids pode ser transmitido pelo leite materno.

A VIDA DA MULHER QUE AMAMENTA

Para aumentar a secreção dos seios, primeiro o pai deverá ser um bom marido; a mãe deverá se manter tranqüila, sem problemas emocionais. O ritmo de sucção deverá ser de três em três horas, dez minutos em cada seio, ou de quinze em quinze, alternando; é excelente ativador. O caldo da canjica, a cerveja preta e os remédios compostos de extrato de semente de algodão, galega, urtiga em gotas, às refeições, receitados pelas nossas avós, não têm nenhum valor.

Manhã: 200ml de leite com café pingado, chá ou chocolate, 50g de pão (torradas), 1 colher (das de chá) de manteiga e 1 fruta crua.

Almoço: 200g de carne (bovina, de galinha, peixe, presunto), muitas verduras com 1 colher (das de sobremesa) de azeite, 1 batata e 1 fruta crua.

Lanche: queijo gordo, 100g de torradas com 1 colher (das de chá) de manteiga, café bem fraco.

Jantar: sopas de massas com queijo ralado; sobremesa à base de derivados do leite (sorvete de creme, iogurte, creme de leite ou compota de frutas).

De modo geral é satisfatória uma alimentação com o consumo diário de seis a onze porções de pão, cereais, massa, arroz ou outros grãos, duas a quatro frutas, três a cinco vegetais (legumes e verduras), duas a três fatias de carne de vaca, frango ou peixe; um ou dois ovos por dia, quatro colheres (das de sopa) de feijão, ervilha ou lentilha.

A ingestão de líquidos deverá ser de pelo menos dois litros por dia.

Conselhos quanto à alimentação da nutriz

a) se você não gostar ou se tiver alergia ao leite ou a seus derivados, deverá tomar 1g de cálcio por dia e substituir o leite e seus derivados por alimentos ricos em proteínas, como ovo, omelete, feijão, ervilha, soja;

b) para combater a prisão de ventre, em vez de laxantes é preferível comer frutas com bagaço, pão feito com trigo integral e tomar bastante líquido;

c) a nutriz deverá ingerir bastante líquido por dia (leite, sucos, água);

d) poderá beber um copo de vinho ou cerveja por dia, e nunca uísque, licores, cachaça, vodca;

e) não deverá abusar de café, chá ou chocolate;

f) peixe: uma vez por semana, pelo menos, é prudente dá-lo à mulher grávida ou à que amamenta, porque são períodos em que há grande demanda do hormônio da tireóide. Tendo iodo, e sendo este um dos mais importantes componentes do hormônio da glândula tireóide, é conveniente que o peixe faça parte da alimentação;

g) alguns alimentos são impróprios. Algumas substâncias alimentares devem ser ingeridas com cuidado. Apesar de a maioria dos puericultores negar o fato, algumas mães observadoras notam perturbações nos seus filhos, concomitantes às suas, devido a alimentos ingeridos na véspera. Deve-se ter cautela com alguns alimentos tidos como fortes (tóxicos) como mariscos, ostras, carne em conserva, alho, cebola, pimenta; nunca deverão ser ingeridos em grande quantidade. Os alimentos preferidos deverão ser frutas, verduras, legumes, massas, cereais, carnes de galinha e de vaca e peixes, como a pescadinha, o namorado e o badejete. Repolho, aspargos, cebola e alho não conferem ao leite materno propriedades prejudiciais, mas que modificam o gosto não há dúvida;

h) medicamentos que passam para o leite materno: a Sociedade Brasileira de Pediatria (grupo de incentivo ao aleitamento materno) informa que a mãe que amamenta poderá tomar diversos medicamentos, como analgésicos e antitérmicos, sem perigo para o bebê, mesmo o fazendo por um longo período. A doença materna não tratada poderá ser mais prejudicial para a amamentação do que o efeito da maioria dos remédios eliminados pelo leite.

No caso de a nutriz ter de ingerir um medicamento, poderá fazê-lo a qualquer hora; porém, se este medicamento está catalogado entre os que devem ser tomados com prudência e sob vigilância médica, ela deverá tomá-lo imediatamente após a mamada, e se for dose única deverá tomá-lo à noite e após a última mamada.

É muito importante o conhecimento dos remédios que a mãe possa tomar durante a amamentação.

As drogas podem estimular ou inibir a lactação, podendo também mudar a composição do leite e causar danos ao bebê.

A concentração das drogas no leite depende da concentração da droga no sangue materno. A maioria das drogas pode passar em alguma quantidade ao leite materno, mas muitas vezes em quantidade tão pequena que é praticamente atóxica.

Entretanto, alguns medicamentos podem prejudicar o bebê, mesmo em pequena quantidade ou quando ingeridos em excesso.

DROGAS A SEREM EVITADAS NO PERÍODO DO ALEITAMENTO

- Amantadina (antiparkinsoniana)
- Amiodarona (antiarrítmico)
- Bromocriptina
- Carbamazepina
- Cimetidina
- Contraceptivos orais (progesterona) (diminuem a lactação)
- Diazóxido
- Ergotamina
- Indometacina
- Inibidores da M.A.O.
- Levodopa (antiparkinsoniana)
- Metimazol
- Tolbutamina (hipoglicemiante)
- Etambutol (possível toxicidade ocular)
- Fenitoína (passa em níveis elevados para o leite)
- Fenobarbital (CA). (Se a dose materna for maior que 100 a 200mg/dia, é preferível suspender a amamentação ou mudar a droga.)
- Furosemida (provavelmente CA)
- Halotane (CA)

- Heparina (CA)
- Hidroclorotiazida (CA)
- Insulina (CA)
- Isoniazida (CA). (Observe anemia e sinais de comprometimento hepático.)
- Isoproterenol (CA)
- Laxantes (CA)
- Nitrofurantoína (CA)
- Ocitoxina (CA)
- Penicilina (CA)
- Penicilina semi-sintética (CA)
- Peroxican (CA)
- Prozosin (CA)
- Predinisona (CA)
- Propanolol (CA)
- Quinidina (CA)
- Reserpina (CA)
- Rhogan e outras Imunoglobulinas (CA)
- Rifampicina (CA)
- Sacarina (CA)
- Sulfametoxazol (suspendê-la durante a amamentação)
- Teofilina (CA)
- Terbutalina (CA)
- Tetraciclina (suspendê-la durante a amamentação)
- Trimetropim (CA)
- Vancomicina (CA)
- Vitaminas (CA) (evite o excesso)

CONTRA-INDICAÇÕES ABSOLUTAS

- Antimetabólitos (antineoplásicos)
- Azatrioprina (imunodepressora)
- Iodetos
- Lítio
- Propiltiouracil
- Tiouracil
- Metronidazol (suspenda a amamentação durante seu uso)

CONCLUSÕES

- Anfetaminas: causam irritabilidade e padrão de sono diminuído
- Cocaína: intoxica, resultando em irritabilidade, tremores etc.
- Fenciclidina (alucinógena): provoca concentrações elevadas no leite
- Heroína: leva à dependência
- Nicotina: mães que fumam de vinte a trinta cigarros por dia poderão levar o bebê a apresentar náuseas, vômitos, dores abdominais, diarréia, irritabilidade e causarem a diminuição do leite

DROGAS USADAS POR MÃES VICIADAS (Usadas em excesso)

- Acetaminofen (CA): compatível com a amamentação
- Ácido nalidíxico
- Ácido valpróico

- Álcool (CA): o uso de 1g/kg/dia diminui o reflexo de ejeção. Pode ocasionar falha de crescimento. Uso moderado.
- Anminoglicosídeos (CA)
- Aspirina (CA)
- Captopril-cafeína (CA): observe irritabilidade e distúrbios do sono
- Cefalosporinas (CA)
- Chocolate (CA): observe irritabilidade ou aumento do trânsito intestinal se a ingestão for excessiva (480g/dia)
- Clindamicina: suspenda-a durante a amamentação. Inicie o aleitamento 24 horas após a suspensão da droga
- Cloranfenicol: suspenda-a durante a amamentação. Inicie o aleitamento 24 horas após a suspensão da droga
- Clorpromazina (CA): observe se há sedação e monitore o crescimento
- Clorotiazida (CA)
- Codeína (CA): observe se há sedação; o reflexo de descida do leite pode ser inibido
- Diazepan: provavelmente CA
- Digoxina (CA)
- Difenidramina (CA)
- Efedrina (CA)
- Eritromicina (CA)

DROGAS CUJO USO DURANTE O ALEITAMENTO PODE PREJUDICAR O BEBÊ OU SUSCITAR DÚVIDAS

A nutriz não deverá receber uma droga cuja administração direta para seu filho traga preocupações.

A secreção de uma droga no leite materno é tão variável que não se deve tentar tratar a criança por meio da administração da droga à sua mãe.

O leite doado a bancos de leite deverá estar livre de contaminação.

Quando for necessária a administração de uma droga à mãe, deve-se minimizar a exposição da criança à droga por meio da suspensão da amamentação no momento de máxima secreção da droga no leite.

Toda vez que a criança que estiver sendo amamentada apresentar sinais ou sintomas de qualquer anormalidade, sempre deve-se procurar correlacionar com drogas ingeridas pela mãe. Toda vez que a mãe tiver de tomar um remédio, use de preferência um único agente.

O reaparecimento da menstruação

Por fim, vejamos se o reaparecimento das "regras" prejudica o leite. Muitas avós asseguram que durante a menstruação o leite fica "ruim"; isto não tem fundamento. O que parece haver é uma diminuição do leite nesta situação, e a criança pode chorar às vezes por não ficar satisfeita com a quantidade ingerida; esta situação é transitória, e cessa também com o fim das "regras".

Na verdade as "regras" só voltam no fim da amamentação. Entretanto, há a possibilidade de uma ovulação antes da sua volta. Não há garantia de que uma relação sexual antes da volta das regras esteja livre de uma nova gravidez; não é provável, mas é possível.

A possibilidade do reinício da ovulação (nova gravidez) é muito menor nas mães que amamentam por mais tempo, inclusive à noite, e que o seu bebê mame intensamente, recebendo alimentação suplementar mais tarde.

Não é aconselhável haver nova relação sexual antes de terminar o primeiro mês após o parto. Quando está no período de lactação, a nutriz pode ovular sem menstruar. Há o risco de engravidar.

A mãe que amamenta pode tomar anticoncepcional?

Somente os de baixo teor hormonal, apenas podendo diminuir um pouco a produção de leite. Isto poderá ser compensado colocando-se o bebê mais tempo ao seio e com isto aumentar o estímulo.

A amamentação faz os seios ficarem flácidos?

Isto só acontece quando as mães comem demais, sobretudo doces e massas, porque pensam que assim terão mais leite. É o peso da gordura dos seios que os torna flácidos. Entretanto, se ela usar sutiãs confortáveis e houver uma alimentação equilibrada, os seios serão os mesmos de antes da gravidez e da amamentação. A ginástica antes da gravidez, sobretudo a natação, é um recurso para se evitar seios flácidos.

A nutriz e os cigarros – PERIGO! (ver pág. 68)

Fissuras no bico do seio

A fissura do bico do seio, eminentemente dolorida, torna a amamentação um martírio. É causada pelas mamadas prolongadas por mais de vinte minutos. O bebê fará o bico do seio de chupeta, macerando-o. Há bebês vigorosos, sobretudo meninos, que "trituram" o bico com a gengiva. Algumas mães têm a pele predisposta a fissuras, ressecada e frágil, que se rompe facilmente com o atrito.

O tratamento poderá ser iniciado, logo que seja verificada a fissura, com pomadas cicatrizantes.

Como evitar fissuras no bico do seio?

Evite uma mamada muito demorada; após quinze a vinte minutos, o bebê faz do bico do seio uma chupeta. Lave os bicos dos seios apenas com água, nunca com sabão, e não use cremes ou loções. Como conselho para tratamento da rachadura, mantenha-os secos, à luz do sol, não use plásticos que mantenham a umidade, exponha os seios ao ar livre o maior tempo possível sem usar o sutiã. Use um secador de cabelos, mas não muito perto, por quinze minutos, use lâmpadas de 60 watts a 50cm durante vinte a trinta minutos várias vezes ao dia. Depois de dar de mamar, esprema o leite, deixando que ele seque no próprio mamilo, formando uma camada protetora, que ajudará no processo de cicatrização.

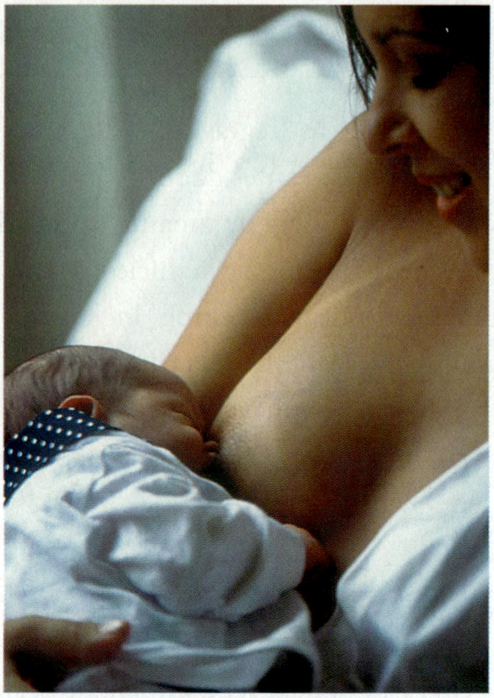

Como coletar o leite materno em casa

Quando a mãe não puder estar em casa para amamentar, ela poderá lançar mão do seu próprio leite. Após uma criteriosa higienização dos seios, dos recipientes e da bomba de extração (manual ou elétrica), a quantidade de leite armazenado, durante mais ou menos doze horas, deverá ser transferida da geladeira para o *freezer*, previamente identificada e datada. Este leite permanecerá em boas condições de uso por até vinte dias. O descongelamento deverá ser feito lentamente, em banho-maria. Após descongelado, o leite deverá ser usado, e o que porventura sobrar deverá ser desprezado; por este motivo não se deve guardar grande quantidade em um único recipiente.

Banco de leite materno

Há em algumas cidades do nosso país instituições que fornecem leite materno. São instituições bem-estruturadas, que merecem toda confiança. Se você produz uma boa quantidade de leite e ele está sobrando, um ato humanitário de grande valor é a sua doação de leite; pois assim como com o sangue, ele salva muitas vidas. Entre em contato com um banco de leite da sua cidade para obter maiores informações. O leite é fornecido gratuitamente para os bebês carentes hospitalizados e para particulares que devem contribuir monetariamente para as mães que fornecem o leite.

Ingurgitamento do seio

Um problema extra que a mulher tem de enfrentar na sagrada e trabalhosa função da maternidade é o ingurgitamento dos seios. Há necessidade de diferenciar o ingurgitamento fisiológico do patológico, a fim de que sejam tomadas medidas acertadas. O fisiológico é devido à simples distensão dos seios, que ocorre quando se inicia a secreção láctea. Não se trata de estase (parada) do leite, mas apenas congestão intensa e edema linfático (inchação), cujas causas ainda não são conhecidas. Geralmente estes casos se resolvem espontaneamente, dentro de um a três dias, com a seqüência de mamadas e a elevação das mamas com sutiãs resistentes. O patológico é aquele que ocorre depois do terceiro dia após o parto, prolongando-se por vários dias, acompanhado de intensa inflamação, distensão e mal-estar geral devido à febre que ocasiona. Trata-se de uma inflamação sem infecção, mas que, descuidada, poderá terminar formando abscessos. As causas, numerosas e variáveis, são divididas em dois grupos:

Primeiro grupo

Causas emocionais: ocupam o primeiro lugar. Todas as condições que provocam tensão nervosa interferem no mecanismo do sistema central, que controla a secreção. Preocupações durante a amamentação, bem como ciúme, medo, raiva, vergonha etc., podem ser responsáveis. Os fenômenos neurológicos, somente identificados pelo médico-assistente, podem igualmente constituir uma causa, bem como moléstias crônicas maternas, como o diabetes. Defeitos anatômicos dos canais secretores, fissuras, inflamações do mamilo e malformação dos seios podem ser catalogados neste grupo.

Segundo grupo

Causas do recém-nascido: sucção imperfeita, insuficiente ou ausente é a maior causa. Diversos fatores poderão provocar estas condições: prematuridade, traumatismo do parto, lábio leporino, fenda palatina (goela-de-lobo), mongolismo, hipotireoidismo e outras doenças generalizadas.

Tratamento

O tratamento consiste na desobstrução das vias excretoras do leite, o que é facilitado pela retificação dos canais por meio da elevação das mamas e a aplicação de compressas mornas. A sucção normal pelo recém-nascido é indispensável; no caso de não ser possível, faz-se necessário o esvaziamento mecânico ou manual.

A conduta terapêutica do ingurgitamento do seio consiste em espremer o leite entre as mamadas, manualmente ou com uma bomba, e ter certeza de que o bebê está mamando em ambos os seios em cada mamada.

- Use compressas mornas.
- Fique debaixo do chuveiro morno por algum tempo.
- Às vezes compressas frias dão melhor resultado; ou altere compressas mornas e frias, conforme cada caso.

Confortará à mãe saber que esta é uma situação que atinge a maioria das mulheres, mas felizmente é passageira, estando resolvida, geralmente, após o sétimo ou nono dia depois do parto. O apoio e a compreensão dos familiares, além da orientação do pediatra ou obstetra ajudarão muito nesta fase difícil, que coincide com a saída da maternidade e a chegada a casa, com todos os seus problemas. A mãe, por exemplo, descobre que a empregada foi embora antes da chegada do bebê, o que contribui para o nervosismo familiar e o aumento da tensão da mãe, com dificuldade conseqüente na saída do leite.

CONSELHOS PARA EVITAR QUE O BEBÊ TENHA DIARRÉIA

1) Lave sempre as mãos com água e sabão:

a) antes de preparar qualquer alimento,

b) antes e depois do banho,

c) depois do asseio ou troca de fraldas.

2) Ofereça sempre água filtrada e fervida ao bebê. A água do banho, em contato com a boca do bebê, proveniente de caixas d'água e piscinas malcuidadas, é perigosa.

3) Os cuidados necessários com o seio já foram descritos. As mamadeiras preparadas sempre com água filtrada e fervida deverão ser desprezadas após duas horas de preparo se não forem utilizadas neste prazo. Os alimentos sólidos só devem ser consumidos após cozimento nunca inferior a dez minutos. As frutas deverão ser lavadas com água fervida e sabão neutro, descascadas em profundidade e preparadas por mãos rigorosamente asseadas.

4) Facas, colheres, garfos, copos, xícaras, copos de liqüidificador, panelas, pratos, escovas e esponjas de limpeza deverão ser fervidos ou escaldados antes das mamadas e só devem ser enxugados com toalhas de papel. Não use panos de prato. O resfriamento deverá ser feito em geladeira, sob bandeja coberta.

5) Os brinquedos ou qualquer objeto que o bebê leve à boca deverão ser de uso só dele e lavados diariamente ou cada vez que caírem no chão. O perigo está em as crianças manusearem brinquedos babados por outras crianças, e isto é comum em algumas creches.

6) Os animais domésticos não deverão viver com o bebê no mesmo ambiente.

7) Evite o contato do bebê com adultos e crianças doentes, sobretudo se estes estiverem com diarréia.

8) Não permita beijo na boca entre crianças; a contaminação é imediata.

9) Evite que o bebê seja levado ao colo por pessoas estranhas, pois elas podem estar com as mãos e as roupas sujas.

10) Fraldas sujas deverão ser colocadas em baldes tampados, para evitar insetos (principalmente moscas).

Estas advertências parecem exageradas, entretanto é comum os pais ficarem surpresos com o seu bebê adoecer, apesar de tantos cuidados habituais. A contaminação é feita por bactérias, que são parasitos vegetais unicelulares microscópicos (bacilos, cocos), responsáveis por numerosas doenças e transmitidos pelo vento, contaminando pessoas e objetos.

Capítulo 4

O Terceiro Dia

O terceiro dia

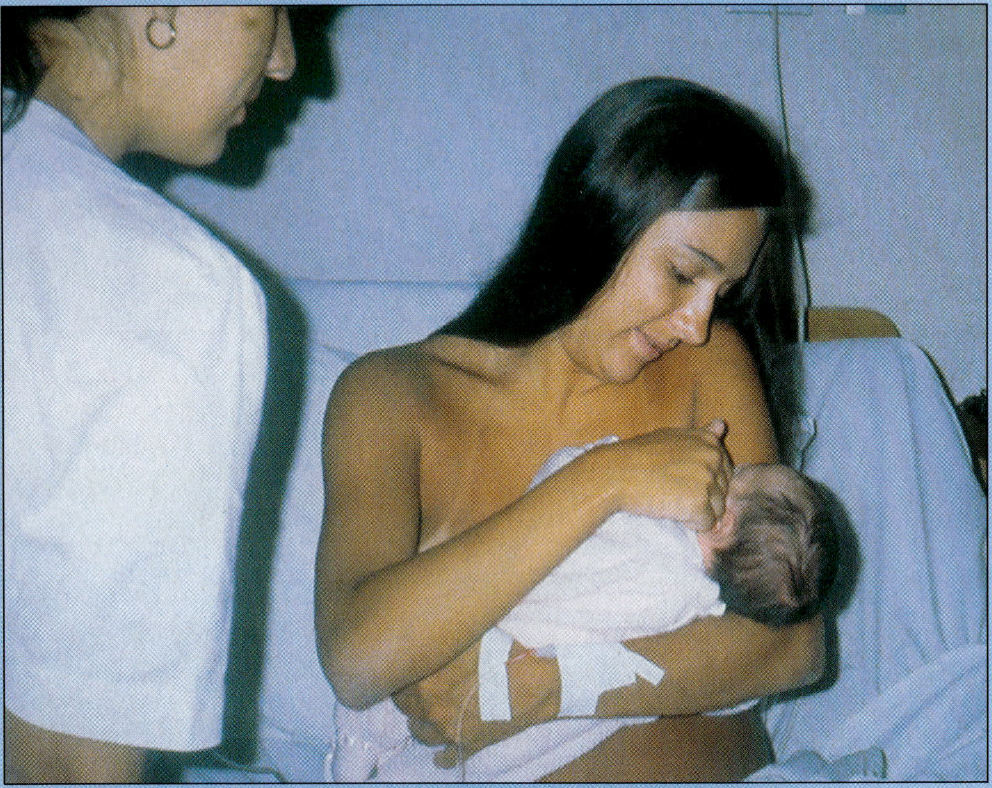

Apesar de o cordão umbilical já ter sido cortado, a ligação entre mãe e filho continuará pela amamentação.

No terceiro dia já costuma ser farta a produção de leite e a mãe deverá perceber quando o seu recém-nascido estiver ou não com fome. Ele geralmente se apresentará sonolento nos primeiros dias, principalmente se a mãe recebeu sedativos durante o parto.

Alguns bebês sugam muito pouco leite ainda no terceiro dia, e podem estar perdendo peso, o que poderá fazer a sua mãe ficar desesperada; entretanto, o oferecimento de 30 a 50ml de água filtrada, fervida e fresca, de três ou de quatro em quatro horas evita a desidratação, a perda de peso e acalma o bebê.

A paciência e a persistência da mãe na primeira semana de vida são decisivas para o sucesso do aleitamento até o sexto mês. A secreção do leite, uma vez iniciada, persistirá por um ano na maioria dos casos.

O quarto dia é a ocasião em que o recém-nascido desperta para a sucção; e se ele for bem-conduzido, se tornará um excelente beberrão de leite materno!

O recém-nascido continua perdendo peso, de 6 a 7%; isto é, se ele nasceu com três quilos, poderá estar com 2.800g. Quedas acima de 10% necessitam de avaliação médica.

a) deve-se ter o mesmo cuidado para com o coto umbilical (ver a pág. 32);

b) no terceiro dia já costuma ser mais farta a produção de leite materno, facilitando a sucção do bebê;

c) evacuação: o mecônio, já quase todo eliminado, agora mistura-se com as fezes oriundas do leite ingerido;

d) a urina: é eliminada diversas vezes ao dia, variando seu volume de 30 a 160ml;

e) há choro no caso de sede e fome. Sabe-se hoje que em algumas doenças, como a sífilis, em fraturas, lesões cerebrais por traumatismo pós-parto, os bebês doentes choram muito;

f) os recém-nascidos de mãe com monilíase vaginal costumam, já no terceiro dia de vida, apresentar "sapinho", com placas brancas na boca;

g) vestuário: fraldas e camisinhas em climas quentes; macacões e mantas quando está frio;

h) a movimentação no berço aumenta;

i) o recém-nascido dorme a maior parte do tempo;

j) pode, às vezes, ficar sem evacuar, principalmente quando as mães têm pouco leite;

l) as golfadas passam a ocorrer principalmente nos bebês cujas mães têm muito leite ou amamentam com técnica errada. Convém colocar o bebê ao colo, em posição vertical, por dez minutos, logo após a mamada, para ele arrotar;

m) poderá ocorrer aumento de temperatura, geralmente por falta de alimento, preparo errado (excesso de leite em pó na mamadeira, que fica demasiadamente concentrado, leite de vaca sem adição de água), excesso de roupa. Roupa de algodão deve ser preferida, evitando-se o contato direto com o corpo de tecidos sintéticos, como tergal, náilon e outros, que podem provocar irritações na pele;

n) pele: início da descamação epitelial, principalmente em bebês que nasceram depois do tempo certo. Após o nascimento, o bebê apresenta uma descamação, como se estivesse mudando de pele. Às vezes é muito intensa, depositando-se em grande quantidade pelo lençol, impressionando a família. No quinto ou sexto dia de vida, esta escamação terminará;

o) a partir do segundo dia (geralmente no próprio segundo dia) surgem na pele da criança lesões cutâneas. Trata-se de pequenas pápulas (elevações eruptivas limitadas da pele, comumente de pequeno tamanho e sem líquido no interior), rodeadas de eritema brando. É denominado eritema toxicum e, apesar do nome, é de natureza benigna, desaparecendo espontaneamente dentro de alguns dias;

p) a irritação dos olhos (conjuntivite), a inflamação das conjuntivas no recém-nascido, é freqüente. Em alguns casos surge provocada pela aplicação do nitrato de prata e em outros por infecção mesmo. Está indicada a limpeza com água filtrada e fervida, amornada, com algodão, duas a três vezes por dia, sendo a aplicação de colírios reservada aos casos mais persistentes;

q) a pele torna-se amarelada (icterícia fisiológica) na maioria dos bebês recém-nascidos normais e prematuros. Mostra-se entre o segundo e o terceiro dias, acentuando-se entre o quarto e o quinto, começando a regredir no sétimo e desaparecendo, o mais tardar, no 14º dia (ver a pág. 48).

O bebê amamentado ao seio poderá ter uma icterícia mais intensa e demorada do que o alimentado com leite de vaca, mas este é um fenômeno normal e sem maiores conseqüências.

É comum que o bebê passe a maior parte do tempo dormindo, mas se ele não acordar para mamar e parecer estar sempre desinteressado, consulte seu pediatra: esta letargia não é normal.

Cada bebê é uma pessoa, é diferente do outro, sobretudo na movimentação dos membros, nos sentimentos e sentidos. Desde o útero, alguns são quietos e outros nem deixam sua mãe dormir tranqüila nos últimos meses de gravidez, dando-lhe pontapés ou "andando de bicicleta".

Alguns nascem brigando e gritando, outros são menos ativos, ficam acordados ou dormem profundamente. Alguns nascem com fome ou sede e se acalmam bebendo água ou mamando.

POR QUE OS RECÉM-NASCIDOS SÃO DIFERENTES UNS DOS OUTROS?

As razões não estão claras, e várias considerações devem ser feitas:

a) hereditariedade: repete o modo de ser do pai, da mãe, dos avós;

b) dieta e tranqüilidade da mãe durante a gravidez;

c) gravidez normal ou acidentada;

d) hábitos da mãe durante a gravidez;

e) estado emocional da mãe;

f) tipo de parto, normal, cesáreo, a ferro (de fórceps);

g) duração do parto;

h) condições ao nascer (ver na pág. 44, Teste de Apgar);

i) respiração normal ou se houve necessidade de usar uma reanimação artificial (incubadora).

O banho do recém-nascido

Alguns pediatras acham que o banho no recém-nascido só deverá ser dado completo após a queda do cordão umbilical. Outros o indicam logo no segundo dia, desde que executado com toda higiene, principalmente nos dias quentes. Alguns especialistas são de opinião que o coto umbilical cai mais depressa nos bebês que não são banhados e sim lavados com esponja úmida e as dobras da pele com óleo. Nos ambientes frios ou nos berçários com ar-condicionado, o banho de imersão poderá ser dispensado até a queda do coto umbilical. Até a queda do coto a água utilizada deverá ser sempre filtrada e fervida. As mãos de quem dará o banho deverão ser esfregadas com escova e sabão, o que dispensa a desinfecção com álcool. O nível da água do banho não deverá ultrapassar os 15 centímetros.

A temperatura do banho deverá ser de 34ºC, 35ºC. Antes de banhar o bebê, teste sempre a temperatura da água com o cotovelo ou com o dorso da mão. A duração do banho deverá ser de três a cinco minutos no máximo. Mantenha o ambiente aquecido, evite correntes de ar, que poderão acarretar a diminuição rápida da temperatura ambiente, que deverá ser mantida mais ou menos fixa. Deve-se segurar a criança com a mão esquerda, colocada no dorso, amparando-se também, com o mesmo braço, a cabeça. A mão direita apoiará as nádegas ao colocar-se a criança na banheira.

Uma vez no banho, a mão direita fará a higiene com o sabonete próprio. O sabonete é importante: não deverá ser ácido, mas neutro, uma vez que a pele do recém-nascido é extremamente sensível; o sabonete comum poderá irritá-la.

O banho deverá começar pelo rosto, sendo os olhos lavados inicialmente. Em seguida as mãos, depois os braços, a barriga, as pernas e, por último, os órgãos genitais e o ânus. A criança é enxugada, e não esfregada, apalpando-a com a toalha cuidadosamente. Evite umidade nas dobras do pescoço, braços e pernas, que poderá macerar a pele, facilitando a infecção.

A banheira portátil deverá estar firme e colocada em altura conveniente, com água morna à temperatura do corpo. Nunca use a pia do banheiro para dar banho!

Os produtos usados para a higiene do bebê deverão ser simples e inócuos.

Higiene da cabeça do recém-nascido

A presença de oleosidade e pedacinhos de pele solta no couro cabeludo nas primeiras semanas de vida do bebê são devidos à sua lavagem inadequada. A higiene da cabeça do bebê desde o segundo dia deverá ser feita com fricção. Quando houver crostas de gordura, elas deverão ser amolecidas com uma pequena quantidade de óleo, fazendo-se massagem na região afetada, inclusive com a toalha, ao enxugar, empregando algum vigor, mas sem excesso, podendo ser utilizada uma escova de cerdas macias ou pente fino para ajudar na sua retirada.

A hora do banho

Esta deverá ser entre as 10 horas e o meio-dia, justamente quando a temperatura é mais firme e seca. Alguns pais preferem o final da tarde, antes do repouso noturno. No primeiro banho verifique se a boca e o nariz do bebê estão desobstruídos, para evitar que algum muco seja aspirado pela criança, dificultando sua respiração. Nunca introduza algodão ou hastes flexíveis nas narinas e nos ouvidos do bebê.

O recém-nascido geralmente não gosta de tomar banho. Para ele isto é um aborrecimento, em que ele é despido para o banho, manipulado, virado, apertado (às vezes por pessoas desajeitadas). A diferença de temperatura ao se despir provoca o reflexo chamado de Moro, onde ele atira seus braços e pernas para a frente, se agita e joga a cabeça para trás, arqueando o corpo. Evidentemente ele não se sente confortável.

Por que os bebês choram durante o banho?

Nem todos os recém-nascidos choram. Aqueles que choram o fazem por desconforto. Quais seriam as prováveis causas do choro?

a) a água pode estar muito quente ou muito fria. De acordo com sua sensibilidade, alguns a preferem quente, outros fria, ou mesmo morna. Só o bebê sabe o que mais o conforta;

b) a pessoa que dá o banho o pega com violência, apertando-o demais, com medo de deixá-lo cair ou, então, faz movimentos rápidos;

c) alguns bebês detestam que se lave ou se esfregue a cabeça. Se a criança não transpira muito na cabeça esta poderá ser banhada em dias alternados;

d) eles detestam lavar o rosto e ter água nos olhos;

e) como o banho é dado antes da mamada, o bebê poderá estar com fome ou com sede;

f) o uso de xampus poderá provocar ardência nos olhos;

g) poderá ser um bebê nervoso, que não aprecia mudanças de lugar;

h) existem bebês muito sensíveis. A puericultura registra o caso de um bebê que chorava durante o banho quando sua babá foi trocada, simplesmente porque a primeira o segurava com o braço direito e a nova com o esquerdo;

i) medo de escorregar (o uso de um tapete antiderrapante na banheira é aconselhável);

j) já houve uma experiência anterior com água entrando pelo nariz;

l) cuidado com a pele, evite arranhões;

m) não use hastes flexíveis para o nariz e principalmente para os ouvidos, que podem empurrar a cera para dentro, podendo machucar os tímpanos;

n) não o deixe sozinho, mesmo com pouca água. A banheira não é um lugar seguro;

o) óleo e talco, não.

A educação deverá começar logo na primeira semana de vida. O toque é a linguagem do recém-nascido (a prova está em que os bebês se aquietam ou param de chorar se você colocar suas mãos na barriga dele ou segurar carinhosamente os seus pés).

O toque é extremamente importante para a formação e para o fortalecimento do vínculo entre mãe e filho. Vínculo é a ligação que se estabelece entre a mãe e o bebê desde a sua concepção: esta ligação é física, emocional e espiritual. A qualidade deste primeiro vínculo determinará, em grande parte, a forma como o bebê mais tarde se relacionará com outras pessoas.

O toque por meio da massagem pode facilmente trazer benefícios para o bebê, tornando-o mais carinhoso, expressivo e afetuoso no relacionamento com as pessoas. Além disso, a massagem reforça o estímulo do crescimento e do apetite, evita a prisão de ventre e facilita a eliminação de gases. Bebês massageados dormem melhor e com mais facilidade. A intenção da massagem é o contato, e a utilização de óleo é imprescindível para que os movimentos fluam com mais facilidade, permitindo que o toque seja agradável, carinhoso e relaxante.

Assim, além de ser um produto de higienização (retirando, por exemplo, as crostinhas da cabeça do bebê), o óleo é também o veículo para a massagem. O banho, quando dado após o massageamento, completa os efeitos relaxantes da massagem.

Conselhos para a mãe ter um bom relacionamento com o seu bebê facilitando sua educação e conquistando seu amor:

a) não o deixe sentir fome;

b) o horário não é rígido; pode-se oferecer o seio quando ele reclamar, com transigência de uma, duas ou três horas, oferecendo-o durante a noite, se o bebê chorar;

c) não o deixe com sede (no caso do uso de fórmulas de leite de vaca);

d) quando ele tiver cólicas, trate-o imediatamente (vire-o de bruços, provoque calor no seu abdome). Leve-o ao colo para dar-lhe conforto. O contato com a sua pele é um sedativo para a sua angústia; encostar o rosto do bebê no rosto da mãe é um gesto espontâneo, misterioso e eficiente;

e) evite luz forte;

f) evite ruídos desagradáveis (falar alto, rádio, bater de portas);

g) mude sempre a fralda molhada;

h) evite o frio;

i) no caso de ter de dar mamadeira, fazê-lo ao colo, nunca com a criança deitada. Este é o primeiro ato de rejeição da mãe a seu filho;

j) deixe-o dormir quanto e quando quiser, não o incomode, se estiver dormindo tranqüilo e feliz;

l) após dar de mamar, não o jogue na cama bruscamente; mantenha-o ao colo. Leve-o vagarosamente até atingir o berço, sussurrando palavras gentis;

m) não há melhor forma de manter um bom relacionamento que o ato de amamentar seu filho.

Nunca se esqueça de que o bebê que sofre e é atendido não fica angustiado. Ele adquire confiança na pessoa que o atende e segurança em si mesmo, facilitando extraordinariamente sua educação e a formação da sua personalidade.

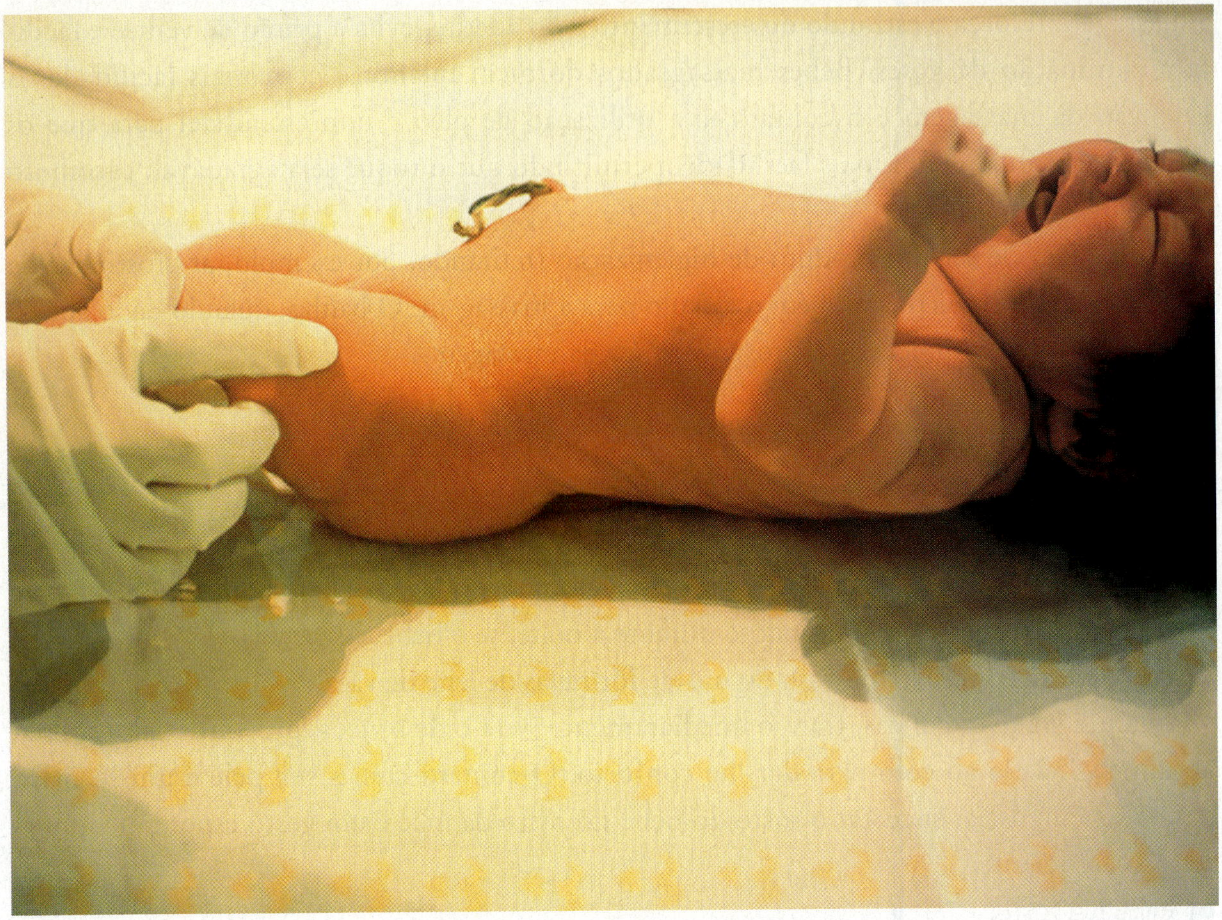

Os locais para aplicação de injeções nos recém-nascidos diferem dos de outras idades. A parte anterior da coxa e a lateral são as preferidas.

A posição do bebê no berço

O bebê deverá ser deitado de barriga para cima quando houver vigilância (porque há o risco de ele regurgitar ou vomitar, podendo aspirar o líquido, se sufocando); nunca se deve deitá-lo de barriga para baixo, para evitar os riscos de morte súbita.

A posição de lado é a mais aconselhável, principalmente durante a noite, ou quando ele tiver de ficar sozinho por algum tempo, tendo-se o cuidado de evitar a obstrução da respiração por travesseiros, lençóis etc.

Capítulo 5

O Quarto Dia

O quarto dia

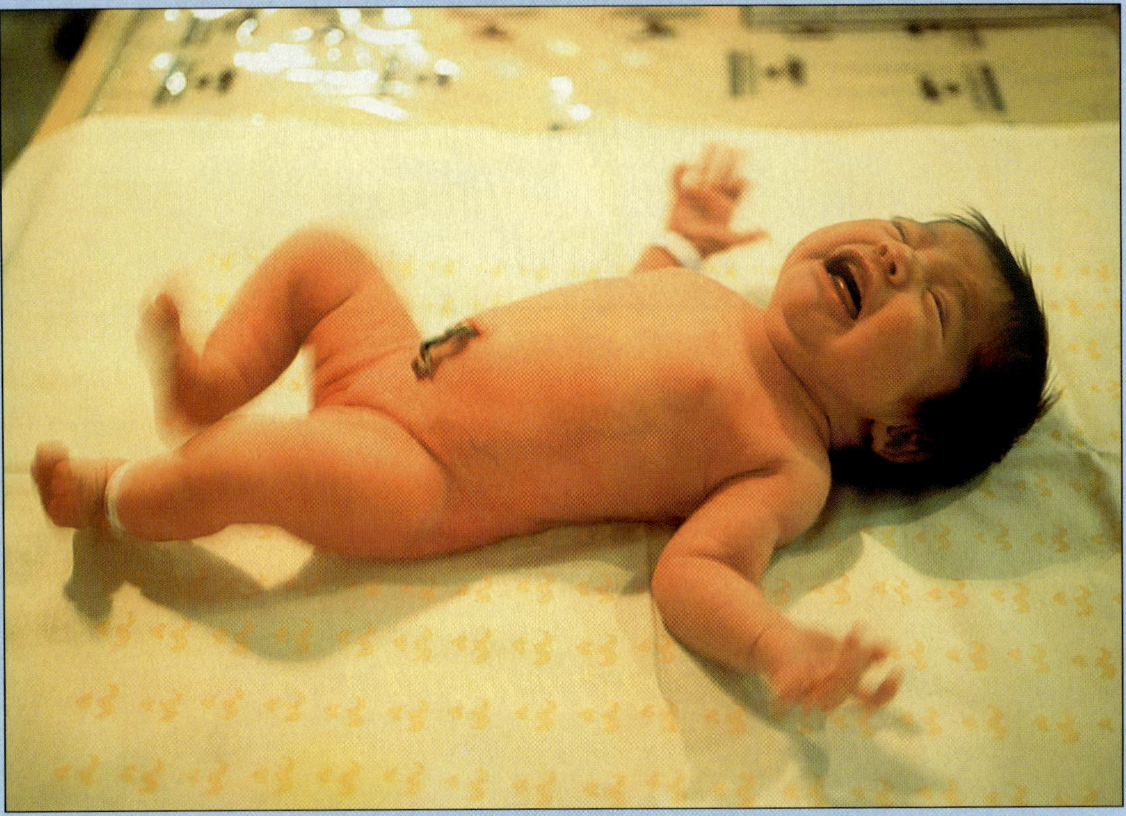

O curativo umbilical deve ser feito diariamente, tocando o coto *com álcool a 100%.*

O recém-nascido também pode ter uma redução de peso, porém começando a se estabilizar, havendo ainda uma pequena perda em relação ao terceiro dia. O curativo umbilical deverá continuar a ser feito, diariamente. O coto umbilical deverá estar parcialmente seco, mumificado. Em sua base será possível perceber uma cor amarelada, lembrando até pus, o que é normal. Freqüentemente, nos casos de haver pouco leite materno, calor ou oferta de líquidos em quantidade insuficiente, o bebê poderá ficar parcialmente desidratado.

Os sinais são urina mais escura (amarelo-escura) na ausência de icterícia, urinando menos que outras crianças, boca seca, pele avermelhada e quente. Basta aumentar a oferta de água (que será aceita por ele com avidez) ou a freqüência das mamadas para que o problema desapareça. A criança poderá chorar quando sentir fome, sede, calor ou frio. Às vezes as assaduras poderão provocar dor. O "sapinho" intenso na boca, impedindo o bebê de sugar, também é causa de choro. As cólicas são ainda pouco freqüentes.

O banho deve ser dado diariamente, tomando-se sempre cuidado para não molhar o coto umbilical. O vestuário continuará consistindo em fraldas e camisas de pagão e, dependendo do clima, ele deverá usar mais roupa. A criança movimenta-se com maior freqüência, permanecendo acordada sem chorar e dorme quase o dia todo, exceto quando está mamando. As fezes dos bebês alimentados ao seio são mais amolecidas, mas não "assam" a criança, como acontece com a alimentação artificial. No caso de haver infecção, ele pode ser acometido de diarréia já no quarto dia, com fezes líqüidas, contendo muco, sangue e pus. Os gases ainda não são freqüentes. Continua a descamação da pele como se o bebê estivesse mudando de pele. Ela pode ser muito intensa, chegando a impressionar, depositando-se em grande quantidade no lençol. Espirrar é uma defesa; é assim que a criança se liberta das secreções que, por acaso, tenha deglutido ou inalado durante a hora do parto. O excesso de talco ou de tecido que solte fiapos pode, também, provocar espirros.

O sapinho (oidiose) pode verificar-se nos primeiros dias de vida. Caracteriza-se por um pontilhado branco, parecendo grumos de leite coalhado. Às vezes surgem poucos, outras vezes em maior quantidade. Localiza-se na língua e na parte interna das bochechas. É doloroso, impedindo que o bebê se alimente. É produzido pelo fungo *Oidium albicans*, daí vem o nome *oidiose*. É mais freqüente no primeiro mês, devido à escassez de saliva nesta época, causadora de ressecamento da mucosa e do aumento da acidez na boca.

A prematuridade e a falta de higiene pessoal em bicos de mamadeira e colheres não-fervidos, a desidratação (causada pela falta de oferecimento de líquido) e o uso de antibióticos são as causas mais prováveis.

O tratamento é simples. Aplique uma solução de violeta genciana a 1%, sem álcool, duas vezes por dia, ou somente à noite, associada à limpeza com água bicarbonatada. Existem remédios para aplicação em conta-gotas, de acordo com a prescrição médica (Nistatina). Entre o segundo e o quarto dia de vida, durante três e quatro dias, é possível uma elevação de temperatura, mesmo em condições normais. A denominada "febre transitória do recém-nascido", também conhecida por "febre de sede ou fome", é relativamente freqüente e coincide com a queda de peso da primeira semana de vida.

Esta elevação pode atingir até 39ºC. A desidratação é sua causa mais provável, ocorrendo com maior freqüência no verão. Evite usar agasalhos exagerados e, nos dias quentes, o ar-condicionado no quarto presta excelente auxílio. A administração de pequena dose de antitérmico poderá ser útil, não havendo necessidade de se usar antibióticos.

Entretanto, o pediatra deverá sempre ser consultado. Entre o terceiro e o quarto dia, as fezes começam a perder o aspecto de mecônio, e o leite o aspecto de colostro. É o chamado "leite de transição".

Na impossibilidade total de a mãe amamentar seu filho, ela deverá recorrer à alimentação artificial.

A ALIMENTAÇÃO ARTIFICIAL

O pediatra deverá insistir para que a mãe alimente seu filho com o próprio leite. O leite da mãe é, sem dúvida, o alimento perfeito para a criança nos primeiros meses de vida.

Deve ser evitado ao máximo dar mamadeira com leite artificial nos primeiros três meses de vida. Quando dado na primeira semana, o risco é maior de predispor o bebê a futuros e freqüentes resfriados, eczemas, urticárias, inapetência, diarréias, prisão de ventre, falta de sono, refluxos, todos relacionados à alergia ao leite artificial.

INSTRUÇÕES GERAIS

Para preparar a alimentação artificial do seu bebê, são necessários quatro cuidados fundamentais. A pessoa que preparará o alimento deverá ter suas mãos bem lavadas e unhas escovadas, não se pentear, falar ou espirrar sobre a panela. O uso de máscaras, apesar de não ser essencial, poderá ser útil em situações específicas. Não deve ser permitido que qualquer pessoa prepare a alimentação do bebê sem ter tido antes instrução conveniente. Quem manipular um alimento deverá saber distinguir quando sua preparação não ficou bem-feita ou quando o alimento está deteriorado.

O instrumental

Para o preparo da alimentação artificial convém dispor de alguns utensílios de cozinha que facilitarão seu bom desempenho:

a) duas a seis mamadeiras de plástico especial, sempre muito bem lavadas;

b) dois a seis bicos furados (devem ser sempre virados pelo avesso no momento da lavagem, para assegurar uma limpeza perfeita);

c) um vidro esterilizado de boca larga, com tampa, para guardar os bicos;

d) uma pinça para apanhar os bicos;

e) escovas de mamadeira;

f) um copo graduado para medidas;

g) uma colher das de chá e duas das de sopa (uma de metal e outra de madeira);

h) duas panelas, sendo uma pequena para fervura de água ou preparo de mucilagem e outra para fervura dos utensílios;

i) uma faca de mesa, um funil e um coador.

A mamadeira

A mamadeira mais indicada é aquela a que a mãe e o bebê melhor se adaptam, desde que permita uma higiene bem-feita.

A mamadeira, uma vez usada, deverá ser preenchida com água fria para evitar que grumos de leite fiquem presos à sua parte interna. Trinta minutos depois, ou então na hora de preparar outra refeição, deverá ser lavada com água quente, detergente neutro e escova, para em seguida ser mergulhada dentro de uma panela para se processar a fervura.

As mamadeiras deverão ser de plástico resistente à fervura, transparentes, que não quebrem e que permitam observar as condições naturais do leite. As marcas de boa qualidade são feitas de material que não altera o cheiro e a composição do leite, podendo ser fervidas sem haver qualquer problema. As mamadeiras descartáveis, usadas uma única vez, existentes nos Estados Unidos, são excelentes, mas muito caras. As mamadeiras de boca larga são as melhores para limpeza do que as de boca estreita.

A higiene da mamadeira

Ferva-a dez minutos em panela tampada, depois deixe-a esfriar, escoe a água com a tampa entreaberta. Mantenha-a na panela vazia tampada até a hora de usá-la.

Esterilize, também, o abridor de latas. Os alimentos e os objetos deverão ser fervidos até a criança completar um ano.

Nunca dê a mamadeira com o bebê deitado; é perigoso, pois pode provocar otite, devido à penetração do leite nos canais internos do ouvido (trompa de Eustáquio), que se comunicam com a faringe (garganta); ela está normalmente fechada, mas se abre quando a criança engole. O bebê que regurgita, quando já deitado depois de uma a duas horas de ter mamado, também corre o mesmo risco; esta é a razão de alguns casos de otite em bebês que nunca estiveram resfriados.

A temperatura da mamadeira deverá ser a mesma do corpo. Alguns bebês, entretanto, a preferem mais quente ou mais fria.

A melhor posição para dar a mamadeira é colocando o bebê quase na vertical e só deitá-lo vinte minutos depois de ele ter terminado. A prática de colocá-lo no bebê-conforto por trinta a quarenta minutos é conveniente. Depois de alimentado passe no rosto do bebê uma toalhinha úmida.

As crianças que largam cedo a mamadeira e passam à colher ou copo têm menos cáries do que as que mamam até tarde; são chamadas "cáries de mamadeira". Quando o bebê está querendo "pegar" a mamadeira com as próprias mãos, está na hora de substituí-la pelo copo ou pela colher.

OS BICOS DAS MAMADEIRAS

Para o bebê com poucos meses de vida, tanto o bico do seio como o bico da mamadeira desempenham um importante papel para o sucesso na sua alimentação.

Bico de mamadeira

O mais indicado é aquele a que a criança se adapta melhor. Para o bebê com até quatro meses de idade, estão indicados os bicos curtos, para não provocar engasgos. Depois dos quatro meses, os bicos deverão ser compridos. Esterilize sempre os bicos em água fervente durante quinze minutos, quando em uso. Ferva-os por cinco minutos, em seguida deixe-os esfriar por três minutos e depois fure com um palito de dentes esterilizado, ou com a parte grossa de uma agulha de costura, depois de levada ao fogo e ela se apresentar incandescente. Uma vez furado, e já preparada a mamadeira, quando virada para baixo e sacudida deverá gotejar seu conteúdo. Se este correr em fio, o furo estará largo demais e o bebê se engasgará. Poderá ainda não gotejar, obrigando o bebê a fazer grande esforço, fatigando-o ou provocando deglutição de ar. Bico com orifício grande só deverá ser usado para mamadeira de líquido espesso (grosso), sendo perigoso para água, sucos de frutas e leite puro devido à possibilidade de aspiração. O bico se desgasta com fervuras repetidas, reduzindo o tamanho do orifício, assim como com a acidez da saliva do bebê e com a fermentação dos componentes do leite. Os bicos, uma vez usados, deverão ser mergulhados e apertados para espirrar água através do buraco, a fim de evitar entupimentos. Depois de fervidos, não use os dedos, mas uma pinça, para apanhá-los; escorra a água, para conservá-los melhor; segure-os pela base, e nunca pela ponta, que ficará em contato direto com a boca do bebê. Guarde-os num pote com tampa, esterilizado pela fervura. Bicos anatômicos, que simulam o seio materno, são indicados quando a mãe mantém a amamentação.

Todo bebê deve ter, no mínimo, três bicos e duas mamadeiras.

Que tipo de leite o bebê deve tomar?

A responsabilidade de indicar suplementação do leite materno, ou substituição deste por outro leite, só pode ser tomada pelo pediatra. É necessária uma avaliação criteriosa, não apenas no que diz respeito à real necessidade de suplementar ou substituir o seio, como também na escolha do leite em pó ou líquido a ser ministrado à criança. Diante dos progressos na técnica de preparo dos leites industrializados e à facilidade do preparo, está se generalizando o perigoso hábito de, sem maior análise, iniciar a alimentação artificial sem se ouvir o pediatra. Muitas vezes, quando vamos examinar o recém-nascido no berçário ou em casa, já o encontramos tomando um determinado leite em pó, *por prescrição da enfermeira ou de um parente mais aflito.* Na grande maioria das vezes esta prescrição é inoportuna e prejudicial. Cada leite em pó apresenta uma determinada composição e vários elementos têm de ser considerados para que a escolha recaia neste ou naquele tipo de leite. Além do mais, em muitas ocasiões não há sequer motivo de recomendá-lo. Acredita-se que a alimentação artificial precoce ainda no primeiro mês de vida seja uma das grandes causas de diversas manifestações alérgico-respiratórias, do aparelho digestivo ou da pele que o bebê apresenta freqüentemente. Porém, no caso de se administrar ao bebê alimentação artificial, convém que o pediatra indique o tipo de leite em pó ou líquido. De acordo com as tendências do recém-nascido e do bebê crescido, há diferentes manifestações clínicas, como prisão de ventre, diarréia, vômitos, falta de apetite, digestão demorada, agitação e falta de sono.

AS FÓRMULAS INFANTIS

Na ausência do leite materno, de preferência após os seis meses, ou no caso de emergência pela sua falta (decorrente à doença da mãe, morte ou impedimento), deverão ser usadas as chamadas fórmulas infantis, que podem ser divididas em dois grandes grupos. O primeiro grupo é constituído pelas fórmulas habitualmente usadas, e o segundo grupo é constituído pelas fórmulas medicamentosas.

Primeiro grupo: fórmulas habitualmente usadas

Fórmulas infantis para o prematuro e o lactente recém-nascido de baixo peso:

Pré-Nan, Enfamil Prematuro, Enfamil Nurset Prematuro, Similac Special Care e Enfamil HMF.

Fórmulas infantis para o lactente nos primeiros meses de vida:

Nan 1, Nestogeno 1, Nestogeno Plus (antigo Pelargon), Similac 1 Advanced e Enfamil 1.

Fórmulas infantis para lactentes após o sexto mês:

Nan 2, Nestogeno 2, Enfamil Nurset Regular, Similac 2 Advanced, Enfamil 2 e Nestogeno Plus (antigo Pelargon).

Segundo grupo: fórmulas de leite medicamentosas

Em condições particulares de saúde em que o pediatra recomenda o uso de outras fórmulas de leite que participam da dieta como medicamento, seja por distúrbio na digestão, seja por intolerância alérgica às proteínas, ou por uma doença digestiva crônica (como a diarréia), ou ainda por a criança ter uma doença metabólica, várias fórmulas estão à disposição no mercado.

Fórmulas medicamentosas sem lactose:

Nan sem lactose (antigo AL 110)/OLAC e Parmalat sem lactose.

Fórmulas medicamentosas para os casos de alergia e diarréia crônica:

Alfare, Pregestimil, Nan HA e Neocate.

Fórmulas medicamentosas para o caso de refluxo (golfadas):

Nan AR e Enfamil AR.

Fórmulas medicamentosas para erros inatos do metabolismo:

Lofenalac (para o tratamento da fenilcetonúria).

Leite de vaca *in natura* e leite de vaca em pó integral:

Na ausência das fórmulas infantis, a mãe poderá usar o leite de vaca *in natura* ou o leite de vaca em pó integral, respeitando as diluições recomendadas de acordo com a idade do seu filho (ver o capítulo respectivo por faixa etária).

Leite em pó integral ou *in natura*:

Ninho, Glória, Itambé, Mococa, Parmalat, Batavo, CCPL. Devem ser usados de preferência após um ano de idade.

Outros substitutos do leite de vaca:

Leite de soja (ver pág. 116): Alsoy, Nursoy, Prosobee, Isomil, Nestogeno com soja.
Leite de cabra (ver pág. 114).
Fórmula ou mingau de carne (ver pág. 118).

CUIDADOS COM O LEITE DE VACA FRESCO

Este leite só deve ser usado, de preferência, após um ano de idade. O leite deverá ser fervido o mais rápido possível, logo que chegue ao domicílio. Quando o leite ferve, ele está a 85°C. Para atingir 100°C, a única temperatura capaz de matar os germes, é necessário "quebrar" a nata que recobre o leite e deixá-lo borbulhar durante quinze minutos. O leite fervido deverá ser esfriado, introduzindo a panela em que está em uma maior com água fria, e guardado na geladeira, devendo ser consumido dentro de 24 horas. O leite de vaca, quando fervido em panela tampada, em banho-maria, por vinte minutos, torna-se mais digerível e mais bem esterilizado.

Digestão

Os recursos que a ciência encontrou para tornar o leite de vaca digerível nos primeiros meses de vida foram os seguintes:

a) a diluição do leite de vaca com água, que reduz a taxa de proteínas e gordura, aproximando-a da quantidade existente no leite materno. Procedendo assim, o coágulo do leite no estômago ficará diluído e de fácil digestão;

b) o acréscimo de hidrato de carbono (farinhas e açúcares), que recompõe o valor calórico do alimento, além da adição de açúcar tornar a digestão mais fácil e a adição de farinha facilitar a digestibilidade da caseína do leite de vaca, diminuindo a fermentação do açúcar.

Os leites tipos A, B e C

Há um tipo de leite denominado *certificado*; é o chamado tipo A, em contraste com outro, tipo B. O leite tipo A é mais difícil de ser conseguido, porque exige as seguintes condições: o gado é controlado periodicamente pelas autoridades federais, é um leite integral, sem retirar a mínima parcela de gordura, o estábulo do gado é perfeito, a ordenha é asséptica, o leite é pasteurizado e engarrafado no local de ordenha, seu transporte é refrigerado a 10ºC, sua entrega é feita em até doze horas depois de ordenhado, há, no máximo, até 800 bactérias por ml. Nos tipos B e C, as exigências não são tão rigorosas como as do tipo A, podendo ser admitidas até 300 mil bactérias por ml; embora seja pasteurizado, é aconselhável sua fervura ao chegar em casa.

O preparo da mamadeira com leite de vaca

Após estar fervido, o leite deverá ser guardado em geladeira, em um recipiente de louça. A mucilagem, ou cozimento, usada para a diluição do leite (ver págs. 109 e 120), deverá ser também guardada na geladeira em um recipiente de louça. Na hora da refeição é que se deve fazer a mistura do leite de vaca com a mucilagem nas proporções aconselhadas e adicionando açúcar na dose indicada (ver págs. 120 e 121). A mamadeira deverá ser aquecida em banho-maria, a 37ºC, isto é, à temperatura do corpo humano, e dada ao bebê, não havendo contra-indicação em ele tomá-la fria, de acordo com sua preferência. Não esquente a mamadeira no forno de microondas; seu aquecimento central poderá ser muito elevado e o periférico suportável, assim o líquido poderá queimar a boca do bebê.

O leite pasteurizado

O processo de pasteurização consiste no aquecimento do leite a 65ºC durante trinta minutos. É usado no caso de o leite ser ordenhado longe do seu mercado de consumo. A pasteurização imediata é o recurso para poder transportá-lo em boas condições. Convém acentuar que a pasteurização não dispensa a fervura ao chegar ao domicílio. Um detalhe importante é que o leite pasteurizado não sofre fermentação espontânea, não azeda e não talha, dando a falsa impressão de estar em boas condições, quando na verdade apresenta inaceitável quantidade de bactérias, inconveniente solucionado com a fervura. Depois de fervido, deverá ser utilizado dentro de 12 a 48 horas.

O leite pasteurizado deverá estar isento de microorganismos prejudiciais à saúde; no entanto, para maior segurança do consumidor, o leite deverá ser fervido em fogo baixo e conservado em geladeira numa vasilha tampada (todos os derivados do leite absorvem com facilidade os odores de outros alimentos). Deverá ser consumido, de preferência, em dois dias (o leite, quando estragado, tem o sabor alterado ou apresenta tonalidades estranhas, avermelhado, azulado ou marrom). Se o leite é entregue em domicílio, deve-se evitar deixá-lo muito tempo fora do refrigerador.

Cuidados com o leite pasteurizado

- O carimbo de validade não deverá estar apagado nem vencido.
- O carimbo deverá mencionar o dia da semana em que a compra está sendo feita.
- O leite deverá estar mantido em balcão refrigerado.
- A embalagem não deverá apresentar vazamento.
- Procure o carimbo do CIF (é uma preocupação que deve estar presente em toda compra de alimentos de origem animal).

O leite tipo Longa Vida

Não é marca de leite, mas um processo de embalagem. O leite tipo Longa Vida, fechado, poderá durar, sem refrigeração, até três meses. Seus fabricantes afirmam que ele não contém desinfetantes ou qualquer aditivo, e a sua embalagem, de alumínio, evita a entrada de gases ou líquidos do meio ambiente. Compete à Saúde Pública fiscalizar estas afirmativas. Existem três tipos apresentados por diversos fabricantes:

1) Leite tipo Longa Vida Integral (é o mais aconselhado).

2) Leite tipo Longa Vida, magro, com 2% de gordura, somente para crianças antes dos três meses e a conselho médico.

3) Leite tipo Longa Vida Desnatado. Não deverá ser dado às crianças.

Dia de vida	Dieta diária (ml)	Preparo e proporção		Açúcar nutritivo (colher das de chá)	Volume de cada mamada (ml)	Nº de mamadas
		Leite de vaca (ml)	Água (ml)			
1º	60	20	40	1/2	10	6
2º	60/120	20	40	1/2	10/20	6
3º	120/180	40	80	1	20/30	6
4º	180/240	60	120	2	30/40	6
5º	240/300	100	160	2 1/2	40/50	6
6º	300/360	120	200	3	50/60	6
7º	360/420	40	240	3 1/2	60/70	6

Cuidados com o leite tipo Longa Vida

Verifique sua data de fabricação e o prazo de validade impressos no fundo da embalagem.

A embalagem deverá ser íntegra, sem estar amassada, com sulcos ou vazamento.

Aberta a embalagem, o leite deverá ir para a geladeira e ser consumido, de preferência, em 48 horas. Antes de ser aberto, o leite não precisa ser mantido em geladeira e não precisa ser fervido.

Os leites tipo Longa Vida Integral

CCPL 2000, Batavo, Regina, Parmalat simples e Parmalat com ferro e vitaminas. Existe um leite tipo Longa Vida especial da CCPL, levíssimo, com baixo teor de lactose e semidesnatado (este leite só poderá ser usado por recomendação médica).

O leite cru

O leite cru não é aconselhado para um bebê ou criança em qualquer idade. Deverá ser sempre fervido por quinze minutos, o que, além de liberá-lo das bactérias que causam diarréias, resfriados, tuberculose e brucelose, torna-o mais facilmente digerível.

O leite enlatado em pó

O leite de vaca em pó tem sido aprovado na clínica pediátrica pela facilidade da sua preparação e por suas condições seguras de higiene. A composição fixa e a ausência de micróbios constituem uma garantia para a alimentação do bebê. O leite em pó é obtido da extração quase completa da água contida no leite fresco, pela evaporação a vácuo, em baixa temperatura e por pulverização em condições de absoluta higiene. Basta diluí-lo em água para ser obtido um produto semelhante ao leite fresco. Entretanto nem todo leite em pó existente no mercado representa o leite de vaca integral desidratado; grande parte é modificada com a remoção ou substituição, parcial ou integral, de seus elementos, como também com a adição de novas substâncias.

A alergia ao leite de vaca

Na falta de leite materno, o leite de vaca tem sido a solução indicada. Entretanto, nestes vinte anos, pediatras de vários países têm observado que os bebês apresentam maior índice de certos tipos de doenças para as quais apontam como causa a alergia ao leite de vaca, tanto na sua forma líqüida como em pó. O leite em pó industrializado parece ser menos alergênico do que o leite de vaca fresco. Admite-se que as prováveis causas desta intolerância são as proteínas do leite de vaca, a caseína, a lactoalbumina e a betaglobulina. Entretanto, tem sido chamada a atenção da possibilidade da presença no leite de vaca de várias substâncias, como brometos, iodos, metais pesados usados para a fabricação de desinfetantes e antibióticos; todos são elementos usados na proteção do gado. Dar o leite artificial ao bebê ainda no berçário, nos seus primeiros sete dias de vida, terá maior probabilidade de provocar alergias do que se ele for administrado depois de completado o primeiro mês. O esforço de alimentar o bebê, pelo menos no primeiro mês de vida, com leite materno é de apreciável vantagem. O quadro clínico, isto é, os sintomas, poderá levar algumas semanas para aparecer; assim, a alergia ao leite de vaca não é obrigatoriamente uma doença própria do início da vida, o que contrasta com a intolerância ao leite de vaca por deficiência de digestão, que é quase imediata e aparece nos primeiros dias. Os sintomas de alergia ao leite de vaca vão geralmente se instalando progressivamente em semanas ou meses e são os seguintes: perda de sono, inapetência, fome exagerada, cólicas terríveis, produção de gases com abdome (barriga) abaulado, parada de peso, choro persistente, bronquite, irritabilidade e inquietude constante, urticária, eczema, presença de sangue nas fezes e sintomas de refluxo. O diagnóstico é feito pela observação dos sintomas, que são debelados apenas com a substituição do leite, principalmente para as fórmulas hipoalergênicas usadas na alimentação do bebê.

Tratamento

Verdadeiramente, não há tratamento medicamentoso. Só a dieta pode curar. Às vezes o próprio organismo, após alguns meses, volta a aceitar o leite que até então provocava alergia, sem a necessidade de ser tomada qualquer medida terapêutica. Em certos casos de maior gravidade alérgica, o pediatra terá de tomar uma medida acertada, pois haverá o perigo de levar o bebê a um estado de desidratação ou desnutrição progressiva. No início, o leite materno, através dos bancos de leite, é a medida de emergência a ser tomada, para em seguida tentar-se outro tipo de leite menos alergênico e menos dispendioso, se não for possível a manutenção do leite materno por alguns meses. Preparações farmacêuticas, como anti-histamínico ou cortisona, têm dado resultados transitórios, mas têm de ser usados com cuidado, com prescrição do pediatra e por pouco tempo.

O leite pode ser dividido em dois grupos

1) leite em pó integral e
2) leite em pó modificado.

Leite em pó integral (completo)

O leite em pó integral completo é obtido do leite fresco de boa qualidade, do qual se extrai somente a água e adicionam-se hidratos de carbono, vitaminas e ferro, tendo sido secado por pulverização.

Preparo

É feito utilizando-se, em geral, uma medida rasa (4g) para cada 30ml de água. Coloca-se na mamadeira a quantidade necessária de água morna previamente fervida, juntam-se as medidas correspondentes ao leite em pó, agitando até a completa dissolução da mistura.

Preparo do leite em pó

Coloque numa panela esterilizada, para ferver durante dez minutos, a quantidade de leite em pó para uma até três mamadeiras; deve-se seguir a indicação médica. Acrescente um pouco de água filtrada e fervida, mexa bem até formar um creme, e em seguida junte o restante à água necessária já medida. Distribua nas mamadeiras na quantidade certa para cada uma, de acordo com a idade e o peso do bebê.

Preparo na mamadeira de boca larga

Coloque o leite em pó já medido na quantidade certa diretamente com um funil, tendo tudo já sido esterilizado em água fervente. Acrescente a dose certa de água filtrada e fervida. Tampe a mamadeira e sacuda-a, agitando-a fortemente até a dissolução completa, sem grumos.

Leite em pó integral simples instantâneo

É o leite em pó integral simples cuja dissolução é instantânea. Seu processo especial de fabricação determina a facilidade da sua dissolução.

Preparo de 1 copo

Coloque três colheres (das de sopa) cheias em um copo quase cheio de água quente ou fria, conforme o gosto da criança. A adição de açúcar refinado, Nidex ou Dextrosol, ficará a encargo do pediatra ou da mãe.

O leite em pó modificado

A Organização Mundial de Saúde (FAO/OMS) estabeleceu, em 1982, normas para a determinação de valores mínimos e máximos de nutrientes em fórmulas destinadas a lactentes, o *Codex Alimentarius.* O leite em pó modificado deve seguir estas normas. Seu consumo é mais vantajoso do que o de leite de vaca integral por oferecer taxas constantes de vitaminas e sais minerais e oferecer a taxa protéica em valores próximos aos do leite materno.

O leite em pó pode ser dividido em:

- Leite em pó integral - Ninho, Glória, Itambé e Mococa.
- Leite em pó modificado (fórmulas infantis) – Nan 1 e 2, Nestogeno 1 e 2 e Perlagon (acidificado).
- Leite de soja
- Leite de cabra
- Leite sem lactose – AL110

- Leite de hidrolisados protéicos – Alfare (diarréia crônica), Nan HA e Pregestimil
- Leite engrossado – leite para refluxos
- Fórmula de carne

Os diversos tipos de leite têm sua indicação de acordo com a situação apresentada pelo bebê. É importante a orientação do pediatra na escolha do tipo mais adequado para o seu filho. O leite em pó modificado e o especial só devem ser consumidos sob supervisão do pediatra.

O leite de soja substitui o leite de vaca em crianças alérgicas a este último e se constitui em primeira opção após o desmame em crianças de famílias atópicas (alérgicas).

O leite de cabra substitui o leite de vaca no caso de alergia. O leite sem lactose é usado para o caso de intolerância a esta (diarréia, distensão abdominal, cólicas e assaduras). As fórmulas de hidrolisados protéicos se constituem no último recurso de alimentação quando a criança apresenta alergia a todos os tipos de leite. As fórmulas infantis engrossadas são utilizadas quando a criança apresenta refluxo gastroesofágico.

De modo geral, podemos observar o seguinte esquema:

De 0 a 12 ou 24 meses: usa-se leite modificado de acordo com as circunstâncias já enumeradas e a prescrição do pediatra que cuida do bebê.

A partir dos 12 meses: usa-se leite em pó integral simples ou leite fresco de vaca.

CUIDADOS COM O LEITE ENLATADO

O prazo de validade normalmente é de doze meses. Antes de retirar a proteção de alumínio, lave a lata em água corrente e sabão. Mantenha-a sempre bem fechada e em local seco e fresco. Conserve-a em local livre do calor e da umidade. Se vier com medidor, mantenha-o fora da lata, lave-o e ferva-o com os outros utensílios. Não use o leite de latas abertas há mais de quinze dias. A lata que estiver com sua tampa abaulada (devido à produção de gases) não deverá ser usada. Verifique a data de fabricação no fundo da lata. Não aceite latas amassadas ou enferrujadas.

O LEITE DE CABRA

O leite de cabra é consumido em muitos países da Europa (sobretudo nos Bálcãs) e da Ásia como complemento rotineiro da alimentação. No Brasil, especialmente na Região Norte, também é consumido nas mesmas condições, porém no Sul ele é empregado nos casos de bebês alérgicos ao leite de vaca e na hipótese de a mãe não dispor de leite.

As vantagens do leite de cabra podem ser catalogadas nos seguintes itens:

a) pode ser obtido em condições econômicas razoáveis, pois a cabra é de custo bem menor do que a vaca;

b) a amamentação da cabra é pouco dispendiosa; nutre-se satisfatoriamente, com capim e até papel;

c) admite-se que a cabra seja um animal refratário à tuberculose, fato de indiscutível vantagem. A vaca tem predisposição à tuberculose, exigindo cuidados periódicos;

d) sendo a cabra um animal dócil e pequeno, é facilmente manejável;

e) nas cidades ou subúrbios onde as casas tenham quintal, a cabra poderá viver no próprio domicílio da criança, contribuindo extraordinariamente para o seu asseio;

f) a evacuação deste animal, além de pouco volumosa, é sólida, facilitando sua limpeza.

Agora as desvantagens: em primeiro lugar, o maior problema, e que provocou no Brasil a não-indicação para a alimentação infantil, foi a acusação de alguns especialistas de que o leite de cabra provoca anemia. Seria, então, uma anemia cujas características seriam os glóbulos vermelhos adquirirem grande volume e se tornarem excessivamente vermelhos, conhecida como anemia megaloblástica hipercrômica, por deficiência de ácido fólico, de um tipo próximo ao da temida anemia perniciosa. Os pediatras alemães e italianos se revelaram muito preocupados com esta questão, porém a observação dos médicos norte-americanos não revelou maior importância. Somente é verificada a anemia pelo leite de cabra quando a criança se alimenta exclusivamente deste leite e durante muito tempo. O uso de sopinhas de legumes, caldos de carne, sucos de frutas e cereais, desde os três meses de idade, evita esta manifestação, bem como a suplementação de ácido fólico. O uso do amido (da batata, das féculas e de alguns cereais, como arroz, milho e trigo) deverá ocorrer entre o terceiro e o quarto mês de vida, período em que a criança já apresenta o pâncreas produzindo amilase suficiente (enzima que digere o amido). Não há o que estranhar, pois com o leite de vaca também se verifica a instalação de determinado tipo de anemia quando a alimentação for prolongada e exclusiva. No tipo de anemia provocada pelo leite de vaca, os glóbulos vermelhos são descorados e pequenos, em contraste com a provocada pelo leite de cabra.

A anemia provocada pelo leite de vaca é resolvida rapidamente pela administração de ferro e vitamina C, e a provocada pelo leite de cabra, com a administração de ácido fólico.

Em segundo lugar, o problema da cabra é a sua propensão à brucelose, infecção que pode passar à criança através do leite. O processo seguro de evitá-la é a fervura do leite.

O terceiro problema do leite de cabra é o seu odor (cheiro desagradável quando a cabra não é ordenhada com higiene suficiente). Alguns bebês, com olfato mais apurado, uma característica familiar, rejeitam este leite.

Outro inconveniente atribuído ao leite de cabra é o aparecimento, nas crianças que o recebem por muito tempo, de diarréia crônica, com mau aproveitamento nutritivo. Entretanto, o pediatra experiente poderá evitá-la com a adição de alguns tipos de farinha e açúcar.

A diarréia só pode ser verificada no caso de a criança estar se alimentando exclusivamente com este leite. Por ser muito rico em caseína, o leite de cabra serve para corrigir as fezes dos bebês que têm tendência diarréica, apresentando fezes líquidas e de eliminação freqüente. Alguns bebês submetidos a dietas excessivas de farinha e açúcar necessitam de alimentos ricos em caseína, que agirão neutralizando a acidez intestinal. Neste caso, uma mamadeira, ou duas, de leite de cabra, em determinadas circunstâncias, poderá funcionar como correção.

Seu preparo é idêntico ao do leite de vaca; deverá ser fervido durante cinco minutos, em fogo alto, e guardado em geladeira. As diluições são as seguintes:

- Para o bebê no seu primeiro mês de vida: 30ml de leite de cabra, 60ml de água fervida e 1 medida de Nidex ou Dextrosol.
- No segundo mês de vida: 1/2 copo de leite de cabra, 1/2 copo de água fervida ou mucilaginosa e 1 medida rasa de açúcar para cada 100ml de mistura.
- Do terceiro ao quinto, 2/3 de leite de cabra, 1/3 de água fervida (ou mucilaginosa) e 1 colher (das de sopa) rasa de açúcar.
- Do sexto mês em diante: leite de cabra puro, adicionando-se 1 colher (das de sopa) rasa de açúcar.

Devemos esclarecer que a criança, no seu primeiro mês, ingere 100ml de líquido a cada refeição; no segundo mês, 125ml; no terceiro mês, 150ml; no quarto, 175ml; no quinto 200ml e do sexto em diante, 220 a 240ml.

Atualmente dispomos de várias marcas de leite de cabra. O mais recomendado é o SCABRA, produzido no Rio Grande do Sul.

O LEITE DE SOJA

O leite de soja é empregado nas mesmas indicações das do leite de cabra, nos casos de a mãe não ter leite e o bebê ser alérgico ao leite de vaca tanto na sua forma líqüida quanto em pó.

As manifestações clínicas que o bebê apresenta são sempre as mesmas: vômitos, diarréias, paradas de peso, manifestações alérgicas na pele, cólicas severas. Existem, porém, casos em que o bebê não é alérgico ao leite de vaca; ele apenas não o suporta, apresentando uma inapetência invencível. O leite de soja poderá ser, às vezes, a solução ou, pelo menos, uma "tentativa". Embora já tenham sido relatados casos de crianças alérgicas ao leite de soja, este fenômeno ocorre numa freqüência bem menor. A soja é uma planta da família das leguminosas, a que pertence o feijão. São duas as espécies cultivadas: a de grãos pretos e a de grãos amarelos. A única utilizada na alimentação infantil é a de grãos amarelos. A qualidade excepcional da soja é a de que ela é rica em proteínas, gorduras, sais minerais e vitaminas.

Outra particularidade: sendo uma proteína vegetal, produz menos reações alérgicas do que as proteínas do leite de vaca. Nestas condições, torna-se claro ser possível criar um bebê, desde o seu primeiro dia de vida, somente com leite de soja, desde que sejam tomadas medidas adequadas, do mesmo modo como para o leite de vaca e com os complementos adicionais, como sucos de frutas, adição de açúcar, farinha e vitaminas, sobretudo as vitaminas A e D.

Atenção: o bebê alimentado com leite de soja tem de ter seu peso controlado rigorosamente de sete em sete dias. Há bebês que, apesar de gostarem e o assimilarem bem, não engordam tanto como se fosse com o leite de vaca. Recorrer ao pediatra é indispensável neste caso.

Atualmente dispomos de vários tipos de leite de soja industrializados: Soymilk (azul-claro, sem açúcar), Soymilk (azul-escuro, com vitamina E), Novomilk Instantâneo (rosado), Novomilk Instantâneo (verde, com banana), Alsoy, Nursoy, Isolac, Prosobee e Sobee, Nestogeno com soja (antigo Nestogeno Soy) e Nan Soy (antigo Alsoy).

OS ALIMENTOS TRANSGÊNICOS

São alimentos produzidos a partir da modificação de genes (unidades que determinam as características de um ser vivo) e que são transferidos para outro vegetal que será utilizado como matriz para a produção de novos vegetais. A soja e o milho têm sido os alimentos mais manipulados por este processo. Esta manipulação geralmente visa aumentar a capacidade produtora de grãos de um determinado vegetal ou mesmo aumentar a produção de proteínas e a obtenção de espécies vegetais resistentes a alguns defensivos agrícolas utilizados no combate de pragas da lavoura ou mesmo resistentes às ervas daninhas.

Todavia, ainda não se sabe quais são os efeitos tóxicos a médio e a longo prazos que as crianças alimentadas com esses vegetais podem apresentar. Desta forma, aconselha-se uma conduta de cautela para com os alimentos transgênicos, que não são tão superiores aos alimentos produzidos com vegetais naturais. O futuro dirá se esta é uma discussão mais comercial do que científica.

A FÓRMULA DE CARNE

A intolerância dos bebês ao leite de vaca, tanto fresco como industrializado (em pó), tem aumentado com freqüência nos últimos anos. Esta situação é conseqüência do maior número de bebês alimentados artificialmente (em média, 10%) devido ao menor número de mães que atualmente amamentam seus filhos. Quando a mãe não tem leite suficiente e a criança não aceita o leite de vaca, inicia-se o "martírio" da mudança de marcas de leite em pó enlatado até esgotar a paciência dos pais e da série existente de leites em pó ou industrializados. A esta altura o leite de soja é o único recurso, mas infelizmente existem bebês que também não suportam o leite de soja. E sabe-se que, alimentando-se somente com farinha e açúcar, o bebê não poderá sobreviver, pois só é possível o crescimento e o desenvolvimento com proteínas ou vegetais do tipo leguminosas, especialmente a soja ou mesmo o feijão-preto ou o mulatinho. As proteínas animais, a carne, o leite, os ovos ou as leguminosas são a solução. Então, para resolver esta dramática situação do bebê cuja mãe não tem leite e não o consegue de bancos, e que não suporta o leite de vaca ou o leite de soja, a pediatria moderna apresenta uma nova opção: a fórmula de carne, que se for preparada convenientemente poderá ser dada desde a primeira semana de vida, e dá resultado, resolvendo a situação.

Fórmula de carne: para o preparo da fórmula de carne (mingau de carne) utilizam-se os seguintes ingredientes:

- Carne de vaca, de frango ou de rã.
- Óleo de soja, de arroz, de milho ou de girassol.
- Açúcar refinado, Dextrosol ou Nidex.
- Creme de arroz.

Modo de preparo (para uma mamadeira): leve ao fogo 250ml de água, 20 a 30g de carne picada em pedaços pequenos e 1 colher (das de café) de óleo. Não acrescente sal neste preparo se a criança tiver apenas um ano de vida, como medida preventiva da hipertensão essencial.

Após o cozimento (cerca de 30 minutos), acrescente 1 colher (das de sobremesa) rasa de açúcar, Nidex ou Dextrosol. Passe no liqüidificador, completando o volume para 100 a 120ml. Leve novamente ao fogo por mais 20 minutos, adicionando 1 colher (das de chá, rasa), de creme de arroz.

Existem diversas maneiras de preparar a fórmula de carne. Siga as instruções do seu pediatra ou nutricionista.

AS FARINHAS

O uso das farinhas na alimentação artificial é muito comum, seja no preparo de mucilagem, seja no preparo de mingaus. Os tipos de leite citados – de vaca, fresco, em pó, de cabra e o de soja – podem ser todos diluídos em água fervida ou em água com farinhas. Aqui devemos fazer um esclarecimento: as farinhas mais usadas são as de grãos de cereais, mas também poderão ser usadas as de tapioca, de polvilho, de araruta e de sagu. As farinhas de arroz e de milho são as mais usadas. A farinha de trigo e os cereais com gliadria (que causa a doença celíaca) deverão ser usados, de preferência, após o primeiro ano de vida (trigo, cevada, centeio e aveia), especialmente em farinhas de origem européia, onde a incidência de doença celíaca chega a ser de um para cada 400 nascimentos.

Temos dois tipos de diluição: a mucilagem, que é feita com o tipo de farinha acima mencionado, e o cozimento, também denominado decocto, feito com o grão.

De modo geral podemos dividir as diversas farinhas usadas na alimentação infantil em dois grupos:

Primeiro grupo

Farinhas simples: são farinhas provenientes da moagem dos grãos ou tubérculos. As mais conhecidas são as de arroz, de trigo, de milho, de cevada, de centeio e de aveia, no que se refere aos cereais. Aqui também estão incluídas as farinhas de araruta, de polvilho e de tapioca. Podemos também considerar como farinhas simples aquelas denominadas de creme ou fécula, cuja moagem é mais perfeita, tornando-as bastante finas. São vendidas em pacote ou em lata, e conhecidas como creme de arroz, maisena (amido de milho), semolina (amido de arroz), fécula de batata e creme de arroz.

Segundo grupo

Farinhas compostas (industrializadas): a indústria apresenta diversas marcas, preparadas com cereais, arroz ou milho, que são as mais usadas, e as com trigo, aveia e cevada. São apresentadas em formas diferentes, denominadas de cremes, flocos e sêmolas, com vitaminas e sais minerais. Algumas contêm apenas um cereal, outras têm dois, três ou quatro. As farinhas maltadas poderão ser dadas depois do terceiro mês (ver pág. 222). Os achocolatados só deverão ser oferecidos depois dos seis meses de idade (ver pág. 274). Quanto ao seu preparo, variam; algumas são instantâneas, bastando adicioná-las ao leite, à sopa e aos sucos, mexendo vigorosamente; outras necessitam ser levadas ao fogo por três a cinco minutos; as mães nunca deverão deixar de ler as instruções nas embalagens.

A MUCILAGEM

A mucilagem é o líquido espesso e gomoso que se obtém quando se cozinha a farinha de cereais com água. É empregada para a diluição tanto do leite em pó como do leite de vaca.

Preparo

Em uma panela com água previamente filtrada e fervida, colocam-se as medidas correspondentes de farinha e deixa-se ferver durante três minutos, mexendo sempre. Depois de morna, confere-se o volume e acrescenta-se o leite em pó e o açúcar. Utilizando qualquer tipo de farinha, prepara-se geralmente a 3%. É uma boa prática adicionar o açúcar no último minuto de preparo da mucilagem.

Mucilagem de leite em pó

Coloca-se em uma panela a quantidade de leite em pó de acordo com a idade do bebê (conforme indicação dos diversos capítulos deste livro). Em seguida, adiciona-se um pouco de mucilagem, mexendo cuidadosamente, de preferência com colher de pau, até formar um creme homogêneo, sem grumos. Adiciona-se, então, o restante da mucilagem, ainda morna, mexendo cuidadosamente até formar uma solução perfeita. Depois de pronta, passe-a numa peneira, sendo mais aconselhável num coador ou liqüidificador. Depois de adicionado o leite em pó, não deverá mais ir ao fogo.

Poderá ser usada ainda a seguinte técnica: uma vez preparada a mucilagem, deixe-a amornar e coloque-a na mamadeira. Confira o volume e acrescente as medidas rasas correspondentes de leite em pó e açúcar. Tampe-a e agite-a até a sua completa dissolução.

Cozimento de cereais (decocto)

É a solução obtida com o cozimento dos grãos dos cereais, obtendo-se, assim, as substâncias solúveis existentes nos mesmos. A mais usada é "água de arroz", usada principalmente no tratamento das diarréias severas, pelo espaço de 12 a 24 horas. Seu preparo é simples: para 1 litro de água, use 50g de arroz cru (aproximadamente 1 xícara cheia, das de café). Cozinhe em fogo mais ou menos forte, durante vinte minutos, até reduzir a água, aproximadamente, à metade do volume. Depois, passe o arroz no liqüidificador ou numa peneira, esmagando fortemente.

OS TIPOS DE AÇÚCAR

O açúcar é muito importante na vida do bebê. Quando se tratar de açúcar refinado (sacarose), a higiene não deverá ser descuidada, sendo prudente acrescentá-lo ao leite de vaca ou à água antes de ser fervida, para ser esterilizado. Alguns médicos preferem que ele não cozinhe, sendo adicionado à água ou ao leite, logo após a fervura e fora do fogo.

Para os primeiros meses de vida, é conveniente usar um tipo de açúcar especial para bebês, o Nidex, para o qual o intestino da criança tem grande tolerância, o que nem sempre se verifica com o açúcar comum, que pode causar diarréia.

No caso de constipação intestinal, a conselho do médico pode-se usar o açúcar comum, assim como pode-se utilizar o Nidex para bebês em qualquer idade todas as vezes em que houver diarréia.

Geralmente a proporção de açúcar é de 5%, isto é, uma medida rasa para cada 100g de leite. O açúcar de cana não-refinado, o açúcar mascavo, pode ser empregado na alimentação do bebê quando ele apresentar fezes secas e duras. Além do açúcar refinado, há o cristalizado, a glicose de milho e as maltose-dextrinas.

Higiene do açúcar

O açúcar refinado não é um alimento livre de contaminação. Assim, é mais recomendado para a alimentação do bebê, especialmente no seu primeiro ano de vida, o açúcar em tabletes, que vem embrulhado com papel-alumínio; se for usado o açúcar refinado, é prudente guardá-lo protegido de insetos. Ao adoçar a mamadeira, deve-se dissolvê-lo em pequena quantidade de água, levando ao fogo até levantar fervura, e só então adicionado ao leite.

Estes cuidados tornam-se importantes nas casas em que há muitas moscas.

Deve-se habituar o bebê a ingerir a menor quantidade possível de açúcar, evitando assim que ele ganhe muito peso, tenha maior risco de cáries e aumente o risco para doenças futuras (como a obesidade).

AS MEDIDAS

O volume das mamadas é mais orientado pelo peso do que pela idade. Para uso doméstico, torna-se difícil o cálculo do volume e dos gramas necessários, porquanto nem todas as mães têm balança de precisão e recipientes com medidas volumétricas. Daremos neste livro as quantidades calculadas em copos, xícaras e colheres (das de sopa, rasas). Quanto às colheres, desejamos esclarecer que deverão ser usadas as comuns, de metal branco, pois as de Christofle são excepcionalmente grandes e as de alumínio excessivamente pequenas. Desejamos esclarecer também que uma colher das de sopa, rasa, varia em gramas conforme seu tamanho. Daremos aproximadamente as medidas:

Observação: este livro procura e ensina a criar o bebê normal, "a criança ideal", que todas as mães desejam ter. E por isso as fórmulas e as dietas alimentares indicadas são para as crianças absolutamente normais.

Entretanto, existem bebês (principalmente de um a seis meses) que, apesar de estarem bem, poderão ter tolerância alimentar diminuída, como também os que prosperam satisfatoriamente com doses muito pequenas de hidratos de carbono. Assim, seria prudente (quando não estiverem sob orientação médica) iniciar as doses indicadas de açúcar e de farinha reduzidas pela metade e ir aumentando progressivamente, até alcançar as doses aconselhadas, de acordo com a tolerância, as necessidades do ganho normal de peso e a saúde do bebê.

1 copo	200ml (g)
1 xícara (das de chá)	150ml (g)
1 xícara (das de café)	50ml (g)
1 colher (das de sopa, rasa)	10ml (g)

O preparo é importante

Neste preparo vários fatores influem, ainda que passem despercebidos: o tamanho da panela e da colher em que se mediu a farinha, o calor do fogo e a maneira de mexer. No caso de o líquido ficar muito espesso e não passar pelo bico da mamadeira, convém diminuir a quantidade de farinha ou aumentar a de líquido (leite de vaca ou água, conservando o volume aconselhável da mamadeira da criança). Em seguida, com a prática, atingir as doses indicadas, ou delas se aproximar o máximo possível, porquanto são as que convém ao bom desenvolvimento do bebê.

A ALIMENTAÇÃO MISTA

Simultaneamente com o leite materno e com o industrializado. Se em alguns casos, apesar de a mãe ter leite, não o tiver em quantidade suficiente para suprir as necessidades alimentares do bebê, e o volume de cada mamada não corresponder à cota que a criança requer, neste caso é necessário completar a mamada com alimento artificial em mamadeira. Tendo sempre o cuidado de nunca desprezar o seio, pelo mínimo de leite que possa ter, deve-se procurar sempre, por todos os meios, estimular a secreção da glândula mamária.

Geralmente o estabelecimento da alimentação mista é o início da alimentação artificial exclusiva. A alimentação mista é preferível à alimentação artificial exclusiva. Esta pode ser feita por dois processos:

a) Dando, numa mamada, somente o seio, e, na seguinte, a mamadeira; alternando, assim, continuadamente. A mamadeira será preparada de acordo com a idade do bebê.

Na alimentação mista, com o seio e a mamadeira para complementar, é preferível dar sempre a mamadeira depois do seio. Intercalar uma vez o seio e outra a mamadeira diminuirá a sucção, acarretando igualmente a diminuição da produção do leite materno.

b) Quanto ao volume a ser oferecido, é difícil de ser definido, já que não há como ter certeza do volume obtido na mamada ao seio. O costume de pesar o bebê em casa antes e depois das mamadas deverá ser abandonado por tornar trabalhosa a prática de alimentação da criança e gerar ansiedade desnecessária. A melhor maneira consiste em oferecer um volume fixo de leite após as mamadas ao seio, iniciando com 30 a 60ml e aumentando gradativamente a cada 30ml, caso necessário.

Se a criança mamou pouco e não está satisfeita, aceita-a com satisfação. Caso contrário, é porque sugou leite suficiente. O aumento de peso dirá se a alimentação está preenchendo ou não as necessidades alimentares.

Exemplo: ao bebê que não prospera, regularmente, alimentado ao seio, serão dados, todas as vezes, logo em seguida à mamada, 30ml de alimento artificial, começando-se sempre com pequena quantidade, aumentando-se gradativamente, conforme a progressão do peso da criança.

Para a alimentação mista, poderão ser usados os tipos de leite em pó modificados, sempre de acordo com o modo de preparo correspondente à idade, como será explicado nos capítulos seguintes.

A alimentação mista faz a criança engordar com muita facilidade; bem-orientada, dará magníficos resultados.

Quando utilizar a alimentação mista, a mãe deverá ter dois cuidados:

a) Dar sempre antes o seio, e sempre, mesmo que tenha muito pouco leite; o leite materno aumenta consideravelmente a tolerância da criança para a alimentação artificial.

b) É necessário furar o bico da mamadeira com cautela, adaptando-o à força de sucção do bebê. É importante que o bico da mamadeira seja furado de modo que o bebê faça, para sugá-lo, o mesmo esforço que emprega na sucção do seio. Bicos com furos muito largos, além de oferecerem o inconveniente de a criança mamar depressa, fazem com que ela despreze o seio, pela lei do menor esforço, insistindo somente em querer a mamadeira, o que absolutamente não é aconselhável.

Para furar o bico da mamadeira usa-se uma agulha incandescente, com a qual se faz o orifício maior ou menor, segundo a capacidade de sucção do bebê.

O leite de cabra e o leite de soja também poderão ser usados na alimentação mista. Entretanto, ao usá-los, é aconselhável a mamada alternada, uma vez dando o seio e em outra vez a mamadeira.

Segue uma regra prática para a primeira semana de vida:

Leite materno: quando o bebê está se alimentando ao seio, o volume é ajustado automaticamente às necessidades da criança. À medida que a criança suga e esvazia a mama, mais leite é produzido. Desta maneira as necessidades da criança e a produção de leite ficam em equilíbrio.

A criança não deverá ser pesada antes e depois de cada mamada, para verificar seu volume, pois há uma grande variação, sendo às vezes o volume maior, às vezes menor, e a mãe poderá ficar ansiosa.

Entretanto, a pesagem a cada três dias, sempre na mesma hora do dia, sem roupa, servirá de guia para a mãe e o pediatra se orientarem em relação à sucção e à produção de leite. Pese a criança, anote o peso e comunique ao pediatra.

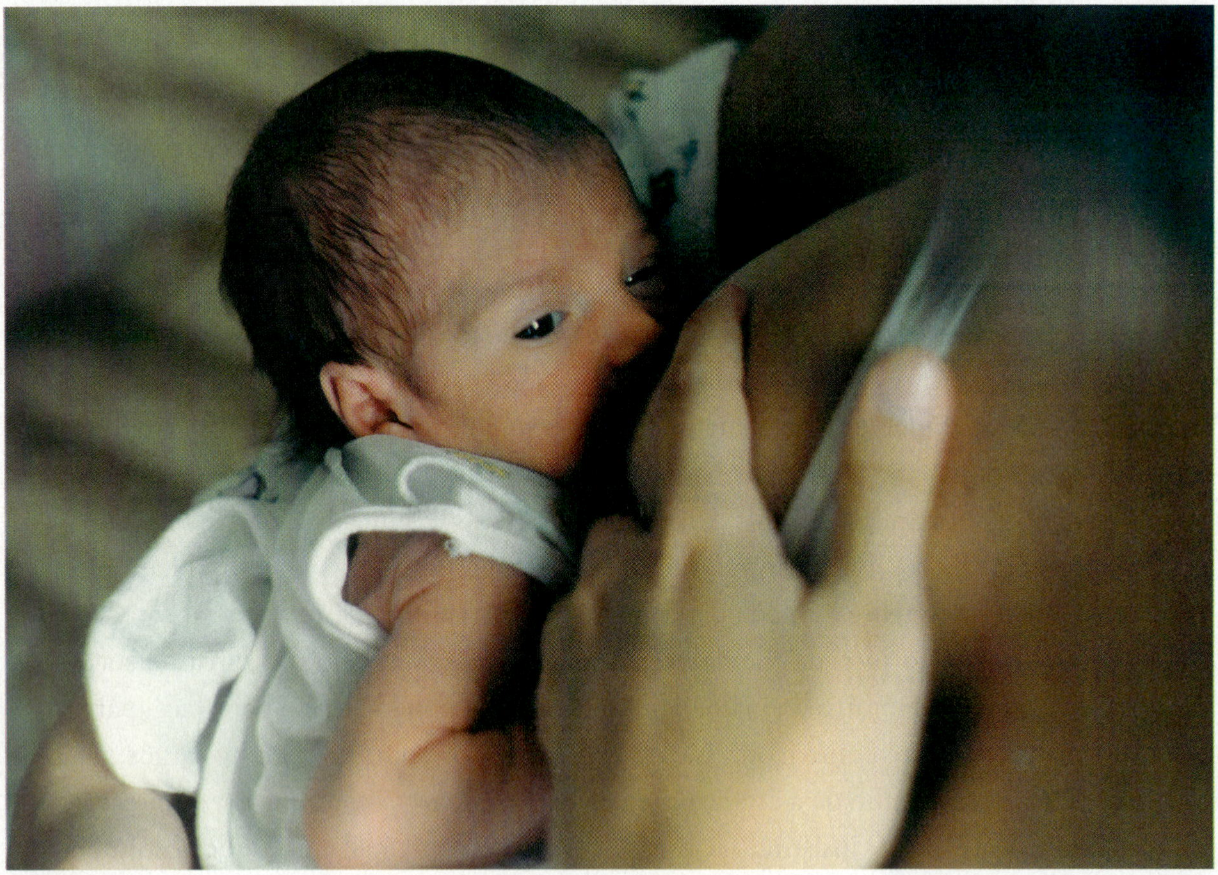

Capítulo 6

O Quinto Dia

O quinto dia

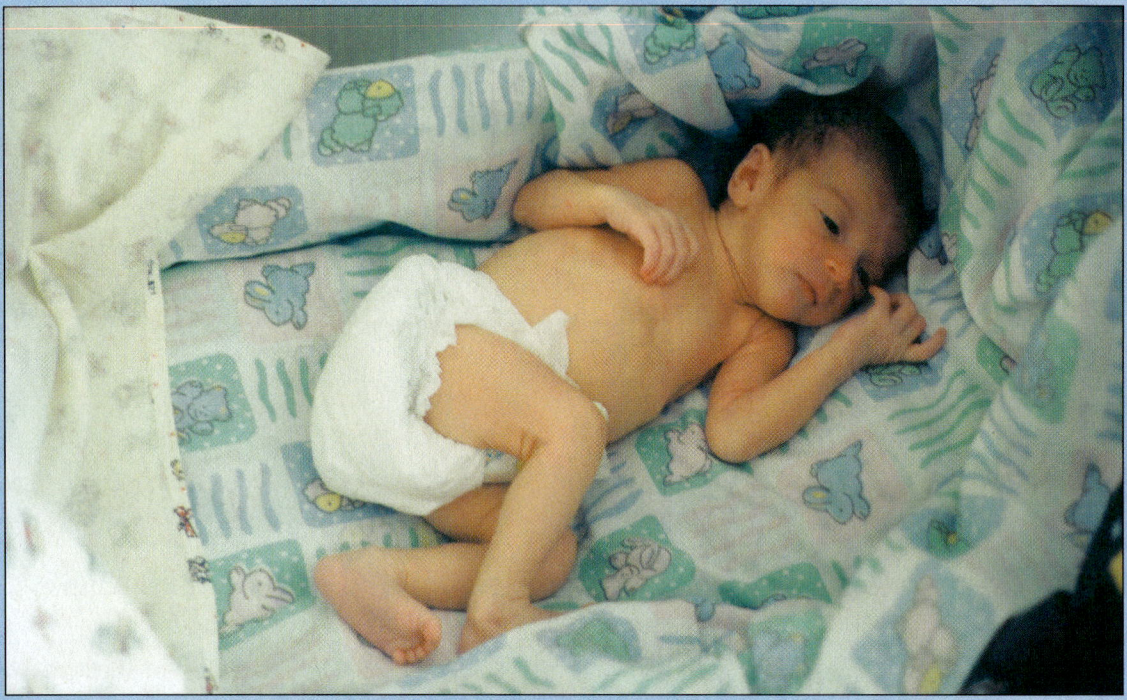

No quinto dia, a maioria dos bebês não mais se encontra no hospital. Com exceção dos bebês prematuros ou de casos complicados, mãe e filho já estarão em casa.

O quarto e o quinto dia é quando o recém-nascido desperta para a sucção, e se tornará um excelente "beberrão" do leite materno. Ele começa a manter seu peso, estabilizando-se. O bebê poderá ter perdido de 8 a 10% do seu peso inicial.

a) no quinto dia, a maioria dos bebês não mais se encontra no hospital; com exceção dos bebês prematuros ou de casos complicados, mãe e filho já estarão em casa;

b) o curativo deverá continuar a ser feito, tocando-se o coto umbilical com álcool absoluto, especialmente na sua base. Há necessidade de envolver o coto com gaze, pois poderá haver contato com urina ou fezes. No quinto dia o coto umbilical estará quase totalmente seco;

c) nos dias quentes, caso esteja sob alimentação artificial, ofereça-lhe de 20 a 30ml de água ou chá; prepare para o dia todo 100ml e ofereça nos intervalos das mamadas, para evitar a desidratação;

d) as fezes adquirem o aspecto normal, amareladas, com alguns grumos esbranquiçados. Na alimentação ao seio, poderão ser levemente aquosas, mas sem assarem o bebê. Às vezes ele permanecerá por mais de 24 horas sem evacuar, outras vezes ele mamará e logo evacuará. Isto se chama reflexo gastrocólico e é normal;

e) a urina, até então bem clara, continuará a ser eliminada várias vezes ao dia;

f) o choro poderá sugerir fome, frio, sede, calor ou sono;

g) as cólicas surgirão algumas vezes;

h) é possível notar a presença do popular "sapinho" do segundo ao terceiro dia, mas sua freqüência costuma aumentar em torno do quinto e do sexto dias, criando dificuldades para o bebê mamar. Se não houver outra orientação médica, pincele a boca do bebê com uma solução aquosa de violeta genciana a 1% duas vezes ao dia. Poderá ser usada nistatina diretamente na boca de seis em seis horas na dose de 1cc;

i) a roupa continuará simples, consistindo em camisa comprida ou macacão;

j) a pele, descamando, será substituída com o tempo por outra menos áspera. Poderão ser observadas pequenas áreas de vermelhidão, que aparecem e desaparecem com rapidez, parecendo urticária quando o bebê é apertado ou comprimido;

l) já no quinto dia ele apresenta os seguintes movimentos motores: primeiro ele joga os braços, chora e se contorce, segundo, vira a cabeça de um lado para o outro; terceiro, de bruços, fica como um sapo ou se encolhe; quarto, fica de mãos fechadas; quinto, tem o reflexo da deglutição; sexto, no banho, apoiando o peito, ele faz movimentos de natação;

m) a criança normal continuará dormindo a maior parte do dia e da noite, só despertando para mamar;

n) é comum, após as mamadas, o bebê arrotar, eliminando um pouco de leite coalhado (regurgitação); após este fato, é freqüente o soluço;

o) a regurgitação é comum com o leite materno farto, ou quando a mamadeira possui um bico com grande abertura. Alguns sentem prazer na regurgitação e outros chegam a provocar estes pequenos vômitos para deglutir novamente o alimento que veio até a boca (ruminação);

p) manchas vermelhas ("bicadas de cegonha") são manchas cor-de-rosa avermelhadas, que desaparecem pela pressão dos dedos. Mostram-se principalmente na testa, nas pálpebras e na nuca. Trata-se de dilatações vasculares passageiras, que quando cedem, com os meses, fazem desaparecer a coloração. Não as confunda com os chamados *nevus*, manchas congênitas e definitivas;

q) reflexo tônico cervical: alguns recém-nascidos mantêm a cabeça sempre virada para o mesmo lado. Quando os forçamos a se virar para outro lado, choram e sentem-se desconfortáveis. A conseqüência é a cabeça ficar achatada do lado em que fica deitada. Entretanto, logo que o bebê começar a crescer, a cabeça voltará ao normal. Geralmente só após os três meses é que o bebê permanecerá com o rosto voltado para cima. Em condições normais, movimenta-se até então para os lados. Deve-se distinguir a situação descrita acima, normal, da contratura dos músculos do pescoço, por torcicolo ou hemorragia do músculo esternocleidomastóideo (ver pág. 55 do capítulo *O Primeiro Dia*);

r) a pele do recém-nascido é muito vulnerável, e a pessoa que cuida dele não deverá ter qualquer infecção aguda ou crônica. Deve-se sempre lavar bem as mãos com sabonete antes de pegar o bebê;

s) por volta do quinto dia, pode-se notar nos lábios do recém-nascido pregas e elevações, chamadas "calos de sucção". Não têm maior significado e costumam desaparecer após alguns dias;

t) hemorragia da vagina: a recém-nascida, nos primeiros dias de vida, poderá expelir uma secreção sanguínea não-purulenta da vagina. A aparência é a de uma verdadeira regra, provocada pelos hormônios maternos, cedendo espontaneamente dentro de 24 a 48 horas.

OS GÊMEOS

Seguramente, gêmeos dão trabalho dobrado, e quando são os primeiros filhos deixam sua mãe atribulada. Eles nunca estão separados, nem à mesa, nem no banho, nem nos passeios. Em todas as experiências, um assiste e participa da do outro; são ao mesmo tempo um espectador e um cúmplice. No seu pequeno mundo, os gêmeos têm sua linguagem secreta, incompreendida pelo ambiente. Se se compreendem, se completam e se bastam. Os gêmeos geralmente falam mais tarde do que as outras crianças. Os especialistas usam o termo *Cryptophsia* para definir a linguagem secreta dos gêmeos.

No caso de gêmeos de sexos diferentes, a menina é quase sempre a líder do casal; entretanto, às vezes, os papéis se invertem. Vivendo assim, em dupla, estreitamente ligados, os gêmeos não se queixam desta situação antes da puberdade, ocasião em que desejam se separar, não gostando de ser confundidos um com o outro. Eles querem ter sua própria individualidade. Os pais deverão favorecer a personalidade de cada um, dando-lhes tratamento individualizado.

Conselhos

a) dê aos gêmeos nomes bem diferentes. Evite o máximo possível a expressão *gêmeos.*

b) faça-os usar roupas diferentes, com cores diferentes.

c) faça-os dormir sempre em camas separadas.

d) desde cedo, dê-lhes brinquedos diferentes.

e) na ausência dos pais, por motivo de viagem, por exemplo, caso desejem, poderão ficar sob a responsabilidade de pessoas ou parentes diferentes, devendo ser respeitada e até estimulada a preferência de cada um.

f) por ocasião de férias, coloque-os em lugares diferentes, com parentes diferentes.

g) procure ter contato com cada um deles separadamente, e não sempre juntos.

h) se um deles for convidado para a festa de um vizinho, os pais poderão arranjar outro programa para o que não foi.

i) ao separar, o pai se ocupará de um e a mãe do outro.

j) evite dar a cada um o mesmo sorriso, o mesmo biscoito, o mesmo castigo. Cada um terá os seus brinquedos e a sua atenção.

l) coloque-os em escolas diferentes, ou em classes diferentes, se for na mesma escola.

m) no aniversário, dê-lhes dois bolos. Um para cada um.

A freqüência do parto gemelar aumenta com a idade da mãe. É de seis por 1.000 na juventude, e de 17 por 1.000, acima dos trinta anos.

O parto gemelar constitui, sem dúvida, na maioria das vezes, surpresa e tarefa trabalhosa para os primeiros meses. Felizmente, a média é de uma gravidez gemelar para noventa, trigêmeos para 9.000, quadrigêmeos para 50.000 e partos quíntuplos para 54 milhões. Não há dúvida de que o parto de gêmeos é sempre uma preocupação. Às vezes só um sobrevive. Geralmente o peso é mais baixo que nos partos comuns, mesmo sendo de nove meses. Em casos excepcionais, poderão crescer os dois com peso acima de três quilos.

Existem dois tipos de gêmeos, primeiro os provenientes de um só óvulo, e o segundo de dois óvulos. Os nascidos de um só óvulo provêm, por motivos ainda desconhecidos, de uma divisão em dois do ovo fecundado. O segundo tipo é proveniente de ovulação dupla ocasional, devido ao ataque simultâneo ou sucessivo, muito próximo, correspondente a um só ciclo menstrual de dois óvulos por dois espermatozóides.

O primeiro tipo é denominado gêmeos autênticos

São tão parecidos que, às vezes, é difícil a diferenciação. Não só há semelhança física como também da personalidade, do temperamento e do comportamento idêntico nas doenças. A cor dos olhos é a mesma, o grupo sanguíneo é o mesmo e a mesma impressão digital. Os gêmeos univitelinos são sempre do mesmo sexo.

Os do segundo tipo são chamados de gêmeos fraternos

São na verdade simples irmãos, gêmeos bivitelinos. Diferem no aspecto físico e psíquico, como pode acontecer com dois irmãos dos mesmos pais. São produto de duas gestações desenvolvidas ao mesmo tempo, em lugar de se ter procedido em ano sucessivo. Os bivitelinos são mais freqüentes e às vezes constituem característica familiar, isto é, ocorrem de preferência em determinadas famílias.

Se o parto ocorrer em condições satisfatórias, a evolução será normal; embora de baixo peso, atingirão a média satisfatória. A alimentação natural pelo leite materno fica difícil, sendo necessária grande quantidade para os dois ao mesmo tempo. A suplementação de alimentação artificial é necessária na maioria das vezes. O gêmeo tem tendência à anemia e ao raquitismo, e por isso torna-se indispensável a introdução, no primeiro mês de vida, de ferro e vitamina D.

Nem sempre é fácil saber, após o parto, se são provenientes de uma ou mais placentas, mas quando a semelhança se torna extraordinária entre os dois e quatro anos de idade, tudo indica que eles são gêmeos univitelinos. A diferença de peso entre eles é comum, porque um se acomoda melhor do que o outro dentro do útero.

A educação

A educação dos gêmeos merece cuidado especial, sobretudo se eles são do mesmo sexo, e não se deve dar a impressão de que são um fenômeno, como se um fosse a metade do outro. Deverão ser vestidos diferentemente; se freqüentam o mesmo colégio, deverão ficar em classes diferentes. Cada um deverá ter sua personalidade estimulada e seu próprio grupo de amigos. O ideal será que os gêmeos tenham sua independência pessoal e individualidade asseguradas.

O desenvolvimento da linguagem

É comumente atrasada. Eles poderão chegar aos cinco anos com a mesma linguagem de crianças com três anos. Segundo alguns médicos, a explicação para isto reside na satisfação da presença mútua para brincar sem necessidade de falar. Os gêmeos do sexo feminino falam mais cedo do que os do masculino. O uso da mão esquerda (canhoto) é mais freqüente entre os gêmeos. Sabemos que a média em crianças não-gêmeas é de 6%, nos gêmeos de duas placentas é de 8%, e de 15% nos de uma só placenta. O exame do eletroencefalograma (EEG) é idêntico nos gêmeos univitelinos (da mesma placenta); entretanto, as modificações clínicas poderão ser diferentes. Na sua educação deve-se evitar ao máximo comparações ou preferências que possam gerar rivalidade entre eles.

A alimentação

Ao seio materno, precisará de um planejamento para ser bem-sucedida. A maioria das mães consegue alimentar seus filhos gêmeos por alguns meses, pelo menos no primeiro mês. As mamadas freqüentes provocam um estímulo duplo, produzindo duas vezes mais volume de leite. No começo é aconselhável amamentar um de cada vez, até que a mãe se habitue com o modo de cada um, e com o tempo descobrirá que poderá amamentar os dois ao mesmo tempo. No caso de ter gêmeos na segunda ou terceira gravidez ficará mais fácil. Se um dos gêmeos mama com mais vigor do que o outro, é aconselhável alternar o seio que lhe oferece. Geralmente o mais robusto é o que apresentará maior disposição. A questão do sexo não tem influência; às vezes o bebê do sexo feminino tem mais força do que o do masculino, independentemente do peso. Quando mamam ao mesmo tempo, o mais forte, possivelmente maior, pode desencadear o reflexo da descarga do leite para o outro, menor. Logo no início eles deverão ter o apoio de uma enfermeira especializada ou de uma pessoa da família que tenha amamentado gêmeos.

Na alimentação diária, a mãe deverá beber dois litros de leite de vaca; o leite tipo Longa Vida enriquecido com ferro e vitaminas (Parmalat) é aconselhável. Na eventualidade de a mãe não suportar leite de vaca, deverá incluir na dieta diária um prato de sopa preparada com legumes verdes e vermelhos (dois de cada) e, de sobremesa, comer queijo ou iogurte.

Durante o dia deverá beber dois ou três copos de suco de frutas feito na hora e não deverá ter medo de engordar, desde que não abuse de massas e pão.

Capítulo 7

O Sexto Dia

O sexto dia

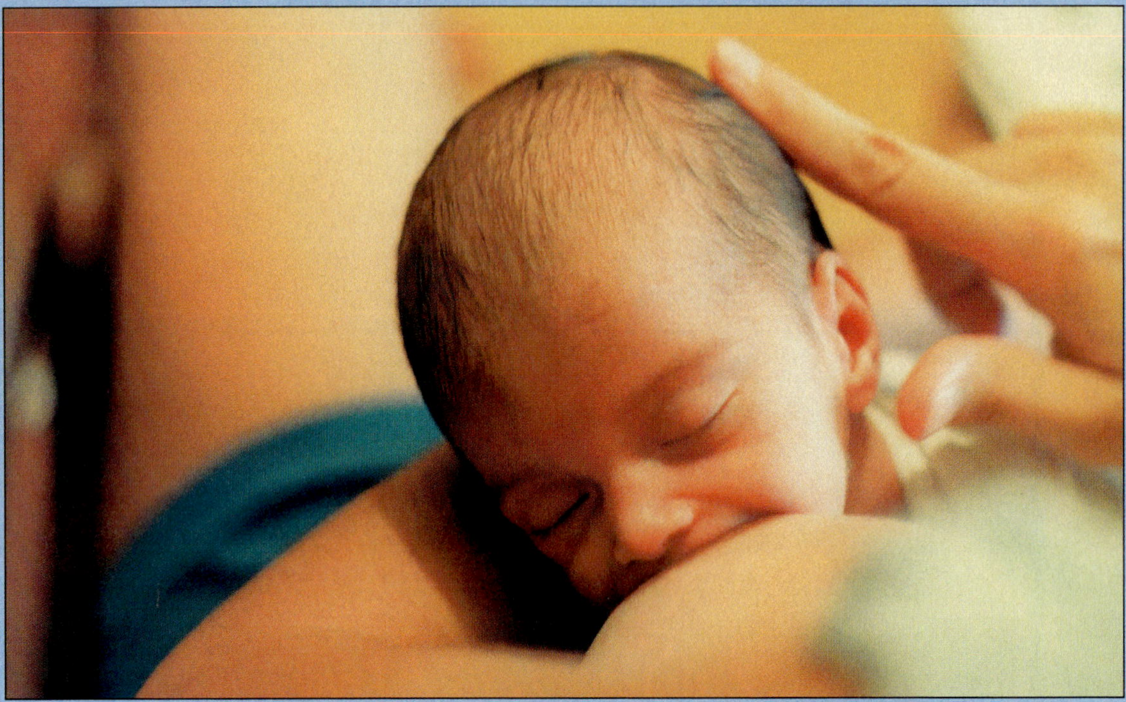

Ao sexto dia, tanto a mãe quanto o bebê já se entendem cada vez melhor, e o ato de mamar e amamentar torna-se um grande prazer para os dois.

Ao sexto dia o recém-nascido começa a ganhar peso, suas fezes já perderam o aspecto de mecônio, e embora ainda não sejam pastosas, já se nota o tom amarelado característico. São denominadas "fezes de transição".

a) no sexto dia as crianças que não tiveram o privilégio de mamar ao seio, recebendo alimentação artificial, poderão evacuar fezes um pouco mais secas, ou de aspecto diarréico. A diarréia revela fezes ácidas, com cheiro de vinagre ou de manteiga rançosa, provocando assaduras nas nádegas da criança, a dermatite da fralda. Esta dermatite é dolorosa e provoca choro, quando a criança evacua ou mesmo urina;

b) quando o bebê não está aceitando a alimentação ou tem alguma infecção intestinal, é comum que o seu abdome fique distendido (barriga dura). Podem ocorrer cólicas. A melhor orientação, antes de o médico opinar, é a de suspender a alimentação artificial e oferecer à criança água adoçada ou soro hidratante;

c) provavelmente o coto umbilical estará totalmente seco, podendo cair a qualquer momento, não havendo necessidade de continuar a envolvê-lo em gaze. Como já nos referimos anteriormente, alguns pediatras preferem esperar para dar banho de imersão somente após a queda do coto umbilical;

d) continue oferecendo água ou chá nos intervalos das mamadeiras, salvo se a criança recusá-los;

e) o peso começa a aumentar;

f) as evacuações variam de uma a seis por dia, não sendo raro crianças normais ficarem sem evacuar durante um dia;

g) a micção é de dez a doze vezes em 24 horas, quase sempre clara, exceto se forem administradas algumas gotas de vitaminas, que proporcionarão uma tonalidade amarelada. O volume diário é de 60 a 220ml;

h) há choro nos casos de fome, dor abdominal, assaduras e sapinho;

i) a roupa deverá continuar a ser simples, evitando-se as camisas muito enfeitadas e rendadas. Não as engome;

j) a atividade no berço é mais intensa (ele se mexe mais);

l) o sono continua constante, em condições normais eles dormem o dia todo;

m) atividade motora: mostra excitação e desconforto, procura o bico do seio, está alerta para os sons, reage a agressões sensoriais de maneiras diversas e dorme vinte horas por dia.

DERMATITE DA FRALDA (assaduras nas nádegas)

A presença de irritação nas nádegas (vermelhidão) nas primeiras semanas de vida é relativamente freqüente. Sua principal causa é a reação à amônia. Em 90% dos casos é causada pela dermatite de contato, resultante da reação entre a uréia eliminada e o bacilo fecal, denominado *Bacillus ammoniagenes*. A urina torna-se fortemente alcalina, liberando amônia. A amônia é retida pela fralda, o que se torna perceptível pelo seu odor.

Os fatores que atuam predispondo são

a) predisposição familiar (pele facilmente irritável, sobretudo nas famílias louras, de olhos azuis);

b) crianças que apresentam pele com gordura excessiva;

c) fraldas confeccionadas com plástico, borracha, tecidos sintéticos (tergal, náilon, dácron) ou sedas e flanelas, que não são aconselháveis. Somente as de algodão são indicadas;

d) o contato demorado com urina e fezes, por falta de atenção da pessoa responsável, acarretando produção excessiva de amônia;

e) as fraldas de tecido impermeável, com elástico na cintura e nas coxas, não permitindo a ventilação;

f) sabões e detergentes anti-sépticos que possam provocar alergias quando usados na lavagem das fraldas;

g) dieta com excesso de proteínas (leite e carne).

Assaduras

A pele do recém-nascido que fica coberta pela fralda é suscetível a irritações e infecções. Segundo a escola pediátrica alemã, além da maior sensibilidade da epiderme ainda jovem à irritação mecânica causada pelo uso de fraldas e pela limpeza freqüente, o amoníaco presente na urina e nas fezes irrita a delicada pele do bebê. Por isso, é importante a troca freqüente das fraldas e o uso de um creme contra assaduras para a proteção da pele contra a umidade, que é uma das principais causas das irritações.

Como evitar assaduras

a) cada bebê tem seu creme pessoal que dá resultado, e as mães e avós já sabem;

b) mude sempre que possível a fralda, logo que o bebê a suje, tanto de urina como de fezes;

c) o melhor é deixar o bebê sem fralda o máximo possível;

d) não use calças plásticas, ou cubra as fraldas com tecidos impermeáveis desde borracha até os sintéticos;

e) a melhor prevenção é lavar as nádegas três ou quatro vezes por dia, corrigir o que está sendo feito de errado e usar uma pomada local (óxido de zinco), ou então uma recomendada pelo seu pediatra;

f) use fraldas de algodão, faça a limpeza com algodão e não com gaze. Quando houver formação de bolhas amareladas, pústulas, há necessidade da intervenção do pediatra;

g) tecidos sintéticos, tergal, *banlon,* náilon e outros não são aconselháveis, só os de algodão puro são seguros; fraldas descartáveis de má qualidade também são causas freqüentes de assaduras. Às vezes é melhor usar as tradicionais fraldas de algodão em vez das descartáveis de má qualidade;

h) quando ferver as fraldas, tenha certeza de que elas estão livres de qualquer resíduo de sabão, devendo ser enxaguadas até três vezes;

i) os norte-americanos costumam embeber a fralda em 1 litro de água na qual foi diluída 1 colher (das de sopa) de vinagre branco;

j) o aparecimento das assaduras depende do tipo de pele do bebê, sendo uns mais sensíveis do que outros.

Tratamento das assaduras

Aplique compressas de permanganato de potássio a 1 por 10.000 (1 litro), durante quinze minutos, de duas em duas horas. Nos casos em que houver secreção esbranquiçada ou ulcerações, poderá haver contaminação por fungos (monilíase), sendo necessário usar solução de violeta genciana a 1% sem álcool. Aplique uma lâmpada de 40 watts, a um metro de distância, durante dez minutos, duas vezes ao dia. Isto poderá auxiliar o tratamento.

Solução caseira para combater as assaduras

Use 1 litro de água filtrada, 1 colher (das de sopa) de maisena, 1 colher (das de chá) de bicarbonato de sódio. Cozinhe durante três minutos; coloque numa vasilha tampada na geladeira. Na hora de usar, amorne-a e embeba um algodão nesta mistura. Faça o asseio da criança após as evacuações. O bicarbonato neutraliza a acidez da urina e a maisena, em contato com a pele, a protegerá.

A ALIMENTAÇÃO

A alimentação agora é mais regular, e tanto a mãe como o bebê já se entendem cada vez melhor, tornando assim a amamentação um grande prazer para ambos. O leite materno continuará sendo a melhor opção. Às vezes a mãe que amamenta se sente insegura, não sabendo se o seu leite está em quantidade suficiente. O melhor parâmetro é o humor do bebê. Um bebê bem alimentado dorme e evacua bem; em suma, está de bem com a vida. Outro fator, que é o ganho de peso, será avaliado pelo pediatra na primeira consulta, por volta de quinze dias após o nascimento.

Quantidade diária:

a) alimentação com leite materno: 60ml, de três em três horas. Total diário: 360ml;

b) alimentação com leite de vaca fresco: 60ml, de três em três horas. Total diário: 360ml. Preparo de uma refeição diária: leite de vaca, 120ml; água filtrada e fervida, 240ml; açúcar nutritivo (Dextrosol ou Nidex), três colheres das de chá;

c) alimentação com leite em pó (Nan 1 ou Nestogeno 1): 60ml, de três em três horas. Total diário: 360ml, com diluição de medida para 30ml de água filtrada e fervida.

A NECESSIDADE DE O BEBÊ SUGAR (chupar)

O ato de sugar é um dos reflexos mais importantes nesta fase da vida, mas não quer dizer necessariamente que o bebê está com fome. É uma forte necessidade instintiva desde o primeiro dia de vida, que lhe dá alegria, prazer e tranqüilidade. Até os prematuros o fazem. Esta atividade mão-boca existe até no útero. Muitos bebês, embora já satisfeitos após a mamada, necessitam de uma "chupação" extra. Este reflexo é mais intenso até os sete meses. Aos nove meses diminui ou desaparece. Quando persistir além desta data poderá significar que o bebê está se sentindo descontente, com fome ou apresentando outra alteração.

DEVO DAR CHUPETA AO MEU FILHO?

Esta foi a pergunta de uma mulher ao famoso pediatra e educador americano Berry Brazelton durante uma conferência sobre o comportamento das mães na disciplina dos bebês. Segue-se a resposta à pergunta:

"Alguns bebês precisam da chupeta para acalmá-los. Há alguns bebês que não conseguem ou que não querem usar o polegar. Particularmente, prefiro o polegar. Está sempre ali, podendo ser usado sempre que quiser. A maioria dos bebês tem a sua própria maneira de se acalmar. Se eles são ativos ou simplesmente agitados, certamente precisarão de um modo de se desligar ou relaxar. Fico calmo quando vejo um bebê que é capaz de relaxar sozinho. Ele será um bebê mais fácil de lidar para seus pais."

Pelo seu comportamento, ele mostrará o que precisa.

Capítulo 8

A Segunda Semana

A segunda semana

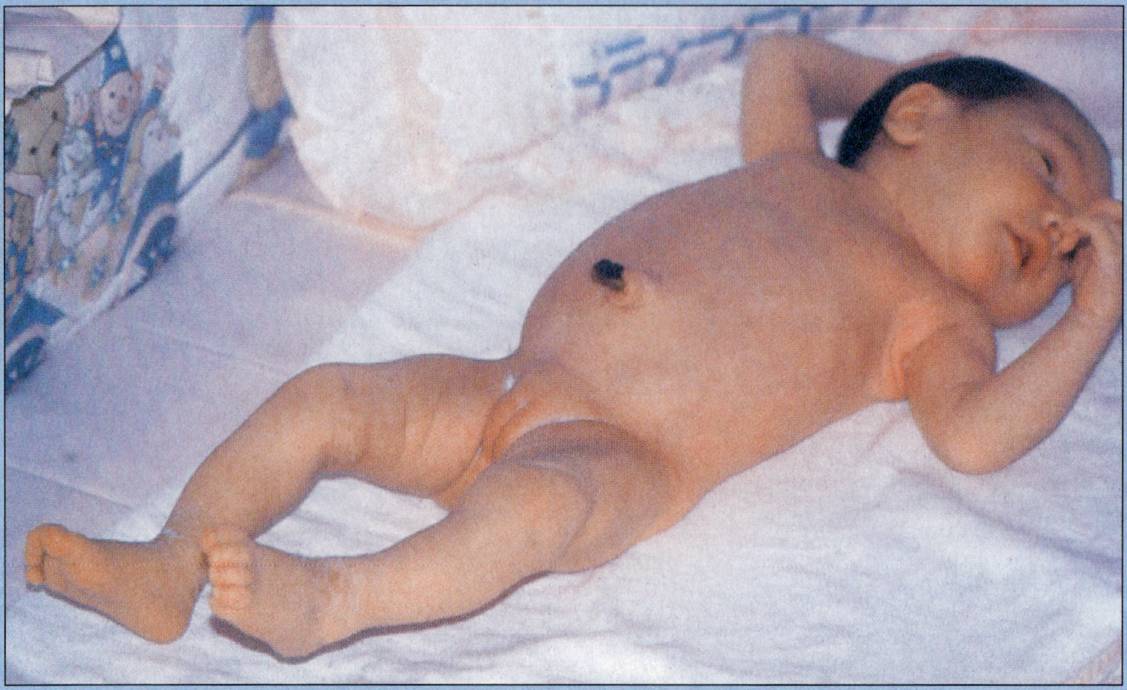

O coto umbilical costuma cair do sétimo dia em diante, habitualmente até o 15º dia.

a) o bebê percebe claridade e escuridão;

b) focaliza a 20cm de distância;

c) é sensível ao som;

d) se aquieta no colo ao se sentir seguro;

e) distingue o gosto, tem paladar;

f) pára de chorar para olhar alguma coisa;

g) segura qualquer objeto posto nas suas mãos; é o denominado "reflexo de apreensão". Para os seguidores da teoria de Darwin, é um vestígio do nosso ancestral, o macaco;

h) o coto umbilical cai geralmente neste período. Em alguns casos, após a queda, no local da cicatriz surge uma carne esponjosa, chamada granuloma, que solta uma solução amarelada com odor desagradável. Na falta de orientação médica, toque este ponto com um bastão de nitrato de prata, até que o granuloma fique esbranquiçado. Ao usar o bastão, cuidado para não provocar queimaduras na pele adjacente ao coto. Aplique pomada de vaselina no tecido em volta para protegê-lo. No dia seguinte, o local estará preto. Aguarde a queda da crosta preta, e se não tiver desaparecido o granuloma, toque-o novamente com nitrato de prata. Em raras ocasiões, após a queda do coto umbilical, surge uma formação com feitio de couve-flor, chamada pólipo. O tratamento é cirúrgico;

i) hidratação: pode ser necessária nas crianças alimentadas com mamadeira. A água deve ser oferecida filtrada e fervida, sem adição de açúcar. As crianças amamentadas ao seio não precisam de suplementação com água. O leite materno mata a fome e a sede ao mesmo tempo;

j) entre o sétimo e o décimo dia, a criança atinge novamente o peso que tinha ao nascimento e passa a ganhar diariamente 25 a 30g;

l) já com aspecto definido, as fezes são evacuadas de uma a seis vezes ao dia. Algumas crianças evacuam após cada mamada, sem que isto signifique anormalidade;

m) a urina torna-se mais volumosa e mantém-se bem clara. O volume varia de 70 a 240ml em 24 horas. De dez dias em diante, será de 100 a 300ml;

n) o choro passa a ser mais freqüente, principalmente com fome ou cólica;

o) pode aparecer sapinho, que será tratado como aconselhado na página 166;

p) para o banho, ferva previamente a água. Dê um ou dois banhos por dia;

q) as descamações da pele já terminaram. A "penugem" cai juntamente com os cabelos, que serão substituídos;

r) a movimentação no berço continua aumentando;

s) o sono já não é tão constante;

t) em certas ocasiões surge uma pequena coriza, resultante da descamação na mucosa nasal;

u) verifica-se tosse, traduzindo descamação de células da árvore respiratória. É uma tosse reduzida, sem qualquer comprometimento do estado geral;

v) a fimose é normal no recém-nascido. Não são mais indicados os exercícios para dilatar o prepúcio. Só se indica cirurgia quando houver dificuldade de urinar. Neste caso, é preciso fazer exame radiológico das vias urinárias (ver Fimose, pág. 676);

x) a inchação, edema das pálpebras, que ocorre durante o parto, desaparece.

A ALIMENTAÇÃO

a) alimentação ao seio: 60 a 80ml, de três em três horas. Total diário: 360 a 480ml;

b) com leite de vaca fresco: 60 a 80ml de três em três horas. Total diário: 360 a 480ml. Preparo de uma ração: leite de vaca, 120 a 160ml; água filtrada e fervida, 240 a 320ml; açúcar nutritivo (Dextrosol e Nidex), três colheres (das de chá);

c) com leite em pó: 60 a 80ml de três em três horas. Total diário: 360 a 480ml. Continuará sendo uma medida para 30ml de água filtrada e fervida.

A DIARRÉIA NO RECÉM-NASCIDO

A diarréia do recém-nascido é freqüente nos primeiros dias, quando se inicia a alimentação pelo leite materno. Ela tem efeito laxativo para facilitar a eliminação do ferrado (mecônio), nome dado às fezes nos primeiros quatro dias de vida.

Há bebês que, nas primeiras semanas de vida, evacuam sempre que mamam. Isto é provocado pela exaltação do denominado reflexo gastrocólico. Não é necessário tratamento.

A *diarréia verde.* A coloração esverdeada das fezes não tem a gravidade que a família julga, sendo originada pela bile, que se transforma em bileverdina nos casos em que o trânsito intestinal está acelerado, não traduzindo infecção alguma ou perigo maior.

O aspecto das fezes é muito importante, devendo ser observadas sua coloração, presença ou não de muco ou sangue, número de evacuações ao dia e volume. A diarréia pode ser um sinal de infecção severa, principalmente quando acompanhada de febre. É também uma causa importante de desidratação. Qualquer mudança brusca no ritmo intestinal do bebê deve ser comunicada ao pediatra.

O INFARTO ÚRICO

A urina do recém-nascido pode apresentar um tom alaranjado, manchando as fraldas. A mãe, assustada, pode julgar tratar-se de sangue. A razão é a seguinte: nos primeiros dias, a urina contém grande quantidade de uratos e ácido úrico, que originam as manchas nas fraldas. É um fenômeno normal, que passará com os dias e desaparecerá das fraldas quando lavadas com jato de água.

PROBLEMA NO PÊNIS

O exame do pênis deve ser feito com atenção desde o primeiro dia de vida. Todos os recém-nascidos do sexo masculino são portadores de fimose, isto é, a pele do prepúcio recobre quase totalmente a glande, deixando apenas uma pequena abertura através da qual se vê a uretra. Portanto, a fimose, desde que o recém-nascido urine sem dificuldade, é normal. Não se deve tentar retrair a pele para trás, pois isto pode lacerar o prepúcio, que, ao cicatrizar, fica de consistência mais dura, dificultando sua abertura pela evolução natural. Esta manobra pode transformar uma fimose fisiológica, isto é, normal, num caso que só pode ser resolvido com cirurgia.

O surgimento de um pequeno caroço amarelo no pênis

O pênis pode apresentar, quando arregaçado o prepúcio, a pele que recobre a glande, um pequeno nódulo de tonalidade amarelo-alaranjada. Este nódulo é formado por gordura e não tem qualquer significado maior, desaparecendo em semanas ou poucos meses.

Hipospadia

É uma pequena anomalia do pênis. A abertura da uretra não está localizada na ponta, e sim na superfície inferior. Admite-se que sua freqüência seja de uma criança para trezentas. A única solução é a correção cirúrgica, que deve ser feita em torno de um ano de idade, e mais de uma cirurgia pode ser necessária. A não-correção pode acarretar graves problemas psicológicos, quando a criança percebe sua anomalia, além de interferir mais tarde na sua atividade sexual.

Epispadia

Ao contrário da hipospadia, a abertura da uretra está localizada na parte superior do pênis; é uma anomalia muito mais rara: uma criança para trinta mil, e pode vir acompanhada de outras anomalias do aparelho urinário, detalhe que é muito raro na hipospadia. A correção cirúrgica é indispensável para facilitar o exercício do ato sexual.

A CIRCUNCISÃO

A circuncisão é a intervenção cirúrgica que consiste na secção (corte) da pele (prepúcio) que cobre a parte terminal (glande) do pênis. É uma operação que raramente se justifica, do ponto de vista médico, embora seja freqüentemente praticada por motivos religiosos.

Fimose é o revestimento irredutível da glande pela pele do prepúcio (dobra de pele que cobre a glande). A circuncisão faz parte da cerimônia de batismo dos meninos judeus, embora sua prática tenha se generalizado, nem sempre por motivos médicos justificados. Noventa e seis por cento dos meninos nascem com uma fimose fisiológica, e aproximadamente 90% já têm uma boa abertura de prepúcio aos três anos de idade. Muitas fimoses patológicas (que não se abrem espontaneamente) são provocadas pelos exercícios da dilatação, que, por esta razão, deixaram de ser recomendados. Ao repuxar a pele do prepúcio, esta pode-se machucar, formando depois cicatrizes retráteis, que não se dilatarão espontaneamente. Portanto, não se recomendam mais os exercícios de arregaçamento da pele do prepúcio.

As crianças que não foram submetidas à circuncisão deverão aprender a fazer a higiene do pênis, com água e sabão, durante o banho. Às vezes um pouco de talco é útil, para diminuir a umidade, que é fator irritante.

Não há dúvida de que a circuncisão no recém-nascido é mais fácil do que quando realizada mais tarde. A circuncisão não deve ser feita como rotina, isto é, obrigatória, e sim a critério do médico-assistente, e quando feita deverá ser após as primeiras 24 horas de vida, se o recém-nascido for normal e nascido de parto normal; se houver algum problema é preferível deixar exclusivamente a critério do pediatra a melhor ocasião de executá-la. Os cuidados com a higiene do pênis do bebê que foi submetido à circuncisão devem ser rigorosos, com lavagem diária com soluções anti-sépticas e aplicação de óleo, até que a pele esteja perfeitamente cicatrizada, a fim de evitar complicações.

O pediatra deve permiti-la:

a) se o recém-nascido está em condições normais de respiração, circulação e temperatura;
b) se o peso está acima de 2,5kg;
c) se a criança, após a queda normal do peso, já começou a recuperá-lo;
d) somente com a aprovação dos pais;
e) quando há coagulação normal do sangue, avaliada por teste de laboratório;
f) sendo um ato doloroso, a anestesia do bebê deve ser avaliada pelo pediatra e pelo cirurgião.

A VACINA BCG (ver págs. 182 a 184)

A vacinação pelo BCG é um eficiente elemento na prevenção da tuberculose. De modo categórico, o BCG não evita a tuberculose; se a criança, apesar de vacinada, estiver em contato mais ou menos constante com pessoa contagiante, pode apanhar a doença. Entretanto, a criança vacinada pelo BCG se defenderá muito melhor do que a não-vacinada; a vacina evitará que a tuberculose adquira formas graves, como a meningite tuberculosa miliar, que é a disseminação da doença, atingindo diversos órgãos ao mesmo tempo.

Quando aplicada pela primeira vez, depois de um ano, está indicado fazer antes o "teste Mantoux" (PPD), porque a criança poderá estar contaminada, sem apresentar sintomas de tuberculose.

A VACINA CONTRA A HEPATITE B

Considerando que a freqüência da infecção, pelo vírus da hepatite B, tem aumentado na infância, acarretando sérios problemas presentes e futuros para o fígado (cirrose, câncer), e o seu contato não podendo ser previsto, o recém-nascido pode ser infectado desde o parto pela própria mãe e adoecer algum tempo depois. A Academia Americana de Pediatria aconselha sua aplicação a partir do segundo dia de vida e a segunda dose trinta dias após, e a terceira entre seis e dezoito meses. Nas situações em que ocorrer transmissão do vírus via placenta para o feto, recomenda-se o uso imediato de imunoglobulina hiperimune para hepatite B (HBIG).

A vacina deverá ser aplicada com agulha e seringa descartáveis, na dose de 0,5ml, geralmente bem-tolerada, sem apresentar reações locais e gerais intensas.

A vacina contra hepatite A só está liberada para crianças acima de um ano e não há indicação como rotina para sua aplicação; está indicada para os habitantes de cidades de alta freqüência da doença.

OUTRAS INSTRUÇÕES PARA O ALEITAMENTO MATERNO

a) a mãe deverá repousar durante quinze minutos, antes de iniciar a mamada, relaxando-se, sem preocupações;

b) a mãe deve usar um sutiã especial durante os últimos três meses de gravidez para evitar a distensão da pele, assim também como durante a amamentação;

c) se o seio estiver muito duro, é de grande utilidade o uso de compressas mornas várias vezes ao dia;

d) o seio pode ser esvaziado com bomba manual ou elétrica e o leite coletado em recipiente esterilizado pode ser armazenado em *freezer* por aproximadamente vinte dias. O descongelamento deve ser feito em banho-maria e não poderá ser novamente congelado;

e) quando o bebê mama, o útero se contrai, abreviando o retorno à sua posição e tamanho normais;

f) o excesso de gordura e a "água de canjica" na alimentação mater-

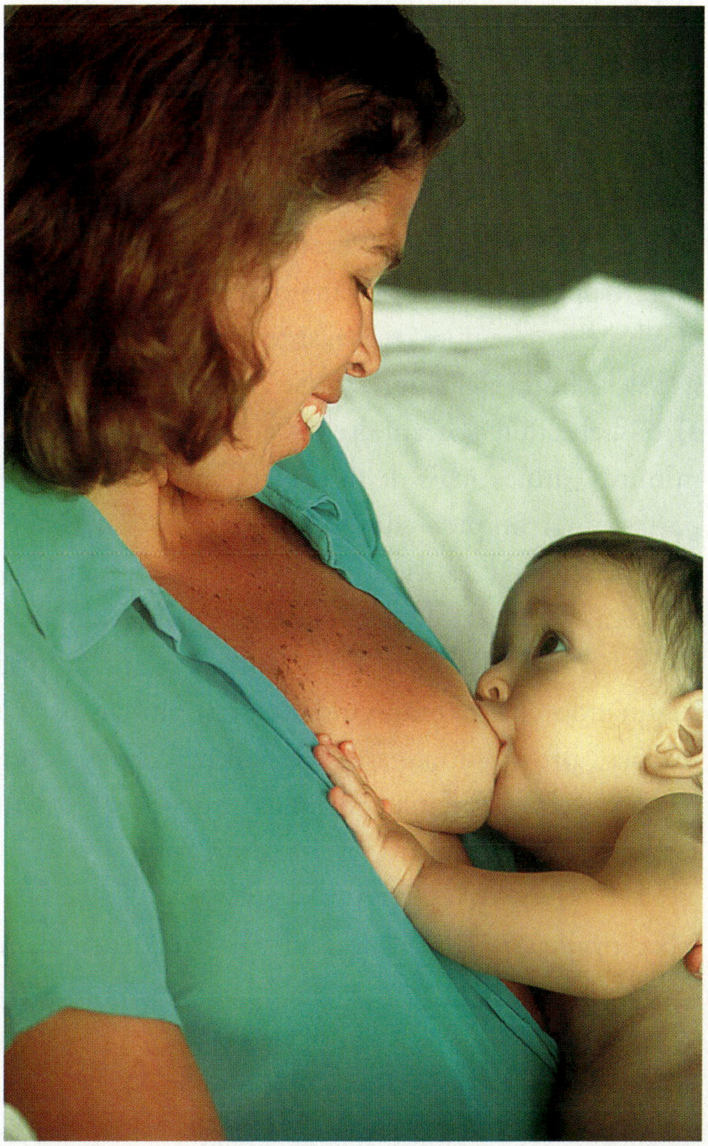

na, durante a gravidez e a lactação, aumentam o volume do seio, mas não aumentam a produção do leite;

g) a mãe deve beber o mesmo volume de leite que a criança lhe suga, sem exagero. Às vezes, ao ouvir o bebê chorar, o leite começa a fluir;

h) não empurre a cabeça do bebê em direção ao seio. Ele reagirá, volvendo a cabeça para trás, em direção à mão que o empurrou, tornando mais difícil sua aproximação ao seio;

i) não gosta, também, de que se lhe apertem a bochecha para obrigá-lo a mamar;

j) alguns bebês apresentam "crises de mastigação" sobre o bico do seio, provocando, às vezes, rachaduras dolorosas;

l) faça o bebê "arrotar". Para expelir gases, basta colocá-lo contra o ombro, dando-lhe umas palmadinhas nas costas. Alguns bebês precisam arrotar uma ou duas vezes no decurso da refeição;

m) alguns bebês transpiram ao mamar;

n) há um horário flexível, de acordo com o bebê, antecipando ou retardando as mamadas;

o) a orientação de alguns pediatras, permitindo o bebê mamar quando quiser, tem provocado certos problemas. Pequenas concessões podem ser feitas, mas não a desorganização total;

p) a mamada das seis da tarde é geralmente a menos volumosa;

q) a mamada das duas da madrugada é importante. Ao completar dois meses, ele a abandona espontaneamente na maioria dos casos;

r) o bebê nem sempre recebe, sistematicamente, a mesma quantidade em cada refeição. A mãe não deve ficar infeliz por isso. Se a mãe o "forçar", ele pode começar a perder apetite;

s) há bebês que gostam de descansar durante a mamada, interrompendo-a por um a três minutos, nunca mais de dez. Não é aconselhável habituá-lo a dividir a refeição em duas partes, interrompida com uma soneca;

t) o bebê, às vezes, não toma todo o volume desejado, parando quando bem entende; neste caso, o controle do peso é indispensável;

u) os banhos de sol são importantes a partir do primeiro mês de vida;

v) quando amamentar, cuidado com alimentos "pesados". Condimentos podem causar reações, provocando gases. Repolho, cebola, alho, brócolis e nabo são muitas vezes responsáveis. A cafeína contida no café, no chocolate e em alguns refrigerantes pode passar para o leite materno, excitando o bebê.

Nas páginas 77-81, encontram-se instruções fundamentais sobre amamentação.

A higiene dos seios:

a) os seios devem ser lavados diariamente;

b) no caso de o sabonete ressecar os bicos e as aréolas, use-os em dias alternados;

c) o bico do seio deve ser mantido seco;

d) não use água boricada;

e) evite maceração do bico do seio pela umidade;

f) evite atritos da roupa com os seios;

g) as mães preferem usar sutiãs;

h) compressas absorventes (existentes no mercado) ou um lenço limpo podem ser colocados dentro do sutiã para absorver o leite que gotejar nos intervalos.

O bebê deverá estar com fome no horário da mamada, deverá estar seco (fralda seca), deverá estar agasalhado de acordo com a temperatura do ambiente; o sucesso da amamentação depende da adaptação do bebê na primeira semana.

A maioria dos bebês esvazia o seio em cinco minutos; outros levam vinte minutos. Nos primeiros dois minutos eles já mamaram 50% do total, e aos quatro minutos 80 a 90%, e daí por diante o bebê faz do bico do seio uma chupeta, a sucção lhe dá prazer, é a sua única diversão nos dois primeiros meses de vida. Se a mãe não estiver com os bicos inflamados ou rachados, deve deixá-lo mamar até vinte minutos.

Depois de mamar, o bebê deve ser colocado no berço, de bruços (somente com a vigilância de uma pessoa) ou do lado direito para facilitar o esvaziamento do estômago para o intestino e diminuir a regurgitação.

O reflexo da eliminação espontânea do leite materno é um sinal importante do sucesso do aleitamento.

O "TESTE DO PEZINHO"

O *teste do pezinho* é o exame que deve ser realizado em todo recém-nascido para o diagnóstico precoce de doenças metabólicas congênitas ou hereditárias que possam ser tratadas desde o primeiro mês de vida. Atualmente é obrigatório em nosso país e deve ser sempre colhido a partir do sétimo dia de vida, quando o bebê já estiver plenamente amamentado. A realização do exame dentro dos primeiros sete dias pode algumas vezes levar a resultados falsos e obrigará à repetição do exame, já que nesta fase a ingestão de leite materno é ainda irregular.

Hoje existem várias modalidades do teste do pezinho. Basicamente, este exame é feito para a detecção de duas doenças que podem ser tratadas desde o nascimento: o hipotireoidismo congênito (deficiência da tireóide) e a fenilcetonúria (erro metabólico por falta de uma enzima). Este exame é o chamado teste do pezinho *básico* e todo bebê deverá fazê-lo. No caso do hipotireoidismo congênito, desde o início sua detecção obrigará ao tratamento com hormônios da tireóide para que a criança possa se desenvolver sem prejuízo neurológico. A fenilcetonúria diagnosticada obrigará a adoção de dieta específica para evitar o retardo mental.

A pesquisa de outras doenças metabólicas ou congênitas mais raras, através do teste *ampliado* ou do teste *plus*, deverá ser orientada pelo pediatra. Doenças infecciosas, como a toxoplasmose, a infecção pelo HIV e a sífilis, também têm sido incluídas na pesquisa do teste do pezinho, mas esta pesquisa será feita com orientação do pediatra nos casos indicados.

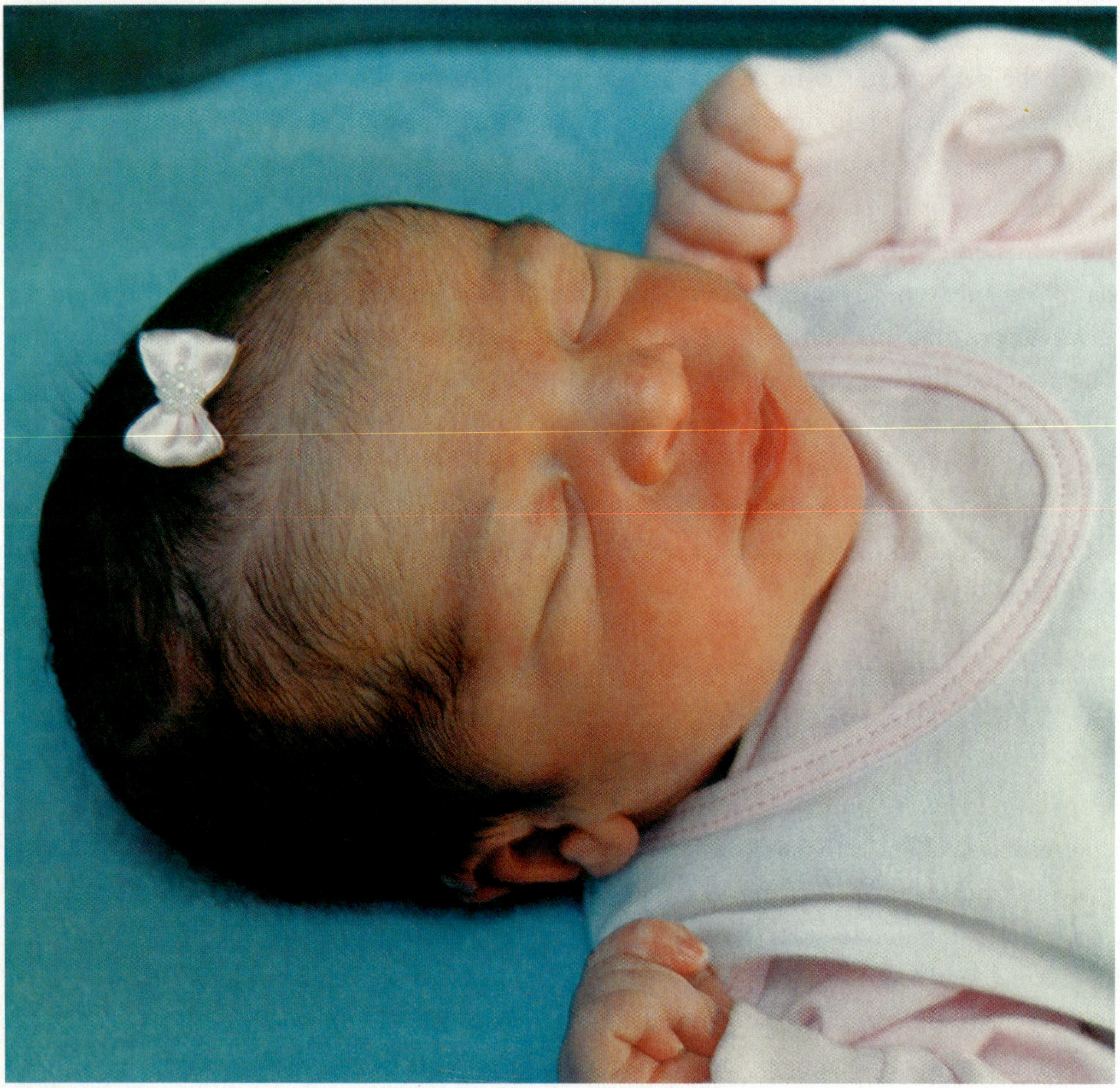

Capítulo 9

A Terceira Semana

A terceira semana

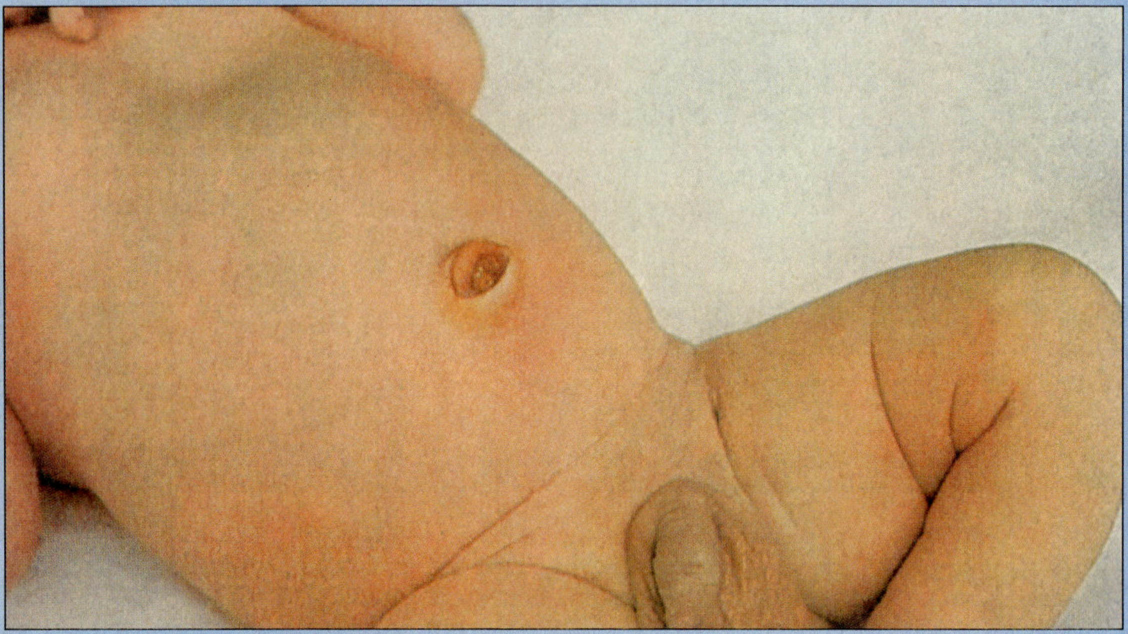

No local da cicatriz do coto umbilical pode surgir uma carne esponjosa, denominada "granuloma".

O peso continua aumentando, na média de 30g por dia, aproximadamente 200g por semana.

a) aos quinze dias, o coto umbilical deverá ter caído; raramente este fato não se verificou. Sua permanência até esta data não significa nada de anormal. Em alguns casos, do ponto da cicatriz poderá sair uma secreção com formação de uma carne esponjosa denominada granuloma, que deverá ser tocada diariamente com nitrato de prata;

b) a amamentação continua aumentando a produção de leite; é importante manter a mamada noturna, pois assim se consegue uma maior produção de leite;

c) na alimentação artificial deve-se oferecer água nos intervalos das mamadas, filtrada e fervida;

d) as fezes serão mais duras e ressecadas quando em alimentação artificial, e mais pastosas na alimentação ao seio. Certos bebês evacuam após cada mamada e outros podem passar dias sem evacuar, principalmente os alimentados ao seio;

e) as micções (urina clara) continuam em torno de dez a doze vezes ao dia;

f) o choro surgirá quando houver sono, sede, fome, frio ou calor. As cólicas poderão acontecer. O bebê se contorce e fica aliviado quando for comprimido seu abdome de encontro ao corpo materno, pele contra pele, ou quando se aquece a barriga com compressa morna;

g) casos resistentes de sapinho poderão ainda persistir, exigindo a manutenção do tratamento, indicado na página 166;

h) o vestuário será camisa de pagão e fraldas. Não agasalhe o bebê nos dias quentes;

i) no berço, o bebê já se movimenta mais; alguns podem até ficar de lado;

j) dorme a maior parte do tempo;

l) alguns dias após o nascimento, a criança apresenta-se peluda. Os cabelos crescem em pontas para todos os lados, aparecendo nos supercílios, na região inferior das costas e nos braços, à altura dos ombros. Dentro de poucos dias estes pêlos cairão;

m) neste período, o bebê pode sentir necessidade de ficar chupando os dedos e as mãos;

n) por volta do 15º dia, pode surgir um caroço no lado direito ou esquerdo do pescoço. É um caroço duro e indolor, que desaparece dentro de alguns meses. É devido a uma pequena hemorragia de um músculo importante do pescoço (o esternocleidomastóideo), conseqüente ao trabalho de parto, mesmo quando realizado com a mais perfeita técnica. Na maioria dos casos, a cura é espontânea, mas há casos de fibrose com encurtamento de músculo que exige fisioterapia ou tratamento cirúrgico. Neste caso, também estão indicados exercícios musculares e massagens suaves;

o) alguns bebês apresentam nódulos pequenos, do tamanho da cabeça de um alfinete, cor de cera, geralmente localizados no nariz ou na face, que se denominam *milium*. Não têm maior significado e desaparecem em poucos dias;

p) a pele já não tem descamação em estado normal. Certos recém-nascidos apresentam variações na pele das mãos e dos pés, desde a tonalidade vermelho-escura até roxeada ou azulada, quando a criança chora ou grita por muito tempo. Nos casos de maior intensidade, convém que o médico seja consultado;

q) a presença de uma tumefação dos seios, tanto no sexo masculino como no feminino, denomina-se mastite fisiológica, atingindo em certos casos considerável volume. Quando espremida, jorra leite idêntico ao materno. É um dos fenômenos da chamada crise hormonal do recém-nascido, provocada pelo hormônio materno. O tratamento consistirá apenas na aplicação local de compressas; nunca esprema, pois o trauma levará à formação de inflamações e abscessos, que exigirão o emprego de antibióticos ou intervenção cirúrgica;

r) começam a aparecer as lágrimas.

A ALIMENTAÇÃO

a) alimentação ao seio: 80 a 90ml, de três em três horas. Total diário: 480 a 540ml;

b) alimentação artificial: o leite de vaca, fresco, será diluído meio a meio, e não uma parte para duas de água, como feito até agora. O bebê mamará de 80 a 90ml, de três em três horas, num total 480 a 540ml. Preparo da ração diária: 240 a 270ml de leite de vaca e 240 a 270ml de água filtrada e fervida. Adicionam-se cinco a seis colheres das de chá de açúcar, não usando açúcar comum;

c) com leite em pó: 80 a 90ml, de três em três horas. Ração diária: 480 a 540ml. Preparo da ração total: 16 medidas rasas de pó para 480ml de água filtrada e fervida ou 18 medidas de pó para 540ml de água. Leites indicados: Nan 1 e Nestogeno 1.

Ocorrências clínicas dos primeiros meses do bebê

1) Choro
2) Sono
3) Soluço
4) Chupeta
5) Falta de apetite
6) Vômito
7) Golfada
8) Diarréia
9) Prisão de ventre
10) Cólica
11) Sub e superalimentação
12) Sapinho
13) Resfriados
14) Assaduras
15) Brotoejas
16) Eczema
17) Seborréia no couro cabeludo
18) Dermatites
19) Infecções purulentas da pele
20) Ronqueira

O CHORO

O bebê não chora para fazer malcriação, mas para nos revelar que alguma coisa o desagrada ou maltrata. A criança chora porque precisa chorar. É o único meio de que ela dispõe para se comunicar com o meio ambiente, já que não fala, sorri ou gesticula. O choro é, indiscutivelmente, a primeira manifestação de inteligência do ser humano. Entretanto, nada de exagero. A criança deve chorar dentro de suas necessidades. Não é aconselhável deixar o bebê chorar desesperadamente por muito tempo.

As causas mais freqüentes são as seguintes:

Fome

Nesta idade a criança costuma ter muita fome e mama ao seio com grande freqüência, cerca de dez a doze vezes por dia. A mãe pode pensar que o seu leite é fraco e cometer o erro de complementá-lo com a mamadeira. A balança resolverá a situação, pela vigilância da curva ponderal. A mãe e o pai devem compreender que o choro faz parte da amamentação, ajudando inclusive a desencadear o reflexo de produção de leite. Na alimentação artificial, no caso de esta conter misturas e proporções inadequadas (por exemplo, leite muito diluído) à idade e ao peso, ele poderá chorar com fome, apesar de ingerir grande quantidade na mamadeira.

Sede

O leite materno elimina a fome e a sede ao mesmo tempo. Se o bebê mama com freqüência o suficiente e está aumentando de peso, não precisa de suplementação de água. No caso da alimentação artificial, deve-se oferecer água filtrada e fervida nos intervalos, especialmente nos dias mais quentes. Se a criança não quiser água é porque não precisa, e não se deve forçar.

Umidade

Evacuação e emissão de urina, retidas pela fralda, afligem muitos bebês, bastando mudar a fralda para sossegá-los. Faça a higiene com óleo ou creme.

Calor e frio

Quarto mal ventilado, janelas fechadas, roupas grossas e apertadas são também motivo de choro. O frio excessivo, em crianças mal agasalhadas, em dias úmidos, chuvosos, igualmente maltrata.

Posição

Em certas ocasiões é suficiente para aquietá-los mudar de posição, fazendo variar da dorsal para a lateral, oblíqua. Não deve ser utilizado o decúbito ventral (bebê deitado de barriga para baixo), pois tem-se evidenciado um maior número de casos de morte súbita nos bebês que dormem nesta posição.

Cólicas (gases)

No primeiro mês de vida as cólicas são freqüentes, provocando dores e choro muito forte (ver cólicas na pág. 494).

Prurido

É o nome técnico da coceira, observado principalmente nas brotoejas conseqüentes ao calor intenso. Use pasta d'água (ver pág. 168).

Nervosismo

Quando a criança chora, sem, entretanto, conseguir-se identificar uma causa aparente, podemos estar diante de um distúrbio de comportamento (temperamento nervoso). Neste caso é preciso ter muita disciplina, método, horário, silêncio e penumbra. Na maioria das vezes até a chupeta resolve a situação. A administração de sedativos leves pode ser necessária.

Além destas causas existem outras: não nos referimos a alfinetes ou a insetos, pois nestes casos até os adultos são capazes de chorar, e, sim, às doenças, como moléstias infecciosas febris que provocam dores de cabeça, musculares etc.

Dor de ouvido

A otite unilateral ou bilateral deve ser pesquisada. Em certos casos ela pode se manifestar mesmo sem resfriados. Pode ser conseqüente em crianças com dificuldade para pegar no sono.

PELO MODO DE CHORAR É POSSÍVEL RECONHECER O PROBLEMA DO BEBÊ

O primeiro choro

Ocorre no momento do parto, forte e ativo. Indica a necessidade de se remover as secreções. O bebê chora pela diferença de temperatura e pelo primeiro movimento respiratório, adaptando-se desta maneira à vida fora do calor do útero de sua mãe.

Choro de fome ou de sede

Dá-se pelo menos uma hora antes da mamada; a criança fecha os olhos e movimenta os pés como se estivesse pedalando uma bicicleta, grita, chupa as mãos. Representa metade dos casos de choro no primeiro mês e vai diminuindo até 30% no sexto mês. Resolve-se com maior cuidado na alimentação.

Choro de cólica

É muito comum nas primeiras semanas de vida. A criança se estica, fica muito vermelha e chora com vigor. O choro de cólica é cíclico, vindo e desaparecendo.

O SONO

O sono é mais necessário à criança do que ao adulto. O recém-nascido dorme muito; com trinta dias, dorme 21 horas, ficando acordado somente para mamar e tomar banho. Aos seis meses deve dormir de dezesseis a dezessete horas, pelo menos; acontece, às vezes, de ficar acordado, quieto no berço, não devendo as pessoas tomá-lo ao colo para distrações. No fim do primeiro ano dormirá quinze horas ao todo, sendo doze à noite e três durante o dia. O bebê de tenra idade, submetido a um correto método de vida, acorda de três em três horas, ou de quatro em quatro, para mamar. Depois da mamada, deite o bebê sob o lado direito, que favorece a sua digestão e evita regurgitação. Após dez minutos, se necessário, pode-se mudar a posição.

Os bebês que dormem muito

Há bebês que logo ao nascer dormem o tempo todo e não acordam nem para mamar, o que não é normal. São geralmente prematuros (crianças nascidas antes do tempo) ou crianças de baixo peso (são as que, nascidas a termo, apresentam peso muito baixo, menos de 2.500g). Todos estes apresentam vitalidade escassa. A intervenção do especialista é indispensável nestes casos. Partos difíceis em bebês normais podem acarretar hemorragias cerebrais e a sonolência exagerada pode ser um dos sintomas. Bebês normais, quando bem-alimentados, também dormem muito.

Os bebês que dormem pouco

Como há os que dormem demais, há também os que dormem pouco, ficando, apesar de só terem poucos meses de vida, o tempo todo acordados. Neste caso, convém toda cautela, pois trata-se de bebês nervosos, excitados, necessitando de disciplina por parte dos pais, que não devem tomá-los ao colo por qualquer motivo. Os pais que não possuírem força de vontade correm o risco de ficar acordados a noite toda, pois estes bebês "trocam" facilmente o dia pela noite. Nesta situação, deve-se reorganizar o ambiente do recém-nascido (silêncio, penumbra), sendo necessário, em casos extremos, o uso de sedativos leves (ver pág. 786). A fome e as moléstias podem ser motivo da falta de sono: febre (gripe), sífilis, otalgia (dor de ouvido), rinite (corrimento no nariz), alergia ao leite etc. Bebês nascidos de parto demorado, a ferro (fórceps), que foram reanimados, geralmente dormem mal.

OS SOLUÇOS

Dos sintomas que o bebê apresenta, o soluço é um dos motivos que mais preocupa os pais. É interessante observar que por mais tempo que o bebê soluce não apresenta qualquer sinal de fadiga ou sofrimento; às vezes o bebê está soluçando e ao mesmo tempo sorrindo, ou então soluçando e adormecendo.

Seu mecanismo ainda é discutível, entretanto parece produzir-se por uma contração simultânea e rápida do diafragma (músculo que separa o tórax do abdome) e dos músculos abdominais.

A causa mais comum dos soluços é a presença de um coágulo de leite no esôfago (tubo que liga a garganta ao estômago) após as mamadas, ou por refluxo do conteúdo do estômago. Os bebês que mamam muito depressa engolem ar e podem refluir o conteúdo do estômago para o esôfago. Dê mamadeira de quantidade maior para idade ou em intervalos menores. Fraldas molhadas e frio também podem causar soluços no bebê.

Tratamento

1) Coloque o bebê semi-assentado.

2) Dê uma pequena quantidade de água, usando a colher.

3) Pedaços de algodão molhado na testa, fatias de batata nas têmporas "dão ótimo resultado", já que os soluços desaparecem espontaneamente.

A CHUPETA

A chupeta tem acompanhado a criação dos bebês há muitas gerações. Não se trata de ser a favor ou contra, e sim de admitir que ela representa, para certas crianças nervosas, que choram e se agitam em demasia, um verdadeiro sedativo. Não se deve, entretanto, forçar o seu uso, fornecendo-a somente em casos indispensáveis. Para o uso da chupeta, toda higiene é pouca. Deve-se fervê-la constantemente, com todo cuidado, sobretudo quando ela cai no chão, guardá-la em pote fechado e, aí, permanecer quando não estiver em uso. Acreditamos ser um "equipamento de cama", isto é, dá-la quando o bebê estiver deitado, para sossegá-lo ou ajudar a vir o sono. Deve-se evitar que a criança ande pela casa depois dos dois anos e meio com ela.

Amarrar a chupeta ao pescoço, para evitar que caia, e facilitar a comodidade dos pais não é aconselhável. Dos dois aos quatro anos, deve-se abolir gradativamente o seu uso, naturalmente, de comum acordo, com explicação por parte dos pais e aceitação da criança. A chupeta não deverá ser usada depois dos cinco anos de idade, porque, além de outros inconvenientes psicológicos, irá interferir nos dentes permanentes; nos dentes de leite há espaço entre eles, o que não se dá nos dentes permanentes, quando qualquer modificação em sua posição pode prejudicar toda a arcada dentária.

O uso prolongado, vicioso, pode causar o que os dentistas chamam de "mordida aberta", quando os dentes superiores não tocam os inferiores, causando também o rebaixamento da língua, que prejudica a criança nos atos de deglutição e na articulação das palavras.

Os médicos seguidores da escola de Freud consideram a chupeta e a necessidade de sugar uma satisfação sexual, realizada pelo próprio bebê, que organiza uma descarga agradável em que compensa as decepções e os aborrecimentos. A chupeta satisfaz o prazer oral, a sucção, e consideram a boca uma zona erógena; consideram o hábito tanto da chupeta como de chupar o dedo uma masturbação. Afirmam que a chupeta realiza uma satisfação sexual, o bebê com seu uso se acalma e dorme, como um adulto que relaxa e dorme em seguida ao ato sexual.

Não há dúvida de que a chupeta se tornou socialmente uma alternativa aceitável. Depois dos dois anos as crianças devem deixar a chupeta e, se continuam a exigi-la, é porque estão tensos. Há perigo de vida com seu uso, morte por sufocação pela chupeta engolida ou por estrangulamento pelo cordão quando usado para pendurá-la ao pescoço.

Exigências para uma chupeta segura

a) ventilação – ter dois orifícios no protetor plástico, de osso ou de borracha, para permitir a passagem de ar;

b) ter um protetor grande para evitar que ela seja engolida;

c) teste de durabilidade, fervura e refrigeração para verificar se ela não se desfaz em pedaços depois de ser puxada;

d) deve ter conformação adequada (ortodôntica).

A hora de dar a chupeta

Deve ser dada ao bebê que se mostra irrequieto, sem sono ou choroso, e que não sossega com o oferecimento do seio, mamadeira, água, sucos ou chás.

O bebê que quer chupá-la fora da hora das refeições, sem mostrar fome, é porque apresenta algum problema emocional (mãe difícil, sem habilidade para com ele) ou é um bebê nervoso, proveniente de gravidez acidentada ou de um parto difícil, ou bebê que é alérgico ao leite que toma. É preferível dar a chupeta a administrar tranqüilizantes ou sedativos.

A hora de tirar a chupeta

Quando a chupeta não acalma o bebê, não o torna quieto, tranqüilo ou não "chama" o sono, está na hora de tirá-la.

A PERDA DO APETITE

Das funções exercidas pelo organismo, o apetite tem a preferência e a maior atenção das mães. Neste capítulo analisaremos o referente ao bebê de mamadeira, deixando o da criança de mais de um ano para outro, por serem bastante diversas as causas e o tratamento. Muitas mães fazem questão de que seu filho mame o maior volume possível de leite, sem indagar a quantidade realmente necessária para o seu perfeito desenvolvimento. Na maioria da vezes fazem isto mais por vaidade, a fim de que o filho pese mais que o da sua amiga, e lá vão correndo para o telefone e vangloriam-se do aumento de tantos gramas conseguidos durante a semana, "bisbilhotar" se o da sua amiga foi tão bem-sucedido quanto o dela... E o pior é que alguns especialistas tomam parte nesta disputa original, e ajudam a mãe a "empanturrar" o bebê, dando dietas hiperaçucaradas, "carregando" nas farinhas etc., até que a criança chegue às raias da obesidade, ou então que uma perturbação nutritiva ponha fim à corrida!

Existem, porém, crianças com excelente tolerância alimentar, que suportam, galhardamente, todas estas investidas, e seguem resistindo até o dia em que, subitamente, entram em grande inapetência. O peso fica, então, estacionado, "esperando" que chegue à idade correspondente ao mesmo, para continuar a aumentar. Por estas e outras razões é que o apetite representa indiscutivelmente um fator importante na vida diária do bebê.

Causa comum da recusa da mamadeira

a) devido ao gosto (ácido, açucarado ou salgado);
b) devido à temperatura (quente, fria ou morna);
c) devido à consistência (fina ou espessa);
d) devido ao orifício do bico (grande, pequeno ou entupido);
e) devido à má posição;
f) devido à deglutição de ar;
g) devido à insistência de grande volume;
h) preferência da colher ao bico;
i) não respeitar a variação do volume ingerido nas diversas mamadeiras do dia;
j) nervosismo excessivo da mãe.

Regra do polegar

Para avaliar a necessidade em alimento do bebê pode-se aceitar a regra do polegar; quando ele chupa o dedo logo em seguida à mamadeira é porque ele quer mais.

Causas mais freqüentes da inapetência

Toda vez que é posta ao seio ou lhe é oferecida a mamadeira, a criança deve, em condições normais, apresentar disposição para sugar, desde que se observe, naturalmente, o respectivo horário. Existem ocasiões em que o bebê não quer mamar ou mama pouco. Em primeiro lugar, torna-se mister saber se a inapetência é súbita ou de caráter crônico. Na inapetência súbita, portanto, no caso em que o bebê vinha se alimentando perfeitamente e, de repente, nega-se a fazê-lo, ou o faz com insuficiência, convém pesquisar a temperatura, pois a febre de qualquer doença (gripe, bronquite etc.) é geralmente a causa responsável nestes casos. Nas perturbações nutritivas, vômitos e diarréia, o apetite logo diminui, o que é benéfico, enquanto permanecer o distúrbio. Quando alimentado ao seio, e o bebê se nega a sugar, é porque a mãe tem pouco leite, ou então porque ele tem aftas, sapinho ou qualquer outro impedimento, como coriza (corrimento no nariz), que o impede de respirar enquanto mama. No caso de se alimentar com mamadeira, o bico deve ser examinado, se está bem furado etc.

Às vezes convém espaçar o horário, mudar o tipo de alimento, variando a farinha ou a marca do leite em pó, ou a mistura do leite de vaca; excessos ou deficiência na quantidade de açúcar também devem ser considerados.

Na inapetência de caráter crônico, as dificuldades são maiores e as causas mais complexas. Dentre elas destacam-se as doenças neurológicas e psiquiátricas, exigindo todo cuidado por parte do especialista e paciência por parte dos pais. Pode ser também por fundamento de moléstia grave, como tuberculose, sífilis, anemia. Às vezes corre por conta da falta de energia, em bebês com pouco potencial (prematuros, de baixo peso), apresentando capacidades funcionais reduzidas. Em certas épocas do ano as necessidades alimentares diminuem, como acontece no verão, principalmente nas cidades de clima quente, onde as crianças comem menos e bebem mais. A alergia ao leite pode ser mais uma das causas.

Existe um tipo de inapetência que não pode ser catalogada como crônica, nem como aguda, e que é transitória. Sem causa aparente, o bebê passa dois, três ou mais dias com pouco apetite, melhorando, logo em seguida, como se nada tivesse acontecido.

Conselhos

a) a recusa ao alimento pode começar mais facilmente num esquema rígido do que no condescendente, dando as mamadas com intervalos maiores ou menores em pequena quantidade;

b) ao oferecer comida, é tomar ou deixar; e é tudo;

c) seja transigente em harmonia com seu filho;

d) quando ele se negar a abrir a boca para a próxima colherada, não insista;

e) agradá-lo ou bajulá-lo para comer é uma bondade marota (esperteza) que ele perceberá;

f) no caso de a mãe se descontrolar quando ele se negar a comer, para a mãe exausta é conveniente que outra pessoa dê de comer à criança;

g) a mãe não deve se mostrar "zangada" pela recusa; é um erro;

h) a mãe deve ser constante, decidida, firme, coerente, descontraída, flexível (enfim, a Mulher Maravilha!).

OS VÔMITOS

Os vômitos são as devoluções repentinas, mais ou menos profusas, do alimento ingerido. É um sintoma que deve ser sempre combatido.

Além de desagradáveis para o bebê, impossibilitam o ganho normal de peso.

Convém não confundir os vômitos com a regurgitação (golfada), que analisaremos em seguida.

São diversas as causas dos vômitos e, mais freqüentemente, destacam-se as moléstias febris, as neuropatias e os erros alimentares, acarretando perturbações nutritivas. Quando se verifica um vômito acidental, sem causa aparente e sem repercussão posterior sobre o estado geral, as mães não devem insistir na mamada, e, na refeição seguinte, devem proceder como se nada tivesse acontecido. Mas o vômito que se repete várias vezes ao dia, em vários dias seguidos ou mesmo em dias alternados, tem significado anormal e torna-se indispensável consultar o pediatra.

Das causas mais freqüentes, a excitação é, talvez, uma das maiores responsáveis, principalmente em bebês de temperamento nervoso. Luz exagerada, barulho provocado por visitas etc., enfim, muita "folia", é, às vezes, suficiente para produzir o vômito; o sossego e as diversões bem dosadas corrigem o distúrbio. É comum vomitarem após a tosse, mesmo sem ser coqueluche, e basta apenas um "engasgo" para a devolução da refeição. Existem certas crianças que têm facilidade extraordinária para provocar vômitos desta natureza. São, geralmente, bebês mais inquietos. Existem ainda situações em que estes bebês provocam os vômitos para "assustar" os pais, quando contrariados.

A terapêutica de casa não deve ir além de certos limites. Verifique se a disciplina não foi transgredida, se o horário continua correto. Pesquise se o bebê tem febre etc. No caso de usar alimentação artificial, apure se a mamadeira foi bem-feita; não confie esta tarefa a terceiros! Pode ser feita a administração de chás ou água mineral. Quanto aos bebês que são dados a vômitos, não convém deixá-los dormir, quando sós, de dorso, e sim de lado, para não ficarem sufocados no caso de vomitarem.

Estenose do piloro

Piloro é o orifício de comunicação do estômago com o intestino delgado. Em alguns recém-nascidos, por motivos ainda não bem-definidos, se processa uma hipertrofia dos músculos da parte do estômago próximo ao piloro (antropiloro), hipertrofia esta que ao se contrair dificulta a passagem do leite para os intestinos. A conseqüência são os vômitos, que se apresentam geralmente depois do 15º dia de vida, em jatos, sem enjôos, náuseas ou qualquer sinal de sofrimento ou mal-estar do bebê, que deseja se alimentar logo após o esvaziamento do estômago. O exame radiológico confirma o diagnóstico e a intervenção cirúrgica é a indicação segura e completa cura. É mais freqüente em meninos, cinco vezes mais do que em meninas. Não ficou provada até o momento qualquer tendência familiar.

A REGURGITAÇÃO (golfadas)

A regurgitação é a devolução do alimento, sem esforço, logo em seguida à mamada. O bebê não apresenta sofrimento algum, e o leite desce pelo canto da boca (comissuras labiais) silenciosamente. Devido à falta de funcionamento perfeito do sistema de obliteração (esfíncter), que se encontra entre o esôfago e o estômago, esta insuficiência é observada nos primeiros dias de vida, regularizando-se em seguida. A regurgitação já não impressiona as mães, e, na Europa, corre um ditado: "bebê que regurgita é bebê que engorda". A regurgitação desaparece normalmente aos seis meses. Só regurgitam os que mamam bem. Para alguns, é o excesso de leite, que o estômago já não comporta, e é devolvido nas suas primeiras contrações, para outros, o bebê, com o leite, engole porções de ar, que facilitam a regurgitação. As crianças têm facilidade para isto, porquanto a posição do seu estômago é vertical e não oblíqua, como no adulto, no qual a curvatura protege melhor o bolo alimentar. O melhor processo de evitá-la é dar à criança a quantidade certa de alimento e em horário conveniente. Uma boa prática é colocar o bebê no colo em posição vertical, por dez minutos, logo após a mamada, para que as eructações (arrotos) se processem sem prejudicar o começo da digestão gástrica.

O REFLUXO GASTROESOFÁGICO

O refluxo se caracteriza pela volta do conteúdo do estômago para o esôfago e às vezes até a boca, com vômitos ou aspirando para o pulmão, acarretando pneumonias e outros problemas respiratórios.

Existe um refluxo que é dito fisiológico, normal, e outro chamado patológico.

Quando o refluxo se mantém por muitos meses após o nascimento, ou quando se faz com mais freqüência, principalmente com a criança deitada, o pediatra deverá ser comunicado.

Algumas medidas poderão ser tomadas até que o pediatra oriente o caso. Deve-se colocar as crianças de pé no colo após as mamadas, deitá-las no berço com a cabeceira mais elevada do que os pés e preferentemente de lado.

Se a criança está em alimentação artificial, engrosse a mamadeira e ofereça-a na temperatura ambiente ou mesmo um pouco fria.

A tendência do refluxo é se resolver com o tempo, mas o acompanhamento por um pediatra é necessário.

A DIARRÉIA

A evacuação normal é de fezes aquosas, de tom amarelo-ouro e cheiro ácido, exonerando o intestino duas a quatro vezes por dia. Entende-se por diarréia a evacuação freqüente, mais ou menos líqüida, havendo todas as variações possíveis em número e em aspecto.

Há bebês que evacuam logo após a alimentação nos primeiros dois meses. Há evacuações não-líqüidas e nem eliminadas com freqüência: são grumosas, de cor esverdeada ou escura e que cheiram mal, são fezes dispépticas. Existem outras com pus, sangue e gleras (idênticas à clara de ovo), que são as disentéricas.

Na questão de diarréias, dois fatores orientam o raciocínio:

1) a alimentação em vigor;

2) o estado geral da criança. Quando o bebê é alimentado ao seio, a diarréia é sempre benigna, e só excepcionalmente, mas muito excepcionalmente, é grave. Já com a alimentação artificial, o caso é diferente. Toda diarréia em criança, com alimentação artificial, exclusiva ou mista, deve ser considerada com rigor, tanto maior quanto menor for sua idade.

O estado geral do bebê é mais importante do que o aspecto das fezes. A diarréia, que compromete o estado geral da criança, abatendo-a, deixando-a caidinha, é sempre grave, embora a freqüência e o aspecto das fezes possa parecer o melhor possível, com ausência de sangue, catarro etc. E, ao contrário, quando as crianças se mantêm alegres e bem-dispostas, apesar da diarréia e do mau aspecto, tudo promete correr da melhor maneira possível.

Diarréia dos recém-nascidos: já foi descrita na página 140. Entretanto, ela pode ser produzida por superalimentação, bastando aumentar os intervalos (de três em três horas, passar a quatro em quatro horas) para corrigi-la. Uma modalidade de diarréia observada é a chamada alérgica, isto é, devida à intolerância ao leite ou mesmo à farinha adicionada. Tudo pode estar correto: alimentação, horário, estilo de vida etc... e, no entanto, a criança apresentar diarréia. A eventualidade de a diarréia ser provocada por uma infecção deve ser considerada. A curva de peso ajudará a esclarecer o caso.

Na alimentação artificial: quando se verificar diarréia, isto é, evacuações mais freqüentes que nos dias anteriores e líqüidas, ou semilíqüidas, a mãe deverá oferecer soro hidratante, cerca de 50ml para cada evacuação, ou mais, se a criança aceitar. Existem preparações comerciais equivalentes ao soro da Organização Mundial de Saúde. O soro hidratante recomendado pela OMS é distribuído pelos serviços de saúde, diluindo-se um pacotinho em 1 litro de água. O soro hidratante também pode ser preparado em casa, da seguinte maneira:

- 1 litro de água filtrada e fervida
- sal de cozinha: pegue uma medida de remédio e encha-a até a marca de 4ml com sal de cozinha (ou 1 colher das de café bem cheia.)
- 3 colheres (de sobremesa) mal cheias de açúcar.
- Suco de 1 limão pequeno ou metade de 1 grande.

O pediatra deve ser consultado, logo que possível.

A diarréia verde

A diarréia verde é grandemente temida pelas mães e, no entanto, é a das mais benignas. Sua cor verde é devido à bile, observada nos casos em que o tratamento intestinal está aumentando, não traduzindo infecção alguma ou perigo maior. Catarro nas fezes é sinal de inflamação intestinal.

O médico deve ser comunicado. As evacuações expostas ao ar podem ficar verdes, mas este fato não tem qualquer importância.

Pequenas estrias de sangue vivo, nas fezes, sem diarréias e febre, são geralmente provocadas por rachaduras do ânus (fissuras).

O bebê evacua toda vez que mama devido ao reflexo gastrocólico exaltado. De maneira geral não necessita de tratamento.

Quando muito intenso ou acompanhado de cólicas excessivas, administre por via oral carbonato de cálcio puro em pó (obtido na farmácia), na dose de 1 colher (das de chá, cheia), adicionando às mamadeiras, em água ou chá, oferecendo no intervalo das mamadas.

A CONSTIPAÇÃO (prisão de ventre)

A prisão de ventre é relativamente freqüente no primeiro mês de vida, não apresentando perigo imediato. Diante de um caso desta natureza, temos de atender a dois fatores: a idade e o regime alimentar.

Causas

O bebê que, nos primeiros meses de vida, alimentado ao seio, apresenta prisão de ventre, necessita das seguintes avaliações: em primeiro lugar, verifique se o ganho de peso está sendo normal; portanto, se o bebê não está hipoalimentado, será conseqüência do melhor aproveitamento de leite materno pelo organismo, que o assimila quase totalmente, não deixando resíduos no intestino para a formação de fezes, acarretando, forçosamente, a prisão de ventre. De modo contrário, quando alimentado ao seio, se ele não engorda e tem prisão de ventre o caso é claro: a criança tem fome e a quantidade de leite que suga não lhe é suficiente. Aumentar a freqüência das mamadas ou estabelecer alimentação mista, isto é, administrar uma mamadeira de alimento artificial após o seio, para completar o volume da mamada e restabelecer normalmente o trânsito intestinal.

Tratamento

Pode-se tentar a administração de água açucarada nos intervalos das refeições (1 colher, das de sopa, de açúcar, em água fervida).

Suco de laranja também pode ser oferecido, nas mesmas proporções, isto é, dez, vinte a trinta colheres das de chá. Nos casos muito rebeldes, o uso de um laxante, como leite de magnésia, pode ser tolerado na quantidade de uma a três colheres, das de chá, por dia.

Purgantes ou clisteres devem ser evitados ao máximo, e só os administre com autorização do pediatra. Na hipótese de o bebê ser alimentado com ração artificial, é mais fácil tratar a obstipação, pois diversas manobras podem ser utilizadas. Em vez de farinha de arroz, trigo, maisena ou outra qualquer, use a de aveia (que solta o intestino). Aumente a quantidade de açúcar, de 1 colher, das de chá, para 1 ou 2 colheres, das de sopa, bem cheias, para cada 100 gramas de alimento. Aumente o volume da ração, use açúcar mascavo substituindo o refinado. Um supositório de glicerina deve ser usado quando a prisão de ventre ultrapassar 48 horas.

Se o bebê tem mais de três meses, é igualmente fácil curá-lo, pois ele já come frutas, caldos, sopas, compotas e bebe suco de ameixas. Se forem administradas ameixas peneiradas, comece com meia colher das de sobremesa, chegando até três diariamente.

Na contingência de ser utilizado um laxante, deverá ser escolhido um tipo oleoso. Os purgantes fortes (óleo de rícino etc.) são perigosos, pois roubam muita água do organismo, prejudicando-o. Os clisteres devem ser dados com água fervida e com 1 colher, das de chá, de glicerina. Não devem ser usados irrigadores, e sim as pêras de borracha, conforme a idade.

Os supositórios são preferíveis aos purgantes e clisteres; está indicado o supositório de glicerina simples para crianças pequenas.

As fezes ressecadas podem ferir o ânus, e laivos de sangue podem aparecer nas evacuações. Assim, o pediatra deve ser consultado para orientar o tratamento, pois, havendo exoneração dolorosa, o bebê automaticamente retém as fezes, podendo acarretar distúrbios mais sérios.

O ideal contra a prisão de ventre é corrigi-la com regimes alimentares adequados, de acordo com a idade do bebê. Suco de ameixa, 1 a 2 colheres (das de chá), por dia, pode ser tentado.

Preparo de caldo de ameixas: Coloque três ameixas pretas numa panelinha com 250ml de água. Acrescente 2 colheres (das de sobremesa) de açúcar e leve ao fogo baixo até formar uma calda. Deixe esfriar e ofereça 1 colher (das de chá) uma vez ao dia à criança.

A CÓLICA DOS TRÊS PRIMEIROS MESES

Geralmente ela se inicia dez dias após o parto, começando à tarde ou à noite, e às manhãs a criança se apresenta calma. Ela se manifesta após a refeição, cerca de uma ou duas horas, quando o bebê está saciado e sonolento. A cólica do bebê não tem uma única causa e, portanto, não se pode fazer a mesma medicação para todos. Tanto que ela passa com os mais variados recursos: gotas antiespasmódicas, virar a criança de bruços, compressa morna sobre a barriga, chupeta, mudança de leite e o clássico embalo.

Hoje é unanimemente admitido que o bebê desde a primeira semana de vida é inevitavelmente influenciado pela ansiedade das pessoas que o cercam, mãe, pai, avós, parentes, babás, gritos, excitações, gestos tensos ao segurá-lo e afobação geral.

É mais freqüente em bebês que mamam depressa, são agitados, tensos. Esses bebês apresentam hipertonia fisiológica, com contrações violentas dos músculos do estômago e do intestino, em contato com o coágulo do leite que se forma, e são os que melhoram logo com colo, embalo e chupeta, que são sedativos, calmantes.

Por que elas passam milagrosamente depois dos três meses ainda não está esclarecido. Spitz acha que é devido ao fato de o bebê, após este período, já dispor de melhores recursos mentais para fazer a diferenciação dos fatos e por isso já não se apresenta tão apavorado. O bebê não está suficientemente protegido contra as excitações vindas de fora, a não ser que sua mãe saiba protegê-lo.

Causas

As cólicas, contrações violentas tanto do estômago quanto do intestino, são provocadas pela formação de gases decorrentes de contrações da musculatura intestinal, de natureza nervosa ou alérgica.

Com a fome, é uma das causas mais freqüentes do choro infantil, choro forte, às vezes prolongado, pois são de fato eminentemente dolorosas. As mães experientes e as avós as suportam como algo natural. Sem dúvida são muito dolorosas, como demonstra o estado do bebê, com transpiração abundante, extremidades frias (pés e mãos), palidez e choro violento, e, portanto, devem ser evitadas.

Como evitá-las

Em muitos casos é possível evitar que o bebê tenha cólicas nos três primeiros meses de vida. É aconselhável manter o intervalo dos horários das refeições, tanto na alimentação natural como na artificial, a fim de evitar que o estômago esteja cheio ao receber a refeição seguinte. Na alimentação com leite materno, a subalimentação (o estômago vazio se contrai imediatamente) é responsável em muitos casos. Na alimentação artificial, evite que as mamadeiras estejam malpreparadas, com doses maiores de açúcar, farinha e leite em pó do que as aconselhadas. Deve-se observar que o bico esteja furado em condições normais (ver pág. 105), assim como a mamadeira seja dada em boa posição. A temperatura do alimento a ser oferecido deve ser igual à temperatura do corpo, pois, às vezes, alimentos quentes ou frios demais podem provocar contrações da musculatura do estômago em alguns bebês. Impõe-se também a observação de o bebê não estar engolindo ar durante a mamada; neste caso, é aconselhável interromper a mamada ou, depois de terminada, colocar o bebê de pé, no ombro da mãe, para arrotar. A falta de disciplina com a vida do bebê, passeios, revistas, rádio e televisão altos, muito falatório, poderá excitá-lo e perturbar sua digestão normal.

Há sempre uma pequena concessão às avós. Elas aconselham dar um chá de camomila, fraco, ao bebê, nos intervalos das mamadas, em vez de água, chá preto ou erva-doce. Para alguns bebês, temos de admitir que isto dá resultado. O preparo consiste em ferver 200ml de água com 1 colher (das de chá), cheia de camomila, coar e adicionar 1 colher (das de chá) de açúcar refinado ou nutritivo, conforme o caso; ou mesmo puro, se a criança gostar, o que é ideal.

Evitar a prisão de ventre, fezes líqüidas, ou malformadas, ajustando a dieta alimentar, é uma medida importante a ser tomada. Nos casos de cólica mantenha o bebê ao colo, o tempo que você puder, até que ele melhore. Isto não vai estragá-lo.

As providências a serem tomadas, e que devem ser tentadas, são de natureza diversa, assim catalogadas:

Mecânicas

a) coloque o bebê de pé, ao colo, dando tapinhas leves em suas costas, durante cinco minutos;

b) coloque uma flanela aquecida no seu abdome, ou faça massagens leves com substâncias oleosas ligeiramente aquecidas;

c) coloque um supositório de glicerina, ou use um clister de água fervida e morna no volume de 30g (2 colheres das de sopa). Pode ser aplicada uma sonda no ânus, untada com vaselina, Nelaton nº 8, mole, introduzindo apenas 5cm. Estas são medidas que podem ser experimentadas.

Alimentares

a) troque o tipo de leite, se estiver usando alimentação artificial. Acreditamos que o leite acidificado provoque menos cólicas (ver pág. 113);

b) diminua a quota de açúcar ou substitua seu tipo, adoçando, se o bebê gostar de leite doce. Mude o tipo de farinha usada no preparo da mucilagem; às vezes as preparadas com cereais provocam mais gases do que as preparadas com tubérculos;

c) se o bebê estiver recebendo alimentação natural exclusiva e estiver com muitas cólicas, uma causa possível é a alergia ao leite de vaca ingerido pela mãe; assim vale a pena suspender o leite de vaca da dieta materna e observar se as cólicas diminuem de intensidade ou desaparecem. A ingestão de bebidas alcoólicas pode também provocar cólicas e mal-estar no bebê;

d) se, apesar de todos os recursos, tanto na alimentação natural como na artificial, as cólicas do bebê continuarem incorrigíveis até o ponto de serem consideradas insuportáveis, resta o recurso de apelar para o leite de soja ou para o leite de cabra, de acordo com a decisão do médico-assistente. Na falta de um pediatra, a mãe poderá tentar, de início, administrar apenas uma mamadeira por dia desse alimento e, gradativamente, de dois em dois dias, ir trocando uma até a substituição total.

Porém, se apenas com o oferecimento de uma ou duas as cólicas forem debeladas, não haverá necessidade da substituição de todas, podendo ser mantida a alimentação mista.

Médicas

a) a água alcalina, dada (1 colher das de sopa) nos intervalos das refeições, pode ser tentada. A homeopatia também tem suas indicações;

b) analgésicos sob orientação do pediatra;

c) nos casos mais graves, adotam-se os tranqüilizantes, mas estes só devem ser empregados exclusivamente sob orientação pediátrica;

d) para os bebês notadamente alérgicos, com manifestações cutâneas (urticária, eczema, estrófulos) ou do aparelho respiratório (resfriados constantes, coriza etc.), o emprego de antialérgicos (anti-histamínicos) tem suas indicações;

e) se a cólica do bebê permanecer após os três meses de idade, o pediatra deverá solicitar um exame de urina, pois pode haver uma infecção urinária, e, caso negativo, uma radiografia das vias urinárias será útil se as cólicas persistirem.

SUB E SUPERALIMENTAÇÃO (comer pouco ou demais)

O objetivo natural do organismo infantil é o de se desenvolver, e, por isso, a vigilância sobre o peso e a estatura deve ser rigorosa.

Geralmente quando o bebê não aumenta de peso é porque ele está mamando pouco, está subalimentado. As mães ficam assustadas só em pensar que o seu bebê está mamando pouco.

As suspeitas de subalimentação têm fundamento nos seguintes sintomas: parada de peso, prisão de ventre, choro e inquietação. Em certos casos de subalimentação, pode-se verificar até diarréia. A sensação de fome numa criança de meses é extremamente prejudicial, pois poderá comprometer todo o seu desenvolvimento físico e mental dela.

Uma vez constatada subalimentação, é necessário corrigi-la, investigando sua causa. Se a criança é alimentada exclusivamente ao seio e não está ganhando peso, isto pode ser devido a mamadas pouco freqüentes. Deve-se, então, recomendar alimentação a intervalos mais curtos, de acordo com a vontade da criança.

Deve-se amamentar também durante a noite, uma ou duas vezes. O aumento na sua freqüência é mais importante do que a duração de cada mamada, que predispõe às rachaduras dos seios. Inicie a amamentação por um dos seios, completando a mamada com o outro.

A duração de cada mamada não deverá ultrapassar 25 minutos. Durante a amamentação, relaxe, esteja num ambiente tranqüilo, para que o leite possa fluir com facilidade.

Na alimentação artificial pode haver duas hipóteses

A hipoalimentação quantitativa, ou seja, em volume total menor do que o necessário, e a qualitativa, isto é, quando o bebê mama grande volume, mas em diluição malfeita para a sua idade, ou pobre de certos elementos indispensáveis, como gordura, proteínas, vitaminas.

Como existe também falta de um ou mais elementos, pode haver excesso de um deles, sendo prejudicial, pois deve existir uma relação entre os componentes. Comumente, o que se observa na prática é o abuso da quantidade de farinha na alimentação artificial.

Superalimentação

Se a hipoalimentação é prejudicial, alimentação em demasia também é. Pode provocar vômitos, diarréia e esgotar a capacidade digestiva do bebê. Além do mais, obesidade não é bom. Um bebê obeso se defende muito mal das infecções, ao contrário do que possa parecer; assim, uma pneumonia, por exemplo, é tanto mais grave quanto mais gordo for o bebê. As mães desejam seus bebês bem-proporcionados, com seu peso de acordo com o tamanho e a idade.

A OIDIOSE (Sapinho, Monilíase)

O "sapinho" é caracterizado por um pontilhado branco, parecendo um grumo de leite coalhado, às vezes esparso e outras vezes abundante. Localiza-se na língua e na face interna das bochechas (face geniana). É doloroso, impedindo o bebê de sugar o seio e a mamadeira. Produzido por um cogumelo, o *Oidium albicans*, daí seu nome técnico, oidiose. Quando muito abundante, pode descer pela faringe, atingir as cordas vocais da laringe e deixar o bebê rouco, pensando muitas mães que se trata de um crupe (laringite).

Causas

Entre elas destacam-se quatro: primeira, crianças prematuras ou de baixo peso; segunda, distúrbios nutricionais, acarretando desidratação (perda de água); terceira, falta de higiene: bicos de mamadeira e de chupeta e colheres não fervidos; quarta, uso de antibióticos. O sapinho é mais freqüente no primeiro mês, devido à escassa secreção das glândulas salivares neste período, sendo conseqüência lógica o aumento da acidez da boca e a sequidão da mucosa, o que permite com maior facilidade seu aparecimento. Mais tarde, poderá verificar-se nos distúrbios digestivos, vômitos, diarréia etc. Nestas eventualidades não é bom o prognóstico.

Tratamento

Deverá ser aplicada, de hora em hora, na boca do bebê, uma pitada de bicarbonato de sódio. A criança deverá tomar 1 colher (das de chá), ou mais, de trinta em trinta minutos, de água mineral. O objetivo é o de tornar o meio alcalino, impedindo a propagação do fungo. A solução de violeta genciana, a 1% sem álcool, em uso local, uma vez por dia, durante sete dias e à noite. O mel rosado, às vezes tão usado, só serve para agravar a situação, sendo condenado seu uso.

OS RESFRIADOS

Por *resfriado* explica-se uma série de perturbações mórbidas, que vão desde um simples corrimento no nariz (coriza), bronquite, gripe, até mesmo à pneumonia. O tipo comum, do qual falaremos, é acompanhado de coriza, verificável desde o primeiro dia, e que pode ser muito preocupante, além de maltratar a criança. Pode acarretar febre, com todos os seus inconvenientes (diarréia, inapetência), dificultar a respiração normal, pela obstrução das fossas nasais, impedindo o ato de mamar pela sufocação provocada.

O resfriado deve ser evitado o máximo possível, não pelo que ele representa, mas pelas suas conseqüências, sendo geralmente responsáveis por complicações futuras, como bronquites, otites e pneumonias.

Os falsos resfriados

Tem sido verificado que, na maioria das vezes, os resfriados não são infecciosos e sim conseqüentes de uma alergia, com tendência crônica e resistente aos medicamentos habituais. Deve ser procurada a causa da alergia, que muitas vezes provém de certos tipos de tecidos, especialmente dos feitos de lã.

Como evitar os resfriados

Como toda moléstia infecciosa, o processo de infecção é o contágio. Estando uma pessoa resfriada, ela não deve se aproximar do berço do bebê, muito menos segurá-lo ou debruçar-se sobre o mesmo para falar. Caso seja impossível evitar o contato, a pessoa deverá desviar sua face da criança, ou simplesmente colocar um lenço no rosto, no qual se teve o prévio cuidado de borrifar álcool ou mesmo água-de-colônia. Esta prática dá excelentes resultados, e se as pessoas tiverem a cautela de se munirem desta "máscara" todas as vezes que se aproximarem do bebê, ele terá todas as probabilidades de não adoecer. Evite aglomerações, cerimônias religiosas, aniversários.

As bronquites

Geralmente ao resfriado segue-se a tosse. A bronquite, nos bebês menores de seis meses, deve ser sempre vista com cuidado, pela facilidade de se agravar, passando à bronquiolite (ver pág. 653).

Toda tosse que vier acompanhada de febre merece atenção e exige a imediata intervenção do pediatra, não devendo a mãe tentar tratá-la com xaropes etc. Os xaropes, antes de um ano de idade, não são recomendados, exceto quando forem prescritos pelo pediatra, pois contêm açúcar, que, por sua fermentação, pode provocar diarréia. O remédio deverá ser prescrito pelo pediatra, e variará com a idade e o estado pulmonar do bebê.

A bronquite é de evolução mais lenta do que o resfriado

De cinco a quinze dias e, não sabendo a criança expectorar, só mesmo a tosse expulsa o catarro, o que passa ao estômago e aos intestinos. No caso de a expectoração ser abundante, pode-se administrar 1 colher (das de chá) de leite de magnésia, para ajudar na exoneração pelos intestinos. Os purgantes são contra-indicados.

A terapêutica materna não deve ir além da desinfecção do nariz e do uso de um antitérmico. A penicilina por via oral ou injetável pode ser aplicada, bem como outros antibióticos, sempre que possível, mas sob recomendação pediátrica.

AS DOENÇAS DE PELE

A pele do bebê é muito frágil, muito sensível a diversos fatores, provocando manifestações clínicas. Cuidar da pele da criança é tão importante como tratar de qualquer órgão, como os pulmões e o fígado. Citaremos as manifestações clínicas mais comuns nos primeiros anos de vida, especialmente no bebê. Outras doenças de pele estão descritas na página 679.

1) Assaduras (dermatite da fralda) – ver pág. 133
2) Brotoejas
3) Eczemas (nos seus diferentes tipos):
   a) eczema infantil (dermatite atópica)
   b) dermatite seborréica (do couro cabeludo)
   c) dermatite de contato
   d) dermatite bacteriana
   e) dermatite micótica

AS BROTOEJAS

A pele da criança é bastante sensível ao calor e à falta de ventilação, como também ao contato com certos tecidos, como os à base de náilon, seda ou lã, que causam o surgimento de um eritema, que é muito incômodo devido ao seu prurido (coceira), tornando o bebê manhoso, irritado, e que fica sem conseguir dormir. O maior perigo das brotoejas é a sensibilidade de se infectar pelo estafilococo ou estreptococo (impetigo).

Para evitar os casos de brotoejas, deve-se manter o bebê num local fresco e ventilado, com roupas leves, e evitar plásticos ou tecidos impermeáveis sobre sua cama. O uso de uma esteirinha, entre o lençol e o impermeável, é aconselhado. O ar-condicionado é um excelente recurso para evitar as brotoejas. O tratamento consiste em dois ou três banhos por dia e na aplicação da célebre pasta d'água (talco, óxido de zinco, glicerina e água de cal em partes iguais, 200ml ao todo).

Costuma ser precipitada pelo uso excessivo de roupas, exposições demoradas ao sol, banhos quentes prolongados, surtos febris, uso de substâncias químicas que contenham óleo, deitar o bebê diretamente sobre um impermeável de plástico ou de borracha, ambiente quente e úmido. Sua maior incidência ocorre nas primeiras semanas de vida, embora possa ser observada em qualquer idade. O tratamento consiste no uso de roupas frescas e leves, de preferência as de algodão, evitando-se roupas feitas de tecidos quentes (náilon, tergal, sintéticos, lã), dar banhos frios, manter a criança em ambiente com ar-condicionado. Caso não seja possível, pode-se usar o ventilador, contanto que este não seja colocado diretamente sobre a criança.

Podem ser usados, para o alívio dos sintomas, pasta d'água, loção de calamina (Ducilamina, Dermodex), óxido de zinco (Cutisanol Gel), e caso o prurido seja muito intenso, creme com corticosteróides (apenas sob prescrição pediátrica).

O ECZEMA

Qualquer irritação da pele que apresentar vermelhidão áspera, úmida, seca ou escamosa, com formação ou não de pequenas vesículas (bolhas), é chamada de eczema.

O bebê que apresentar manifestações alérgicas da pele, como eczema ou eritema, deverá ser tratado com maior atenção. A finalidade é evitar infecções das lesões ou o seu agravamento provocadas por agentes físicos ou químicos, sol, roupas de lã, flanela ou sintéticos, náilon, dácron e tergal, que deverão ser sempre evitadas. Só os tecidos de algodão são inofensivos. Os estafilococos e estreptococos da saliva humana podem, através do beijo, estabelecer a contaminação. A sarna de cães e gatos e outras eventualidades devem ser consideradas. Terra de jardins, parques e praias não deve entrar em contato com a pele do bebê que apresentar qualquer tipo de lesão. Levar ao colo um bebê que apresenta irritação na pele do rosto ou das pernas exige também cuidado especial. A pessoa não deverá estar usando os tipos de tecidos já citados, pois o contato poderá desencadear o eczema. É aconselhável colocar entre a criança e a pessoa uma fralda ou um pequeno lençol de algodão puro.

Na verdade isto tem sido uma situação difícil, e nem sempre os especialistas e pediatras estão de acordo. De modo geral, são admitidos alguns tipos de eczemas, que apresentam causas, evolução e tratamento próprios.

A ECZEMA INFANTIL (dermatite atópica)

O denominado eczema infantil divide com a bronquite asmática a maior parte da importância dos fenômenos alérgicos. A lesão é caracterizada por pápulas (nódulos) e vesículas (bolinhas) sobre uma base eritematosa (vermelha). As lesões localizam-se principalmente na face, o que dá a temível crosta láctea, o eczema extenso, vermelho, que exsuda abundantemente, e uma vez constatado é de tratamento difícil. Dizemos que é mais fácil evitar a crosta láctea do que curá-la, porque a princípio aparecem as vesículas e certas áreas de vermelhidão, que atendidas a tempo impedem que elas se unam e formem a crosta láctea. Outras áreas atingidas são as dobras das pernas e dos braços.

O que caracteriza e se denomina atopia é o mais alto grau do estado alérgico, sempre caracterizado por acentuada tendência familiar, sendo os pais eminentemente alérgicos: asma, enxaqueca, colite, eczemas, rinites (nariz entupido ou espirros constantes), manifestações estas também de tratamento difícil para os pais. Ao contrário da bronquite asmática, o eczema tem forte tendência a desaparecer entre os dois ou três anos de idade. O eczema raramente aparece antes dos três meses de idade e tem como sintoma básico um intenso prurido (coceira). O bebê costuma se apresentar magro e inquieto.

Contudo, o eczema pode persistir além dos cinco ou seis anos. A criança poderá apresentar asma ou rinite alérgica, entupimento ou corrimento constante do nariz.

Os fatores que podem agravar o eczema atópico ou eczema infantil podem ser catalogados na seguinte forma:

a) calor;
b) frio;
c) mudanças rápidas de temperatura;
d) transpiração;
e) certos alimentos;
f) tecidos como lã, seda, náilon, dácron e tergal;
g) óleos ungüentos gordurosos;
h) fatores emocionais.

Tratamento

Varia muito de pediatra para pediatra e de caso a caso. Geralmente a primeira medida é diminuir a quantidade de gordura do leite, usar o tipo desnatado ou então substituir o leite de vaca por leite de soja ou fórmula de carne; entretanto, ambos, em certos casos, nada adiantam. Também pode-se abolir o consumo de ovos e do leite por um período pequeno de duas a três semanas, para observação. A substituição de certas frutas pode ser tentada. Evite sempre uma infecção associada.

Tratamento local do eczema infantil

O uso de cremes à base de cortisona é indicado. Na fase crônica do eczema, usa-se pomada de vaselina salicilada a 1 por 20 ou pomada à base de cortisona. Para os cremes e pomadas à base de cortisona, deve-se usar as puras. As adicionadas a antibióticos ou substâncias químicas somente poderão ser usadas sob prescrição médica.

DERMATITE SEBORRÉICA (do couro cabeludo)

O ponto de partida de quase todos os eczemas seborréicos é o couro cabeludo. É a denominada seborréia do couro cabeludo. Aparece nas primeiras semanas de vida do bebê, com manifestações inflamatórias de cor avermelhada, escamosa no couro cabeludo e nas sobrancelhas. Lesões concomitantes nas dobras das pernas e dos braços podem aparecer, sendo, porém, mais freqüentes na dermatite já relatada. A seborréia do couro cabeludo se apresenta em escamas, permanecendo brancas e apenas moderadamente seborréicas; vão provocando, em outros casos, gradativamente, a perda de cabelos.

A dermatite seborréica aparece geralmente antes dos três meses, não depois de um ano. Ao contrário da dermatite atópica, não apresenta coceira, prurido, e o bebê não se sente irritado, porém calmo, tendo maior tendência a engordar do que a emagrecer. O conceito da chamada *diátese exsudativa*, abandonado, está novamente sendo retomado, como relataremos na página 760. Estas manifestações costumam desaparecer antes de o bebê completar seu primeiro ano de vida. Eventualmente pode haver uma infecção secundária, com pústulas (bolhas de pus) e crostas amareladas com secreção. Em alguns casos pode-se disseminar por todo o corpo, necessitando de avaliação clínica e uso de corticóides por via oral ou parenteral.

Tratamento

Consiste na remoção das crostas, previamente amaciadas com óleo ligeiramente morno, com aplicação posterior de uma pomada à base de vaselina com 1% de ácido salicílico.

Pode também ser feita a aplicação de uma solução composta de 25g de óleo de oliva, 1g de óxido de zinco e 1g de ácido salicílico, durante a noite e lavada no dia seguinte com sabonete sulfuroso. No caso de infecção posterior, com formação de pus, o uso de um antibiótico às vezes é indispensável. Pomadas ou cremes de neomicina, associados ou não à cortisona, podem ser empregadas.

DERMATITE DE CONTATO

Também chamada de eczema de contato, é o tipo mais alérgico e praticamente inexistente no primeiro ano de vida. Daí em diante, é cada vez mais freqüente, como ensinava o Professor Brum Negreiros. Deve ser cogitado como causa o uso local de pomadas contendo agentes antibacterianos ativos, como a neomicina, as nitrofurazonas, as sulfas e as penicilinas. Também ocorrem reações mais raras, mas que não devem ser desprezadas, como reações a mercúrio, desinfetantes, perfumes e detergentes. A maioria dos eczemas não tem localização típica, surgindo no local da aplicação ou na área de exposição ao agente alergênico (causa provocadora). A sensibilização a corantes e acabamentos de tecidos não é freqüente em crianças, restando assinalar as possibilidades de alergia ao couro de sapatos, no caso de eczemas crônicos nos pés.

Os perfumes provocam dermatites e irritações na pele, com maior freqüência do que se supõe, sobretudo a fragrância de jasmim sintética, que também é usada por alguns fabricantes para cremes dentais.

Os perfumes podem também escurecer a pele de algumas crianças, geralmente de modo linear. Este escurecimento costuma passar espontaneamente dentro de um ou dois meses.

DERMATITE BACTERIANA

É o denominado eczema microbiano, causado por infecções produzidas por bactérias. Para alguns especialistas não é uma manifestação própria, seriam manifestações ao redor de focos purulentos, provocados especialmente pelos estafilococos, razão por que são muito sensíveis ao tratamento com penicilina. Em alguns casos trata-se de uma dermatite, já citada, infectada.

DERMATITE MICÓTICA

É o eczema causado por fungos (bolor), mofo. A monília, que é o mesmo parasita que causa o "sapinho", pode provocar este eczema ao redor do umbigo, do ânus, da boca, dos ouvidos, sendo de coloração vermelho-viva, com bordas bem delineadas e praticamente sem causar coceira. Acomete as crianças durante o primeiro mês de vida, comumente ao saírem da maternidade. Deverão ser tratadas com pomadas antimicóticas, associadas ou não à cortisona ou a outros agentes bacterianos (ver Micose, págs. 593 e 700).

INFECÇÕES PURULENTAS DA PELE

Nos recém-nascidos são muito graves, devido às suas possíveis conseqüências (septicemia, osteomielite, pneumonia, nefrite). A assistência médica é indispensável. O uso imediato de penicilina injetável é aconselhável.

FUNGOR NASAL (ronqueira)

Manifestações bem freqüentes, no bebê, nos primeiros meses de vida, que popularmente são chamadas de ronqueira, e pelos médicos de fungor nasal, é o ruído que o bebê emite ao respirar pelo nariz.

Às vezes esta dificuldade respiratória chega a ponto de deixar o bebê sufocado, ou, em outras situações, dificultar sua alimentação.

O que há de particular nesta manifestação é que, na maioria das vezes, assim como surge, ela desaparece sem qualquer intervenção.

Esta manifestação não é causada por alguma infecção; não deve necessariamente estar associada a um resfriado, pois não costuma haver coriza; geralmente apresenta-se seca.

Sua causa, de natureza alérgica, é a congestão da mucosa que reveste o nariz internamente, às vezes sendo tão intensa que chega a obstruir totalmente as vias aéreas. Como o recém-nascido respira exclusivamente pelo nariz, esta obstrução poderá causar ao bebê intensa falta de ar.

A área atingida não é só a parte anterior nasal, mas também a posterior (*cavum*), que se localiza por cima da abóbada palatina, próxima à faringe (garganta), chegando a causar náuseas ou vômitos.

Quando de natureza alérgica, chamada por alguns especialistas de asma nasal, somente uma terapêutica neste sentido poderá dar resultado.

As causas mais prováveis desta alergia são as seguintes:

- Pó (talco)
- Poeira domiciliar
- Paina de travesseiros
- Ar frio ou úmido
- Excitação
- Alimentos (como leite em pó ou de vaca)
- Sucos de frutas ácidas
- Vitaminas artificiais

O tratamento mais adequado, naturalmente, será o de evitar a causa.

Deve ser lembrado que o nariz da criança é pequeno, facilitando seu entupimento (o nariz só cresce na adolescência, o que explica ser difícil encontrar uma criança nariguda).

Em outras situações, o fungor nasal é causado pela hipertrofia das adenóides (carne no nariz), que são formadas por tecido linfóide que cerca o *cavum.* Este tecido linfóide constitui um verdadeiro anel, que tem por finalidade proteger o organismo contra a penetração de microorganismos agressores pela boca e pelas narinas. Na criança pequena este tecido é normalmente muito volumoso e, conseqüentemente, em algumas circunstâncias, pode determinar o ronco nasal.

O timo, órgão de extraordinária importância na preparação do mecanismo imunitário, já foi identificado, no passado, como o responsável pela dificuldade respiratória, e alguns especialistas indicavam até tratamento radioterápico, o que é absolutamente contra-indicado, pois a irradiação com raios X pode prejudicar a criança.

O uso de gotas nasais desobstrutivas ou anti-sépticas é de efeito transitório e pouco útil. Seu uso sistemático pode prejudicar a criança, impedindo-a de dormir ou tornando-a excessivamente nervosa. Estas gotas nasais estão contra-indicadas; neste caso, são empregados, por via oral, medicamentos antialérgicos (anti-histamínicos), que dão resultados menos rigorosos e mais duradouros. O uso da solução de cloreto de sódio (soro fisiológico) ou soluções comerciais (ver pág. 782) para limpeza das cavidades nasais, pode ser útil, assim como o uso de um desumidificador no quarto do bebê pode ser útil. Não use ácido acetilsalicílico (Aspirina) para melhorar o mal-estar, sendo preferível usar o acetaminofen (Tylenol) ou gotas de Novalgina, apesar de os norte-americanos não o aconselharem, porque contém Dipirona. Entretanto, é o medicamento mais usado em todos os países, sem qualquer contra-indicação.

Não há dúvida de que, nos primeiros meses de vida, o leite de vaca tanto em pó como fresco é responsável pela maioria das manifestações alérgicas que se apresentam com os mais variados sintomas. São comuns as cólicas, os gases, falta de apetite, prisão de ventre, fezes líqüidas, diarréias, distensão abdominal, eructações (arrotos) constantes, vômitos e pouco ganho de peso. Basta substituir o leite de vaca pelo de soja para que cessem imediatamente todos os sintomas sem haver necessidade de qualquer medicação. O comportamento pode se modificar, surgindo mau humor, agitação, pés e mãos frias, falta de sono, coriza constante, manha, inquietude que nunca passa até a exaustão; na pele – urticária, eczema na dobra dos braços e pernas, eritema (vermelhidão), prurido (coceira) que se revelam com o bebê tentando esfregar as costas. Elevação de temperatura quando o bebê se apresenta bem, com exame de sangue (hemograma) normal, a simples substituição do leite de vaca pelo de soja sem qualquer antitérmico baixa a temperatura, os leites em pó são os maiores responsáveis pela alergia.

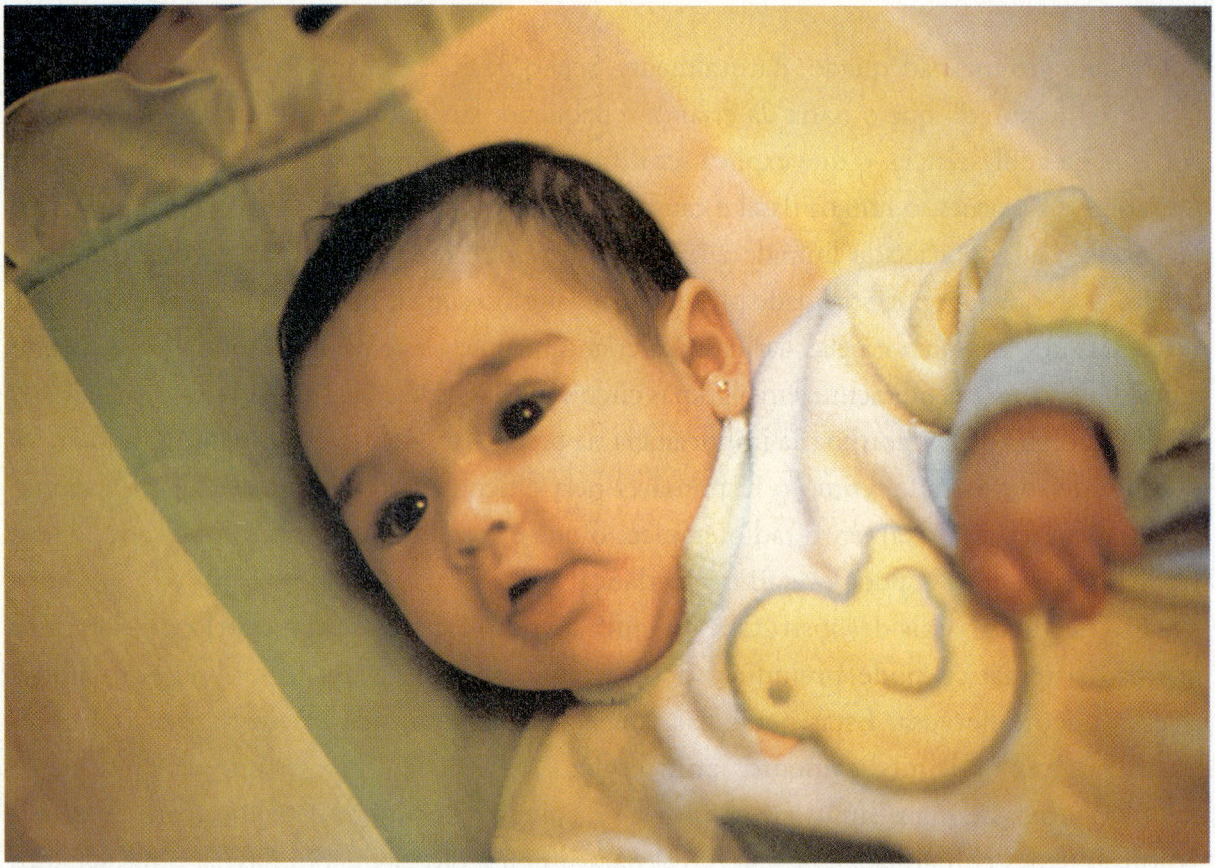

Capítulo 10

O 23º dia
A Quarta Semana

A quarta semana

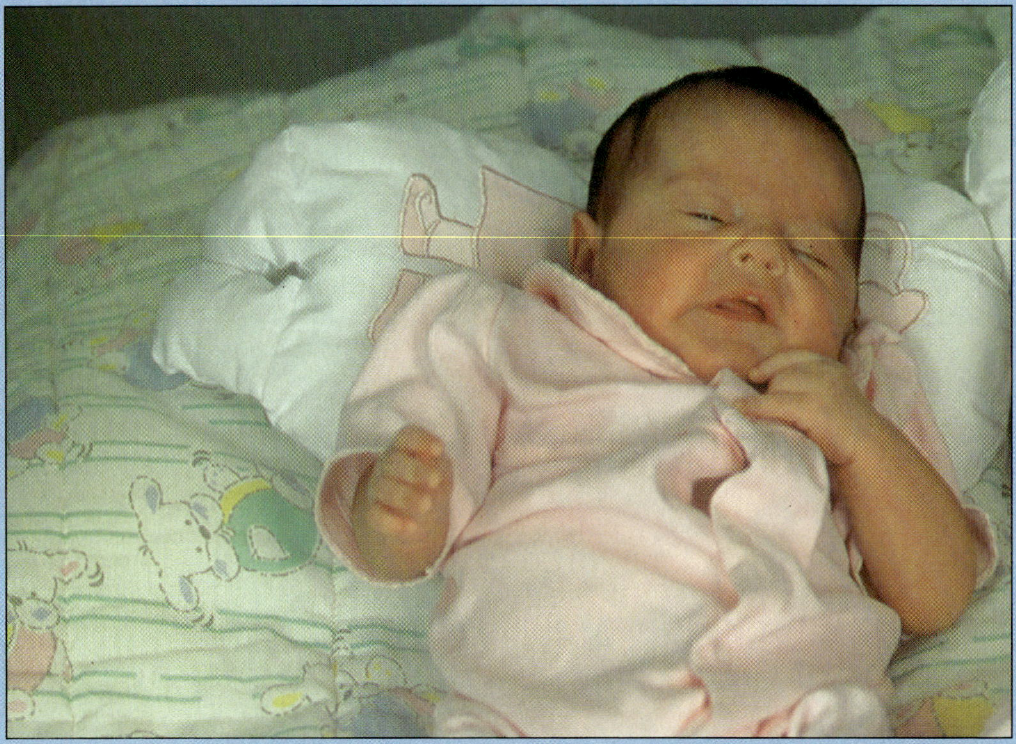

Com quatro semanas o bebê já não é tão frágil como ao nascer.

a) o peso do bebê continuará a aumentar; em média, 30g por dia. Nestas condições ele terá 400g a mais do seu peso ao nascimento;

b) a oferta de líquidos dependerá da temperatura ambiente, não sendo necessário dar líquido quando a criança for alimentada exclusivamente ao seio, exceto se ela estiver doente (com febre alta, diarréia) ou em dias excessivamente quentes;

c) a pele do bebê, bastante delicada, freqüentemente pode apresentar brotoejas, erupções formadas por pequenas bolinhas (vesículas) acompanhadas de prurido. O bebê geralmente se coça, fica inquieto e choraminga até ser socorrido. Para evitá-las, mantenha o bebê num lugar fresco e ventilado. O uso de uma esterinha entre o lençol e o impermeável é aconselhável, mas evite que o bebê permaneça diretamente sobre o plástico ou impermeável. As melhores roupas são as de algodão; os tecidos sintéticos, como náilon, tergal e outros dificultam a respiração da pele. O ar-condicionado é um recurso, bem como o ventilador. O tratamento consiste em dois ou três banhos por dia, aplicando-se a conhecida pasta d'água (talco, óxido de zinco, glicerina e água de cal, 50g cada, totalizando 200g). Água com amido de milho (maisena) é muito empregada na diluição de uma colher das de sopa para um ou dois litros de água, aplicando-se sobre a pele afetada;

d) em alguns bebês aparecem escamações gordurosas na cabeça, denominadas seborréia do couro cabeludo. A cabeça permanece esbranquiçada e há perda de cabelos. A seborréia surge geralmente antes dos três meses, não produzindo coceira. O bebê não fica irritado, permanece calmo, com tendência a engordar. O tratamento consiste na remoção das crostas previamente amolecidas com óleo ligeiramente aquecido e a aplicação posterior de uma pomada de vaselina com 1% de ácido salicílico;

e) a imunidade do recém-nascido é incompleta, e aos poucos ele vai reforçando suas defesas. A natureza prevê esta imaturidade da criança pequena, protegendo-a com anticorpos que lhe são transmitidos pela placenta durante a gravidez. Estes anticorpos persistem durante muitos meses após o nascimento, embora em quantidade cada vez menor. Outra grande defesa é constituída pelo leite materno, essencial nesta fase vulnerável do ser humano. As vacinas, criadas pelo homem, são outro meio importantíssimo de proteção. É prudente, durante os primeiros meses de vida, limitar os contatos do bebê com outras pessoas, principalmente com pessoas resfriadas;

f) o recém-nascido executa movimentos nítidos: enruga a testa, contrai as pálpebras, movimenta a boca, dilata as narinas, boceja, chora quando provocado, move a cabeça de um lado para outro, estica os braços e as pernas, movimenta os dedos das mãos e dos pés;

g) desde a primeira semana, o recém-nascido apresenta três reflexos perfeitamente nítidos: o dos braços, conhecido por reflexo de Moro: quando é submetido a um ruído muito forte, ou bruscamente movimentado, joga os braços e as pernas para a frente, lembrando o movimento efetuado pelo sapo. Este reflexo desaparece no terceiro ou quarto mês de vida, sendo anormal sua presença a partir desta idade; reflexo de preensão, quando a palma da mão do recém-nascido é tocada com um dedo com um lápis e os dedos se fecham sobre eles. Este reflexo desaparece ao terceiro ou quarto mês de idade; reflexo de sucção: colocando na boca um bico de mamadeira ou chupeta, o recém-nascido imediatamente começa a sugá-lo;

h) espinhas aparecem no rosto, provocadas pelas glândulas oleosas da pele, que são estimuladas pelo hormônio materno, esta condição pode piorar se o bebê dorme em lençóis lavados com detergente, ou em lençóis de tecido áspero ou sujos pelo leite que ele cuspiu.

A ALIMENTAÇÃO

a) recomenda-se a alimentação ao seio, de três em três horas, de 90 a 100ml de cada vez. Entretanto, existem bebês esfomeados, principalmente os que nasceram com mais de 3.500g, que estouram todas as tabelas, chegando a mamar 120ml ou mais de cada vez. A esta altura o seio materno já está funcionando bem;

b) o leite de vaca pode ser misturado com 50% de água filtrada e fervida, num total de 90 a 100ml, e oferecido de três em três horas. Seu preparo para a ração total do dia consiste em 300ml de leite de vaca, 300ml de água e 12 colheres (das de chá) de açúcar nutritivo;

c) com leite em pó, nesta idade, a diluição para 480ml é de dezesseis medidas, e para 600ml, vinte medidas rasas. Os leites indicados são o Nan 1 e o Nestogeno 1;

d) no final do primeiro mês, para as crianças que estão em alimentação artificial, os pediatras aconselham utilizar suco de laranja-lima ou de tomate, em doses de 10 a 20ml, com adição de 1 ou 2 gotas de vitaminas. Caso a criança seja alimentada com leite de vaca fresco, pode-se adicionar 1 ou 2 gotas de polivitamínicos (ver pág. 194). Alguns leites em pó já contêm vitaminas. Os banhos de sol também são importantes.

O EMBALO

Ninar o bebê, balançando-o suavemente, para alguns pediatras é um engodo, podendo ocorrer uma estimulação do labirinto.

É uma das primeiras excitações percebidas pelo bebê e fornece-lhe uma satisfação em todo o corpo. Alguns especialistas admitem que a pele das costas do bebê é uma região difusa de prazer. O embalo proporciona, segundo os seguidores de Freud, uma satisfação sexual que envolve todo o corpo, situação relacionada com o narcisismo e com o egoísmo do bebê. Tem sido observada uma volta à prática de se utilizar a cadeira de balanço para embalar o bebê, sobretudo quando ele chora sem haver causa aparente.

Entretanto, é bom não esquecer que as satisfações sensoriais motoras são alucinatórias, com privação da razão e do entendimento, e o embalo exagerado e demorado do bebê é capaz de, com o tempo, torná-lo inquieto e desorientado.

VIAJANDO COM O BEBÊ

Conselhos para evitar enjôos em viagens:

a) evite oferecer-lhe refeições "pesadas" antes de viajar. Ofereça uma fruta, um biscoito, chá, sucos puros, açucarados;

b) mantenha uma janela entreaberta no veículo;

c) algumas crianças se sentem melhor, no carro, no assento da frente (mas isso deve ser evitado, pois este é o lugar mais perigoso no caso de um acidente, e é contra a lei);

d) os adultos não devem fumar;

e) não comece a viagem logo após a refeição; deixe a criança brincar por meia hora antes da partida;

f) não faça curvas em velocidade;

g) no caso de a criança enjoar, para evitar vômitos, coloque-a deitada com a cabeça num travesseiro ou almofadas;

h) administre cinco a dez gotas de Plasil, por via oral, antes de começar a viagem;

i) pare para descansar a cada uma hora e meia a duas horas por dez minutos, pelo menos;

j) tenha água gelada para oferecer, se a criança pedir.

O BEBÊ E O AVIÃO

O bebê recém-nascido, antes de completar sete dias, não deve viajar de avião. Esta condição, em caso excepcional, pode criar algum problema, sobretudo em caso de adoção, quando os novos pais desejam transferir imediatamente o bebê para a cidade em que vivem, cortando assim qualquer possibilidade de ligação evidente com os verdadeiros pais. Antes de sete dias de vida, o mecanismo respiratório do bebê não está firmemente estabelecido para suportar qualquer dificuldade quanto à altura durante o vôo. É preferível viajar depois de quinze dias completos, somente em avião de cabine pressurizada.

Contra-indicações para o vôo

a) doenças contagiosas;

b) anemia (menos de três milhões de glóbulos e de 8,5g de hemoglobina);

c) doenças mentais (com perturbações periódicas ou permanentes);

d) doenças cardíacas, não controladas;

e) doenças dos olhos, por traumatismo ou convalescença de intervenção cirúrgica ocular);

f) epilepsia (em sua forma mais severa, quando a criança pode apresentar convulsões inesperadas e freqüentes, pois alterações na pressurização do avião, com diminuição de oxigênio, poderão provocá-las).

Problemas de ouvido

A mudança na pressão atmosférica provoca a denominada barotite média, que é uma inflamação traumática do ouvido médio, causada pelo aumento ou pela diminuição da pressão neste local em relação ao ambiente externo, causando uma queda na ventilação do ouvido médio. Bebês e crianças resfriados são os mais predispostos durante a inflamação e o edema (inchação) das vias respiratórias do nariz e da garganta (nasofaringe). Para melhorar a aeração é conveniente dar à criança, quando o avião estiver decolando ou pousando, uma chupeta ou uma mamadeira com água, chá ou suco de frutas. Se a criança chorar, devido à compressão da membrana do tímpano, isto favorecerá a aeração, tornando a pressão igual entre o ouvido médio e o ambiente externo.

Turbulência

Quando o avião "joga", pode levar a pessoa ao enjôo, devido ao efeito linear vertical sobre o labirinto. Alguns fatores psicológicos, como medo e ansiedade, predispõem ao enjôo. Há medicamentos que inibem o mal-estar, porém devem ser tomados meia hora antes da partida do avião para ter resultado.

Para o bebê nos dois primeiros anos de vida é preferível usar supositório, metade de um para menos de seis meses, se o bebê se apresentar inquieto ou com náuseas.

O BEBÊ E O AUTOMÓVEL

Levar seu filho em um passeio de automóvel é uma das alegrias dos pais. Porém não deve ser longo, apenas de quinze a trinta minutos, com o automóvel em velocidade moderada. O que prejudica realmente são as viagens longas entre cidades.

Com algumas boas estradas por todo o país, o transporte rodoviário torna-se uma prática inevitável. Além de ser mais econômico do que por avião e menos complicado do que por navio, é sem dúvida alguma o de maior agrado dos pais.

No primeiro ano de vida é fácil para o bebê ser transportado de automóvel, porém de um a quatro anos torna-se mais difícil devido à inquietude e à maior facilidade de o cansaço prejudicar a criança. O recém-nascido pode ser levado num berço portátil ou numa cesta de vime, no verão e de material impermeável, plástico ou couro, no inverno. Se ele estiver acordado, pode ficar uns minutos ao colo. Evite viagens longas. Uma pequena pausa de 10 minutos, de duas em duas horas, é boa para todos.

Leve o bebê ainda dormindo, iniciando a viagem bem cedo pela manhã, a fim de evitar o sol ou o calor mais forte. O interior do automóvel deve ser habilmente ventilado, evitando o confinamento ou ventilação exagerada.

Para os bebês mais difíceis, os pais podem pedir ao pediatra medicamento contra vômitos, ou antivertiginosos contra dores de cabeça e tonteiras. Estes medicamentos podem ser na forma de comprimidos, em gotas ou supositórios.

O BEBÊ E A SUA SEGURANÇA NO AUTOMÓVEL

Nos países de Primeiro Mundo só se permite que um recém-nascido ou um bebê de mais idade saia em automóvel em cadeirinhas próprias. O bebê jamais deverá ser colocado no banco da frente, ao lado do motorista, principalmente em carros com *air bag*. Os bebês e as crianças devem ser sempre colocados na cadeirinha, no banco de trás. Se um adulto tiver de levar a criança no colo, deverá sentar sempre no banco de trás e com o cinto de segurança envolvendo ambos. O adulto nunca deve levar o bebê nos braços. Uma criança de nove meses a dois anos às vezes tenta desesperadamente sair da cadeirinha, o que os pais devem evitar, com habilidade, com voz carinhosa, mas firme, insistindo em que ela permaneça, procurando distraí-la falando, cantando ou com brinquedos. Entretanto, se a pessoa estiver só, nunca deverá perder a atenção na estrada. Não é suficiente ter uma cadeirinha – os pais devem saber colocá-la corretamente, seguindo rigorosamente as instruções do fabricante, sempre!

Os bebês e as crianças devem ser sempre colocados na cadeirinha, no banco de trás do carro.

A cadeirinha do bebê deverá ter as seguintes características

a) altura suficiente para a cabeça;

b) posição oblíqua;

c) conchas plásticas duras;

d) cintos ajustáveis para prender o bebê;

e) alça para fixá-la no carro;

f) sem arestas pontiagudas;

g) manter o bebê de costas, olhando para a mãe.

Cadeira para crianças maiores

a) altura protegendo a cabeça;

b) cinto de segurança pelos ombros e na altura da barriga;

c) alça para fixação ao carro;

d) ser de plástico firme;

e) deve ficar na posição vertical;

f) deve ser vista fora da janela;

g) deve ser acolchoada;

h) não deve ser presa num banco móvel.

A VACINAÇÃO

A pediatria moderna aconselha as mães a amamentarem seus filhos desde o primeiro dia de vida, em alguns casos logo após o parto, quando o bebê está mais esperto; também deve-se iniciar as vacinas no primeiro mês de vida.

Nos capítulos que tratam sobre os dezoito primeiros meses, os pais encontrarão informações exatas sobre a época de aplicar as vacinas protetoras das doenças.

Observações ao calendário

1) A vacina contra hepatite B deve ser aplicada nas primeiras doze horas de vida. A segunda dose pode ser feita aos dois meses. Crianças com peso de nascimento igual ou inferior a dois quilos ou com menos de 33 semanas de vida devem receber o seguinte esquema vacinal: primeira dose – ao nascer; segunda dose – um mês após a primeira, terceira dose – um mês após a segunda dose; quarta dose – seis meses após a primeira dose.

2) Os resultados dos estudos realizados no nosso país para avaliação do efeito protetor da segunda dose da vacina BCG mostrou que esta dose adicional não ofereceu proteção adicional. Em junho de 2006, a aplicação desta dose foi suspensa do Calendário Nacional de

Imunização. A indicação fica mantida apenas para os comunicantes domiciliares de hanseníase independente da forma clínica, com intervalo mínimo de seis meses.

3) A primeira dose da vacina contra rotavírus deve ser aplicada aos dois meses de vida (idade mínima – seis semanas, idade máxima – 14 semanas) e a segunda dose aos quatro meses (idade mínima – 14 semanas, idade máxima – 25 semanas).

4) A vacina DTP (células inteiras) é eficaz e bem tolerada. Quando possível, aplicar a DTPa (acelular) devido a sua menor reatogenicidade.

5) Como alternativa à vacina dT, pode ser administrada a vacina dTpa (Tríplice acelular tipo adulto) aos 15 anos. Esta vacina apresenta proteção adicional para Pertussis.

6) Se usada uma vacina combinada Hib/DTPa (Tríplice acelular), uma quarta dose da Hib deve ser aplicada aos 15 meses de vida.

7) Recomenda-se que todas as crianças com menos de cinco anos de idade recebam vacina oral para poliomielite (VOP) nos dias nacionais de vacinação. A vacina inativada contra poliomielite (VIP) pode substituir VOP em todas as doses, preferencialmente nas duas primeiras.

8) A vacina contra Influenza está indicada nos meses que antecedem o período de maior prevalência da gripe, estando disponível apenas nessa época do ano. Está recomendada dos seis meses aos dois anos para todas as crianças. A partir dos dois anos de idade, passa a ser indicada para grupos de maior risco, conforme indicação do centro de imunobiológicos especiais. A primovacinação de crianças com idade inferior a nove anos deve ser feita com duas doses com intervalo de um mês. A dose para aqueles com idade entre seis e 36 meses é de 0,25ml e depois dos três anos de idade é de 0,5ml. A partir dos nove anos é administrada apenas uma dose (0,5ml) anualmente.

9) A segunda dose da SCR (contra sarampo, caxumba e rubéola) pode ser aplicada dos quatro aos cinco anos de idade, ou nas campanhas de seguimento. Todas as crianças e adolescentes devem receber ou ter recebido duas doses de SCR, com intervalo mínimo de um mês. Não é necessário aplicar mais de duas doses.

10) A vacina contra varicela em uma dose protege contra formas graves da doença. Caso uma criança, mesmo vacinada contra varicela, apresente contato domiciliar ou em creche com criança com a doença, a vacina pode ser aplicada até 96 horas após o contato.

11) A vacina contra febre amarela está indicada para os residentes e viajantes para as áreas endêmicas, de transição e de risco potencial.

12) Recomenda-se duas ou três doses da vacina conjugada contra meningococo C no primeiro ano de vida, de acordo com o fabricante, e uma dose de reforço entre 12 e 18 meses de idade. Após os 12 meses de vida, deve ser aplicada em dose única.

O calendário de vacinação

(Elaborado pela Sociedade Brasileira de Pediatria – 2007)

Vacina	Idades												
	Ao nascer	1 mês	2 meses	3 meses	4 meses	5 meses	6 meses	7 meses	12 meses	15 meses	18 meses	4 a 6 anos	14 a 16 anos
Hepatite B	X	X					X						
BCG-id	X												
Rotavírus			X		X								
DTP ou DTPa (Difteria, coqueluche e tétano)			X		X		X			X		X	
dT ou dTpa													X
Hib (Hemófilos)			X		X		X						
VOP ou IPV (Sabin ou Salk)			X		X		X			X		X	
Pneumococo			X		X		X		X				
Influenza							X	X					
SCR X (Sarampo, cachumba e rubéola)									X			X	
Varicela									X				
Hepatite A									X		X		
Meningococo C				X		X			X				
Febre Amarela	A partir de 9 meses												

Capítulo 11

O Primeiro Mês

O primeiro mês

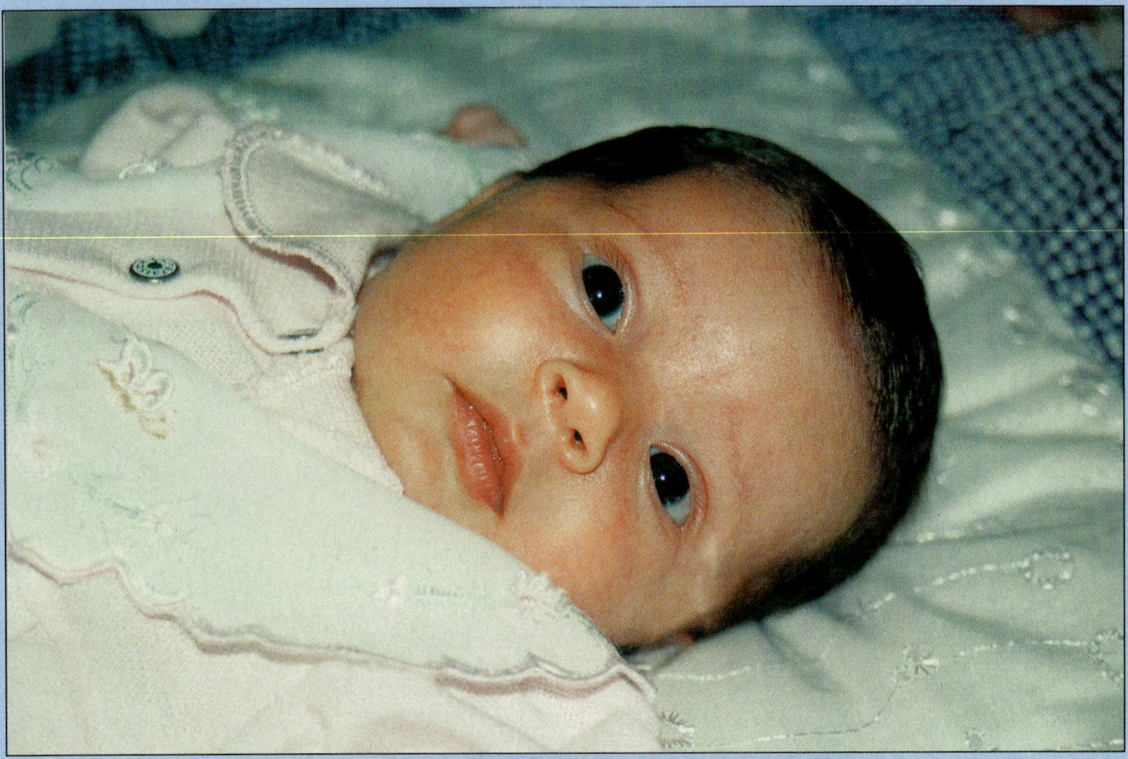

No seu primeiro mês de vida, o bebê já conhece a voz e o cheiro da mãe.

O DESENVOLVIMENTO DO BEBÊ

	Meninos	Meninas
Peso	4.250g	4.050g
Estatura	55cm	54cm
Perímetro cefálico	37cm	36cm
Perímetro torácico	36cm	34cm
Ganho de peso mensal	750g	750g

No primeiro mês o bebê chora mais do que se mexe. Com quatro semanas (primeiro mês) o bebê já não é tão passivo e mole como ao nascer. Apresenta sinais de satisfação durante o banho e reage ao sentir desconforto. Acorda para comer, chora quando tem fome e para se fazer lembrar.

A maioria dos bebês dorme o dia inteiro, porém alguns acordam por volta da meia-noite ou trocam o dia pela noite. Há os que acordam entre duas e seis horas da manhã, ficando uma hora acordados. Fecham os olhos quando mamam; depois de satisfeitos, caem no sono profundo, como se tivessem sido anestesiados; esta é a oportunidade de a mãe trocar as fraldas e o acomodar no berço. A mãe experiente deve levantar o bebê toda vez que ele mamar para ele arrotar. Entre o primeiro e o segundo mês, o bebê adora o banho, mas não gosta de vestir camisa, camisola etc. Na parte da tarde, entre as quatro e as seis horas, é o primeiro treino da atividade social, pois corresponde habitualmente à hora da visita dos avós, amigos e parentes.

As golfadas e os espirros, tão freqüentes nas suas duas primeiras semanas de vida, vão desaparecendo. Percebe-se sua sensação de bem-estar após as refeições ou a impressão da temperatura morna de um banho gostoso; já reage ativamente ao desconforto, chorando ou se agitando. Mantém sempre as mãos fechadas; é muito difícil abri-las. O bebê não tem horários. O dia e a noite dependem do seu apetite ou de suas cólicas; pode iniciar ao amanhecer ou à meia-noite. Este ritmo de dia e noite irá lentamente se estabelecendo, não havendo um prazo fixo para todos. Cada criança levará o tempo que necessitar para sua adaptação. A mãe não deve impor seu ritmo e suas regras sem antes observar como o bebê manifesta suas necessidades e como reage aos cuidados que ela lhe dá. Cada bebê tem sua personalidade desde o primeiro dia de vida. As primeiras semanas de intimidade podem influenciar todo o seu futuro, e cada mãe tem de encontrar a melhor maneira de se relacionar com seu filho.

As mães geralmente seguram seus bebês com o braço esquerdo, tanto as destras como as canhotas. É um dos mistérios da vida. Dizem os romancistas que é o lado do coração. Sempre foi assim; os pintores e escultores, por exemplo, sempre retrataram bebês ao colo sobre o braço esquerdo de suas mães.

F. Escardó admite que a criança se sente melhor nesta posição porque, percebendo os batimentos do coração materno, que tantas vezes ouviu quando estava no útero, sente segurança e amor.

Os americanos preferem deitar o recém-nascido sobre o ventre. Os franceses, de lado. O bebê não precisa de travesseiros.

De acordo com observações feitas nos últimos anos, deve-se evitar que o bebê durma de barriga para baixo, pelo perigo de parada respiratória associada a esta posição.

É necessário cortar as unhas do bebê? Sim; do contrário ele pode se arranhar.

Isto pode ser feito semanalmente, após o primeiro mês. Alguns bebês que "passam do tempo" (pós-maturos) nascem com unhas compridas, devendo ser cortadas nos primeiros dias após o nascimento. As roupas devem ser amplas, não devendo ser usadas as que são vestidas pela cabeça.

Geralmente o bebê não gosta de ser vestido ou despido, pois acha tudo isto extremamente desconfortável. Fixa a claridade nas janelas e as lâmpadas, bem como as cores vermelha e laranja. Tivemos uma paciente que, aos dois meses, ficava apavorada, berrando todas as vezes em que sua mãe se aproximava usando um vestido exageradamente vermelho.

A água para o banho precisa ser filtrada e fervida desde a segunda semana, após a queda do coto umbilical.

Até ele completar um mês, é preferível deixar o bebê ficar no quarto, e nele permanecer o tempo todo. Assim, o banho e as refeições deverão ser feitos ali. Quando for usada a banheirinha plástica, sua saída do quarto ficará limitada ao tempo do banho.

Ele poderá dormir o tempo todo, ficando acordado, única e exclusivamente, para as mamadas e o banho, dormindo, em média, entre quinze e dezesseis horas por dia.

O que o bebê não gosta desde o primeiro mês de vida: estar muito ou pouco coberto, usar roupas apertadas, ficar com as fraldas sujas, fazer movimentos bruscos (saltar no ar, por exemplo, que lhe causa vertigens), movimento no seu quarto, barulhos de voz, rádio, televisão e gravadores, portas que batem, fumaça de cigarros.

OS BRINQUEDOS BARULHENTOS

Não devem ser utilizados brinquedos muito barulhentos, com música e ruídos altos, que podem prejudicar a audição do bebê, especialmente os prematuros. Pequenos chocalhos de ruídos suaves podem ser utilizados sem afetá-lo.

A FORMAÇÃO DA PERSONALIDADE

Evolução motora

O bebê sente atração por objetos brilhantes; contudo, seu interesse se concentra mais em fisionomias humanas do que em objetos. Quando é solicitada sua atenção visual, cessam os movimentos dos braços e das pernas. Comanda o próprio pescoço, preferindo colocar a cabeça de lado. Emborcado, procura tirar o nariz da cama, levantando por segundos a cabeça.

Comportamento emocional

Protesta, chora devido à dor, à fome ou ao desconforto. Fixa os olhos na mãe em resposta a seu sorriso.

Capacidade de adaptação

Possui um ligeiro seguimento com os olhos. Não retém os objetos nas mãos por muito tempo. Para um bebê entre um a dois meses, as pessoas são vistas como manchas e as cores como se fossem um grande quadro. Pouco a pouco o bebê se habitua de tal maneira ao ritmo e aos ruídos de casa, que toda modificação de horário, de gesto, de lugar, de berço e mesmo de alimento sem cuidado maior, o perturba. Assim, toda e qualquer modificação tem de ser feita gradativamente, com muita precaução.

Progresso da linguagem

Ele emite pequenos sons guturais.

Comportamento pessoal e social

Olha, com espanto, seu ambiente. Escuta sons. Já conhece a voz e o "cheiro" da mãe. Piaget dizia que para o bebê no primeiro mês de vida as coisas aparecem e desaparecem como quem olha pela janela de um trem em movimento.

O DESENVOLVIMENTO DA INTELIGÊNCIA

Com um mês de idade já pode ser verificado se o desenvolvimento da inteligência do bebê está se processando normalmente. As seguintes provas, fáceis de ser verificadas por qualquer pessoa, devem ser positivas no bebê de um mês (teste de Ch. Buhler-Herzer).

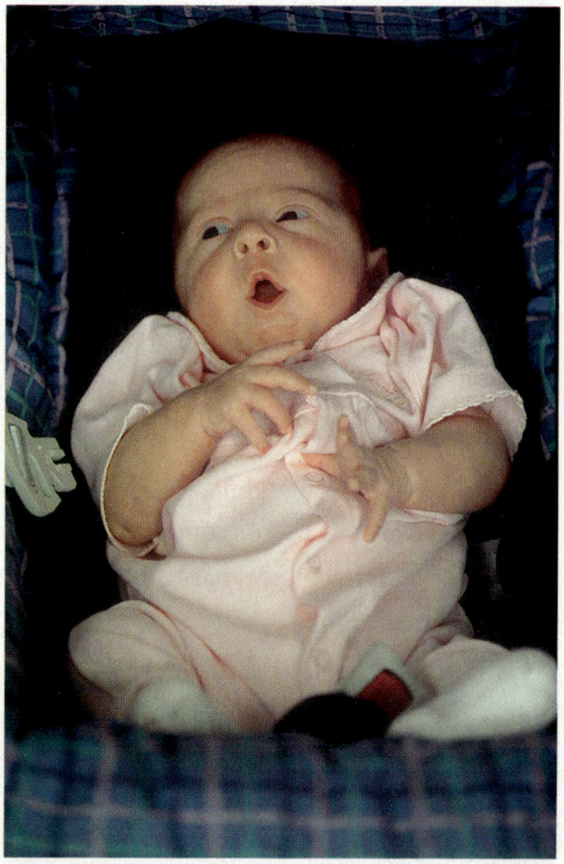

Primeira prova

O bebê segura o que alcança. Colocando o dedo indicador na palma da mão aberta do bebê etc., rapidamente ele fecha os dedos, pressionando o dedo examinador.

Segunda prova

Ele se tranqüiliza ao escutar ruídos leves. Um bebê choroso se aquieta ao ouvir o som de uma campainha tocada suavemente perto dele. Pode reconhecer as vozes de sua mãe e de seu pai.

Terceira prova

Ele fita momentaneamente uma luz fraca. Colocando a um metro de distância uma lâmpada de bolso, de luz de pouca densidade em quarto escuro, o pequenino olhará para ela, por alguns segundos. Se acalma olhando sua mãe ou alguém conhecido.

Quarta prova

Ele tenta pegar os alimentos. Deve-se fazer esta prova com o bico do seio. Estando o bebê mamando por alguns segundos, retire vagarosamente o seio. Mantendo-o bem próximo, o bebê procurará mover a cabeça até o mamilo, tentando apanhar o bico com a boca aberta.

Quinta prova

Tentativa de defesa: colocando um papel dobrado sobre o seu rosto, cobrindo o nariz, o bebê fará movimentos, procurando girar a cabeça de um lado para outro. Percebe-se melhor este movimento olhando o papel.

A ALIMENTAÇÃO DO BEBÊ NO PRIMEIRO MÊS (trinta dias completos)

O crescimento rápido do bebê no primeiro ano de vida, triplicando seu peso, de três quilos para nove, por exemplo, e aumentando em 50% sua estatura – de 50cm passa para 75cm –, exige uma alimentação perfeita.

Qualquer erro cometido tanto na qualidade quanto na quantidade terá graves conseqüências para seu desenvolvimento físico e da inteligência.

O leite materno é um alimento perfeito, contém proteínas, vitaminas e sais minerais. O bebê alimentado suficientemente ao seio materno não precisa de mais nada. Somente água filtrada e fervida nos dias quentes de verão. Porém, os alimentos à base de leite de vaca, líquido ou em pó precisam de suprimentos diários, de sucos de frutas, água e, depois do quarto mês, sopas, para reposição de ferro, evitando a anemia.

A fome é o seu maior problema, e o mais sério impulso, pois ela interfere nas suas mais importantes ações como sono, repouso e os hábitos de rotina, que são o começo de aprendizagem. Gasta a maior parte do tempo mamando, desperta ou grita para comer, e dorme logo, uma vez atendido.

Cada um estabelece seu padrão de horário, com intervalos de três a cinco horas. Às vezes eles acordam de meia a uma hora após a mamada e parece que estão com fome, pois levam as mãos à boca. A mãe julga que seja fome e oferece novamente o seio ou a mamadeira; entretanto, logo após alguns minutos ele dorme. Não estava realmente com fome, queria apenas sugar.

No caso de ele ser submetido à alimentação artificial, a mamadeira deve ser dada com a criança nos braços maternos, atitude que transmite intimidade, ternura e calor humano. O bebê tem necessidade de encontrar sempre a mesma fisionomia que irradia amor, no caso materno, ou afeição, no caso de um parente ou babá dedicada; isto lhe dá segurança e estimula o apetite. Colocar o bebê de lado e a mamadeira no travesseiro é um grande erro. É um ato de rejeição, a mãe não o amamenta e além do mais nem lhe dá a própria mamadeira. O bebê, parece incrível, mas é verdade, se sente abandonado, rejeitado, infeliz, mais tarde demonstrará isto através do seu temperamento difícil em relação à mãe. Além disso, alimentar-se deitado facilita a passagem do leite para as vias aéreas superiores, o que pode levar às otites de repetição e infecções.

Com leite materno

O bebê deverá mamar de três em três horas, ou até de quatro em quatro horas, de acordo com o horário escolhido (ver técnica na pág. 80). O volume de líquido ingerido deverá ser, em média, de 100 a 120ml (g) em cada mamada, perfazendo o volume total diário de 600ml a 720ml (g).

O volume das mamadas varia com as horas do dia e nelas não é rigorosamente idêntico; a das seis horas da manhã é sempre mais volumosa. Desejamos acentuar que certas crianças mamam um volume superior ao descrito, e desde que o seu aparelho digestivo o tolere e digira bem, prosperando satisfatoriamente, nada há que se oponha.

LEITE DE VACA FRESCO

Na falta de leite materno das fórmulas infantis (leite em pó modificado para uso na primeira infância), usa-se o leite de vaca fresco da seguinte forma:

Volume total diário: 800ml
Leite de vaca: 400ml
Água filtrada e fervida: 400ml
Açúcar: 40g (três colheres rasas, das de sopa)

Observação: deve-se evitar o uso de farinhas.

Oferecer 100ml de cada vez.

Com leite em pó modificado:

Nan 1 ou Nestogeno 1. Ofereça-lhe a mamadeira preparada com 90ml de água filtrada e fervida e três medidas rasas de leite em pó.

Com leite de soja:

Ver instruções na página 116.

OS SUCOS DE FRUTAS

As frutas são indispensáveis na alimentação da criança, porque por meio delas podem-se conseguir os minerais e as vitaminas. Os sucos de frutas devem ser preparados na hora do consumo com a polpa de frutas frescas, que são ricas em vitaminas, especialmente vitamina C. O uso de sucos pode ter um efeito estimulante sobre a contração intestinal, causando ligeiras cólicas em alguns bebês; a solução é diluí-los em mais água, ou substituí-los pelo suco de outras frutas. Mas não deixe de fazê-los. O uso de tipos de sucos diferentes ao mesmo tempo não é indicado; é preferível dar o suco de uma única fruta a cada vez. Os sucos devem ser introduzidos na alimentação do bebê desde o primeiro mês de vida, quando em alimentação artificial.

Vamos analisar os habitualmente dados à criança.

O suco de laranja compreende 40 a 60% do fruto integral, segundo o tipo de laranja, o grau de amadurecimento e o tempo de conservação. O valor do suco de laranja é como provedor de vitaminas; o caroteno é a pró-vitamina A, frações do complexo B e o ácido ascórbico ou vitamina C, da qual o organismo infantil tanto precisa.

As necessidades em vitamina C na infância podem ser satisfeitas com a administração de 50ml (g) no primeiro semestre; 100ml (g) de seis a doze meses, e 100 a 200ml no segundo ano de vida. Isto é suficiente no caso do suco de laranja fresca. A vitamina C é muito sensível, e é destruída pela luz e pela exposição ao ar em recipientes destampados, assim como o calor e a conservação na geladeira por muito tempo. O importante é preparar o suco e dá-lo a seguir à criança. É interessante saber que o suco de laranja só é ácido antes de ser ingerido. Uma vez no estômago, o ácido cítrico forma, com os sais de potássio, sódio e magnésio, um citrato alcalino.

A laranja fresca

A laranja fresca e madura, em perfeito estado, deve ser lavada, descascada (para evitar que o sumo da casca se misture ao caldo) e espremida em espremedor de vidro ou plástico, previamente escaldado em água fervente (de metal não serve). A laranja-lima é a que mais agrada ao bebê, e pode ser oferecida pura; outros tipos de laranja, como a pêra, a seleta, a baía, devem ser dados diluídos em água, ou em uma parte para duas de água fervida. A adição na quantidade de 1 colher (das de chá), de sobremesa e de sopa, para cada 100ml de diluição já preparada, ficará por conta da observação materna, com o seu paladar e de acordo com o ritmo intestinal.

O suco de tomate

O suco de tomate é sumamente rico em vitaminas, que se conservam satisfatoriamente, embora nos enlatados. Seu consumo pelo bebê pequeno exige o conhecimento de um fato: o suco de tomate é rico em ácidos, sendo um deles o oxálico, que pode formar na uretra do bebê uma pequenina precipitação de pequenos cristais de oxalato de cálcio, dificultando a micção e exigindo esforço. A conclusão é a de que não se deve dar o suco de tomate puro, sendo conveniente diluí-lo em uma ou duas partes de água fervida. O suco de tomate deve ser preparado com tomates sem peles, a pessoa que o prepara deve ter as mãos bem lavadas e escovadas com sabão e o recipiente em que vai se fazer o suco deverá estar esterilizado.

Deve ser também preparado na hora. Pode ser oferecido do primeiro mês em diante, em doses um pouco maiores do que a do suco de laranja.

Modo prático de preparar: jogue água fervente sobre o tomate, fazendo com que sua pele se rasgue. Desprezam-se a pele e as sementes, aproveitando-se apenas a polpa.

Suco de caju

O suco de caju é, sem dúvida, um dos sucos mais ricos do mundo em vitamina C. Entretanto, ele tem ação adstringente, pegajosa, e às vezes de digestão não tão fácil quanto o da laranja.

Convém oferecer o suco de caju também preparado na hora, diluído em três partes de água, com ou sem açúcar, conforme o desejo da criança.

Suco de abacaxi

O suco de abacaxi, que deve ser obtido da fruta descascada, liqüidificada e coada, tem como atrativo seu sabor e seu aroma. Ele contém de 10 a 12% de açúcar e quantidades apreciativas de ferro, cobre e vitaminas A e C. Pode ser oferecido ao bebê desde o primeiro mês de vida, sendo o abacaxi relativamente fácil de ser encontrado, sobretudo na Região Norte. Pode ser oferecido quando houver rejeição para outras frutas. Contudo, a alergia de certas pessoas ao abacaxi, causando irritação na língua ou nos lábios, deve sempre ser considerada na infância.

Suco de uva

O suco de uva também pode ser oferecido ao bebê; entretanto, o trabalho doméstico dificulta sua obtenção. É necessário destacar uma por uma e lavá-las escrupulosamente, o que as torna de difícil uso. Os sucos de uva comercializados não são convenientes ao bebê. Não há dúvida de que o suco de uva tem ligeiro efeito diarréico em algumas crianças; é um alimento açucarado, por volta de 20%, porém é rico em minerais e em vitaminas; pode ser indicado para os casos de bebês com tendência à prisão de ventre, na dose de 5, 10 ou 20ml, diluído em água fervida.

Sucos de frutas cítricas

Somente após os seis meses, com exceção do suco de laranja-lima.

AS GOTAS POLIVITAMÍNICAS

Os bebês alimentados suficientemente com leite materno e que tomam banho de sol vinte e trinta minutos por dia, não precisam de suplementos vitamínicos. Os que são alimentados artificialmente, que tomam três mamadeiras de leite comum por dia, na quantidade de 200 a 250ml em cada vez, que aceitam suco de frutas, legumes verdes e amarelos e tomam banho de sol também não precisam de gotas vitamínicas. As gotas polivitamínicas estão indicadas para os bebês prematuros ou de baixo peso, que não engordam e que não se desenvolvem satisfatoriamente, e os que apresentam sintomas de raquitismo, a critério do médico-assistente.

Os medicamentos à base de gotas polivitamínicas devem ser guardados em lugar fresco, ao abrigo da luz.

A SUPLEMENTAÇÃO DE SAIS MINERAIS

Os principais sais minerais para o desenvolvimento do bebê são o cálcio, o ferro e o fósforo, que auxilia a assimilação do cálcio. O cobre e o ferro são facilmente fornecidos pelo habitual regime alimentar da criança. A grande fonte de cálcio é o leite e os seus derivados, como os queijos, o creme de leite, o doce de leite e outros; é indispensável que o bebê beba pelo menos meio litro de leite por dia.

Se não for possível alcançar esta quota, será indispensável administrar medicamentos ricos em cálcio, de fácil assimilação, acompanhados da administração de vitaminas, vitamina D, banhos de sol ou de raios ultravioleta por meio de aparelhos elétricos. O cálcio do leite é mais bem assimilado pelo organismo do que o cálcio dos produtos farmacêuticos.

É freqüente os bebês apresentarem no seu primeiro ano de vida, e mesmo no segundo, uma deficiência de ferro no sangue, acarretando uma tipo de anemia, denominada hipocrômica.

Este tipo de anemia é observado em lactentes prematuros, com reserva insuficiente de ferro nos nascidos de mães com esta deficiência, naqueles que não recebem quantidade adequada de ferro no seu regime, porque não se dão bem com as sopas preparadas com carnes e legumes e não suportam fígado, bem como nas crianças com desenvolvimento acelerado ou que tenham perdido sangue devido a verminoses ou deficiências dietéticas. Tudo isto torna obrigatório o pediatra prescrever – neste caso, nos dois primeiros anos de vida – um suprimento de ferro na alimentação.

A dose do medicamento contendo ferro deve ser administrada no intervalo das refeições e não após, porque, aplicada desta maneira, a absorção do ferro é melhor, ao passo que as polivitamínicas podem ser dadas após as refeições. De modo geral as crianças aceitam bem as soluções concentradas de ferro (sulfato ferroso); entretanto, a intolerância ao mineral, embora rara, é possível, e o bebê pode apresentar fezes líqüidas, cólicas, erupção escura da pele e insônia. As evacuações mais escuras, porém pastosas, duas ou três vezes por dia, não significam intolerância, porque a consistência das fezes é normal. A necessidade de outros sais minerais é mínima, e são geralmente fornecidos, com facilidade, pelos alimentos habitualmente ingeridos, como o cobre (fígado, carne e legumes), o iodo (peixe), o magnésio (cereais, legumes, leite e carne), o fósforo (leite, gema de ovo, legumes e cereais), o sódio (sal ou leite) o potássio (todos os alimentos contêm).

Suplementação de flúor

O governo deve manter vigilância sobre a percentagem de flúor adicionada à água potável usada pela comunidade, que não deve ultrapassar uma parte por um milhão. Os pais também devem vigiar a dose administrada por via oral, que não deve ultrapassar nunca as recomendadas.

Os dentistas e pediatras estão de acordo que a administração de flúor por via oral é um excelente meio para a prevenção das cáries, ocorrendo uma redução de 65% na sua incidência. A administração de flúor deve ser reservada às regiões em que não haja suplemento deste mineral nos reservatórios de água das cidades. Neste caso, deve-se consultar um odontopediatra. As crianças abaixo de três anos de idade devem utilizar creme dental sem flúor. Como elas não conseguem cuspir com eficácia, correm o risco de engolir quantidade considerável de flúor a cada escovação, aumentando o risco de desenvolver fluorose dentária na dentição permanente em desenvolvimento. A fluorose dentária caracteriza-se pelo aparecimento de manchas brancas ou castanhas e defeitos no esmalte dentário.

Caso haja dúvida quanto à presença de flúor na água de abastecimento da cidade, deve ser contactada a autoridade local.

A Academia Americana de Pediatria recomenda que você consulte seu pediatra, para saber se há necessidade de suplemento adicional de flúor para seu bebê. E atualmente a maioria das fórmulas dos leites em pó já contém flúor em sua composição.

ENSINAMENTOS COMPLEMENTARES PARA O PRIMEIRO MÊS

1) A evacuação do bebê
2) A vacinação no primeiro mês
3) A cor dos olhos
4) Os beijos
5) Causas de lacrimejamento
6) A lanugem (bebês que nascem peludos)
7) Choro insistente
8) O primeiro passeio
9) Os brincos
10) Dez sinais de saúde do bebê

A EVACUAÇÃO DO BEBÊ

Os intestinos do bebê funcionam de uma a quatro vezes a cada 24 horas. Em alguns casos excepcionais, cinco a seis vezes com fezes normais; no entanto, devem-se observar com cuidado o peso e os demais sinais de saúde relatados na página 186.

As fezes normais apresentam um aspecto pastoso, ligadas em forma de pomada, de cor amarela (variável), geralmente da cor de gemas de ovo, e de odor ácido.

Tipos de evacuações anormais

a) fezes dispépticas – com parte líqüida e parte sólida separadas, apresentando grumos esbranquiçados (causados por sabões alcalinos);

b) fezes disentéricas – com catarro e estrias de sangue contendo pus e muco sangüinolento; às vezes também apresenta secreção gelatinosa, com aspecto de clara de ovo crua. A causa deste tipo é uma infecção e o pediatra deverá ser avisado incontinente;

c) fezes esverdeadas – como única modificação, estado geral e apetite excelente, podendo se normalizar espontaneamente sem qualquer modificação;

d) evacuações consistentes e endurecidas – um pouco brilhantes, são observadas em crianças alimentadas exclusivamente, ou com grande predominância, com leite de vaca;

e) fezes aquosas, líqüidas – quase sempre molham as fraldas, como se fosse urina, eventualmente com muco, eliminadas de modo brusco. Este tipo indica geralmente um processo infeccioso com tendência grave (viroses), que levam freqüentemente à desidratação. O pediatra deverá ser avisado com urgência;

f) fezes pastosas e brilhantes, abundantes, espumosas – traduzem má digestão e má absorção; se continuarem assim por muito tempo, poderão levar a um estado de desnutrição grave. Algumas doenças, como a doença celíaca e a mucoviscidose, apresentam fezes deste tipo;

g) fezes com sangue – a presença de sangue nas fezes, na maioria dos casos, não é tão perigosa como pode parecer, pois a fissura (fenda) anal, a maior causa, é provocada por prisão de ventre (constipação), devido à eliminação de fezes grandes, endurecidas e ressecadas. Entretanto, a eliminação de sangue pelo ânus, conhecida por enterorragia, pode ter causas mais graves. No recém-nascido, geralmente é devida à deglutição de sangue materno e a sua eliminação é escura como piche, vermelho bem escuro, e é chamada melena. Outras causas são as doenças hemorrágicas do recém-nascido e a enterocolite necrotizante, doença muito grave e rara.

A VACINAÇÃO NO PRIMEIRO MÊS

A BCG intradérmica é aplicada como já descrevemos no capítulo anterior.

A vacina contra hepatite B

Esta vacina é aplicada no primeiro mês de vida, trinta dias após e aos seis meses de vida. Protege a criança do vírus da hepatite B, que pode levar a um quadro de infecção crônica, insuficiência hepática e ao hepatocarcinoma. Não tem contra-indicações, conferindo imunidade permanente. É uma vacina elaborada por engenharia genética, não havendo risco de contaminação pela vacina (ver pág. 142).

A COR DOS OLHOS

A cor castanha dos olhos do bebê permanecerá por toda a vida, porém se os olhos forem azulados poderão mudar mais tarde, durante o segundo semestre de vida. Como com a cor dos cabelos, se eles forem pretos, ao nascer, poderão ficar louros no terceiro ou quarto mês.

OS BEIJOS

Nunca se deve beijar o bebê na boca, no rosto e nas mãos; quando muito, beije sua cabeça. A garganta humana é cheia de micróbios que, através do beijo, são transmitidos às outras pessoas. Os germes das pessoas que tratam do bebê são geralmente os mesmos da criança. O perigo maior é com os estranhos. Os germes dos objetos (colheres, brinquedos etc.) que a criança constantemente leva à boca não a prejudicam, porque são os mesmos da sua garganta.

CAUSAS DE LACRIMEJAMENTO

a) irritação pela aplicação, ao nascer, de nitrato de prata ou Argirol;
b) obstrução dos condutos lacrimais;
c) infecção;
d) alergia.

Quando o lacrimejamento persiste, apesar do uso constante de colírios, sua causa deve residir na obstrução dos canais lacrimais. A massagem das glândulas lacrimais com o dedo mínimo deve ser tentada. No caso de ser realmente uma obstrução, aos seis meses de vida do bebê, deve-se recorrer ao oftalmologista, que irá desobstruir os canais por meio de uma sonda, que o bebê suporta bem.

A LANUGEM (BEBÊS QUE NASCEM COM PÊLOS EM EXCESSO)

É a denominação clínica da presença abundante de pêlos, comum nos recém-nascidos. É uma situação normal. Os pêlos cairão gradativamente durante o decorrer dos primeiros meses de vida.

CHORO INSISTENTE

Ele está associado a uma sensação de dor (fome, cólica, dor de ouvido, dor de cabeça, mal-estar devido à febre). A mãe deve sempre procurar a possibilidade de uma destas causas. A sede provoca mais inquietude e agitação do que o choro. No caso de durar mais de duas horas, deve ser estabelecido contato com o médico.

AO COMPLETAR UM MÊS, O PRIMEIRO PASSEIO

O passeio do bebê deverá ser feito pela manhã, entre oito e dez horas, dependendo do tempo e da disponibilidade materna. À tarde, entre as três e as cinco horas, pode-se dar outro passeio, ao ar livre, à sombra. O tempo é muito importante; não se deve esquecer que a neblina forte é tão prejudicial quanto a chuva e o vento. Não leve as crianças para passear em ruas muito movimentadas, com muitos automóveis, devido à poluição. Evite também ficar com o carrinho do bebê parado no meio das pessoas e de babás falando sobre ele. Quando levar o bebê para passear no verão, com calor intenso, ofereça-lhe o peito com maior freqüência ou, caso esteja em alimentação artificial, ofereça mamadeira com água filtrada e fervida.

Não leve o bebê a grandes magazines, supermercados e shopping-centers.

OS BRINCOS

É freqüente, no caso de meninas, mandar furar, geralmente entre o primeiro e o segundo mês de idade, as orelhas para colocar brincos. Entretanto, furar a orelha não é simples como se pensa. O método de passar uma linha, depois de furar, pelo lóbulo da orelha, sem a devida higiene, pode causar infecção local, com desagradáveis conseqüências, pois depois de curada a infecção pode deixar o orifício relativamente grande, facilmente visível e pouco apreciável. A desinfecção do lóbulo da orelha deve ser feita com Povidine Tópico ou álcool iodado. Deve-se ter o cuidado de retirar o excesso, limpando o lóbulo com álcool após a aplicação da solução iodada.

As mãos de quem vai furar a orelha devem ser bem escovadas com água e sabão e em seguida friccionadas com uma solução iodada a 1%. O método aconselhado é o que utiliza um aparelho, com a forma de uma pequena pistola automática (Caflon), que introduz um brinco com pino de aço cirúrgico recoberto de ouro 24 quilates, que permanecerá por trinta dias, quando deverá ser substituído pelo definitivo. Os brincos devem ser de ouro ou de prata, nunca de cobre. Estas pequenas pistolas podem ser encontradas em consultórios médicos, farmácias e drogarias; os pais devem exigir a perfeita desinfecção e a esterilização do material. Colocado o brinco, não há necessidade de girá-lo uma vez por dia durante vinte a sessenta segundos, no período de cinco dias, como era aconselhado no passado.

Na falta da pistola automática, os pais podem recorrer ao método das avós, o da aplicação de uma rolha na parte traseira do lóbulo, em seguida perfurando com uma agulha de injeção, nº 20, descartável.

DEZ SINAIS DE SAÚDE DO BEBÊ BEM-NASCIDO E BEM-ALIMENTADO

a) peso – perímetro cefálico e torácico normais ao nascimento, com ganho corporal progressivo mensal;

b) turgor – pele firme e seca quando é pinçada com o polegar e o indicador;

c) tono muscular é o grau normal de resistência muscular dos braços e pernas em movimento;

d) panículo adiposo – é a camada de gordura debaixo da pele, distribuída por todo o corpo, dando o aspecto do "bebê redondinho";

e) coloração da pele – apresentando-se rosada. Tonalidade azulada ou pálida não é normal;

f) apetite – deve estar sempre presente, podendo variar o intervalo e o número das mamadas;

g) o sono – o bebê dorme sempre bem, uns mais, outros menos, mas sempre tranqüilos;

h) humor – um bebê mal-humorado apresenta-se doente ou desconfortável (febre, sede, fome, calor, sufocado, molhado, com gases, excitado por excesso de luz ou barulho, cansado por excesso de brincadeiras);

i) temperatura axilar (debaixo do braço) oscilando entre 36 e 37ºC. Temperatura retal oscilando de 36 a 38ºC;

j) imunidade – o bebê nascido de gravidez e parto normais e alimentado ao seio materno raramente adoece.

O PRIMEIRO SORRISO

Surge no final do primeiro mês, dormindo ou então olhando sua mão. A mãe perceberá que ele a escuta quando ela fala. Nas primeiras semanas de vida tudo são reflexos, não atividades cognitivas. Mesmo como recém-nascido, a mãe perceberá as primeiras pistas para a futura personalidade do seu filho: reclamando imediatamente de fraldas molhadas ou sujas, sono leve ou sono pesado, sensível a barulhos, sensível à luz, chorando com facilidade. Uns reclamam, outros não. Estas diferenças individuais mostrarão se a mãe terá um bebê calmo ou não.

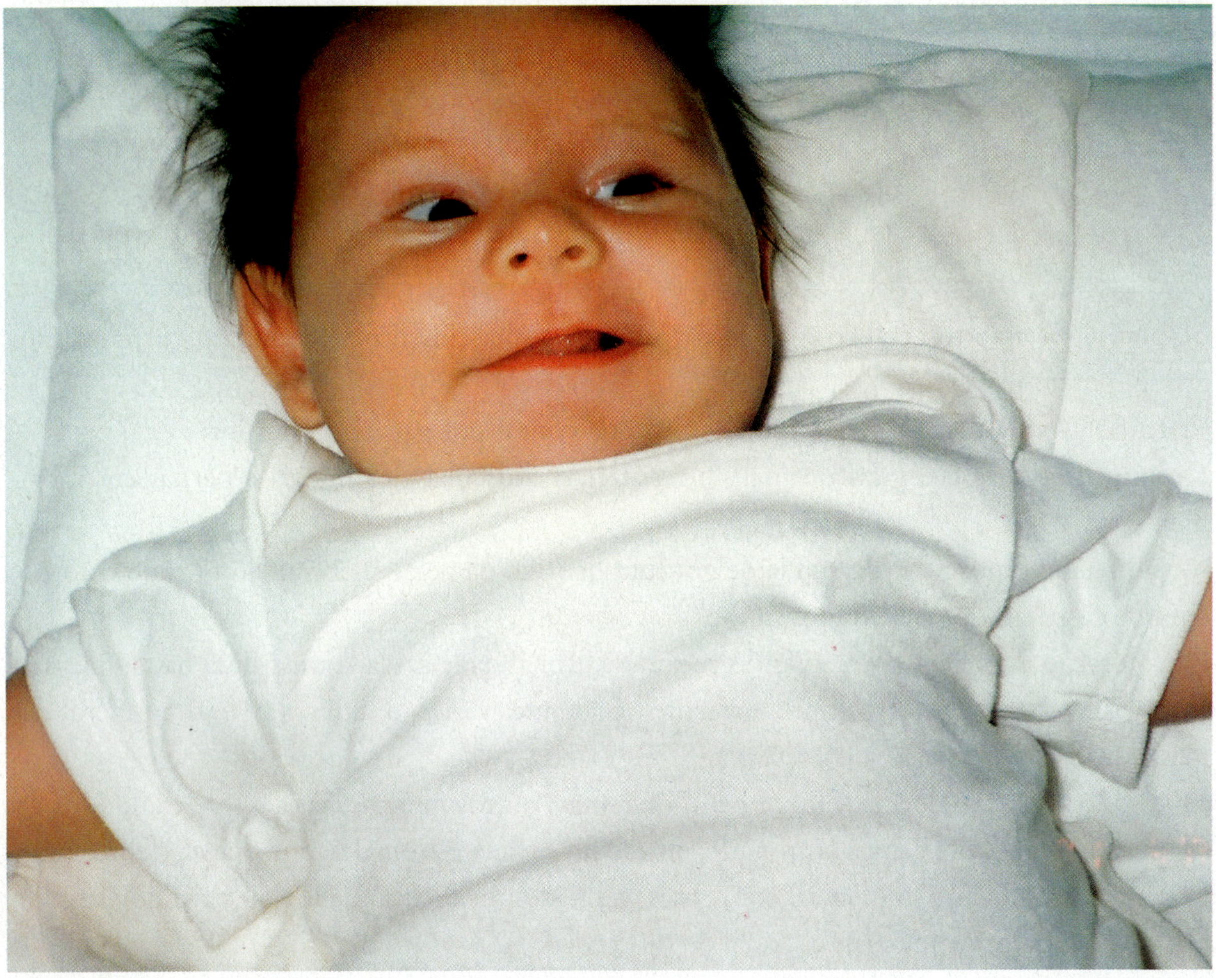

Capítulo 12

O Segundo Mês

O segundo mês

A mãe deve conversar com o filho sempre que puder; ele adora ouvir a voz materna.

O DESENVOLVIMENTO DO BEBÊ

	Meninos	Meninas
Peso	5.000g	4.800g
Estatura	57cm	55cm
Perímetro cefálico	39cm	38cm
Perímetro torácico	37cm	36cm
Ganho de peso mensal	750g	750g

O bebê até os três meses é um mistério para seus pais. Eles só o conhecerão dentro de alguns meses. De modo geral, existem dois tipos clássicos: o primeiro é agitado, com sono leve, mamando sem prazer, tenso, apreciando qualquer companhia; o segundo é quieto, come bem, tem sono, não gosta de estranhos. Já apresenta expressão no rosto e faz caretas para alimentos salgados, amargos e ácidos. Ele não sorri para você, mas para a face humana. O "sorriso social" só aparece depois dos três meses. Ele sorri como gargareja ou mexe o corpo. Solicita e gosta de brincadeiras, mas só as agüenta por vinte minutos, depois se desinteressa e se os pais insistirem podem levar o bebê à exaustão, o que é perigoso. O bebê sabe quando deve parar, e para isto vira a cabeça ou começa a chupar o dedo.

O bebê sente a presença dos pais, mesmo estando sonolento. Este é o motivo de alguns psicólogos e pediatras americanos acharem que um bebê aos dois meses já não deve dormir no quarto dos pais, para não se habituar com sua presença e chorar por eles, requerendo maior atenção e dormindo mais agitado. Entretanto, as mães brasileiras preferem mantê-lo no seu quarto, ou em outro, com a companhia de um adulto, a deixá-lo dormir sozinho, pois nestas condições é a mãe a preocupada. Separar o recém-nascido dos irmãos após o primeiro mês de vida, para muitos puericultores, não é aconselhável; seria o começo da rivalidade entre irmãos; até o momento não há um consenso geral sobre o assunto.

Entretanto, o choro do recém-nascido à noite e o "ciúme" do pequeno "invasor" devem ser considerados.

Durante o dia há bebês nesta idade que chegam a ficar acordados até dez horas por dia. Começam a demonstrar preferência do lado do corpo para dormir; alguns preferem dormir de bruços. Ficam mais acordados quanto têm companhia. Podem dormir até sete horas ou mais seguidas. Do segundo ao terceiro mês em diante não exagere o silêncio da casa. O bebê deverá ir se habituando gradativamente aos ruídos suaves, cotidianos e inevitáveis (descarga do sanitário, barulho da cozinha e vozes), evitando-se, naturalmente, os gritos.

É através da visão que ele percebe o ambiente em que vive e que influenciará seu comportamento e aprendizagem futuros. Ele irá, por curtos períodos de repetição, acumulando conhecimentos e aprendendo. É através da visão que ele aprende a reconhecer a face familiar boa e segura.

A temperatura do quarto do bebê deve ser de 20 a 25ºC, sendo esta a ideal. O ar-condicionado pode ser usado.

É bom brincar com o bebê na hora do banho e à tarde, sobretudo quando o pai volta para casa. Com dois meses completos, ele já gosta de ouvir a voz de sua mãe, ou mesmo música, e acha admirável seguir os movimentos de uma pessoa que anda pelo quarto. Sua fisionomia já expressa alegria e dor. Acariciar suavemente a cabeça do bebê é excelente calmante para crianças agitadas.

O pênis do bebê deve ser lavado com água e sabão e, se não foi feita a circuncisão (retirada da fimose), a pele deve ser puxada para trás, sem forçá-la.

Devemos chamar a atenção dos pais para que impeçam que se fume no quarto do bebê ou em qualquer outro aposento em que ele permanecer.

O bebê de um a quatro meses geralmente detesta qualquer modificação, seja de alimentos, de hábitos ou de pessoas. As alterações deverão ser feitas progressivamente, com o maior cuidado. O bebê está interessado nas mãos; nunca parecerá cansado de olhá-las.

Ao deixar seu bebê com outra pessoa, tome os seguintes cuidados

a) deixe o número do telefone e o endereço do lugar onde está;
b) deixe o nome de uma pessoa responsável, se você não puder ser encontrada;
c) deixe o telefone da polícia e do corpo de bombeiros;
d) deixe o endereço e o telefone do pediatra e de seus assistentes;
e) escreva o que o bebê deverá comer e beber;
f) deixe os remédios que possam ser usados para cólicas, febre e vômitos;
g) diga a hora em que vai voltar;
h) não receba visitas inesperadas;
i) diga onde estão guardadas as roupas de cama, banho e vestimentas;
j) dê instruções para o uso de rádio e televisão, evitando barulho etc.

A FORMAÇÃO DA PERSONALIDADE

Evolução motora

O bebê mantém sua cabeça constantemente para trás. Colocado de bruços, levanta o queixo por alguns segundos.

Comportamento emocional

Já pode ser percebido um esboço de satisfação, excitamento, alegria ou angústia nas suas expressões fisionômicas. Pára de chorar quando é apanhado ao colo, movimenta as pernas como se estivesse pedalando, torce o corpo para mostrar alegria.

Capacidade de adaptação

Vira a cabeça ao escutar um ruído, acompanha com os olhos os objetos que se movem, presta atenção a uma voz em surdina.

Progresso da linguagem

Vocaliza alguns sons (Ah... Eh... Uh...).

Comportamento pessoal e social

Já esboça determinada e discreta reação física. Procura livrar-se de uma fralda colocada sobre o rosto, por exemplo.

O DESENVOLVIMENTO DA INTELIGÊNCIA

Pelo fato de as crianças de hoje serem muito mais estimuladas do que as de antigamente, temos de ter cuidado na interpretação de alguns testes clássicos aplicados sem adaptá-los.

Com dois meses de idade, em condições normais, os seguintes testes devem ser positivos:

Primeiro teste – O bebê vira a cabeça ao escutar um ruído. A pessoa deverá estar fora do campo de visão do bebê; ao seu lado, faça soar uma campainha com ruído mais ou menos forte; isto é suficiente para que o bebê vire logo a cabeça.

Segundo teste – Colocando-se uma lanterna acesa a meio metro de distância do bebê, ele fixa seu olhar na luz por um longo tempo.

O bebê de um a quatro meses percebe a claridade e mostra-se fascinado por cores vivas, como o vermelho e o amarelo. Gesell afirma que a experiência de luz e cores brilhantes tem tanta importância para a inteligência do bebê quanto os alimentos para seu estômago. Ele aconselha, no caso de haver choro violento, com lágrimas, a agitar diante dos olhos do bebê uma roupa com a cor laranja ou vermelha.

Terceiro teste – O bebê acompanha objetos em movimento. Uma pessoa deverá se debruçar sobre ele, a meio metro de distância aproximadamente, vagarosamente se colocando para trás, pelo lado da cabeça, e o bebê acompanhará este movimento, chegando a virar a cabeça para poder ver melhor. Seguirá a luz e os objetos de 15 a até 20cm de distância.

Quarto teste – O bebê se tranqüiliza ao escutar uma voz suave. A pessoa, debruçada sobre o berço, deverá falar-lhe suavemente, e se o bebê chorar ou se estiver de mau humor, às vezes se aquieta, olhando a pessoa.

Quinto teste – O bebê esboça uma reação física. Colocando-se uma fralda sobre o rosto do bebê ele deverá fazer movimentos incompletos, procurando se libertar dela, sem, entretanto, conseguir.

A ALIMENTAÇÃO NO SEGUNDO MÊS (60 A 90 DIAS)

A mamada noturna das duas da madrugada deverá ser suprimida. A cafeína passa muito pouco para o leite humano; não excita nem tira o sono do bebê; as mães podem tomar seu cafezinho quantas vezes quiserem.

O bebê que sente fome antes das três horas de intervalo poderá necessitar de um suplemento alimentar. Se ele estiver ingerindo apenas leite materno, poderá receber uma mamadeira suplementar, se não existir história familiar de alergia. Caso os pais sejam alérgicos, a complementação alimentar à amamentação deverá ser feita com frutas processadas ou fórmulas hipoalergênicas. O hábito de colocar a mamadeira num travesseiro, como dispositivo para o bebê mamar sozinho não é aconselhável. O bebê deverá sentir o calor materno mamando ao seio, ou estando ao colo de sua mãe para receber das suas mãos a mamadeira. Este detalhe é muito importante para o amor recíproco. Alguns psicólogos crêem que o "golpe" do travesseiro é o primeiro e lamentável gesto de rejeição da mãe a seu filho.

Nas crianças em aleitamento artificial a vitamina C deverá ser administrada através de sucos de frutas. O material para preparar o suco de laranja deve ser fervido, bem como a água dada para a criança beber. O volume diário recomendado é de 50 a 100ml de suco de laranja por dia.

No segundo mês, se a criança tiver tendência à prisão de ventre, pode-se adicionar à mamadeira, uma vez por dia, frutas amassadas e vegetais cozidos peneirados passados no liqüidificador, que contudo sejam ricos em fibras (ameixa, figo e vagens em geral).

Alimentação à base de leite materno

Nesta fase a criança já estará com uma rotina de horário estabelecida para o aleitamento materno. A criança já determinou, de acordo com sua fome, seu ritmo próprio de mamadas. Além disto você já é capaz de diferenciar o choro da fome de outras causas, devendo rapidamente amamentar a criança e evitar o choro prolongado, que pode resultar em agitação. A quantidade de leite poderá variar de acordo com a necessidade da criança. É muito difícil determinar a quantidade de leite a ser oferecida ao bebê. No entanto, se ela esvazia as mamas (não se esqueça de que os dois seios devem ser oferecidos em cada mamada) e ganha peso, é sinal de que recebe o suficiente. Nesta idade é bom oferecer de seis a sete mamadas por dia.

Em média, a criança mama a cada duas, três horas durante o dia e a cada quatro, cinco horas à noite. À medida que ela mama mais, por mais tempo, o número de mamadas vai diminuindo e a mamada noturna será suprimida naturalmente. Pode-se manter a mamada noturna até o terceiro mês.

Alimentação à base de leite de vaca fresco (volume total de 850ml)
(somente na falta de leite materno ou de fórmulas infantis)

- Leite de vaca (550ml)
- Água filtrada e fervida (300ml)
- Açúcar (40g) (4 colheres das de sopa, rasas)
- Dê 125 a 150ml (g) no horário escolhido

Alimentação à base de leite em pó modificado (ver pág. 113)

Nan 1 ou Nestogeno 1

Ofereça de 120 a 150ml de água filtrada e fervida com quatro a cinco medidas rasas de leite em pó.

Observações:

a) número de mamadas: cinco a sete, de três em três ou a cada quatro horas;

b) as sobras devem ser aproveitadas de um horário para outro;

c) para viagens pode-se colocar as medidas de leite em pó em cada mamadeira, adicionando-se água fervida de uma garrafa térmica.

Alimentação à base de leite de soja (ver pág. 116)

O MEL

O mel não deve ser dado a crianças menores de um ano, pelo risco de botulismo, uma forma rara de envenenamento causado pela bactéria *Clostridium botulinum,* extremamente resistente ao calor e que ao ser ingerida libera toxinas no intestino. As crianças nesta idade não conseguem impedir seu desenvolvimento, porque não têm ainda imunidade suficiente.

Além disto, o mel verdadeiro, líquido xaroposo resultante do trabalho da abelha sobre o néctar das flores, é constantemente adulterado e não tem o valor do verdadeiro mel, rico em minerais, como ferro, cobre, e vitamina C e as do complexo B.

O USO DO LIQÜIDIFICADOR

A higiene do liqüidificador

É um objeto útil para o preparo dos alimentos do bebê. Entretanto, sua limpeza e conservação geralmente são descuidadas. É necessário que o liqüidificador seja desmontado diariamente, lavado peça por peça, e logo fervido. Sobretudo quando se usar leite ou creme, fica sempre um resíduo, que é ótimo meio para a propagação de micróbios (bactérias).

Instruções para o seu uso:

a) esfrie o alimento levemente antes de levá-lo ao liqüidificador;

b) coloque o alimento 3cm acima da hélice, no mínimo;

c) use pedaços de carne e vegetais cortados em porções pequenas de 2 a 5cm para poderem ser alcançados pelas lâminas;

d) interrompa rapidamente o processo para empurrar com a colher de pau o alimento que grudar pelas laterais do copo com a velocidade das lâminas;

e) adicione água fervida ou leite, amaciando os vegetais, para facilitar sua liqüidificação.

A VACINAÇÃO

Aos dois meses deverá ser iniciada a aplicação das vacinas contra a paralisia infantil (poliomielite), a coqueluche, o tétano e a difteria (tríplice), contra o *Hemophilus* (HIB titer). As vacinas são extremamente eficazes e isentas de perigo. Somente em algumas crianças as vacinas injetáveis poderão causar alguma reação, como mal-estar, febre e inflamação local; raramente poderão causar urticária. A vacina oral contra a paralisia não proporciona qualquer reação.

A vacina contra a paralisia infantil

A vacina Sabin tem se revelado duradoura e protetora. Sua primeira dose deverá ser aplicada aos dois meses; a segunda, aos quatro meses; e a terceira, aos seis meses. Sua aplicação é bastante simples, bastando ser colocada na base da língua uma, duas ou três gotas, conforme a recomendação do fabricante. As possíveis contra-indicações são apenas vômitos, diarréia e febre, mas esta última deverá ser verificada com termômetro. Coriza simples, sem febre, sem tosse, com excelente estado geral, não é contra-indicação.

A segunda dose deverá ser aplicada aos quatro meses de vida e a terceira aos seis meses. Aos dezoito meses, deverá ser aplicada a quarta dose, e entre os quatro e os cinco anos a quinta. A segunda dose deverá ser dada obrigatoriamente aos quatro meses, sempre oito semanas após a primeira dose. A terceira dose, dada aos seis meses, poderá entretanto ser aplicada até seis ou oito meses depois da segunda.

A criança não deverá ser alimentada uma hora antes e uma hora depois da aplicação da vacina.

O importante é que a criança não cuspa, regurgite ou vomite logo depois de ser vacinada. A vacina Sabin pode ser aplicada na mesma ocasião da vacina tríplice.

A vacina contra difteria, coqueluche e tétano

É conhecida como vacina tríplice do primeiro ano de vida, pois já existe a segunda vacina tríplice, aplicada no segundo ano de vida, aos quinze meses, contra o sarampo, a rubéola e a caxumba. A primeira vacina tríplice que protege contra a difteria, a coqueluche e o tétano, também conhecida pela sigla DIPERTET, é a abreviação das doenças DI, difteria; PER, pertussis – nome da coqueluche –, e TET, tétano.

Deverá ser aplicada no segundo, quarto e sexto meses de vida. A terceira dose dos seis meses poderá ser protelada até por seis meses. A vacinação feita somente por duas doses não confere a mesma proteção das três doses.

A aplicação desta vacina tem provocado fortes reações em algumas crianças, e os pesquisadores verificaram que sua causa estava no preparo da bactéria *Bordetella,* responsável pela coqueluche. Atualmente está sendo produzida a vacina tríplice com componentes purificados da *Bordetella,* que não dão reação e aumentam seu campo de proteção.

Este novo tipo é denominado DPaT; entretanto já está aprovada em saúde muitos países, mas a vacina clássica DPT é que está no calendário obrigatório das vacinas. Admite-se que a nova vacina DPaT muito em breve será obrigatória, embora seja mais dispendiosa.

Técnica de sua aplicação:

a) a ampola da vacina (é industrializada em forma de 10ml) apresenta data de validade e deve ser guardada em *freezer*, à temperatura de 0 a 8°C. Sem estas duas exigências sua aplicação não tem valor;

b) a vacina se apresenta turva, devido à associação de um coadjuvante mineral (alumínio-cálcio), que aumenta seu poder de proteção;

c) na ocasião da aplicação, a ampola deverá ser agitada fortemente antes de usada;

d) a tampa de borracha da ampola deverá ser desinfetada por fricção forte com tintura de iodo ou álcool;

e) use duas agulhas; a primeira para tirar o líquido do frasco, e a segunda para substituir a primeira na ocasião da aplicação;

f) evite gotas na ponta da agulha ao injetar;

g) deverão ser sempre usadas seringas e agulhas descartáveis;

h) o local de aplicação deverá ser a região glútea (nádegas), no quadrante superior externo (como mostra a figura na pág. 482), e não no meio da nádega;

i) a pele deverá ser desinfetada por fricção com algodão embebido em tintura de iodo ou álcool. Éter ou acetona são usados por alguns pediatras;

j) a aplicação deverá ser intramuscular, gradativa e lenta. Na aplicação, após a introdução da agulha, o êmbolo da seringa deverá ser puxado para observar o aparecimento de sangue. Em caso positivo, a seringa deverá, então, ser retirada, substituindo-se a agulha por outra e reaplicada em outro local.

A vacina anti-hemophilus

Nos últimos anos tem aumentado a quantidade de crianças contaminadas pela bactéria denominada *Hemophilus*, Influenza B, que causa uma doença de caráter grave, como a pneumonia, a meningite, a otite e a epiglotite (inflamação severa que causa sufocamento), especialmente em bebês.

A Academia Americana de Pediatria e a saúde pública de muitos países aconselham a aplicação da vacina como rotina. A primeira dose deverá ser aplicada no segundo mês de vida; a segunda, no quarto mês, e a terceira no sexto mês. Tem sido aplicada simultaneamente com a vacina DPT ou DPaT (difteria, coqueluche e tétano), aplicada com seringas e agulhas descartáveis, em áreas diferentes. São aconselhadas, sobretudo, para crianças que freqüentam creches.

Sua aplicação pode acarretar pequenas reações locais, sem maiores complicações.

A vacina contra a hepatite B

A segunda dose desta vacina deverá ser aplicada trinta dias após a primeira dose. Ela protege a criança do vírus da hepatite B, que pode levar a um quadro de infecção crônica e insuficiência hepática. Não tem contra-indicações, conferindo imunidade permanente. É uma vacina elaborada por engenharia genética, não havendo risco de contaminação (ver a pág. 142).

Contra-indicações da aplicação de vacinas:

a) febre;

b) no decurso de doenças de qualquer natureza;

c) vômitos e diarréias;

d) durante surtos epidêmicos de doenças infecciosas;

e) crianças que estão recebendo cortisona ou que a receberam nos últimos sessenta dias;

f) crianças que foram submetidas à aplicação de gamaglobulina, somente aplicá-la após sessenta dias;

g) crianças que foram submetidas à vacina contra a raiva, somente trinta dias após a última dose;

h) crianças com doenças graves do sistema nervoso central ou propensas a convulsões, só devem ser vacinadas sob recomendação e assistência pediátrica.

ENSINAMENTOS COMPLEMENTARES PARA O SEGUNDO MÊS:

1) Regurgitação
2) Cabeça achatada
3) Orelhas "de abano"
4) Respiração ruidosa
5) Tremor no queixo
6) Hérnia umbilical
7) Hérnia inguinoescrotal
8) Hérnia encarcerada
9) Hérnia epigástrica
10) Insônia do bebê

A REGURGITAÇÃO

Às vezes, logo após as mamadas, ou algum tempo depois, o bebê pode apresentar vômitos, que na verdade é uma regurgitação; expele o leite coagulado, com cheiro ácido desagradável. As principais causas podem ser:

1) mamar depressa;

2) mamadeiras com bicos moles;

3) bicos com buracos demasiadamente grandes;

4) comer demais;

5) comer muitas vezes;

6) fórmulas malpreparadas ou inadequadas;

7) engolir ar;

8) nervosismo;

9) intervalos pequenos; o horário deve ser espaçado;

10) excitação do ambiente, barulhos, rádios ou televisão altos; não confundir com refluxo gástrico (ver pág. 159).

A "CABEÇA CHATA"

O bebê pode apresentar entre os dois e os quatro meses, devido ao fato de permanecer constantemente deitado, sua cabeça achatada na parte posterior ou nos lados. A causa disso reside nos ossos, que não estão inteiramente calcificados. O achatamento obedece à preferência com que o bebê mantém a cabeça virada para o lado direito ou esquerdo. Mais tarde, quando o bebê conseguir sentar, sua cabeça tomará uma forma mais regular.

"ORELHAS DE ABANO"

Alguns bebês apresentam o pavilhão auricular bem afastado da cabeça. Com os primeiros meses, à medida que o bebê engordar, aquele aspecto desaparecerá progressivamente. Entretanto, existem casos em que a estrutura da cartilagem do pavilhão auricular se apresenta de forma atípica, e neste caso nada adianta fazer. A colocação de esparadrapo ou touca permanente somente servirá para irritar o bebê. A cirurgia plástica é a única solução, que corrigirá com absoluto sucesso a posição da orelha. Não deixa qualquer sinal, porque a linha da incisão é feita exatamente no sulco entre a cabeça e a orelha. A idade indicada para a correção é cinco anos, antes de a criança entrar para a escola, evitando problemas psicológicos, tanto para ela como para os pais, agravados pelos apelidos que inevitavelmente os colegas aplicarão.

A RONQUEIRA DO BEBÊ (respiração ruidosa)

Qualquer obstrução das vias respiratórias superiores (nariz, garganta e laringe) e da traquéia pode causar uma respiração ruidosa (estridor). As passagens são apertadas, estreitas e o acúmulo de muco ou catarro concorre para que a respiração seja sibilante. Considerando que a distância entre o nariz, a garganta e o tórax (peito) seja curta, é comum que ruídos originários do nariz e da garganta sejam transmitidos ao tórax, dando a impressão de que a causa está no peito. A produção de muco ou catarro no nariz e na garganta do bebê pode ser provocada por resfriados (infecções), alergia a substâncias inaladas (que são aspiradas) ou alimentos; em alguns casos produzem apenas ronco, em outros coriza ou tosse. Em certos casos a respiração ruidosa é congênita, e assim temos duas condições: a primeira é denominada *estridor laríngeo congênito*, laringomalacia, que significa laringe mole; as cartilagens, sendo moles, caem quando a criança respira, e diminuem o espaço em que passa o ar. A tendência desse ruído é melhorar com o decorrer dos meses e desaparecer, espontânea e completamente, aos dois anos. Outra condição é o bebê, que tem o queixo pequeno (maxilar inferior), acarretar um deslocamento da língua, resultando numa obstrução parcial da passagem do ar, provocando o estridor. Esta situação melhora com o desenvolvimento do maxilar inferior. A respiração ruidosa também pode ser a causa da presença de um corpo estranho que a criança tenha aspirado. Existem causas mais raras, como o papiloma (calo, verruga) das cordas vocais, ou hemangioma, que é um tumor não maligno das artérias e veias localizadas na laringe. Deve-se estar atento a este tipo quando a criança apresenta hemangiomas na pele. Não podemos esquecer da infecção da laringe e da asma, como causa de respiração sibilante, ruidosa (ver Fungor nasal, pág. 172).

TREMOR DO QUEIXO

É comum alguns bebês apresentarem um tremor do maxilar inferior nos primeiros seis meses de vida, especialmente quando estão despidos ou durante o banho. Os pais atribuem ao frio a razão deste tremor, quando na verdade é um sintoma de excitação. Não tem conseqüência maior e não há necessidade de exagerar no uso de agasalhos.

HÉRNIA UMBILICAL

Após a queda do cordão umbilical, em alguns casos a cicatrização não se processa em condições normais, e uma pequena parte do intestino delgado se introduz pelo anel umbilical, formando a desagradável hérnia umbilical. Este tipo de hérnia é benigna e não há perigo de ser estrangulada; geralmente desaparece espontaneamente entre dezoito e 24 meses. Algumas mães e avós confundem esta hérnia com um excesso de pele, freqüentemente em bebês que tiveram cordão umbilical grosso. O uso de esparadrapo abrevia, sem dúvida, a cura. (ver pág. 485).

HÉRNIA INGUINOESCROTAL

Neste tipo de hérnia o intestino delgado se intromete na bolsa genital (saco escrotal), podendo aumentar e diminuir de volume de acordo com a variação na pressão no interior do abdome (gases, fezes). Este tipo de hérnia é mais sério porque incomoda, dói e pode estrangular. Se não regredir, a intervenção cirúrgica é indispensável. Às vezes é confundida com hidrocele (água na bolsa), que normalmente se reabsorve e não necessita de intervenção cirúrgica. A coexistência de uma hidrocele e uma hérnia é possível. Pode, também, ser confundida com torção dos testículos (grãos), eventualidade grave e rara.

HÉRNIA ENCARCERADA/HÉRNIA EPIGÁSTRICA (ver pág. 633)

A INSÔNIA DO BEBÊ

É comum acontecer entre o segundo e o terceiro mês, raramente depois dos seis meses.

Geralmente a insônia do bebê é reveladora de doença, tensão ou conflitos familiares com a personalidade da mãe ou pessoa que a substitui.

Existem dois tipos de insônia:

1) insônia grave, acompanhada de agitação, gritos, ou então apatia e depressão. Pode ser a primeira manifestação de o bebê ser portador de uma psicose precoce;

2) insônia calma, em que o bebê permanece tranqüilo por longas horas do dia ou da noite, com os olhos arregalados, contudo sem sofrimento.

Causas:

a) doença orgânica, febre, otite, infecção urinária, mau funcionamento do fígado e outras doenças;

b) distúrbio neurológico devido à gravidez, parto difícil;

c) erros na alimentação, excesso de açúcar ou farinha;

d) quantidade de alimentos insuficiente;

e) falta de disciplina de horário nas refeições;

f) duração insuficiente de sucção;

g) barulho, luz forte, falta de disciplina de horários;

h) agitação, visitas, passeios constantes;

i) tensão, ansiedade, insegurança;

j) fome, frio, calor, manipulação inadequada.

Os pais de uma criança que dorme mal esperam do médico um remédio, e não conselhos, que são necessários e menos perigosos, mas que exigem dos pais compreensão e às vezes sacrifícios, o que eles nem sempre estão dispostos a dar. O sono induzido por medicamentos não tem o mesmo valor do sono natural.

Tratamento:

a) consiste em verificar, por exames, os aparelhos digestivo, circulatório, respiratório, a temperatura corporal e exames de garganta, nariz e ouvido;

b) no caso de os diagnósticos se mostrarem desfavoráveis, é possível tratar-se de tensão, nervosismo demonstrado por gritos, agitação. O corpo é o lugar e o meio pelo qual o bebê envolvido num conflito exprime o seu mal-estar;

c) a medicação mais indicada, antes de pensar em administrar sedativos, hipnóticos ou analgésicos, é tomar as seguintes providências:

1. verificar se ele está bem-alimentado, saciado, se o seu despertar é provocado pela fome e o adormecimento pela satisfação alimentar;
2. providenciar uma chupeta (ver págs. 136 e 154);
3. embalá-lo (ver pág. 178), colocar música suave e ritmada;
4. presença humana;
5. ter um ambiente tranqüilo, sem agitação e ruídos fortes.

Se houver necessidade de usar um calmante, é preferível de início uma medicação antialérgica, que proporcione certa sonolência, e sem os inconvenientes de dependência sempre possíveis com a administração de sedativos e psicotrópicos em geral.

A administração de um medicamento hipnótico, para fazer a criança dormir, antes de examinar com cuidado a causa do seu mal-estar, tensão ou ansiedade, é um dos equívocos freqüentemente praticados pelos pais e pelos médicos.

A DIARRÉIA (ver págs. 504 e 624)

No bebê alimentado ao seio, a possibilidade de ocorrer diarréia pode ser devida a uma infecção causada por vírus. Ele deverá continuar a ser mantido no seio e, se for alimentado artificialmente, deverá ter uma pausa de doze a 24 horas, sendo-lhe oferecida uma solução com sais minerais. Atualmente muitos pediatras usam uma fórmula de leite de soja por alguns dias até o bebê voltar à alimentação anterior com fórmula infantil.

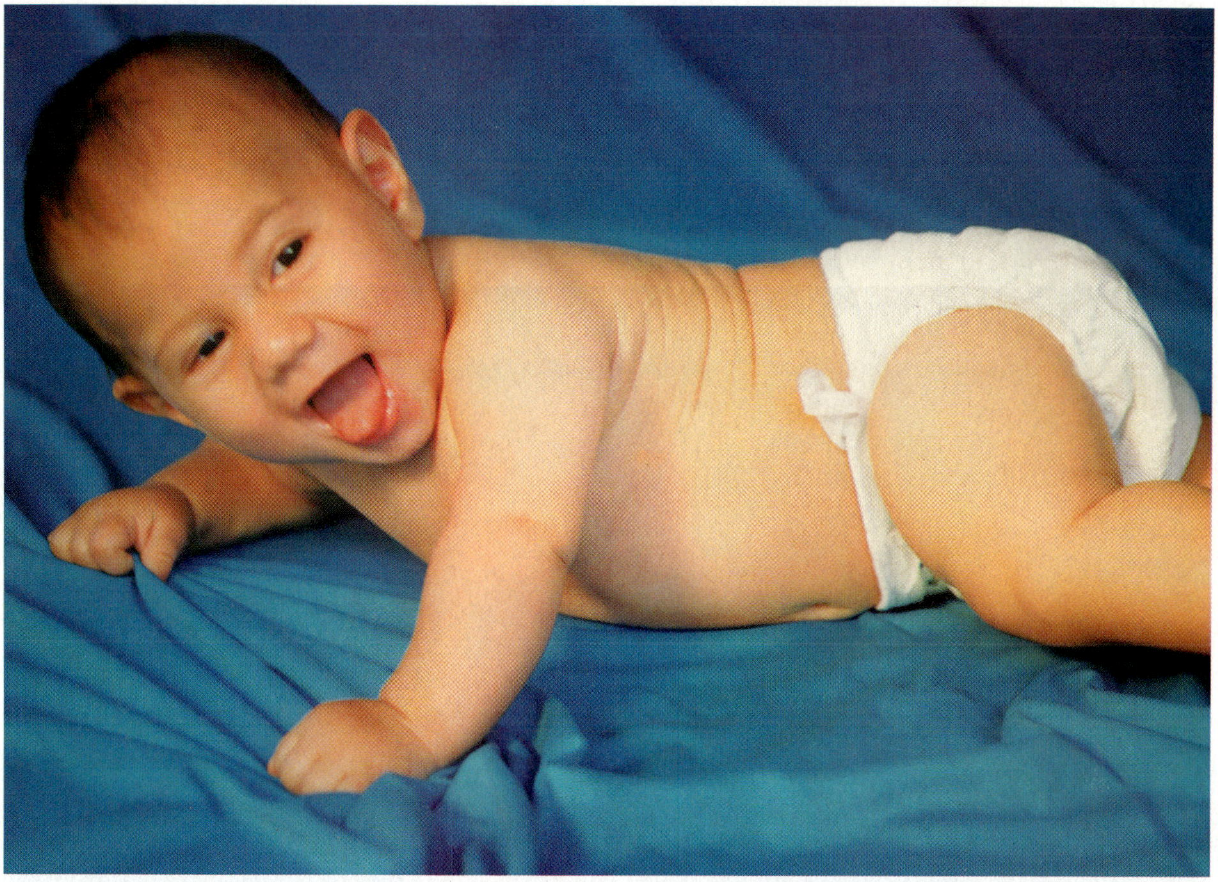

OS PAIS DEVEM LEVAR O BEBÊ PARA DORMIR NA SUA CAMA?

Esta é uma dúvida universal. Algumas revistas de grande circulação nacional têm dedicado páginas a este problema. Geralmente os pais têm esta dúvida pelo fato de o bebê não dormir, acabar chorando, o que perturba o equilíbrio emocional do casal, pois passou o dia trabalhando e precisa também dormir.

Uma vez esgotados todos os conselhos descritos para o tratamento, muitas vezes a solução é levar o bebê para dormir na cama do casal. Há um livro escrito por um autor americano unicamente sobre este assunto, *Noites em claro*. Até hoje não se conseguiu provar que crianças, quando bebês, que dormiram com os pais, se tornaram, mais tarde, ansiosas, de mau comportamento e baixo rendimento escolar.

Antigos hábitos de nossas avós ainda são válidos: embalar o bebê, niná-lo cantando velhas canções, ou colocar no aparelho de som músicas suaves e de baixa tonalidade. A atitude mais cansativa é andar com o bebê ao colo, com passo ritmado e sussurrando. A chupeta ainda é outro recurso empregado. Sentar-se numa poltrona ou balançando suavemente numa cadeira de balanço com o bebê ao colo e assistindo à televisão altas horas da noite torna o sacrifício da mãe mais suportável; o pai poderá também colaborar. Se a televisão agitar o bebê, o recurso é ligar o rádio numa música tranqüila. Canções simples e monótonas ajudam a criança a dormir.

Os pais deverão verificar sempre se realmente seu filho está com fome, sede, frio, calor ou febre.

Enfim, levar o bebê para a cama dos pais é uma prova de amor, e isto, com certeza, ele perceberá.

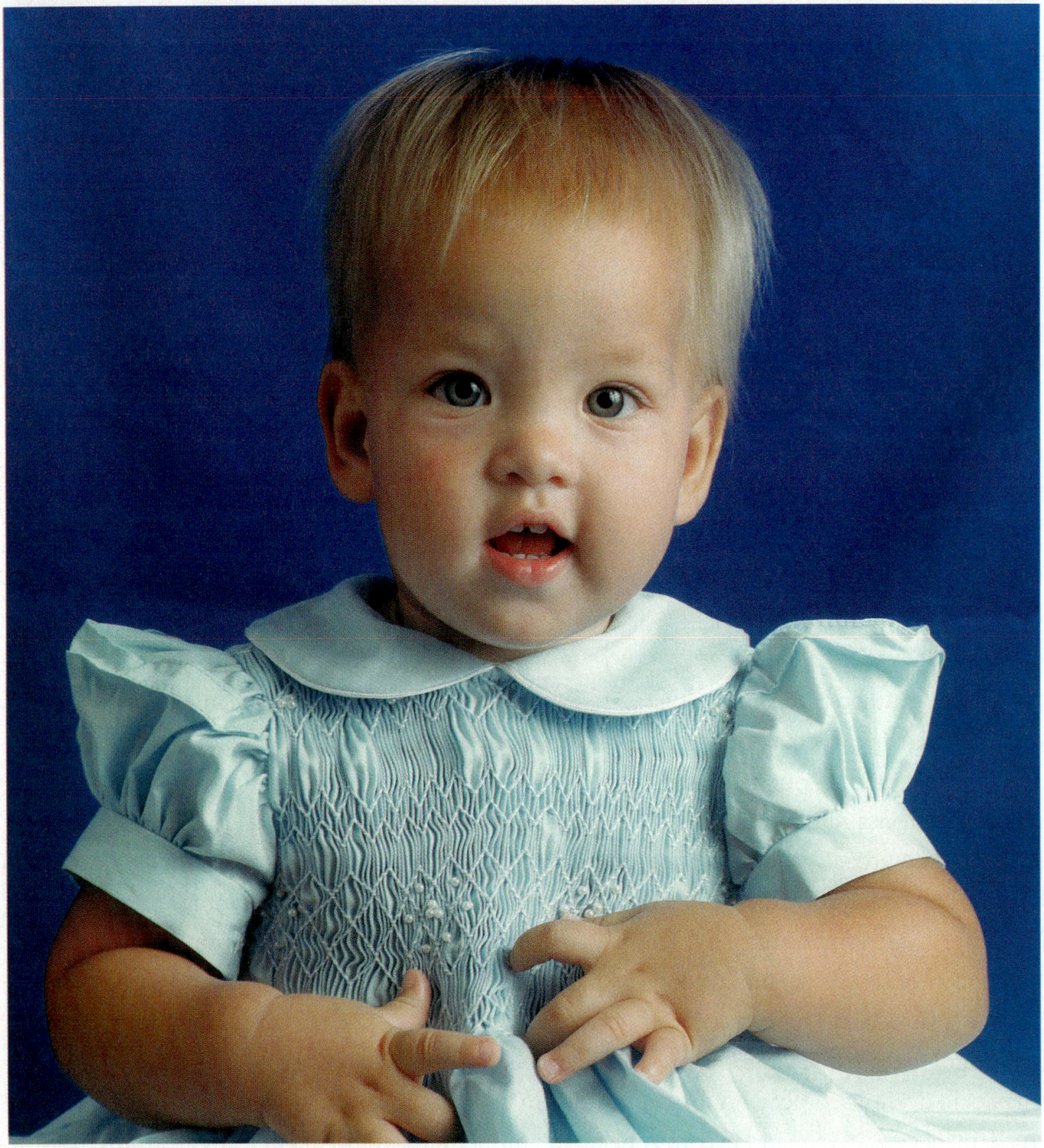

Capítulo 13

O Terceiro Mês

O terceiro mês

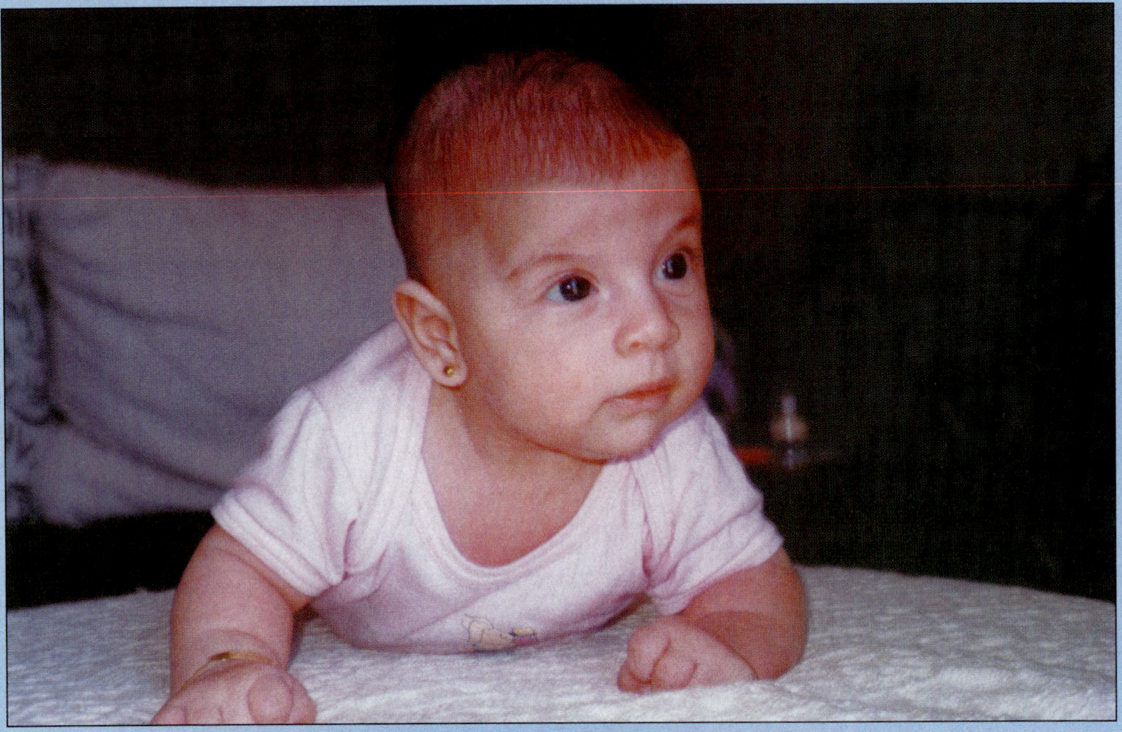

Sustentar a cabeça aos três meses é a melhor prova de que o desenvolvimento psicomotor do bebê está perfeito.

O DESENVOLVIMENTO DO BEBÊ

	Meninos	Meninas
Peso	5.750g	5.500g
Estatura	61cm	60cm
Perímetro cefálico	40,5cm	39cm
Perímetro torácico	40cm	38cm
Ganho de peso mensal	750g	750g

No terceiro mês surge uma das tristes realidades da vida: as lágrimas. Lágrimas verdadeiras, pois as glândulas lacrimais começam a funcionar por esta ocasião; entretanto há alguns bebês com funcionamento mais precoce. É mais fácil para os pais e para ele do que nos meses anteriores.

Ele é tão delicioso, que os pais ficam felizes por tê-lo.

O bebê participa do lar sorrindo e olhando as pessoas, balbuciando. Pode parar sua atividade para espiar a mãe, os irmãos, o pai ou outras pessoas. Reconhece a mãe e responde com todo o corpo a alegria de sua presença, balbucia e sorri diferente para ela. Ele a procura no quarto.

A expressão do seu rosto pode revelar alegria, prazer, indecisão, ansiedade e dor. Aos três meses os reflexos naturais automáticos começam a desaparecer e surgem os da vontade, da percepção, revelando controle cerebral.

Ele já faz muitas coisas: levanta bem a cabeça e a mantém para olhar melhor as coisas e as pessoas, segura objetos voluntariamente, sacode guizos, observa mãos e pés, se cansa de sons e figuras repetidas, murmura os sons A, E, O, balbucia, chora menos, fica acordado por mais de uma hora, pode brincar por meia hora, não vendo luz, cores e sons, pode se concentrar por alguns minutos, olhando os brinquedos a distância, pára de chupar para ouvir, depois continua fazendo as duas coisas, olha para o brinquedo que faz barulho, pode sorrir para a mãe, estando esta a uma certa distância. A voz da mãe é o som favorito, pois ele o associa a calor humano, conforto e comida.

O passeio é necessário; quanto mais ele vê, mais ele aprende.

Alguns puericultores dizem que as mães estimulam mais os bebês masculinos do que os femininos nos primeiros meses de vida. Possivelmente porque os meninos dormem menos, exigem e gritam mais do que as meninas; em compensação, os pais parecem ser mais carinhosos com as meninas.

A EDUCAÇÃO

Deve começar desde cedo. O desenvolvimento do bebê, nos seis primeiros meses de vida, é influenciado pelas qualidades dos estímulos que ele recebe de sua mãe ou da pessoa que a substitui; naturalmente estes estão relacionados com a inteligência e o nível socioeconômico de sua mãe.

O desenvolvimento emocional exige segurança, proteção contra a dor e contra a fome, estilo de vida, hora de sono e passeio, companhia para conversar com ele, o que a mãe deve fazer ao lhe dar alimentação, banho e nos passeios.

Até os três meses, os únicos meios de exploração e exercícios são o paladar, o tato, o olfato, a visão e a audição. As mãos virão mais tarde.

A PROTEÇÃO CONTRA OS ACIDENTES (DO TERCEIRO AO QUARTO MÊS)

Banho

Controle a temperatura da água com o cotovelo ou mesmo com um termômetro (menos de 25ºC). Segure sempre o bebê com o braço esquerdo, colocado no dorso, amparando também a cabeça. Não é só o afogamento que deve ser evitado; também oferece perigo o simples mergulho com aspiração de água que, chegando aos pulmões, pode provocar pneumonia ou abscesso pulmonar. A mãe ou qualquer pessoa que tenha ataques epilépticos ou tendência a desmaios não deve dar banho no bebê quando estiver sozinha.

Quedas

Apenas o berço e o cercado são seguros.

Sufocação

Travesseiros e cobertores pesados podem ser perigosos.

Brinquedos

Deverão ser grandes, sem pontas e sem gumes, fortes para não serem quebrados. São perigosos aqueles que podem caber dentro da boca. De penugem não servem, pois podem causar alergia. Devem ser isentos de tinta que possa ser absorvida quando na boca.

Objetos

Alfinetes, botões pequenos, agulhas e contas devem ser evitados no berço ou no cercado ao alcance do bebê.

Cama

Deve ser de grades altas, com intervalos pequenos, para evitar que o bebê introduza a cabeça entre elas. Além de tudo não convém esquecer que a cama do bebê é, na verdade, o seu lar.

A cama com grades permite que o bebê fique olhando tudo o que se passa, e assim ele se diverte e aprende, porque a observação é um excelente meio de exercício da inteligência.

A FORMAÇÃO DA PERSONALIDADE

Evolução motora

Ele controla a cabeça, mantendo-a levantada quando deitado de bruços. Fixa o olhar, determinando preferência.

Comportamento emocional

Seu sorriso é provocado em resposta aos agrados dos adultos.

Capacidade de adaptação

Olha os guizos coloridos e sonoros. Aceita o alimento mais engrossado (após a introdução do regime de cereais e de frutas).

Progresso da linguagem

Ele começa a balbuciar, e as vovós e titias são "especialistas" em interpretar palavras significativas.

Comportamento pessoal e social

O bebê mostra-se sorridente, simpático, ou então de fisionomia séria. O sorriso não é o único presente que o bebê dá à sua mãe, mas também revela um bom apetite.

O DESENVOLVIMENTO DA INTELIGÊNCIA

Primeira prova

Mantém a cabeça: é justamente a prova a que nos referimos anteriormente na evolução motora.

Segunda prova

Faz movimentos espontâneos. Não são movimentos bruscos e impulsivos, como os do bebê de um a dois meses; são retardados, repetindo-se do mesmo modo diversas vezes, percebendo-se que o bebê está prestando atenção aos movimentos que faz.

Terceira prova

Sorri. Se alguém, à distância de 25cm, provocar o bebê com gestos ou palavras, ele olhará e esboçará um sorriso. Aos três meses ele já é capaz de combinar dois sentidos: a visão e a audição.

Quarta prova

Balbucia. São os primeiros sons que ele emite. As pessoas da família costumam interpretar isto do modo mais diverso possível. Segundo os avós, a palavra que mais se assemelha aos sons do bebê é "mamã"; existem, entretanto, as que julgam ser a palavra "angu".

Quinta prova

Acompanha objetos que desaparecem. Ao lhe exibir um objeto à distância de 25cm, permanecendo por alguns segundos, em seguida deslocando-o e fazendo-o desaparecer, o bebê virará os olhos para o local em que desapareceu o objeto, fitando aquele local por alguns segundos.

A ALIMENTAÇÃO AO TERCEIRO MÊS (90 a 120 dias)

Ao completar três meses, o bebê que não mama exclusivamente ao seio deverá deixar de alimentar-se exclusivamente com o leite. O oferecimento, entretanto, deve ser feito com um intervalo de sete dias e não no mesmo dia. Primeiro muda-se a mamadeira de dez, onze horas da manhã pela papa de banana; e após sete dias troca-se a mamadeira de seis, sete horas da noite pela sopa. Cinco refeições no máximo; deixe definitivamente as seis refeições de três em três horas, enquanto o intervalo deverá passar para de quatro em quatro horas. Entretanto, para alguns bebês que mamam um pequeno volume de cada vez, ou para aqueles de grande apetite, poderá ser mantido, por mais um mês, o horário de três em três horas; quatro vezes a mamadeira e uma refeição de fruta e uma de sopa.

Os alimentos preparados em casa são mais baratos que os industrializados. Prepare cada refeição e não guarde nada para outra! Frutas frescas são mais indicadas do que as industrializadas.

A introdução de um novo alimento, que pode provocar vômitos e diarréia no começo ou qualquer outra rejeição, ficará no inconsciente da criança como sofrimento, e isto deixará uma cicatriz que poderá reabrir cada vez que ela se encontre, no futuro, diante de qualquer dificuldade. O desmame, a higiene, a separação materna, o ingresso na escola, os problemas familiares, são marcas que também poderão permanecer por toda a vida.

Para introduzir um novo alimento como um hábito disciplinar é necessário 75% de ternura, 15% de paciência e 10% de imaginação!

A duração da mamada deverá ser de vinte a trinta minutos. A introdução de alimentos sólidos deverá ser feita com cuidado e gradativamente; ofereça um alimento de cada vez e espere uma semana para oferecer outro.

Algumas alergias são imediatas e outras levam algum tempo para se revelar. O exame de fezes pode revelar partículas de gordura, proteínas e farinha não digeridas. Liqüidificar o alimento sólido e dá-lo na mamadeira com bico de orifício maior não é uma boa solução; é preferível ensinar o bebê a usar a colher logo que possível, pois há o perigo de ele se acostumar com a mamadeira engrossada até muito tarde.

O leite é o grande alimento, rico em proteínas, cálcio e elementos fundamentais para o crescimento do bebê; é mais necessário que os alimentos sólidos. Entretanto, o leite de vaca tem provocado certos tipos de alergias. Segundo alergistas, apenas 8% dos bebês menores de um ano de idade apresentam alergia ao leite de vaca. No caso do bebê que vinha sendo alimentado ao seio, e filho de mãe ou pai alérgico, é prudente iniciar o desmame com a fórmula de leite hidrolisado protéico (Pregestemil, Alfare) ou com a fórmula de leite de soja (Sobee e Nutrisoy). É no momento da refeição que o bebê revela que tem memória; ele aprende a esperar a comida, vê ou ouve o preparo da mamadeira dele; porém, se ela demora, ele chora.

AS FRUTAS DO BEBÊ

As frutas mais usadas na alimentação do bebê são a laranja, a banana, a maçã, o mamão e a pêra; outras, como a uva, o caju, o pêssego, o caqui e o abacate, poderão ser oferecidas mais tarde.

A safra das frutas

As frutas que podem ser encontradas o ano todo são a banana, a pêra e a maçã ácida.

O abacaxi e a maçã não-ácida aparecem nos meses de janeiro, fevereiro e março. O caqui, em fevereiro, março e abril. As laranjas-lima, natal, pêra e seleta em junho, julho e agosto. A tangerina em abril e maio. Durante as safras as frutas têm seu preço mais baixo.

É preferível oferecer as frutas no seu aspecto natural. É aconselhável evitar excesso de açúcar, no caso de ter de adicioná-lo às frutas.

As frutas são indispensáveis na alimentação da criança, porque fornecem os sais minerais e as vitaminas necessários. A fruta deve ser lavada com vigor, com sabão neutro e uma escovinha macia, debaixo da água corrente. As frutas nos primeiros dois anos não devem ser oferecidas com cascas, porque estas podem ter resíduos de substâncias tóxicas dos inseticidas que são usados para evitar que sejam atacadas por parasitas.

As nossas avós nos legaram uma série de tabus quanto à mistura de frutas, como dizer que comer manga com leite, com abacaxi ou com banana é perigoso. Também a hora da alimentação é cercada de preconceitos e, em certas cidades, ainda se acredita no refrão "banana de manhã é ouro, de tarde é prata e de noite mata". Nada disso é verdadeiro; o que pode haver é alergia de certas crianças a determinadas frutas, como com qualquer outro alimento. É aconselhável evitar o açúcar e os adoçantes.

Banana

É a primeira fruta que deve ser dada ao bebê. É muito importante que a banana esteja inteiramente madura, porque a verde é muito indigesta. A banana é uma massa de amido e sacarose que amadurece se adocicando, reduzindo-se progressivamente a açúcar; é rica em calorias por causa do açúcar, contém sais minerais, cálcio, potássio, fósforo e ainda vitamina A, frações de vitamina B e vitamina C. Existem alguns tipos de banana que possuem ferro e cobre. É medicamento e alimento, servindo para corrigir a tendência diarréica de algumas crianças. O fato de que sua casca é facilmente desprendida sem necessidade da faca facilita seu consumo e garante-lhe uma forma elementar e segura de higiene. Tirada a casca, a polpa mostra-se branca, com consistência de manteiga, de aspecto gelatinoso; geralmente as crianças gostam de banana. Quando não se estiver seguro de que a banana está completamente madura, pode-se colocá-la, depois de descascada, durante três minutos em água fervente e a criança a digerirá melhor; isto é importante, sobretudo quando é introduzida no regime, no terceiro mês de vida.

Maçã

É a fruta que pode ser oferecida também desde o terceiro mês. Ela é rica em vitaminas A, B e C, sais minerais, potássio, sódio, fósforo, cálcio e ferro e contém ácido málico, que confere propriedades de desinfecção intestinal, possuindo função de adsorção, que destrói os germes por efeito físico particular. Assim, é usada contra diarréia, porque tem efeito antidiarréico, não só pelas propriedades descritas, como também pela sua riqueza em pectina, que é uma substância adstringente. Pode ser oferecida assada, em compota, em suco ou natural, com geléia, gelatina, adicionada ao leite enriquecido com uma ou duas colheres (das de sopa) de farinha industrializada.

Os franceses dizem que a maçã é uma fruta milagrosa; serve tanto para crianças com diarréia como para as com prisão de ventre. O segredo está na maneira de prepará-la. Para a prisão de ventre, deve-se dar à criança uma maçã bem madura diariamente como a primeira refeição da manhã. Ela deverá ser bem lavada e servida com casca. A celulose que a casca tem formará no intestino grosso uma massa que excitará as contrações intestinais, favorecendo a exoneração. Ela deve ser lavada em água corrente e, se houver uma escova própria, use-a vigorosamente por alguns segundos.

Quando usada para bebês que têm tendência à diarréia, ela deve ser descascada e oferecida em duas a três vezes por dia com as refeições. A pectina tem um efeito adstringente, que concorre para a diminuição do número de evacuações. Não deve ser usada em crianças com refluxo gastroesofágico.

Mamão

Muito indicado, pois é rico em sais minerais e vitaminas, e além disto contém um fermento proteolítico que ajuda a digestão da carne e de alguns doces com creme; é aconselhável dá-lo depois de uma refeição rica destes elementos. Contém também um composto fosfórico orgânico, denominado fitina, que, segundo alguns, é importante para o sistema nervoso central. É de fácil digestão, e em grande quantidade (também como a pêra) é ligeiramente laxante. Pode ser dado adicionado ao leite e à farinha desde o terceiro mês de vida, como também mais tarde, como sobremesa.

Pêra

É praticamente comparável à maçã, tanto em sais minerais como em vitaminas. Entretanto, a pêra é de difícil conservação, apodrece rapidamente e suas ótimas condições comestíveis são muito breves. Em segundo lugar, seu alto conteúdo em celulose, não-digerível, e ausência de tanino fazem com que ela seja considerada francamente laxante. Pode ser oferecida crua ou em compota, adicionada ao leite e enriquecida com duas colheres (das de sopa) de farinha industrializada.

OS LEGUMES DO BEBÊ

A importância dos legumes no regime do bebê no seu primeiro ano de vida merece um esclarecimento às mães, localizando no exato lugar o seu valor e a maneira de dá-los ao bebê. Por legumes, de modo genérico, se entende diversos tipos de alimentos de origem variada; assim, a batata é um tubérculo, a cenoura é uma raiz e a abóbora é um fruto. De modo geral dá-se o nome de verdura às folhas verdes e o de legumes aos outros, entre os quais os citados, das mais variadas origens. Do ponto de vista prático, podemos admitir como legumes tanto os verdadeiros quanto as folhas.

Os legumes, também chamados vegetais, têm valor calórico; entretanto, possuem boa dose de sais minerais e vitaminas, além da sua estrutura em celulose, sobretudo os folhosos verdes, elemento que facilita o movimento dos intestinos, evitando a prisão de ventre. No preparo dos legumes, podemos partir do preparo dos purês, e temos os três tipos clássicos: o purê branco, feito com batatas; os purês amarelos, feitos com abóbora e cenoura; e, por fim, os purês verdes, feitos com espinafre e caruru, e até com couve picada. Use legumes puros; os adicionados a cremes ou acrescidos de açúcar têm alto valor calórico, mas um menor valor nutritivo de sais minerais e vitaminas.

Conselhos para conservar os vegetais ricos em vitaminas B e C

a) lave-os bem, vigorosamente, não os deixe de molho;

b) guarde-os no refrigerador tão logo quanto possível, preferivelmente em sacos plásticos;

c) tire a casca ou pele quando necessário, não esquecendo que as vitaminas e os sais minerais estão neles;

d) não tire as folhas de vegetais tais como o brócolis e a couve-flor, antes de usá-los;

e) coma-os logo depois de serem cozidos;

f) de preferência, sempre que possível, os vegetais devem ser comidos crus;

g) cozinhe os legumes no vapor, ou usando pouca água, a menor quantidade possível, para evitar a perda de vitaminas B e C.

Batata

É um dos alimentos mais usados na alimentação humana, desde a criança até o adulto. Na criança, desde o terceiro mês, ela já faz parte da sua primeira sopinha. Em seguida vêm os apreciados purês, já no início do segundo semestre, e ao começar o segundo ano de vida já se pode admitir as célebres batatas fritas. A batata é rica em sais minerais e em hidratos de carbono e possui também proteínas de qualidade elevada. Isto explica como pessoas durante a guerra puderam viver até meses, na Europa, especialmente na Alemanha, comendo unicamente batatas. Os sais minerais da batata são o cálcio, o fósforo, o ferro, o cobre, o cloro, o sódio e o potássio, elementos indispensáveis ao sangue. A batata não é um legume nem uma verdura, é um tubérculo, quase uma raiz, mas geralmente é classificada, inadequadamente, nos livros, como sendo um legume. O que é importante para as mães é saber que as proteínas e os sais minerais estão logo abaixo da casca; este é o motivo pelo qual as batatas, na verdade, não deveriam ser cortadas, e sim raspadas. O mais indicado seria cozinhá-las com a casca, já que ela mantém os sais minerais e as proteínas. Na sopinha de legumes do terceiro mês, os pediatras aconselham cozinhar a batata com a casca, justamente para manter suas propriedades; entretanto, convém sempre lavá-las em água corrente com a casca, esfregando-a com uma escova, exclusivamente usada para este fim, e que se destina a eliminar a terra ou outros elementos que possam estar incrustados na casca. Para a preparação do purê de batatas basta apenas, depois de cozida, tirar somente a casca. A batata crua deve ser conservada no escuro, nunca na geladeira ou em qualquer outro lugar frio, pois, novamente, sob a ação do calor, se processa uma fermentação, a batata amolece e sua casca enruga. Os "olhos" da batata são os caroços que aparecem na casca, devendo ser tirados antes de ela ser cozida, pois contém um alcalóide, a solamina, que não convém ser ingerido.

Abóbora

É um legume com 5% de amido e pouca quantidade de celulose; sua importância é ser um bom produtor de cálcio, fósforo, ferro, cobre, potássio, elementos do sangue. Sua grande riqueza em vitamina A e seu apreciável valor no complexo B e em vitamina C fazem dela um alimento de valor que pode ser adicionado à sopa no terceiro mês ou como sobremesa no oitavo. O doce de abóbora é uma delícia caseira e agrada às crianças. Suas sementes gozam da fama de ser um excelente vermífugo, principalmente contra a solitária. Entretanto, até hoje não há um estudo farmacológico que sustente este ponto de vista, mas elas têm sido empregadas de modo popular e com algum êxito.

Tomate

Deve ser definido como uma fruta; entretanto é considerado hortaliça. Pode ser consumido na forma de suco ou como doce. É um vegetal oferecido em condições higiênicas satisfatórias. O tomate é rico em cálcio, ferro, potássio e proporciona quantidades valiosas de vitaminas A,

B e C. É o protótipo do alimento fresco e cru. Seu consumo está presidido por uma condição especial: qualquer que seja seu uso, deve ser descascado, o que deve ser feito debaixo da torneira com água quente; a casca se desprende do fruto maduro, em forma de uma película delgada (esta película não é digerida), e assim aparece nas evacuações da criança, o que mostra sua cor vermelha. Como suco, é introduzido no terceiro mês de vida como suporte vitamínico útil, tanto para o bebê alimentado ao seio como na alimentação artificial. Para seu preparo convém tirar a pele, como dissemos, e espremê-lo através de um coador fino. Tem um gosto forte devido ao seu alto conteúdo de ácidos málico (o mesmo da maçã), cítrico (o do limão) e o oxálico, que se dissimula com adição de açúcar. A maioria dos lactentes o aceita bem. No princípio, para sua administração, quando o bebê é muito pequeno, é aconselhável diluí-lo em água, porque o ácido oxálico pode se precipitar na uretra do bebê (oxalúria) em forma de cristais microscópicos, que provocam, às vezes, obstrução transitória, e o bebê chora no momento de urinar e faz um visível esforço para iniciar a micção. O quadro não deve alarmar, e se esclarece quando os pais relatam que o bebê começou a tomar suco de tomate sem ser diluído em 1/3 de água. O uso de suco de tomate é muito útil no verão, quando escasseiam as frutas frescas. Logo, durante o segundo semestre de vida, o suco de tomate e sua polpa constituem agregados a sopas, purês e massas. A salada de tomate e o famoso molho de tomate deverão ficar para mais tarde.

Cenoura

Ela é uma raiz, e a abóbora é um fruto. A cenoura e a abóbora estão vinculadas como constituintes de um purê amarelo. Em matéria de sais minerais, a cenoura possui os mesmos da abóbora, porém em quantidades mais elevadas. As quantidades de vitaminas A e C são maiores; assim mesmo é maior sua quantidade de celulose, podendo ser considerada eficaz para a evacuação. Muitas mães ficam aflitas pela aparição nas fezes de fibras de cenoura, facilmente reconhecida por sua cor laranja forte, o que não é importante, mas serve para saber se a cenoura está produzindo seu efeito laxante.

Espinafre

Tão conhecido através da publicidade, não tem maior valor do que a couve, ou então o nosso caruru. Ele é tão rico em ácido oxálico que pode se precipitar na forma de oxalato de cálcio, impedindo a assimilação do cálcio. Na verdade possui ferro, uma dose elevada de vitaminas A e C e quantidades apreciáveis de vitaminas do complexo B. Não há razão de as mães forçarem seus filhos a comer espinafre se eles não gostarem. O purê de espinafre pode ser adicionado à sopa, na proporção de 1 ou 2 colheres (das de sopa), principalmente se o bebê for sujeito à prisão de ventre.

Outros legumes

Também são usados, como o chuchu, o maxixe, a abobrinha verde, a beterraba e a batata-doce, durante os meses seguintes, de acordo com a disponibilidade do comércio, o paladar e a tolerância do bebê.

O ESQUEMA ALIMENTAR

Com leite materno, o volume de cada refeição será de 150 a 200ml (g), conforme o apetite do bebê. O intervalo ficará por conta do bebê, de três em três, de quatro em quatro ou de cinco em cinco horas, desde que ele esteja engordando e se desenvolvendo bem.

Aos três meses o bebê faz cinco refeições, três mamadeiras de leite adicionadas ou não de farinha e adoçadas com açúcar. Uma papinha de frutas, com leite e farinha entre dez e onze horas da manhã. Uma sopa de legumes à tardinha, entre seis e sete horas, e à noite, entre dez e onze horas, uma nova mamadeira. A intercalação de uma mamadeira à tarde entre a papinha de frutas e a sopa de legumes é aconselhável devido à digestão da sopa de legumes e das frutas ser mais rápida do que a do leite.

a) O preparo das mamadeiras

Com leite de vaca fresco – apenas na falta de leite materno ou de fórmulas infantis (volume diário: 600ml (g))

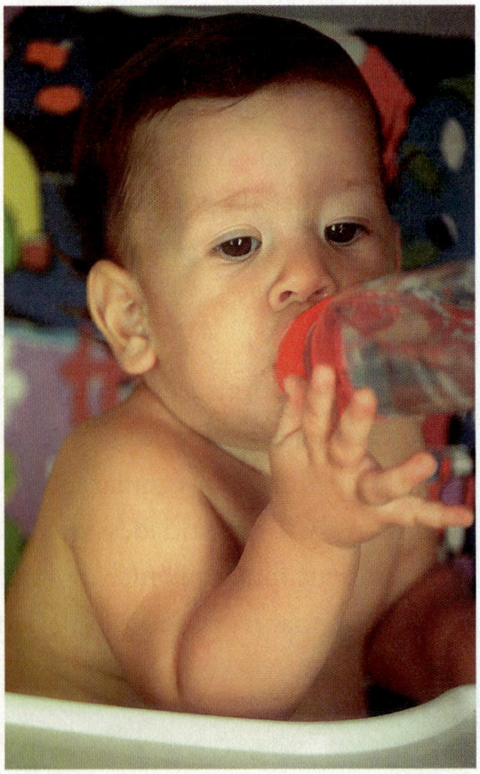

Dieta total: 400ml (g) de leite de vaca (2 copos + 1 xícara, das de café), 200ml (g) de água filtrada e fervida. Recomenda-se a utilização das fórmulas adicionadas de ferro.

É aconselhável usar a água sobre a forma de mucilagem (ver pág. 120), isto é, engrossada com farinha. As farinhas habitualmente empregadas são as de maisena e creme de arroz. A de aveia pode ser usada no caso de prisão de ventre. A quantidade será de 1 colher (das de chá) para cada 100ml (g) (seis ao todo). A farinha será adicionada já com o leite misturado à água, depois de levantada fervura, mexendo sempre durante três minutos em fogo brando.

A adição de açúcar será feita pouco antes da sua retirada do fogo; a quantidade é idêntica à de farinha:

1 colher (das de chá) para cada 100ml (g). Guarde na geladeira ou em lugar fresco. Dê 150 a 160ml (g) em cada refeição. No caso de sobra, poderá ser adicionada à papinha de frutas ou à sopa, se for do agrado do bebê.

Com leite em pó integral: 150 a 175ml (g) (ver pág. 112)

De modo prático, estas proporções servem para o leite dos três grupos. Todo leite pode ser preparado para o dia todo, desde que seja conservado em geladeira e distribuído na própria mamadeira. Quanto ao leite acidificado, no momento de oferecê-lo ao bebê basta agitar a mamadeira que a mistura voltará a ficar homogênea. A diluição do leite em pó modificado, não adicionado de hidratos de carbono, em mucilagem, e a adição de açúcar poderão ser feitas sob prescrição do pediatra. Número de mamadas: três ou quarto, de três em três ou de quatro em quatro horas, de acordo com a vontade o bebê e a do pediatra. As sobras não deverão ser aproveitadas de um horário para outro.

Com leite de soja: 150 a 175ml (g) (ver pág. 116)

Com leite de cabra: 150 a 175ml (g) (ver pág. 114)

b) O preparo da papinha de frutas

A papinha de frutas deverá ser oferecida a partir dessa idade; entre as frutas, a banana é a mais indicada e, em segundo lugar, a maçã. Poderão ser administradas na mamadeira com bico mais largo; convém, entretanto, tentar de início dá-las às colheradas para treinar a alimentação sólida, que deverá ser iniciada nessa idade. O mamão e a pêra também poderão ser usados.

Preparo da papinha de banana. A banana-prata (1 ou 2) ou banana-maçã deverá estar bem madura (com manchas pretas na casca; toda amarela não servirá, porque está verde). Tire as cascas, os fiapos, corte as pontas, abra-as ao meio e esmague-as com um garfo até reduzilas a papa. Adicione leite, biscoitos picados ou cereais já preparados e açúcar a gosto: 1 ou 2 colheres (das de sopa) de açúcar refinado (cuidado com as moscas!). A adição de um ou dois biscoitos moídos (Maria ou maisena), ou 1 colher (das de sopa) rasa de farinha (ver pág. 119) com leite em pó (fórmula infantil) previamente diluído em 100ml de água fervida e fria, ou 100ml de leite de vaca fervido e frio (se não tiver fórmula infantil). Dê às colheradas. O liqüidificador poderá ser usado. No caso de usar um garfo para amassá-las, deverá sempre ser de madeira ou plástico, nunca de metal. A adição do leite deve ser feita somente para crianças que não sejam alérgicas.

Preparo da papinha de maçã. Maçã crua, madura, descascada e ralada em ralador de plástico (não use o de metal), adicionada com os mesmos ingredientes da de banana. Da mesma forma como se esteriliza as mamadeiras, deve-se esterilizar as facas e as colheres, como já explicamos.

Não habitue o bebê a alimentos com sal. Esta é a primeira providência para evitar futuramente a hipertensão arterial.

Não habitue o bebê ao açúcar, para evitar a tendência à obesidade ou ao diabetes. Excesso de calorias alimentares não ajudará a criança desde o seu primeiro ano de vida.

A necessidade de ferro. O ferro é um mineral muito importante porque é um dos componentes da hemoglobina, formadora dos glóbulos vermelhos. Dos três meses em diante, a criança terá tendência à anemia, devido às reservas de ferro contidas no fígado se esgotarem nos primeiros meses. A administração de alimentos ricos em ferro, como a carne, se tornará indispensável. É prudente administrar gotas de preparados ricos em ferro.

Alimentos ricos em ferro: carne, fígado e gema de ovo. Mais tarde a criança poderá comer outros, como frutas secas, ameixa, abricó, passas, vegetais verde-escuros (feijão e ervilha). Devemos assinalar que alguns bebês apresentam intolerância ao ferro, reagindo com diarréia ou prisão de ventre. Neste caso é conveniente diminuir ou mesmo suspender as doses. A introdução precoce de fígado fresco uma ou duas vezes por semana é aconselhável. Os laxantes só sob prescrição pediátrica. Para o caso de o bebê ter fezes duras, aconselha-se o uso de 20 a 30g de suco de ameixas ou 50g de suco de laranja-lima. O uso do supositório deve ser evitado daqui em diante.

Preparando a sopa de legumes em panela de ferro, durante 35 minutos, segundo o Dr. Murahovich, ela terá dezoito vezes mais ferro do que se fosse preparada em panela de alumínio, vidro ou ágata, além de ficar mais gostosa e contribuir para a prevenção da anemia.

c) O preparo da sopa de legumes

Os legumes também são grande fonte de vitaminas e de sais minerais. Deverão ser introduzidos na alimentação do bebê no terceiro mês, a princípio em sopas e em purês. Dos comumente usados estão a cenoura, o chuchu, a abóbora vermelha, a abobrinha verde e a batata. O tomate também deverá ser usado desde cedo, porque sem dúvida dá à sopa um sabor agradável. Os purês de batata e de cenoura são os primeiros a ser usados. Os de espinafre e couve são laxativos, é preciso tomar cuidado. A cenoura também é usada como alimento curativo; ela tem, sem dúvida, preparada convenientemente, um determinado efeito constipante. É bem tolerada pelo tubo digestivo e pode ser oferecida também crua e raspada a partir dos três anos de idade da criança. Antes desta data, somente cozida. O inconveniente da cenoura em excesso é a sua riqueza em caroteno, um precursor da vitamina A, que pode proporcionar uma tonalidade amarelada à pele do bebê, visível nas palmas das mãos, nas plantas dos pés e nas "asas" do nariz. Basta sua supressão por um ou dois meses para desaparecer esta coloração.

Coloque numa panela:

1 litro de água, 200g de carne magra (cortada em pedaços pequenos), 1 chuchu, 1 cenoura, 1 batata-inglesa (com casca, pois é rica em sais minerais), 2 colheres (das de sopa) de arroz.

Ferva durante 45 minutos, em fogo mais ou menos forte (evite a evaporação total da água). Os legumes deverão ser lavados em água corrente, escovados, para retirar possíveis impurezas, e cozidos com casca. Após este tempo, retire a carne e passe o caldo com os legumes e o arroz pelo liqüidificador ou pela peneira. Coloque 200ml na mamadeira. Do quinto mês em diante poderão ser usados também os seguintes legumes: maxixe, abobrinha verde, abóbora vermelha (jerimum), nabo, beterraba, batata-doce, espinafre e caruru. A adição de 1 colher (das de sopa), bem cheia, de arroz, aveia, sêmola, tapioca ou sagu é aconselhável.

Sal. Numa família cujos pais têm tendência à hipertensão, não se deve habituar os filhos a comer sal; procure outros temperos, como o limão, por exemplo, mas temos de admitir que o sal melhora o paladar... Evite seu uso no primeiro ano de vida.

O QUE FAZER SE O BEBÊ REJEITAR A SOPA

Quando a sopa for rejeitada, poderão ser feitas as seguintes adaptações, a fim de "modificar" seu gosto:

a) varie os legumes, a fim de verificar se há rejeição de alguns deles. Administre qualquer legume, para observar o mais bem-aceito;

b) tempere com açúcar;

c) modifique o tempero, usando manteiga sem sal, derretida, suco de limão. Junte às sopas 1 colher (das de sopa) de caldo de feijão previamente coado, da mesa do adulto;

d) aqui se usa um truque: mistura-se 100ml de caldo de sopa, 1 colher (das de sopa) de leite em pó (fórmula infantil) ou 100ml de leite de vaca se não houver fórmula infantil, põe-se tudo na mamadeira e dá-se ao bebê, que ficará na dúvida se está tomando sopa ou leite. Em seguida, vai-se diminuindo, gradativamente, a quantidade de leite e aumentando a de sopa. Dentro de alguns dias ele estará tomando exclusivamente a sopa, sem perceber;

e) trata-se de forçar a aceitação da sopa. Neste ponto os puericultores divergem. Alguns insistem em afirmar que, na hora da sopa, só ela deve ser usada, e os que admitem este método dizem que, se o bebê rejeitar a sopa, e for insistida a mamadeira, ele não se esforçará para tomá-la, pois sabe que virá a mamadeira, mas ocorrerá o contrário se passar fome... Entretanto, outros puericultores acham que a sopa deve ser dada até que o bebê comece a rejeitá-la, não se devendo então insistir, podendo completar o resto do volume da mamada com leite, até que, aos poucos, alcance os 200ml de sopa exigidos;

f) adicione 1 ou 2 colheres (das de sopa) de um cereal diferente ou dois biscoitos (Maria ou maisena) picados ou 1 colher (das de sopa) de farinha de mesa.

SOPAS JÁ PRONTAS (alimentos infantis)

As sopas que são vendidas já preparadas servem para o caso de viagens ou em caso de absoluta falta de tempo da mãe ou da pessoa que cuida do bebê. Como rotina, devem ser preferidas as sopas feitas em casa.

O Dr. Feingold acusa os aditivos usados no preparo dos alimentos infantis, como corantes e substâncias químicas para sua fabricação e conservação, de tornar as crianças mais excitadas e com problemas de comportamento. Segundo este especialista, estas crianças melhoram quando passam a se alimentar naturalmente.

Esta afirmação está sendo investigada por cientistas, para avaliação de sua veracidade.

São papinhas de legumes, carne com legumes e cereais, apresentados sob a forma de um finíssimo purê (Variedades Bebê), processados ou contendo ainda pequenos pedaços, para quando surgirem os primeiros dentinhos (Variedades Júnior). Serão indicados nos diversos meses, no decorrer do livro.

As pessoas que vão dar o alimento ao bebê devem antes lavar as mãos. As mães devem ainda prestar atenção às preferências quanto à temperatura do alimento, segundo o gosto do bebê.

Instruções gerais para o uso dos alimentos infantis

Antes de aberto, o pote deve ser lavado. A indústria moderna apresenta os alimentos acondicionados em latas ou vidros, sem necessidade de se usar o abridor de latas, que era fonte de contaminação. Os alimentos acondicionados a vácuo apresentam boas características quando destampados, indicando a entrada de ar; caso isto não ocorra, deve-se desconfiar de sua conservação. As variedades de carnes e legumes devem ser aquecidas durante três minutos em banho-maria, tendo-se o cuidado de retirar antes a tampa. As variedades de frutas e pudins são servidas à temperatura ambiente. Caso seja usada apenas uma parte do conteúdo, retire do frasco a quantidade a ser usada, conservando o restante em geladeira, bem tampado, até 24 horas. Ao iniciar seu uso, como se faz com todo novo alimento, deve-se oferecê-lo em quantidades bem pequenas e aumentá-lo gradativamente até vir a receber o potinho todo. A mãe deverá estar atenta às reações do seu bebê quando lhe oferecerem um novo alimento, observando suas preferências e oferecendo-lhe as variedades de melhor aceitação. É importante lembrar que, variando a alimentação, impede-se a monotonia alimentar e estimula-se o apetite.

ENSINAMENTOS COMPLEMENTARES PARA O TERCEIRO MÊS

BABY-PACK (MOCHILA)

É o método que está se popularizando de a mãe levar o filho às costas ou na frente, o que sempre foi feito no Oriente. Admite-se que o ritmo de caminhada da mãe e o calor do contato direto dão ao bebê tranqüilidade e segurança. A grande vantagem para os pais que o carregam é que eles têm os braços e mãos livres. Naturalmente a mãe ou o pai levar o filho às costas ou à frente requer um ajustamento muscular, e com o tempo os músculos do pescoço e das pernas se fortificam. O peso deve ser centralizado nas espáduas mais do que no pescoço.

Nos supermercados e lojas, a mãe se cansa mais do que quando está passeando, devido à preocupação com as compras e ficar parada por mais tempo. Não há dúvida de que é muito mais seguro e prático do que levar o bebê às lojas e edifícios com escadas-rolantes, calçada e aeroportos, nos carrinhos.

Há dois tipos: o primeiro, para o bebê nos primeiros meses, em forma de saco. O segundo, para crianças maiores, um esboço de cadeirinha para mantê-lo sentado. A mãe precisa de treino e prática; no começo deve contar com a ajuda de outra pessoa para colocá-lo em posição. Levar na frente só até os três meses, depois para as costas.

Exigências:

a) devem ser laváveis;
b) deve-se ajustar com tiras ao bebê e às crianças maiores;
c) para o bebê pequeno, deve ter apoio para a cabeça;
d) os de cadeirinhas não devem prender a circulação à altura do joelho, deixando as pernas dormentes e doloridas;
e) deve ter cinto de segurança, impedindo que a criança fique de pé;
f) deve ter armação acolchoada;
g) argolas e fivelas devem ser seguras e costuras bem-feitas;
h) a armação deve ser leve, de alumínio;
i) alças no centro, acolchoadas para o conforto da mãe, também são necessárias.

OS PESADELOS

Eles podem ocorrer entre o terceiro e o sexto mês de idade. O bebê acorda chorando, agitado, e a causa pode ser o exagero de excitação do ambiente e o estímulo das pessoas. A possibilidade de o bebê não ter condições de manter o equilíbrio dos sistemas nervoso central e vegetativo, alternância do sono e vigília deve ser considerada, se teve problemas na gravidez ou parto. O pesadelo, e às vezes a insônia, podem ser devidos à neurose traumática conseqüente ao parto difícil ou a doenças que se manifestam com sintomas dolorosos. Quedas e batidas com a cabeça também são causas.

O SONO DO BEBÊ

Não dê sedativos para o bebê dormir sem necessidade médica. Qualquer posição é boa para o bebê dormir: de lado, de costas, mas nunca de bruços. As fraldas devem ser mudadas depois de toda evacuação, pois perturbam o sono do bebê. Faça a higiene com óleo, que é melhor do que com água ou creme. Deixe o bebê sem fralda por meia hora, duas ou três vezes por dia. Com três meses, ele dormirá um pouco menos, em média quinze horas diárias. Poderá ficar ao ar livre duas horas pela manhã e duas à tarde, podendo dar um pequeno passeio no carrinho, evitando-se sempre aglomerações. No resto do dia, deverá ser mantido no quarto e em silêncio.

O ESTRABISMO (BEBÊ VESGO)

O bebê pode, às vezes, apresentar-se vesgo, porque o controle dos músculos dos olhos ainda não está perfeito, sobretudo ao olhar um objeto próximo. Se este sintoma persistir após os primeiros nove meses, deve-se procurar um especialista. Às vezes há uma falsa impressão de desvio devido à presença de uma prega de pálpebra no canto interno dos olhos.

BEBÊ COM CHEIRO DE AMÔNIA

É comum, ao tirar-se a fralda, o bebê exalar um forte odor de amônia. Geralmente a mãe atribui isto à urina e à dieta. Na verdade a causa reside unicamente na própria fralda, que, quando não sendo perfeitamente fervida, contém bactérias que atacam a urina e produzem amônia, acabando por "assar" a pele do bebê. A melhor maneira de evitá-la ou curá-la consiste em ferver obrigatoriamente, por cinco minutos, todas as fraldas e proteger a pele do bebê com óleo.

Outra medida consiste em mergulhar as fraldas numa mistura contendo um litro de água fervida e 1 colher (das de sopa) de vinagre branco. Atualmente, quando a maioria das crianças usa fraldas descartáveis, este problema quase desapareceu.

AS CRECHES

Para a mãe que não possa ficar em casa com o seu bebê, e não disponha da avó, um parente ou pessoa de confiança para substituí-la, a creche é a melhor solução, preferível a deixá-lo em casa com estranhos ou pessoas inexperientes.

É aconselhável, quando possível, até os dois anos de idade, que a mãe tenha um emprego de meio-expediente e não integral. A creche ideal é a que tem uma atendente para três crianças, quatro no máximo, para manter um relacionamento de atenção, distrações e estímulos adequados ao bom desenvolvimento de cada criança. Deverá ter um fraldário e isolamentos para bebês doentes e com assistência médica. Observe se os funcionários lavam as mãos após atender cada criança e se trocam os aventais e lavam as mãos para dar de comer. Desconfie das creches que não tomam estes cuidados. Quando levá-lo pela primeira vez, não o largue imediatamente. Passe algum tempo brincando com ele no novo ambiente. Também é aconselhável que a direção da creche mantenha sempre os mesmos atendentes, e não os mude constantemente. Na Suécia, por exemplo, foi verificado que a freqüência de resfriados em bebês que ficam em creches não é maior que a dos bebês que ficam em casa.

A MÃE QUE TRABALHA FORA

O padrão atual de civilização admite como condição normal o trabalho da mulher fora do lar, e ela o executa por vários motivos: pela necessidade de melhorar o orçamento do casal, entretenimento (o que os americanos chamam de *hobby*), por crescimento pessoal e profissional, ou então as que se dedicam a obras sociais, movidas pelo elevado impulso de solidariedade humana. A nosso ver o mais importante é que a própria mãe também esteja bem com isso, porque se ela se julga infeliz ou contrariada por ter de trabalhar fora do lar, ficará mal-humorada, irritada com os filhos, que acabam julgando o trabalho da mãe um verdadeiro martírio para ela, provocando tensão emocional dentro da família. Existem mães que apresentam sentimento de culpa por gostar demais do seu emprego, justamente quando se encontram longe dos filhos. O maior problema é escolher a pessoa que ficará cuidando das crianças. Esta pessoa deve ser responsável e experiente, o que não é fácil de encontrar. Na maioria das vezes são avós ou tios que assumem este compromisso. Deixar os filhos com a empregada, com a babá é sempre um risco, excetuando-se o caso de ela ser competente e de absoluta confiança dos pais pelos anos que convive com a família. Empregadas novas e muito moças só poderão ficar cuidando de crianças se houver possibilidade de supervisão, nem que seja por parentes ou vizinhos. As creches, as escolas maternais, os jardins-de-infância e outras organizações do tipo *day care centers* são soluções, desde que sejam dotados de toda idoneidade técnica e moral. Os pesquisadores não encontraram conexão entre o trabalho da mãe e a freqüência da delinqüência juvenil, ou do seu baixo rendimento escolar. Maior influência é desencadeada por casais infelizes ou dados a brigas e à bebida. A mãe deve analisar se o seu trabalho compensa, considerando seu rendimento em comparação com as despesas que é obrigada a fazer: transportes, roupas, refeições externas e às vezes a remuneração de uma empregada para substituí-la. Alguns maridos preferem trabalhar muito mesmo, tendo até dois empregos, para evitar que suas esposas trabalhem fora.

A IMPORTÂNCIA DOS AVÓS

Os casais, devido ao seu orçamento, são obrigados a trabalhar; o pai e a mãe têm seus empregos e os filhos ficam geralmente entregues a outras pessoas, às vezes à empregada, parentes, vizinhos ou amigos. Mas o que foi verificado nos Estados Unidos é que são os avós que podem dar melhor assistência. Chegou-se à conclusão de que três gerações vivendo sob o mesmo teto é mais aconselhável do que o isolamento. Compreenderam também que o prejuízo da interferência negativa que os avós possam acarretar na educação dos filhos, pela generosidade, pela bondade, é muito menor que a ausência; crianças sozinhas em casa estão predispostas a acidentes, tanto na cozinha como abrindo gavetas, saindo à rua e, mais tarde, à delinqüência.

Naturalmente a figura bondosa dos avós em casa, que procuram "passar a mão pela cabeça" nas travessuras das crianças, acaba até como ato de carinho, não interferindo verdadeiramente na criação. As crianças compreendem que os pais têm razão em dar a "sua bronca", e que os avós procuram desculpá-las. Foi constatado que as crianças de famílias grandes, que vivem juntos, apesar de conflitos que possa haver devido à convivência, são mais felizes e com menos tendência à delinqüência do que as que vivem sós. Na verdade a convivência com a criança deve ser avaliada na quantidade e na qualidade; a criança gosta realmente de estar com seus pais, sobretudo à noite, não querendo que os pais saiam de casa, com medo de ficarem sozinhas, mas se estiver a avó ou avô em casa, a situação é outra. A questão da qualidade do relacionamento que os pais têm com os filhos se refere ao tipo de ambiente criado por eles; a criança gosta da companhia dos pais, mas uma companhia agradável, descontraída; não certos pais que ficam dentro de casa como se fossem prisioneiros, angustiados, revoltados porque os prenderam em casa. As crianças percebem que estão "atrapalhando", que a presença delas não é desejada. Sabemos que as crianças absorvem muito mais o não-verbal do que o verbal. Palavras "entram por um ouvido e saem pelo outro", na expressão popular. Mas quando percebem, através da expressão fisionômica e dos gestos, as crianças sofrem. É difícil também avaliar até onde a perda da distração e treinamento emocional devido à circunstância de famílias divididas, crianças entregues a estranhos, separadas, pais perturbados, violentos, podem afetar a personalidade da criança. A privação emocional, a ausência repentina dos pais, a falta de carinho, de distração, devem ser consideradas tão prejudiciais para o crescimento quanto a desnutrição e as infecções repetidas, e, na ausência dos pais, os avós, quando possível, são a solução mais indicada.

A EVACUAÇÃO DO BEBÊ

O bebê alimentado ao seio pode evacuar a cada três dias, e outro perfeitamente saudável pode evacuar uma vez por semana, principalmente se for filho de mãe que tem constipação intestinal; o organismo assimila tudo o que ele come sem deixar resíduos. Até esta data ele tem o reflexo chamado gastrocólico – mama e evacua após cada mamada. Do segundo ao terceiro mês, este quadro diminui sensivelmente.

SINTOMAS DE ALERTA NO TERCEIRO MÊS

Segundo a Academia Americana de Pediatria, alguns sinais negativos devem ser comunicados ao pediatra imediatamente:

1) quando o bebê não parece reagir aos sons altos
2) quando ele não nota as suas mãos
3) não percebe a voz materna
4) não segura objetos
5) não acompanha com os olhos os objetos em movimento
6) não sorri para os pais e para a babá

7) não sustenta a cabeça quando fica de bruços
8) não leva objetos à boca
9) sente dificuldade em mover os olhos em todas as direções
10) apresenta dificuldade com as pernas

PROTEÇÃO CONTRA ACIDENTES (do terceiro ao quarto mês)

1) Banho

Controle a temperatura da água com o cotovelo ou com um termômetro (a temperatura deverá estar por volta de 25º). Segure sempre o bebê com o braço esquerdo, colocado no dorso do bebê, amparando também sua cabeça. Não é só o afogamento que deve ser evitado; também oferece perigo o simples mergulho com aspiração de água, que, chegando aos pulmões, pode provocar pneumonia ou abscesso pulmonar. A mãe ou qualquer pessoa que sofra de epilepsia ou que tenha tendência a desmaios não deverá dar banho no bebê quando estiver sozinha.

2) Sufocação

Travesseiros e cobertores pesados constituem perigo.

3) Quedas

Só o berço ou o cercado são seguros.

4) Brinquedos

Devem ser grandes, sem pontas e sem gumes, fortes para não serem quebrados. O perigo está naqueles que possam ser levados à boca. Os de penugem não servem, por poderem causar alergia. Devem ser sem tinta (que pode ser absorvida quando na boca).

5) Objetos

Alfinetes, botões, agulhas, moedas, contas etc. devem ser evitados no berço, no cercado ou ao alcance do bebê.

6) Cama

Deve ser de um tipo com grades altas, com espaços estreitos entre cada uma, para evitar que o bebê introduza a cabeça entre elas. Além do mais, não se deve esquecer que a cama do bebê é, na verdade, o seu "lar". A cama com grades permite que o bebê fique olhando tudo o que se passa, e assim ele se diverte e aprende, porque a observação é um excelente meio de exercício da sua inteligência.

Capítulo 14

O Quarto Mês

O quarto mês

Aos quatro meses, começa a brincar com as próprias mãos, e, quando colocado de bruços, levanta a cabeça e também os ombros, apoiando-se nos cotovelos.

O DESENVOLVIMENTO DO BEBÊ

	Meninos	Meninas
Peso	6.350g	6.100g
Estatura	62cm	61cm
Perímetro cefálico	41,5cm	40cm
Perímetro torácico	41,5cm	39,5cm
Ganho de peso mensal	600g	600g

Ele sorri e balbucia. Reconhece as pessoas, interessando-se mais por elas do que pelos objetos. Pode se manter interessado durante uma hora. Demonstra preferência por algum tipo de brinquedo. Ri quando estimulado, ficando excitado e com a respiração acelerada.

Também se aquieta com música suave. Gosta de ficar no colo, na posição semi-sentada, não quer ficar na cama o tempo todo; é a hora do bebê-conforto. Para o bebê de quatro meses tudo é brincadeira: mamar, tomar banho, passear.

O bebê apresenta episódios de tosse, provocada sem necessariamente que isto signifique alguma doença. Do engasgo com salivação ele acha graça, mas o engasgo com alimento não; ele se assusta e se torna ansioso porque sente perigo. Seu desenvolvimento motor apresenta progressos:

a) mexe com os dedos;

b) consegue segurar objetos pequenos, pegando-os e soltando-os;

c) deitado, vira a cabeça em qualquer direção, e a levanta se apoiando nos cotovelos;

d) deitado, gosta de ver suas mãos e seus pés;

e) apoiado, senta-se por alguns segundos. É o período da função dos dedos: olha-os, coloca-os na boca e segura tudo o que está a seu alcance. A visão se aproxima da do adulto. Pode discriminar duas cores. Segue objetos com os olhos, virando a cabeça. Aos quatro meses já demonstra conhecer sua mãe. Alguns aceitam estranhos, outros não.

Já se pode admitir o início da linguagem, pois ele começa a vocalizar sílabas, dá gritos fortes. Vocaliza para se divertir por uns 30 minutos e gosta de ouvir o barulho que faz. Quando alguém fala, ele sorri e gargareja. Os sons têm algum significado, alegria, protesto ou zanga.

O seu dia se resume em comer, dormir e se distrair. O período em que ele está mais esperto é à tarde, entre as três e as sete horas; é a hora da visita dos avós, vizinhos e amigos. Estes não devem exagerar nas brincadeiras e nas festinhas, porque ele dormirá mal. Visitas à casa de parentes e a festas de aniversário são absolutamente contra-indicadas. Ele adora ser tirado do berço e olhar o ambiente de outro ângulo. Deixar o bebê no berço, com panos em volta, que não permitam sua visão, é uma maldade, porque ele gosta de ver as pessoas que está "ouvindo".

Se o bebê está acostumado a ver a mãe, a babá, a avó ou um parente, ele estabelece uma conexão e aceita a substituição. Nunca se deve deixar um bebê pela primeira vez com uma pessoa estranha, o que pode ser um desastre. Imagine uma pessoa, de qualquer idade, ficar sozinha com uma pessoa que nunca viu em seu quarto, que trauma emocional!

A idade de quatro meses é a melhor época para a educação e o início da maior integração entre a mãe e seu filho. Ela deve respeitar a individualidade, isto é, a personalidade dele, atendendo a três *pontos fundamentais:*

1) respeitar as suas preferências em matéria de paladar;

2) ter paciência com sua forma de tomar as refeições (demorada, com colher etc.);

3) conformar-se com suas horas de sono (há os que dormem muito, os que dormem pouco, os que tiram sonecas rápidas e os que esperam companhia). Aos quatro meses ele é mais perceptivo, expressivo. Reconhece a voz de sua mãe ou de sua babá. Está habituado a certa rotina e espera que aconteça, assim como observa o preparo da sua mamadeira. Ao apanhar objetos com a mão e levá-los à boca, está aprendendo a perceber a diferença da consistência deles. Também nesta idade a educação começa pelos brinquedos, que podem estimular sua inteligência com exercícios mentais. Os brinquedos, além de distrair ou ocupar os bebês, os ensinam a perceber sua consistência (duro, macio, áspero, elástico), a diferença de cores e o espaço.

Nesta idade, o bebê gosta especialmente de:

1) ser tirado do berço e ser colocado num espaço maior;

2) ficar livre de roupa;

3) passear de carrinho;

4) mudar da posição deitada, durante instantes, para o colo, sentado ou apoiado em um carrinho;

5) segurar um chocalho e fazer barulho;

6) sugar o seio ou a mamadeira, bem como o polegar, a chupeta, até um brinquedo.

Ele detesta barulho, mudanças e saídas bruscas. Cada bebê é diferente de outro. A mãe não deve transformá-lo em campo de experiência. Deve estar atenta às suas necessidades. Toda mãe é dotada de um sexto sentido; é o instinto que torna perceptível qualquer modificação no seu bebê.

A FORMAÇÃO DA PERSONALIDADE

Evolução motora

Ele mantém a cabeça erguida quando no colo. Mantém a posição simétrica quando deitado de costas, se apóia nos cotovelos. Observando as próprias mãos, movimenta-as diante dos olhos. Segura um chocalho com as mãos e o examina. Procura utilizar as mãos para alcançar um brinquedo.

Comportamento emocional

É mais tranqüilo com a mãe e mais agitado e brincalhão com o pai. Normalmente é carinhoso.

Progresso da linguagem

Verbaliza alguns sons (semelhante ao gargarejo), mostra habilidade para emitir e diferenciar alguns sons, balbuciando vogais (A, E, U).

Comportamento pessoal e social

Sorri espontaneamente. Vimos que, no mês anterior, o sorriso do bebê é provocado. Ele brinca com as mãos. Não é afetado pela presença de estranhos ou se ficar sozinho.

Brinquedos (seu interesse e preferência)

Os brinquedos devem ser resistentes e laváveis, porque a criança poderá levá-los à boca (como o primeiro chocalho) e, muitas vezes, estes brinquedos estiveram nas mãos de adultos ou então no chão. Devem ser grandes para não ser colocados na boca, provocando engasgo ou sufocação.

O DESENVOLVIMENTO DA INTELIGÊNCIA

Primeira prova

Ele procura com os olhos a origem de um ruído: uma pessoa, colocada fora do campo visual do bebê, toca uma campainha; a criança olhará logo em seguida para o local onde foi emitido o som.

Segunda prova

Ele apóia a cabeça e os ombros nos antebraços: colocado de bruços, ele não só levantará a cabeça, como aos três meses, mas também os ombros, apoiando-se nos cotovelos.

Terceira prova

Reage à interrupção de um contato. A pessoa debruçada sobre o berço deve procurar diverti-lo, brincando, fazendo caretas ou usando qualquer objeto e, repentinamente, deve se afastar. O bebê reage, às vezes, chorando ou com demonstrações de desagrado, fazendo beicinho.

Quarta prova

O bebê percebe a mudança de fisionomia. Uma pessoa, debruçada sobre o bebê, olha-o tranqüilamente por alguns segundos, e em seguida afasta-se e coloca uma máscara qualquer, de preferência de um bicho. Percebe-se, claramente, a expressão de surpresa do bebê, como um franzimento da fronte, faz beicinho ou chora. Às vezes estas alterações são acompanhadas de movimentos.

Quinta prova

Ele segura objetos. Colocando na sua mão uma sineta, o bebê a segura firmemente, não a soltando com facilidade.

O DESMAME

O desmame é o início da substituição da alimentação exclusiva do leite materno ou artificial por outros alimentos.

O desmame deve ser feito gradativamente, constituindo um prazer e não um conflito entre o bebê e sua mãe.

Com a alimentação artificial é mais fácil, se iniciando no terceiro mês, segundo o planejamento deste livro. Não é indicado prolongar a alimentação exclusiva pelo leite de vaca depois dos três meses, o que pode ser feito com o leite materno até seis ou nove meses, sem perigo de acarretar anemia e inapetência, como acontece com o leite de vaca.

Com a alimentação ao seio, no caso de a mãe ter bastante leite, e o bebê gostar, e se ela puder, poderá levar até o sexto mês a alimentação exclusiva. No caso de não ter muito leite ou por ter de trabalhar fora, o desmame pode ser iniciado no quarto mês. A Constituição Federal concede 120 dias de licença à mulher por ocasião do parto, podendo haver prorrogação de 60 dias, na qual o empregador recebe incentivos fiscais do governo. Algumas grávidas preferem trabalhar até o último dia antes do parto, para aproveitar bem a licença, para cuidar de seu filho e amamentá-lo. No caso de haver creches no local de trabalho, a mãe poderá levá-lo e amamentá-lo durante o expediente, sem maiores problemas.

Entre o sexto e o décimo segundo mês, os bebês reduzem espontaneamente o volume e a freqüência de suas mamadas, aceitando facilmente outros alimentos dados em mamadeira, colher ou tigelinha. A presença, no sexto mês, dos dois primeiros dentinhos já é um sinal de que ele está em condições de ingerir outros alimentos. Esta diminuição de interesse do bebê pelo seio é fisiológica, pois a diminuição gradual da produção do leite materno não causa desconforto pelo ingurgitamento, o que acontece, no caso de um desmame súbito, nos primeiros meses, devido à doença materna ou doença prolongada do bebê. Não se esqueça de que aos filhos de pais alérgicos é prudente não oferecer leite de vaca ou em pó, mas a fórmula de leite hidrolisado solúvel (Pregestemil e Alfare) ou leite de soja (Sobee e Nutrisoy).

A COLETA MANUAL DO LEITE MATERNO

Em algumas ocasiões a mãe se vê na contingência de coletar seu leite com antecedência, devido a qualquer emergência. Em seguida, descrevemos o modo de fazê-lo.

A) Primeiro movimento. O seio deverá ser comprimido com as duas mãos desde a sua base até a aréola (parte escura) diversas vezes.

B) Segundo movimento. Com a mão esquerda (ou com a direita, se a mãe for canhota, segure o seio bem próximo à aréola, e com o polegar e o indicador esprema-o, partindo do meio do seio até o bico, diversas vezes.

Esta prática não deverá ser dolorosa, mesmo se o bico dos seios estiver rachado ou dolorido. As mães deverão tomar banho antes e o leite deverá ser coletado na mamadeira previamente esterilizada (fervida por dez minutos). Algumas mães preferem coletar seu leite por bomba elétrica.

O DESMAME PRECOCE (ou repentino)

Há algumas situações em que a mãe tem de suspender a amamentação do seu filho, às vezes até precocemente; antes de terminarem os três meses, neste caso ainda há um certo tempo para proceder ao desmame. Em outros casos pode-se impor o desmame repentino, quando são substituídas todas as mamadas no mesmo dia, o que pode acontecer no caso de doença súbita e grave da mãe, ou mesmo sua morte, situação que exige o auxílio imediato do pediatra. Na hipótese de uma viagem inevitável, a mãe poderá levar seu bebê, de qualquer idade, que ele estará muito mais seguro e feliz do que se fosse deixado à sorte da aceitação ou não da nova alimentação. Levar seu bebê a todos os lugares, inclusive passeios e viagens, e dar o seio no horário devido é o que fazem muitas mães com a aprovação dos pediatras.

O desmame mal conduzido pode levar o bebê a ter diarréias ou vômitos ou então à perda do apetite e do sono, ficando irritado e manhoso.

Cuidados com o seio no caso de um desmame repentino

A diminuição da produção de leite pode se tornar um problema. Algumas medidas podem ser tomadas, como:

1) envolver as mamas com ataduras apertadas;
2) aplicar compressas de gelo várias vezes por dia, por um, dois ou três dias;
3) restringir-se de líquidos por até cinco dias;
4) aplicar o hormônio estrógeno (sob prescrição médica), por um ou dois dias.

Causas que determinam a protelação do desmame

Doenças. Durante uma doença grave, tanto da mãe como do bebê, de acordo com o médico-assistente.

Verão. Durante os meses quentes (de dezembro a março) não é conveniente iniciar o desmame, pois é comum os bebês apresentarem diminuição da tolerância a novos alimentos e do apetite nesta ocasião.

Alergia. Intolerância irredutível para o novo alimento; não se trata da recusa, o organismo é que não o aceita, reagindo com vômitos, fezes líqüidas, distensão abdominal, inquietude, perda de sono. O pediatra poderá ajudar.

Baixo peso ao nascimento. O bebê nascido no tempo certo (a termo, mas com baixo peso).

Recusa invencível. O bebê não aceita a mamadeira ou qualquer outro tipo de alimento. Na maioria das vezes são dificuldades com o bico da mamadeira; troque-o até encontrar um que ele aceite. Tente dar alimento às colheradas em tigelinhas. Isto é, às vezes, um bom recurso. Outra causa de recusa é o oferecimento, pela mãe, da mamadeira, pois dela o bebê só quer o seio; ele não é bobo, quer o melhor! Neste caso, às vezes a solução é transferir ao pai, à avó ou à babá a função do oferecimento da mamadeira.

A ALIMENTAÇÃO NO QUARTO MÊS (120 a 150 dias)

De modo geral, a alimentação no quarto mês obedece ao mesmo critério dos três meses. Entretanto, uma nova variedade de alimentos será permitida. Desde que ele já esteja habituado às frutas, novos tipos de alimentos devem ser oferecidos para educar seu paladar, o que evitará que ele, mais tarde, prefira sempre os mesmos alimentos.

O esquema alimentar deverá seguir o seguinte horário: às 6, às 18, e às 22 horas, leite; ao meio-dia, sopa; às 15 horas, papinha de frutas (outra sopa pode ser oferecida às 18 horas em lugar do leite, caso o bebê mostre boa aceitação à comida sólida).

O leite formulado poderá ser mantido até os seis meses de vida, a critério do médico-assistente. Deve ser preferido o leite de vaca fresco, tipo Longa Vida, adicionado com ferro, ou leite em pó (formulado), também contendo ferro. (ver a pág. 113).

Na alimentação, às vezes, o interesse pela comida diminui, devido ao interesse social, às pessoas e aos brinquedos. Quando ele está bem, alegra-se quando a mamadeira chega. É o momento de diversificar a alimentação, usando alimentos mais consistentes, sólidos, em até duas vezes por dia. A alimentação é uma oportunidade para a socialização, e durante isto a mãe deverá conversar suavemente com seu bebê, murmurando-lhe palavras carinhosas. Alguns recusam a última refeição, das dez horas da noite, tomando somente quatro refeições diárias. Nunca se esqueça de que três delas devem ser de leite adicionado ou não com farinhas e frutas, e a quarta, uma sopa de legumes com carne.

A ALIMENTAÇÃO

Com leite materno

O volume de cada refeição poderá variar de 175 a 200ml (g). Se a mãe tiver bastante leite, poderá manter a alimentação exclusiva até seis meses. No caso de a mãe trabalhar fora, deverá introduzir a papinha de frutas e as sopas.

Com leite de vaca fresco diluído (na falta de fórmulas infantis)

(Volume total: 600 a 700ml, 400ml de leite com 200ml (g) de água, divididos em três mamadeiras.) O volume poderá variar de 175 a 220ml (g) para cada refeição, podendo ser engrossado com 2 colheres (das de chá) de farinha (maisena, creme de arroz ou aveia). A adição de açúcar deverá ser de 1 ou 2 colheres (das de sopa, rasa), entretanto, se o bebê se desenvolver bem, poderá ser diminuída, evitando habituá-lo a alimentos açucarados.

Com leite em pó (fórmula infantil)

Do quarto mês em diante, deverá ser usado o leite sob fórmula infantil. O leite em pó modificado só deve ser usado sob prescrição médica. O preparo do leite em pó é simples: siga as instruções da embalagem. Coloque sempre leite em pó sobre a água e não o contrário. Mexa ligeiramente e ele estará pronto. A adição de açúcar poderá ser de 2 colheres (das de sopa, rasas). A adição de farinha ficará a critério da mãe e do pediatra.

Suplementação diária de vitaminas e sais minerais

Sucos de frutas (50 a 100ml/dia).

Com leite de soja. (ver pág. 116)

Com leite de cabra. (ver pág. 114)

Com leite de vaca fervido. (ver pág. 108)

O PREPARO DA PAPINHA DE FRUTAS

Preparo do mesmo modo que aos três meses. Pode ser de banana ou maçã, porém se o bebê tiver prisão de ventre, deve ser oferecido mamão ou pêra. Adicione 1 colher (das de sopa) de farinha que não necessite de cozimento, que além de ser mais prática, é indicada. A adição de 1 colher (das de sopa) de leite em pó (fórmula infantil), além de ser nutritivo, é do agrado de muitos bebês, e seu uso pode ser feito em crianças que não sejam alérgicas.

A SOPA DE LEGUMES

O mesmo preparo da sopa dos três meses, porém novos vegetais podem ser introduzidos: espinafre, caruru, tomate, ervilha, beterraba, maxixe e nabo. Se alguns legumes forem eliminados sem ser digeridos, deverão ser mais bem cozidos ou abolidos. A beterraba poderá tingir a urina e as fezes, e o espinafre pode provocar vermelhidão nos lábios e no ânus.

No quarto mês a carne usada no preparo da sopa de legumes deverá ser levada ao liqüidificador, sendo incorporada à sopa.

A introdução de novos alimentos deve ter sempre um intervalo de três a cinco dias, para ser observada a tolerância da criança a eles; deverão ser evitados se o bebê reagir com vômitos, diarréia, gases, perda de sono, inquietude, todos sintomas de intolerância.

Os vegetais deverão ser bem cozidos e amassados. Se o bebê não gostar de vegetais, não insista e torne a oferecê-los um ou dois meses depois para observação.

Adicione à sopa 2 colheres (das de sopa) de farinha (maisena, arroz, tapioca, sagu, araruta ou outra), evitando a de trigo e as massinhas e o macarrão até o sexto mês.

Pode-se oferecer sopa de cenoura em alguns casos por alguns dias, com finalidade dietética, visando a corrigir manifestações diarréicas. Seu uso constante pode levar ao aparecimento de uma tonalidade amarelada na pele do nariz, nas mãos e nos pés.

O preparo da *sopa de cenoura.* Descasque e corte em rodelas finas 500g de cenoura. Cozinhe-as em 1 litro de água, em panela tampada, em fogo baixo, durante uma hora e meia. Após estarem cozidas, passe-as pela peneira. Adicione água fervida ou água mineral para completar 1 litro. Ofereça na mamadeira, agitando bem antes. Conserve em lugar fresco até 24 horas. O sal é usado por motivo de reidratação.

Purê de cenoura. Cozinhe as cenouras em água. Passe-as no liqüidificador, depois adicione 2 colheres (das de sopa) de leite.

Caldo de cenoura e arroz. Proceda como indicado para a sopa de cenoura, mas depois de meia hora de cozimento adicione 2 colheres (das de sopa) de arroz e deixe cozinhar por mais 1 hora.

A batata serve para substituir o cereal; tem ferro, sal, vitamina C e calorias. Ficando granulada, é comum o bebê se engasgar, o que não acontece com a papa de cereal mais homogênea. A forma de purê é mais conveniente. A batata pode ser cozida ou amassada com a casca.

Iniciados aos três meses, devem continuar a ser oferecidos alimentos semi-sólidos com a colher. Vá colocando suavemente na parte posterior da língua do bebê, pois, se colocado na ponta, ele poderá cuspi-lo.

OS ALIMENTOS EM CONSERVA

Não devem ser usados rotineiramente. Os alimentos preparados em casa devem ser preferidos, porém em casos especiais (viagens, falta de tempo da mãe que trabalha fora etc.), com autorização do pediatra, podem ser oferecidos no seguinte esquema:

Segunda e quinta-feira

Da Nestlé
1 potinho das variedades de carne —

- carne com batatas e cenouras
- carne com legumes
- carne com legumes e cereais
- carne com arroz e cenouras
- carne com macarrão e legumes

Sobremesa: 1 potinho de papinha de maçã (ou mamão, banana, ameixa ou goiaba).

Terça e sexta-feira

1 potinho das variedades de galinha —

- galinha com legumes
- galinha com batatas e cenouras
- galinha com arroz e cenouras
- galinha com purê de batatas

Sobremesas: 1 potinho de papinha de damasco, maçã e laranja, pêra, banana e laranja ou banana e abacaxi.

Quarta, sábado e domingo

1 potinho das variedades fígado com legumes ou da variedade legumes —

- cenoura
- cenouras e batatas
- legumes variados
- cenouras com arroz

Ou das variedades com frango —

- frango com creme de legumes
- frango com legumes e cereais
- frango com arroz e legumes
- frango com macarrão e legumes
- frango com arroz e ovos

Os potinhos de legumes e de carne devem ser aquecidos, depois de destampados, em banho-maria, durante três minutos.

Sobremesa: 1 potinho de cenoura com laranja, pêssegos, frutas sortidas, pudim de laranja ou de maçã e banana.

Deve-se oferecer água, ou melhor, suco de frutas, nos intervalos. De manhã, entre as dez horas e o meio-dia, à tarde, entre as quatro e as seis. O suco de laranja-lima é o mais apreciado, na quantidade de 40, 50ml por dia. O suco de outras frutas também pode ser usado, com ou sem água, com ou sem açúcar, conforme o paladar da criança.

Alguns puericultores aconselham iniciar o treinamento para o uso do copo nesta idade, acreditando ser a hora do suco de frutas a melhor ocasião.

O excesso de açúcar, segundo a opinião de alguns pediatras, é uma das causas comuns da falta de apetite entre os quatro e os nove meses.

A VACINAÇÃO

No quarto mês deverá ser aplicada a segunda dose da vacina Sabin oral e a segunda dose da primeira vacina Tríplice bacteriana – difteria, coqueluche e tétano (ver pág. 208) – e a segunda dose da vacina anti-hemophilus (ver pág. 209). A segunda dose da primeira vacina Tríplice bacteriana pode dar uma reação local (vermelhidão) ou generalizada (irritação e febre). O pediatra deve estar atento à reação, que pode ser imediata ou tardia. A vacina Tríplice bacteriana DPaT é a que proporciona menor reação (ver págs. 537 e 540).

ENSINAMENTOS COMPLEMENTARES PARA O QUARTO MÊS

1) Audição
2) Os objetos de estimação
3) Lanugem
4) Obstrução nasal
5) O telefone
6) Bebê-conforto
7) O vídeo do bebê

A AUDIÇÃO

Do quarto ao sexto mês é o período de se avaliar a capacidade de audição do bebê; em caso de dúvida, consulte seu pediatra. A mãe é a única pessoa capaz de orientar o pediatra quanto à capacidade de ver e ouvir do seu filho.

OS OBJETOS DE ESTIMAÇÃO

Eles são muito importantes na vida do bebê, os acompanhando por muito tempo. O bebê se identifica com bichinhos de pelúcia, sempre fofinhos, objetos móveis e coloridos, travesseiros, fraldas, lençóis pequenos e macios, e só dorme com eles, chupando-os, mordendo-os e "conversando" com eles. E às vezes permanecem com ele, até o fim do segundo ano de vida, ou mais. Alguns psicólogos admitem como passagem da dependência total para a independência parcial de sua mãe. É uma substituição que também o conforta e o torna feliz.

É prudente manter a higiene desses objetos, lavando-os semanalmente pelo menos, e depressa, porque o bebê não pode passar uma noite sem eles!

Algumas crianças são alérgicas, não podendo ter objetos de estimação, a não ser que sejam antialérgicos e laváveis. Cuidado com brinquedos de pelúcia, eles podem causar alergia respiratória. Sua limpeza deve ser feita com sabão neutro e um enxágüe prolongado é importante para que não fiquem resíduos cáusticos, que podem ser levados à boca e provocar doenças (esofagite, gastrite).

A criança custará a se separar desses objetos, nas viagens é indispensável levá-los, são verdadeiros tranqüilizantes!

Eles são denominados "objetos transitórios", porque ajudam a criança a fazer a transição emocional da dependência para a independência. Eles são úteis e não são sinais de fraqueza ou insegurança.

A LANUGEM

A presença abundante de pêlos no corpo do bebê desde o primeiro mês deve desaparecer definitivamente por volta dos quatro meses, deixando uma pele macia e lisa.

OBSTRUÇÃO NASAL (nariz entupido)

A criança deve respirar pelo nariz e não pela boca. O nariz é o "filtro" dos pulmões. As narinas podem se apresentar entupidas por uma infecção ou alergia. Só devem ser desobstruídas se o bebê tiver dificuldade para respirar; se estiver apenas roncando não é necessário o uso de gotas nasais (ver pág. 646). Para evitar a alergia deve-se evitar poeira, penas, pêlos de cachorro e de gato. Perfumes, sprays, cera para assoalhos, desodorantes e outras substâncias com odor forte podem causar alergia.

As gotas nasais não devem ser usadas constantemente. Seu uso prolongado pode causar edema ou inflamação da mucosa do nariz. Algumas gotas administradas em combinação a medicamentos podem levar a intoxicações severas.

OS PAIS E O TELEFONE

O telefone é um grande recurso prático, facilitando a assistência médica, mas deve ser usado com bom senso. Um telefonema ao pediatra serve para esclarecer uma prescrição anterior, resolver dúvidas e pôr fim a preocupações. Também permite, em caso de emergência, um conselho imediato até ser tomada a providência adequada. Favorece as consultas sem maior gravidade e urgência, facilitando o controle da evolução das doenças.

Serve para solicitar a presença do pediatra nos casos em que não for possível levar a criança ao hospital ou consultório. Um chamado urgente, fora de hora, deve ser bem pensado, e somente no caso de sintomas graves e/ou repentinos. Nunca espere o dia inteiro com uma criança doente para chamar o médico tarde da noite. Os pais ou responsável, ao telefonar para o pediatra, devem estar preparados:

a) saber perfeitamente os sintomas que vão relatar sem exagerá-los ou omiti-los;

b) tirar antes a temperatura da criança;

c) relatar a medicação já feita por sua iniciativa ou cumprindo determinação anterior do médico;

d) estar com caneta e papel;

e) uma vez feito o relatório, ouvir atentamente as recomendações do médico;

f) evitar um diálogo como se estivesse falando com parentes e amigos, queixando-se de fatos fora do assunto, desgraças na família, falta de empregados, falta de água e outras lamúrias que não se referem à doença da criança;

g) evitar pedir consultas para mais filhos no mesmo telefonema. Use o tempo estritamente necessário.

De modo geral o pediatra não se aborrece com os telefonemas; porém os clientes não devem se esquecer de que quando telefonam para a residência do pediatra estão interrompendo a refeição, o sono, a leitura, o estudo ou o convívio de sua família. Um caso realmente necessário ele compreenderá, porque é uma contingência da sua profissão; entretanto, os abusos repetidos e inúteis acabarão por irritá-lo, fazendo com que termine a estima ou o respeito pelo cliente. O telefone é um instrumento extraordinário, que põe imediatamente ao alcance da mãe o médico de seu filho. Devemos admitir que a maioria da classe pediátrica tem-se mantido com notável correção profissional. Se os pais não pedem sua presença, eles atendem pelo telefone, às vezes arriscando sua reputação, porque estão receitando sem examinar o clientezinho, às vezes bondosamente, para não onerar despesas aos pais. Mas no caso de a criança não melhorar com a primeira prescrição ao telefone, ela deve ser examinada, e os pais não devem insistir em obter nova receita pelo telefone. No caso de o pai desejar a presença do médico e perceber que ele está em dificuldades de atendê-lo, deve manifestar claramente seu desejo, solicitando ao pediatra a indicação de um assistente ou clínica de urgência da sua confiança.

O BEBÊ-CONFORTO

Como o berço e o carrinho, o bebê-conforto é um equipamento muito útil e comum entre os pais pelas possibilidades que ele fornece:

a) permitindo que o bebê tenha melhor visão do ambiente;

b) após as mamadas, o bebê pode ser colocado por meia hora na posição oblíqua, que facilita a eliminação dos gases do estômago;

c) pode ser colocado no carrinho de passeio para melhor admirar a paisagem, as pessoas e coisas;

d) são fáceis de transportar;

e) podem ser usados desde o nascimento como veículo, sempre na posição oblíqua, nunca devendo ser usado na posição sentada, pelos perigos de lesão do sistema nervoso central.

Como o berço e o carrinho, o bebê-conforto é muito útil e comum entre os pais pelas possibilidades que fornece.

Exigências:

a) as bases devem ser largas para evitar queda do bebê;

b) os suportes devem ser fortes e firmes;

c) a concha que o suporta não deve ser muito lisa, de verniz ou tinta fina, é preferível ser áspero para o bebê não escorregar;

d) deve ter duas correias: uma para segurar o corpo e outra entre as pernas, para não escorregar;

e) os modelos atuais têm alças para serem carregados e uma base independente para ser afixada ao cinto de segurança do banco traseiro dos automóveis. Nenhuma alta hospitalar é permitida se os pais não tiverem o bebê-conforto transportador e seu dispositivo de base afixado ao cinto de segurança do banco traseiro do carro. Este é o único local que um bebê pode ficar num carro americano.

Cuidados:

a) não o coloque em cima de mesas, máquinas de lavar roupas ou balcões de armazéns, farmácias e magazines;

b) coloque-o certo; a cabeça é mais pesada que o corpo, desequilibra-se com facilidade, podendo cair para trás;

c) mantenha atenção permanente, sobretudo com os mais espertos ou agitados;

d) não deixe de prender as correias;

e) nunca o deixe na posição sentada.

O VÍDEO DO BEBÊ

Os americanos, por exemplo, consideram que as crianças começam a se identificar umas com as outras a partir dos quatro meses de idade. Verificaram que nesta idade elas se interessam mais, observando a fisionomia dos bebês da sua idade. Este conhecimento está sendo comercialmente utilizado com sucesso, apresentando vídeos de rostos de bebês. Seus produtores admitem que acalmam os bebês e despertam sua curiosidade. A Academia Americana de Pediatria (a maior autoridade mundial de puericultura) ainda não se manifestou quanto à sua real utilidade.

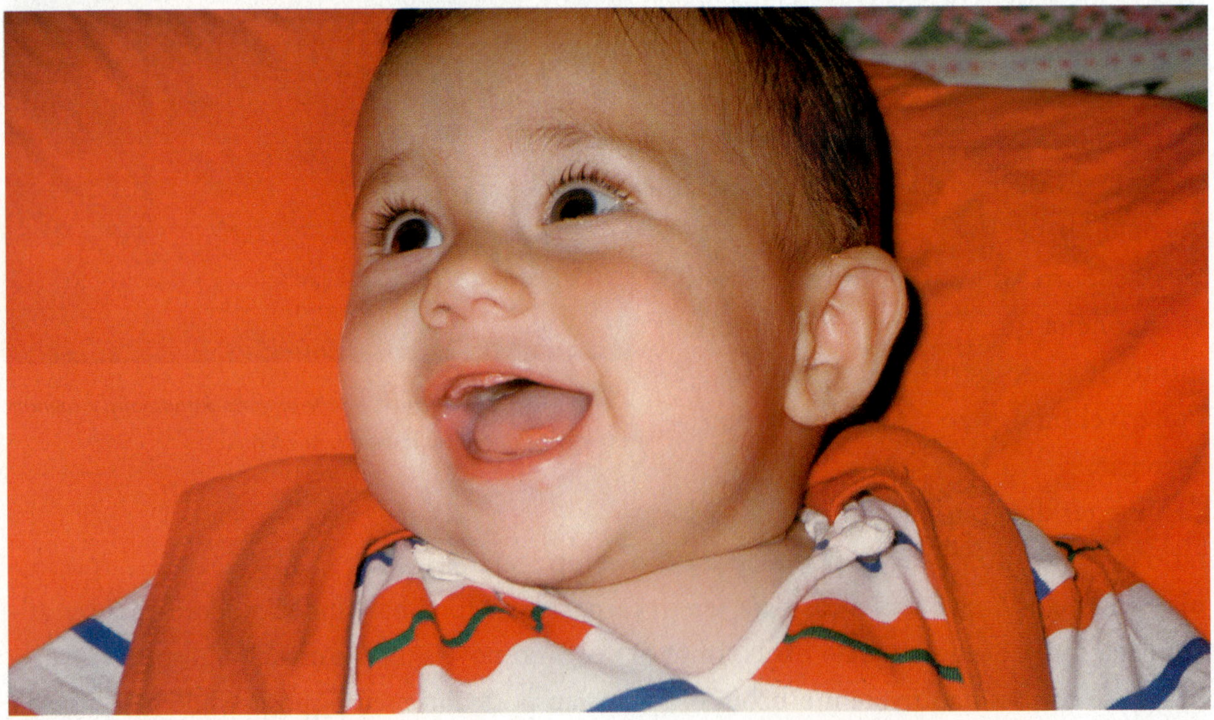

Capítulo 15

O Quinto Mês

O quinto mês

O pai é muito importante para o desenvolvimento do bebê, participando ativamente da criação do seu filho desde os primeiros dias de vida.

O DESENVOLVIMENTO DO BEBÊ

	Meninos	Meninas
Peso	6.950g	6.700g
Estatura	63cm	62cm
Perímetro cefálico	42cm	41cm
Perímetro torácico	41,5cm	40,5cm
Ganho de peso mensal	600g	600g

O pai já aos cinco meses é muito importante para brincar e conversar com o bebê, que ficará mais receptivo e terá seu desenvolvimento fortalecido, mais do que se ele permanecesse sempre com sua mãe. Hoje o pai tem participação ativa na criação do seu filho, desde os primeiros dias de nascido. É necessário chamar a atenção das mães para que não tratem seu filho como sendo de sua única propriedade. A criança terá de construir o seu próprio destino. A mãe deve incentivar a independência da criança. É neste momento importante que se fortalece a presença do pai, a pessoa que a mãe aceita e se mostra contente.

A função do pai é a de dividir a atenção da criança, desenvolvendo a individualidade de cada um. No caso desta função paterna falhar, o filho não consegue se separar de sua mãe, prejudicando toda sua personalidade, tornando-se confuso. A consulta a uma psicóloga, analisando as circunstâncias de cada caso, poderá dar uma orientação adequada.

A expressão do rosto do bebê já demonstra medo, desagrado, zanga. Ele faz careta por imitação, sorri e percebe sua imagem ao espelho. Levanta os braços para ser tirado do berço. Sorri e vocaliza para fazer contato social. Reage quando alguém quer tirar seu brinquedo. Reconhece os seus brinquedos. Abaixa-se para ver o que cai. O bebê quietinho dos primeiros quatro meses mudou. No quinto mês ocorre a explosão das atividades. De costas, ele levanta a cabeça e os ombros, apoiando-se com as mãos. Tenta se arrastar, rolar e brinca com os chocalhos. Leva o pé à boca e chupa o dedo do pé. Consegue apanhar objetos e trocá-los de mão.

A audição já está desenvolvida, podendo virar a cabeça se você chamar por ele. E pára de chorar quando alguém fala com ele.

Sua visão está se aperfeiçoando, podendo diferenciar seus pais. Sua sensibilidade à presença de estranhos aumenta.

Os pesquisadores admitem que eles sentem mais medo das mulheres do que dos homens, porque talvez elas sejam mais barulhentas, querem agarrá-lo e usam perfume.

A linguagem também está se aperfeiçoando; ele usa as vogais A, E, U e as consoantes D e B. Vocaliza "blá-blá" para ele mesmo ou para seus brinquedos. Balbucia para interromper a conversa dos outros, chamando a atenção para si. Começa a perceber seu nome. Grita por companhia, reclamando a presença de pessoas conhecidas. Aos cinco meses o bebê tem necessidade de chupar e de mastigar. Usa a boca e a língua para experimentar objetos, como os adultos usam as mãos e os olhos. Deve ser deixado fora do seu alcance o que ele pode levar à boca. Nunca deixe objetos que não sejam grandes, laváveis e sem tinta, e se caírem no chão deverão ser lavados outra vez.

É a época propícia para o treinamento das funções dos braços e pernas. A movimentação dos braços no primeiro e no segundo mês de vida é um treinamento motor indispensável e agradável para as crianças; todo desenvolvimento neuromuscular do bebê nos seus primeiros meses de vida deve ser feito por meio de diversão, estimulados pelo ambiente, pelas solicitações dos adultos ou pela presença de brinquedos.

Aos cinco meses, ele começa a estranhar algumas pessoas, porque é o início da percepção da diferença entre ele e estas; as avós ficam desapontadíssimas se não são reconhecidas. Não o force a ir com as pessoas, parentes, vizinhos ou amigos; espere que ele os aceite. O que ele teme é o barulho, barulho de portas, pessoas falando falando alto. Aos poucos ele até se habituará com o ritmo da sua casa.

A FORMAÇÃO DA PERSONALIDADE

Evolução motora

Quando virado de bruços, ele rola na sua cama. Apóia-se nas palmas das mãos, procurando se levantar. Cuidado com suas quedas.

Comportamento emocional

Se, aos três meses, o bebê sorrir, e aos quatro der risadas, aos cinco meses ele dará gargalhadas. Inicia-se a manipulação das suas emoções, procurando tirar partido de momentos de choro e de alegria.

Capacidade de adaptação

Ele já percebe a mudança de ambiente, e olha, espantado, quando é mudado de quarto.

Progresso da linguagem

Modifica os sons, enriquecendo a variedade de vogais (Ah... Eh... Ih... Uh...).

Comportamento pessoal e social

Percebe cores diferentes, quando muito vivas. Segue com o olhar o movimento das pessoas.

Brinquedos (seu interesse ou preferência)

O primeiro animalzinho de borracha... que não deve soltar tinta. Deverão ser evitados os de lã, sendo aconselháveis os de material antialérgico. Os brinquedos deverão ser acessíveis, tocados, mas suficientemente grandes para evitar que possam ser aspirados ou engolidos.

O DESENVOLVIMENTO DA INTELIGÊNCIA

Primeira prova

Interesse pelas cores. Apresente-lhe um cartão branco a cerca de 25cm de distância dos olhos do bebê, permanecendo por algum tempo até ele se desinteressar. Em seguida, apresente-lhe outro, mas vermelho. O interesse pelo segundo deverá ser logo manifestado.

Segunda prova

Ele segura um objeto. Leve um objeto até ele, para que ele o sinta com a ponta dos dedos; logo em seguida ele o agarrará.

Terceira prova

Ele se sustenta com as palmas das mãos. Deixando-o de bruços, não apenas levantará a cabeça, como no terceiro mês, ou se apoiará nos cotovelos, como no quarto mês, mas procurará se levantar, apoiando-se nas palmas das mãos.

Quarta prova

Observa as pessoas que caminham pelo quarto. Esta prova é percebida mais nitidamente quando uma pessoa brinca com o bebê e, em seguida, se afasta. Ele continuará a olhando e acompanhando enquanto estiver no quarto.

Quinta prova

Percebe a mudança de ambiente. Uma pessoa leva o bebê ao colo para outro quarto, aproximando os objetos do campo visual do bebê. Ele olhará com interesse para todos os lados.

A ALIMENTAÇÃO NO QUINTO MÊS (150/180 dias)

O recém-nascido que ainda suga e apalpa o seio materno, mesmo depois de ter sido alimentado, começa a realizar uma distração que as mães já dizem, na sua simplicidade, que estão "brincando de mamar". Deste modo ele está aprendendo, sentindo o cheiro, a temperatura do corpo materno, que é o primeiro representante do mundo exterior do psiquismo da criança.

A alimentação do quinto mês apresentará de modo geral duas modificações importantes: a introdução da gema de ovo, com especial valor nutritivo, e o caldo de feijão.

DÊ AO SEU BEBÊ OVO COZIDO

O ovo é um alimento importante para o regime do bebê. A clara do ovo é rica em proteínas, da melhor qualidade, e a gema contém uma gordura comparável à gordura do leite, e ainda é rica em vitaminas A e D.

Possui também sais minerais que são muito importantes para o sangue, como ferro, cobre, cloro, fósforo, sódio, potássio e cálcio.

É indispensável oferecer à criança ovos frescos, somente cozidos, que podem ser verificados observando: primeiro, a casca é opaca e áspera, depois vai se tornando cada vez mais lisa e brilhante; segundo, o ovo visto através de luz com foco forte se mostra bem cheio, e a gema ocupa sempre uma posição central; à medida que o ovo envelhece, a gema varia de posição em que se coloca o ovo, não se mantendo mais ao centro, além da alteração de posição da gema, com o tempo vai aparecendo na sua parte superior uma câmara de ar.

A casca do ovo é porosa e, à medida que envelhece, a água que ele contém começa a evaporar pelos poros, e em seu lugar penetra ar, trazendo consigo os micróbios do ambiente, e a câmara de ar, o espaço livre já citado, vai aumentando à medida que o ovo vai ficando mais seco. Os ovos devem ser conservados em geladeira. O ovo deve ser oferecido bem cozido, sendo preciso que a água ferva por vinte minutos para que o calor chegue à gema. A gema cozida pode ser dada desde o quinto mês, iniciando com 1/4, 1/2 e inteira, adicionada à sopa depois de pronta, uma a duas vezes por semana, observando sua aceitação pelo bebê (vômitos, gases, arrotos, falta de apetite, sono, urticária); se nada acontecer, pode-se passar a dar uma, inteira. O ovo inteiro, cozido, será oferecido aos doze meses, e a partir daí já se pode oferecer também ovos mexidos, omelete, e finalmente o ovo frito pode ser introduzido a partir dos dois anos.

O ovo cru nunca deve ser oferecido ao bebê, pois veicula a salmonela – bactéria responsável por quadro grave de diarréia.

O PRATO DO BEBÊ

Deverá ser:

a) facilmente lavável;

b) resistente, para se cair não se quebrar;

c) deverá ter bordas bem altas, para permitir que o bebê se alimente sozinho com a colher.

d) o prato deverá ser fundo, aderente e antiderrapante, que não escorregue da bandeja ou da mesa;

e) deverá ser aquecido; se com processo elétrico, tome cuidado com a tomada e evite seu superaquecimento; no caso de ser aquecido por água quente, o recipiente deverá ser bem fechado para evitar que se derrame ou queime o bebê. Atualmente quase todas as casas possuem um forno de microondas, e você poderá usá-lo com grande praticidade para esquentar a sopa ou outra comidinha do seu bebê. Mas não se esqueça de que existem utensílios próprios para o microondas!

Os americanos crêem que os bebês que usam colher, copinho e se acostumam com os alimentos sólidos mais cedo, se tornam muito mais espertos do que os bebês que, ainda aos doze meses, continuam a receber alimentos em forma de papinhas ou em mamadeiras. Possivelmente serão, mais tarde, meninos sem iniciativa, permanentemente dependentes das mães.

É mais fácil iniciar com o copinho aos cinco meses; se for oferecido pela primeira vez entre nove e dez meses, é possível que ele o rejeite. A iniciativa de o bebê aceitar usar o copo entre seis e oito meses é visível: toma um gole, faz uma pausa, toma outro gole, mas só conseguirá beber perfeitamente entre doze e dezoito meses. Usar copos de cores diferentes é aconselhável. Eles deverão ser leves e com base larga.

Horário	Refeição
6, 7 horas	Leite (fórmula infantil)
10, 11 horas	Papinha de frutas
14, 15 horas	Leite (fórmula infantil)
18, 19 horas	Sopa
22, 23 horas	Leite (fórmula infantil)

Nos intervalos da manhã e da tarde, deverá ser oferecido um suco de uma única fruta (50 a 100ml).

Leite modificado só em casos especiais e de acordo com a orientação do pediatra.

O preparo da mamadeira

Com leite de vaca fresco (se não tiver leite materno ou fórmulas infantis). Pode ser usado o leite ensacado (preferentemente tipo A ou B) ou o leite tipo Longa Vida (integral, com ferro). Dilua 500ml de leite em 250ml de água e adicione farinha de arroz, milho e mandioca. Ofereça 250ml por vez, adoçado.

Com leite em pó (fórmula infantil). O volume de cada mamadeira deverá ser de 180 a 240ml, preparada com água filtrada e fervida. O leite será adicionado conforme orientação do fabricante. No caso de o bebê rejeitar o leite, consultar o pediatra sobre qual o melhor tipo a ser usado.

A adição de açúcar e de farinha ficará a critério do pediatra, e a proporção deverá ser de 1 colher (das de chá) para cada 100ml.

Com leite de soja ou de cabra. (ver págs. 114 e 116)

SUCO OU PAPINHA DE FRUTA

Já podemos, a esta altura, usar praticamente todas as frutas para fazer sucos. É claro que o bom senso deverá prevalecer; se uma fruta é mais "pesada", coloca-se mais água, e o suco ainda ficará delicioso. O ideal é que os sucos sejam feitos sem açúcar, ou com muito pouco, se for o caso.

Das papinhas de frutas, a melhor ainda continua sendo a de banana, mas qualquer fruta, como a maçã, o abacate, o mamão, a pêra, o figo, o caqui etc., poderá ser usada.

Como complemento à papinha de frutas, pode-se adicionar geléia, gelatina, farinha, leite, flocos de milho etc.

Lembrar-se sempre que o importante são as frutas, e não seus complementos.

- Suco de frutas: 50 a 100ml
- Gotas polivitamínicas: 8 gotas
- Gotas de solução de ferro: 5 gotas

MINGAU (feito com leite de vaca, se não tiver fórmula infantil)

Preparado em dias e lugares mais frios, como substituto à papinha de frutas.

Muitos livros empregam a palavra *mingau.* Achamos que mingau significa o creme feito com leite de vaca, farinha em forma consistente, espessa, açúcar, e que somente pode ser dado com a colher.

O leite de vaca apenas engrossado com farinha, mantendo sua forma líqüida, que passa facilmente pelo bico da mamadeira, não é um mingau. A ele damos o nome de "leite de vaca engrossado", e é o que se dá diluído (2 para 1) nas refeições das seis horas da manhã e às dez horas da noite.

Daremos o tipo clássico de preparo do mingau de leite de vaca, que poderá ser feito com qualquer tipo de farinha (de arroz, fubá de milho, maisena etc.).

Ingredientes:

2 colheres (das de sopa) cheias, de farinha (maisena, milho ou aveia)
2 colheres (das de sopa) de açúcar
1 colher (das de chá) de farinha composta (ver pág. 119)
2 colheres (das de sopa) de água

Modo de preparo:

Mexa bem, misturando todos os ingredientes, e acrescente 300ml de leite de vaca, puro. Passe na peneira para evitar a formação de grumos. Leve ao fogo forte, em panela de alumínio ou esmaltada, mexendo sempre com colher de pau, durante cinco minutos, até engrossar. Deixe esfriar e dê ao bebê às colheradas, se ele não for alérgico a leite.

Preparo do mingau com leite em pó (das fórmulas infantis)

O mingau poderá também ser preparado com leite em pó em vez de leite de vaca.

Ingredientes:

6 a 8 medidas rasas de leite em pó
1 colher (das de sopa) de açúcar refinado
1 a 2 colheres (das de sopa) cheias de maisena, trigo ou aveia
1 colher (das de chá) de farinha composta (ver pág.119)
300ml de água

Modo de preparo:

Coloque todos os ingredientes numa panela, misturando bem. Leve ao fogo e, logo que levantar fervura, continue mexendo, ainda em fogo forte, com uma colher de pau, durante cinco minutos. Retire do fogo, deixe esfriar e dê às colheradas.

Preparo de mingaus instantâneos

Com as farinhas compostas (Neston, Farinha Láctea e Mucilon) pode-se preparar os mingaus de forma bem prática. Basta acrescentar leite morno, previamente fervido, o número correspondente de farinha, mexer e adoçar a gosto. Ofereça às colheradas.

SOPA – INTRODUÇÃO DA GEMA DE OVO E DO CALDO DE FEIJÃO

A sopa oferecida aos cinco meses é a mesma dos quatro meses, apenas haverá a introdução da gema de ovo, do caldo do feijão (sua consistência poderá até ser mais espessa). Deverá ser observada a aceitação do bebê. Se causar urticária, eczema, coriza, gases, inquietude ou perda de sono, é prudente retardar sua introdução por mais dois ou três meses. A gema deve ser dada bem cozida; crua ou quente é contra-indicada. Seu preparo consistirá em cozinhar o ovo durante vinte minutos aproximadamente; em seguida separe a gema da clara e amasse-a, iniciando com 1/4, 1/3, a metade ou inteira; esta progressão deverá ser a cada três dias. A gema deverá ser adicionada depois de a sopa estar pronta. Durante o cozimento da sopa, poderá ser adicionado o ovo cru, bem lavado, nos vinte minutos finais do cozimento da sopa e aproveitar a gema.

Ao quinto mês pode-se adicionar uma a duas colheres de queijo parmesão ralado, ou tipo prato, amarelo; é importante que seja ralado na hora, para aproveitar seu aroma característico e agradável, podendo ser usado igualmente o queijo branco, tipo Minas. Cuidado com as crianças alérgicas ao leite.

Ao quinto mês também deve-se começar a oferecer alimentos ricos em ferro para prevenir contra a anemia. O fígado bovino, as verduras folhosas, como o espinafre e o caruru, são ricos em ferro e devem ser dados uma a duas vezes por semana. No preparo da sopa de legumes, a substituição da carne (músculo) por fígado de vitela (100 a 200g), cozido com legumes e passado também pelo liqüidificador, é o modo mais prático de administrá-lo ao bebê. Nos supermercados encontra-se a sopa de legumes com fígado já preparada.

Do quarto mês em diante não se deve mais retirar o músculo que foi cozido com os legumes. Ele deve ser levado também ao liqüidificador. O músculo é rico em ferro.

No quinto mês, após a sopa, pode ser oferecida uma sobremesa: bolo amassadinho, tortas, biscoitos, geléias, pudins, doces caseiros, iogurtes, requeijão.

Creme de espinafre ou de caruru

É um alimento bastante nutritivo. As folhas verdes são ricas em ferro e contêm doses apreciáveis de vitamina C e vitamina do complexo B. Entretanto, durante o cozimento estes elementos passam à água. Considerando este fato, as folhas novas e tenras deverão ser cozidas com o mínimo possível de água, para que, quando forem depois de cozidas pressionadas no espremedor, mantenham a água do cozimento na pasta de legumes e conservem as vitaminas e os sais minerais.

Para preparar o creme (purê de espinafre ou de caruru), derrete-se numa frigideira aquecida 1 colher (das de sopa) de farinha de trigo com 1 colher (das de chá) de manteiga e adiciona-se 1 xícara (das de chá) de espinafre ou caruru picado, já cozido e espremido.

Mistura-se tudo e coloca-se num recipiente refratário, que deverá ser levado ao forno para assar.

A adição de leite de vaca aumenta seu valor nutritivo, porque ele é rico em cálcio e em proteínas. Pode ser oferecida ao bebê 1 ou 3 colheres (das de sopa) adicionadas ao purê de batata ou à sopa de legumes, duas ou três vezes por semana, conforme o paladar e a tolerância do bebê.

OS BRINQUEDOS (O SEU VALOR)

Ao quinto mês a criança não brinca realmente com seus brinquedos. Ela os prova, lambe, morde, atira fora quando se aborrece deles. O tempo de interesse é curto.

Os brinquedos ajudam a criança a:

a) se divertir e a se descontrair;

b) seu desenvolvimento das habilidades motoras;

c) fornecem informações e idéias;

d) testam sua sensibilidade;

e) fortalecem os contatos familiares e sociais;

f) induzem à compreensão do mundo ao seu redor;

g) permitem aos pais descobrir o passatempo preferido dos seus filhos.

Os brinquedos devem ser:

a) leves, principalmente de plástico;

b) alegres, com cores vivas;

c) grandes, para não serem engolidos nem levados à boca;

d) sem pontas ou arestas, arredondados;

e) de consistência variável, uns duros outros macios, lisos ou ásperos;

f) existem os brinquedos para ele ver, porém o mais indicado é que eles possam agarrá-los e sacudi-los;

g) deverão ser lavados com sabão neutro e água quente duas vezes por semana, ou quando outros bebês ou visitas estiverem brincando com eles. Estes cuidados deverão ser sempre observados.

As crianças precisam de brinquedos. Não é necessário ter muitos; o importante é que sejam brinquedos para a sua idade. Bichos e bonecos, grandes e macios, que não larguem pêlos nem tinta. A característica essencial do brinquedo infantil não está no material usado ou no seu tipo de função, nem ainda no resultado obtido, mas na atitude subjetiva, isto é, o que a criança sente durante a brincadeira. Esta atitude é a vivência do prazer, de uma alegria intensa, e já nos demonstra o grau de necessidade que a criança tem de se divertir (atividade lúdica).

A necessidade de recreação, especialmente a recreação adequada à idade da criança, é básica em toda infância. Os pediatras estão habituados a encontrar no exercício clínico distúrbios de comportamento desta necessidade, e os sintomas vão desde a agressividade às alterações de sono e à grande irritabilidade, e mais tarde à falta de boa adaptação social e mais adiante ainda a baixo rendimento escolar.

As funções mais importantes dos brinquedos são:

a) aprendizado concreto do mundo exterior;

b) imitação de papéis sociais, de professora, de pai, de mãe, de médico;

c) construção da criatividade;

d) treinamento das funções corporais, sobretudo das pernas e dos braços, e de modo geral de todo o organismo.

A mãe que trabalha fora, entre o quarto e o quinto mês de vida da criança, poderá voltar a trabalhar. Ela tem por direito 120 dias de licença, e grande parte das vezes consegue mais um mês com atestado médico ou pela generosidade do seu chefe e dos colegas. Na verdade deveriam ter um ano, para poder cuidar bem dos seus filhos. Atualmente, a lei nº 11.770 prevê a possibilidade de prorrogação de 60 dias da licença, mediante concessão de incentivo fiscal ao empregador. Ao se ausentar, se não tiver um parente ou pessoa já conhecida do bebê, a quem ele esteja habituado, o mais indicado é levá-lo para uma creche, sobretudo se tiver uma no seu local de trabalho; o pior é ter de deixá-lo em casa sozinho com uma empregada nova e estranha.

PROTEÇÃO CONTRA ACIDENTES

Cuidados do quinto ao sétimo mês

Banho

Perigo! Nesta idade o bebê já consegue se movimentar! Nesta idade o bebê já se senta; nunca o deixe sozinho, sentado na banheirinha. Cuidado com o tampão do ralo da banheira também, pois ele pode levá-lo à boca, tentando engoli-lo.

Sufocação

Vigiar sacos plásticos ou papéis impermeáveis, nos quais o bebê possa introduzir a cabeça.

Queda

Só a cama com grades altas e o cercado são realmente seguros.

Brinquedos

Devem ser grandes, redondos e inquebráveis.

Objetos

Alfinetes, pregos, moedas, botões pequenos, agulhas e contas devem ser evitados, tanto na cama como no colchão.

CONSELHOS ÚTEIS

a) Prepare os alimentos você mesma – bem cozidos, bem macios, sem sal e sem temperos. Vegetais frescos e frutas cozidas são os mais fáceis de se preparar. Apenas a banana é a que pode ser oferecida crua aos três meses; todas as outras deverão ser cozidas. A primeira comida sólida deve ser de cereais, arroz, seguida de mingau de aveia ou cevada. O trigo

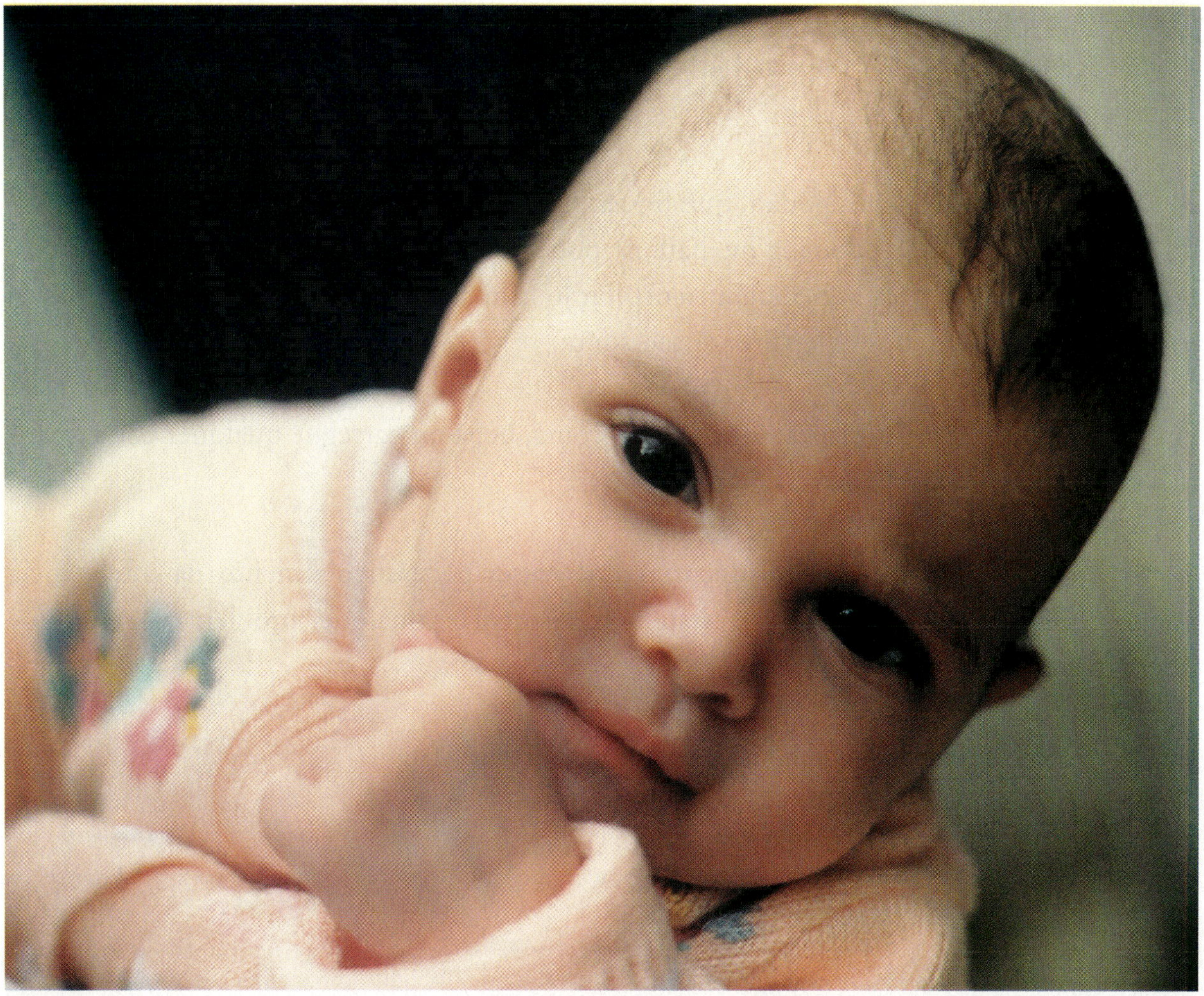

deve ser oferecido mais tarde, por ter maior tendência a causar alergias. Ofereça uma comida de cada vez e só mude-a a cada três dias;

b) Sono – depois de três a cinco meses, o bebê dorme sete a oito horas por noite, sem acordar. Depois dos cinco meses procure mantê-lo acordado por mais tempo durante o dia para ele dormir melhor à noite. Não o coloque para dormir antes das dez horas. Entre os seis e os oito meses, mantenha-o entretido com seus brinquedos favoritos. Ele se ocupará deles, deixando seus pais dormirem, até pegar no sono. Se ele acordar, deverá ser por sede, fome, gases ou por sua fralda estar molhada;

c) Quebra da rotina – será útil ou não? Alguns pediatras aconselham entre os quatro e os sete meses levá-lo para almoçar na casa dos avós ou fazer passeios curtos e agradáveis. O bebê começará a aprender também todas as mudanças que forem colocadas diante dele;

d) Entre os quatro e os sete meses ele mudará de personalidade de modo dramático. Se será quieto ou alegre, se vai se divertir com brincadeiras ou não. Começará a perceber que os objetos continuam a existir, mesmo quando estão fora do seu campo de visão. Começará a perceber que o seu chocalho faz barulho quando ele o sacode, começará a compreender certas coisas;

e) Vista-o com roupas de algodão, que fiquem em contato direto com seu corpo. Os tecidos sintéticos (dácron, poliéster ou náilon) podem provocar irritação da pele e aparecimento de brotoejas, pois impedem a transpiração. Em alguns bebês o uso dessas roupas os torna inquietos, irritados e perturbam seu sono;

f) Nunca fume (em qualquer circunstância), coma, beba ou carregue qualquer coisa quente tendo o bebê ao colo;

g) Acompanhe com atenção no decorrer dos meses o desenvolvimento da inteligência emocional e física do bebê, descrito neste livro. Se ocorrer qualquer problema, comunique imediatamente ao pediatra;

h) Não deixe de vacinar seu bebê nas datas aconselhadas.

Capítulo 16

O Sexto Mês

O sexto mês

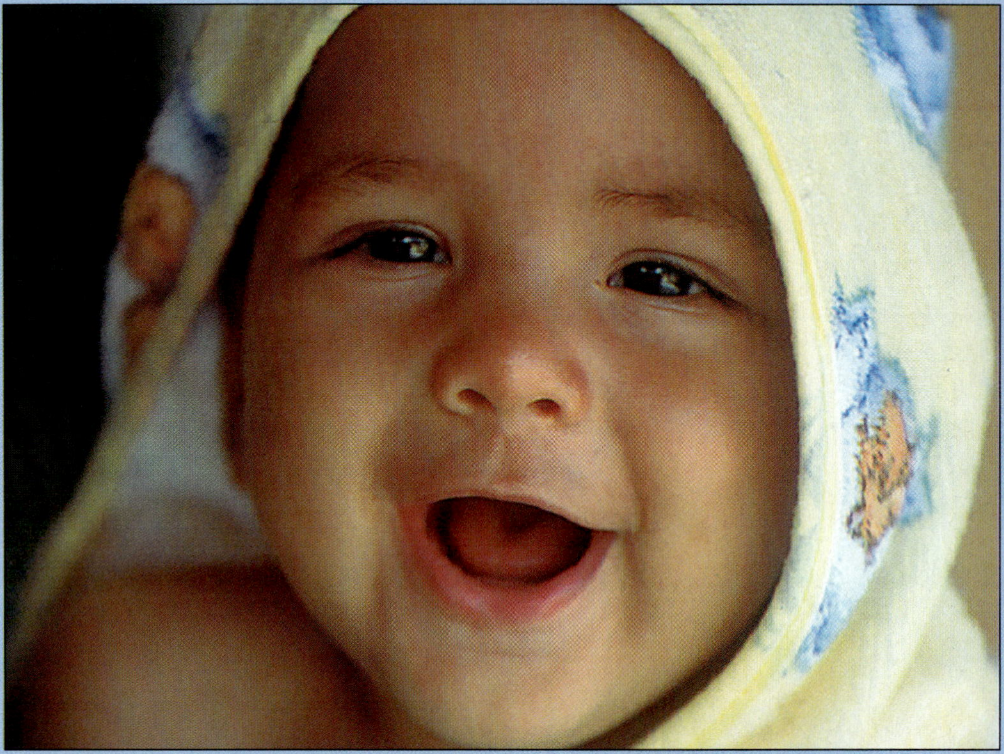

Aos seis meses, o bebê já gosta de ficar sentado quando apoiado; percebe a presença de estranhos e reconhece as pessoas da família.

O DESENVOLVIMENTO DO BEBÊ

	Meninos	Meninas
Peso	7.550g	7.300g
Estatura	64cm	63cm
Perímetro cefálico	43cm	42cm
Perímetro torácico	42,5cm	41,5cm
Ganho de peso mensal	600g	600g

A inteligência, ou raciocínio, e o relacionamento social do bebê tornam-se evidentes ao sexto mês. A voz humana, especialmente a da mãe, é muito importante para o seu desenvolvimento geral, sobretudo para a fala. Conversar com o bebê é extremamente importante para o seu desenvolvimento mental. Não é bom que os pais sejam muito calados; isto gera pouco estímulo. A presença de irmãos brincando com ele, apesar do perigo de possíveis acidentes, facilita o desenvolvimento mental e social do bebê. O brinquedo e o ato de brincar são os grandes recursos para o desenvolvimento e a educação. Um grande brinquedo, e muito barato, é uma folha de papel; ele a pega, olha, dobra, rasga e acaba levando à boca para verificar se é dura, macia, ou se tem gosto. Ele já começa a brincar de esconder seu rosto com uma fralda e percebe a mãe perguntar pelo seu nome e onde ele está.

Gosta que as pessoas o notem. Chama os pais ou a babá para ajudá-lo.

Vira-se quando é chamado, estranha pessoas desconhecidas, pára de chorar ao ouvir música. Os sons altos o assustam, pode prestar atenção até trinta minutos seguidos. Pega depressa tudo o que estiver ao seu alcance, é um perigo!

Pode permanecer sentado na sua cadeirinha até por duas horas, brincando com os seus brinquedos. Precisa de ajuda para se sentar.

Não compare o desenvolvimento dos movimentos do seu filho com o de outros bebês. Não fique assustada se algo parecer estranho; cada bebê tem um ritmo próprio de crescimento e desenvolvimento. Nem todos os bebês se sentam aos seis meses e ficam de pé entre nove e onze meses. Converse sempre com o pediatra.

Sua linguagem também está se desenvolvendo. Balbuciar é a sua grande ocupação. Pode grunhir quando em dificuldade ou prazer, desapontado ou desagradado. Vocaliza novas consoantes, como Z, F e T. Gargareja por brincadeira. Resmunga para se queixar. Os bebês que balbuciam mais e com tonalidades diferentes demonstram um excelente desenvolvimento da sua inteligência.

A mãe não deve ficar separada do seu bebê durante o período em que ele mais necessitar dos seus cuidados, isto é, dos três aos dezoito meses. O amor, este sentimento que para o adulto é excitante ou confortável, é, para o bebê, indispensável e mesmo vital. A carência afetiva é um dos grandes problemas para o seu futuro.

A separação entre mãe e filho pode levar a problemas emocionais graves, que os pediatras chamam de privação materna. Um comportamento tristonho, atraso no ganho de peso e na altura, cura demorada de uma doença são comuns nas crianças internadas separadas da mãe.

Até os três anos a criança é sensível a qualquer separação, mas particularmente entre os três e os dezoito meses é que ela sente mais a ausência materna. Após os três anos, as conseqüências causadas pela carência afetiva são menores. Sua personalidade já está constituída, sendo menos vulnerável a algumas limitações e frustrações.

Qual é a reação do bebê durante uma separação?

Os problemas característicos se revelam segundo a sua duração. De oito a quinze dias, segundo seu temperamento, o bebê exprime sua tristeza por choro, gritos, imobilidade e indiferença a tudo ao seu redor.

Segundo os puericultores, a tristeza do bebê pode aparecer sobretudo na hora dos cuidados desempenhados por sua mãe, na hora do banho, da mamadeira e de se vestir. Se a separação se prolongar por várias semanas, desordens importantes poderão aparecer; a primeira delas é a falta de apetite, depois a prisão de ventre, e em outros casos diarréia, em alguns bebês chegando até a parar de andar, o que já faziam.

A criança separada da mãe pode apresentar manifestações que permanecerão para sempre: torna-se nervosa, desconfiada, incapaz de se adaptar a qualquer mudança.

No caso de a mãe ter de se ausentar, deverá escolher para o seu bebê uma pessoa que ele já conheça, que sinta ternura e tenha calor humano para ele. Pessoa experiente, porém rude e fria, está contra-indicada de qualquer maneira; a mãe deverá evitar ficar mais de quinze dias longe do seu bebê entre o terceiro e o décimo oitavo mês de vida.

Pode acontecer que ele se habitue a outra pessoa, se esta souber manejá-lo, e apesar da ausência materna ele se sentirá feliz. Neste caso, quando a mãe voltar, ele pode lhe virar o rosto; isto não é sinal de ingratidão, é que ele pode estranhar sua fisionomia e a mãe levará dois, três dias para que ele se habitue novamente.

Aos seis meses, se possível, o bebê deverá estar dormindo no seu quarto. Deverá haver sempre uma luz azulada, suave, e não deixe a porta fechada (ele deve ver ou perceber a presença dos pais).

Numa separação mais longa, é útil o acompanhamento de um psicólogo.

AS VISITAS

As visitas poderão ser feitas a partir do sexto mês de vida do bebê.

Em alguns países europeus, aos seis meses de idade acontece a primeira visita social aos avós e padrinhos. Entretanto, devemos alertar que o bebê, quando muda de ambiente, e solicitado por novos estímulos de pessoas e viagens, fica agitado, e ao voltar pode recusar a comida e acordar à noite, o que não fazia. É mais indicado, assim, que os avós e padrinhos o visitem à tarde, entre as três e as cinco horas, na sua casa.

Toda pessoa que ele não vê há mais de três semanas torna-se estranha, e os avós e parentes não deverão se sentir desapontados se o bebê fizer “beicinho” ou chorar ao vê-los após este período.

A FORMAÇÃO DA PERSONALIDADE

Evolução motora

Ele se senta quando é apoiado. Pode virar-se para trás e para a frente. Tenta rolar na sua cama.

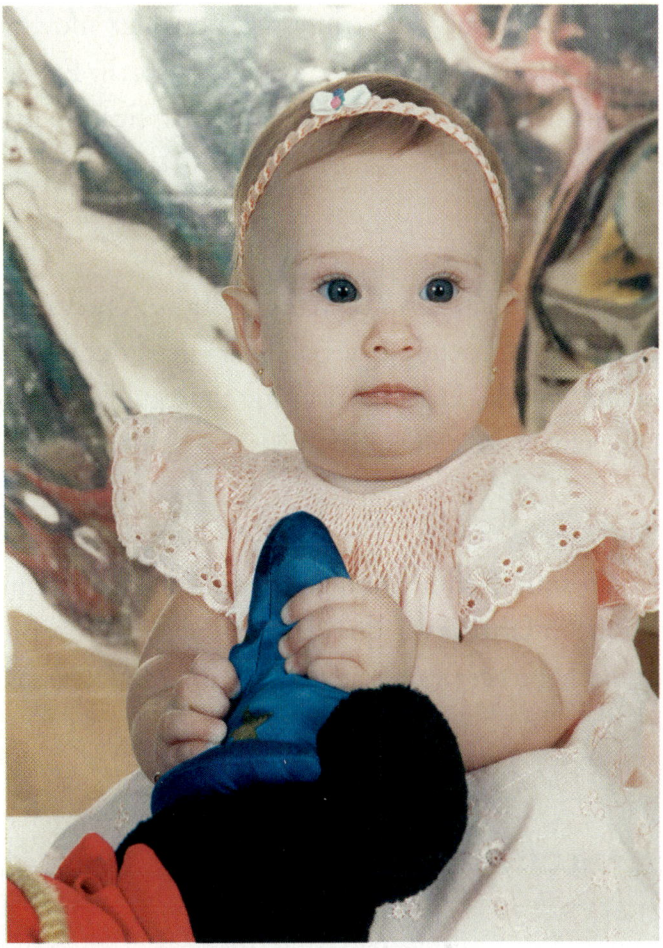

Comportamento emocional

Já começa a manifestar desagrado.

Capacidade de adaptação

Usa as mãos para pegar algo, bater e apertar.

Progresso da linguagem

Tenta vocalizar vogais e consoantes. A mãe deve começar a falar com o bebê com linguagem adulta e não com palavras no diminutivo e jargões.

Comportamento pessoal e social

Ele reconhece as pessoas da sua família. Mostra-se consciente da presença de estranhos, porém não demonstra reação definida.

Brinquedos (seu interesse e preferência)

Brinca com seu primeiro boneco de borracha, de pano ou de plástico.

O DESENVOLVIMENTO DA INTELIGÊNCIA

Primeira prova

O bebê apanha um objeto. Colocando uma sineta ao alcance do bebê, ele a pega, apertando-a com os dedos.

Segunda prova

Livra-se da fralda que o incomoda. Deitado, com uma fralda estendida sobre o rosto, ele procurará se libertar dela, o que acabará conseguindo.

Terceira prova

Reflete a expressão amável ou zangada. Uma pessoa inclinada sobre o bebê, a 25cm de distância, pelo espaço de trinta segundos, faz movimentos fisionômicos (caretas). O bebê também se alegrará, chegando, às vezes, a sorrir. Em seguida, nas mesmas condições, substitua os movimentos alegres por outros severos, ficando assim por trinta segundos: o bebê ficará sério também.

Quarta prova

Espera um fato já várias vezes repetido. A pessoa mantém na mão um brinquedo pequeno que faça ruído, movendo-o aos olhos do bebê durante alguns minutos, até que ele se interesse vivamente por ele. Logo que isto for conseguido, repentinamente os movimentos deverão parar; o bebê olhará atentamente as mãos e, estendendo seus bracinhos, procurará apanhar o objeto.

Quinta prova

Não solta facilmente um brinquedo. Dando um brinquedo ao bebê, deixe-o com ele por alguns minutos, para que se entretenha. Depois procure retirá-lo, o que não será possível sem que o bebê ofereça resistência, segurando, às vezes fortemente, o objeto e, acompanhando-o com o corpo.

A VACINAÇÃO

No sexto mês deverá ser aplicada a terceira dose da vacina Sabin oral, a terceira dose da primeira vacina Tríplice bacteriana DPT ou DPaT (difteria, coqueluche e tétano) e a terceira dose da vacina anti-hemophilus (ver pág. 209). A terceira dose da primeira vacina Tríplice bacteriana pode apresentar reações iguais à da segunda (ver pág. 250). A terceira dose da vacina contra a hepatite B deve ser aplicada a partir do sexto mês, ou mais tarde, até os dezoito meses, a critério do pediatra, e de acordo com os pais.

A ALIMENTAÇÃO NO SEXTO MÊS (180 a 210 dias)

O sexto mês é o momento ideal para iniciar o desmame dos bebês alimentados exclusivamente ao seio materno, com a introdução de sopas e papinhas de frutas.

Aos seis meses ele começa a diferenciar nitidamente o gosto da comida. Alguns já querem segurar a mamadeira, e é bom deixá-lo experimentar. Alguns “mais atrevidos” querem apanhar pedaços de comida com os dedos e passar no “rosto”. Dar ao bebê, por ocasião da primeira dentição, biscoitos macios facilita a refeição; ele fica distraído e contente.

Há bebês que são gordos, independentemente da quantidade de alimento que comem. É uma questão de metabolismo básico de causa congênita; os pais e o pediatra pouco podem influenciar. Bebês ativos dormem menos e têm menos apetite; o tempo é curto para curiosidade e excitação.

Aos seis meses modificações importantes serão feitas no regime alimentar. A necessidade de ferro aumentará, porque as reservas que ele trouxe ao nascer se esgotaram entre o quinto e o sexto mês. A carne, a gema de ovo e o fígado são alimentos que deverão ser usados.

A carne é a principal fonte de proteína. Deverá ser dada ao bebê desde o sexto mês. Começa-se pela carne de vaca, pelo frango, em seguida carneiro e presunto; quanto ao fígado, o de boi é o mais indicado.

A carne de porco é difícil de ser digerida, dura de mastigar, e só deve ser dada depois dos dois anos, muito bem cozida e desengordurada.

A carne deverá ser cozida e moída, 1 ou 2 colheres (das de sopa) por dia. Comece com 1 colher (das de chá) e aumente a quantidade gradativamente.

Deve-se usar a carne que serviu para fazer a sopa, que depois de pronta poderá ser liqüidificada, e adicionada, de volta, à sopa de legumes, às massas ou cereais.

No preparo da sopa é aconselhável substituir, apenas uma vez por semana, a carne pelo fígado. É indicado o fígado fresco de vaca (100g) ou o de galinha (inteiro). O fígado deve ser cozido com os legumes, sendo igualmente levado ao liqüidificador. É rico em nucleoproteínas, ferro e vitaminas do complexo B.

Sendo os vegetais verdes ricos em ferro, poderão ser adicionados à sopa o espinafre, o caruru e a couve.

A sopa deverá ser concentrada e dada às colheradas, como o mingau.

Mamadeira, só para leite.

Aos seis meses já pode ser introduzido na hora do almoço, no lugar da já tradicional sopa, um alimento mais cremoso.

Os legumes poderão ser dados sob a forma de purê, suflê ou com molho branco.

As carnes podem ser de fígado bem cozido (ele fica quase como um patê), de frango desfiado, peixe ou de boi bem moída.

O amido é introduzido pelo arroz, papinhas ou macarrão cabelo-de-anjo. Dê também uma gema duas vezes por semana.

Quanto ao caldo de feijão, creme de ervilha, de lentilha, ou de maisena, dê asas à sua imaginação, e com estas orientações crie um cardápio bem variado e gostoso para o seu bebê; ele certamente retribuirá se alimentando bem e tendo bastante saúde.

As refeições poderão ser dadas na cadeirinha.

O COCO

O coco é indicado como um dos melhores alimentos que se deve habituar a criança a comer. É um alimento extraordinariamente completo, apesar de suas poucas vitaminas. A polpa do coco é dura a ponto de poder ser ralada, contém até 6% de proteínas, o que é muito raro no reino vegetal e de alto valor nutritivo. Possui 50% de gordura na forma de óleo de coco, nome impróprio, já que se trata de uma gordura sólida; melhor seria chamá-la de "manteiga de coco". Possui ácidos gordurosos muito digeríveis, quase iguais aos da manteiga, do açúcar, e praticamente pouco amido, o que facilita sua digestão; e além do mais é rico em sais minerais, como cálcio, fósforo, ferro, cobre e grande quantidade de potássio, mineral que é útil para equilibrar os batimentos cardíacos. Justifica-se o uso freqüente do coco e suas utilizações na alimentação da criança, podendo ser adicionado a massas, papas, purês e doces, sendo agradável à criança. Pode ser dado do sexto mês em diante.

O PREPARO DA MAMADEIRA

Igual ao do quinto mês.

CUIDADOS COM OS ALIMENTOS

Os bebês que usam colher e xícara e são habituados à variedade de alimentos desde cedo se revelam mais espertos do que os que são alimentados com mamadeira e papinhas até mais tarde.

- Alimento retirado do *freezer*, uma vez descongelado, não deverá voltar a ele, e sim à geladeira.
- Aqueça somente a quantidade de comida que será dada à criança e deixe o restante na geladeira.
- Não guarde o resto da comida que ficou no prato, jogue fora!
- Não guarde comida na geladeira por mais de três dias.
- Lave e escove os vegetais e frutas em água corrente antes de prepará-los.
- A melhor forma de cozinhar vegetais e legumes é a vapor. A panela de pressão retém a proteína dos alimentos.
- Alimento estragado apresenta cheiro diferente: gosto azedo, mofo, tem nódulos esbranquiçados (muco). Jogue fora latas estufadas.
- Espinafre, bertalha, caruru e maxixe devem ser dados ao bebê passados na peneira.

- Depois de seis ou oito meses, evite sucos de frutas muito açucarados, bem como o excesso do açúcar no leite da mamadeira. Pouco açúcar é bom para se evitar cáries.

A DENTIÇÃO

A irrupção dentária não é absolutamente silenciosa e, por ocasião do aparecimento dos dentes de leite na boca, a maioria dos bebês apresenta mau humor, agitação, diminuição do sono e do apetite, coriza, tosse seca etc. Discreta elevação de temperatura pode ser observada (de 37,1 a 37,4°C).

Ordem de aparecimento dos dentes

A primeira dentição, denominada "de leite", apresenta vinte dentes temporários.

A ordem do surgimento dentário é a seguinte:

- Incisivos centrais – seis a oito meses. Primeiro os inferiores, depois os superiores.
- Incisivos laterais – oito a dez meses. Primeiro os inferiores, depois os superiores.
- Primeiros molares – doze a dezesseis meses.
- Caninos – dezessete a vinte meses.
- Segundos molares – vinte a trinta meses.

Consulte o capítulo 26, na página 451, para conhecer mais detalhes a respeito da dentição de seu filho

O USO DO BABADOR

Os de tecido simples e atoalhados não servem; passam umidade da baba para o peito do bebê. O lado avesso deve ser forrado de plástico. Não se esquecer de lavá-los sempre.

A baba é normal na criança entre o quarto mês e o primeiro ano de vida. É simplesmente a saliva espessa e abundante que escorre pela boca do bebê. A designação médica é de sialorréia, que pode ser considerada normal do quarto ao décimo segundo mês de vida. Entretanto, a criança baba mais durante a irrupção dos dentes, devido à inchação (tumefação, vermelhidão) da gengiva nesta ocasião.

A saliva representa um fator importante para a saúde da criança; assim, das suas três glândulas que produzem a saliva, a glândula parótida produz um suco aquoso que é usado principalmente para umedecer os alimentos e permitir sua deglutição. As outras duas glândulas, denominadas submaxilar e sublingual, produzem um suco viscoso, rico em muco, contendo um suco digestivo, denominado pitialina, que, uma vez deglutido no estômago, auxilia a digestão dos açúcares e das farinhas (amido). A saliva contém elementos preciosos da defesa do organismo contra as infecções, denominados anticorpos humanos (imunoglobulina). Sua presença explica por que a criança que leva tudo à boca entre o primeiro e o segundo anos vive contaminada pelas bactérias das mãos e dos objetos.

Infelizmente, apesar de tudo, pode acontecer de a criança adoecer, sobretudo em se tratando de viroses, ao passo que para as bactérias as defesas do organismo são mais eficientes.

Sabemos da influência do sistema nervoso central sobre as glândulas salivares. Assim, a boca pode ficar seca por ocasião das emoções, como também pode ficar úmida, salivando apenas ao observar o alimento que a pessoa adora.

Podemos dividir em cinco as principais causas de salivação abundante: primeira, as doenças cerebrais, devido a um parto difícil, demorado, com reanimação artificial ou qualquer problema grave durante a gravidez.

Esta condição é provocada pela falta de coordenação dos músculos encarregados da deglutição e da salivação, que constantemente se produz.

A segunda é a estomatite, isto é, a inflamação das gengivas, às vezes de natureza infecciosa e outras de natureza alérgica.

A terceira é a irrupção dos dentes, entre seis e quinze meses de vida, produzindo uma inchação e irritação das gengivas.

A quarta é a hipertrofia, o aumento das amígdalas e das adenóides (as carnes da garganta e do nariz). O crescimento das adenóides, quando muito volumoso, obriga a criança a respirar de boca aberta, sobretudo durante o sono, e é quando a criança baba mais.

Há a hipótese de a baba ácida, por diversos motivos ainda não bem-definidos, provocar o eritema (vermelhidão) peribucal, devido ao contato permanente da saliva ao redor dos lábios, que cede facilmente com a aplicação de uma pomada ou creme neutro. Às vezes esta vermelhidão ao redor dos lábios pode ser provocada por um "tique", hábito da criança, quando nervosa ou distraída, viver mordendo os lábios.

A quinta causa é o refluxo ácido para o esôfago nas crianças que golfam muito e têm refluxo gastroesofágico, levando à produção de baba em abundância (a pitialina é alcalina) para neutralizar a acidez do refluxo. O bebê que golfa muito por refluxo baba muito e vive com a mão na boca.

O CERCADO

Instruções:

a) o cercado faz parte do equipamento do bebê, tem utilidade para os de seis meses a dois anos para protegê-los e discipliná-los. É valioso quando a mãe está ocupada com os afazeres da casa (preparando a comida, atendendo o telefone, passando o aspirador, costurando etc.).

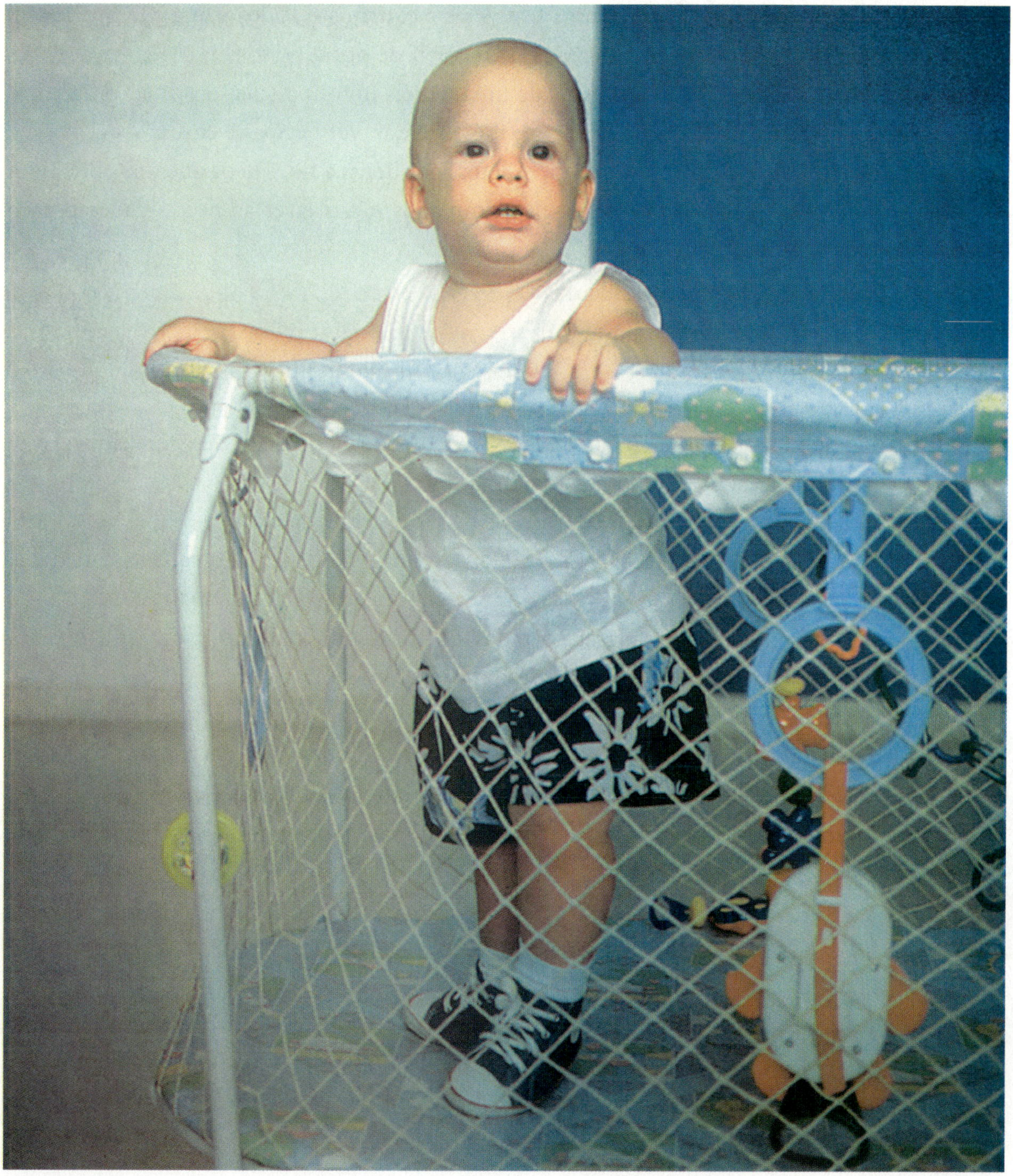

A mãe, entretanto, deve conversar com o bebê mesmo que ele não responda, ou deve colocá-lo onde ele possa vê-la;

b) psicólogos modernos admitem que pode ser inibido o desenvolvimento mental do bebê por falta de estímulos necessários devido ao isolamento. Neste caso, a companhia de outro bebê pode resolver este problema;

c) alguns pediatras acham preferível deixar o bebê livre em um quarto fechado e colocá-lo no chão sobre um lençol ou uma coberta. O cuidado indispensável é o de cobrir com protetor de plástico as tomadas elétricas, retirar vasos e objetos pequenos e tudo o que for quebrável. Deixe-o engatinhar à vontade, sob vigilância da mãe ou de outra pessoa;

d) não convém o uso do cercado por mais de uma a duas horas por dia, o primeiro na parte da manhã e o outro à tarde. O bebê precisa se movimentar, ver pessoas e coisas;

e) os bebês que gostam de ficar no cercado, quietos, por horas a fio, são os que mais precisam de contato humano e movimento, para ser estimulados e satisfazer as necessidades para o desenvolvimento mental.

Exigências para um bom cercado

a) bem armado (fixo ou desmontável). Ser redondo ou quadrado é indiferente;

b) não deverá ter saliências, pontas e arestas agudas;

c) os cercados tipo sanfona podem machucar os dedos do bebê e são desaconselháveis;

d) deverá ter altura de 50cm, meio metro acima do colchão;

e) o chão deverá suportar 35 quilos, devido os pulos da criança;

f) as grades deverão ser redondas. Com 5 a 8cm de intervalo, para não caber a cabeça da criança. Não deverão ser muito estreitas, para não bloquear a visão da criança;

g) as beiradas e as grades deverão ser forradas de tecido ou plástico, porque a criança poderá morder e aspirar os pedaços, com perigo de sufocação;

h) o cercado de tela é o mais recomendado, podendo ser forrado de tecido de algodão, o assoalho, não as grades;

i) não devem ter almofadas ou travesseiros, para a criança não trepar e cair;

j) a criança que usa cercado não deve ter mais de 85cm (dois anos) e não pesar mais de quinze quilos.

O QUE DEVE SER COMUNICADO AO PEDIATRA

1) Quando o bebê não sorri espontaneamente aos cinco cinco meses de idade.

2) Quando não revela qualquer afeto à sua mãe ou à babá.

3) Quando não toma conhecimento das pessoas à sua volta.

4) Quando não demonstra interesse em brincar com seus brinquedos ou com um móbile, por exemplo.

5) Quando se apresenta com os músculos das pernas e dos braços muito rígidos ou muito relaxados.

6) Quando fica sentado e a sua cabeça cai constantemente para trás.

7) Quando usa somente uma das mãos.

8) Quando não segura brinquedos colocados ao seu alcance, depois dos sete meses.

9) Quando há lacrimejamento persistente ou quando evita a luz.

10) Quando apresenta movimentos desordenados, transitórios, do globo ocular.

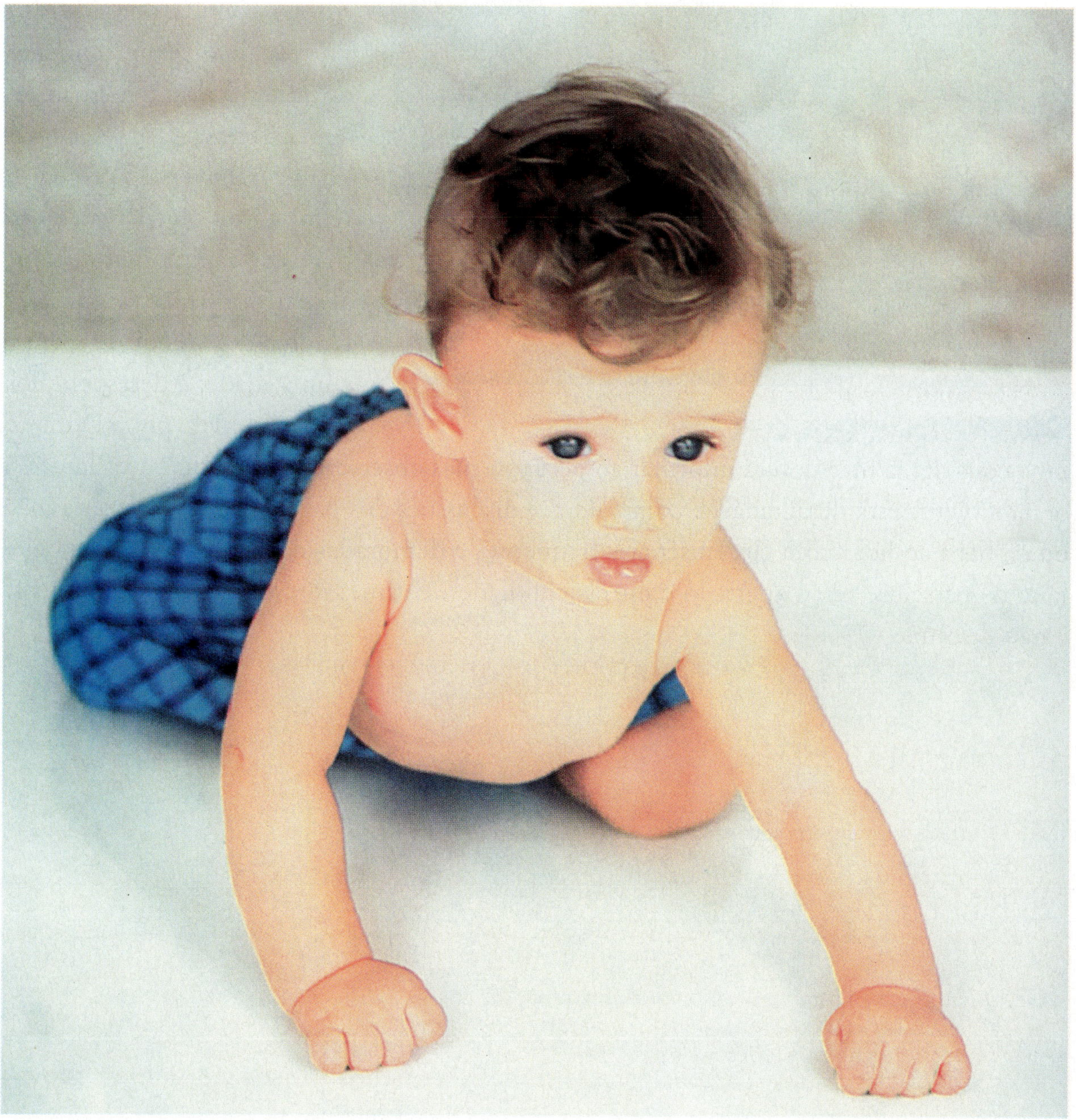

Existem casos em que o comportamento do bebê preocupa os pais sem motivo importante. Entre o quarto e o sétimo mês, a criança pode passar por uma dramática mudança de personalidade – até os quatro meses ela vem se revelando tranqüila, passiva e contente apenas com o afeto materno, sua comida e com o sono; à medida que vai tomando conhecimento do mundo à sua volta, revelará aspectos de sua personalidade: rabugento ou gentil, teimoso ou dócil; estes são traços de caráter inato, "saiu" ao pai ou à mãe, segundo a família, e podendo sc tornar, com a idade, e desespero dos pais, cada vez pior. Durante uma consulta, a mãe deverá informar ao pediatra suas observações. O pediatra esclarecerá se o ambiente está desagradável, com ruídos e discussões dos pais, o modo brusco da mãe ou da babá ao lidar com ele. Ausências freqüentes e demoradas da pessoa que cuida dele, falta de passeios, berço apertado e outras condições, enfim, são problemas educacionais, e não de saúde.

Capítulo 17

O Sétimo Mês

O sétimo mês

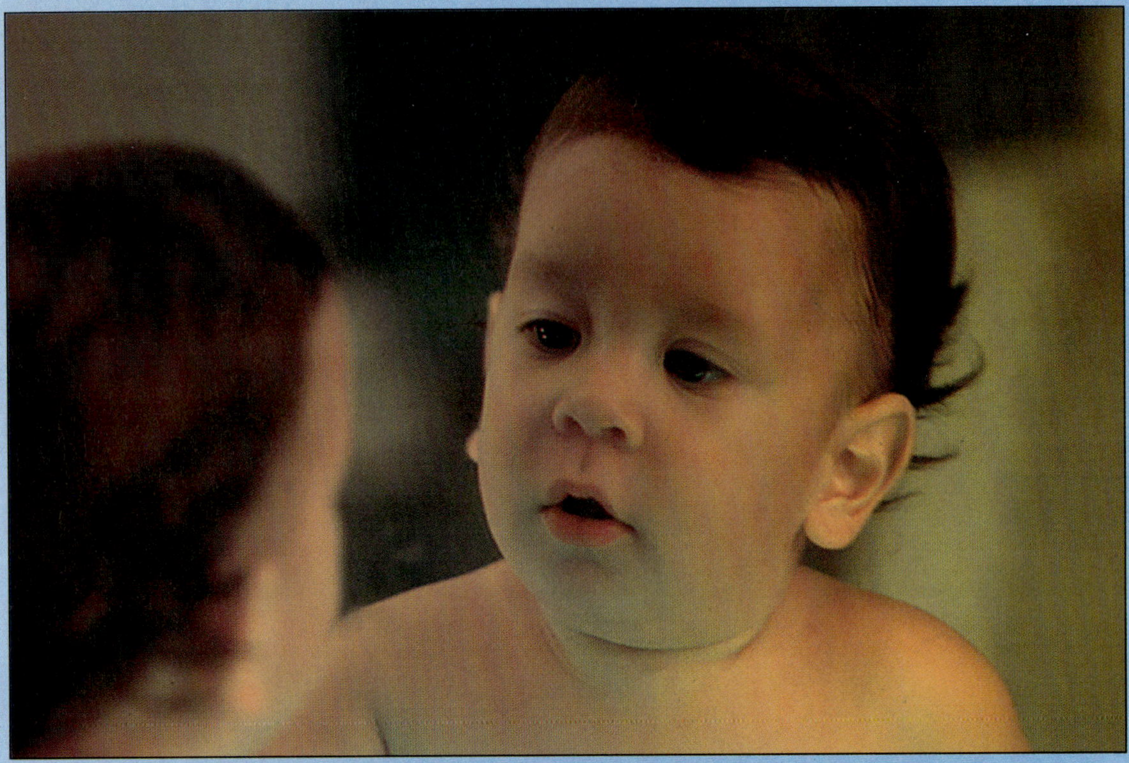

O espelho é um grande divertimento para o bebê. Ele faz festa com a sua imagem e reconhece a dos pais.

O DESENVOLVIMENTO DO BEBÊ

	Meninos	Meninas
Peso	8.000g	7.750g
Estatura	66cm	65cm
Perímetro cefálico	44cm	43cm
Perímetro torácico	44cm	43cm
Ganho de peso mensal	450g	450g

O bebê, aos sete meses de idade, pelas suas novas habilidades, que se revelam, faz os pais e parentes ficarem encantados. Adora as pessoas, não por elas mesmas, mas pelo que podem fazer por ele. Presta atenção a mais de uma pessoa ao mesmo tempo.

Gosta de ser levado ao colo e passar de um para o outro, entre pessoas conhecidas, naturalmente. Aprecia o ritmo e seu balanço nos joelhos. É a ocasião dos exageros dos parentes, que acabam por excitá-lo de tanto brincar. Começa a ficar encabulado com estranhos, principalmente fora do seu ambiente.

É instável emocionalmente, rindo ou chorando, alternando seu humor com rapidez.

Aos sete meses aparecem duas notáveis aquisições no desenvolvimento motor:

1) pode se sentar sozinho e se sente confortável ao colo de sua mãe;

2) começa a engatinhar, de início se arrastando, em seguida engatinhando, e somente aos oito meses é que conseguirá fazê-lo razoavelmente.

Deseja participar das brincadeiras dos irmãos maiores, sorrindo e gritando. Gosta de ficar no quarto em que está sua mãe, pelo menos onde possa vê-la; não é certo deixá-lo sozinho no cercado, em outro quarto.

Alguns inventam outra forma de locomoção, se arrastando, sentado, pelo chão. O bebê que engatinha bem e rápido demonstra um perfeito desenvolvimento dos centros motores do cérebro. Pela primeira vez o polegar pode ficar em oposição à palma da mão, segurando fortemente um objeto com as duas mãos e batendo. Nesta idade ele descobre seu nariz, suas orelhas e o órgão genital; logo que estiverem sem fralda, os meninos brincam com o birro e as meninas podem querer meter o dedo na vagina. Os pais, em alguns casos, não devem intervir, pois esta é uma fase muito importante para o desenvolvimento da criança.

O que desagrada o bebê

a) sentir fome;

b) sentir sede;

c) estar muito ou pouco coberto;

d) ser mudado constantemente de quarto ou de casa;

e) ser movimentado com violência;

f) ser jogado para o ar, o que lhe dá vertigens (além do hábito de algumas pessoas o suspenderem bruscamente);

g) luzes fortes no seu quarto;

h) ruídos, vozes altas, portas batendo, rádio e TV altos;

i) fumaça de cigarros no seu quarto;

j) ser segurado à força por pessoas estranhas.

A FORMAÇÃO DA PERSONALIDADE

Evolução motora

O bebê se senta com maior facilidade, sozinho, inclinado para a frente. Movimenta-se voluntariamente, arrastando-se ou rolando em direção a algum objeto distante que atraia sua atenção.

Comportamento emocional

Ele chora alto. Grita (emite sons agudos). A cólera principia a manifestar-se e "mostra gênio".

Capacidade de adaptação

Alcança e pega objetos e os transfere de mão.

Progresso da linguagem

A percepção clara do "M", sobretudo quando chora, é notada. Aprende a se divertir, emitindo sons de algumas vogais e consoantes, formando sílabas dá-dá, pá-pá.

Comportamento pessoal e social

Põe os dedos dos pés na própria boca! Vemos logo que o comportamento pessoal e social deixa muito a desejar, além de começar a mostrar gênio.

Brinquedos (seu interesse e preferência)

Um bichinho de pano, de borracha ou de plástico é muito importante para ele. Nesta idade a criança morde tudo, por isso gosta de brinquedos que possa segurar, morder e bater.

Memória

No final do sétimo mês, ele começa a desenvolver sensivelmente sua memória.

d) 2 ou 3 colheres (das de sopa) de arroz, massa, aveia, tapioca ou sagu;

e) 2 ou 3 colheres (das de sopa), de purê de batata-doce ou inglesa;

f) temperos: sal, cebola e tomate. Evite o uso diário do refogado;

g) sobremesas: frutas cruas, marmelada, geléia, compota, pudim, doce de leite com biscoito picado, iogurte.

A batata-doce

Aos sete meses ela começa a fazer parte do regime alimentar. É um legume muito rico em açúcar e possui conteúdo protéico apreciável (1,6%), ao passo que a batata inglesa tem 2,2%. A batata-doce tem apreciáveis quantidades de cálcio, fósforo, ferro e as vitaminas A, B e C. É comum o uso da batata-doce assada, muito apreciada pelas crianças. Seu preparo é o seguinte: coloque a batata no forno já quente até que esteja macia, entre 30 e 40 minutos, segundo o tamanho; faz-se um orifício na casca e dê à criança a polpa com uma colherzinha, acrescentando açúcar ou manteiga, de acordo com o gosto da criança. Também é usada na forma de doce. A batata-doce pode ser dada cozida do sétimo mês em diante, e frita aos dezoito meses.

A refeição das seis, sete horas da noite, em vez da sopinha clássica, já aconselhada, poderá ser substituída com vantagem pelo caldo de carne (150 a 220g), com uma gema cozida, 1 colher (das de sobremesa) de algum cereal e 1 ou 2 colheres (das de sopa) de purê de legumes.

Comece a treinar o uso da caneca e do copinho; às vezes é um treino demorado; pode levar até um mês para ser conseguido. Porém, só aos nove meses ele o segurará com as próprias mãos. No copinho, é preferível servir o suco de frutas ao leite, pois as crianças gostam mais.

Se a criança não gostar de um alimento, suspenda-o por uma ou duas semanas e depois ofereça-o de novo. É preferível começar com pequenas porções para ele terminar logo e não o desanimar. Tente um tempero diferente, às vezes; é uma solução (cebola, tomate, alho).

O uso de pratos coloridos pode, às vezes, melhorar o apetite, e outras vezes até piorar, quando o bebê se assusta.

Preparo do caldo de carne (dois processos)

a) Bife de aproximadamente 150g e de 2 ou 3cm, leva-se para fritar ligeiramente na chapa, de um lado e do outro, deixando a parte central crua, quando então deve ser espremido fortemente. Do suco que escorrer, aproveite 1 colher (das de sopa) bem cheia, e junte-a à sopa;

b) Coloque 150g de carne crua, cortada em pedaços mais ou menos pequenos, em um vidro tampado. Ferva-a em banho-maria por vinte minutos. O suco irá, gradativamente, se separar das fibras. Isto é aconselhável para os bebês que não suportem carne moída. A gema cozida e o purê de legumes (2 colheres, das de sopa) podem ser adicionados ao suco.

O DESENVOLVIMENTO DA INTELIGÊNCIA

Primeira prova

O bebê tenta apanhar um objeto. Colocando uma lanterna de bolso acesa a uns 50cm diante do bebê, ele estenderá as mãos para pegá-la.

Segunda prova

Procura um contato ativo. Alguém sentado ao lado do seu berço não olha nem se preocupa com ele. O bebê tentará estabelecer contato com a pessoa, balbuciando e olhando para ela.

Terceira prova

Procura um brinquedo perdido. Deixa-se o bebê se distrair com um brinquedo, por algum tempo; em seguida, suavemente, tira-se o mesmo; ele olhará ao seu redor, procurando-o na direção em que desapareceu.

Quarta prova

Esboço de imitação: uma pessoa, diante do bebê, bate com a mão na mesa por algum tempo, e em seguida o põe ao colo. Ele também tentará bater com as mãos na mesa.

Quinta prova

Livrar-se da fralda que o incomoda. Coloque-o deitado de costas, com uma fralda cobrindo-lhe a cabeça. Com as mãos, ele tirará a fralda.

A DENTIÇÃO

Surgem dois dentes (os incisivos centrais inferiores).
Podem nascer entre o quinto e o sétimo mês de vida e serão trocados pelos permanentes por volta dos cinco anos e meio de idade.
Esta é a época ideal para a 1ª consulta ao odontopediatra.
Higiene: estes dentes devem ser limpos uma vez ao dia com gaze ou fralda umedecida com água filtrada.
Consulte capítulo 26, na página 451, para mais detalhes a respeito da dentição de seu filho.

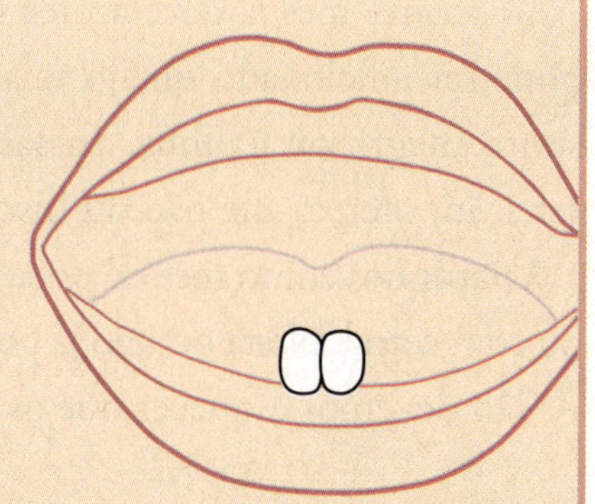

A ALIMENTAÇÃO DO SÉTIMO AO OITAVO MÊS

Do ponto de vista alimentar, o sétimo mês é muito importante. O almoço já não consistirá em sopinhas liqüidificadas ou passadas na peneira, mas em uma papinha com carne picada ou desfiada, cereais e legumes amassados com o garfo, não liqüidificados. O uso de sobremesas deverá ser iniciado. É necessário que o bebê comece a se habituar com os alimentos sólidos, para treinar a mastigação, evitando-se os liqüefeitos até os dezoito ou 24 meses.

Aos sete meses ele quer participar ativamente das refeições, quer pegar pedaços de comida, pinçando-os com o polegar e o dedo indicador. Quer segurar, lamber e cheirar sua comida. Pode levar à boca pedaços de alimentos, como cenoura, ervilha, ovo mexido, batata, carne, requeijão, cereal seco. Nesta idade o bebê tem grande curiosidade, e isto faz parte do seu aprendizado. A mãe precisa ser tolerante, ter paciência se ele tentar comer sozinho, pelo menos por algum tempo, e ela terá de terminar a refeição.

As mães pacientes terão sempre um bom relacionamento com seu filho, que terminará bem o seu primeiro ano de vida.

Entretanto, as mães insensíveis, prepotentes, sem paciência, terão sempre muitos problemas. A mãe não deve forçar, gritar, ameaçar ou fazer truques para o seu filho aceitar o alimento que ela oferece.

Conversar com o pediatra sobre os intervalos e melhores alimentos substitutivos do agrado dele é a melhor solução.

Alimentar o bebê nos intervalos, porque ele comeu pouco, não é aconselhável; a mania de dar multi e supervitaminas é desnecessária se o bebê toma leite e come frutas e vegetais verdes e amarelos em boa quantidade.

Consideração sobre a alimentação ao sétimo mês

Ao sétimo mês já deverão ter sido introduzidos novos alimentos na sopa; depois de pronta, pode ser adicionado queijo ralado. No purê de legumes ou de batatas, pode-se colocar presunto magro ou galinha, passados no liqüidificador, 1 ou 2 colheres (das de sopa). Após a refeição, ofereça-lhe pão ou biscoito para morder.

A partir do sétimo mês ele pode começar a comer frutas em compota, como sobremesa, com leite ou com cereal. Nesta ocasião já podem ser oferecidas outras compotas, com ameixa, pêssego e pêra.

Não devemos esquecer que as frutas cruas são mais ricas em vitamina C do que as cozidas.

Outras instruções

Frutas e vegetais, quando cozidos, deverão ser guardados cobertos em geladeira, no máximo até 48 horas, e a carne não mais que 24 horas.

Comece a oferecer alimentos amassados com o garfo; dê ao bebê com a colher e não triturados no liqüidificador.

O movimento de mastigação varia em cada criança de seis a dez meses.

Alimentos consistentes também podem ser oferecidos, apesar de o bebê não ter dentes, pc fazem bem à gengiva.

Ele deverá receber quatro refeições por dia. Não é mais necessário esterilizar os utensíli para as refeições, bastando lavá-los bem com água limpa e detergente.

A mamadeira pode ser quente, morna, fria ou até gelada. Agite-a sempre antes de oferecê-l

As fórmulas infantis em pó estão indicadas. Leite meio gordo adicionado a farinhas, es cialmente achocolatados, só com autorização do pediatra.

Ele deverá ingerir 700ml de leite por dia, tomar sopas cremosas, comer pudins e ming uma ou duas mamadas ao seio por dia.

Dê carne moída ou desfiada, gelatinas, purê de batatas, requeijão, torradas e biscoitos; o *cream-cracker* não serve, porque larga muitos farelos, facilitando o engasgo.

Aos sete meses o bebê mostra habilidade para mastigar sólidos; não confundir com alin tos espessos (mingaus). Nesta ocasião podem ser oferecidos alimentos que possam ser f mente pegos com as mãos, como banana descascada, pedaços de maçã ou pêra, lascas de c ou cenoura, aspargos, feijão, peixe (sem espinha!) e requeijão.

As sobremesas podem ser oferecidas depois da sopa do almoço – frutas frescas ou em pota, pudins e iogurtes. Horário: existem dois tipos, um de quatro refeições e outro de c conforme a aceitação da criança. O de quatro refeições deve ser um de leite, um de fruta de comida. No de cinco utilize mais uma refeição de leite.

Hora	4 refeições	5 refeições
6, 7 horas	Leite e fruta	Leite e fruta
10, 11 horas	Almoço e sobremesa	Almoço
3, 4 horas	Mingau	Mingau ou leite c/fruta
6, 7 horas	Jantar e sobremesa	Sopa e sobremesa
10, 11 horas	—	Leite

Preparo do almoço:

a) 1 ou 2 colheres (das de sopa) de carne de vaca ou de galinha moída e cozida; fíga vez por semana;

b) 2 ou 3 colheres (das de sopa) de purê de um legume a escolher (cenoura, chuchu, maxixe, nabo, caruru ou espinafre);

c) 2 colheres (das de sopa) de purê de feijão ou de ervilha;

A higiene da carne

A preocupação de oferecer carne bem cozida à criança nos primeiros anos de vida é muito importante, para evitar que ela seja intermediária de parasitas, sobretudo a solitária; ela tem de ser bem cozida, de modo que tenha a segurança de que o calor atingiu sua massa central; se for picada, é mais facilmente atingido o cozimento na sua massa central do que quando mais espessa, como bife grosso passado na chapa de lado a lado. Não se deve dar carne quase crua à criança; já tivemos um caso de solitária em bebês no oitavo mês, pois sua mãe adicionava à sopa carne quase crua.

A carne fresca possui cor avermelhada, cheiro próprio, consistência firme e é pouco úmida. Sua suplementação diária de vitaminas e sais minerais deverá ser de 100ml (g) de suco de frutas, cinco a oito gotas polivitamínicas e dez gotas de solução com ferro.

A VACINAÇÃO

Aos sete meses de idade a vacinação indicada já deve ter sido feita. Se não for, deve ser iniciada ou completada imediatamente.

PROTEÇÃO CONTRA ACIDENTES

Banho

Perigo! Nesta idade o bebê já agarra coisas e se movimenta! (ver os mesmos cuidados na pág. 266). Nesta idade o bebê já se senta; nunca o deixe sozinho sentado na banheira. Cuidado com o tampão do ralo da banheira, pois ele pode levá-lo à boca e tentar engoli-lo.

Sufocação

(Os mesmos cuidados descritos na pág. 531.) Guarde em local alto sacos plásticos ou de papel impermeável, nos quais o bebê possa introduzir a cabeça.

Quedas

Só uma cama com grades altas e um cercadinho são realmente seguros.

Brinquedos

Deverão ser grandes, arredondados e inquebráveis.

Objetos

Alfinetes, pregos, moedas, botões pequenos, agulhas e contas devem ser evitados tanto na cama como no colchão.

O CARRINHO DE PASSEIO

O passeio do bebê é um ato muito importante na sua vida. Ele deverá ser transportado num carrinho. Existem dois tipos, os carrinhos fixos e os do tipo guarda-chuva. Estes são os mais populares, porque são fáceis de ser carregados e guardados. Existem carrinhos-leito, adaptáveis à cadeira conversível, para depois dos seis meses.

Carrinho do tipo guarda-chuva

Exigências:

a) tipo de tecido de lona, pois tem de ser resistente;
b) encosto alto, resistente, macio, oblíquo para bebês de seis a oito meses;
c) o encosto não deverá ser muito vertical;
d) evite cinto frouxo que permite à criança ficar de pé;
e) deverá ter rodas fortes e macias para amortecer os choques. As de borracha são as indicadas;
f) as rodas fixas são mais seguras do que as móveis, usadas para facilitar as manobras;
g) pendurar bolsas atrás do carrinho pode incomodar as costas do bebê, sobretudo em carrinhos de tecido leve, e além do mais o carrinho pode perder o equilíbrio;
h) os carrinhos não devem ser fáceis de fechar sozinhos, imprensando a criança;
i) deverá ter um guarda-sol ajustável.

Outros tipos de carrinhos

São mais dispendiosos do que o do tipo descrito acima.

Exigências:

a) alça em que o adulto o segura e o empurra terá de estar a uma altura confortável;
b) o encosto terá de ser alto com proteção nas laterais;
c) o encosto deverá ser reclinável, de acordo com o bebê;
d) deverá ter uma correia ajustável à cintura e entre as pernas para evitar que a criança escorregue;
e) deverá ter um freio, funcionando bem nas duas rodas;
f) o lugar dos pés deverá ser ajustável ao tamanho da criança;
g) bolinhas e guizos para brincar na frente do carrinho não são aconselháveis, pois podem ser engolidos;
h) deverá ter capota ou guarda-sol.

A VISÃO

As crianças preferem ver anúncios, e depois desenhos animados. Atualmente já existem vídeos para bebês desde os seis meses; são imagens sucessivas de fotos de bebês. A opinião dos pediatras quanto a isto ainda não está estabelecida.

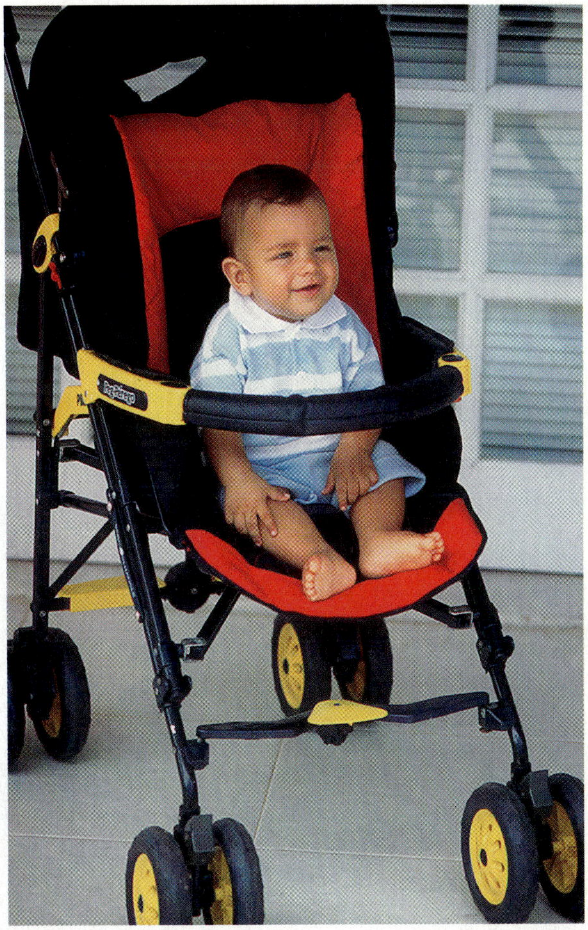

O carrinho deve ser resistente e macio, com encosto alto e tecido de lona.

A DISCIPLINA

Aos sete meses de vida do bebê já deve se pensar nos atos inconvenientes e o mais indicado para lidar com os conflitos é distraí-lo com um brinquedo ou outra atividade. O objetivo principal da disciplina é o de ensinar as crianças os seus limites; dizendo não, a mãe deverá estar calma e amorosa, porém firme; o bebê deverá perceber que ela tem a palavra final. A mãe deve ter bom senso e não variar de acordo com o seu humor do momento. A mãe nunca deve fumar, beber, comer ou carregar objetos enquanto estiver segurando seu bebê.

PARA AJUDAR O SONO

a) dar banho morno no bebê;
b) contar-lhe uma história;
c) colocar uma música suave do seu agrado;
d) dê um suco ou leite morno na mamadeira (não se esqueça de lavar sua boca depois);
e) se ao ser colocado na cama ele chorar, espere cinco minutos antes de levá-lo ao colo. Se ele continuar, volte a colocá-lo novamente na cama, ficando por perto para que ele a veja. Se o choro se prolongar por mais de vinte minutos, faça um exame mais cuidadoso.

O sono não depende unicamente da saúde e do comportamento do bebê, depende também do relacionamento com os pais, da rotina da casa e do ambiente ao seu redor (ruídos, temperatura, umidade). A criança alimentada suficientemente ao seio dorme bem; entretanto, a alimentada com leite de vaca e que seja alérgica pode apresentar insônia e inquietude, que poderá desaparecer ao tomar leite de soja. O bebê deve tirar duas sestas durante o dia, uma de três horas pela manhã e outra à tarde. De modo geral ele poderá dormir quando e quanto quiser; entretanto, a sesta da tarde não deverá perturbar o sono noturno. Pela manhã ele poderá acordar antes dos pais, e se encontrar os seus "mimis" preferidos poderá se manter sossegado, permitindo que os seus pais durmam mais um pouco. O bebê que dorme ocasionalmente demais pode estar com febre, ou se alimentado ao seio é possível que a mãe tenha tomado um tranqüilizante ou um antialérgico que tenha passado ao leite.

O bebê deverá dormir, em média, quatorze horas por dia.

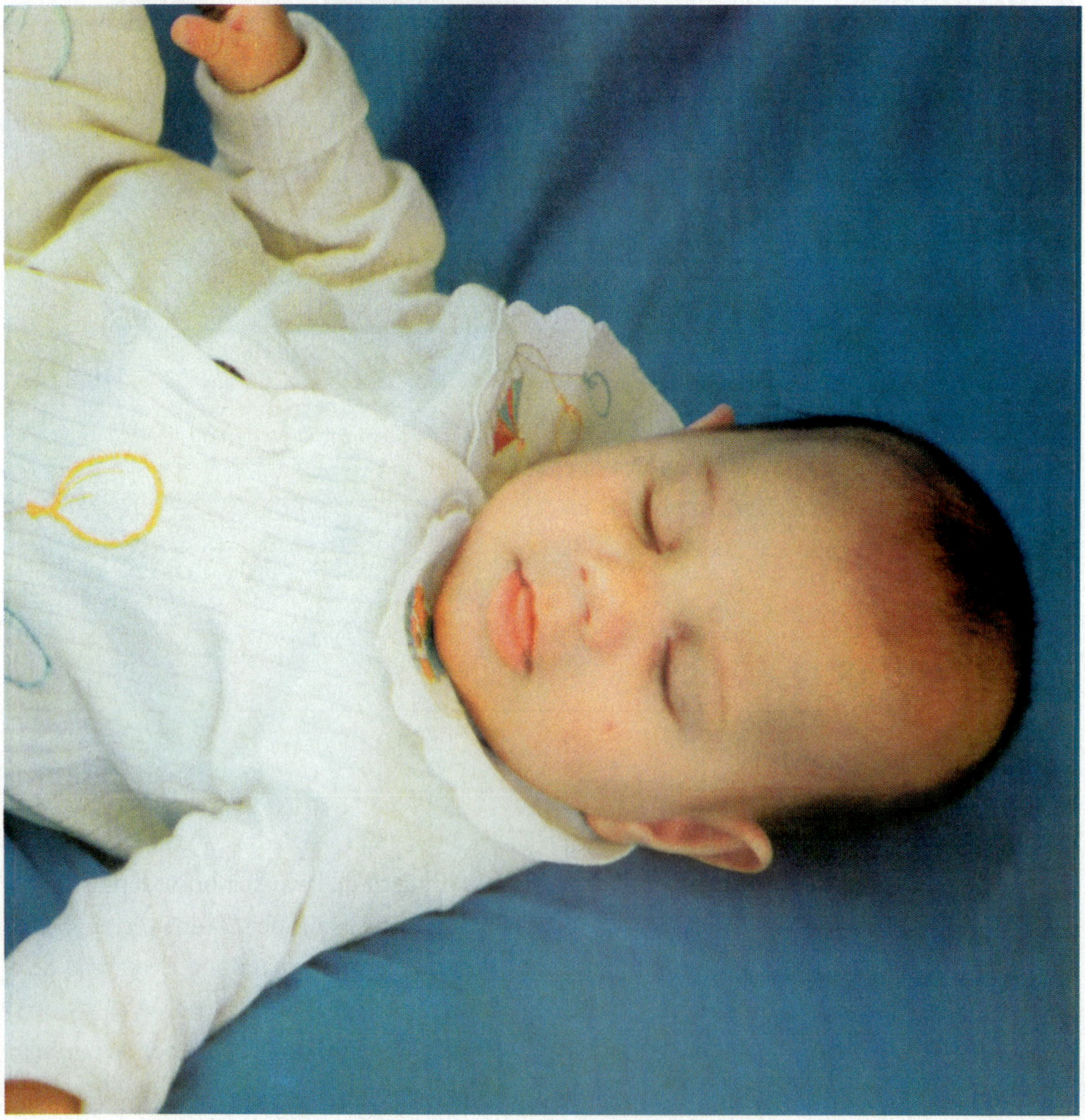

Capítulo 18

O Oitavo Mês

O oitavo mês

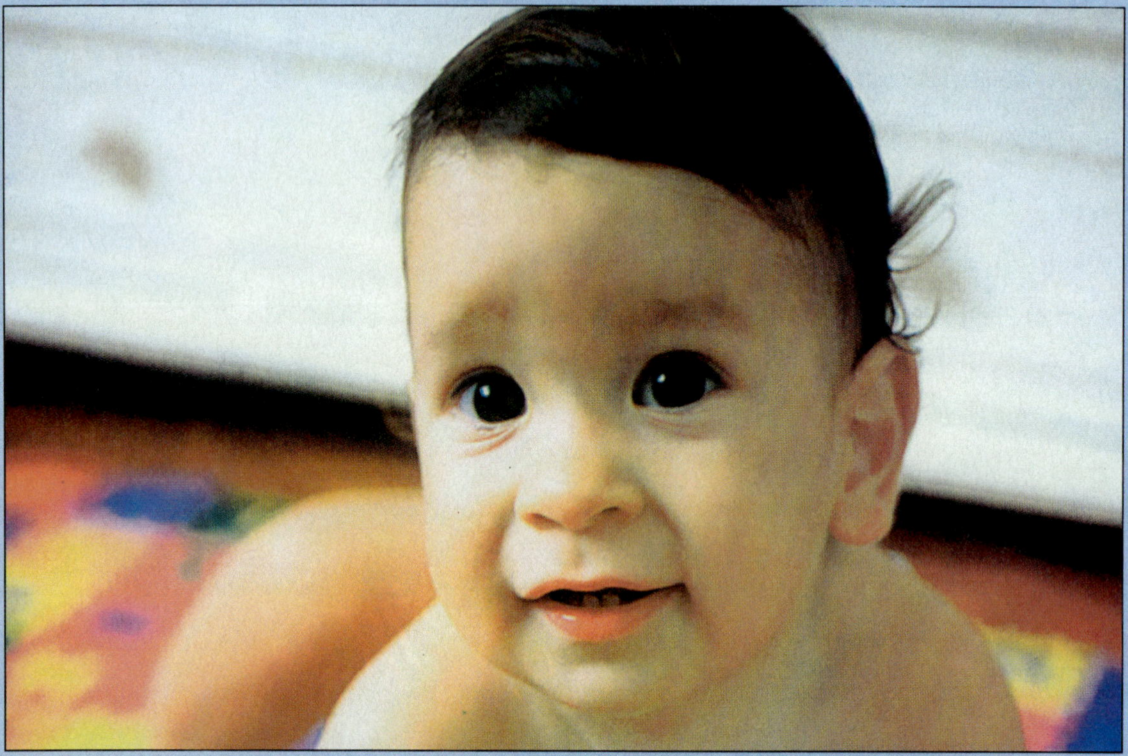

Aos oito meses, o bebê está se preparando para o maior marco de sua vida: depois de engatinhar, ele tentará ficar de pé.

O DESENVOLVIMENTO DO BEBÊ

	Meninos	Meninas
Peso	8.450g	8.200g
Estatura	68cm	67cm
Perímetro cefálico	44,5cm	43,5cm
Perímetro torácico	44,5cm	43,5cm
Ganho de peso mensal	450g	450g

Para o bebê, a necessidade da presença da mãe é tão forte quanto a necessidade de se alimentar. Ele precisa ter certeza de que sua mãe estará em casa quando ele voltar dos seus passeios, esperando por ele, se não foi com ela. Nas cidades do interior, em casa, no quintal, nos jardins e nas calçadas sossegadas as crianças mostram maior tendência à independência do que as que vivem em cidades grandes, num edifício de apartamentos, onde mãe e filho ficam tensos.

O bebê está em constante atividade. Embora já engatinhe para ir aonde quer, ele gasta grande parte do tempo procurando ficar de pé. As quedas, batendo com a cabeça, não o machucam tanto quanto se julga; os ossos do crânio ainda são flexíveis, amortecendo os choques, não causando lesões (ver pág. 527) como nos adultos.

Entretanto, ter tapetes ou carpete (cuidado com os ácaros e com as causas de alergia respiratória) em casa pode ser útil desta idade em diante. Pode engatinhar com uma das mãos, tendo a outra ocupada. Pode engatinhar para a frente e para trás.

Seu comportamento é variado. As gavetas e os armários são perigosos, ele gosta de abri-los e tirar o que achar dentro, ou então quer entrar neles. Guarde em lugar alto e seguro objetos cortantes e remédios, pois serão levados à boca se ele os encontrar.

Nesta idade ele já fica alerta quando é chamado e começa a saber o significado de algumas palavras. Balbucia duas sílabas e tem variedade de sons e inflexões da voz. Entretanto, tem duas tristezas: a primeira quando percebe que a mãe se prepara para sair, e a segunda quando percebe que ela não o levará para passear.

O gesto básico do relacionamento humano é a interação olhos nos olhos, especialmente entre mãe e filho. A falta deste ato é uma das razões por que as crianças criadas em instituições são mais atrasadas mental e socialmente.

Cada bebê é diferente de outro. Um é sensível à educação visual, outro à auditiva. Não gostam de ficar sozinhos no quarto.

Os brinquedos são o seu mundo. Examina-os com cuidado, procura um brinquedo escondido debaixo de um móvel, puxa o barbante de um embrulho amarrado. Morde e chupa seus brinquedos. Tenta beijar sua imagem no espelho. Grita para chamar a atenção. Estranha fortemente as pessoas, é muito apegado à sua mãe. Se aquieta com a voz materna.

O bebê não gosta de mudanças de quarto ou de casa, de ambiente em geral, sobretudo de repente; precisa de algum tempo para se acostumar com a nova rotina e com pessoas desconhecidas.

Por isso as mães não devem deixá-los sozinhos no começo de uma mudança de ambiente ou de pessoa. O choque emocional é sempre possível.

AS MÃOS DA CRIANÇA – FERRAMENTAS MARAVILHOSAS

As mãos de uma criança têm um significado extraordinário. Por meio das suas habilidades, pode-se observar a exatidão do desenvolvimento psicomotor no primeiro ano de vida. No primeiro semestre, a mão funciona como um gancho, somente permitindo análise manual e oral.

Ao término do primeiro ano de vida, a mão já se torna um instrumento de análise, de investigação por parte da criança, e ao término dos dois anos ela funciona bem, podendo desempenhar diferentes atividades.

A EDUCAÇÃO

É aconselhável deixar a criança num quarto em que possa brincar e engatinhar à vontade. Substitua possíveis brinquedos perigosos por outros isentos de risco.

Se o bebê tiver o hábito de bater com a cabeça nas coisas ou puxar os cabelos, isto deverá ser comunicado ao pediatra.

Nem todos os bebês se interessam pelo que está ao seu redor; outros são mais atentos. Se ele quiser segurar a mamadeira ou um biscoito, deve-se deixar.

Sabe colocar duas sílabas juntas ("dá-dá"). Aprende a estalar a língua, numa imitação. Começa a compreender a razão do "não" e parece entender o significado de algumas palavras. Os pais, ao falar com o bebê, deverão fazê-lo normalmente, sem imitar a maneira de falar de uma criança.

Ele dorme uma ou duas vezes por dia.

Senta bem, chuta, rola, não pára, serpenteia e se sacode. Na cama, faz movimentos parecidos com os da natação. Pode ou não engatinhar, alguns nem engatinham, começam a andar cedo.

Aos oito meses o bebê aprende a usar as mãos de todas as maneiras. Ele já se senta sem apoio e pode virar-se sozinho na cama.

Dorme dez a doze horas por dia. Acorda e dorme outra vez, aproximadamente entre as seis e sete horas. A criança deverá aprender a brincar sozinha. A mãe que se apressa em levá-la ao colo quando está balbuciando ou falando sozinha comete um erro.

O início do controle das evacuações era aconselhado a ser feito no oitavo mês; entretanto, psicólogos modernos não aconselham fazê-lo, porque ficou provado que a imposição de hábitos higiênicos, desempenhada por pessoas inábeis, tem sido a causa de futuras neuroses da criança. Assim, eles acreditam que entre o 12º e o 18º mês é o período mais adequado para iniciar a educação dos hábitos higiênicos, de acordo com as circunstâncias do desenvolvimento do bebê.

Para maiores detalhes sobre o assunto, ver o capítulo 22, sobre o primeiro ano de vida do bebê.

A IMPORTÂNCIA DAS FRUSTRAÇÕES (fracassos, decepções) NA FORMAÇÃO DA PERSONALIDADE DA CRIANÇA

Privar, a qualquer preço, a criança do desprazer durante o primeiro ano de vida, é, para os puericultores modernos, tão nocivo quanto privá-la de afeto. Os dois cooperam para a formação do equilíbrio psíquico. A ausência ou não da atuação de um desses sentimentos leva-a a um desequilíbrio, com a predominância indesejável de um destes dois pólos da vida humana, o sucesso e o fracasso. Este ponto de vista é considerado pelos que admitem erro daqueles que preconizam a permissividade absoluta para a criança, não a contrariando, fazendo ou deixando, todas as suas vontades. Não devemos negar que as frustrações são impostas pela própria natureza e que auxiliam o desenvolvimento da personalidade para se adaptar e vencer as dificuldades que a vida progressivamente impõe.

Podemos catalogar as seguintes frustrações impostas no primeiro ano de vida e que os pais não podem evitar:

a) o trauma do nascimento, que obriga a mudança de circulação fetal para a respiração normal;

b) alterações de temperatura e manipulação, às vezes excessiva, no parto;

c) frustrações repetidas e contínuas pela sensação de fome, sede ou cólicas dos três primeiros meses;

d) o desmame, que obriga a criança a se separar da mãe ou da mamadeira;

e) as tentativas de procurar alcançar um objeto, o que nem sempre ele consegue;

f) a de provar um alimento que não agrada ao seu paladar ou tomar um remédio que detesta;

g) quando ao colo, tentar mudar de posição ou de lugar, querer mudar de ambiente e não conseguir, pois o adulto não o "entendeu". Ela desiste sem sofrimento, mas fica frustrada;

h) tentativas de pôr-se de pé;

i) tentativas de andar sozinho e cair;

j) a sensação desagradável da erupção dentária;

l) a presença de estranhos e a ausência de pessoas queridas.

As frustrações próprias e inevitáveis, progressivas e repetidas, acabam funcionando como verdadeiras "vacinas" psíquicas, fazendo com que a criança as suporte melhor no futuro. Às vezes as frustrações são impostas pelos pais, e as outras frustrações são devidas às iniciativas malsucedidas desempenhadas pela própria criança.

As manifestações de desprazer e de afeto vão se revelando no decorrer da infância. Assim, no terceiro mês, a criança manifesta seu desprazer quando a pessoa que lhe fazia companhia se retira. Ao sexto mês, o desprazer se manifesta ao lhe ser tirado um brinquedo.

Ao sétimo mês, o bebê não responde sistematicamente com um sorriso quando é agradado ou suavemente provocado; agora ele faz distinção, entre conhecidos e estranhos. Ele baixará os olhos, fará beicinho, esconderá o rosto com as próprias mãos ou com um lençol e chorará. Por volta do oitavo mês de vida, as respostas de prazer e desprazer vão se tornando mais claras e se estendendo a um maior número de provocações, medidas corretivas ou proibitivas, presença inevitável de pessoas estranhas, medidas terapêuticas. As medidas restritivas ou desagradáveis levam o bebê nesta idade a um estado de ansiedade, de aflição, que os psicólogos denominam de angústia do oitavo mês. As manifestações expressivas de prazer ou desprazer vão se transformando aos poucos em um "código" de comunicação. O bebê provoca os familiares para que o aliviem de alguma coisa que o incomoda e também para que lhe ofereçam alguma coisa que ele deseja; o sorriso do terceiro mês é substituído pela ansiedade e angústia do oitavo mês.

A FORMAÇÃO DA PERSONALIDADE

Evolução motora

O bebê consegue se sentar sozinho e olha ao seu redor. Levanta-se, quando ajudado, com as duas mãos. Não pára de brincar. Já deverá estar engatinhando.

Comportamento emocional

Nota-se alguma modificação no seu comportamento. O bebê começa a apresentar sintomas de ansiedade. Começará a diferenciar pessoas amigas de estranhas, respondendo a estas com violentas reações de temor. Ao ser examinado pelo pediatra, fica-o vigiando com cara de desconfiança ou contrariedade, e de repente, após alguns momentos, apavorado, procura os braços de sua mãe.

Capacidade de adaptação

Puxa os próprios cabelos. Transfere de mão os brinquedos. Percebe quando eles caem e procura apanhá-los. Mima seus brinquedos.

Progresso da linguagem

Pratica as consoantes B e P.

Comportamento pessoal e social

Devido ao nível de ansiedade e desconfiança que geralmente se apresenta nesta idade, ele só estica os braços para ir ao colo de pessoas conhecidas. Às vezes procura chamar a atenção dos outros. Não deve ser forçado nenhum contato.

Brinquedos (seu interesse e preferência)

São muito apreciados, nesta ocasião, os brinquedos flutuantes para a hora do banho.

O DESENVOLVIMENTO DA INTELIGÊNCIA

Primeira prova

Coloque um objeto numa mesa ao lado da cama do bebê. Ele, com as próprias mãos, através das grades, deverá procurar apanhá-lo.

Segunda prova

Ele procura evitar o que não lhe agrada. O adulto, com um lenço, deverá executar alguns movimentos, como, por exemplo, o de limpar o nariz do bebê; ele, com suas mãos, tentará afastar as do adulto, a fim de impedir-lhe os movimentos.

Terceira prova

Ele se move de lugar. Esta é uma prova de observação. O bebê move-se do lugar, não se arrastando, e sim virando-se e deslocando-se, procurando engatinhar.

Quarta prova

Recupera o brinquedo que lhe foi tirado. O bebê está brincando com qualquer objeto: o adulto o tira e o coloca num bolso, deixando parte dele à vista; o bebê deverá tentar buscá-lo, desde que esteja ao seu alcance.

Quinta prova

Maneja dois brinquedos ao mesmo tempo. Ao bebê, já ocupado com um brinquedo em uma das mãos, oferece-se outro, que ele deverá apanhar com a mão livre, não soltando o primeiro, e moverá os brinquedos com as duas mãos, simultaneamente.

A DENTIÇÃO

O bebê apresenta quatro dentes (sendo dois incisivos superiores e dois incisivos inferiores).

Podem aparecer entre oito e dez meses de idade e serão trocados pelos permanentes de mesmo nome por volta dos sete anos.

Higiene: continue utilizando a gaze ou fralda umedecida com água filtrada ou uma escova dental extra macia com creme dental sem flúor.

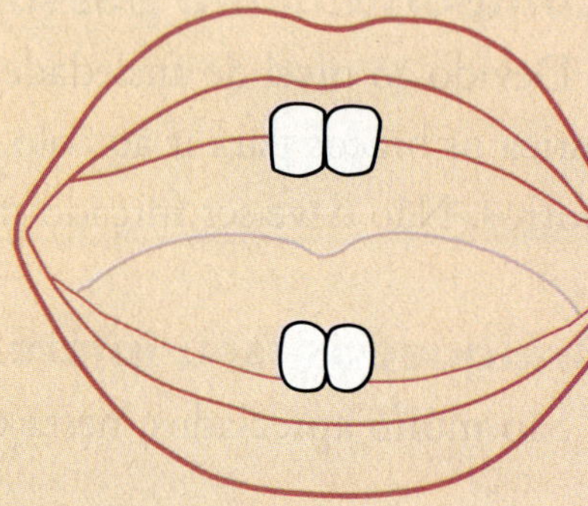

Consulte o capítulo 26, na página 451, para mais detalhes a respeito da dentição de seu filho, em especial o item "Cárie de mamadeira".

A ALIMENTAÇÃO DO OITAVO AO NONO MÊS

No oitavo mês, o regime alimentar será o mesmo do sétimo mês (ver pág. 288), entretanto, algumas considerações devem ser feitas. A tentativa de oferecer alimentos granulosos bem picadinhos, biscoitos e pães torrados, para o bebê começar a roer, a fim de exercitar a mastigação, deve ser encorajada.

Se ele quiser chupar o osso da carne, pode fazê-lo, mesmo sem ter dentes.

Alguns tomam a iniciativa de segurar a mamadeira, o que deve ser permitido. O cuidado com os bicos das mamadeiras continuarão os mesmos; ferva-os por três minutos, diariamente, e guarde-os em vidro fechado, antes espirrando a água através dos buracos, para limpá-los.

Prossegue a alimentação com os cereais, gemas sem as claras, os legumes já citados, batatas cozidas com as cascas, dadas às colheradas, massas com leite e queijo. As gelatinas de frutas coloridas despertam-lhe grande interesse, mas, como têm pouco valor nutritivo, devem ser acompanhadas de 1 ou 2 colheres (das de chá) de creme de leite ou doce de leite.

O QUEIJO É UM GRANDE ALIMENTO

Rico em cálcio e proteínas, substâncias indispensáveis à formação dos órgãos e dos músculos.

Pode-se começar a oferecer queijo branco amassado com geléia ou fruta, ou requeijão. Os queijos duros são particularmente ricos em cálcio, podem ser ralados ou raspados (1 ou 2 colheres das de sopa), adicionados à sopa ou ao caldo de feijão. Por exemplo, uma sopa de tapioca ou de batata, com 1 ou 2 colheres (das de sopa) de queijo ralado e uma gema cozida torna-se uma refeição bastante nutritiva. Isto só deve ser evitado em crianças comprovadamente alérgicas.

Há três tipos de queijo:

a) aromatizados, fermentados por fungos ou por fermentos especiais. São os queijos de origem francesa, como o Roquefort e o Camembert, dados na França para os bebês do nono mês em diante; entretanto, no Brasil, os pediatras ainda não têm experiência sobre seu uso nesta idade e não os recomendam;

b) queijos gordurosos ou amanteigados, queijos moles;

c) queijos albuminosos, de dois tipos: o primeiro, o tipo mole, tipo *gruyère*, o queijo branco e úmido, e o queijo duro, de ralar, tipo parmesão ou prato, seco e de fácil conservação, apresentado envolto em papel.

O queijo branco, tipo minas, pode ser oferecido com geléia, gelatina, marmelada, goiabada, amassados com garfo, como sobremesa do nono mês em diante. O duro, tipo prato, pode ser dado ralado, adicionado à sopa do bebê na quantidade de uma ou duas colheres das de sopa. O queijo deverá ser ralado na hora e adicionado à sopa do bebê. Seus princípios aromáticos dão ao prato um cheiro agradável, que desaparece depois em contato com o ar.

Cuidados ao comprar queijo

Queijo tipo minas

Seu prazo de validade é, em geral, de sete dias.

Cuidados antes de comprar:

- Verifique sua data de fabricação.
- Verifique a cor do soro (líquido em que o queijo vem imerso).
- Se a cor do soro apresentar alteração ou se a superfície do queijo apresentar bolor, não o compre.

Cuidados em casa: Aumente seu tempo de conservação imergindo o queijo em água fervida e fresca e sal. Se a superfície do queijo começar a ficar parcialmente embolorada, lave-o e consuma sua parte boa rapidamente.

Queijo tipo prato

Seu prazo de validade é, em geral, de três ou quatro meses.

Cuidados antes de comprar:

• Verifique sua data de fabricação.

• Recuse o produto se sua embalagem estiver estufada ou se o queijo estiver anormalmente arredondado e/ou estufado.

• Certifique-se do procedimento de fabricação do queijo e do carimbo de fiscalização do SIF.

Cuidados em casa: Este tipo de queijo deve apresentar massa compacta, firme, porém, à pressão dos dedos. Seu cheiro e sabor deverão ser suaves. Buracos irregulares ou áreas rendilhadas indicam proliferação de microorganismos. Deve ser conservado sob refrigeração, apesar de existir preferência pelo sabor picante que se desenvolve à temperatura ambiente.

Queijo ralado tipo parmesão

Seu prazo de validade é, em geral, de dois a três meses.

Cuidados antes de comprar:

• Verifique sua data de fabricação.

• Verifique se a embalagem não está estufada ou rompida.

• Verifique se não há presença de mofo ou sujeira no queijo.

Cuidados em casa: Guarde-o em geladeira, principalmente após a embalagem aberta.

Requeijão (em copo)

Seu prazo de validade é, em geral, de trinta a quarenta dias.

Cuidados antes de comprar:

• Verifique sua data de fabricação.

• Verifique se o conteúdo está homogêneo.

• Evite comprar se pelo copo for possível observar separação da parte cremosa da líqüida, bolhas, estufamento da tampa etc.

Cuidados em casa: Guarde-o em geladeira, com a tampa bem fechada. Nunca utilize, para se servir do requeijão, faca anteriormente usada para cortar frios ou outro alimento, pois contaminará o produto, deteriorando-o rapidamente.

O FEIJÃO, A CARNE E A MANTEIGA

O feijão

Ele é, sem dúvida, um alimento muito usado no Brasil, sendo servido com arroz branco e farinha de mesa, um dos pratos prediletos das nossas crianças. Pode ser dado, tanto pela manhã, como à tarde, adicionado ao purê de legumes, às massas e às gemas. É um alimento de grande valor nutritivo, contém ferro, vitaminas e é rico em proteínas. O feijão-preto e o mulatinho são os mais aconselháveis, pois o branco é de digestão mais difícil.

O caldo de feijão

Modo de preparo: 100g de feijão-preto (deixe-o de molho doze horas em 1 litro de água. Depois, ponha-o para cozinhar durante duas horas, em fogo brando, e em seguida passe pela peneira, fazendo pressão sobre os grãos. Dê exclusivamente o caldo (o caroço, inteiro, de maneira alguma deve ser dado).

O tempero do feijão deve ser feito com azeite, tomate picado sem pele e sem sementes e um pedaço pequeno de cebola picadinho. O acréscimo de até três legumes ao caldo de feijão é recomendável, em forma de purê.

A carne

Pode ser oferecida também a de galinha, e, em alguns estados do Brasil, onde é mais disponível, a carne de carneiro pode ser usada nesta idade. O fígado não deverá ser esquecido, sendo dado uma ou duas vezes por semana. O toucinho torrado *(bacon),* em pequeníssima quantidade, pode ser misturado à comida (ao feijão), dando o gosto que agrada a muitas crianças, especialmente às que não se alimentam bem.

A manteiga

É a gordura do leite. Além de gordura, contém vitamina A (caroteno), que lhe dá a cor amarela, vitamina D e vitamina E. É um alimento anti-raquitismo, protegendo também a pele e as mucosas. É indispensável mantê-la sempre em geladeira, para conservar sua consistência sólida de massa úmida. Pode ser oferecida do oitavo mês em diante, desde que a criança não apresente intolerância, alergia (ver pág. 628), diminuição do apetite para a próxima refeição ou então fezes líqüidas. Algumas crianças adoram, e outras detestam. Pode ser utilizada na preparação de sopas, purês de legumes, carne, e entre um e dois anos já pode ser passada na torrada ou no biscoito. A manteiga considerada rançosa, facilmente verificada pela mãe, não deve ser dada à criança. A margarina pode ser usada em lugar da manteiga, principalmente para as crianças que têm alergia a leite.

Cuidados ao comprar manteiga

Manteiga em embalagem plástica ou embrulhada em papel-alumínio

Seu prazo de validade é, em geral, de 45 dias.

Cuidados antes de comprar:

- Verifique sua data de fabricação registrada ou carimbada na embalagem.
- Deverá estar sendo mantida em balcão refrigerado.

Cuidados em casa: Coloque-a numa manteigueira limpa e tampada (se um pouco de manteiga rançosa entrar em contato com a manteiga recém-comprada, esta também ficará rançosa). Conserve-a em geladeira. A exposição à luz e ao calor acelera a rancidez da manteiga e dos produtos ricos em gordura.

Ranço

Quando a manteiga é exposta ao ar livre por um certo período de tempo, ocorre uma modificação química que a faz produzir um cheiro desagradável, tornando-a tóxica, portanto imprópria para o consumo. Esta modificação leva também à destruição das vitaminas A e E. Isto deverá ser evitado armazenando a manteiga sob refrigeração adequada.

A margarina

É uma gordura produzida a partir de óleos vegetais. Sua desvantagem está na precariedade de ácidos graxos poliinsaturados, que são substâncias necessárias à nutrição do bebê. Não possuem, assim, vantagem sobre a manteiga na alimentação.

O iogurte

É um leite concentrado, ácido, pré-dirigido, um leite fermentado. É modificador da flora intestinal. Assim, crianças que apresentam as fezes malcheirosas melhoram com a administração de iogurte uma ou duas vezes por dia. O iogurte ajuda a restabelecer a flora intestinal normal e, por isso, convém dá-lo a crianças que tomam antibióticos por via oral.

Cuidados ao comprar iogurte:

Seu prazo de validade é de, no máximo, 21 dias.

Cuidados antes de comprar:

- Verifique sua data de fabricação.
- Recuse embalagem ou tampa estufada.
- Deverá estar sob refrigeração (4ºC).

Cuidados em casa: Conserve-o na parte superior da geladeira, própria para laticínios. Compre quantidade suficiente para que o prazo de validade não seja ultrapassado na própria casa. Não consuma o produto se ele estiver com sabor estranho (lembrando remédio ou álcool) ou se apresentar manchas de mofo na sua superfície (parecendo algodão).

O ANDADOR

É um equipamento bastante útil entre o oitavo e o décimo mês de idade, dando liberdade de movimentos ao bebê, que é grande motivo de alegria, porque ele o usa sozinho sem o auxílio dos adultos. Entretanto, ele serve por pouco tempo, e é relativamente caro, não justificando uma despesa a mais. A criança poderá usá-lo do oitavo até o décimo quinto mês. Acima desta idade ele já preferirá andar sozinho, e até poderá virá-lo com facilidade. Não deve ser usado antes dos oito meses. É indicado para as crianças que começam andar tarde ou que não gostam de andar; evite que crianças de oito, nove meses ou mais fiquem sentadas todo o tempo.

O andador faz a criança andar mais cedo?

Não há relação entre o desenvolvimento da inteligência e o fato de a criança começar a andar cedo. De modo geral, a criança andará quando se sentir pronta para isto.

Não há dúvida de que o andador é um bom meio de a criança fazer exercício, e caminhar de lado exercita músculos diferentes.

Existem psicólogos e pediatras que não são favoráveis ao uso do andador. Segundo eles, isto impede a criança de engatinhar. A criança que engatinha e se arrasta fortalece os músculos do pescoço, das costas, dos braços e das pernas, faz exercícios mais completos do que com o uso do andador. Uma solução prática é estabelecer um horário de quinze a vinte minutos por dia que servirá para evitar seu uso constante. Não deverá ser usado em jardins ou parques.

Só permita o uso do andador em superfícies lisas, sem degraus, para evitar possíveis acidentes.

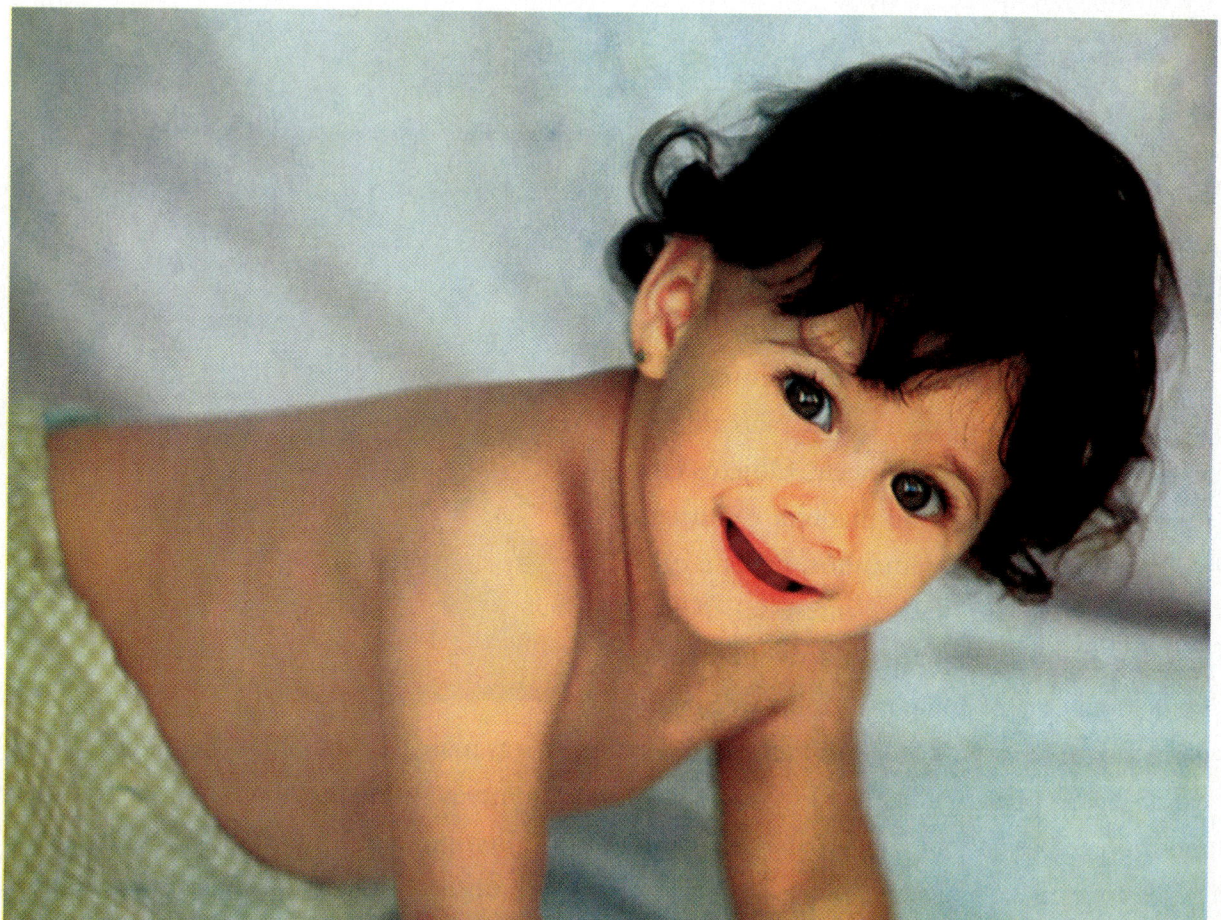

O andador ideal

O andador seguro deve possuir seis rodinhas; quatro não dão muita segurança, viram com facilidade; deverá ter um assento firme, confortável e encosto acolchoado – sem pontas ou arestas. O andador com assento tipo "sela", suspenso por cordões, poderá quebrar com facilidade.

O modelo que possui na sua frente uma bandeja é melhor que o com fios de contas e bolinhas, que podem quebrar e ser levadas à boca pelo bebê.

Acidentes com o andador

Discute-se a respeito do uso do andador, e alguns pediatras acreditam que ele retarda o processo de aprendizagem de andar, sendo perigoso em ambientes com tapetes, podendo chegar facilmente a mais lugares perigosos, como escadas, inclusive. A Academia Americana de Pediatria não recomenda seu uso, preferindo que o bebê tenha um carrinho forte ou um carrinho de empurrar. Esta deverá ser a melhor escolha. Entretanto, algumas mães acham-no útil, pois as crianças podem ficar sentadas quando ainda não têm firmeza nas pernas, podendo se movimentar com segurança. Se a mãe decidir deixar o bebê usar o andador, deve tirar os tapetes e manter as portas fechadas e as escadas protegidas.

A DISCIPLINA

Aos oito meses, com o uso do andador, o bebê apresentará novas particularidades. Alguns pais acreditam que já poderá ser iniciado o primeiro ato de disciplina, pois o bebê começa o desenvolvimento da compreensão, curiosidade rápida, dois ou três minutos passando de um brinquedo a outro. Não adianta dar brinquedos caros para ele. Objetos comuns, como colheres de madeira e outros, plásticos de todos os tamanhos, cores e caixas despertam-lhe muito interesse. Nesta idade ele apresentará um desenvolvimento emocional que até então não tinha, e a ansiedade diante de estranhos é geralmente uma das primeiras marcas emocionais. Até os três meses ele aceitará a presença de qualquer pessoa; já com oito meses em diante não aceitará estranhos, mesmo pessoas da família e a babá que ficaram muito tempo ausentes. Começará a ter medo de algumas situações que não o assustavam, como a escuridão, os trovões, sons altos de rádio, televisão e de aspiradores de pó.

PROTEÇÃO CONTRA ACIDENTES
(do oitavo ao décimo segundo mês)

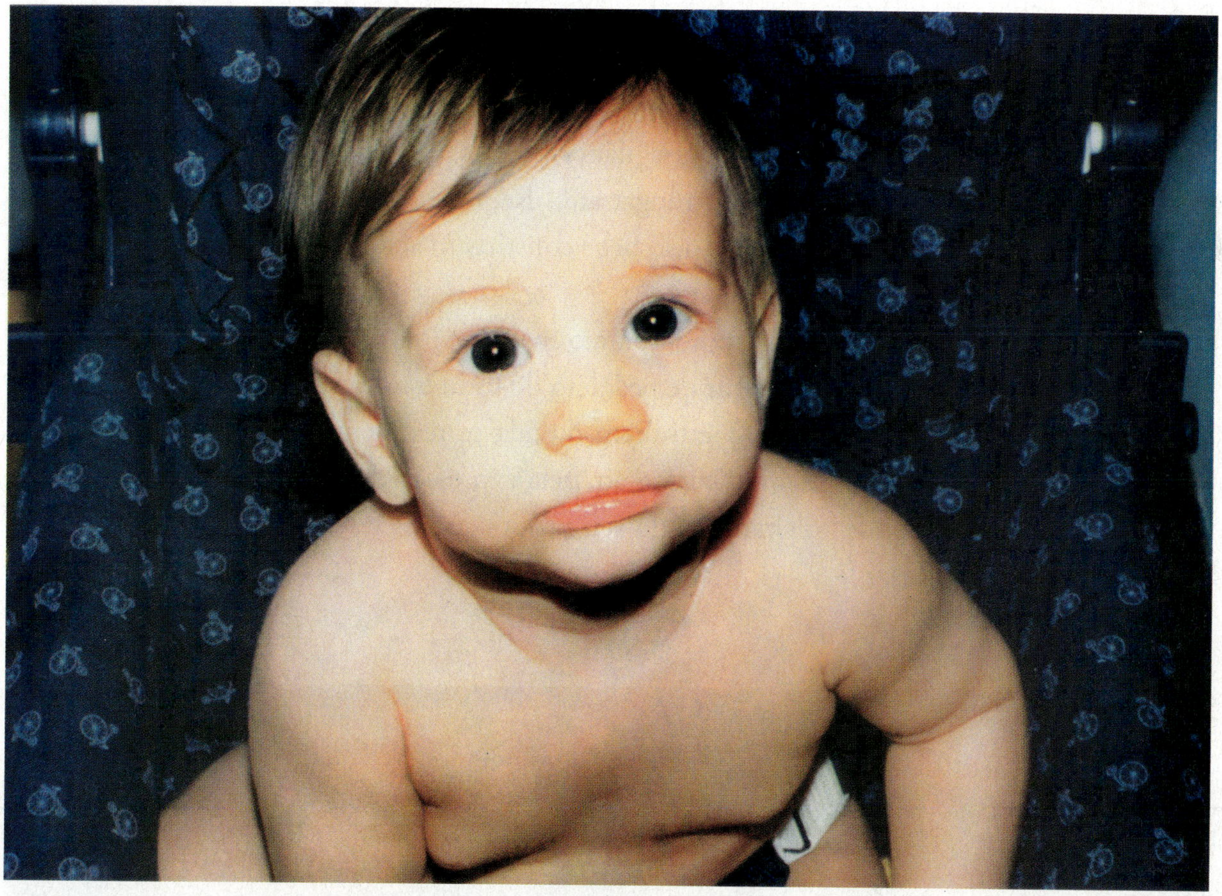

Nesta idade o bebê já engatinha, fica de pé, mete o dedinho em tudo o que vê e leva tudo à boca!

a) banho. Os mesmos cuidados descritos na pág. 291;

b) sufocação. Os mesmos cuidados descritos na pág. 291;

c) quedas. Os mesmos. Ver pág. 291;

d) queimaduras. Nestes meses já aparece o perigo das queimaduras, porque o bebê engatinha e pode ficar de pé. Cerque os locais onde há aquecedores, ar-condicionados, tomadas, ralos, fogueiras e lareiras. Evite que o bebê fique na cozinha. As panelas em cima do fogão, com o cabo para fora, constituem grande perigo. Vire-as sempre para dentro;

e) brinquedos (ver na pág. 291);

f) aparelhos elétricos e a gás são perigosos; cuidado com abajures leves, torradeiras, ventiladores, ferro elétrico, fios e tomadas. É importante cobrir os buracos das tomadas com esparadrapo ou protetor plástico próprio quando não em uso;

g) nesta idade, constituem grande perigo tesouras, facas, canivetes e objetos quebráveis. Cuidado com os móveis de quinas pontiagudas;

h) é a época de as crianças rolarem escadas quando estas não estão cercadas. As portas, quando não estão trancadas, devem estar fechadas. A colocação de pequenos pesos com areia (são decorativos, em forma de bichinhos), no canto inferior das portas, evita acidentes com o fechamento súbito delas. Há possibilidade de esmagamento dos dedos quando movimentadas por crianças, pelo vento brusco ou mesmo por adultos distraídos;

i) quanto às varandas, também são perigosas, sobretudo as que têm acesso a escadas. Áreas internas ou quintais não devem ficar sem vigilância;

j) os remédios deverão ser trancados em lugar alto. Remédios ou produtos químicos colocados na mesinha-de-cabeceira e ingeridos pelo bebê constituem acidentes freqüentes nesta idade.

Aos oito meses o bebê está se preparando para o maior marco de sua vida!

Depois de engatinhar, ele tentará ficar de pé; além de tudo está começando a perceber coisas (conhecimento cognitivo). Os pais que tinham dúvida se realmente ele compreendia o que estava acontecendo à sua volta agora perceberão, pela expressão da sua face, sinais de que está prestando atenção, responde ao chamado do seu próprio nome e tentará ir para onde quer e alcançar aquilo que desejar.

Capítulo 19

O Nono Mês

O nono mês

A partir do 8º e 9º meses, todo cuidado é pouco. As crianças já se locomovem, ficam em pé apoiadas e querem pegar tudo que vêem.

O DESENVOLVIMENTO DO BEBÊ

	Meninos	Meninas
Peso	8.900g	8.650g
Estatura	69cm	68cm
Perímetro cefálico	45cm	44cm
Perímetro torácico	45cm	44cm
Ganho de peso mensal	450g	450g

O que caracteriza o bebê de nove meses não é sua atividade motora, mas suas habilidades mentais e seu relacionamento com as pessoas. Uma prova evidente de sua memória é que ele se lembra do caminho do consultório médico depois de alguns meses afastado. Seu desenvolvimento muscular é aprimorado, procura engatinhar para subir escadas. Segura um objeto com as duas mãos quando percebe que é grande para uma só. Senta-se firmemente numa cadeira, usa o dedo indicador para apontar coisas e pessoas e metê-lo em buracos. Usa o polegar e o indicador para pegar pequenos objetos e brinquedos; cuidado para ele não os engolir. Gosta que o vejam e se é aplaudido por algo, repete a graça. Reconhece sua imagem e a de sua mãe no espelho. É sensível a outras crianças, chora com elas.

Sua linguagem continua melhorando. A vocalização já traduz emoção. Usa palavras com nomes específicos "papá", "mamã", "babá" etc. Presta atenção às conversas. Imita a tosse dos outros e faz "psiu".

A idade de nove meses é uma fase de insegurança. As mães reagem diferentemente ao temor de seus filhos; uma tolera com paciência, outra se revolta e se zanga. Eles têm medo do barulho do aspirador de pó; na banheira, se levou um escorregão anterior, lembra-se; alguns temores são benéficos – eles têm medo de altura.

A EDUCAÇÃO

Na verdade, os bebês aprendem muito com seus irmãos. O tormento do bebê no seu primeiro ano de vida é o irmão de um ou dois anos; ele é o seu "problema", usa os seus brinquedos, e às vezes fica difícil à mãe fazer justiça. Os mais velhos se sentem perseguidos quando a mãe apóia o menor, e na ausência dela vão à forra no "querido" irmãozinho! Na verdade, estes sentimentos humanos de egoísmo e competição são difíceis de ser controlados pelos pais. Desde que não haja agressão ou dano físico, o melhor é "deixar pra lá", como diz a sabedoria popular. Embora vivam brigando, eles têm cada vez mais prazer na companhia uns dos outros.

Aos nove meses o bebê começa a revelar seu tipo de personalidade – calmo, flexível ou teimoso. Ou, do ponto de vista orgânico, sua sensibilidade ou resistência às infecções.

E há ocasiões em que a babá ou a mãe despreparada passa a ter mais influências prejudiciais.

Para alguns puericultores, é a ocasião de dar algumas palmadinhas... para conseguir obediência, a fim de evitar atos perigosos ou nocivos, mas com certa ternura para não revoltá-lo.

MÉTODO DE ENSINO

Desde que o bebê está se tornando um indivíduo, o modo como ele faz e resolve as coisas necessita de ajuda. O Professor K. Kenneth aconselha três métodos de ensino:

1) mostrando como fazer as coisas;

2) guiando suas mãos;

3) induzindo a tarefa. Este terceiro método é usado quando se percebe que ele tem iniciativa, mas é incapaz de terminar a tarefa; por exemplo, colocar um brinquedo atrás de uma cortina de plástico ou tecido transparente, solicitando que ele vá apanhá-lo por conta própria.

A FORMAÇÃO DA PERSONALIDADE

Evolução motora

Suspenso, quando encosta os pés no chão, faz movimentos para andar.

Comportamento emocional

Ele aprecia a companhia e demonstra alegria em vê-la.

Capacidade de adaptação

Prefere engatinhar e é capaz de rolar e sentar-se sozinho.

Progresso da linguagem

O bebê demonstra habilidade de diferenciar tonalidades, imitando modificações de vozes que escuta ao seu redor, ao mesmo tempo que também começa a imitar expressões faciais.

Comportamento pessoal e social

Ele já segura a mamadeira, levando-a à boca, aprende gracinhas, pisca os olhos. Pode-se treinar a mastigação, apesar de ele ainda não ter os molares, dando-se, após as refeições, biscoitos e torradas.

Brinquedos (seu interesse e preferência)

Qualquer criança acostumada a ficar sozinha brincará feliz e se divertirá com uma bola, uma colher ou uma pazinha.

O DESENVOLVIMENTO DA INTELIGÊNCIA

Primeira prova

Conservar o equilíbrio, estando sentado. Ao bebê sentado, ofereça um brinquedo a uma das mãos, e em seguida outro, para a outra mão. Ele deverá apanhar os dois e os conservar nas mãos, sem perder o equilíbrio.

Segunda prova

Sentado, livra-se da fralda. Nesta posição, a mãe cobre-o com uma fralda; ele deverá se livrar dela com as mãos, sem perder o equilíbrio.

Terceira prova

Permanecer de pé; o bebê deverá manter-se de pé com certa facilidade quando apoiado.

Quarta prova

Desloca-se engatinhando. Coloca-se no cercado, fora do seu alcance, um brinquedo; o bebê deverá engatinhar até ele, apanhando-o.

Quinta prova

Responde a gestos significativos. Uma pessoa, perto do bebê, deverá fazer gestos alegres, estendendo os braços e sorrindo. Logo em seguida levanta a mão ameaçadoramente; o bebê, de risonho deverá passar a sério, fazendo movimento de recuo.

ALIMENTAÇÃO DO NONO AO DÉCIMO MÊS

Em relação à alimentação, a educação do paladar do bebê para aceitar alimentos diferentes deverá ser um dos objetivos da mãe. A oferta de novos alimentos deve ser iniciada no último trimestre do primeiro ano, ao início do nono mês. Sobre novos alimentos podemos destacar os miolos (ver pág. 326), processados. Os miolos deverão ser lavados em água corrente, depois de cozidos por alguns minutos em água fervente com sal. Dos nove meses em diante poderão ser amassados e misturados ao purê de batata uma a duas vezes por semana.

Alguns bebês que se alimentam já há muito tempo com alimentos em forma de purê permanecem indefinidamente com este hábito, perdendo o apetite e o interesse pela comida. E se um dia for apresentada uma alimentação normal, ele se recusará ao esforço de ter de mastigar. Se a mãe insistir, ele então procurará vomitar, ingerir com repulsa e se apresentar muito infeliz; é o que os franceses chamam *syndrome du mixer* ("doença do liqüidificador").

A água, dos nove meses em diante, deverá ser filtrada. Entretanto, nas cidades em que a água não é tratada, convém mantê-la fervida até os dois anos, e mesmo em alguns casos até mais tempo.

A higiene da água

Através da água a criança pode ser contaminada com as doenças mais sérias e graves; portanto, a água para o bebê deverá merecer a maior atenção. A água deverá ser de boa origem, isto é, potável, tratada por obras de engenharia sanitária, deverá ser bem conservada e filtrada; para segurança, deverá ser dada água fervida até os nove meses de idade. A água de poço é perigosa, devendo ser levada ao laboratório para ser examinada. Em casa, os pais deverão indagar sobre as condições da caixa-d'água, que deve ser bem fechada e isolada; as caixas-d'água semi-abertas permitem contaminação, e às vezes sua água transmite doenças a todos os habitantes de uma casa ou mesmo a um edifício de apartamentos. Se for fervida, deve ser conservada em garrafas bem fechadas.

As velas do filtro deverão ser bem lavadas uma vez por semana com água, escova e sabão; detergente não serve, basta o sabão simples mesmo. Se a água estiver barrenta, os pais deverão lavar o filtro duas vezes por semana.

O peixe

Deverá ser oferecido pelo menos uma vez por semana; é um alimento necessário para o bebê em crescimento. Pode ser oferecido do nono mês em diante, como agregado regularmente ao purê de legumes ou de batatas que o bebê come nesta idade. O peixe é um alimento rico em iodo, sobretudo os peixes de água salgada, não os de lagoas e de rios. O iodo é muito importante, porque faz parte da formação da glândula tireóide, importante para o organismo em crescimento. A parte do peixe que se come é a parte muscular, não apresentando diferença alguma da carne vermelha, e a de galinha integram o grupo denominado carnes brancas. A riqueza de iodo do peixe explica a ausência de bócio na população que vive nas praias e sua presença relativamente freqüente nas que vivem nas montanhas. O principal problema do peixe é a garantia de ele estar fresco; deve ser mantido congelado durante todo o processo, desde sua obtenção, transporte e conservação no lar.

O peixe fresco, além do odor característico, tem olhos brilhantes, transparentes, guelras vermelhas, carne firme e barriga dura e saliente.

Os peixes que podem ser usados variam do lugar onde possam ser pescados, como o badejo, o linguado e o namorado. Existem, entretanto, peixes gordos, como o bagre e a cavala, não sendo, contudo, aconselháveis à criança. O bacalhau e a sardinha só deverão ser oferecidos depois dos dois anos de idade, principalmente a sardinha em conserva.

Para serem dados ao bebê, deverão ser cozidos em fogo brando por cinco a dez minutos. Depois deve-se retirar a água, amassá-los e juntá-los ao purê de legumes ou de batata.

O presunto

Pertence ao grupo denominado de fiambres, que é um tipo de carne preparada para ser usada fria. Também pertence ao grupo a mortadela, mas que não pode ser dada à criança nos primeiros anos de vida. O presunto é preparado com músculo de porco submetido a uma série de técnicas, objetivando ter boa durabilidade e, de certo modo, preparar uma pré-digestão. A carne de porco não deve ser oferecida à criança, a não ser na forma de presunto. O presunto pode ser oferecido à criança desde o terceiro trimestre de vida, isto é, depois dos nove meses, como alimento protéico completo, substituindo a carne, o peixe e o fígado. Oferecer presunto cru não é aconselhável à criança de qualquer idade.

As azeitonas

Elas enfeitam a refeição da criança, distraindo-a. As azeitonas, tanto verdes como pretas, são frutos. As crianças de um a dois anos costumam se mostrar aficionadas por elas e aprendem cedo a cuspir seu caroço. Seu valor nutricional está na sua elevada concentração de óleo – entre 20 e 25%, de primeira qualidade e de fácil digestão. A azeitona é rica em cálcio, fósforo, potássio e também tem pequenas quantidades de ferro e cobre. A introdução de azeitonas descaroçadas e picadas nas saladas, no purê ou na carne poderá ser feita desde o nono mês de vida.

O abacate

Esta fruta poderá ser oferecida do sexto mês de idade em diante. Tem grande valor nutritivo, pois além das suas vitaminas e sais minerais possui gordura em quantidade apreciável. Das frutas é a que leva uma digestão mais demorada. Pode ser servida como sobremesa, porém o creme de abacate, que é feito com leite, acompanhado até de biscoitos, constitui um excelente lanche para a tarde.

COMO COMPOR O PRATO DO BEBÊ

Desta idade em diante deve-se começar a tentar separar os alimentos uns dos outros, para que, pouco a pouco, o bebê se habitue a diferentes sabores e consistências. Quando o bebê não está familiarizado desde cedo com os diferentes sabores de carne, vísceras, peixes, presuntos, galinha e legumes variados, torna-se mais difícil fazê-lo comer depois de um ano de idade. Separe alimentos de cores diferentes, como, por exemplo, a carne, um legume verde e um purê de batatas, evitando fazer de tudo uma só papa; isso estimula o apetite, porque o bebê aprecia variedade de cores.

Temos visto, entretanto, que o feijão-preto, pela sua cor, pode provocar, às vezes, em alguns bebês, alguma repulsa.

Para a maioria dos pediatras, a idade de nove meses é a ocasião de a criança abandonar definitivamente o seio materno, começando a ter verdadeiras refeições, usando o liqüidificador apenas para o preparo de sucos de frutas. Não há dúvida de que algumas crianças se aborrecem espontaneamente com a mamadeira e preferem alimentar-se, desta época em diante, com o auxílio da colher e do copinho.

Naturalmente, a mãe terá mais um pouco de trabalho.

Embora tenha somente seis dentes anteriores, alguns bebês conseguem mastigar, o que deve ser estimulado, pois faz bem às suas gengivas.

Vale a pena oferecer ao bebê biscoitos, carne e legumes picadinhos.

Evite o sal e a gordura. Ele não nasceu com paladar para elas, como de carnes gordurosas, manteiga e frituras. Se forem dadas muito cedo, adquirirá o gosto por toda a vida, com tendência a engordar e o futuro é arteriosclerose ou pressão sanguínea alta. Use o mínimo de sal.

Ao se alimentar de comidas consistentes, as fezes se tornarão mais sólidas, açúcar e gordura dão odor mais forte.

Os vegetais dão coloração esverdeada; beterraba, avermelhada, também nas fezes, e até a sua urina poderá apresentar uma tonalidade avermelhada.

Dois tipos de horários

5 refeições		4 refeições	
6, 7 horas	leite e fruta	**6, 7 horas**	leite e fruta
10, 11 horas	almoço (comida variada)	**10,11 horas**	almoço e sobremesa
3, 4 horas	mingau com fruta	**2,3 horas**	leite e fruta
6, 7 horas	jantar (sopa e sobremesa)	**6,7 horas**	derivados do leite (sorvete de creme, iogurte, pudim, requeijão), frutas, biscoitos e geléia
10, 11 horas	leite		

OS ALIMENTOS ENLATADOS

A alimentação natural deve ser sempre a preferida. Porém, em caso excepcional, quando a criança está com seu regime baseado em alimentos em conserva, poderá ser obedecido o esquema a seguir. Não se esqueça de oferecer leite, na quantidade de 500 a 600ml diários, sucos de frutas feitos na hora e seis a oito gotas polivitamínicas.

Segunda-feira

Almoço: carne, arroz com cenouras e frutas variadas.

Jantar: frango com legumes e cereais; ameixa.

Terça-feira

Almoço: carne com legumes e cereais.

Jantar: fígado com legumes; mamão.

Quarta-feira

Almoço: galinha com arroz; goiaba.
Jantar: carne, legumes variados; pêra.

Quinta-feira

Almoço: fígado com legumes; arroz-doce.
Jantar: frango, cenoura e batata; maçã.

Sexta-feira

Almoço: peixe com legumes; creme de laranja.
Jantar: galinha com arroz; pêssego.

Sábado

Almoço: frango com legumes e cereais; pêssego.
Jantar: carne, purê de legumes e cereais; damasco.

Domingo

Almoço: galinha com legumes; arroz-doce.
Jantar: peixe, legumes variados; frutas variadas.

O USO DE CADEIRA ALTA PARA AS REFEIÇÕES

É a responsável por muitos acidentes em casa. "Meu filho caiu da cadeira!", é a informação aflita que a mãe dá ao pediatra.

Nos Estados Unidos ocorrem, em média, nove mil acidentes domésticos por ano. A maior causa é a distração de quem está tomando conta da criança. As crianças ficam de pé porque estão em cadeiras que não têm cinto de segurança. A bandeja pode machucá-la. Na maioria das vezes são cadeiras sem segurança.

Também nos Estados Unidos, desde 1976, para uma cadeira alta ser segura exigem-se os seguintes requisitos:

a) uma cadeira desmontável terá de ter um fecho de segurança para evitar que ela se feche acidentalmente;
b) ter um cinto de segurança na altura da cintura e outro entre as pernas;
c) estabilidade, mesmo com as crianças subindo pelas traves;
d) deverão agüentar 45 quilos, mais 25 quilos nas traves;
e) a bandeja não deverá ser considerada "cinto de segurança" para a criança;
f) a bandeja deverá ser usada para a criança que já se senta sozinha, e não para um bebê;

g) os pés da cadeira deverão estar bem separados, para manter seu equilíbrio;

h) o apoio para os pés deverá ser regulável de seis meses aos dois anos, de madeira ou de plástico, não de pano;

i) a bandeja deverá ser lavável;

j) de preferência, deverá ser de madeira; as de plástico são mais leves e menos seguras. Não deverão ter enfeites decorativos no encosto, nem arestas e pontas; o assento deverá ser de madeira ou de palhinha. Deverá ter uma base firme, com traves entre os pés da cadeira.

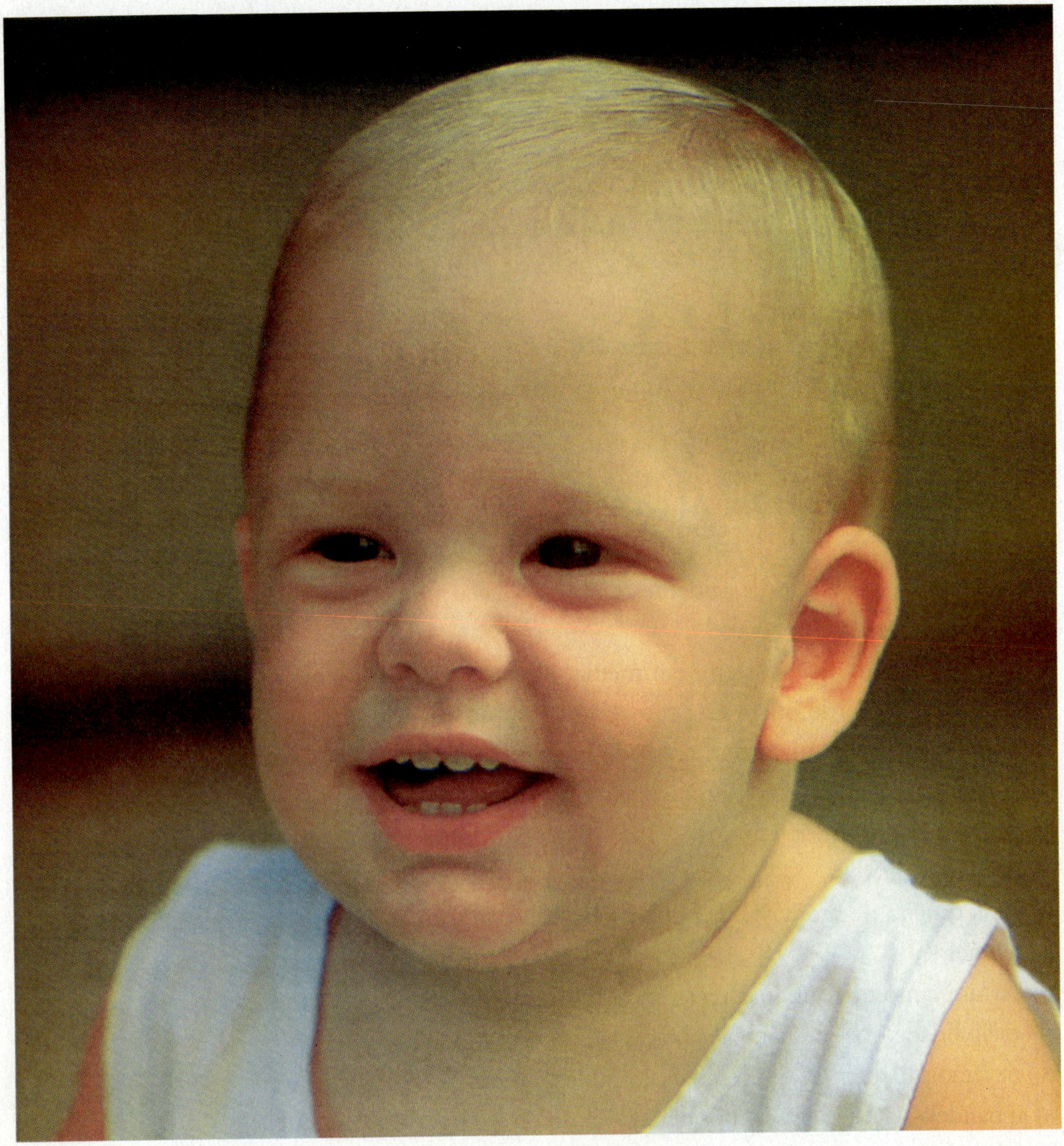

Capítulo 20

O Décimo Mês

O décimo mês

Além de balbuciar as primeiras palavras, aos dez meses, a criança usa o polegar e o indicador, agarrando firme os objetos a seu alcance e geralmente os levando à boca.

O DESENVOLVIMENTO DO BEBÊ

	Meninos	Meninas
Peso	9.350g	9.100g
Estatura	71cm	70cm
Perímetro cefálico	45,5cm	44,5cm
Perímetro torácico	45,5cm	44,5cm
Ganho de peso mensal	300g	300g

Aos dez meses o bebê começará a dizer uma palavra que o acompanhará por toda a infância – "não" –, e um sentimento que também o seguirá para o resto da vida – o ciúme. O bebê chora se outra criança for mimada pela sua mãe.

Outra particularidade se manifestará: o raciocínio. Se a sua bola rolar para debaixo de um armário, ele procurará afastá-lo para apanhá-la, e se não conseguir, procurará engatinhar e se arrastar para obtê-la. Sua expressão fisionômica já revela diferentes emoções, se está aflito, triste, feliz, zangado, desconfortável. Chora ou grita não somente por sentir dor, para receber auxílio ou por se sentir desconfortável, mas também por outras razões: medo de estranhos, de lugares desconhecidos, de atividades não desejadas, pela separação da sua mãe ou de uma pessoa querida. Ele demonstra alegria quando seu pai chega em casa. Suas atividades motoras são extraordinárias:

a) engatinha esticado, com o bumbum para o alto, e depois se levanta sozinho;
b) carrega dois objetos com uma só mão;
c) senta-se sozinho e se emborca;
d) sacode as mãos para dizer adeus;
e) põe um chapéu de brincadeira;
f) sabe a finalidade de alguns objetos;
g) olha o que tem dentro de uma caixa e pega o que puder (cuidado!);
h) anda de lado, apoiado num móvel;
i) começa a observar seu corpo, identificando seu pênis;
j) segura um brinquedo com uma das mãos enquanto usa a outra para fazer algo.

O polegar, já em franca oposição aos outros dedos, funciona em forma de pinça com o indicador, agarrando firme os objetos. Esta é a principal diferença motora entre o homem e o macaco.

A linguagem já está progredindo; ele diz uma ou duas palavras além de "papá", "mamã" e "babá". Repete as palavras continuamente. Diz "não", "até logo", "tchau".

Já emite vogais e sílabas combinadas ou não, faz barulho com os lábios e, às vezes, acha graça nos próprios sons que emitiu, especialmente se forem altos.

A EDUCAÇÃO

Aos dez meses já está na hora de levar a educação do bebê mais a sério. A imitação começa a desempenhar um papel importante nos ensinamentos. É o melhor meio, e o mais prático de se ensinar. As crianças aprendem o que fazemos na frente delas, mas nem sempre o que lhes dizemos. Lavar as mãos antes das refeições, escovar os dentes, pentear os cabelos e agradecer serviços prestados são práticas diárias. Ele também imita os irmãos nos parques e jardins, tanto seu modo de brincar como as malcriações. Obedece palavras de ordem, escuta com atenção as palavras da família. A mãe deve ter cuidado; ele já desconfia quando ela procura enganá-lo. Começa a ter dificuldades com o sono, talvez devido à dentição ou à variedade de emoções.

Examina seus brinquedos, olha-os, explora-os e morde-os.

Percebe a ausência de alguns objetos a que está acostumado; por exemplo, um brinquedo que leva para o banho ou o relógio no pulso da mãe.

Os brinquedos mais adequados para o bebê são os bichinhos de borracha, colherinhas de plástico, baldes, matracas e campainha.

A FORMAÇÃO DA PERSONALIDADE

Evolução motora

O bebê fica de pé, segura-se à grade do berço, apreende melhor os objetos, porque o polegar já se opõe aos outros dedos.

Comportamento emocional

Demonstra reações de desagrado quando privado da companhia de pessoas amigas.

Capacidade de adaptação

Prefere ficar de pé ou sentado quando está acordado.

Progresso da linguagem

Já diz "papá", "mamã", "dá" ou outra palavra, de acordo com seus desejos. De dez a doze meses começa a descobrir que algumas combinações de sons, repetidas muitas vezes, trazem a possibilidade de ele conseguir realizar seus desejos, principalmente a milagrosa combinação "mamã", com a qual obtém tudo aquilo que deseja: alimento, colo ou diversão.

Comportamento pessoal e social

Ele é capaz de fazer algumas imitações, dá até logo com as mãozinhas e bate palmas. Come biscoitos e torradas sozinho. Usa o dedo indicador para exploração.

Brinquedos (seu interesse e preferência)

O andador é o preferido, permitindo-lhe ir aonde desejar, sem o auxílio dos pais. Que alegria!

Primeira prova

Chama atenção sobre si mesmo. A pessoa junto do bebê fica de costas conversando com outra; o bebê procurará a sua atenção, puxando sua roupa ou mostrando-lhe um brinquedo.

Segunda prova

Descobre um brinquedo escondido. Diante do bebê, esconde-se um objeto debaixo de uma fralda estendida; ele deverá descobri-lo, puxando a fralda.

Terceira prova

Toca tambor por imitação. Diante do bebê, uma pessoa tocará um tambor por algum tempo. Dê-lhe o tambor em seguida. Ele procurará executar os mesmos movimentos, embora não saiam perfeitos.

Quarta prova

Bate uma colher contra outra. Uma pessoa, diante do bebê, bate duas colheres, fazendo ruído. Dê-lhe as colheres em seguida, ele fará o mesmo gesto.

Quinta prova

Escolhe nitidamente um brinquedo. Uma pessoa mantém ao alcance do bebê um brinquedo diferente em cada mão; ele apanhará o que achar mais interessante. Logo em seguida, a pessoa retoma o brinquedo e o apresenta novamente, tendo o prévio cuidado de trocar de mãos o objeto; o bebê o apanhará novamente.

A DENTIÇÃO

O bebê apresenta em média seis dentes, surgem os incisivos laterais superiores.

Podem aparecer entre sete e dez meses de vida e trocados pelos permanentes entre sete a oito anos de idade.

Higiene: a limpeza deve ser feita com gaze ou fralda umedecida com água filtrada ou uma escova dental extra macia com creme dental sem flúor.

Consulte o capítulo 26, na página 451, para mais detalhes a respeito da dentição de seu filho, em especial o item "Cárie de mamadeira".

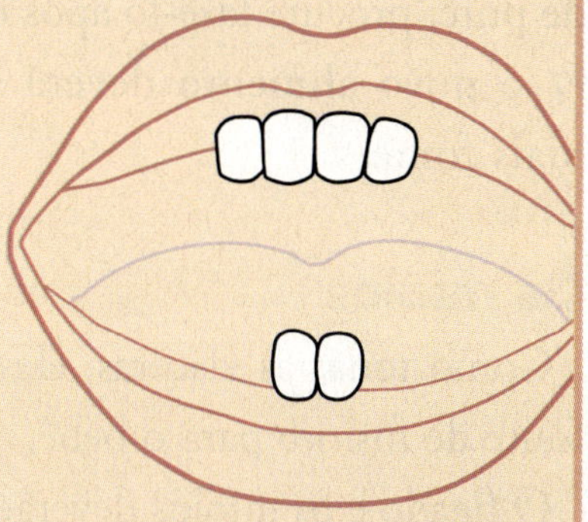

Entre o oitavo e o décimo segundo mês, deve-se deixar o bebê usar as próprias mãos para comer, se ele assim desejar, pelo menos para comer purês e massinhas, mesmo que ele os leve às orelhas e aos cabelos. Assim ele poderá comer tudo. Não convém que a mãe queira introduzir as noções de higiene, pois isto poderá perturbar a relação do bebê com a comida e dificultar sua alimentação, reduzindo seu apetite e tirando-lhe o prazer de comer. Deve-se procurar um espaço próprio para a refeição do bebê e aceitar que ficará sujo com os alimentos derramados pela criança durante a refeição. Uma limpeza cuidadosa do local e da cadeira do bebê deve ser feita após cada refeição.

Ele quer comer sozinho e é muito insistente. Pode comer com os dedos, porém na maioria das vezes a mãe terá de terminar a refeição, dando-a com a colher. Se tiver irmãos, gostará de comer com eles e a mesma comida. Às vezes preferirá comer de pé na cadeira por algum tempo; lamberá os lábios quando gostar de um alimento.

A alimentação deverá começar a sofrer algumas modificações quanto à forma. Deve-se começar a dar ao bebê pequenos pedaços de alimentos que desmanchem na boca com facilidade, como batata, compota de pêssego, pêra, requeijão previamente amassado, puro ou com biscoito ralado. A tentativa de oferecer alimentos picados está relacionada com a habilidade motora que o bebê vem revelando, embora aos dez meses ele não tenha os dentes próprios para a mastigação (os molares), podendo comer alimentos grumosos, inclusive purê de vegetais e carne moída.

Pode-se seguir como regra os seguintes conselhos:

a) a progressão da modificação da consistência dos alimentos deverá ser aplicada a todos eles (legumes, carne, frutas);

b) toda modificação deverá ser assistida pela mãe;

c) não se fará senão uma modificação de cada vez;

d) não dê um novo alimento com uma nova colher;

e) para introduzir um novo alimento ou uma modificação de consistência líqüida para forma de purê, procure fazê-lo após o período da erupção dentária;

f) o novo alimento deverá ser introduzido no horário em que o bebê costuma sentir mais fome.

Os miolos

Como todas as vísceras, eles têm muito mais proteínas do que gordura e é uma excelente fonte de fósforo para o bebê.

O fígado e os miolos deverão ser oferecidos pelo menos uma vez por semana depois do sétimo mês de vida do bebê. Os miolos contêm muito mais água na sua composição (80% de água), quando bem cozidos, podendo ser reduzidos a creme e adicionados ao purê de batata ou ao de cenoura, o que tornará fácil sua mastigação, mesmo para os bebês sem dentes. Das vísceras, os rins, embora bem cozidos, têm um certo odor de urina, o que não o torna bem-aceito por muitas pessoas, principalmente crianças.

A gelatina

É uma sobremesa ou lanche preferido pelas crianças desde o seu segundo semestre de vida. Ela é fabricada com certas partes de ossos, cartilagens e ligamentos, e tem valor nutritivo, pois contém boa quantidade de ácidos aminados, especialmente glicocola (glicina), que está indicada para crianças que têm problemas no desenvolvimento motor, músculos fracos, que se sentam ou andam tarde. A gelatina pode ser encontrada tanto em pó quanto na forma de lâminas.

As encontradas em lâminas, incolores e sem sabor são as mais indicadas, pois poderão ser adicionadas à sopa, servindo também para se fazer doces, sendo acrescidas de frutas picadas e colocadas em tigelinhas. Há algumas comercializadas sem os ingredientes indispensáveis, fabricadas com diferentes produtos, como goma-arábica, ágar-ágar, tragacanto, com corantes, destituídas de qualquer valor nutritivo. Pode-se oferecer gelatina ao bebê do sexto mês de vida em diante.

SUPLEMENTAÇÃO DIÁRIA DE VITAMINAS

- Suco de frutas: 100 a 150ml
- Gotas polivitamínicas: 8 a 10 gotas
- Gotas de solução de ferro:10 gotas

Primeiro regime

Às 7 horas (desjejum)

220ml (g) de leite de fórmula infantil (ver pág. 107)
1 colher (das de chá), de farinha (ver pág. 119)
1 colher (das de sopa) de açúcar

Às 11 horas (almoço)

2 ou 3 colheres (das de sopa) de purê de cenoura
2 ou 3 colheres (das de sopa) de arroz
2 ou 3 colheres (das de sopa) de caldo de feijão
2 ou 3 colheres (das de sopa) de carne cozida e moída
1 gema cozida (apenas duas vezes por semana)
Sobremesa: 1 fruta

Às 15 horas (lanche)

Papinha de frutas, doces caseiros, pudim, gelatina, iogurte (de preferência feito em casa), sorvete (de preferência de fruta) e o já tradicional mingau (nos dias mais frios).

Caso o mingau não seja oferecido, acrescente 150 a 200ml de leite feito com fórmula infantil.

Às 19 horas (jantar)

Canja de galinha (com cenoura, chuchu e pão torrado)

Sobremesa: pudim de laranja

Segundo regime

Às 7 horas (desjejum)

Mingau (feito com leite de fórmula infantil) com araruta ou farinha e açúcar e leite.

Às 11 horas (almoço)

2 ou 3 colheres (das de sopa) de legumes cozidos e picados (beterraba, abóbora verde ou vermelha e chuchu)

2 colheres (das de sopa) de purê de batata-doce

1 colher (das de sopa) de purê de ervilhas

1 ou 2 colheres (das de sopa) de fígado picado com bacon (apenas duas vezes por semana)

Sobremesa: fruta crua

Às 15 horas (lanche)

Papinha de frutas, doces caseiros, pudim, gelatina, iogurte (de preferência feito em casa), sorvete (de preferência de fruta) e mingau (nos dias mais frios).

Caso não seja oferecido mingau, acrescente 150 a 200ml de leite feito com fórmula infantil.

Às 19 horas (jantar)

150ml (g) de caldo de carne

1 gema (duas vezes por semana)

1 colher (das de sopa) de tapioca

Sobremesa: pudim de pão

Terceiro regime

Às 7 horas (desjejum)

240ml (g) de leite (feito com fórmula infantil)

1 colher (das de sopa) de farinha

Às 11 horas (almoço)

2 ou 3 colheres (das de sopa) de purê de caruru ou de espinafre

2 ou 3 colheres (das de sopa) de massa ("letrinhas", cabelo-de-anjo etc.)

1 colher (das de sopa) de purê de aipim

1 ou 3 colheres (das de sopa) de peito de frango picado

Sobremesa: 1 maçã

Às 15 horas (lanche)

Papinha de frutas, doces caseiros, pudim, gelatina, iogurte (de preferência feito em casa), sorvete (de preferência de frutas) e mingau (nos dias mais frios).

Caso não seja oferecido o mingau, acrescente 150 a 200ml de leite feito com fórmula infantil.

Às 19 horas (jantar)

2 ou 3 colheres (das de sopa) de carne cozida e moída

2 a 3 colheres (das de sopa) de arroz

2 a 3 colheres (das de sopa) de purê de batata

2 a 3 colheres (das de sopa) de caldo de feijão

1 colher (das de chá) de farinha de mesa

Sobremesa: sorvete de creme

ENSINAMENTOS COMPLEMENTARES PARA O DÉCIMO MÊS

1) Os primeiros passos

2) A criança que manca

3) Pernas tortas (torção da tíbia)

4) O bebê pode diminuir de tamanho?

5) Balanço

6) Tomar o choro

O conceito de problemas ortopédicos tem mudado muito nos últimos anos. Sabe-se que a grande maioria das alterações se resolve sozinha sem o uso de sapatos, botas ou palmilhas ortopédicas. Até os dois anos nada deve ser feito.

Se a partir desta idade a criança cair muito, apresentar dificuldade para andar ou qualquer alteração, deverá ser comunicado ao pediatra e ele a encaminhará a um especialista para exame e tratamento.

Os sapatos ideais para os primeiros passos do bebê deverão ser confortáveis, macios, flexíveis e leves. Os muito duros e pesados, além de atrapalhar, poderão machucar os pés da criança; andar descalço e na areia, por exemplo, além de confortável, é muito útil para fortalecer o equilíbrio.

Além do cuidado com os sapatos, também merecem atenção especial os pés e as meias.

Cuidados com os pés

a) lave-os, diariamente, com sabonete e água morna;

b) enxugue-os bem, sobretudo entre os dedos;

c) cortar sempre as unhas, retas e ligeiramente mais compridas do que a carne dos dedos. Evite cantos pontiagudos;

d) verifique a presença de vermelhidão da pele, conseqüente à pressão de sapatos defeituosos;

e) o talco anti-séptico, antes de calçar as meias, deverá ser usado às vezes, porém, predispõe ao eczema no pé da criança alérgica, sendo contra-indicado.

Cuidados com as meias

a) use meias limpas, diariamente;

b) alguns bebês apresentam alergia às meias de seda ou de náilon (eczema, eritemas); neste caso, a solução é o uso de meias de algodão. As meias de lã são permitidas para as crianças não-alérgicas à lã; caso contrário, durante o inverno, deverão ser usadas por cima de uma de algodão;

c) a meia deverá ser 2cm (aproximadamente) mais comprida do que o pé.

Cuidados com os sapatos

a) deverão ser, no mínimo, um número maior do que o pé (a largura de um dedo da mão de um adulto). A medida deverá ser tomada com a criança de pé, e não sentada;

b) deverão ser um pouco mais altos do que os dedos do pé, para evitar que apertem os dedos quando a criança andar. Nunca faça a criança usar sapatos estreitos, tanto na largura quanto na altura;

c) a sola do primeiro sapato não deve ser alta, porque limita os movimentos do tornozelo. Sapatos com salto para criança só de 12 a 18 meses em diante;

d) a sola deverá ser flexível e de material áspero, antiderrapante. Sapatos de sola dura nesta idade não permitem flexão do pé, fazendo com que a criança ande aos poucos ou arraste os pés, com as pernas abertas.

A CRIANÇA QUE MANCA

Claudicar, para os médicos, e *mancar* para os leigos, é uma alteração no modo de andar da criança. Geralmente são os próprios pais que chamam a atenção do pediatra para o fato. Uma criança que sente dor ao caminhar usualmente tem o bom senso de limitar esta atividade. Os pais, ao perceberem que o seu filho manca, deverão deixá-lo em repouso, medir sua temperatura e observá-lo por 24 ou 48 horas, no máximo. Se houver febre, o pediatra deverá ser contactado imediatamente.

As causas poderão ser as mais variadas, desde os simples problemas provocados por sapatos inadequados ou desconfortáveis, até condições do sistema nervoso central. As mais freqüentes são, sem dúvida, quedas e topadas (que geralmente as babás levianas escondem), provocando a distensão dos ligamentos ao escorregar ou cair. A presença de verrugas na planta do pé ou calosidades não deverá ser esquecida. Problemas ortopédicos, como o genuvalgo e a pronação do pé (ver pág. 412), quando são mais acentuados de um lado do que de outro, poderão estar em jogo. Se houver diferença no comprimento das pernas, mesmo mínima, deverá ser pesquisada, bem como processos inflamatórios, como reumatismo e osteomielite, que causam manifestações clínicas febris e dolorosas, problemas do crescimento dos ossos, especialmente nas extremidades (necrose do ponto de ossificação, revelada facilmente pela radiografia), alterações do sistema nervoso, de caráter crônico ou agudo, deverão ser todos examinados. Neste capítulo temos de ressaltar a eventualidade de certas viroses que provocam transitoriamente diminuição do tono muscular. As hipotonias musculares, isto é, músculos enfraquecidos por carência de vitamina B, D, cálcio e uma alimentação pobre em proteínas, carne, leite e ovos, não devem ser esquecidas.

PERNAS TORTAS (TORÇÃO DA TÍBIA)

Segundo alguns ortopedistas e pediatras, logo que as crianças começam a ficar de pé é comum apresentarem certas posições das pernas que podem impressionar seus pais e parentes. Admite-se, recentemente, que as crianças apresentam um arqueamento exagerado das pernas, para fora, persistindo freqüentemente até o segundo ou terceiro ano de vida, sem que isto signifique, contudo, qualquer doença ou que seja devido à desnutrição. A possível deformação pode aparecer em seguida ao período em que ela começa a andar, e não é devida a raquitismo ou a qualquer doença óssea. Na maioria das vezes a regressão completa e espontânea do defeito, voltando à posição normal, poderá ser observada entre o quarto e o quinto ano.

O BEBÊ PODE DIMINUIR DE TAMANHO?

Pode, quando o bebê insiste, por volta desta idade, ficar de pé por várias horas. Quando for levado ao pediatra, ou dois meses mais tarde, deverá ser novamente medido, e terá a mesma estatura ou esta se atestará menor do que tinha aos sete meses. Este surpreendente achado é devido à posição da coluna vertebral, que tem uma curvatura. O adulto por muito tempo cresce 2,5cm a mais do que tinha anteriormente, devido ao "esticamento" da coluna vertebral.

O BALANÇO

O balanço para quarto ou quintal é utilizado por alguns pais. É um brinquedo desnecessário. Há dois modelos, um fixo, com armação de ferro própria, apoiado no chão. Outro, ajustável nas portas ou móveis, que se não for bem colocado poderá cair.

Considerações:

a) é usado como diversão ou como calmante, pelo balanço do corpo;
b) necessita de constante vigilância. Crianças maiores querem sair dele após alguns minutos;
c) deverá ser forte e bem-armado, para não fechar e machucar a criança;
d) sempre faz barulho, que pode incomodar a criança e até excitá-la;.
e) deverá ter assento e encosto acolchoado, firme;
f) o espaço para as pernas deverá ter a mesma altura do assento, para não prejudicar a circulação;
g) deverá ter estabilidade com as bases fortes e bem separadas.

TOMAR O CHORO (SÍNCOPE INFANTIL)

Pode ocorrer no período dos seis meses até os dois anos. Antes dos seis meses e depois dos dois anos é mais raro. Entre cem crianças, de quatro a seis poderão apresentar este distúrbio.

A causa da chamada síncope infantil é a falta de oxigenação no cérebro, devido à respiração inadequada. Não se trata de epilepsia, disritmia, espasmofilia ou simples desmaio, é uma verdadeira doença do afeto, da amizade ou do amor.

Quais são suas causas?

a) obstáculos à realização do desejo;
b) fracasso de habilidade motora ou fracasso em fazer certas tarefas;
c) inabilidade em fazer funcionar um brinquedo;
d) conflitos (brigas) de treinamento higiênico, especialmente o controle das evacuações;
e) birras por motivo fútil ou por teimosia;
f) relutância da refeição;
g) crise emocional;
h) dor, quedas;
i) ansiedade, manias ou fobias;
j) susto ou aplicação de injeções.

Enfim, para muitos médicos o maior motivo é o de que mãe e filho não estão se entendendo bem. Problemas educacionais, tolerância demasiada, mãe ausente (rejeição) ou prepotente, sobretudo em questões de comida ou higiene.

O quadro familiar faz parte integrante da doença. Algumas crianças mais impressionáveis são mais sujeitas. O espasmo de soluço que se repete não pode ser considerado um único sintoma. Terá de ser analisado o ambiente em que o bebê vive, o temperamento da mãe ou da pessoa que cuida dele, o relacionamento entre pai e mãe e o método de vida que está sendo imposto a ele. É a maneira de algumas crianças resolverem suas dificuldades. Algumas crianças têm um certo prazer em reagir tomando o choro, para assustar e se vingar da mãe, do pai ou da pessoa que cuida delas.

MANIFESTAÇÕES CLÍNICAS

Existem dois tipos: a forma azulada (cianótica) e a forma branca (pálida).

Forma azulada (cianótica)

É a menos freqüente. A criança pára de respirar, perde a consciência, cai desarticulada (como um boneco de pano), revira os olhos e às vezes pode ter uma convulsão, com movimentos bruscos dos braços e das pernas. É freqüentemente provocada por recusas (dor, raiva, reprimendas).

Forma branca (pálida)

É mais freqüente do que a forma azulada. Constitui oitenta por cento dos casos. Geralmente é devida à pancada com a cabeça, dor, queda, emoção, medo, aplicação de injeção, exame de garganta. A criança, pálida, cai desmaiada, esticando os braços e as pernas, ficando em arco (opistótonos), perde a consciência e pode ter ou não convulsão. Esta manifestação é rápida, de alguns segundos ou minutos, e a criança volta a brincar como se nada tivesse acontecido.

Tratamento

O primeiro socorro deverá ser feito pela família: soprar-lhe o rosto, aspergir água fria, abaná-la. Fazê-la cheirar álcool, e perfume, éter ou amônia não estão indicados. Para alguns médicos é preferível dar um beliscão. Em segundo lugar, o bebê deverá ser levado ao pediatra, para exame e observação.

O futuro da criança que "toma o choro", de modo geral, é de bom prognóstico. Não acarreta doença neurológica, a inteligência é normal, não há perigo de atraso mental; entretanto, os médicos (psicossomáticos) e neurologistas não são tão otimistas quanto os pediatras; admitem que no futuro estas crianças poderão apresentar manifestações neuróticas, variações de caráter, ser agressivas, ser "sempre do contra", apresentar falta de coerência nas atitudes e modo diferente de sentir e agir.

Os pais deverão confiar o tratamento do seu filho a um pediatra experiente, para que este possa auxiliá-los não só quanto ao tratamento, mas como ao modo de educação. A colaboração de um psicólogo é absolutamente indispensável, pois se o caso não for bem orientado, a família, apavorada, com medo de que o acesso se repita, resolve não mais contrariar a criança, sendo então o começo da entronização de um pequeno tirano, que resolve não mais sofrer decepções e frustrações, e decide fazer o que quer, o que naturalmente trará grandes dificuldades para ele no futuro, no que se refere à convivência com os colegas na idade escolar e na adolescência, e mais tarde na sua profissão, no seu casamento e com seus próprios filhos.

A DISCIPLINA

Não abuse da palavra "não". O desejo do bebê é o de explorar tudo. Às vezes, impossíveis de ser satisfeitos, distraí-lo pode ser a maneira mais eficaz de lidar com um comportamento não-desejável. Deve-se procurar alguma coisa que possa mantê-lo interessado. A disciplina deve ser imediata, e não minutos depois. A mãe não deve se esquecer de que as necessidades de atenção e afeto são tão verdadeiras quanto as suas necessidades de comida e fraldas limpas.

Os irmãos mais velhos, antes dos seis aos dez anos, podem ser um perigo.

O CASTIGO

Castigar às vezes faz parte da disciplina que deve ser iniciada desde o primeiro ano de vida. A disciplina tem de ser imediata, quando o bebê se mete em encrencas e não dois ou três minutos mais tarde, pois então ele não entenderá a razão da reprimenda. O objetivo principal da disciplina é o de ensinar à criança os seus limites, deixá-la saber o que está fazendo de errado, dizendo "não" ou fazendo "cara feia". Ele precisa compreender desde cedo que a palavra final deve ser dada pela mãe, de maneira consistente e não de acordo com o seu humor. Nunca bata na criança; apenas dê umas palmadinhas. As crianças que aprenderam muito cedo não aprendem melhor; pelo contrário, pressões psicológicas e emocionais podem até ser negativas.

O CURSO DE NATAÇÃO

Ultimamente tem sido despertado o interesse no exercício da natação para bebês. Entretanto, as crianças só apresentam completa autonomia, executando os movimentos característicos da natação, por volta dos dezoito meses, quando chegam até a nadar sozinhas. Atualmente a natação está indicada a partir dos seis meses em locais exclusivos para bebês, com instrutores especializados e com o acompanhamento direto dos pais.

PISCINA INFLÁVEL

Deverá ser esvaziada e guardada depois de usada. Se a piscina tiver capa protetora, deverá ser removida completamente antes de a criança entrar. Nunca permita que ela ande por cima desta capa protetora.

Capítulo 21

O Décimo Primeiro Mês

O décimo primeiro mês

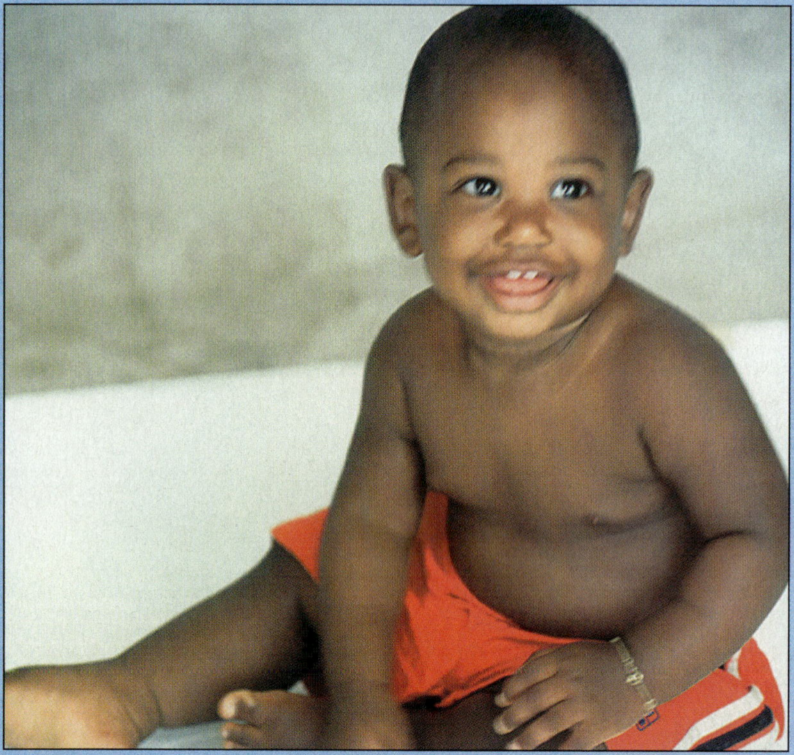

O comportamento social e pessoal da criança, aos onze meses, demonstra formação da personalidade mais desenvolvida.

O DESENVOLVIMENTO DO BEBÊ

	Meninos	Meninas
Peso	9.650g	9.400g
Estatura	73cm	72cm
Perímetro cefálico	46cm	45cm
Perímetro torácico	46cm	46cm
Ganho de peso mensal	300g	300g

O bebê já percebeu como é bom ficar de pé, e gosta tanto que se recusa a sentar. Levanta-se sozinho, ficando primeiramente de quatro, com as mãos e os pés no chão. Ele quer ficar de pé na cadeira, na banheira, no meio do quarto, no carrinho, o que é um grande perigo; precisa ser constantemente vigiado. Porém, é engatinhando que ele quer andar por todo o quarto, a sala e a cozinha; subir escadas será sua próxima conquista. Mas tudo está certo, porque os bebês muito quietos, considerados "moles", de articulações (juntas) frouxas, têm de ser estimulados para desenvolver sua musculatura – com a praia, banhos de sol e outros exercícios.

São muitas as suas habilidades motoras. Em primeiro lugar, a mãe deve saber que os bebês são diferentes um do outro. Aos onze meses alguns não ficam de pé, enquanto outros já andam sozinhos. As mães não devem se preocupar, basta consultar o pediatra. Apesar de todas as suas atividades e inteligência, aumenta muito a dependência de sua mãe e vive se intrometendo e atrapalhando as tarefas dela. É muito entusiasmado pelos irmãos. Já consegue ver os pássaros a distância. Olha as figuras de uma revista com interesse, virando as páginas, muitas ao mesmo tempo. O espelho é um grande divertimento para ele, conhece a sua imagem e a dos pais. Quando coloca um brinquedo diante do espelho, ao apanhá-lo, dirige-se ao seu reflexo e percebe seu erro, se divertindo. Rabisca com o lápis, sacode o chocalho e já sabe tirar as meias e desamarrar os sapatos. A audição está melhorando, reconhece palavras para os objetos, como avião, automóvel, cachorro, imitando os seus sons.

A LINGUAGEM

Usa mais ou menos cinco palavras. Fala enrolado, alguns sons são ininteligíveis. Repete as mesmas palavras por longo tempo: "mamã", "papá" e outras que sabe.

O andador para o bebê de onze meses é às vezes um problema; quando colocado nele, fica selvagenzinho, quer pegar tudo em volta, indo para a frente e para trás, de um quarto para outro, à cozinha e às escadas; não pode parar, e quando tirado fica furioso, como se perdesse um brinquedo. Os que não têm um andador fazem-no das pequenas cadeiras, as arrastando e arranhando o assoalho; os pais, se quiserem, podem deixá-lo, se ambos ficam contentes. Quando eles se acham capazes de andar e de se movimentar sozinhos, devem ser tirados do andador, para não limitar seus movimentos, tornando-os infelizes.

A EDUCAÇÃO

O melhor caminho para ensinar é ter um bom e alegre relacionamento com seu filho. Treinos cansativos, disciplina rígida, atitudes severas não são meios convenientes. Aos onze meses deverão ser evitados castigos físicos (palmadas) ou ordens de cara fechada para travessuras inocentes. O melhor é dar liberdade e deixá-lo andar pela casa, protegido, naturalmente. A obediência do bebê está condicionada à sensibilidade de sua mãe em perceber e aceitar suas limitações e suas inclinações.

Nada pior para o bebê do que ter uma mãe neurótica ou que não percebe nada; a mãe insensível age de acordo com os seus desejos, humor, impondo ao filho os seus métodos de modo violento ou o irritando. A mãe tolerante aceita coisas que outras acham incríveis e vai levando o seu filhinho sem restrições contínuas, perdoando suas travessuras ingênuas.

Estas crianças comem melhor, são mais alegres e mais tarde serão mais amigas de suas mães.

Naturalmente o nível de inteligência e o estado emocional materno são decisivos para a educação. Os bebês entendem o que significa a palavra "não"; entendem ordens não somente pelas palavras, mas também pelos gestos e pela expressão facial da mãe. Eles são espertos, aprendem a testar o "não" materno e até aonde vai o limite da tolerância. Alguns já bem sabidos tentam enganar a mãe, fazendo o proibido escondido, mas se percebem que a mãe está atenta, sorriem, disfarçam e partem para outra. Começa o "acesso de raiva" se ele percebeu o poder que tal gesto lhe dá para vencer os outros. O melhor nesta idade é não castigar, bater ou gritar; deixe-o até se cansar e não obter o desejo inconvenientemente.

A imitação continua sendo o grande fator na educação. Eles aprendem o que os pais e adultos fazem na frente deles durante o primeiro ano de vida.

Ao onze meses, a mãe já saberá muito sobre seu filho:

a) do que gosta de comer;
b) o que pode fazer;
c) se é tímido ou atrevido;
d) se aprecia música;
e) se é emotivo;
f) se começa a mostrar a personalidade;
g) se tem sono fácil;
h) se tem tendência a vômitos, diarréia ou prisão de ventre;
i) se fica excitado quando recebe visitas;
j) se tem tendência a se resfriar constantemente.

A FORMAÇÃO DA PERSONALIDADE

Evolução motora

O bebê se senta para apanhar uma bola. Dá uns passos, levado pela mão.

Comportamento emocional

Manifesta sinais de irritação (fica rabugento). Exprime alegria. Nota outras crianças e se aproxima.

Capacidade de adaptação

Entende palavras repetidas. Obedece a algumas ordens.

Progresso da linguagem

Imita o que ouve e exprime algumas palavras de acordo com o seu desejo ("papá", "mamã" e "dá"). Tem noção de tempo e espaço, compreendendo expressões, como "onde?" e "aqui", voltando o olhar para o lugar apontado.

Comportamento pessoal e social

Segura o copo para beber. Puxa os adultos para brincar.

Brinquedos (seu interesse e preferências)

Deve-se preferir os brinquedos que estimulem o espírito de grupo, a cooperação e a construtividade. Em lugar de brinquedos prontos, compre para o bebê brinquedos que possam ser montados, como grandes cubos de encaixar.

Nos seis primeiros meses, a apreensão dos objetos é totalmente palmar; de nove a doze meses ele já agarra os objetos, opondo o polegar aos outros dedos.

O DESENVOLVIMENTO DA INTELIGÊNCIA

Primeira prova

O bebê procurará se sentar para apanhar um objeto. Uma pessoa mostra um brinquedo ao bebê estando deitado, mantendo-o fora do alcance de suas mãos. Ele deverá se sentar para apanhá-lo.

Segunda prova

O bebê deverá conseguir se sentar com simples ajuda. Ele procurará se sentar, apoiando-se nas grades da cama ou do cercadinho, o que fará facilmente, com simples ajuda do adulto.

Terceira prova

Manifestar surpresa: se uma pessoa, por trás do bebê, fizer um ruído com um apito ou der um grito, o bebê deverá se voltar repentinamente, olhando surpreso.

Quarta prova

Teste de memória: deve ser mostrada ao bebê uma caixa contendo uma bola, deixando-o brincar com ela por alguns minutos. Em seguida, leve a bola e a caixa; voltando, após um minuto, com a caixa sem a bola, ele, não a encontrando, deverá olhar surpreso para a pessoa, como se estivesse indagando sobre o seu desaparecimento.

Quinta prova

O bebê toca uma sineta, por imitação. Uma pessoa toca várias vezes uma sineta, na frente do bebê, dando-a em seguida a ele, que deverá tocá-la, fazendo os mesmos movimentos.

A ALIMENTAÇÃO DO BEBÊ AO 11º E 12º MESES

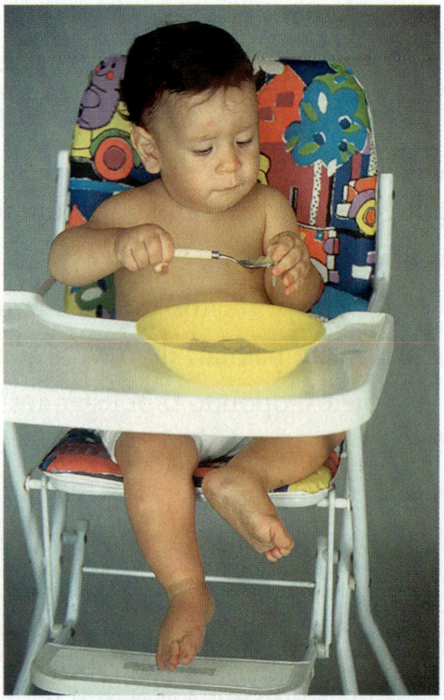

A alimentação pode deixar muito a desejar: o bebê poderá levar à boca a colher com a comida e com ambas as mãos poderá segurar um copo; porém, geralmente com uma das mãos pega a comida e com a outra brinca com a colher.

Antes de terminar o primeiro ano de vida, já no 11º mês, alguns conselhos podem ser dados para a alimentação do bebê:

a) se o bebê não sentir fome logo ao acordar, é importante dar-lhe um copo d'água, 200ml (g), ou de suco de fruta sem açúcar, e, 15 a 20 minutos depois, ele sentirá fome, aceitando a mamadeira ou a refeição;

b) o bebê poderá começar a querer mastigar, porém é necessário agir progressivamente; em lugar de oferecer um purê de batata, é preferível amassá-la na sua frente, com o garfo, e finalmente oferecê-lo, ou então a batata em pedaços pequenos. Experimente dar-lhe um pedacinho de banana, de queijo ou de carne; para treinar a mastigação é aconselhável. Entretanto, somente entre os dezoito meses e os dois anos é que a criança conseguirá mastigar satisfatoriamente;

c) dedique tempo suficiente às refeições (a mãe ou a babá não deve se mostrar apressada ou inquieta). O bebê deverá, sempre que possível, aprender a comer tudo. A sobremesa deverá sempre ser dada, especialmente aquelas pelas quais a criança revelar preferência.

Bebês "amarelos"

Alguns bebês, por excesso de alimentos vermelhos (cenoura, abóbora, tomate e beterraba), apresentam nesta época, ou mais tarde, uma tonalidade amarelada nas asas do nariz, nas palmas das mãos e nas plantas dos pés. Não confunda isto com icterícia, pois o globo ocular continua claro e a urina não escurece. A supressão de alimentos vermelhos da dieta é o suficiente para fazer desaparecer, dentro de alguns meses, a tonalidade amarelada. A causa reside na impregnação da pele pelo pigmento amarelo (caroteno) dos alimentos descritos.

As vitaminas (coquetel ou suco de vitamina)

O hábito de oferecer à criança um suco ou vitamina entre a refeição da manhã e o almoço é comum a quase todas as mães. Seu preparo consiste em misturar frutas cruas, raladas e espremidas, e tomate, na quantidade de 50 até 200 gramas. No entanto, está provado que a vitamina, em crianças alérgicas, é uma das causas de inapetência.

É mais indicado oferecer a vitamina feita com um só alimento e observar a tolerância, nunca misturá-lo a outros alimentos. Às vezes é melhor suportada quando oferecida no final das refeições, e não nos intervalos, quando o estômago da criança está vazio.

O SORVETE

O sorvete é a alegria da refeição de muitos bebês: é o alimento na forma de massa, em pequeníssimos cristais de gelo.

Há três tipos de sorvete, de modo geral: os de frutas, o de creme e o de chocolate. Para a criança, os de frutas têm de ser feitos com frutas frescas, sem substâncias químicas que dêem sabor e coloração de fruta. O de creme tem de ser feito em casa, ou em fábrica de alta reputação; no caso de o creme ser de má qualidade, o frio detém o processo de deterioração, mas não interrompe este processo, de modo que, uma vez no estômago da criança, o processo de deterioração continua logo que o sorvete recebe o calor do corpo (36, 37ºC). Isto explica as intoxicações alimentares das crianças com sorvetes no verão. O de chocolate deve ser preparado unicamente com chocolate desengordurado e leite, sem qualquer outro ingrediente, e não deve ser dado a crianças alérgicas.

O sorvete, uma vez no estômago da criança, deve ficar à temperatura do corpo, que é ótima para a sua digestão. Para tanto, deve ser comido devagar e em pequena quantidade; a colher chata já é um dispositivo para esta finalidade; se for em concha a criança tomará grande quantidade, o que será prejudicial para a digestão.

A natureza protege a pessoa; assim, quando ela toma depressa ou em grande quantidade, a ação do frio provoca uma constrição (estreitamento) dos vasos sanguíneos da face e do crânio, dando aquela sensação penosa, quase dolorosa, desagradável, que todos conhecem quando tomam sorvete em grande quantidade e depressa.

Os de frutas ou de creme, de boa qualidade, podem ser dados à criança, desde que ela goste, ao terminar o primeiro ano, porém o de chocolate só depois de dezoito meses (ver pág. 430). É preferível oferecer, como sobremesa, principalmente o de creme, que é bastante nutritivo. É o mesmo que dar creme de leite concentrado à criança, adicionado ou não com geléia, compota ou às frutas em pasta, como marmelada, goiabada etc. A suposição de que o sorvete pode causar resfriado ou amigdalite não é verdadeira.

VALE A PENA O BEBÊ TER ANIMAIS DE ESTIMAÇÃO?

Os animais proporcionam alegria, prazer e companhia aos seus donos. Mas, infelizmente, eles possuem um potencial de ameaça às crianças, mordendo ou arranhando, e são fonte de alergias, com capacidade de transmitir-lhes algumas infecções. A doença transmitida pelo animal ao homem se denomina *zoonose.*

Cães

De todos os animais, são geralmente os preferidos; entretanto, se o animal estiver doente deverá ser afastado do bebê, e é fácil de reconhecer se ele não está bem: alguns apresentam diarréia, tosse, perda de peso e de pêlos, lesões na pele. Corrimento no nariz ou nos olhos, gengivas pálidas e olhos secos e tristes.

Os pais devem saber que ter um animal em casa dá trabalho; devem manter a dieta do animal bem balanceada, dar-lhes água filtrada para beber, levá-los para passeios, afastá-los de outros cachorros doentes e manter a vacinação em dia, sem esquecer o banho diário. Às vezes, por causa do tempo e de displicência, estes cuidados não são atendidos. A mordida de um cachorro pode transmitir tétano, infecções purulentas (perebas) e, especialmente, a raiva. O que deverá ser feito logo após uma mordida ou arranhão é lavar vigorosamente a ferida com água morna e sabão, aplicar um anti-séptico e comunicar ao médico. O verme do cachorro é o *Toxocara canis* (helminto), cujo ovo, eliminado pelas fezes, produz uma larva

As crianças, desde cedo, têm fascinação pelos bichos. Porém, não é aconselhável tê-los no quarto ou em contato com o bebê até 2 anos.

que ataca a pele das crianças, acarretando uma dermatite (ver nas págs. 170-172). Geralmente as crianças que brincam com terra ou areia, descalças, sobretudo sem calça, são as mais sujeitas a esta infestação.

Algumas doenças graves do cachorro não atacam o homem, como a hepatite canina infecciosa e a leptospirose. Parasitos externos, os carrapatos, piolhos e pulgas são os mais freqüentes, tanto do cachorro como do gato, e suas picadas podem dar coceira e infecção posterior, ou crise de urticária ou estrófulo. A sarna do cachorro pode atacar a criança e o tratamento é o mesmo da sarna comum.

Os pais deverão receber uma informação exata sobre a questão da mordida dos cachorros. Se o cachorro está sadio, e se a lesão provocada for um arranhão, ferimentos no tronco e nos membros inferiores, não vacine e observe o animal durante dez dias. Às primeiras suspeitas de raiva, desaparecimento ou morte do animal, deverá ser feita a aplicação de uma vacina diária durante sete dias, com três reforços, no 10º, 20º e 30º dias após a sétima dose. No caso de haver lesão grave, sobretudo mordida na cabeça, na face, pescoço, mãos e braços, mesmo que se tenha certeza ou suspeita de que o cachorro está sadio, ou já ter sido vacinado, há necessidade de fazer a aplicação imediata da vacina durante cinco dias e observar o animal durante dez dias. Se o animal se tornar raivoso, morrer ou desaparecer durante a observação, aplique soro anti-rábico, complete a vacinação para dez doses e aplique três doses de reforço, no 10º, 20º e 30º dias após a 10ª dose.

Gatos

Podem transmitir várias doenças, algumas delas graves, como a larva *migrans* visceral, que resulta da ingestão de ovos de lombriga do cachorro e do gato *(Toxocara canis* e *cati*). Cachorrinhos e gatinhos devem receber tratamento antiparasitário às 2ª, 4ª, 6ª e 8ª semanas de idade, pois estes animaizinhos freqüentemente já nascem com os parasitos, adquiridos durante a gestação.

A larva *migrans* cutânea é a infecção da pele provocada por um parasito de cães e gatos (*Ancylostoma braziliense*). O tratamento é simples, com aplicação de pomada de tiabendazol durante uma semana. Os cães e gatos parasitados devem ser tratados com vermífugo. O gato é o principal transmissor da toxoplasmose, para o homem e para outros animais. As gestantes devem evitar contato com gatos, pois a toxoplasmose, durante a gravidez, pode provocar doença grave no feto. A toxoplasmose também pode ser adquirida pela ingestão de carne crua ou malcozida. Cuidado com rosbifes, bolinhos de carne, hambúrgueres!

Hamsters

Também os *hamsters*, os porquinhos-da-índia ou ratinhos brancos de laboratório, podem transmitir doença grave, a coriomeningite linfocitária.

Aves

Em especial as denominadas psitacídeos, isto é, papagaios e periquitos, podem transmitir a psitacose. Hoje se sabe que qualquer ave pode transmitir esta doença, mais de 100 espécies de passarinhos, pombos, perus, pavões, patos e gansos. Desta forma, o nome mais adequado para esta doença é ornitose (aves). Ela é adquirida pela inalação das fezes secas das aves, que ficam em suspensão no ar, levando o homem a uma pneumonia. A prevenção é administrar às aves grãos ou farelos misturados com antibióticos (tetraciclina), por 45 dias consecutivos.

Micoses e sarna podem ser transmitidas dos animais ao homem.

Tartaruguinhas podem transmitir a salmonelose, que é uma infecção intestinal grave.

De modo geral, manter animais em casa e, sobretudo, no quarto do bebê, é absolutamente contra-indicado. Os únicos animais mais seguros para se ter dentro de casa são os peixinhos de aquário.

Alergia respiratória

Famílias sabidamente alérgicas devem evitar que seus filhos, como eles mesmos, entrem em contato com os pêlos dos animais domésticos, que podem causar alergia respiratória.

O PERIGO DOS ANIMAIS

Há sempre o risco de os bebês serem mordidos ou arranhados pelo próprio animal doméstico da família. Antes de adquirir um animal para fazer companhia ou alegrar seu filho, convém esperar que a criança esteja mais crescida, entre os cinco e os seis anos. Nunca deixe uma criança se aproximar de um cachorro de qualquer raça, preso em coleira curta. Eles costumam ser ansiosos e agressivos. Animais mais velhos são mais aconselháveis que os filhotes. Podem morder simplesmente por brincadeira.

A vacinação dos animais não deve ser esquecida.

As crianças só devem entrar em contato com animais já corretamente vacinados.

Capítulo 22

O Primeiro Ano

O primeiro ano

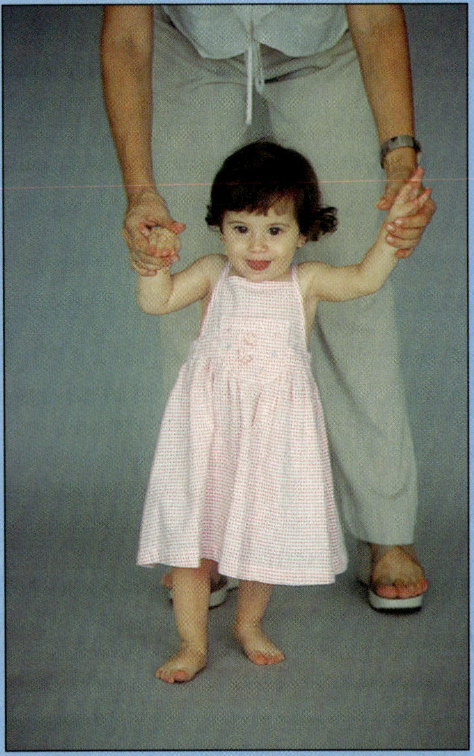

Com auxílio, o bebê começa a dar os primeiros passos.

O DESENVOLVIMENTO DO BEBÊ

	Meninos	Meninas
Peso	9.800g a 10.300g	9.600g a 10.110g
Estatura	75cm	72cm
Perímetro cefálico	46,5cm	45,5cm
Perímetro torácico	47,5cm	46,5cm
Ganho de peso mensal	300g	300g

Aos doze meses de vida o bebê gosta de ter companhia para poder se exibir. O início do segundo ano é fundamental para a educação. O bebê aprende mais do que cresce ou engorda. No primeiro ano de vida o bebê é lactente, o leite materno ou artificial, a mamadeira, o mingau e as papinhas prevalecem na alimentação. O principal objetivo para o bebê é crescer e engordar.

Nos Estados Unidos denominam a criança de um ou dois anos de *toddler*, que quer dizer "hesitante", porque ela está aprendendo e vacila para andar, comer, brincar etc. Acreditamos que o nome de "bebê aprendiz" traduz a característica principal neste período de vida.

O BEBÊ, ENTRE UM E DOIS ANOS DE IDADE, É UMA CRIATURINHA DIFÍCIL

Do que ele gosta e do que não gosta:

a) o bebê não gosta de estranhos, nem de se separar de sua mãe, e reage com violência à separação;

b) não gosta de lugares estranhos;

c) prefere uma pessoa a outra;

d) pode aceitar a presença de um adulto estranho ou criança em casa ou no parque;

e) mostra afeição por pessoas, brinquedos e roupas;

f) expressa emoções e reconhece a dos outros;

g) quando a mãe se ausenta, ao voltar pode encontrá-lo diferente (ou está quieto ou então agressivo), é a "vingança" por tê-lo deixado;

h) estranha o que é novo ou o que faz muito barulho (aspirador de pó e liqüidificador);

i) ele não olha para os outros bebês, mas se interessa pelos brinquedos deles;

j) ele não gosta de que o façam esperar pela sua refeição;

l) de que mude seus hábitos de rotina;

m) de que o deixem com estranhos. Isto pode levá-lo até mesmo ao pânico;

Ao completar o primeiro ano de vida, o bebê está pronto para a vida, decidido a andar, a explorar o ambiente, os objetos e as pessoas.

n) de que sua mãe o deixe por mais de cinco minutos sozinho com seu prato de comida;

o) de que um estranho o pegue no colo.

Ao completar o primeiro ano de vida, o bebê está pronto para realmente fazer seu papel no mundo, decidido a andar, explorar o ambiente, as coisas e as pessoas.

Sua linguagem se aperfeiçoa; diz, em média, oito palavras (aliás, repete palavras), produz sons específicos na linguagem dos pais (quer gaguejar certas frases), imita sons, sobretudo o latido do cachorro.

Andar é uma tarefa muito importante para ele. Seguro debaixo dos braços, pode dar uns quinze passos. Mais tarde ele aprenderá a parar sozinho; agora precisará ser seguro pelas mãos. É um espanto como ele nunca se cansa! À medida que melhora o andar, ele vai começando a baixar os braços, pois já controla melhor a musculatura do tronco. Não sabe andar para trás, mas engatinhar, sim.

O sono é de muita importância, e a melhor maneira de induzi-lo é com o sossego e o silêncio depois da última mamadeira; pode ficar se ninando, cantando baixinho, mesmo ao colo. Pode levar de quinze minutos a uma hora, mas é o melhor modo de relaxar e dormir bem.

Ele tem facilidade para nadar, segurando o peito e mantendo a cabeça fora da água. Ele apresenta reflexo, habilidade excelente para a natação, detalhe este aproveitado para fazê-lo aprender desde cedo, o que ele aceitará se for treinado por pessoa conhecida, pelo pai ou pela mãe. Sentirá medo apenas por volta dos dois ou três anos (ver pág. 418).

A EDUCAÇÃO

Nesta idade o bebê gosta mesmo é de andar e de se mexer. Suas habilidades deverão ser encorajadas; deixe-o mexer nas coisas e nos brinquedos que puder. Repreensões repetidas e constantes por uma mãe nervosa dificultarão sua aprendizagem.

Quando os bebês reagem a processos educacionais, chorando, com mais de dois acessos de raiva no mesmo dia, batendo com a cabeça, atirando-se no chão e dando pontapés, é que alguma coisa está errada com o modo de educá-lo. Em primeiro lugar os pais deverão refletir com cuidado as razões por que ele teve este acesso, e analisar que se tivessem agido de outro modo ele talvez pudesse ter sido evitado. Geralmente a causa pode ser devida a problemas de disciplina, com alimentos, brinquedos, frustrações e ausência dos pais.

Alguns hábitos devem ser ensinados:

a) guarde sistematicamente os brinquedos no mesmo lugar na hora que ele se deitar;

b) deixe que ele procure desembrulhar um presente recebido até onde ele puder; é um estímulo que não deve ser tirado da criança;

c) achar um brinquedo escondido é um exercício;
d) procurar um brinquedo em mais de um lugar é outro exercício;
e) separe blocos de armar em cores e tamanhos diferentes estimulando a atenção dele.

FORMAÇÃO DA PERSONALIDADE

Evolução motora

O bebê pode ensaiar os primeiros passos sozinho. Deverá fica de pé, amparado, mostrando preferência por uma das mãos para pegar objetos.

Comportamento emocional

Geralmente fica encabulado na presença de estranhos.

Capacidade de adaptação

Coloca objetos dentro do seu copo. Procura encaixar dois cubos.

Progresso da linguagem

Articula pelo menos quatro palavras. Compreende, respondendo uma ordem (dê-me isso!). Aprendeu a usar duas ou três combinações de sons para obter comida e brinquedos. Naturalmente esta habilidade é ensinada pela pessoa que cuida dele. Neste período é uma grande alegria brincar com os ruídos vocais, ficando durante minutos seguidos emitindo-os só para se divertir.

Comportamento pessoal e social

Coopera quando o vestem. Segura o copo para beber. Em alguns casos, tenta usar a colher.

Brinquedos (seu interesse e preferência: tambor, blocos para armar)

Há dois tipos de brinquedos: aqueles com que a criança pode fazer alguma coisa e aqueles que ela somente pode olhar. Destes, ela cedo se aborrece. Blocos de madeira, coloridos, com números, letras, figuras, devem ser grandes e leves, e até os pais podem fazê-los em casa.

Com um ano, o bebê gosta de atirar objetos no chão, de propósito. É uma nova habilidade que ele descobriu, e se a mãe os apanhar e devolver, ele pensará que é uma brincadeira, e ficará, indefinidamente, jogando-os no chão. Se não for possível amarrar o objeto para que possa puxá-lo de volta, o melhor é colocar o bebê no chão. Segundo alguns psicólogos, a volta do brinquedo, após ser lançado repetidas vezes, dá segurança ao bebê de que as coisas e pessoas que vão, voltam, principalmente os pais.

Durante o ato de mudar de roupa, o que geralmente as crianças detestam, é útil ocupá-las com um brinquedo e nunca distraí-las com biscoitos ou balas para comerem.

Primeira prova

O bebê examina cuidadosamente duas caixas. Com elas nas mãos, ele as examina atentamente, colocando-as, às vezes, uma dentro da outra.

Segunda prova

Abre uma caixa. Colocada uma caixa fechada diante do bebê, ele deverá abri-la de qualquer maneira.

Terceira prova

Apanhar um objeto por meio de um artifício. Colocada fora do alcance do bebê uma campainha, presa por um barbante, cuja ponta livre deverá estar ao seu alcance, ele deverá puxar o barbante, a fim de fazer a campainha tocar e ele poder apanhá-la.

Quarta prova

Examinar os objetos. Uma pessoa toca a campainha e, em seguida, a entrega ao bebê, que logo deverá examiná-la, procurando e segurando o badalo, indagando o que realmente faz o ruído.

Quinta prova

Apanhar um brinquedo superando obstáculos. Mostre-lhe uma bola, colocando-a ao seu alcance; logo que ele fizer um movimento para apanhá-la, coloque na sua frente um papelão grande, visando escondê-la. Ele deverá contornar o papelão, e apanhará a bola.

A DENTIÇÃO

Por volta de um ano de idade o bebê apresenta oito dentes (os centrais superiores e inferiores e os laterais superiores e inferiores).
Os incisivos laterais poderão nascer entre oito a doze meses de idade e cairão entre sete a oito anos.
Higiene: a limpeza pode ser efetuada com escova dental macia pequena ou "adaptada" a boca do bebê.
Deve-se usar creme dental sem flúor.
Consulte o capítulo 26, na página 451, para mais detalhes a respeito da dentição de seu filho.

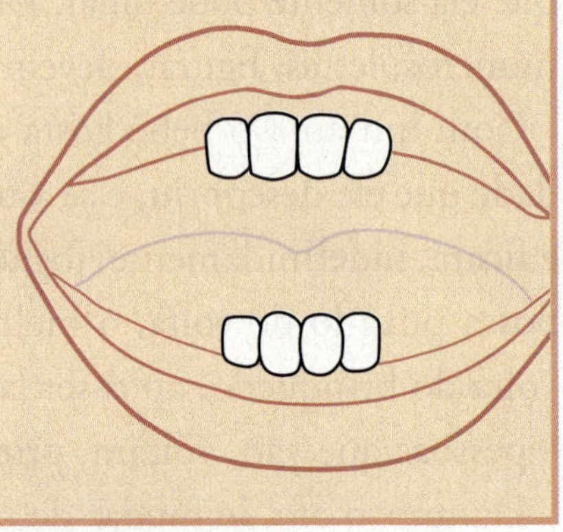

A ALIMENTAÇÃO NO PRIMEIRO ANO

A criança poderá brincar com a comida, nesta fase, para chatear sua mãe – às vezes só aceita três refeições por dia. Quando são quatro ou cinco refeições, ela recusa totalmente uma delas. Nega-se a comer novos alimentos, poderá rejeitar a comida dada pela mãe. Poderá insistir em comer somente três ou quatro alimentos favoritos. Algumas crianças insistem em se alimentar apenas com a mamadeira, rejeitando o prato ou o copo. Se quiser que a mãe lhe dê o alimento com a colher, ela deverá fazê-lo. Se a criança quiser segurar a própria mamadeira, a mãe deverá permitir; o importante é que ela coma.

Ao completar doze meses, o bebê terá um regime alimentar bem variado. Daremos uma série de regimes para os dias da semana, bem-dosados e de sabor variado. Os temperos poderão ser pouco sal, cebola, tomate, um pouco de alho, cebolinha, cheiro-verde. Não refogue a comida sistematicamente; pode-se usar em alguns dias da semana um refogado feito com gordura vegetal. A gordura animal, banha de porco e toucinho não deverão ser usados. Manteiga, em pouca quantidade, poderá ser tolerada por algumas crianças. Ela já poderá comer um ovo inteiro, pudins e ovo *poché*.

Ao terminar o primeiro ano de vida, nos Estados Unidos, a criança come os mesmos alimentos que a sua família, sem o trabalho de preparo do alimento do filho separado do dos pais. Convém salientar que nos Estados Unidos os adultos usam, geralmente, menos tempero do que no Brasil.

O liqüidificador não deverá ser mais usado para preparar alimentos para o almoço e o jantar. A carne moída deverá ficar granulosa; legumes, massas e cereais, picados; suco de frutas, dado no copinho; o mingau da tarde, servido com a colher. A mamadeira só deverá ser oferecida, à noite, para as crianças que a tomam quase dormindo.

Não ofereça café e chá encorpados, temperos fortes, frituras, amendoim, pipoca, balas, chocolate, amêndoa, camarão, bacalhau e morango.

O leite é o alimento de maior valor para o desenvolvimento e crescimento da criança. Do primeiro aos dois anos a criança deverá tomar no mínimo dois a três copos de leite por dia, isto é, de 500 a 600ml, porque o cálcio mais bem assimilado é o do leite; o cálcio de medicamentos não é assimilado como o do leite de vaca ou do leite materno. Se a criança tiver intolerância ao leite, poderão ser dados seus derivados, como iogurte, doce de leite, sorvete de creme, creme de leite ou mesmo fazer pudins à base de leite como sobremesa. Estes derivados do leite poderão ser oferecidos com geléia, gelatina, ou então com marmelada e goiabada, finamente amassados, como também biscoitos do tipo Maria ou maisena picados.

No decorrer da infância, no primeiro ano de vida, o bebê vai experimentando os quatro sabores fundamentais: doce, ácido, salgado e amargo. O doce, através do leite materno e do leite de vaca; o ácido, através dos sucos de frutas; o salgado por ocasião da sua adição à sopa de legumes, e o amargo por ocasião da adição à mesma sopa de algumas verduras e legumes que possam ter o sabor mais amargo.

É muito importante que a mãe observe a tendência do paladar do seu bebê, para escolher o alimento e o modo de prepará-lo, o que estimulará o apetite dele.

Uma vez que o seu bebê já se alimenta sozinho por algum tempo, é hora de treiná-lo a beber em copo de plástico.

DICAS PARA MELHORAR O APETITE DAS CRIANÇAS

- Transforme o momento da refeição num momento agradável, de confraternização com a família. Evite falar com outras pessoas sobre assuntos que possam desencadear discussões.
- Arrume o prato da criança de forma atraente, com alimentos bem coloridos, combinando as cores.
- Não faça chantagens para a criança se alimentar.
- Respeite os gostos da criança, oferecendo-lhe alimentos que ela goste, evitando forçar aqueles que a repugnam só de olhar.
- Quando introduzir um novo alimento, ofereça-o unicamente, para que a criança possa sentir sua textura e sabor. Se houver recusa, não force, tente num outro dia.
- Retire o prato, sem comentários, aos primeiros sinais de que a criança não quer mais comer. Não insista muito.
- Agora, é dar tempo ao tempo. Quando menos se esperar, a situação poderá se inverter, e não haverá comida que chegue para matar a fome da danadinha...
- Muitas mães dão de comer à sua criança diante da televisão para melhorar seu apetite. A Academia Americana de Pediatria, que procura orientar a criação e educação das crianças, não apresentou até o momento qualquer opinião a respeito disto.

OS TEMPEROS (CONDIMENTOS)

Toda mãe deverá procurar "caprichar" na aparência e no gosto da comida do seu bebê e os temperos ajudam. Denomina-se condimento ou tempero àquela(s) substância(s) cuja função principal é a de conferir aos alimentos um sabor particular e definido, geralmente intenso, que impressiona tanto o paladar quanto o olfato. Geralmente os médicos e as mães têm medo dos temperos, porque lhes parecem irritantes ou nocivos. Na realidade isto se trata de um problema de hábito e de quantidade. Entretanto, algumas crianças apreciam melhor a comida ligeiramente temperada. Não convém habituá-las desde cedo a temperos fortes, porque elas poderão mais tarde repelir os alimentos sem gosto. Dos temperos oferecidos à criança temos a cebola, que é um alimento que contém 10% de proteínas e quantidade apreciável de sais minerais; entretanto, na quantidade que é usada, somente é aproveitado seu efeito de tempero.

O alho, assim como a cebola, tem odor típico, produzido por um ácido volátil, sendo rico em proteínas e sais minerais; porém, como a cebola, em pequena quantidade funciona apenas o seu valor de condimento. Seu gosto fica muito tempo na boca, o que condiciona seu emprego em quantidade pequena, sobretudo em relação à quantidade de comida. Outro tempero aceito pelas mães é a canela, talvez por sua suavidade; é uma especiaria bastante aromática, e pode ser usada em alimentos para a criança no primeiro ano de vida. Outro, a baunilha, também usada como aromatizante de cremes, chocolate, biscoitos e os clássicos pudins e doces, poderá ser dada à criança sem perigo algum desde o primeiro ano de vida. Outros temperos, como o açafrão e a mostarda, não são convenientes para a criança.

A MAMADEIRA DA NOITE

A questão da última refeição às nove ou dez horas da noite, constando de leite puro, proibida por muitos médicos, merece explicação especial. Ao completar um ano de vida, se o bebê gosta e mesmo exige, não há, absolutamente, inconveniente em dá-la. Acreditamos que até lhe fará muito bem, porque completa, às vezes, o regime diário, quando, acidentalmente, o bebê se alimenta insuficientemente de algumas das refeições do dia. Assim, a refeição da noite será facultativa, não obrigatória como as outras, devendo, porém, ser sempre oferecida nos dias em que há no regime uma única refeição de leite.

É importante ressaltar que estudos realizados por Robin, Naylor em 1963, Walter et al (1987) demonstraram haver relação entre o aparecimento de cárie "tipo cárie de mamadeira" e o fato de a criança dormir mamando. O conteúdo da mamadeira pode ser leite de vaca, sucos de frutas, mate ou até leite materno. Ao pegar no sono os movimentos musculares de sucção cessam, e o último gole de leite fica retido e estagnado na boca do bebê, permanecendo em contato direto com as superfícies dentárias. O fluxo salivar também diminui, propiciando a descalcificação do esmalte dentário que passa a ter um aspecto opaco, tendo início a cárie dentária. Para mais informações sobre a cárie dentária, consulte a página 455.

SEU FILHO SE ALIMENTA SATISFATORIAMENTE?

Considerando a dificuldade da mãe em calcular se a quantidade de alimentos que o seu filho ingere é ou não suficiente, daremos logo a seguir, no capítulo sobre os 12º, 15º, 18º e 24º meses, dois tipos de regime diários, com a respectiva quantidade avaliada, aproximadamente, em medidas domésticas.

Para os lugares onde houver dificuldade de se adquirir carne e legumes de boa qualidade, os alimentos em conserva, em sua grande variedade, e que já vêm prontos para servir, solucionam o problema.

CUIDADOS COM NOVO ALIMENTO

Uma vez que, neste segundo ano de vida, grande variedade de alimentos deverá ser dada à criança pela primeira vez, não se pode saber como ela os aceitará. Assim, convém ter cautela, seguindo à risca cinco conselhos básicos:

1) o novo alimento deverá ser oferecido sempre em pequena quantidade, nunca em grande quantidade, pois a criança o provará pela primeira vez. Observe se ela apresenta qualquer intolerância, demonstrada pela presença de urticária, vômitos ou diarréia. Sabe-se que alguns alimentos são bem tolerados por algumas crianças e mal por outras;

2) verificar se o alimento foi bem digerido ou bem aproveitado. Alguns alimentos atravessam o tubo digestivo da criança e são evacuados do mesmo modo como foram ingeridos, demonstrando que a criança ainda não tem sucos digestivos capazes de digeri-los. Neste caso, haverá necessidade de diminuir a quantidade ou retardar, de um a dois meses, sua introdução ao regime alimentar. O pediatra deverá ser informado, pois às vezes a administração de alguns medicamentos estimula o surgimento de sucos digestivos necessários. Se isto não for observado, sua insistência poderá causar perturbações nutricionais;

3) não dê ao mesmo tempo, pela primeira vez, vários novos alimentos. Se durante uma refeição for introduzido pela primeira vez um novo alimento, neste dia, e mesmo no subseqüente, não deverá ser feita outra modificação. Convém esperar de três a cinco dias para introduzir outro alimento;

4) não faça modificações intempestivas durante o verão. Nos dias de temperatura muito elevada não convém iniciar qualquer nova alimentação, pois a tolerância alimentar e a capacidade digestiva estarão bem diminuídas. Será prudente aguardar um dia mais ameno para fazê-lo;

5) dê liberdade para a criança comer a seu modo.

A orientação para a execução dos cardápios a seguir é em função de características regionais e dos hábitos alimentares do brasileiro. Guarde este conselho: quanto menos açúcar, sal, gordura (principalmente animal), melhor; quanto mais fresca, saudável e bem apresentada, a alimentação será mais bem aceita.

REGIME PARA CADA DIA DA SEMANA

Segunda-feira

Primeira refeição

6, 7 horas (desjejum)

Mingau (de leite em pó ou leite de vaca engrossado com farinha e açúcar)

8, 9 horas

Suco de fruta 100ml

Segunda refeição

10,11 horas (almoço)

Purê de arroz, com caldo de feijão, galinha, tomate e chuchu

Sobremesa: doce de abóbora

Terceira refeição

2,3 horas (lanche)

Duas bananas com açúcar e geléia. Poderá ser usado, também, açúcar mascavo (que tem mais fibras e resíduos que o refinado)

Quarta refeição

6,7 horas (jantar)

Purê de ervilhas com 50g de carne picada e massa

Sobremesa: pêra em calda com biscoito e creme de leite

Preparo

Para a primeira refeição (ver pág. 262).

Para a segunda refeição (almoço): misture 5 colheres (das de sopa) de caldo de feijão com 5 colheres (das de sopa) de arroz bem cozido (arroz bem escolhido e de boa qualidade), acrescente 1 ou 2 colheres (das de sopa) de peito de galinha cozido e desfiado. Chuchu ensopado.

Sobremesa: doce de abóbora. Separe 50g de abóbora e 50g de açúcar refinado. Corte a abóbora em pedaços e junte o açúcar; leve ao fogo, sem água, até ficar uma pasta homogênea, pois a abóbora se desfaz. Mexa com colher de pau para verificar o ponto, que se estabelece quando a massa começa a pegar no fundo da panela.

Quarta refeição (jantar):

Purê de ervilhas secas: 1/2 xícara (das de chá) de ervilhas postas de molho na véspera, 1/2 cebola e 1 pitada de sal. Ferva durante 1 hora as ervilhas, depois junte 2 batatas picadas e cozinhe-as até ficarem macias. Peneirar fazendo pressão. Na hora de servir, adicione manteiga e sirva com macarrão comum ou talharim.

Carne raspada: bata uma carne própria para bife até ficar bem fina; tempere com cebola amassada e sal. Passe na farinha de trigo, unte uma frigideira e toste o bife.

Sobremesa (pêra em calda): coloque 1 ou 2 pêras maduras, descascadas, em uma panela com pouca água e bastante açúcar. Leve ao fogo até elas amolecerem. Depois de prontas, coloque 1 colher (das de sopa) de creme de leite e sirva-as a seguir.

Terça-feira

Primeira refeição

6,7 horas (desjejum)

Mingau feito com leite em pó diluído ou leite de vaca, engrossado com farinha. Sirva com pão torrado.

8,9 horas

Suco de fruta (100ml (g))

Segunda refeição

10,11 horas (almoço)

Purê de batatas com carne de vitela e cenoura

Sobremesa: banana cozida com flocos de arroz ou de aveia açucarados

Terceira refeição

2, 3 horas (lanche)

Mamão, 1 fatia (sem sementes), com açúcar. Sirva com torradas.

Quarta refeição

6, 7 horas (jantar)

Legumes cozidos com sagu, acompanhando 1 colher (das de sopa) de carne moída

Sobremesa: pêssego em calda, biscoitos e creme de leite

Preparo:

Para a primeira refeição: mingau de leite de vaca engrossado com farinha.

Para a segunda refeição (almoço): coloque 250g de batata-inglesa para cozinhar em 1/2 litro de água. Acrescente 1 pitada de sal e leve ao fogo até amolecer as batatas. Em seguida, quando estiver ainda quente, passe-as no espremedor. Junte 1/2 copo de leite e 2 colheres (das de chá) de manteiga. Leve ao fogo novamente por alguns minutos.

Para a carne de vitela, na forma de bolinhos: 150g de carne de vitela moída duas vezes, 1 xícara (das de café) de manteiga, 1 xícara (das de café) de miolo de pão umedecido em leite e espremido, 1 gema e farinha de rosca. Numa travessa, coloque a carne moída, a manteiga, o miolo de pão, a gema e o sal. Misture tudo. Coloque porções em forminhas untadas e salpique farinha de rosca por cima. Coloque-as em forno médio, por 10 minutos. Sirva com molho de tomate ou molho branco.

Ovo cozido: comece a oferecer uma pequena quantidade para observar se há alguma intolerância (urticária, diarréia, vômitos etc.).

Sobremesa: banana cozida; 1 ou 2 bananas-nanicas, cozidas com casca, até ficar bem tenras. Tira-se a casca na hora de servir, juntando-se açúcar e 1 colher (das de sopa) de cereais ou flocos açucarados de arroz.

Para a quarta refeição (jantar), pode-se preparar uma sopa de legumes com cenoura, batata-inglesa, vagem, ervilha e couve, tudo bem picado, acrescentando sal, cebola (pequena quantidade) picada e um pouco de arroz. Leve para cozinhar, depois acrescente manteiga ou azeite; cozinhe, em seguida, por um minuto. Acrescente 3 colheres (das de sopa), de caldo de carne ou 1 colher (das de sopa) de carne moída.

Sobremesa: compota de pêssego. Sirva com 1 colher (das de sopa) de creme de leite e torradas.

Quarta-feira

Primeira refeição

6,7 horas (desjejum)

1 banana, 1 colher (das de chá) de Neston
1 colher (das de sopa) de leite em pó
100ml de água fervida e fria

8-9 horas

Suco de fruta (100ml (g))

Segunda refeição

10,11 horas (almoço)

Arroz, purê de caruru com molho branco, suco de tomate e carne bovina (2 colheres, das de sopa) com molho de tomate

Sobremesa: gelatina de laranja com creme de leite

Terceira refeição

2,3 horas (lanche)

Mingau feito com fubá.

Quarta refeição

6,7 horas (jantar)

Tutu de feijão com batatas, ovo cozido e peixe cozido

Sobremesa: doce de leite

Preparo

Para a segunda refeição (almoço): Cozinhe, depois de bem picadas, 8 folhas de caruru, até ficarem bem macias; acrescente 3 colheres (das de sopa) de leite; 1 colher (das de chá) de farinha de trigo e 1 colher (das de chá) de manteiga. Levar ao fogo para cozinhar novamente.

Carne moída e cozida (2 colheres, das de sopa).

Para a sobremesa: gelatina de laranja. Coloque para derreter em 100ml (g) de água fervente 4 folhas de gelatina branca ou sem sabor. Quando derretidas, espere amornar e acrescente 100g de suco de laranja. Leve à geladeira.

Para a terceira refeição: mingau de fubá de milho (ver pág. 262).

Para a quarta refeição (jantar): ao caldo de carne juntam-se 4 ou 5 colheres (das de sopa) de feijão cozido, temperado com cebola, sal, manteiga ou azeite e passado na peneira. Leva-se ao fogo para ferver novamente. Adicionam-se 2 batatas-inglesas. Sirva com peixe e ovos cozidos.

Sobremesa (doce de leite): 50g de açúcar, 100ml de leite. Leve ao fogo, mexendo sempre, até formar um creme. Quando estiver no ponto, coloque no prato e deixe esfriar, sem mexer (senão ele açucarará). Leite condensado: cozinhe em banho-maria 1 lata fechada, por 2 ou 3 horas.

Quinta-feira

Primeira refeição

6, 7 horas (desjejum)

Mingau

8, 9 horas

Suco de fruta (100ml (g))

Segunda refeição

10, 11 horas (almoço)

Purê de aipim, arroz amassado, fígado bovino e jardineira de cenoura e chuchu

Sobremesa: doce de batata-doce

Terceira refeição

2, 3 horas (lanche)

Purê de maçã com biscoitos picados e requeijão

Quarta refeição

6, 7 horas (jantar)

Sopa de batatas, legumes, caldo de carne e massas, mais gema de ovo

Sobremesa: 1 fruta crua, torradas

Preparo

Para a primeira refeição: 1 colher (das de sopa) de farinha de milho, 150ml (g) de leite, 3 colheres (das de chá) de açúcar. Cozinhe em fogo baixo, mexendo sempre até engrossar.

Para a segunda refeição: 250g de aipim cozido e espremido. Adicione 100ml (g) de leite e 2 colheres (das de chá) de manteiga.

Com 100g de fígado moído, forme um bife, tempere com 1 pitada de sal e frite-o na manteiga ou no azeite. Em seguida, pique-o e misture ao purê de aipim e sirva com arroz bem cozido e amassado.

Para a sobremesa: descasque e corte em pedaços as batatas-doces; em seguida, amasse-as e leve ao fogo com o açúcar, sem água, deixando cozinhar até formar uma pasta.

Para a quarta refeição (jantar): coloque 4 batatas picadas para cozinhar em 50g de caldo de carne. Quando estiverem cozidas, amasse-as e acrescente 1/2 xícara de leite e 1 colher (das de chá) de manteiga. Leve novamente ao fogo. Acrescente, por fim, a gema cozida.

Sexta-feira

Primeira refeição

6, 7 horas (desjejum)

1 fruta em compota (pêssego ou pêra), 1 biscoito Maria ou maisena, 6 colheres (das de sopa), de leite e 30ml de água fervida e fria. Bata tudo no liqüidificador

8, 9 horas

100ml (g) de suco de frutas

Segunda refeição

10,11 horas (almoço)

Purê de cenoura, arroz, caldo de feijão e 1 fatia de carne assada

Sobremesa: maçã assada ou queijo fresco com goiabada

Terceira refeição

2, 3 horas (lanche)

Mingau

Quarta refeição

6, 7 horas (jantar)

Sopa de tomate e carne moída ou frango desfiado com talharim
Sobremesa: pudim de leite (meia porção)

Preparo:

Para a segunda refeição, coloque 250g de cenouras em rodelas com casca para cozinhar em 1 copo e meio de água e 1 pitada de sal. Cozinhe-as cerca de 40 minutos, até ficarem macias. Amasse as cenouras, peneire-as. Coloque um pouco mais de água e acrescente 1 colher (das de chá) de maisena, 1 colher (das de chá) de manteiga. Leve ao fogo baixo até engrossar. Sirva acompanhando a carne assada picada.

Para a sobremesa: unte um refratário com margarina, disponha fatias finas de pão embebido em leite, polvilhe com açúcar, acrescente fatias de maçã e polvilhe tudo com açúcar e canela. Faça várias camadas, sucessivamente. Asse em forno médio.

Para a quarta refeição: faça um caldo, refogando primeiro 250g de carne picadinha, 1/2 kg de tomates picados; cebola, sal a gosto e 1 colher (das de chá) de manteiga. Depois coloque 1 litro de água e leve ao fogo durante 1 hora. Quando estiver pronto e coado, junte mais 1 colher (das de chá) de manteiga, 1/2 xícara (das de chá) de leite e 1 colher (das de chá) de farinha de trigo. Cozinhe em fogo brando durante alguns minutos.

Para a sobremesa: bata três gemas com 300g de açúcar, acrescente 1 xícara (das de chá) de leite e leve ao forno brando numa fôrma untada com manteiga ou divida o volume em forminhas.

Sábado

Primeira refeição

6, 7 horas (desjejum)

Mingau de fubá de milho
Torradas com geléia de fruta ou com 1 colher (das de sopa) de mel

8, 9 horas

100ml (g) de suco de fruta

Segunda refeição

10, 11 horas (almoço)

Purê de legumes com arroz e miolo cozido
Sobremesa: queijo fresco com goiabada ou maçã assada

Terceira refeição

2, 3 horas (lanche)

Banana crua

Quarta refeição

6, 7 horas (jantar)

Almôndegas de fígado bovino, arroz e salada de beterrabas
Sobremesa: pudim de pão

Preparo:

Para a primeira refeição (ver pág. 261).

Para a segunda refeição: em 1/2 litro de água coloque cenouras picadas, abóbora, chuchu, batata-inglesa, caruru picados e 1 pitada de sal. Cozinhe bem, escorra a água e passe pela peneira espremendo bem. Acrescente 100 ml (g) de leite, 1 colher (das de chá) de manteiga e 1 colher (das de chá) de maisena (para preparar o miolo, ver pág. 326).

Para a quarta refeição: 350g de fígado bovino, 1/4 de xícara (das de chá) de cebola picada, 1 ovo batido, 1 pitada de sal, 1 colher (das de sopa) de farinha de trigo. Limpe e lave o fígado; coloque-o em uma panela e cubra-o com água fervente, deixando no fogo durante cinco minutos. Depois de cozido, escorra e passe-o pela máquina de moer, misturando-o em seguida aos outros ingredientes. Faça almôndegas e coloque-as em um tabuleiro untado. Asse-as em forno médio. Regue as almôndegas, de vez em quando, com o molho que se obtiver do assado.

Para a sobremesa: o miolo do pão deverá ser amolecido com leite, passando-o depois pelo liqüidificador. Acrescente o açúcar e 1 pitada de sal; coloque em fôrma untada com manteiga e asse-o em banho-maria.

Domingo

Primeira refeição

6, 7 horas (desjejum)

Mingau feito com leite em pó ou com leite de vaca, com araruta

8, 9 horas

100ml (g) de suco de frutas

Segunda refeição

10,11 horas (almoço)

Purê de chuchu com arroz amassado e carne de galinha
Sobremesa: manjar branco

Terceira refeição

2, 3 horas (lanche)

Creme de abacate

Quarta refeição

6, 7 horas (jantar)

Sopa de legumes, tapioca e ovo cozido

Sobremesa: marmelada ou goiabada com creme de leite

Preparo:

Para a primeira refeição (ver pág. 261).

Para a segunda refeição: cozinhe 2 chuchus descascados e picados. Escorra a água, esprema-os bem e acrescente 1 colher (das de chá) de manteiga, 1 colher (das de chá) rasa de farinha de trigo e 100ml de leite. Leve ao fogo, mexendo sempre, até engrossar. Acrescente arroz bem cozido.

Sirva com a carne de galinha (1 ou 2 colheres, das de sopa).

Para a sobremesa: 1/2 copo de leite de coco, 1/2 copo de leite de comum, 1 colher (das de sobremesa) de maisena; 1 colher (das de sopa) de açúcar. Leve ao fogo, mexendo sempre até engrossar; coloque em fôrma caramelizada e leve à geladeira.

Para a quarta refeição: cozinhe os legumes em caldo de carne; depois adicione o tomate (sem a pele), 1 colher (das de chá) de manteiga e 1 colher (das de sopa) de tapioca. Cozinhe por mais 10 minutos em fogo brando, mexendo de vez em quando; acrescente 1 pitada de sal.

SUGESTÕES DE REGIMES PARA A CRIANÇA DE 1 ANO

I

Às 7 horas (desjejum)

1 xícara (das de chá) de leite (150ml (g))

1 banana grande (100g)

1 colher (das de sopa, cheia) de açúcar (15g)

2 colheres e meia (das de sopa cheias) de farinha láctea (10g)

Às 11 horas (almoço)

1 colher (das de sopa, cheia) de purê de caruru (25g)

1 colher (das de sopa, cheia) de purê de feijão (30g)
2 colheres (das de sopa) de arroz (50g)
3 colheres (das de sopa) de fígado bovino moído (50g)
1 colher (das de chá, cheia) de manteiga (5g)
1 pires raso (de café) de abacate (50g)
1 colher (das de sopa, rasa) de açúcar refinado (10g)

Às 15 horas (lanche)

4 biscoitos tipo Maria (40g)
1 colher (das de chá, cheia) de manteiga (5g)
Uma porção de compota de fruta (de pêssego ou pêra)

Às 19 horas (jantar)

2 colheres (das de sopa, rasa) de flocos de aveia (20g)
1 gema (15g)
1 xícara (das de café, pequena) de suco de tomate (50ml (g))
1 xícara (das de chá) de caldo de carne (150ml (g))
Sobremesa: 1 fatia fina de marmelada (20g) e 1 biscoito (tipo Maria ou maisena)

Às 22 horas (ceia)

1 copo de leite (200ml (g))
1 colher (das de sopa) de açúcar (10g)

Esta refeição é facultativa, indicada especialmente para as crianças que necessitam de superalimentação.

II

Às 7 horas (desjejum)

Mingau
1 copo e meio de leite (300ml (g))
10 colheres (das de sopa, rasas) de farinha láctea (70g)
1 colher (das de sopa, rasa) de açúcar (10g)
1 colher (das de chá, rasa) de manteiga (5g)

Às 11 horas (almoço)

1 batata-inglesa (50g)
1 cenoura pequena (25g)
1 colher (das de chá) cheia de arroz (25g)
1 colher (das de sopa) cheia de carne moída (15g)
Sobremesa: 1 banana (75g) e 1 xícara pequena (das de café) de suco de laranja (50ml (g))

Às 15 horas (lanche)

1 copo de leite (200ml (g))
1 colher (das de sopa) de açúcar (10g)
Metade de um pãozinho francês

Às 19 horas (jantar)

2 colheres (das de sopa) de caldo de feijão-preto
1 xícara (das de café) de galinha moída (40g)
1 colher (das de sopa) de arroz (25g)
1 xícara (das de café) de batata-inglesa (40g)
2 colheres (das de sopa, cheias) de queijo ralado (30g)
Sobremesa: 1 porção (50g) de pudim de tapioca

Às 22 horas (ceia)

1 copo de leite (200ml (g))
1 colher (das de sopa) de açúcar (10g)
Esta refeição é facultativa, indicada especialmente para as crianças que necessitam de superalimentação.

PROTEÇÃO CONTRA ACIDENTES

(Cuidados do 12º ao 18º mês)

Perigo

Neste período a criança anda, investiga tudo, abre portas e gavetas sem noção do perigo.

Água

A relação de cuidados necessários anteriormente descrita na página 291 deverá ser mantida. Neste período já começam a constituir perigo tanques, piscinas, poços de água, repuxos e banheiras de adultos.

Sufocação

Os mesmos cuidados anteriores, sobretudo com sacos plásticos em que a criança possa enfiar a cabeça.

Quedas

(ver pág. 291)

Queimaduras

(ver pág. 309)

Brinquedos

(ver págs. 264 e 265)

Aparelhos Eletro-eletrônicos e a gás

(ver pág. 309)

Outros objetos

(ver pág. 266)

Escadas, portas e janelas

Neste período já representam perigo. Deverão ser colocadas grades fixas ou móveis.

Varandas, áreas e cozinhas

Cerque as áreas onde a criança brinca. Na cozinha, cabos de panelas virados para fora do fogão constituem um perigo maior.

Remédios e produtos tóxicos

Nesta idade, começam a constituir sério perigo os desinfetantes, inseticidas, polidores, ceras, cosméticos, querosene e gasolina. O perigo de a criança bebê-los é de conseqüência, às vezes, fatal. Não guarde estes produtos em garrafas de refrigerante, mantendo-os em local de difícil acesso.

O CONTROLE DAS NECESSIDADES FISIOLÓGICAS

Evacuação e micção

Não há idade ideal para se iniciar o controle das evacuações intestinais e da micção. Nos últimos anos, os psicólogos observaram que somente ao completar vinte meses de vida é que se deve começar a tentar treinar o controle dos hábitos higiênicos da criança, que estarão bem assimilados por volta dos 24 meses.

Este treinamento é longo, exigindo muita paciência e perseverança dos pais. Antes desta data, pode-se conseguir que a criança faça, sem continuidade absoluta, suas necessidades no troninho. Neste período a execução do ato é mais um impulso instintivo, porque somente aos dois anos é que se tornará um ato voluntário. Ele não fará mais as suas necessidades nas calças, porque já sabe que é desagradável e feio.

Naturalmente o início do treino exige que seja levado em consideração o estado de desenvolvimento psíquico e motor da criança no seu primeiro ano de vida. Este desenvolvimento pode ser perfeitamente verificado pelas mães, acompanhando os testes aplicados nos diferentes meses. Se o bebê tem alguma limitação para a obtenção dos resultados destes testes, naturalmente os pais terão de ter compreensão de que a aquisição dos hábitos higiênicos perfeitos será mais demorada e difícil do que para os outros.

A mãe não deverá forçá-lo

Não é conveniente que a mãe seja exigente demais durante o segundo ano de vida da criança. Convém habituá-la a se sentar ao vaso sanitário em certas horas, mas não exigir insistentemente a evacuação, pois neste caso a criança poderá adquirir um reflexo negativo ao vaso sanitário. É indispensável que a mãe vigie para que a criança não tenha evacuações dolorosas (fezes volumosas, duras e ressecadas). O uso do penico é aconselhável. Não convém deixá-la nele mais do que dez minutos; porém, se a criança desejar se levantar antes deste tempo, deixe-a.

A maioria das crianças tem medo do vaso sanitário e, sobretudo, da descarga. Se nós, guardadas as devidas proporções, usássemos enormes vasos sanitários, também sentiríamos medo, por ocasião da descarga, de perdermos o equilíbrio e sermos tragados... Muitas vezes as crianças têm os seus motivos...

A imposição dos pais na execução dos hábitos higiênicos tem sido uma das causas de futuras neuroses apresentadas pela criança. O treino diário feito por pais ou responsáveis (babás) inábeis tem sido um desastre. A paciência, a habilidade e sobretudo a pessoa estar descontraída e conformada com os fracassos são fatores indispensáveis para o sucesso.

Conselhos para a criança treinar seu controle intestinal

O meio mais prático de realizar a educação desta função consiste em conduzir a criança ao vaso sanitário na hora exata em que ela sentir vontade. No caso de ela não ter uma hora certa, convém observá-la cuidadosamente, percebendo determinados sinais, como rubor, seriedade e desconforto; então, a mãe a sentará imediatamente ao vaso, fazendo com que sua repetição acabe fazendo a criança relacionar o ato com o vaso sanitário.

Segure a criança pelas coxas, estando ele com as costas apoiadas na mãe. Durante alguns minutos, e se não obtiver resultado, retire-o sem fazer comentários. Se o hábito da evacuação for irregular, a criança deverá ser colocada no sanitário em intervalos regulares após as refeições. Entre 1 ano e meio e dois anos, geralmente, ela já estará treinada. A prática de induzir a evacuação com supositórios não é indicada. O ato deverá ter clima de rotina, e não há motivo para agitação.

O CONTROLE DAS MICÇÕES

Conselhos para a criança treinar seu controle urinário

É mais fácil conseguir ensinar a criança a evacuar em lugar apropriado do que a urinar. Por ocasião da apresentação, deverão ser pronunciadas sílabas sugestivas, como "pii...", "chii...", a fim de que a criança as relacione ao ato. Até os vinte meses, ou mesmo 24 meses, ela já deverá ter aprendido a controlar a micção diurna, porquanto só conseguirá controlar a noturna após os dois anos. Nesta idade as fraldas deverão ser substituídas pelas calcinhas e cuecas.

Logo ao se levantar, ela deverá ser colocada no vaso sanitário, bem como sempre depois das sonecas, antes e depois das refeições e antes de se deitar à noite. Cada duração deverá ser de poucos minutos.

Geralmente, aos 24 meses ela já aprendeu a controlar durante o dia. Use peniquinhos e evite os sanitários altos.

Os meninos são mais difíceis de treinar do que as meninas. Às vezes a criança já treinada não quer mais fazê-lo. Pode ter havido qualquer experiência desagradável, como contato com tábua fria, molhada, escorregadia etc. Às vezes este impedimento dura pouco, até a criança se esquecer do incidente; outras vezes pode demorar mais. Algumas crianças só conseguem defecar ou urinar depois que descem do sanitário, quando então se processa o relaxamento dos músculos que os controlam. Isto é conseqüente à tensão nervosa da criança e do ambiente.

O uso de calcinhas e cuecas é de grande importância no estabelecimento do hábito, e não deixa de ser uma "promoção". Sua presença desperta no subconsciente da criança a técnica disciplinar a que está sendo submetida, isto é, de usar o sanitário. Mais tarde ela terá grande prazer em poder tirá-la sozinha; sabemos que deverá ser estimulada, desde cedo, a independência da criança para os hábitos comuns da vida diária.

O uso da fralda deve ser abandonado logo que possível. A presença do alfinete será sempre uma complicação, pois além da possibilidade de espetar a criança, ela pode engoli-lo. O alfinete provoca uma dependência total da fralda, tendo de esperar sempre o auxílio de um adulto.

O "TRONINHO" (PENICO)

O tipo mais usado é o pequeno e baixo. A criança apóia seus pés no chão, facilitando assim os movimentos intestinais, e fazendo pressão abdominal, com a projeção na posição de cócoras das pernas sobre o abdome forçando a eliminação fecal. O de plástico é indicado. É mais fácil de ser lavado, porém é uma tarefa desagradável. O penico deve ter uma base larga, estável (alguns têm borracha na base, para evitar que escorreguem, e outros têm um cinto para impedir que a criança se levante em ocasião inoportuna).

Os dispositivos de adaptação para os vasos sanitários poderão ser usados para as crianças maiores. A grande vantagem é de a criança evacuar diretamente no vaso, sendo fáceis de transportar.

Entretanto, a criança geralmente sente medo da altura e da falta de apoio dos pés, e os meninos comumente urinam fora do vaso.

Treinar a criança antes que o organismo esteja pronto é perda de tempo. Os americanos não marcam data exata para iniciar o processo de controle das micções e evacuações. Os europeus admitem que somente aos dois anos e seis meses, as meninas, e os meninos geralmente por volta dos três anos, estão prontos para usar o penico. Entretanto, algumas crianças só conseguem usar o penico aos quatro ou cinco anos, e isto acontece sem maiores conseqüências.

COMO FESTEJAR O PRIMEIRO ANIVERSÁRIO

Com simplicidade e em família. O correto seria ter o mínimo possível de convidados, tanto de crianças como de adultos.

O bolo de aniversário poderia ser feito com leite, farinha de trigo, açúcar e pouca manteiga, adicionando-se um ingrediente habitual ao regime do bebê, tapioca, maisena, laranja etc. Nada de amêndoas e chocolate, porque é inevitável que alguém faça a criança provar o bolo do seu aniversário. Use sorvetes de fruta, biscoitos, refrescos feitos com frutas frescas, nada de refrigerantes! Doces caramelizados, nem para os adultos, porque é inevitável que uma vizinha ou parenta insista em que "só um pouquinho não poderá fazer mal..." e o bebê acabará provando um doce indigesto para ele e certamente causador de alergias ou diarréia.

A TELEVISÃO

Considerando o atual padrão de civilização da nossa sociedade, a televisão é um sério e inevitável problema para os pais. O ideal seria poder disciplinar os horários e os programas; entretanto os pais nem sempre estão em casa. O governo do nosso país não colabora muito, permitindo programas inaceitáveis e anúncios inconvenientes mesmo durante o dia. Contudo, alguns programas infantis bem-orientados, com muitas cores, brincadeiras, bichos e personagens humorísticos e sem violência ou maldade poderão ser aceitos como estimulantes para a criança. A TV Educativa é a única que não oferece perigo de influenciar as crianças para o sexo e para a violência. Conveniente para a criança de um a dois anos, participam tentando mexer nos botões para ligá-la; quando põem o som muito alto, se assustam e fogem para outro cômodo.

Existem vídeos de desenhos infantis bastante interessantes. Muitas vezes é melhor a criança assistir a um desses desenhos do que ver a programação normal, geralmente inadequada, imprópria para sua idade. As televisões por assinatura possuem canais com programas exclusivamente infantis 24 horas por dia.

A DISCIPLINA

Você deverá manter uma disciplina severa para algumas situações em que a atividade da criança poderá expô-la a um perigo real, como, por exemplo, brincar com fios elétricos. Este deverá ser o momento de dizer "não" firmemente e demovê-la da situação, mas não espere que ela vá aprender da primeira vez. Pelo fato de ter uma memória curta, você terá de repetir esta cena muitas vezes, antes que ela finalmente reconheça e responda a seus conselhos. A ação imediata é outro componente importante de uma boa disciplina. Reaja imediatamente quando você vir o seu bebê se metendo em algum problema, e não cinco minutos depois. Se você retardar esta reprimenda, ele não entenderá a razão pela qual você está zangada, e a lição não servirá para nada. Da mesma forma, não seja muito rápida em confortá-lo.

OS SAPATOS

Os primeiros sapatos deverão ser comprados no final do primeiro aniversário, logo que o bebê comece a andar. Os sapatos servem para *proteger* os pés. Calçados duros, palmilhas, calcanhares aumentados, saltos reforçados, arcos especiais, sendo mais caros, não provaram trazer grandes benefícios para as crianças. Basta um par de sapatos confortáveis, com solas que não derrapem; o primeiro par de sapatos dura geralmente dois a três meses.

A ANSIEDADE PELA SEPARAÇÃO

Geralmente atinge seu clímax entre os dez e os dezoito meses, diminuindo no segundo trimestre do segundo ano. Porém, nos primeiros anos, geralmente a criança fica apavorada quando é deixada sozinha com pessoas estranhas, sobretudo se a mãe ou a babá se ausentam. Se os pais costumam viajar, é prudente deixá-la com os avós, os tios ou parentes já conhecidos, e morarem juntos antes da viagem. Quando você tiver de deixá-la numa creche ou com uma *baby-sitter* (babá temporária), não a largue, não a deixe, devendo os pais ou somente a mãe ficar com ela, brincando no novo ambiente da creche, e no caso da *baby-sitter*, permanecer junto algum tempo para verificar as atitudes de ambos. As ausências bruscas, demoradas ou mesmo as breves e repetidas, descuidadas, podem acarretar sérias perturbações no comportamento e na saúde da criança.

A VACINA COM UM ANO

A vacina contra a catapora deverá ser aplicada em dose única, subcutânea, entre o primeiro e o 13º ano de idade. Não é uma vacina nova, existindo há mais de vinte anos no Japão. É conhecida pelo nome VARIVAX e está sendo adotada em vários países desde 1987.

A vacina é bem tolerada, podendo contudo haver reações locais leves, eritema (vermelhidão), inchação, edema, podendo aparecer, uma a três semanas após sua aplicação, algumas vesículas (bolhas), uma a seis, sem maiores conseqüências. A criança vacinada deverá evitar o uso de remédios com salicilatos (aspirina, ácido acetilsalicílico) durante seis semanas, bem como sua aplicação quando a mãe do bebê estiver novamente grávida e em crianças que estejam recebendo drogas imunossupressoras (cortisonas e corticóides). Deverá sempre ser prescrita pelo pediatra.

Sua aplicação é importante porque as epidemias periódicas de catapora têm apresentado sintomas mais severos.

A vacina contra o sarampo, a rubéola e a caxumba numa única vacina – a M.M.R. ou Tríplice Viral – é preparada com vírus vivo e acredita-se dar proteção contra estas moléstias por um longo tempo. É aplicada em uma única injeção subcutânea, no braço ou na nádega, sendo praticamente indolor e livre de qualquer reação maior. A ocasião mais oportuna para sua aplicação é aos quinze meses de idade.

Capítulo 23

O Décimo Quinto Mês

O décimo quinto mês

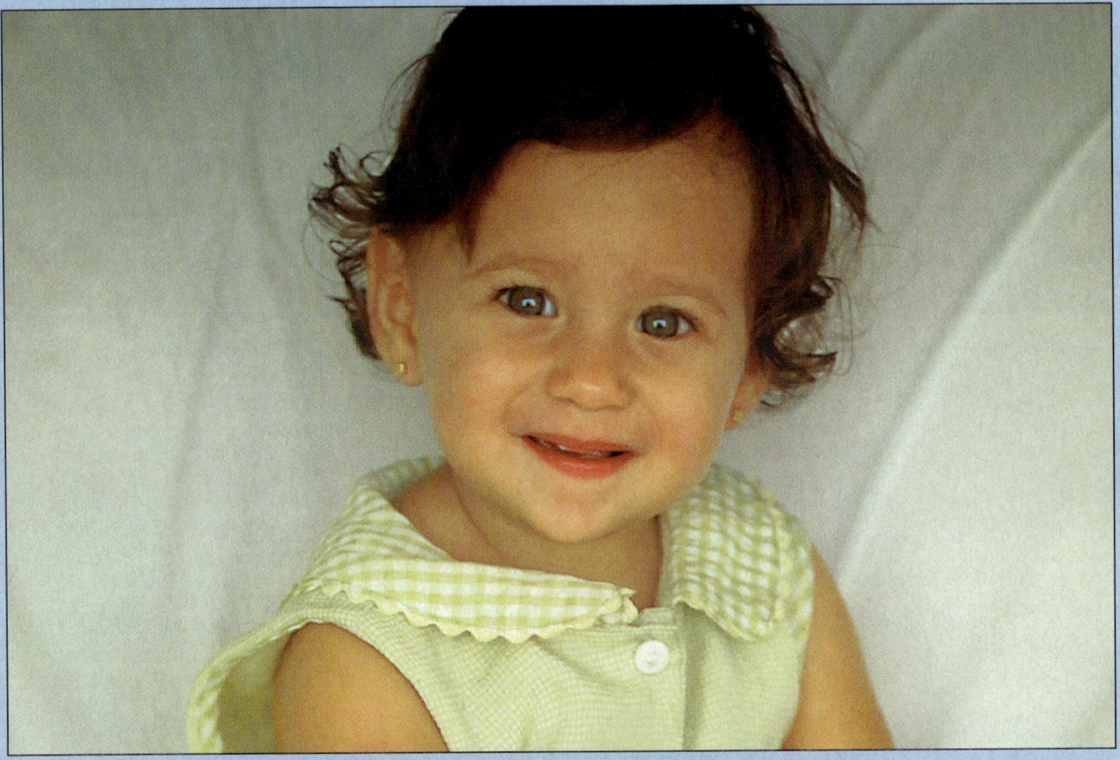

Aos 15 meses a criança quer andar sozinha e já diz algumas palavras. Ela usa todas as suas travessuras para sua satisfação e aprendizagem.

O DESENVOLVIMENTO DO BEBÊ

	Meninos	Meninas
Peso	10.600g	10.400g
Estatura	77cm	76cm
Perímetro cefálico	47,5cm	46,5cm
Perímetro torácico	48,5cm	45,5cm
Ganho de peso mensal	200g	200g

Aos quinze meses, a criança é muito simpática, não tão encabulada e não estranha tanto as pessoas. Até então era o centro das atenções; daí em diante se movimentará e entrará na rotina da família; suas atividades já fazem parte do horário familiar. Já não quer ficar mais no cercado ou ficar no quarto, e sim passear. Está tão ocupada consigo mesma que não dá muita importância às outras pessoas. Pega o brinquedo das outras crianças, mas não quer emprestar os seus. Recorre sempre à sua mãe, porque ela representa o grande poder de oferecer e de proteger. Já quer andar sozinha. Já se despede da mamadeira, chama a atenção da mãe para as fraldas molhadas, procura rabiscar com lápis, rabiscar e virar as páginas de um livro.

O QUE FAZ

Fica acariciando as figuras de um livro, começa a querer imitar desenhos com o lápis, vira e desvira objetos, gosta de ouvir música, gosta de colocar anéis coloridos, adora apagar fósforos, sobe escadas com mãos e joelhos, sai do berço, atira bolas, experimenta abrir e fechar portas.

Percebe que está crescendo e procura mostrar isto, fazendo coisas de adulto: fala ao telefone, dirige carrinhos, liga o aspirador de pó, procura varrer o chão, tenta pentear seus cabelos.

É muito exigente, exige atenção, procura pelos adultos quando deixada sozinha, adora sair para passear, percebe a ausência de uma pessoa da família.

Suas habilidades motoras são muitas, andando e subindo escadas, permanentemente ativa, e os pais não devem se mostrar descontentes com toda esta atividade. Ela usa todas as suas travessuras para sua satisfação e aprendizagem.

A LINGUAGEM

Consegue dizer de quatro a seis palavras, indicando nomes (sabe o nome de algumas partes do seu corpo), identifica o nome de um objeto numa figura, vocaliza e faz gestos para pedir algo, diz "até logo" e "obrigado".

OS ÓRGÃOS DOS SENTIDOS AOS QUINZE MESES

A audição

Ela a tem perfeita desde o primeiro dia de vida. Às vezes os pais pensam que ela ouve pouco. É provável que esteja distraída ou então de não ser conveniente para ela ouvir, por "malandragem". Em dúvida, consulte o pediatra. Os pais são os primeiros capazes de perceber problemas de audição.

O olfato

Está presente desde quando o bebê nasce. As crianças com alergia nasal (nariz entupido ou escorrendo) e as que têm hipertrofia das adenóides ("carne no nariz") o têm diminuído. Certas crianças têm o apetite despertado por determinados aromas vindos da cozinha e outras ficam alegres com o odor agradável de loções perfumadas ou sabonetes. Evite cheiro de cera de assoalho e desinfetantes nesta idade.

A visão

É um grande fator de ensino. A criança aprende muito vendo. A mãe geralmente é a primeira que percebe problemas de visão no seu filho.

O paladar

Deve ser educado com atenção. O gosto da criança deve ser observado, reparando-se no que ela gosta ou não. Bem orientada, ela poderá ter um excelente apetite ou ser enjoada por toda a infância. Se aos quinze meses gosta de um alimento, provavelmente o pedirá pelo resto de sua vida. O adulto gosta daquilo que comeu e gostou quando criança. Evite educar o paladar para excesso de sal ou açúcar.

O tato

A criança "vê" com os dedos, ela precisa sentir, pegar, apalpar e apertar os objetos para serem incorporados à sua memória. É um meio de ela aprender. Quando a criança quer andar descalça no assoalho, tapete ou areia, ela quer "investigar" esta nova sensação. Assim, os pais não devem ficar proibindo sua criança de brincar com areia ou de pisar no ladrilho ou no cimento, constantemente com gritos e tapas. Deve haver acordos e conversas razoáveis antes de qualquer repreensão.

A EDUCAÇÃO

A vontade de poder fazer todas as coisas que os adultos fazem é um sinal sadio de inteligência da criança. Ela espia o pai fazer a barba pela manhã e a mãe passar batom nos lábios. Querer fazer isto logo em seguida é absolutamente normal. Os pais devem aproveitar cada oportunidade para ensinar quais objetos e coisas que eles podem pegar e brincar e o que não podem, porque mexer nas coisas é a maior ocupação e atividade nesta idade. Ela pegará tudo o que estiver a seu alcance. Onde a criança nunca deverá estar, por medida de segurança, é na cozinha ou no escritório do pai, se houver. O fato de ela insistir em fazer sozinha as tarefas, sem a interferência dos adultos, tentando e errando, faz com que adquira por meio da repetição a habilidade, o conhecimento. Ela gosta de pedir a seus pais para eles contarem e repetirem histórias e canções diversas vezes, até que ela consiga memorizar e saber para depois fazê-lo sozinha.

A disciplina forçada pelas palmadas não é a melhor solução. Ela experimenta até onde os pais agüentam as suas malcriações, travessuras e vontades. A hora de ir para a cama ou a das refeições são os testes que elas mais usam, e às vezes levam os pais, vencidos pelo cansaço, ao desespero. Na verdade são os próprios pais que devem encontrar o melhor meio de vencer estas exigências.

A FORMAÇÃO DA PERSONALIDADE

Evolução motora

Anda sozinha, cambaleando. Sobe alguns poucos degraus.

Comportamento emocional

Apresenta certo grau de altivez. Mostra entusiasmo pelos objetos de seu agrado e irrita-se quando procuram tirá-los.

Capacidade de adaptação

Abre caixas. Procura empilhar dois blocos, até quatro. Rabisca com o lápis.

Progresso da linguagem

Já diz de quatro a seis palavras. Vocalização individualizada, denominando objetos e reconhecendo os familiares. Responde a frases familiares.

Comportamento pessoal e social

Troca a mamadeira pela caneca ou copo. Reclama da calça molhada. Vira páginas de cadernos e livros. Gosta de atirar objetos. Introduz o dedo em buracos.

Brinquedos (seu interesse e preferência)

Gosta de carros para puxar, trenzinhos, caminhões, automóveis, camas para bonecas. Dê-lhe bastantes oportunidades para que se exercite: subir, empurrar, cantar, varrer, espanar, martelar. Deixe a criança aprender, pois só obterá resultados satisfatórios através de tentativas e fracassos repetidos. O cercado é de grande utilidade, bem como a caixa de areia.

O DESENVOLVIMENTO DA INTELIGÊNCIA

Primeira prova

Coordenação motora voluntária: a criança deverá jogar uma bola na direção do adulto e a receber de volta.

Segunda prova

Deverá compreender uma ordem. Uma pessoa manda a criança apanhar um brinquedo e trazê-lo de volta. Ela deverá executar perfeitamente a tarefa.

Terceira prova

Recordar-se de algo após três minutos. Dá-se uma caixa com um brinquedo para a criança. Em seguida retira-se a caixa e o brinquedo; três minutos depois, devolve-se a caixa vazia; ele deverá notar a falta do brinquedo.

Quarta prova

Executar movimentos relativamente difíceis. Dando-lhe uma série de dados que caibam um dentro do outro, a criança deverá colocá-los perfeitamente, assim como deverá tirá-los, repetindo a manobra diversas vezes.

Quinta prova

Demonstrar preferência. Apresentando-lhe dois cartões, um com cores variadas e outro com figuras, a criança deverá preferir o das figuras, por ser mais interessante.

A DENTIÇÃO

É o período em que aparecem na boca os primeiros molares decíduos (de leite).
Estes dentes têm anatomia rica em sulcos e reentrânceas e especial atenção deve ser dada a escovação deles, pois tendem a acumular alimentos!
O bebê já apresenta de dez a doze dentes na boca.
O período de permanência deles é longo. Eles "guardam" espaço até a época de troca pelos dentes permanentes o que irá ocorrer por volta de dez a onze anos de idade.
Caso a criança ainda não tenha sido examinada pelo odontopediatra, os pais deverão agendar uma consulta.

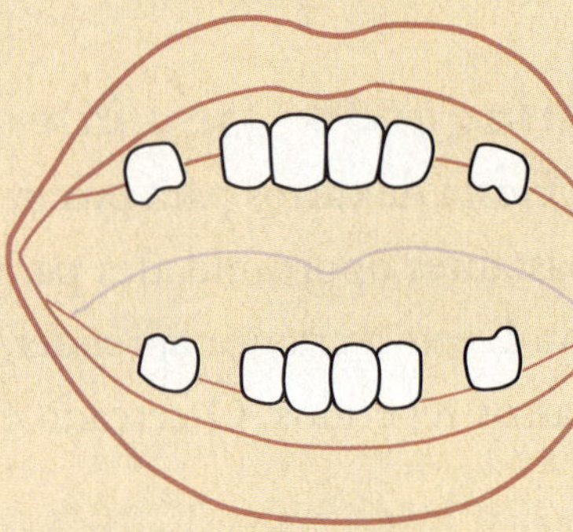

A ALIMENTAÇÃO AOS QUINZE MESES

Aos quinze meses a criança deverá deixar definitivamente a mamadeira. Nesta idade é muito mais importante para ela falar, andar, brincar e subir do que comer. Os pais devem saber que 80% dos problemas das crianças de um a dois anos são em relação à alimentação. Os problemas aparecem quando seus pais a forçam a comer o que não gosta ou então mais do que precisa. Devem atender às suas reclamações, que são feitas por gestos. A paciência é o melhor recurso.

O apetite da criança diminui entre o 15º e o 18º mês. Os novos alimentos têm de ser cheirados e apertados para sentir-lhes a forma, o cheiro e a consistência. Aos poucos ela se habituará, se não houver verdadeira repugnância. A melhor ocasião de introduzir novos alimentos é quando ela está verdadeiramente com fome. Nunca a force, pois poderá ficar desobediente ou começará a remanchar daí por diante.

Não exija muitos modos à mesa; deixe-a comer com os dedos, se quiser. Reserve um espaço em local apropriado para que ela possa comer à vontade, sujando o ambiente com os alimentos que caiam do seu prato.

Aos quinze meses a criança aceita bem os alimentos picados sem se engasgar; entretanto, algumas ainda insistem em comer tudo na forma de papa. A mãe paciente e o pediatra devem envidar todos os esforços para evitar isto em todas as refeições.

Nesta idade, novas modificações no regime alimentar serão impostas, não só na forma como também na qualidade dos alimentos. Quando uma criança gosta particularmente de um alimento, não lhe dê todos os dias. Ela acabará enjoada. A carne de ovelha e a de carneiro, bem como a de porco, não deverão ser oferecidas à criança, porque são de difícil digestão e muito mais gordas que a carne bovina; sirva peixe pelo menos uma vez por semana.

A carne bovina e a de frango não terão mais necessidade de ser servidas moídas. Basta serem bem cozidas, desfiadas ou picadas. Os alimentos serão mais nutritivos e as sobremesas serão as mesmas.

Além do que já era permitido, a criança poderá comer presunto, miolo e peixes.

Os doces com amêndoas, nozes e ovos ainda serão proibidos, pois poderão causar perturbações digestivas e urticária.

O creme de leite

Este alimento possui oito vezes mais gordura que o leite simples. É o laticínio que exige maiores cuidados para sua conservação, devendo ser bem conservado, principalmente no verão. É um leite concentrado, tendo o mesmo valor do leite líquido em maior quantidade. Poderá ser oferecido aos bebês que não bebem leite suficiente, diariamente, sobretudo se não se consegue obter a quantidade necessária diária de leite para o seu crescimento, ou quando se deseja melhorar seu peso deficiente e engordá-lo. Poderá ser servido com compotas de frutas, como a de pêssego, maçã assada ou frutas em pasta, como goiabada, pessegada, marmelada ou geléia de frutas, com biscoitos picados ou não.

O doce de leite

É uma sobremesa bem aceita pelas crianças e de valor nutritivo. O doce de leite deve ser preparado apenas com leite e açúcar, feito em casa, mexido com uma colher de pau. A colher de metal pode ser corroída pelo enxofre do leite, quando em alta temperatura, provocando a formação de sulfuretos e outros compostos que dão um sabor metálico ao doce. Prepará-lo com leite condensado, colocando-se a lata fechada, quando se ferve o feijão de casa, é um hábito e uma prática aconselhável. Quanto mais cozido, mais escuro e firme ele ficará. Se o cozimento durar muito tempo poderá virar caramelo. O doce de leite do comércio não é saudável à criança abaixo de dois anos, porque na maioria das vezes contém também outras substâncias, o que exigirá maior trabalho digestivo. Poderá ser oferecido do 12º mês em diante, como sobremesa, puro ou com torradas, biscoitos ou pão.

As massas

As massas, ou *pastas,* como são chamadas pelos italianos, são produzidas com cereais constituídos basicamente de amido. Seu principal componente é a farinha de trigo. As massas compradas prontas em pacotes devem ser de boa qualidade, que não use corantes em vez de ovos ou manteiga. As massas mais usadas na alimentação infantil são o talharim, o ravióli e o nhoque.

REGIME PARA CADA DIA DA SEMANA

Apresentamos uma sugestão de cardápio infantil para cada dia da semana. É importante sempre variar os alimentos, procurando às vezes adaptá-los ao paladar da criança.

Segunda-feira

Primeira refeição

6, 7 horas (desjejum)

Creme de abacate e biscoitos

8, 9 horas

Suco de frutas

Segunda refeição

10, 11 horas (almoço)

Arroz, caldo de feijão grosso, carne de galinha e purê de cenoura
Sobremesa: doce de abóbora

Terceira refeição

2, 3 horas (lanche)

Duas bananas com geléia ou (mel) e biscoitos

Quarta refeição

6, 7 horas (jantar)

Creme de legumes, talharim caseiro e carne moída
Sobremesa: pêra em calda com creme de leite

Preparo

Para a quarta refeição:

Creme de legumes: 3 cenouras, 1 nabo, 1 pedaço de abóbora, 1/2 chuchu, 1 batata-doce pequena, 2 batatas-inglesas, 1 aipim, 1 colher (das de sopa) de manteiga, 1 ovo, 1 colher (das de chá) de maisena e temperos.

Descasque e cozinhe todos os legumes em água e sal. Passe-os depois pelo liqüidificador. Acrescente à massa o ovo, a manteiga e o sal e misture. Coloque numa fôrma untada com manteiga. Asse no forno em banho-maria.

Para o talharim: peneire 250g de farinha de trigo sobre uma superfície lisa; faça um orifício no meio da farinha, acrescente um pouco de água, sal e 1 gema. Amasse bem a massa e deixe-a repousar meia hora. Estique-a com um rolo ou garrafa, fazendo com que fique bem fina; enrole-a em seguida e corte-a em tiras bem finas. Ferva 1 litro de água com 2 a 3 pitadas de sal; quando estiver fervendo, coloque 100g do talharim preparado. Retire o talharim cozido, numa vasilha acrescente 50ml (g) de caldo de carne e 2 colheres (das de chá) de manteiga derretida, misturando bem, e a carne moída.

Terça-feira

Primeira refeição

6, 7 horas (desjejum)

300ml (g) de mingau

8, 9 horas

Suco de frutas

Segunda refeição

10, 11 horas (almoço)

Arroz, carne moída, ovo cozido e purê de caruru

Sobremesa: laranja

Terceira refeição

2, 3 horas (lanche)

Mingau de fubá

Quarta refeição

6, 7 horas (jantar)

Ravióli de presunto, arroz, caldo de feijão e tomate picado

Sobremesa: torta de maçã com creme de leite

Preparo

Para a quarta refeição:

Ravióli: 250g de farinha de trigo, 1 gema, 3 ou 4 colheres (das de sopa) de leite. Prepare a massa, utilizando estes ingredientes, estenda-a com o rolo ou garrafa, faça pequenos pastéis e recheie-os com presunto moído e temperado com azeite, sal, cebola e tomate. Deixe-o descansar por 1 hora. Em seguida, coloque-os em água fervente, com sal, por seis minutos. Escorra-os e cubra-os com molho de manteiga.

Torta de maçã: 2 xícaras (das de chá) de farinha de trigo, 4 colheres (das de sopa) rasas de açúcar; 4 colheres (das de chá) rasas de fermento em pó, 1/2 colher (das de chá) de sal, 1/2 xícara (das de chá) de leite, 2 colheres (das de sopa) de manteiga, 3 maçãs ácidas picadinhas e canela em pó a gosto. Misture o leite com a manteiga, leve ao fogo baixo, sem deixar ferver. Deixe esfriar e acrescente o leite aos ingredientes secos, peneirados previamente. Amasse ligeiramente e abra a massa com as mãos, diretamente sobre um tabuleiro untado. Cubra-a com as maçãs picadinhas ou cortadas em rodelas finas. Polvilhe com açúcar e canela. Leve para assar em forno médio. Esta massa assa rapidamente. Se quiser, sirva-a com creme de leite.

Quarta-feira

Primeira refeição

6, 7 horas (desjejum)

Mingau de tapioca

8, 9 horas

Suco de frutas

Segunda refeição

10, 11 horas (almoço)

Peixe ao molho branco com batatas cozidas
Sobremesa: pudim de laranja

Terceira refeição

2, 3 horas (lanche)

Pêra crua e biscoitos

Quarta refeição

6, 7 horas (jantar)

Nhoque com molho de carne moída, beterraba e arroz
Sobremesa: doce de leite

Preparo

Para a primeira refeição:

Mingau de tapioca: 1/2 xícara (das de chá) de tapioca, 1 copo e meio de leite, cascas de limão raladas, açúcar a gosto, 1 colher (das de sopa) de manteiga e 1 gema. Ponha a tapioca num pouco de água para amolecer. Quando estiver desmanchada, acrescente o leite, as cascas de limão raladas e o açúcar. Leve ao fogo e mexa até engrossar. Depois de cozida, tire do fogo e acrescente a manteiga e a gema. Leve novamente ao fogo e cozinhe um pouco mais. Coloque em uma fôrma e deixe esfriar.

Para a segunda refeição:

Peixe ao molho branco: cozinhe 1 posta de peixe em água e sal. Desfie-a, retirando as espinhas. Coloque o peixe num refratário, cubra-o com molho branco e leve ao forno para gratinar.

Para o molho branco: 1 colher (das de chá) de manteiga, 1 colher (das de sopa) de farinha de trigo, 1 pitada de sal, 1 xícara (das de chá) de leite, 1 colher (das de chá) de cebola ralada. Derreta a manteiga e acrescente a farinha e o sal. Leve ao fogo, adicionando a cebola. Cozinhe durante dez minutos e depois acrescente o leite e mexa sem parar, até encorpar.

Para a quarta refeição:

Nhoque de semolina: coloque 12g de semolina em 1/2 litro de leite fervente, mexendo cuidadosamente para não encaroçar. Acrescente 1 colher (das de chá) de manteiga, 1 colher (das de sopa) de açúcar e duas pitadas de sal. Cozinhe até desgrudar da panela. Retire do fogo, e com uma colher aquecida tire colheradas em forma de nhoques.

Quinta-feira

Primeira refeição

6, 7 horas (desjejum)

Bananas picadas com leite em pó ou leite de vaca e 2 colheres (das de chá) de Neston

8, 9 horas

Suco de frutas

Segunda refeição

10, 11 horas (almoço)

Purê de aipim, arroz, fígado bovino e vagem

Sobremesa: mamão

Terceira refeição

2, 3 horas (lanche)

Maçã crua amassada e biscoitos

Quarta refeição

6, 7 horas (jantar)

Espaguete, arroz, caldo de feijão, cenoura e carne

Sobremesa: compota de ameixa com creme de leite

Preparo

Para a segunda refeição:

Purê de aipim: descasque, cozinhe e amasse o aipim. Acrescente o leite, a manteiga, a gema e o sal. Pegue porções de massa e faça bolinhos. Passe-os na farinha de trigo. Coloque-os num tabuleiro untado e polvilhado com farinha de trigo. Leve ao forno para assar.

Sexta-feira

Primeira refeição

6, 7 horas (desjejum)

Mingau com oito colheres (das de chá) de flocos de milho

8, 9 horas

Suco de frutas

Segunda refeição

10, 11 horas (almoço)

Purê de cenouras, arroz, ovo e presunto cozido
Sobremesa: geléia de frutas com creme de leite

Terceira refeição

2, 3 horas (lanche)

Mingau de aveia

Quarta refeição

6, 7 horas (jantar)

Abobrinha recheada com carne moída e arroz
Sobremesa: goiabada com queijo

Preparo

Para a quarta refeição:

Abobrinha recheada: raspe a casca da abobrinha com a faca. Lave-a, retire uma tampinha e, com uma colher, faça cavidades, retirando as sementes. Recheie-as com carne moída, arroz e ovo picado. Coloque molho de tomate e leve-as para assar no forno.

Sábado

Primeira refeição

6, 7 horas (desjejum)

Mingau de araruta

Segunda refeição

10, 11 horas (almoço)

Purê de legumes variados (ou purê de caruru), arroz e carne moída
Sobremesa: geléia de frutas com queijo

Terceira refeição

2, 3 horas (lanche)

Banana crua

Quarta refeição

6, 7 horas (jantar)

Macarrão, arroz, purê de abóbora e carne moída

Sobremesa: pudim de pão

Preparo

Para a quarta refeição:

Macarrão: poderá ser comprado pronto, de boa qualidade e sem corante. O amarelo não é próprio para as crianças, pois pode conter algum corante. Coloca-se a quantidade que vai ser dada à criança em 1 litro de água fervente, com 1 ou 2 pitadas de sal. Estando bem macio, apertado entre o indicador e o polegar, separando-se com facilidade, estará em condições de ser consumido.

Domingo

Primeira refeição

6, 7 horas (desjejum)

1 fruta em compota (pêssego ou pêra), 1 biscoito tipo Maria ou maisena, 1 colher (das de sopa) de leite em pó e 30ml de água fervida (bata no liqüidificador)

8, 9 horas

Suco de frutas

Segunda refeição

10, 11 horas (almoço)

Purê de chuchu, arroz com fígado de galinha, ovo e caldo de feijão

Sobremesa: manjar branco

Terceira refeição

2, 3 horas (lanche)

Creme de abacate

Quarta refeição

6, 7 horas (jantar)

Ravióli de frango, purê de caruru e arroz

Sobremesa: gelatina de maçã com creme de leite

SUGESTÕES EXTRAS DE VARIAÇÃO DO REGIME PARA CADA REFEIÇÃO DO DIA

I

Às 7 horas (desjejum)

Mingau de fubá
1 torrada pequena
ou
1 banana grande ou 2 pequenas com 2 colheres (das de sopa) de açúcar (150g)
2 torradas com mel

Às 11 horas (almoço)

1 colher (das de sopa, cheia) de purê de caruru
1 tomate pequeno
Manteiga
2 colheres (das de sopa) de carne moída refogada
Sobremesa: 1 abacate pequeno amassado com açúcar
ou
1 colher (das de sopa, cheia) de purê de batatas
2 colheres (das de sopa, cheias) de couve picada ou nabo
1 colher e meia (das de sopa) de arroz
1 colher (das de chá, cheia) de manteiga
2 colheres (das de sopa) de carne moída refogada
Sobremesa: 1 fatia média de mamão com açúcar

Às 15 horas (lanche)

1 copo de leite adocicado (250 ml/g) (ou café com leite)
1 pão francês pequeno com manteiga
ou
biscoitos tipo Maria
Compota ou geléia de fruta com queijo

Às 19 horas (jantar)

2 colheres (das de sopa) de purê de feijão
2 colheres (das de sopa) de fígado moído

1 ovo cozido ou mexido
1 colher (das de sopa) de arroz

Sobremesa: 1 fatia pequena de torta de maçã
1 colher (das de chá) de creme de leite

Às 22 horas (ceia)

1 copo de leite doce (200ml)

II

Às 7 horas (desjejum)

1 banana grande ou 2 pequenas com açúcar
2 torradas com mel

Às 11 horas (almoço)

1 colher (das de sopa, cheia) de purê de batatas
2 colheres (das de sopa, cheias) de couve picada ou nabo
1 colher e meia (das de sopa) de arroz
1 colher (das de chá, cheia) de manteiga
2 colheres (das de sopa) de carne moída
Sobremesa: 1 fatia média de mamão com açúcar

Às 15 horas (lanche)

2 ou 3 biscoitos tipo Maria com manteiga
Compota ou geléia de fruta com queijo

Às 19 horas (jantar)

1 colher (das de sopa) de purê de feijão
1 colher (das de sopa) de arroz
1 colher (das de sopa, cheia) de aipim cozido
2 colheres (das de sopa) de caldo de carne
Sobremesa: 1 laranja média

Às 22 horas (ceia)

Igual à da primeira sugestão

Exemplos de refeições (tipo americana) para crianças de um a dois anos

1º dia	2º dia	3º dia	4º dia
Desjejum Ameixas picadas Aveia com leite Ovo pochê Torradas com manteiga Leite	**Desjejum** Suco de laranja Farinha de cereais com leite *Bacon* torrado Torradas Leite	**Desjejum** Banana picada Aveia com leite Ovo quente Torradas Leite	**Desjejum** Damascos cozidos Farinha de cereais com leite *Bacon* torrado Torradas Leite
Almoço Legumes com carne moída Espinafre picado Tomates cozidos Torradas Pudim com passas	**Almoço** Ovo quente Batata assada Vagem picada Torradas Pudim com passas e figos	**Almoço** Fígado com legumes Cenouras picadas Purê de batata Torradas Pudim de ameixa com passas	**Almoço** Cordeiro com legume Beterraba picada Alface Torradas Pudim de leite
Jantar Creme de legumes Torrada Leite Purê de maçã	**Jantar** Peixe cozido Batata Torrada Leite Pêras picadas	**Jantar** Sopa de galinha Torrada Leite Purê de maçã	**Jantar** Sopa de legumes Torrada Leite Pêras picadas

O mínimo que uma criança entre 1 e 2 anos de idade deve comer (por dia):

a) leite – 1 xícara (das de chá) (150ml);

b) ovos – meio ovo cozido, três vezes por semana;

c) carne bovina, ou peixe, ou galinha, correspondendo a 1 colher (das de sopa) no almoço e outra no jantar;

d) batata-doce, batata-inglesa, arroz e massas – 2 colheres (das de sopa);

e) verduras cozidas ou cruas, picadas – 2 colheres (das de sopa);

f) cenoura e tomate;

g) suco de fruta cítrica – 1/2 xícara (das de chá) (laranja, abacaxi, uva e caju);

h) banana, maçã, pêra, pêssego, ameixa, mamão, caqui e abacate – 1 xícara (das de café);

i) pão integral – 1 ou meia fatia;

j) cereal integral (farinha industrializada) – 2 colheres (das de sopa);

l) sobremesa – pudim, sorvete de creme ou creme de leite, correspondendo a 1 colher (das de sopa).

A VACINAÇÃO AOS QUINZE MESES

A quarta dose da vacina tríplice bacteriana (DPT ou DPaT) contra coqueluche, tétano e difteria, e da vacina oral Sabin contra a paralisia infantil devem ser aplicadas aos quinze meses.

Hemophilus

Aos quinze meses deverá ser aplicada a dose de reforço da vacina anti-hemofílica, que foi aplicada aos dois, quatro e seis meses. Para os que não receberam estas doses iniciais, deverá ser aplicada uma dose única nesta idade.

ENSINAMENTOS COMPLEMENTARES PARA OS QUINZE MESES	
1) Aprendendo a brincar	**4)** A higiene
2) Dez sugestões para os brinquedos	**5)** As meninas têm inveja do pênis dos meninos?
3) Os pesadelos	**6)** A higiene dos dentes

APRENDENDO A BRINCAR

O bebê aprendiz, aos quinze meses, deverá aprender a brincar nos jardins, parques e piscinas, mas necessita de supervisão permanente. Porém, se ele cair ou se machucar, poderá não querer brincar mais; não convém mantê-lo afastado da brincadeira por muito tempo; os pais deverão ajudá-lo e encorajá-lo a perder o medo. O modo de brincar favorito nesta idade é o com bola, esconde-esconde e outra brincadeira preferida.

DEZ SUGESTÕES PARA OS BRINQUEDOS

a) se a criança ficar aborrecida com um brinquedo ou com o tipo de brincadeira, provavelmente este não estará sendo apropriado para a sua idade ou não estará servindo para o que ela quer. Não deverá haver insistência. Brinquedos ou brincadeiras inadequadas tornam a criança tão infeliz quanto a falta de carinho;

b) se o brinquedo estiver quebrado, não o dê à criança, até ele poder ser consertado. Se não for possível, desapareça com ele sem que a criança veja;

c) muitos brinquedos confundem, deixam a criança aflita ou excitada;

d) se ela tiver muitos brinquedos, guarde alguns, pelo menos uma parte deles ou troque-os de quinze em quinze dias; isto despertará nova alegria, e a criança voltará a brincar com eles com a mesma ou maior satisfação;

e) os brinquedos não deverão ter pontas, bordas finas ou cortantes;

f) brinquedos que poderão ser engolidos, como bolas de gude, guizos e rodinhas, deverão ser proibidos;

g) os brinquedos deverão ser fortes, resistentes, não quebrando com facilidade;

h) um brinquedo que realmente agrade, a criança o guardará por muitos anos, e será usado em diversas ocasiões;

i) o bebê aos quinze meses adora brinquedos com ritmos e sons. Qualquer tipo servirá, podendo ser CD, rádio e televisão, mas a criança vai querer colocá-los para funcionar. Colocar um disco ou CD no toca-discos é o seu prazer, e os pais não deverão proibi-la, mas sim ensiná-la como fazer. Os pais deverão estar preparados para ouvi-lo muitas vezes (até a saturação), porque o bebê está querendo guardá-lo na sua memória;

j) "brinquedos sedativos" são aqueles que despertam interesse, atenção, e acalmam, mantendo-a ocupada por algum tempo, o que é muito bom também para os pais. Os brinquedos que são seguros e que lhe agradam, ajudam-na a dormir mais depressa, mantendo um sono profundo. Os brinquedos usados à noite não deverão ser barulhentos, provocando agitação, como os de movimentos, carrinhos etc., e sim os que a criança pode usar sentada, sozinha ou na companhia de uma pessoa.

OS PESADELOS

Os pesadelos às vezes surgem bem cedo, desde os seis meses de idade; porém, dos quinze meses em diante poderão ser mais freqüentes. Durante o dia a criança brinca imitando pessoas e acontecimentos. Deitada, começa a conversar consigo mesma, criando fantasias, e quando pega no sono às vezes se assusta com suas próprias criações, dando gritos, sentando ou querendo pular da cama, podendo levar até meia hora para se acalmar. Não deverá ser confundido com o terror noturno.

Dos dois aos quatro anos os pesadelos poderão ser freqüentes. A criança não distingue bem entre a realidade e a fantasia, e pode ficar confusa com isto. Isto se verifica nos pesadelos, que ocorrem nesta idade, em que a criança acorda apavorada. Somente aos quatro, cinco anos é que a criança começa a distinguir entre o sonho e a realidade. Alguns puericultores aconselham os pais que em vez de convencê-la e acalmá-la, mostrando que não há bicho-papão no quarto, no armário ou debaixo da cama, o mais prático é "pegar o monstro e jogá-lo pela janela"; é mais simples e rápido e a criança voltará a dormir sossegada. O tempo de sono deverá ser de oito a nove horas por noite.

A HIGIENE

A criança já consegue se sentar sozinha no "troninho". Reclama quando está molhada ou suja. Começa a insistir em fazer tudo sozinha. Gosta do banho e de se ensaboar.

AS MENINAS TÊM INVEJA DO PÊNIS DO IRMÃOZINHO?

Tem sido comprovado em pesquisas sobre comportamento que algumas meninas podem apresentar problemas emocionais ocasionados pela ausência do pênis, com sentimentos de decepção e frustração. Algumas mães já relataram ao seu pediatra que sua filhinha se queixou de que sua boneca não tem pênis, e uma clientezinha nossa queria, "por força", que a mãe comprasse para ela um "apito" como o do irmãozinho.

A crise típica ocorre entre o 15º e o 17º mês, e o relatório dos pesquisadores a classifica entre tipo benigno e tipo severo, grave.

A sexualidade infantil é um problema importante, admitindo-se que, por volta dos dezesseis meses de idade, as crianças "são muito atentas às diferenças de sexo" e a sexualidade é facilmente despertada. Como prova disso está a masturbação, chegando a ser considerada por muitos psicólogos como parte do desenvolvimento normal. Futuros problemas sexuais de adultos, como a frigidez, podem ter sua origem nos primeiros meses de vida. Não se esqueça da doutrina de Freud: que existe uma parte inconsciente na mente humana e cujo núcleo se desenvolve na primeira infância. Esta foi uma das maiores descobertas da Ciência; os sentimentos e as fantasias infantis deixam suas marcas, que nunca desaparecerão, permanecendo ativas e exercendo poderosa influência no comportamento emocional e intelectual do indivíduo.

Para minimizar estes problemas, os pais não deverão alardear as diferenças sexuais, aparecendo nus pela casa diante dos filhos e mostrando forte reprovação para a masturbação. Os pais deverão também estar constantemente presentes para seus filhos, princi-

palmente durante o período crítico, inseguro, dos quinze aos dezessete meses, não viajando ou deixando-os com parentes.

A HIGIENE DOS DENTES

Aos quinze meses é muito importante intensificar a higiene dos dentes, para evitar cáries nos dentes de leite, com dor e dificuldade para o aparecimento dos dentes definitivos.

A cárie se apresenta como manchas brancas e opacas, sendo mais atingidos os primeiros molares entre os quatorze e dezesseis meses.

O exame pediátrico deverá incluir uma avaliação do aspecto dos dentes, devendo a criança ser encaminhada ao odontopediatra para avaliação sempre que for detectada alguma anormalidade. As visitas ao odontopediatra deverão ser realizadas pelo menos uma vez a cada seis meses, para prevenção de anormalidades na dentição.

O dentista é muito importante para a saúde da criança. Está provado que 38% dos bebês já apresentam cáries entre um e dois anos de idade, que mal tratadas poderão levar à destruição e conseqüente perda dos dentes. O uso adequado de flúor reduz significativamente as cáries.

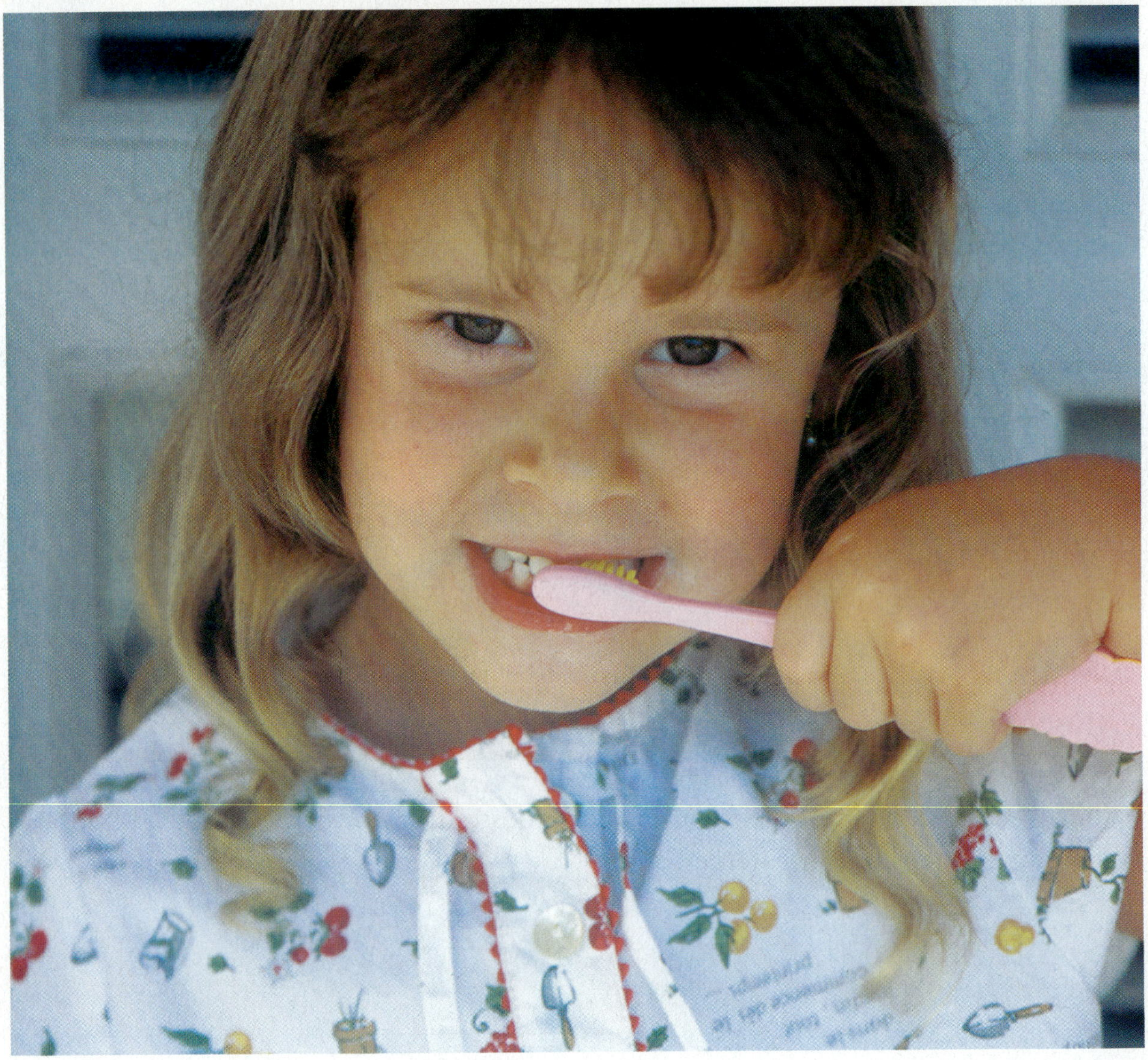

Capítulo 24

O Décimo Oitavo Mês

O décimo oitavo mês

Aos dezoito meses, a criança anda sozinha, quase correndo.
Essa idade é o limite normal para o início da linguagem.

O DESENVOLVIMENTO DO BEBÊ

	Meninos	Meninas
Peso	10.800g a 11.000g	10.600g a 10.800g
Estatura	80cm	79cm
Perímetro cefálico	48,5cm	47,5cm
Perímetro torácico	49,5cm	48,5cm
Ganho de peso mensal	200g	200g

Aos dezoito meses elas são ativas, alegres, agitadas, às vezes inoportunas e cansativas, um tormento encantador! As mães e babás deverão ter paciência e bom humor com as suas travessuras, que são necessárias, pois estarão fortalecendo a musculatura e aperfeiçoando suas habilidades. À medida que crescer, se tornará mais sociável com os pais e babás. Começa a atender pedidos. Embora goste de companhia, acha que as outras crianças são "objetos" para ela se divertir, puxando-as, empurrando-as e batendo nelas.

Num passeio, não quer mais ficar no seu carrinho, quer andar sozinha. Para não criar caso, a mãe deverá deixá-la por algum tempo, e não obrigá-la a ficar o tempo todo no carrinho.

Suas habilidades são muitas: vive testando sua força, empurrando móveis e querendo levantar objetos pesados – poderá subir escadas, um pé em cada degrau, e descer engatinhando de costas –, pular com os dois pés. Não fica muito tempo no mesmo lugar; interessa-se pelas atividades de casa (limpeza, cozinha), mete-se em tudo; cuidado com os acidentes!

Ah! O lápis é a sua grande distração; ela o segura fortemente e rabisca tudo o que encontra, paredes, mesas, roupas, rostos, mãos, papel; ela o faz porque percebe que deixa marcas, e isto a anima e diverte, e segundo os puericultores talvez seja sua primeira expressão artística.

Reconhece-se num retrato, dizendo seu nome, sabe de onde é um objeto, põe certo uma peça no quebra-cabeça, usa um pedaço de pau para pegar um brinquedo ou um objeto que esteja fora do seu alcance.

Objetos e brinquedos pequenos deverão estar longe do seu alcance, pois poderão ser engolidos. Poderá brincar sozinha até uns trinta minutos, depois se cansa e quer companhia. Livros e revistas, ela os rasga; convém dar-lhe de pano.

Aos dezoito meses é realmente ocupada, algumas já recusam o cercado, sentem-se suficientemente fortes nas pernas e capazes de andar pelo menos no início do dia; neste caso é prudente fechá-las no quarto ou numa varanda, bem protegidos. É uma idade muito perigosa para deixá-las sozinhas, sem vigilância; abrem gavetas, trepam em mesas e podem empurrar cadeiras até a janela para subir e espiar.

A LINGUAGEM

Ela está começando a falar e aprenderá mais cedo se os pais e outras pessoas da família a escutarem com paciência, a animarem e conversarem com ela sem querer corrigi-la para falar direito. Sabe umas doze palavras: "papá", "mamã", "babá", "vovô", "neném", "até logo", "acabou", "obrigado", "qué", "bora" (embora; é a preferida de todas!).

A EDUCAÇÃO

A criança já deverá estar sendo preparada para que comece a se portar de acordo com as necessidades de sua saúde, segurança, as exigências no lar e na sociedade.

Ainda não é época para obedecer e receber certas ordens, porque ainda não está suficientemente amadurecida para entender ordens verbais, porém alguns gestos enérgicos ou cara zangada serão úteis. O melhor é estabelecer limites físicos, pois elas nunca ficam no mesmo lugar por muito tempo. Uma boa idéia é chamar a sua atenção para outra atividade sempre que estiver fazendo algo errado.

A DISCIPLINA

Sua finalidade não é a de tirar a liberdade, e sim dar à criança autonomia e segurança dentro de suas possibilidades. Nesta idade ela não sabe ao certo o que quer. Quer fazer tudo ao mesmo tempo, está crescendo e aprendendo, é a ocasião em que tanto ela quanto os pais abusam da palavra "não". As punições, como palmadas, tapas e beliscões ensinam a criança a ficar zangada, a ter acesso de raiva e a tornar a criança vingativa, dizendo não a tudo e a todos. **A disciplina deverá ser imposta de tal modo que não existam vencidos nem vencedores.**

Naturalmente não é possível ensinar à mãe como proceder nas mais variadas ocasiões, porque a solução e as medidas a serem tomadas dependem do grau de inteligência, educação, estado emocional dos pais. Casais infelizes geralmente não podem tomar acertadas e felizes correções.

O que parece uma desobediência é na verdade um ato de aprendizagem, precisamente entre o primeiro e o terceiro ano; o perigo é que suas capacidades físicas são menores que suas habilidades e compreensão. As crianças ativas, curiosas, são as que apresentam maior risco.

Evolução motora

Anda sozinha, quase correndo, desajeitada devido à reduzida coordenação muscular. Sobe numa cadeira. A criança é cheia de energia, está em toda parte, mexendo nas gavetas e nos armários.

Comportamento emocional

Presta atenção à música. Marcha, sacudindo o corpo todo, acompanhando uma música barulhenta e dizendo "hum, hum...".

Capacidade de adaptação

Imita traços retos na escrita. Arma, em torre, três a cinco cubos. Procura socorro quando está em dificuldade.

Progresso da linguagem

Consegue falar de cinco a dez palavras. Usa alguns adjetivos. Aponta o nariz, os olhos, os cabelos etc. Diz "obrigado". Organiza frases com duas palavras justapostas. Desta idade aos dois anos, entra no período das perguntas. Fala de si na terceira pessoa (nenê faz etc.). O pronome "eu" só será usado por volta dos dois anos e meio. Começa a dar nome ao que vê: "neném", "tomove" (automóvel), "pato" (sapato). Nesta idade, sua palavra preferida é "não".

Comportamento pessoal e social

Deverá ser quase completo o controle da evacuação. Abraça bonecos com afeição. Tem atenção rápida e breve.

Brinquedos (seu interesse e preferência)

Animais para empurrar, blocos construtivos, caixa de areia, com pá e baldinho. O ambiente para a criança brincar é muito importante. Os pais acertarão se permitirem uma certa desordem, deixando a criança arrastar cadeiras e subir nas poltronas e sofás. A criança constrangida acaba irritada, resmungando, agarrada à saia da mamãe, que termina por se irritar também.

Quando a criança souber andar, é bom deixá-la fora do carrinho por algum tempo, durante os passeios.

Os *playgrounds* não são próprios para as crianças com menos de três anos de idade. Os brinquedos envelhecidos e sujos de ferro, parafusos enferrujados etc. podem causar problemas. Os brinquedos, quando expostos por muito tempo ao sol, podem prejudicar a criança. Gramados em que são aplicados pesticidas ou herbicidas só poderão ser usados depois de 48 horas. Atenção!

O DESENVOLVIMENTO DA INTELIGÊNCIA

Primeira prova

Compreende uma proibição. Proíbe-se, por meio de palavras, que a criança toque em determinados objetos para as quais tenha demonstrado preferência. A proibição deverá ser perfeitamente cumprida.

Segunda prova

Reconhece um retrato. Mostre fotografias de pessoas com que ela esteja familiarizada. A criança deverá dar demonstrações imediatas de reconhecimento.

Terceira prova

Recorda-se de um brinquedo, após quinze minutos. Dá-se à criança uma caixa contendo um brinquedo; depois de algum tempo, retira-se ambos; quinze minutos depois, devolve-se a caixa, mas sem o brinquedo; ela deverá notar a ausência.

Quarta prova

Coordenação motora. Deverá subir com facilidade em uma cadeira ao seu alcance.

Quinta prova

Nomeia objetos. Mostra-se à criança, simultaneamente, diversos objetos familiares. Ele os irá nomeando da melhor maneira possível, usando sua própria linguagem.

A VACINAÇÃO

Na ocasião de campanha de vacinação contra a paralisia infantil, organizada pelo Ministério da Saúde, poderão ser aplicadas doses extras de vacina oral Sabin, reforçando a proteção da criança e concorrendo para a erradicação da doença.

A DENTIÇÃO

A erupção dos molares e dos caninos revela-se dolorosa em muitas crianças; em conseqüência de gengivas mais resistentes, a criança apresenta inapetência e impaciência, salivando (babando) constantemente.

Em alguns casos, a dentição não obedece ao aparecimento regular; alguns dentes saem antes de outros. Este fato não tem a menor importância; em algumas famílias a erupção dentária é irregular.

Excetuam-se, naturalmente, os casos de a criança não atingir os dois anos com os vinte dentes normais.

A causa de alguns bebês apresentarem manchas amareladas no esmalte dos dentes tem sido atribuída ao uso constante ou periódico de um tipo de antibiótico – a tetraciclina –, quando prescrita no primeiro ano de vida. Este antibiótico está proibido para as crianças menores de nove anos pelo perigo à dentição de leite e para a definitiva.

A aplicação de flúor não deverá ser esquecida (ver a pág. 195).

A criança deverá ter quatorze a dezesseis dentes; é o período do nascimento das "presas" (caninos); são os dentes que, ao saírem, mais maltratam a criança. Quase sempre, por esta ocasião, ela fica salivando muito, e inapetente.

A DENTIÇÃO

É o período de nascimento dos caninos decíduos (de leite).
Os mesmos cuidados com a higiene/dieta recomendados até agora devem ser mantidos.
Os caninos permanentes aparecem na boca das crianças entre oito a onze anos de idade.
Consulte o capítulo 26, na página 451, para mais detalhes a respeito da dentição de seu filho.

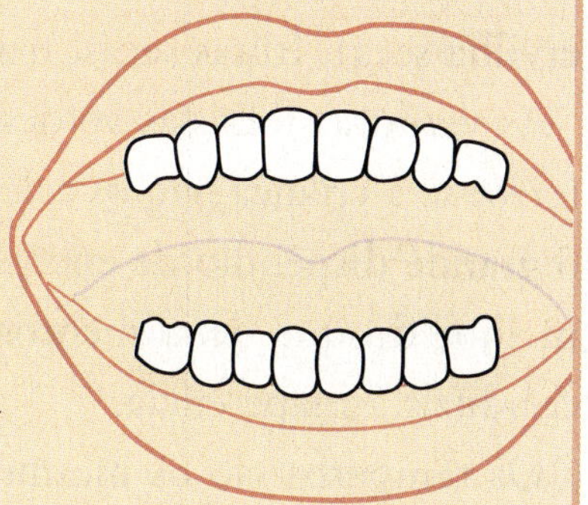

A ALIMENTAÇÃO AOS DEZOITO MESES

Aos dezoito meses começam a aparecer os problemas com a alimentação, quando a velocidade do crescimento diminui e o apetite também. O discernimento, a avaliação da personalidade, começa a aparecer, e a criança percebe que é uma pessoa distinta, separada de sua mãe, e não a extensão, a continuação dela.

Começa a perceber do que gosta e do que não gosta – e ter um paladar próprio. Algumas crianças podem tentar usar a colher, o garfo e o copo nas suas refeições, mas somente aos três anos é que conseguirão usá-los completamente.

Os motivos da sua recusa em se alimentar:

a) inflamação da boca (aftas, estomatite);
b) erupção dentária (molares);
c) febre;
d) resfriado (nariz entupido);

e) excesso de brincadeiras;

f) cansaço (passeio demorado);

g) dormir pouco;

h) comer demais na refeição anterior (mais que o habitual);

i) comida malfeita, tempero, consistência, sabor;

j) mãe nervosa, contrariada naquele dia.

l) monotonia e falta de variedade.

O leite, que é a melhor fonte de proteínas e cálcio, é o grande alimento; se a criança não o tolera, dê-lhe seus substitutos: queijo, requeijão, coalhada, doce de leite, sorvete de creme e iogurte. A criança alérgica que não bebe leite de vaca deverá comer alimentos contendo cálcio, embora em menor quantidade do que no leite.

Peru, bacalhau, peixe, salmão enlatado, vegetais (brócolis, folhas verdes, espinafre, feijão, ervilha seca), frutas secas, frutas frescas (abacaxi, morango), ovos, amêndoas, melado.

As verduras folhosas verdes, como o caruru e a couve, são igualmente ricos em cálcio e ferro; se a criança não os tolerar, misture-os ao caldo de feijão. É uma solução. Para cobrir o grande dispêndio de energia, o oferecimento de massas (espaguete, talharim, nhoque) é melhor do que de alimentos açucarados, pois não enjoam tanto, nem seu excesso pode conduzir à inapetência.

Os temperos são os mesmos: pouco sal, cebola, tomate, cebolinha, um pouco de alho. O refogado não deverá ser sistemático, isto é, diário; no caso de fazê-lo, o óleo de milho, de algodão, de soja ou de girassol são indicados. Alimentos cozidos e assados são aconselhados.

Os achocolatados poderão ser oferecidos depois dos dezoito meses.

Não faça da sobremesa o grande evento do dia. A mamadeira deverá ser suspensa quando a criança completar um ano de idade. No máximo aos dezoito meses. Nesta época ela deverá usar o copo. Não é fácil conseguir que ela não tome a última mamadeira; porém, se for dada, limpe sua boca com água para evitar as cáries.

Algumas crianças exigem um lanche antes de ir para a cama. Deve-se oferecer biscoitos, queijos, frutas, pão, tudo em pequenas quantidades, lavando em seguida os dentes, isto é, escovando-os com água filtrada.

Não se esqueça de que os alimentos deverão ser ricos em ferro (ver a pág. 230). Há marcas de leite já apresentadas com boa quantidade de ferro, sobretudo para crianças que bebem muito leite, que poderá irritar o intestino, além de provocar uma discreta anemia. O leite de vaca fervido é o menos perigoso.

Segunda-feira

Primeira refeição
6, 7 horas (desjejum)

Arroz-doce

Segunda refeição
10, 11 horas (almoço)

Arroz, caldo grosso de feijão, bife de carne moída caseiro e batata

Sobremesa: mamão

Terceira refeição
2, 3 horas (lanche)

2 ou 3 bananas

Quarta refeição
6, 7 horas (jantar)

Talharim com carne e purê de abóbora com tomate

Sobremesa: pêra em calda e creme de leite e biscoito

Preparo
Para a primeira refeição:

Arroz-doce: 1 xícara (das de chá) de arroz, 1 ovo, 1/2 litro de leite ou leite condensado, canela e açúcar. Cozinhe o arroz até ficar macio. Acrescente o leite, a canela e açúcar a gosto, deixando engrossar. Retire e deixe amornar. Leve ao fogo, novamente, mexendo sem parar, para que não pegue no fundo da panela. Deixe engrossar e tire do fogo. Despeje em pratinhos, servindo-o puro ou polvilhado com açúcar e canela.

Para a segunda refeição:

Bife de carne moída: carne moída, 1 pedaço de pão embebido em leite, sal, alho, cebola, 1 gema. Moa a carne e depois misture todos os ingredientes. Modele bifes pequenos. Toste-os ligeiramente em grelha, com fogo baixo. Pode-se substituir o pão por farinha de rosca.

Terça-feira

Primeira refeição

6, 7 horas (desjejum)

Mingau com tostados de milho ou farinha industrializada

8, 9 horas

Suco de frutas

Segunda refeição

10, 11 horas (almoço)

Arroz, batata cozida, carne moída, ovo mexido, caldo de feijão, salada de alface e tomate

Sobremesa: banana amassada

Terceira refeição

2, 3 horas (lanche)

Mingau

Quarta refeição

6, 7 horas (jantar)

Ravióli de presunto com molho de tomate, cenouras, queijo ralado grosso

Sobremesa: compota de pêssego e pão-de-ló

Quarta-feira

Primeira refeição

6, 7 horas (desjejum)

Mingau de fubá de milho

8-9 horas

Suco de frutas

Segunda refeição

10, 11 horas (almoço)

Refogado de chuchu com molho branco, arroz e guisado de fígado

Sobremesa: laranja

Terceira refeição

2, 3 horas (lanche)

Sorvete de creme e biscoito

Quarta refeição

6, 7 horas (jantar)

Carne assada, arroz, batatas cozidas e purê de caruru

Sobremesa: fruta crua

Preparo

Para a segunda refeição:

Guisado de fígado: 250g de fígado, 1 colher (das de sopa) de farinha de trigo, sal, 1/2 colher (das de sopa) de manteiga, 1 cenoura cozida picadinha, 1/2 cebola picadinha, 1 batata cozida e cortada em pedacinhos, 1/2 xícara (das de chá) de caldo de carne ou água, 1 tomate picado. Limpe, lave e enxugue o fígado; corte-o em pedaços pequenos e passe-os na farinha, temperados com sal. Toste-os na manteiga. Retire-os e reserve. Doure a cebola, depois a batata e a cenoura; adicione o tomate e depois o fígado. Junte o caldo de carne, ou água, e cozinhe em fogo brando, conservando a panela tampada.

Quinta-feira

Primeira refeição

6, 7 horas (desjejum)

Canjica ou café com leite, pão com manteiga

8-9 horas

Suco de frutas

Segunda refeição

10, 11 horas (almoço)

Galinha ensopada, purê de aipim, arroz e beterraba

Sobremesa: maçã

Terceira refeição

2, 3 horas (lanche)

Creme de abacate e biscoitos

Quarta refeição

6, 7 horas (jantar)

Peixe cozido, espaguete e cenoura

Sobremesa: pudim de laranja

Preparo

Para a primeira refeição:

Canjica: 1/2 xícara (das de chá) de canjica (milho branco) escolhida e lavada, 1 e 1/2 colher (das de sopa) de açúcar, leite de coco (se quiser), 1/2 xícara (das de chá) de leite, canela em pau. Cozinhe a canjica em água até amolecer. Deixe-a secar, acrescente os outros ingredientes e deixe ferver em fogo brando para que tome gosto. Pode-se misturar o leite de coco ao leite de vaca.

Sexta-feira

Primeira refeição

6, 7 horas (desjejum)

Mingau de tapioca

8-9 horas

Suco de frutas

Segunda refeição

10, 11 horas (almoço)

Bife, arroz, ovo estrelado e abobrinha verde

Sobremesa: maçã recheada ou manjar branco

Terceira refeição

2, 3 horas (lanche)

Café com leite, pão, geléia e manteiga

Quarta refeição

6, 7 horas (jantar)

Nhoque de batata, molho de tomate ou caldo de feijão e miolo

Sobremesa: goiabada com queijo

Preparo

Para a segunda refeição:

Maçã recheada: corte a tampa da maçã, retire o miolo e recheie-a com mel ou goiabada derretida. Tampe-a. Coloque-a num tabuleiro, despeje por cima 1/2 xícara (das de café) de mel. Asse-a em forno quente.

Para o ovo estrelado: use pouca gordura na frigideira, 1 colher (das de chá) de margarina ou manteiga natural, deixando derreter; coloque o ovo e tampe a frigideira.

Para a quarta refeição:

Miolo com legumes: 1 miolo, sal, manteiga, tomate sem pele picado, 2 cenouras picadas, cheiro-verde e 2 batatas picadas, cebola picada e caldo de carne. Prepare o miolo. Esquente a manteiga ou azeite. Refogue os temperos, as batatas e as cenouras. Acrescente o caldo de carne, leve ao fogo brando, deixando cozinhar até que fique bem macio. Acrescente o miolo e deixe cozinhar por alguns minutos.

Sábado

Primeira refeição

6, 7 horas (desjejum)

1 fruta em compota (pêssego, pêra ou maçã), 1 biscoito tipo Maria ou maisena, 1 colher (das de sopa) de leite em pó e 30ml (g) de água fervida e fria. (Bata tudo no liqüidificador.)

8-9 horas

Suco de frutas

Segunda refeição

10, 11 horas (almoço)

Purê de ervilha, arroz e peixe cozido

Sobremesa: requeijão com mel

Terceira refeição

2, 3 horas (lanche)

Banana crua e tangerina

Quarta refeição

6, 7 horas (jantar)

Macarrão, carne moída, azeitonas e tomate

Sobremesa: pudim de pão

Domingo

Primeira refeição

6, 7 horas (desjejum)

Café com leite e pão com manteiga

8, 9 horas

Suco de frutas

Segunda refeição

10, 11 horas (almoço)

Peito de frango, arroz, abóbora e caldo de feijão

Sobremesa: doce de mamão

Terceira refeição

2, 3 horas (lanche)

Sorvete de creme

Quarta refeição

6, 7 horas (jantar)

Talharim com fígado de galinha, ovo cozido, salada de alface e tomate

Sobremesa: torta de banana com creme de leite

Preparo

Para a quarta refeição:

Fígado de galinha: cheiro-verde, 1 limão, 1 pedaço pequeno de cebola, batata, cenoura, suco de tomate. Pique o fígado em pedaços pequenos, tempere-os e refogue-os com cheiro-verde e cebola. Cozinhe com pouca água, acrescentando a batata e a cenoura cortadas. Sirva com suco de tomate.

Para a torta de banana: unte um refratário com manteiga, coloque pão amanhecido cortado em fatias finas embebido em leite. Polvilhe com açúcar. Acrescente as bananas e polvilhe com açúcar e canela. Faça várias camadas, sucessivamente. Asse em forno médio.

INFORMAÇÕES COMPLEMENTARES SOBRE OS ALIMENTOS

Os legumes

Os legumes secos, como as lentilhas e as ervilhas, são muito ricos em proteínas, ferro e fósforo, mas são de difícil digestão. Eles podem ser usados nas sopas depois dos dezoito meses até os dois anos, em pequena quantidade; observe a sua tolerância pelas crianças. A beterraba é apreciada por algumas crianças. Ela pode ser administrada à refeição por volta de um ano de idade. Algumas crianças apresentam irritação perianal, ao redor das nádegas, por ocasião da sua eliminação. É preciso saber cozinhar os legumes; após tê-los lavado, não os deixe muito tempo dentro d'água; devem ser cozidos com pouca água.

O pão

É um alimento rico em hidrato de carbono, contendo 9% de proteína e muito pouca gordura. A proteína do pão, o glúten, é de grande valor nutritivo, e o amido está meio digerido pelo seu preparo. Devido à sua característica esponjosa, absorve água com facilidade e a mãe tem razão quando diz que seu filho não tem apetite porque come muito pão entre as refeições, ficando, como se pode dizer, com o estômago cheio.

A casca do pão é formada de dextrina, um açúcar que se carameliza pelo calor. É crocante, quebradiça e dourada. A expressão "o pão de cada dia" é verdadeira, porque o pão é um alimento que se altera com facilidade, e o tipo francês dito fresco tem de ser preparado diariamente. Sabemos que o miolo, que contém 30% de água, com poucas horas de umidade impregna a casca, esta amolece, e o pão perde suas condições principais e também seu sabor, que o faz tão apetecível. Se passar mais tempo, a água se evapora de todo e se converte em uma massa seca e dura. O pão dormido é de mais fácil digestão. O pão pode ser oferecido à criança dos dezoito meses em diante, com manteiga, mel, geléia, gelatina ou mesmo queijo, presunto ou carne, acompanhado de café com leite; este é o grande lanche da criança brasileira.

O pão, como é preparado e manejado, é fatalmente contaminado. A criança nos dois primeiros anos de vida deverá comê-lo sistematicamente torrado, esterilizado pelo calor. O mesmo cuidado deve-se ter com os biscoitos e as bolachas que não vêm empacotados.

O tradicional café com leite

Do ponto de vista da alimentação da criança, o importante é saber que o café tem um alcalóide típico, a cafeína, de conhecido efeito estimulante, podendo chegar a causar insônia. Entretanto, a cafeína deixa de atuar quando combinada às albuminas do leite, pelo que o emprego de café com leite não tem qualquer restrição na infância e pode ser permitido o seu hábito ao se iniciar o segundo ano de vida. Depois dos doze meses, acompanhado de pão com manteiga ou mel, biscoitos e uma fruta, é um excelente lanche.

Suflê

Os suflês são purês concentrados aos quais se misturou clara de ovo bem batida; ao ser posta no forno, o calor dilata as borbulhas de ar, formando uma espuma. Quando a massa é aquecida, ela adquire uma consistência porosa, esponjosa, o mesmo fenômeno que acontece na fabricação do pão. O suflê, composto de massa de farinha de trigo, acrescida de queijo e ovos, constitui um alimento completo e nutritivo, que pode ser oferecido à criança, porque é importante desde cedo habituá-la à variedade de alimentos.

Não devemos nos esquecer de que a criança entre um e dois anos começa a preferir comer a comida dos adultos. Manter por muito tempo uma alimentação baseada em mingaus e papinhas não é aconselhável.

As saladas

As saladas de legumes e verduras poderão começar a ser aceitas por volta dos dezoito meses, não sendo, entretanto, dos alimentos de maior agrado da maioria das crianças. Pode-se iniciar com a salada de alface e tomate, mas temperada com suco de limão (não use vinagre) e azeite. As saladas são alimentos que contêm vitaminas e sais minerais, mas são de baixo valor calórico. Assim, elas deverão sempre ser acompanhadas de carne ou ovos. O principal problema das saladas é que elas são preparadas com verduras cruas.

As verduras cruas, isto é, as folhas que podem ser comidas cruas, deverão ser escolhidas com muito cuidado, pois são veículo de parasitas e seus ovos, além da inconveniência da manipulação anti-higiênica pelos vendedores e a possibilidade de virem de áreas e hortas irrigadas por águas não-tratadas. Esta situação obriga que as folhas sejam lavadas uma de cada vez em água corrente. Alguns pediatras aconselham o uso de água oxigenada na diluição de 10%, isto é, 1 colher (das de sopa) de água oxigenada para 10 de água, e em seguida lavá-las novamente em água corrente. Das verduras cruas não há dúvida de que o preferido é a alface, rica em vitamina A e sais minerais, como ferro e cobre. As folhas mais centrais da planta, que são a alface branca, são as mais saborosas, entretanto menos ricas em vitamina A do que as verdes. Podem ser dadas picadas, temperadas com suco de limão, desde os dezoito meses, sem qualquer inconveniente. A salada de alface e tomate é geralmente a primeira salada ingerida pela criança, como já foi acentuado.

ENSINAMENTOS COMPLEMENTARES PARA OS DEZOITO MESES

1) Problemas dos pés e pernas
2) A criança que custa a falar
3) A praia e o banho de mar
4) A natação do bebê
5) A moleira
6) O controle das evacuações
7) Os brinquedos e as brincadeiras
8) O medo na criança
9) O sono
10) O banho

PROBLEMAS DOS PÉS E PERNAS

Entre o primeiro e os três anos de idade, algumas crianças podem apresentar irregularidades na posição dos pés – "pé chato" ou "pé-de-periquito"; nos tornozelos, pé pronado; nos joelhos, junteiro (genuvalgo); nas pernas, tíbia vara (canela torta); e nas pernas e coxas simultaneamente (genuvaro), algumas crianças podem apresentar ao mesmo tempo duas ou três irregularidades.

O uso de uma botinha ortopédica – a criança até seis anos não deve usar sapatinhos ou sandálias – está indicado. A botinha deverá ter um contraforte resistente (parte superior do calçado) e pequena elevação da palmilha na parte média, devendo ser fabricada com couro, nada de verniz ou plástico, pois estes materiais evitam a transpiração dos pés, predispondo à assadura e a outras lesões.

As conseqüências dessas irregularidades manifestam-se pelos mais variados sintomas: dor nas pernas ao deitar, falta de equilíbrio, quedas freqüentes, cansaço fácil, pedindo constantemente para ser levada ao colo, dificuldade em correr, pouca inclinação às brincadeiras em grupo. A postura da criança se apresentará defeituosa, sobretudo dos dois aos seis anos. A criança, quando de pé e vista de lado, empurra a barriga para a frente e as costas para trás.

A criança comumente não consegue localizar a fonte de suas dores nas pernas, principalmente à noite; às vezes sendo nas pernas (músculos), nos ossos, nas articulações (juntas); admite-se ser a causa o rápido crescimento ou a grande atividade muscular durante o dia; seria uma forma de fadiga muscular. Logo após a criança ficar em repouso, ao deitar, massagens e compressas quentes são as práticas usadas para aliviar a dor.

A indicação de uma botinha ortopédica preventiva é necessária, entretanto algumas dessas irregularidades, como a canela torta, o pé chato e o junteiro podem melhorar espontaneamente com uma alimentação correta à base de leite, frutas e verduras, banho de sol e vida ao ar livre.

Pé chato

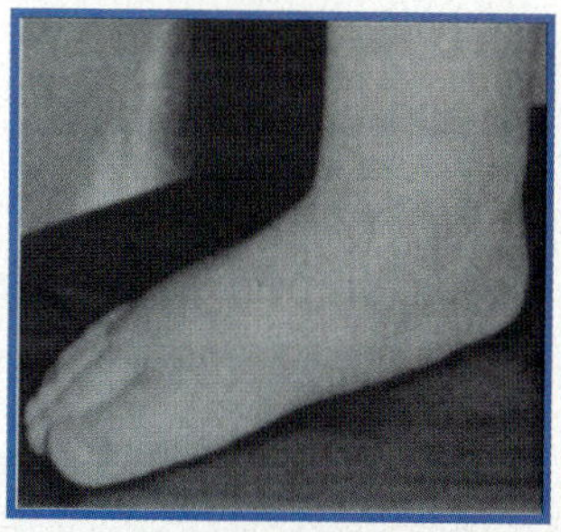

É uma condição mecânica bastante comum. O arco longitudinal interno do pé está relaxado, permitindo que toda a planta do pé toque o solo.

A maioria das crianças nasce com esta propensão. O uso de uma botinha preventiva corrige com facilidade esta anomalia. O sapato deve permitir a armação em posição correta do arco, ao mesmo tempo em que a musculatura do pé é usada, exercitando-a.

Suportes artificiais, de metal ou de plástico, estão contra-indicados. O correto é aplicar uma palmilha com leve elevação. A borda interna do salto deverá ser mais longa do que a externa, ajudando a formação do arco.

Pé pronado

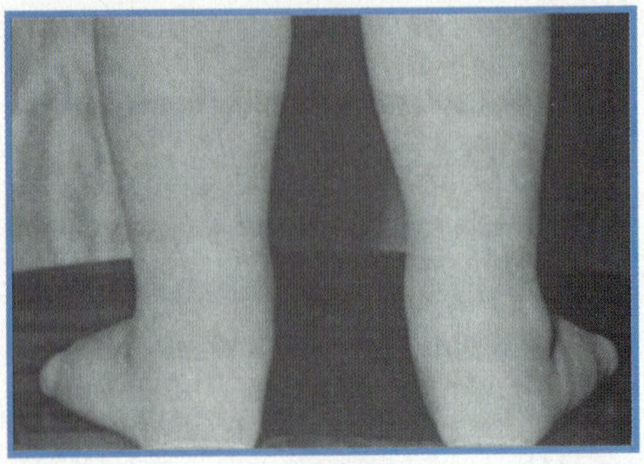

Também chamado "rodado" (tornozelo frouxo), é a anormalidade mais freqüente dos pés. Revela-se precocemente, logo que a criança começa a ficar de pé, exigindo tratamento e diagnóstico corretos e rápidos. É um defeito congênito, de origem pré-natal, e com características raciais e familiares.

Os "pés de Carlitos" são forma exagerada e cômica desta anomalia. As crianças portadoras desta anomalia geralmente andam tarde, são desajeitadas, caindo facilmente, acusando dor na sola dos pés, nas panturrilhas e nos joelhos. São vítimas das célebres cãibras musculares noturnas, nas primeiras horas do sono.

O modo defeituoso de sentar no chão, sobretudo para ver televisão ou deitar, agrava esta propensão.

Genuvalgo

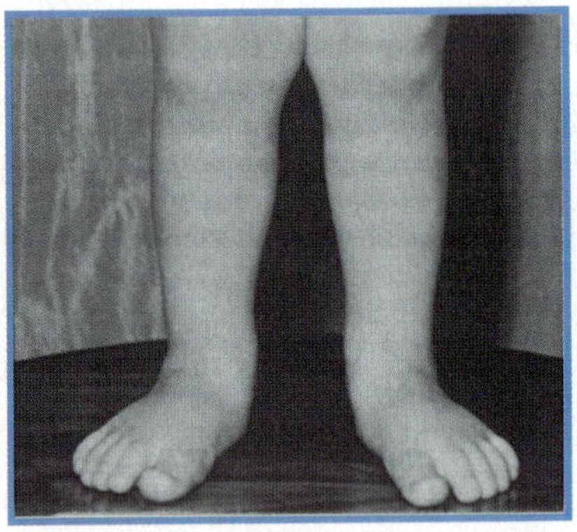

Esta anomalia postural é relativamente freqüente na infância. Na criança normal, de pé, tendo ambos os pés apontando paralelamente para a frente e a face interna dos joelhos nus apenas justapostas, a distância interna entre os dois tornozelos não deve exceder 4cm. O genuvalgo é mais comum nas meninas do que nos meninos. As causas mais freqüentes são postura deficiente ao se sentar e ao deitar, pronação do pé, amigdalite crônica, doenças crônicas, sobretudo de nutrição. As crianças que dormem de lado ou de bruços e que mantêm os pés invertidos, assim como as que têm má postura ao se sentar no chão para assistir à televisão são as mais propensas. De cem crianças em idade escolar, vinte terão genuvalgo e cinco precisarão de tratamento ortopédico.

Pé convergente ("pé-de-periquito" – supinado)

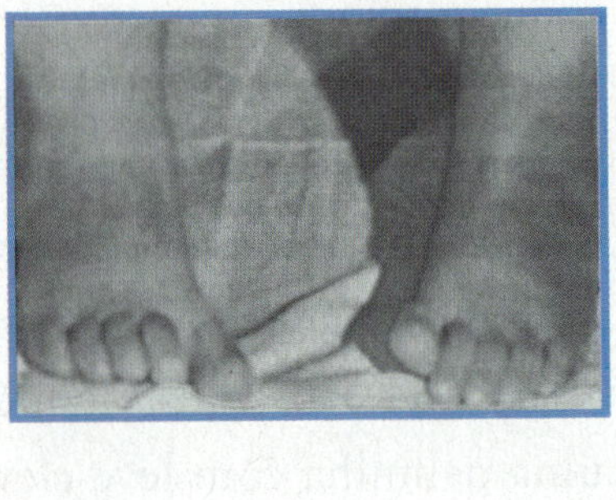

Esta anormalidade se caracteriza pela convergência dos dedos de ambos os pés para a linha média. É também conhecida por alguns como "pé-de-pombo". A criança apresenta andar desajeitado, mais acentuado quando corre ou se andar mais depressa, sendo comum tropeçar sobre si mesma, caindo com facilidade.

Torção tibial (canela torta)

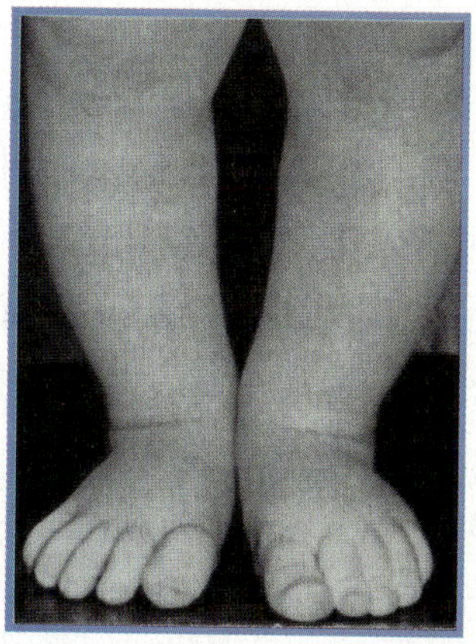

A anomalia denominada torção tibial é realmente a torção da tíbia (canela). Difere do genuvaro porque os joelhos se apresentam normais, verifica-se o arqueamento entre os joelhos e os tornozelos; as coxas estão em posição correta.

Logo que a criança começa a ficar de pé é comum ela apresentar esta posição que tanto impressiona seus pais, parentes e amigos.

Este arqueamento pode ser notado, às vezes, antes de a criança ficar de pé.

Genuvaro

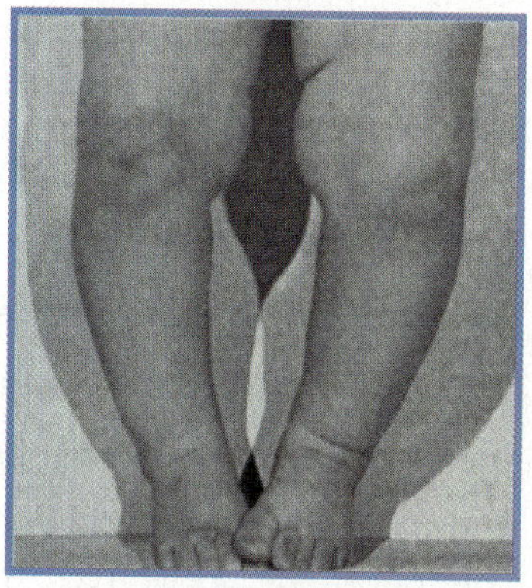

É a anomalia postural inversa do genuvalgo. Neste caso, os joelhos não estão juntos, e sim separados; são os "cambotas" (jóqueis).

Apesar do aspecto impressionante desta irregularidade, a prescrição e o uso precoce e permanente de uma botinha corrige rapidamente este problema. A possibilidade de raquitismo deverá ser examinada por meio de uma radiografia e a prescrição de vitamina D, banhos de sol e leite.

A CRIANÇA QUE CUSTA A FALAR

O estudo dos problemas da fala constitui, nos dias de hoje, uma especialidade bem definida, com suas técnicas próprias e excelentes resultados. O que interessa é o problema da criança que não fala, apesar de ter um desenvolvimento motor normal, isto é, que sustentou a cabeça com três meses, se sentou aos seis, ficou de pé aos nove e ensaiou os primeiros passos aos doze meses, que apresenta bom comportamento pessoal e social e compreende tudo o que diz.

A criança começa a usar os sons, a balbuciar, entre seis meses e um ano. Emprega sílabas duplicadas: "babá", "mamã", "dadá".

Para as meninas aos quatorze meses e para os meninos aos quinze, as palavras começam a ter um sentido reconhecível.

Se até os dezoito meses a criança não conseguir dizer qualquer palavra, o pediatra deverá ser alertado. Muitas crianças falam tarde porque não sentiram necessidade de falar antes, são filhos de pais superprotetores ou superindulgentes, bastando apontar ou ameaçar chorar para obterem tudo o que desejam. Outras são atemorizadas por pais severos demais ou muito exigentes.

Normalmente em cada grupo de cem crianças, cinco têm problemas mais ou menos graves, em geral com dificuldade de ajustamento social e de personalidade.

As causas que podem interferir na função da linguagem são de natureza diversa: a genética, isto é, uma característica familiar, a condição social e econômica dos pais, a situação emocional do casal, o ambiente, o local em que a criança vive. De todos, entretanto, a integridade neurológica tem maior importância. O bebê nascido de gravidez atribulada ou parto difícil poderá ter problemas. No desenrolar do primeiro ano de vida, as possibilidades de agressão ao sistema nervoso central são diversas. Entre elas, podemos destacar: coqueluche, mordida por cachorro com tratamento vacinal subseqüente, encefalite vacinal, viroses de evolução demorada, meningite, desidratação, obrigando a hidratação por via venosa durante alguns dias, quedas, desastres automobilísticos, doença infecciosa dolorosa de longa duração.

A função da linguagem é altamente complexa, porque depende de quatro fatores: a inteligência, a personalidade, a normalidade do sistema nervoso central e da audição e dos órgãos periféricos da fala. Alguns fatores também podem ser levados em consideração, como otites repetidas nos dois primeiros anos de vida, hipertrofia das adenóides e das amígdalas, e, por último, a célebre "língua presa", tão conhecida, e que raras vezes é a responsável. Geralmente aos dezoito meses o vocabulário é de dez a vinte palavras; a criança responde ao significado das palavras por gestos, modificação do tom da voz e movimentando-se; usa as palavras para exprimir suas necessidades; somente de 10 a 25% de suas palavras são compreendidas, pois o uso das vogais não é constante, consistente, emitindo as consoantes tanto ao início como no final das suas palavras.

Já usa duas palavras para fazer uma sentença: "mamãe vai" e "nenê qué". O vocabulário aumenta diariamente.

Tão logo o pediatra confirme a suspeita de que a criança entre dezoito e 24 meses ainda não fala, terá de recomendar, em primeiro lugar, uma fonoaudióloga. Entretanto, não poderá esquecer outros especialistas se houver necessidade, como um neurologista, psicólogo, psiquiatra, otorrinolaringologista. Em alguns casos anatômicos (defeitos), a cirurgia plástica é a solução. Não podemos esquecer que a habilidade, o brilho da palavra, é uma característica exigida por inúmeras profissões. Ensinar os nossos filhos a falar bem desde o início é facilitar o seu futuro.

Quando a criança não fala até os seus 24 meses de vida, os pais deverão observar cuidadosamente:

a) se ela emite a palavra através dos sons que se assemelham vagamente a palavras. Isto é um bom sinal, pois ela prova que deseja falar;

b) se os seus brinquedos são os mesmos de crianças da sua idade e se ela termina aquilo que começa; como, por exemplo, terminar uma pirâmide de dados, é um bom sinal, pois indica um desenvolvimento intelectual satisfatório;

c) se a criança, quando os pais a chamam sem que ela os veja, vem a seu encontro, é prova de que ela entende, condição necessária para falar. *A surdez é com efeito a causa mais importante do atraso da linguagem.* Não é fácil seu diagnóstico, porque a criança pode apresentar uma forma parcial (incompleta) de linguagem;

d) pode-se tratar, entretanto, de ela não sentir necessidade de falar porque os pais atendem imediatamente a todos os seus desejos ou, então, ela apresentou sofrimento devido a um evento familiar, nascimento de um irmãozinho, separação dos pais, afastamento da babá. É necessário, neste caso, dedicar à criança a maior ternura; castigos e ameaças produzem efeitos contrários;

e) o bilingüismo, caso em que são falados dois idiomas ao mesmo tempo, é outra causa de atraso da linguagem.

A PRAIA E O BANHO DE MAR

A nosso ver, dos dezoito meses em diante é a ocasião indicada para levar a criança mais desembaraçada e resistente à praia. Porém deverão ser seguidas algumas instruções:

a) duração – no máximo uma hora de cada vez, sendo permitido levá-la pela manhã e à tarde;

b) horário – no verão, pela manhã, entre sete e nove horas, e à tarde, entre as quatro e as seis.

No inverno, pela manhã, das nove e meia às dez e meia, e à tarde, entre três e quatro horas;

c) use filtro solar com fator de proteção 15 (ver pág. 529) e boné ou chapéu;

d) ocupe a criança com baldes e pazinhas de plástico. Deixe-a brincar com a areia e água;

e) não a leve nos dias de vento forte;

f) deixe-a brincar mais próximo da água, onde a areia é fria, evite a areia quente (vigie-a);

g) os tecidos da roupa de banho não deverão provocar alergia; observe se sua pele aceita tecidos de lã, náilon, dácron etc.;

h) permita à criança entrar na água quando ela quiser; ela poderá ficar uns dez minutos de cada vez; depois a interrompa, sem conflitos, arranjando um motivo aceitável, e deixe-a voltar, após dez ou quinze minutos; assim poderá entrar na água umas três ou quatro vezes cada vez que for à praia;

i) nunca obrigue a criança a entrar na água à força; pais que carregam à força seus filhos, que berram apavorados e mergulham com eles, ou então somente os mergulham, estão cometendo quase um crime. O bebê ficará apavorado e, se começar a urinar, à noite, na cama, ou apresentar terror noturno e outros desvios, não há o que estranhar;

j) se a pele ficar vermelha, por ser sensível à exposição solar, é aconselhável a aplicação de pasta d'água, duas a três vezes por dia (ver pág. 169), ou pomada a 10% de subnitrato de bismuto ou aplicação local de leite de magnésia líquido;

l) voltando da praia, dê suco de fruta ou água de coco e um banho na criança, de preferência de chuveiro (ou a borracha ligada à torneira). Ofereça líquidos em abundância;

m) observe se a criança não fica muito cansada ou excitada com o banho de mar. Caso positivo, diminua o tempo de permanência na praia;

n) evite levá-la aos domingos ou quando houver grande freqüência de jogos de futebol e frescobol; não a mande com vizinhos, nova babá ou inexperientes. Embora ela deva se sentir livre nos movimentos e brincadeiras, deve estar constantemente vigiada por alguém a pouca distância;

o) deve ser evitado que o corpo ou a roupa seque ao vento; convém enxugá-lo com a toalha logo que saia da água, medida que evita o resfriado;

p) não a deixe nua, sempre vestida com o calçãozinho: a criança sentada na areia pode apresentar furunculose, micoses, *larva migrans*, a proteção da pele através da vestimenta é muito importante para o bebê;

q) procure se informar quanto à contaminação da água do mar – se a água estiver com nível elevado de coliformes, a criança deverá ir a uma praia que não esteja poluída.

O bebê deve aprender a nadar?

Ultimamente tem sido despertado o interesse sobre a questão de se iniciar o exercício da natação em bebês muito novos. Na França, na Escola Nacional de Educação Física e Esportes, os especialistas estão observando a criança aprender a nadar desde os quatro meses de idade.

Entretanto, eles chegaram à conclusão de que o lactente só apresenta completa autonomia, executando os movimentos característicos da natação propriamente dita, por volta dos dezoito meses, quando chegam até a nadar sozinhos. O aprendizado tem de ser feito com muito cuidado; assim aconselham que o instrutor seja o seu próprio pai, devidamente assistido por elementos especializados; os fatores efetivos do comportamento da criança diante do exercício depende da confiança que ela tem na pessoa que a está segurando. Atualmente a natação está indicada a partir dos seis meses em locais específicos exclusivos para bebês e com instrutores especializados.

Entretanto, o temor ou a falta de técnica de muitos pais, segundo os entusiasmados pela natação precoce, tem prejudicado o aprendizado do bebê. Acredita-se também que pode haver o temor reflexo do bebê, não só pelas manobras inadequadas, como, por exemplo, em imersão em água fria, tanto em piscina como no mar. Os especialistas preconizam que o treinamento deverá ser feito em água com temperatura entre 26°C e 32°C, em função da estação do ano, com sessões diárias de, no máximo, vinte minutos, capazes de provocar no bebê sensação de bem-estar, prazer e alegria. Pessoalmente, julgamos que a questão do aprendizado depende do estado emocional do bebê, e nem todos estão aptos a ser submetidos a exercícios desta natureza. Entretanto, não deixamos de reconhecer que, aos que são capazes e gostam, é útil, pois melhora a função respiratória, fazendo-os aprender rapidamente a regular e a automatizar seus movimentos respiratórios. Crianças alérgicas podem reagir mal às elevadas concentrações de cloro nas piscinas e também à água fria, iniciando uma crise de coriza e asma. Deve-se dar preferência às piscinas com água salinizada e não-clorada para evitar irritação da pele e dos olhos.

A MOLEIRA

Aos dezoito meses a moleira (fontanela) já deverá estar fechada. O seu fechamento se inicia com um ano de idade quando a área da moleira já se torna endurecida. O fechamento precoce (craniossinostose) pode levar a problemas neurológicos e requer cirurgia corretiva. O fechamento tardio ou o aumento do tamanho da moleira pode ocorrer por hidrocefalia, tumores e outros problemas mais raros. Basta passar a mão por cima da cabeça da criança e sentir que a caixa craniana está igualmente soldada. Se isto não acontecer, é sinal de que há um distúrbio na assimilação do cálcio, devido à deficiência da ingestão de leite, de vitamina D e falta de ar livre e sol. A possibilidade de um início de raquitismo deverá ser analisada.

O CONTROLE DAS EVACUAÇÕES

Esta função depende mais do desenvolvimento dos centros sensoriais, do cérebro e da capacidade muscular do que dos métodos de disciplina. Os pais não devem ter pressa ou severidade com o treinamento. Às vezes é possível perceber que ele está com vontade e colocá-lo imediatamente no "troninho" para estabelecer o hábito.

Trocar as fraldas por calcinhas e cuecas adequadas pode fazer com que a criança se sinta "promovida", e ajudar no treino. Porém os pais deverão estar preparados para verem o seu filho depois dos dezoito meses evacuar a qualquer momento, sem aviso prévio, até os dois anos e meio.

O controle total da micção é mais tardio do que da evacuação, geralmente ocorrendo aos três anos. Coloque a criança no troninho ao acordar, após as refeições e ao se deitar; isto sistematicamente poderá ajudar. As meninas aprendem mais cedo do que os meninos.

A enurese noturna é normal até os 4 anos de idade.

O uso do urinol

Faça a criança usá-lo a partir dos dezoito meses de idade. Após ter observado o horário mais comum das evacuações da criança, coloque-a no urinolzinho nesse horário, nunca a forçando a ficar sentada quando não quiser. Deixe-a alguns minutos, aumentando progressivamente o tempo, até o máximo de dez minutos. Mostre satisfação, sem exagero, quando ela evacuar no urinolzinho, e não demonstre raiva ou desgosto se ela não conseguir ou se evacuar mais tarde na fraldinha (ver pág. 367).

OS BRINQUEDOS E AS BRINCADEIRAS

Aos dezoito meses ela ainda não estará em condições de brincar com as outras crianças, apesar de se interessar por elas e brincar ao seu lado. Gosta de brincar com bolas, joga-as mas não sabe recebê-las de volta. Gosta de correr, de pegar e de ser pega. Diverte-se brincando de esconde-esconde. Adora barulho, e quanto mais alto mais contente fica. Usa o telefone, fingindo que fala. Liga o rádio para ouvir música e dançar.

É NORMAL A CRIANÇA SENTIR MEDO?

Geralmente ela aprende a ter medo de outras crianças, empregadas e adultos, tem medo de ratos, baratas, provocado pelos gritos da sua mãe e de outras pessoas, porém não tem medo de animais grandes, o que é um perigo. Às vezes o medo é devido a uma experiência difícil e ruim; mordida de cachorro, mergulho involuntário na banheira ou na piscina, quedas e pancadas dolorosas, queimaduras de fósforo ou ferro de passar. Seu maior temor é o de ficar só, sem sua mãe, com estranhos, sobretudo na hora de dormir. A mãe ausente, nervosa ou pouco carinhosa também lhe inspira falta de segurança. Os temores muito intensos e demorados podem ser prejudiciais ao desenvolvimento da personalidade.

É impossível evitar sustos, temores e ansiedade no decurso da infância. A ausência da mãe por contingências inevitáveis, como internação hospitalar, viagens etc. é a grande causa da sua ansiedade.

As injeções, os tratamentos médicos, o dentista, o trovão, as tempestades, a agressão de cachorros são fatos da vida da criança, geralmente sem maiores conseqüências.

O SONO

Geralmente ela acorda às seis ou às sete da manhã, alegre e pedindo para tirá-la do berço. Outras ficam chupando o dedo ou a chupeta e permanecem na cama quando dormiram mal,

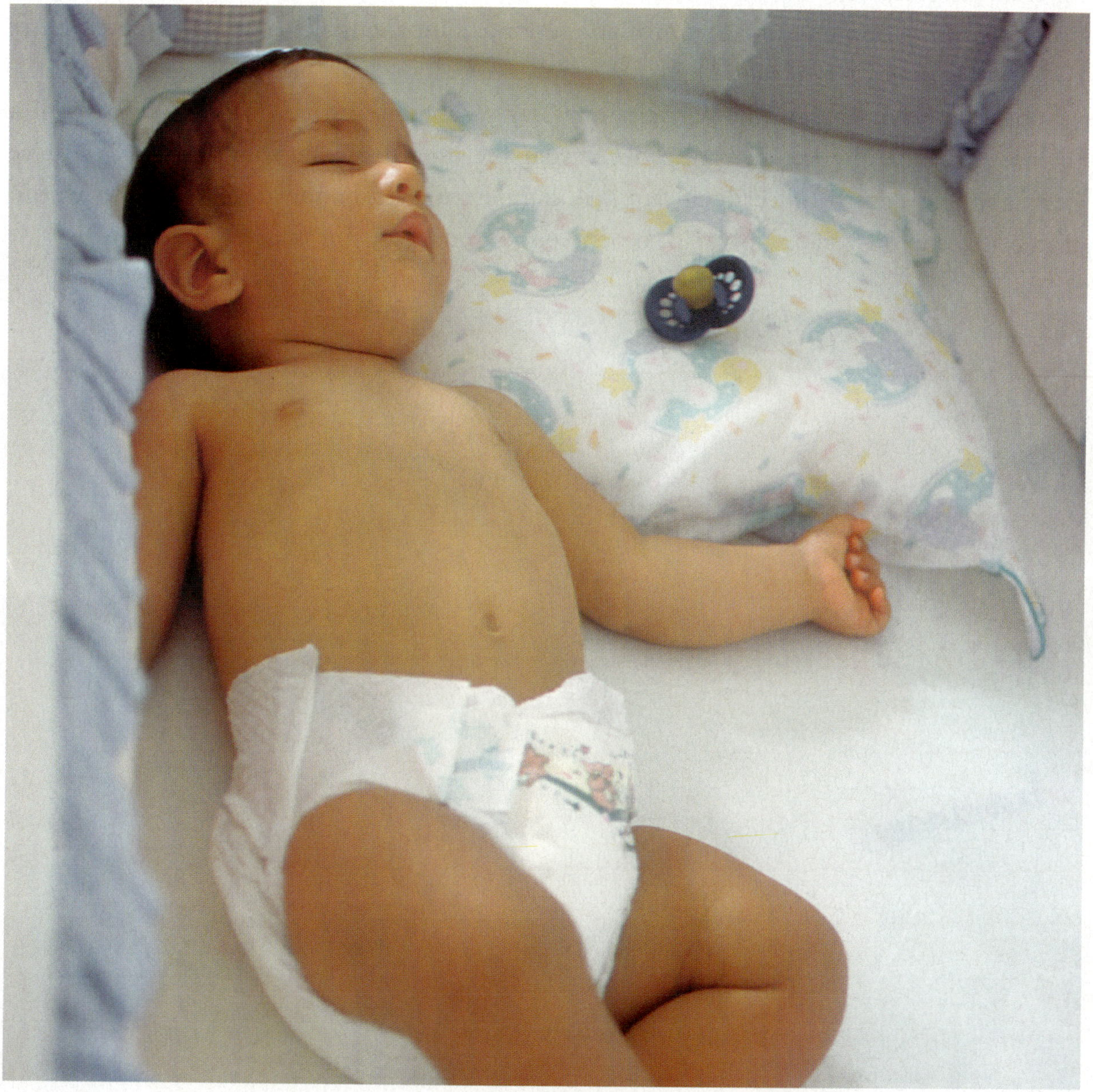

ou pouco, ou se estão com fome. O acordar sistematicamente aborrecida ou de mau humor deverá ser comunicado ao pediatra. Ela dorme, em média, dez a doze horas, com uma soneca durante o dia de uma ou duas horas. Antes de dormir algumas "conversam" com seus bichinhos e seus bonecos. Algumas dão sinal de sono, pegando seu travesseirinho. A criança começa a sonhar ativamente. As que acordam assustadas devem ser tranqüilizadas. A voz materna as tranqüiliza, mesmo a distância. Nunca acenda a luz ou leve-as ao colo. Os pesadelos podem acontecer já nessa idade.

O BANHO

As crianças gostam de banho. No caso de não quererem, é porque devem ter tido algum problema no banho anterior – como sabonete nos olhos, engolir água sem querer, bater com a cabeça, escorregar na banheira.

O bebê aprendiz gostará de participar, passar o sabonete no corpo, se enxugar com a toalha. A pessoa que lhe dá banho deverá dar-lhe uma pequena oportunidade. Deve-se usar sabonete neutro (glicerinado etc.). A temperatura do banho deve variar de acordo com o inverno ou verão. No verão, o bebê pode tomar dois ou mais banhos por dia.

Capítulo 25

O Segundo Ano

O segundo ano

Aos dois anos, a dentição de leite está completa, a criança já entende o que é "meu" e as palavras já saem mais claras.

O DESENVOLVIMENTO DO BEBÊ

	Meninos	Meninas
Peso	12.000g a 12.200g	11.800g a 12.000g
Estatura	85cm	84cm
Perímetro cefálico	49cm	48cm
Perímetro torácico	50,5cm	49,5cm
Ganho de peso mensal	150g	150g

Aos dois anos a criança percebe que é alguém, tem seu nome próprio e já tem alguma noção de propriedade. É um indivíduo socialmente complicado, não sabe comunicar seus sentimentos, desejos e interesses.

Tem dificuldade de se controlar, chora e ri facilmente, tem freqüentes ataques de gênio e malcriações, dizendo "vá embora", "não gosto de você".

"Isto é meu!", o sentido de propriedade vem antes da ação de repartir, porém somente 50% das crianças podem repartir e, ainda por pouco tempo, a generosidade depende do bom ou mau humor do dia...

É esperta, sabe onde estão alguns objetos da casa, repete coisas que os pais nem suspeitavam que sabia, reconhece pessoas e objetos que viu uma única vez, percebe que um livro está de cabeça para baixo, diferencia o duro do mole, o áspero (uma lixa) e o liso (um espelho).

O mais importante para ela é ainda a sua mãe; fica infeliz quando ela está ausente, pode agüentar algum tempo, se estiver em companhia de pessoas conhecidas e queridas. Se a mãe puder, deverá arranjar um trabalho de meio-expediente, quatro a seis horas pela manhã ou à tarde. Às vezes acorda assustada à noite; convém prestar socorro ao seu lado por algum tempo; não é recomendável levá-la para a cama dos pais, criando assim um hábito desaconselhável.

COMO ELA SE COMPORTA

Começa a aprender a esperar, sabe o sentido das palavras "logo" e "já", começa a confiar nos adultos, usa seu próprio nome quando se refere a si mesma, usa os pronomes eu, mim e você, se acha importante, toma conta dos outros, dando-lhes ordens, quer tudo à sua maneira, às vezes esconde o que é seu, não divide seus brinquedos, desafia os desejos dos pais, pode contar um caso que aconteceu imediatamente, pode comunicar ao pai ou a outra pessoa por meio de gestos e palavras, sentimentos, desejos, interesses e decepções, rabisca com um lápis, cruzando a linha, fica olhando as coisas por muito tempo, percebe objetos familiares na televisão, sabe onde estão as coisas em casa, sabe da utilidade dos objetos.

O QUE PODE FAZER

Seus movimentos estão bem desenvolvidos:

a) corre, porém ainda não sabe parar de repente;
b) anda de costas três metros;
c) anda em linha reta;
d) sobe e desce a escada segurando o corrimão;
e) senta-se e levanta-se bem;

f) manipula bem as duas mãos, passa algo de uma das mãos para a outra;

g) pula nos dois pés;

h) pode andar na ponta dos pés;

i) empurra e puxa;

j) vira as páginas de um livro, uma de cada vez. Pode tirar sapatos, meias e calças, mas não os veste. Detesta suéteres apertados que são vestidos pela cabeça.

Não deixe a criança usar calças com fundilhos apertados; essas devem ser bem largas e frouxas. É difícil ainda vesti-la, porque não coopera.

A LINGUAGEM

O vocabulário é de cerca de cinqüenta palavras, usa até palavras inventadas por ela, para pessoas, coisas e brinquedos com que tem contato diário, pode dizer seu primeiro e segundo nome, as palavras já saem mais claras, pergunta por outra pessoa, já sabe o nome de tudo em casa e nos passeios, já não pede as coisas com gestos e sim com palavras, começa a ligar duas palavras: "neném quer", "aqui bola", "vê au-au".

A criança pode conhecer de cinqüenta a cem palavras até os dois anos, de cem a duzentas palavras aos três anos; são crianças perfeitamente normais.

Aos dois anos, pode reunir três palavras para fazer uma frase, começa a aparecer o plural, verbaliza experiências imediatas, pronuncia seu próprio nome inteiro, pergunta o nome das coisas ("o que é isto?"), procura conversar com bonecos e animais. Já diz "eu" e "você".

O vocabulário de um adulto contém 1.500 palavras, do adulto culto três mil palavras, e do sábio, cinco mil.

Diz-se que um vocabulário de mil palavras é suficiente para ser aprovado para bacharel!

O BILINGÜISMO

Não são todas as crianças que têm possibilidades de aprender dois idiomas ao mesmo tempo. Algumas podem aprender com facilidade duas línguas faladas por seus pais, simultaneamente. Entretanto, talvez a maioria tenha dificuldade; assim, só um idioma será ensinado em casa, porém logo que a criança o aprenda bem, poderá ser começado o ensino do segundo.

O uso de um livro com gravuras e histórias poderá ajudá-la a aprender dois idiomas ao mesmo tempo.

A EDUCAÇÃO

Até os 7 anos, pequenos atos de crueldade são normais porque todo bebê nasce com uma tendência a praticar pequenos atos de maldade, sem contudo serem futuros delinqüentes. Eles não sabem o que é certo ou errado, sendo este comportamento mais freqüente nos meninos. Os pais não devem tolerar estas maldades quando elas são graves e repetitivas. Eles devem analisar o que está errado entre o casal ou dentro de casa. A consulta ao psicólogo é indispensável. Relembrando a frase do político revolucionário: "Deve-se endurecer, sem perder a ternura."

EDUCANDO-A A PRESTAR ATENÇÃO

Há diversas brincadeiras para desenvolver desde cedo nas crianças a capacidade de escutar com atenção. Para esses exercícios, bastarão apenas um copo, cubos de gelo e uma campainha.

Primeiro teste

Sacuda o copo com pedras pequenas de gelo e peça a seu filho que preste atenção no barulho que o gelo faz ao bater no copo.

Segundo teste

Abra e feche, repentinamente e com força, um livro, chamando a atenção para o som que ele faz.

Terceiro teste

Sacuda a campainha enquanto ela está prestando atenção. O pai e a mãe, colocados atrás da criança, repetem as três brincadeiras, uma de cada vez, pedindo-lhe para dizer o que provocou o barulho que ela escutou. Se ela errar, repita outra vez, ou mais, até cinco vezes, até acertar. As crianças que tiveram problemas de parto só responderão certo entre os três e os cinco anos.

RIVALIDADES (brigas) ENTRE IRMÃOS

O maior motivo é a luta pelo amor e preferência. Ela desconfia que a mãe está dando à outra, e tirando algo dela, e talvez possa perdê-la para sempre. Um só agride o outro quando sente que está levando a pior, perdendo, "está sendo passada para trás". No caso de não haver ferimentos, e se não for desigual a força física (tamanho e idade), os pais não deverão intervir, principalmente se não foi na presença direta; caso contrário, a autoridade paterna ou materna obriga a intervir e procurar resolver a contento, dependendo naturalmente das circunstâncias e do comportamento de ambos.

O nascimento de um irmão pode provocar regressão no comportamento da criança, voltando a ter atitudes e posturas que já não apresentava mais, para chamar atenção dos pais.

A FORMAÇÃO DA PERSONALIDADE

Evolução motora

Anda de velocípede, em círculos. Sobe e desce uma escada sozinha. Corre, sem cair. Chuta bola. Tira o papel das balas. Usa uma cadeira para espiar pela janela (cuidado!).

Comportamento emocional

O ciúme é o traço dominante. Tem a sensação do que é "meu" e do que é "seu". Tem oscilações no seu humor, variando de alegria a cenas de raiva.

Capacidade de adaptação

Consegue empilhar cubos. Faz rabiscos redondos. Come alimentos sólidos. Segura a maçaneta para abrir a porta.

Progresso da linguagem

Forma pequenas sentenças e frases. Usa verbos e pronomes. Nomeia objetos familiares, chave, dinheiro, relógio. Dá nome a algumas figuras. Reconhece fotografias de pessoas da família.

Comportamento pessoal e social

Estabelece o controle da bexiga. Interessa-se por histórias. Sente-se vaidosa da sua roupa. Pede para pôr a comida na mesa. Guarda o que é seu, com ciúme, e não gosta de emprestar. Pede para ir ao banheiro. Nomeia os objetos de uso diário. Nesta idade há um aumento de interesse pelos órgãos genitais em ambos os sexos. Algumas crianças já se masturbam.

Brinquedos (seu interesse e preferência)

Gostam de livros coloridos, de preferência dos de pano, de aparelhos de chá, de plástico. Objetos musicais, sanfonas, brinquedos de praia, caixote de areia. Usam bonecos para imitar pessoas que fazem parte da sua vida.

O DESENVOLVIMENTO DA INTELIGÊNCIA

Primeira prova

Dê à criança um brinquedo para que ela o mantenha nas mãos. Depois chame a sua atenção para que ela ande com o brinquedo, sem perder o equilíbrio.

Segunda prova

Coloque a criança num canto e lhe atire uma bola; ela deverá devolvê-la quantas vezes lhe for atirada, ordenadamente.

Terceira prova

Deverá compreender diversas ordens: a pessoa deverá dizer à criança as seguintes ordens, sem fazer sinais com as mãos: levante-se, venha até aqui, dê-me aquele brinquedo etc., e a criança deverá obedecer.

Quarta prova

Questão de preferência: apresente à criança um cartão com diversas cores e outro com uma figura. Ela deverá preferir o segundo.

Quinta prova

Repetição das palavras: a criança deverá ser capaz de repetir, após alguns minutos, de três a cinco palavras que tenham sido ditas a ela com atenção.

A DENTIÇÃO

Entre dois anos e meio a três anos de idade o bebê deve possuir a dentição de leite completa (com vinte dentes).

O bebê deve comparecer às consultas de rotina ao odontopediatra a fim de acompanhar o desenvolvimento da dentição e adotar medidas preventivas à cárie dentária.

Os cuidados com a dieta (ingestão de açúcar) e higiene devem ser mantidos.

O hábito da chupeta e mamadeira deve ser removido.

Consulte o capítulo 26, na página 451, para mais detalhes a respeito da dentição de seu filho.

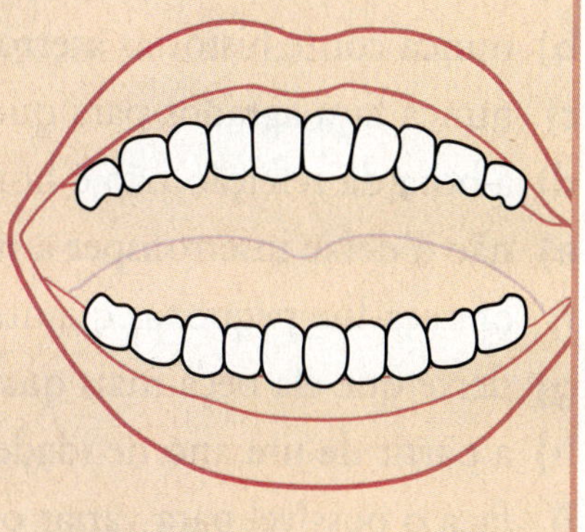

A ALIMENTAÇÃO AOS DOIS ANOS

A criança aos dois anos já poderá comer sozinha, e com alegria, alimentos de que ela gosta. Em primeiro lugar, o popular bife com batatas fritas. As batatas fritas poderão ser fritas em óleo de arroz, óleo de algodão ou de girassol. Para as gorduras de origem animal, como a manteiga e a gordura de porco ou banha, que são de digestão mais difícil, deverá ser observada a tolerância da criança. Poderão também ser oferecidas as saladas verdes, as do tipo com alface, também com óleo de oliva. Peixe grelhado, acompanhado de um pouquinho de manteiga derretida ou suco de limão, o macarrão talharim, já também com um pouquinho de manteiga ou tempero, os doces preparados com massas chamados mil-folhas, ou outros tipos, poderão ser oferecidos, mas não em grande quantidade. Também poderão ser dados ovos estrelados e sorvetes, já diversas vezes mencionados no nosso livro, mas unicamente para o sorvete de chocolate é que deve ser observada a capacidade da criança em digeri-lo e assimilá-lo sem qualquer manifestação de alergia posterior.

A criança já poderá usar a colher e o garfo de dentes grossos. Nesta idade, e mesmo durante a infância, o que deve ser proibido sistematicamente é vinho, cerveja, ou melhor, qualquer tipo de álcool.

Deve-se contar histórias para a criança comer?

Conversar, contar histórias descontraídas, como a conversa na mesa dos adultos, sim. Aos dois anos a criança já é capaz de comer sozinha, pois os músculos da mastigação já estão fortes e sob controle. Às vezes não querem ajuda do adulto, mandando embora a mãe ou a babá, mas a pessoa deverá ficar por perto, para com jeito e com toda segurança ajudá-la a terminar a refeição.

Conselhos para uma boa alimentação:

a) nunca insista para a criança comer;
b) nunca conte histórias aterrorizantes. Mantenha uma conversa "mole";
c) nunca faça agrados para que coma;
d) a hora da refeição não é hora de brigas e castigos;
e) não a deixe interromper a refeição por mais de 15 a 20 minutos;
f) ofereça-lhe pequenas quantidades;
g) deixe que ela peça mais quando e se quiser;
h) a partir de um ano de idade, deixe que coma sozinha, mesmo que demore e se suje;
i) faça o possível para variar o gosto e o aspecto dos alimentos;
j) de vez em quando use outro pratinho, outros talheres e mesmo outros lugares para as refeições;
l) não a deixe comer fora de hora;
m) esconda as gulodices.

A criança não deverá usar a mamadeira depois dos dois anos. Aos doze meses ensine-a a beber no seu copinho ou caneca. O ideal é ela largar a mamadeira entre os dezoito e os vinte meses.

TRÊS QUESTÕES:
AS FRITURAS, OS REFRIGERANTES E O CHOCOLATE

As frituras na alimentação infantil

Vale a pena habituar as crianças a comerem frituras? Geralmente as crianças adoram comer frituras. Batatas fritas, croquetes, bife à milanesa, banana frita, ovo estrelado, salsichas fritas e *pizzas* disputam a preferência. O alimento frito é antes de tudo saboroso, e é difícil preparar uma comida sem o célebre e tradicional refogado. Convém que a fritura seja preparada com óleo de boa qualidade, sem gordura animal, e servida logo; gordura guardada não serve para a criança, nem mesmo para o adulto. As frituras são de digestão mais difícil, exigindo suco gástrico e funcionamento hepático perfeitos. Elas poderão ser feitas uma ou duas vezes por semana, no máximo, mas nunca diariamente. Os alimentos cozidos e grelhados são os indicados; apenas um refogado leve é permitido para o uso diário, se a criança não estiver submetida a uma dieta especial prescrita pelo médico. Pesquisas feitas por especialistas relataram que o uso continuado e diário de frituras desde a infância pode ser uma das causas do infarto aos trinta anos de idade, não sendo isto privilégio exclusivo das idades avançadas.

Concluindo, se a criança estiver com boa saúde, com o funcionamento do estômago e do fígado normais, poderão ser permitidos alimentos fritos, não em grande quantidade, como foi dito, mas uma a duas vezes por semana, acompanhados de uma sobremesa leve que facilite a digestão da gordura, como o mamão, frutas em compota ou em pasta, como a goiabada e a marmelada.

Porém, se a mãe notar que as frituras com o tempo estão causando inapetência, ela deverá restringi-las ao máximo. As sobremesas de digestão mais demorada, como os pudins, doces de chocolate e massas gordurosas com creme, não deverão ser dadas no dia em que a criança comeu uma fritura.

As batatas fritas. As batatas fritas, tão desejadas pelas crianças, podem ser dadas às crianças no seu segundo ano de vida. Tem sido um problema para os pais a questão da batata frita, devido ao pavor da gordura, não só por parte dos pais como por parte dos médicos. Entretanto, usar um óleo de boa qualidade, preparado convenientemente, pode fazer parte da alimentação da criança. As batatas fritas podem ser dadas às crianças desde os dezoito meses, uma ou duas vezes por semana.

No caso de a criança adorar batatas fritas, que podem ser dadas ao terminar o primeiro ano de vida, isto é, se aproximando dos dois anos. Damos a seguir o modo de prepará-las. Insistimos que não devem ser dadas diariamente, apenas uma ou duas vezes por semana.

O preparo da batata frita. Descasque as batatas e corte-as bem finas, em rodelas, ou em palitos mais ou menos grossos. Deixe-as de molho em água com sal. Na hora de fritá-las, escorra bem a água ou enxugue-as com um pano de pratos. Coloque o óleo (de soja, milho, arroz, girassol, algodão) para esquentar bem e então as batatas, deixando-as corar até o ponto desejado. Retire-as, colocando em papel absorvente. As batatas para as crianças deverão ser as primeiras a serem feitas. Nunca faça frituras com óleo usado mais de duas vezes, como evite também que ele fique sujo ou escuro, estragando o verdadeiro sabor dos alimentos.

Os refrigerantes

A influência dos meios de comunicação na sociedade moderna chega a ser tão poderosa que tem maior poder do que a opinião dos médicos.

Todos sabem que os refrigerantes copiosamente anunciados na televisão, em revistas e em jornais não são convenientes à criança, sobretudo nos seus primeiros anos de vida, e o melhor que os médicos podem fazer é reduzir o seu uso e disciplinar a maneira de dá-los, não os permitindo antes ou durante as refeições, mas depois. Substituir um copo de leite por um refrigerante no lanche é um crime que se comete contra a criança que não é alérgica ao leite.

É preferível substituí-lo, se não for o leite a primeira escolha, por um suco de frutas frescas feito na hora, natural ou pouco adoçado, acompanhado de um sanduíche de carne branca.

Este é um excelente lanche. Na verdade não é conveniente habituar a criança pequena a qualquer tipo de refrigerante; sua introdução na alimentação da criança não é recomendável. Os refrigerantes carecem de qualquer propriedade nutritiva, salvo o açúcar que contêm. A criança que ingere refrigerantes substitui de certa forma a comida, pois o volume líquido e a dilatação gasosa do estômago, além do sabor doce, diminuem o apetite.

Os refrigerantes contêm também substâncias chamadas polifenóis, que interferem na absorção do ferro dos vegetais, podendo contribuir para o aparecimento de anemia. Com o aumento do consumo de refrigerantes na idade escolar, a anemia vem aumentando muito entre as crianças. Portanto, é melhor prevenir que crianças mais novas possam apresentar anemia evitando o consumo de refrigerantes.

O chocolate

O chocolate é derivado da semente do cacau. É um alimento rico, nutritivo, pelo seu teor em proteínas e ferro. A gordura chega a fazer metade da sua composição, e além disso o chocolate contém alcalóides: a teobromina, que é diurética, e a cafeína, que é excitante. Pela sua composição rica em gordura, é um alimento considerado pesado. É rico em ácido oxálico, e quando misturado ao leite se combina com o ácido do mesmo, formando o oxalato de cálcio, que não é absorvido pelo intestino. Assim vemos que esta combinação altera em parte a importante função do leite, que é a de fornecer cálcio ao organismo da criança. Portanto, não devem ser dadas mamadeiras de leite com chocolate, diariamente, a uma criança com um ano de vida.

Temos de admitir que o chocolate e a televisão são problemas que a sociedade de consumo criou para os pais e os médicos, porque a maioria das crianças os adora. Algumas crianças são alérgicas ao chocolate e apresentam urticária, inapetência para a refeição seguinte e em alguns casos até asma; entretanto, outras crianças o suportam muito bem, sem maior complicação. Existem à disposição do regime infantil as farinhas achocolatadas, os bombons e os chocolates em barra. A farinha achocolatada, em pequena quantidade, 3 a 5%, isto é, 1 colher das de café, rasa, para 200g de leite, pode ser admitida para a criança depois dos seis meses, apenas para dar sabor, se for realmente importante para fazer a criança beber leite. É totalmente contra-indicado para as crianças que apresentam refluxo gastroesofagiano, pois piora o quadro. Após a cura do problema, poderá ser usado.

Entretanto, não deve ser esquecido que dar alimentos ricos em cálcio, sobretudo creme de leite, queijo cremoso e doce de leite, é importante. Como sobremesa, damos preferência ao chocolate preparado com cacau desengordurado e leite, sem nozes, avelãs ou licores. Deve ser devagar, isto é, comido devagar, bem mastigado e salivado, em pequena quantidade, depois dos dezoito meses de idade.

REGIME PARA CADA DIA DA SEMANA:

Segunda-feira

Primeira refeição

6, 7 horas (desjejum)

Café com leite, pão com manteiga e biscoitos

8, 9 horas

Suco de frutas

Segunda refeição

10, 11 horas (almoço)

Arroz, feijão e carne de galinha

Sobremesa: bananas com mel

Terceira refeição

2, 3 horas (lanche)

Mingau de farinha com 1 colher (das de café, rasa) de achocolatado

Quarta refeição

6, 7 horas (jantar)

Sopa de milho verde, peixe cozido, arroz e chuchu

Sobremesa: doce de abóbora

Preparo

Para a primeira refeição: o café com leite será idêntico ao dos adultos, variando a quantidade do café e do açúcar conforme o paladar da criança. O ideal será usar o café descafeinado (sem cafeína). Sirva também pão, torradas, biscoitos, bolachas com manteiga, mel ou geléia de fruta, de acordo com o apetite da criança.

Para a quarta refeição:

Sopa de milho verde: use 1 litro de água, 250g de carne, 1 pedaço de cebola, sal a gosto, 3 espigas de milho verde. Faz-se um caldo, coa-se e junta-se o milho verde, ralado e peneirado, mexendo sempre em fogo brando até engrossar.

Terça-feira

Primeira refeição

6, 7 horas (desjejum)

Creme de abacate, pão torrado com geléia

8, 9 horas

Suco de frutas

Segunda refeição

10, 11 horas (almoço)

Presunto, purê de caruru ao molho branco, arroz e batata cozida

Sobremesa: pêra ou manga

Terceira refeição

2, 3 horas (lanche)

Sanduíche de queijo com geléia

Quarta refeição

6, 7 horas (jantar)

Sopa de feijão-branco, nhoque de semolina com miolo e cenoura

Sobremesa: pudim de aipim

Preparo

Para a quarta refeição:

Sopa de feijão branco: 100g de feijão (posto de molho de manhã), 1 litro de água, 250g de carne bovina picada, 2 cenouras, 2 batatas, 1/2 cebola, 2 tomates e 1 pitada de sal.

Cozinhe todos os ingredientes juntos, durante duas horas, em fogo brando, passando-os depois pela peneira, espremendo-os.

Para o pudim de aipim: 1 quilo de aipim, açúcar a gosto, 1 ovo, 1 colher (das de sopa) de manteiga, 1 copo de leite. Rale o aipim cru. Misture todos os ingredientes. Coloque a massa em um tabuleiro untado com manteiga e asse em forno médio.

Quarta-feira

Primeira refeição

6, 7 horas (desjejum)

Mingau de araruta

8, 9 horas

Suco de frutas

Segunda refeição

10, 11 horas (almoço)

Sopa de feijão-preto, arroz, batata, bife de carne bovina e ovo
Sobremesa: mamão ou tangerina

Terceira refeição

2, 3 horas (lanche)

Sorvete de creme, frutas e biscoitos

Quarta refeição

6, 7 horas (jantar)

Picadinho de carne, ravióli de bertalha com molho de tomate e arroz
Sobremesa: compota de pêssego com creme de leite

Quinta-feira

Primeira refeição

6, 7 horas (desjejum)

Café com leite, pão com manteiga e geléia

8, 9 horas

Suco de frutas

Segunda refeição

10, 11 horas (almoço)

Arroz, caldo de feijão, guisado de fígado com cenoura

Sobremesa: maçã

Terceira refeição

2, 3 horas (lanche)

Mingau de aveia, sal e água

Quarta refeição

6, 7 horas (jantar)

Sopa de lentilhas, espaguete, peixe assado, beterraba e arroz

Sobremesa: sorvete de fruta

Preparo

Para a quarta refeição:

Sopa de lentilhas: põe-se 250g de lentilhas numa panela com 2 litros de água e 250g de carne picada, leva-se para cozinhar. Depois acrescenta-se 1 pedaço de cebola, sal a gosto, 2 cenouras, e deixa-se cozinhar, em fogo brando, até desmanchar. Passe na peneira sem a carne e leve ao fogo, colocando um pouco de manteiga.

Para o peixe assado: preparar um molho de tomate, com cebola e sal. Tempere o peixe, coloque-o numa assadeira, coloque o molho sobre o peixe e leve ao forno.

Sexta-feira

Primeira refeição

6, 7 horas (desjejum)

Mingau com tostado de milho

8, 9 horas

Suco de frutas

Segunda refeição

10, 11 horas (almoço)

Miolo, purê de cenoura e arroz

Sobremesa: pudim de leite condensado

Terceira refeição

2, 3 horas (lanche)

Sorvete de fruta. Biscoitos

Quarta refeição

6, 7 horas (jantar)

Sopa de tapioca, carne assada, nhoque de batata, alface e tomate

Sobremesa: pêra ou manga

Preparo

Para a segunda refeição:

Pudim de leite condensado: 1 lata de leite condensado, a mesma medida da lata de leite de vaca, 1 colher (das de chá) de maisena e 2 ovos. Misture o leite e o leite condensado, a maisena e acrescente as gemas. Bata as claras em neve, à parte, e acrescente à mistura feita. Faça uma calda de açúcar, despeje numa fôrma de buraco, coloque a mistura, levando ao forno médio para assar em banho-maria.

Para a quarta refeição:

Sopa de tapioca:

1 litro de água, 250g de carne, sal a gosto, 1 cebola, 1 tomate, 1 cenoura e 2 colheres (das de sopa) de tapioca.

Prepare o caldo de carne, depois acrescente a tapioca e deixe ferver lentamente, mexendo de vez em quando.

Sábado

Primeira refeição

6, 7 horas (desjejum)

Suco de fruta com sanduíche de presunto

Segunda refeição

10, 11 horas (almoço)

Almôndega de carne, arroz, feijão e ervilhas

Sobremesa: salada de frutas e queijo

Terceira refeição

2, 3 horas (lanche)

Café com leite e pão-de-ló

Quarta refeição

6, 7 horas (jantar)

Sopa de tomate, carne picadinha, macarrão e arroz

Sobremesa: pudim de sagu

Preparo

Para a quarta refeição:

Sopa de tomates: 250g de carne, 1/2 kg de tomate, cebola, sal a gosto, 1 colher (das de chá) de manteiga. Refogue a carne e depois acrescente 1 litro de água, deixando ferver em fogo brando durante 1 hora. Quando estiver pronta, coe e acrescente 1 colher (das de chá) de manteiga, 1/2 xícara (das de chá) de leite e 1 colher (das de chá) de farinha de trigo dissolvida em leite. Deixe cozinhar em fogo brando, durante dois minutos.

Para o pudim de sagu: 1/2 abacaxi maduro, descascado e picado, 50g de sagu e açúcar a gosto. Deixe o sagu de molho em água fria para aumentar de volume. Coloque o abacaxi, juntamente com o caldo, numa tigela. Misture o abacaxi ao sagu. Adoçe. Leve a mistura ao fogo, mexendo sempre. Quando o sagu ficar transparente e brilhante, estará pronto. Arrume o doce em tacinhas, leve à geladeira e sirva gelado.

Domingo

Primeira refeição

6, 7 horas (desjejum)

Banana amassada com leite e biscoito

8, 9 horas

Suco de frutas

Segunda refeição

10, 11 horas (almoço)

Galinha, arroz, caldo de feijão e purê de chuchu
Sobremesa: sorvete de creme ou iogurte

Terceira refeição

2, 3 horas (lanche)

Sanduíche de presunto, fruta crua e café

Quarta refeição

6, 7 horas (jantar)

Sopa de pão, ravióli, arroz e ovo mexido
Sobremesa: torta de maçã

Preparo

Para a quarta refeição:

Sopa de pão: coloque 100g de fatias de pão dormido numa panela com 1 litro de caldo de carne e leve para ferver durante uns vinte minutos. Retire do fogo e adicione, imediatamente, 1 gema, previamente dissolvida em 1 xícara (das de chá) de leite fervido.

DUAS SUGESTÕES DE REGIME PARA UMA CRIANÇA DE DOIS ANOS

Primeira sugestão

Às 7 horas (desjejum)

laranja (50g)
1 banana grande ou 2 pequenas (100g)
2 colheres (das de sopa, rasas) de açúcar (10g)
dois biscoitos tipo Maria (20g)
1 colher (das de sopa) de creme de leite

Às 11 horas (almoço)

2 colheres (das de sopa) de arroz (25g)
2 colheres (das de sopa, cheias) de fígado picado (30g)
1 xícara (das de café, pequena) de purê de caruru (50g)
2 colheres (das de chá, cheias) de manteiga (10g)
Sobremesa: 1 fatia de mamão (75g) com 2 colheres (das de sopa, rasas) de açúcar (10g)

Às 15 horas (lanche)

Metade de 1 pão pequeno (25g)
queijo (20g)
2 colheres (das de chá, cheias) de manteiga (10g)

Às 19 horas (jantar)

1 colher (das de sopa, cheia) de peixe desfiado (25g)
6 favas de ervilha (30g)
1 batata-inglesa pequena (50g)
1 ovo comum
2 colheres (das de chá, cheias) de manteiga (10g)
Sobremesa: sorvete de creme

Às 22 horas (ceia)

1 copo de água (200ml)
2 colheres (das de chá, rasas) de açúcar (25g)
3 colheres (das de sopa, rasas) de leite em pó integral (25g)

Esta refeição é opcional, indicada especialmente para as crianças que necessitam de superalimentação.

Segunda sugestão

Às 7 horas (desjejum)

Mingau
1 copo e meio de leite de vaca (300g)
3 colheres (das de sopa, rasas) de farinha de aveia (15g)
3 colheres (das de sopa, rasas) de açúcar (15g)
1 pão francês pequeno (50g)
1 colher (das de sopa) de mel

Às 11 horas (almoço)

1 colher e meia (das de sopa, cheia) de carne de vaca picada
1 batata-inglesa pequena e amassada
30g de couve e nabo picados
A metade de um pão francês
2 colheres (das de chá, cheias) de manteiga
Sobremesa: 1 laranja (75g)

Às 15 horas (lanche)

1 xícara das de chá de leite de vaca (150ml)
1 colher (das de sopa, rasa) de açúcar (10g)
A metade de um pão francês
2 colheres (das de chá) de manteiga

Às 19 horas (jantar)

1 colher e meia (das de sopa, cheia) de carne de galinha desfiada
1 ovo cozido, mexido ou pochê
1 colher (das de sopa, cheia) de milho cozido
1 colher (das de sopa) de arroz
Sobremesa: uma fatia fina de goiabada com queijo (40g)

Às 22 horas (ceia)

200ml de leite de vaca
1 colher (das de sopa, rasa) de açúcar

Esta refeição é opcional, indicada especialmente para as crianças que necessitem de superalimentação.

PROTEÇÃO CONTRA ACIDENTES

Cuidados necessários do 18º mês em diante.

Perigo

Por volta dos dois anos em diante, os perigos vão se acentuando devido à inquietude, à rapidez, à imitação e à independência, sem a criança ter noção do perigo à sua frente. Gosta de explorar a vizinhança, trepar, correr e, com o passar dos anos, já apreciam a velocidade, a bicicleta, o futebol, os patins etc.

Banho e água

As piscinas de plástico são perigosas; as para adulto, então, são perigosíssimas.

Sufocação

Os mesmos cuidados que os descritos na página 531.

Queimaduras

Constituem perigo os fósforos, isqueiros e, para as meninas, saias rodadas ou mesmo vestidos feitos com tecidos inflamáveis (alguns tipos de náilon). Garrafas de álcool e líquidos inflamáveis deverão ser escondidos ou colocados em lugares altos.

Brinquedos

Bicicletas nas calçadas e, principalmente, no meio da rua. Também é perigoso jogar futebol com crianças de mais idade.

Aparelhos elétricos e a gás

Os mesmos cuidados que os descritos na página 309

Objetos

Os mesmos cuidados que os descritos na página 266, sobretudo com tintas, ferramentas e aparelhos de jardinagem, todos devendo estar trancados.

Escadas, portas e janelas

Nesta idade, constituem o maior perigo as cadeiras próximas às janelas, ou que possam ser arrastadas, como também pode ocorrer a idéia de a criança elevar o assento da cadeira com caixas ou livros, para espiar. Nunca deve ser esquecido que as crianças são muito imaginativas e travessas. Os muros de terraços e jardins constituem perigo igualmente (ver pág. 367).

Áreas de serviço e cozinha

Além dos cuidados descritos antes, deverão ser levados em consideração os com lata de lixo, edifício em construção, casas velhas, poços e buracos. Na cozinha, cuidado com os detergentes e produtos colocados porventura em garrafas de refrigerante.

Drogas e remédios

Não se esqueça dos cuidados citados na página 367.

Amizades

Desta idade em diante, começa a aparecer o perigo da companhia dos colegas mais velhos, mal-educados ou notoriamente travessos.

Tráfego

Os pais terão de considerar o perigo dos veículos, das calçadas ou ruas movimentadas e, nos mais velhos, a travessura de tomarem carona nos veículos.

Quanto à higiene, ao controle das evacuações e da micção, estas condições se estabelecem na maioria das crianças entre dois anos e dois anos e meio, geralmente usando palavras próprias para dizer o que querem fazer; entretanto, ainda dependem totalmente dos pais para completar suas necessidades fisiológicas. As crianças já conseguem abrir e fechar zíperes. À noite, geralmente, não querem ir para a cama.

ENSINAMENTOS COMPLEMENTARES PARA OS DOIS ANOS

1) O dentista do bebê
2) A higiene dos olhos
3) Atividades culturais e criativas
4) Brinquedos e brincadeiras
5) Gulodices perigosas
6) Disciplina

O DENTISTA DO BEBÊ

Ao completar dois anos, com o aparecimento dos segundos molares decíduos (de leite), dois superiores e dois inferiores, está completa a dentição temporária (também denominada dentição decídua). Esta primeira dentição, iniciada aos seis meses e completada entre 24 e trinta meses, é composta de vinte dentes, que deverão permanecer até os seis anos, quando se iniciará a troca para os dentes definitivos ou permanentes.

Hoje os dentistas especializados em tratamento de "dentes de leite" têm recursos de prevenção que evitam que estes dentes tenham cáries e necessitem ser tratados.

A HIGIENE DOS OLHOS

Iluminação deficiente pode prejudicar a visão; neste caso, é importante o uso de lâmpadas de 100 a 150 watts, e assim mesmo a luminosidade não deverá produzir reflexos. Páginas de livros e revistas lustrosas e brilhantes, com desenhos ou letras, não deverão ser apresentadas às crianças.

O livro ou caderno deverá estar a uma distância de 30cm, pelo menos, da criança, e as figuras ou as letras não deverão ser muito pequenas. Não convém que as crianças até dois anos assistam à televisão.

Piscar os olhos

Fechar as pálpebras é um recurso natural e eficiente para fortalecer a barreira protetora contra as excitações e as agressões, é a defesa do interior contra o exterior.

Dores de cabeça ou enxaquecas

As terríveis dores de cabeça (ou até as enxaquecas), periódicas e transitórias, podem ser provocadas por emoção e cansaço. A criança não se queixa diretamente, mas apresenta-se irritada, sonolenta ou enjoada. Poderão ser notadas ao terminar o segundo ano de vida. Não confunda com a cefaléia do início das doenças febris. Os analgésicos ou anti-histamínicos estão indicados após consulta ao pediatra.

ATIVIDADES CULTURAIS E CRIATIVAS

Livros

Os livros com gravuras coloridas deverão ser colocados à disposição das crianças. Os pais poderão contar histórias baseadas nas gravuras.

Música

Cantam algumas músicas e gostam de ouvir rádio ou discos.

Pintura e desenho

Os lápis de cor são seus objetos preferidos, mudando-os de vez em quando, rabiscando sem motivo exato.

Manipulação

Empilha blocos de madeira ou plástico, faz bolinhos de areia com as mãos etc.

BRINQUEDOS E BRINCADEIRAS

Pegar a criança e jogá-la para o alto, montá-la nos ombros e correr, rodopiar, segurando-a pelos braços ou pelas pernas, pode causar acidentes graves, como fratura de cabeça, luxação (deslocamento) dos ossos dos quadris (articulação coxo-femoral), dos ombros e dos cotovelos. São atitudes impróprias que devem ser evitadas.

Brinquedos barulhentos

O uso de revólveres, metralhadoras e outros deste tipo, que emitem sons agudos, usados constantemente, pode prejudicar a audição das crianças. Constatou-se, nos Estados Unidos, que o uso constante dos denominados *firecrackers*, que além do barulho produzem faíscas, tem provocado déficit de audição para crianças menores e em idade escolar.

GULODICES PERIGOSAS

Toda gulodice que ofereça dificuldade de mastigação pode causar problemas tanto nas vias digestivas como no aparelho respiratório, principalmente as que permanecem muito tempo na boca, tendo mais chance de causar engasgos ou ser aspiradas, provocando sufocamento. As balas denominadas "soft", pelas suas propriedades de dureza e tamanho, constituem perigo de engasgo com sufocação para crianças de qualquer idade.

Estas gulodices não deverão ser dadas às crianças.

DISCIPLINA

A criança desta idade tem uma idéia muito limitada do que é bom ou ruim. Ela não entende regras e admoestações; é uma idade difícil. O castigo poderá ser parte da disciplina, porém o importante é o amor e o afeto, a companhia e os exemplos dos pais. Agrade seu filho recompensando-o, elogiando-o quando estiver contente com ele. Os pais deverão manter a disciplina flexível, sobretudo quando o filho está cansado, estressado ou doente. A expressão do rosto e o tom da voz é melhor do que bater ou dar palmadas. O melhor é o isolamento por alguns minutos, nenhuma atenção, brinquedo ou divertimento. A chave da disciplina é a consistência da sua aplicação e não de acordo com o temperamento ocasional dos pais; sobretudo, aplique-a com calma. Uma medida que deverá ser iniciada nesta idade é o hábito de lavar as mãos antes de ingestão de alimentos. Alguns pediatras acreditam que este hábito, usando sabão líquido, diminui a tendência a resfriados e diarréia.

Crise de raiva

A criança grita, se joga no chão, chuta, bate no chão e até prende a respiração por trinta a sessenta segundos, ficando roxa e apavorando os pais. Segundo alguns educadores, isto é normal e até saudável. Ela pensa que o mundo "se virou" contra ela. Ela estava tentando ser independente, e não deixaram. A criança entende que os pais estão se metendo no seu caminho. Estas crises dependem, naturalmente, do temperamento de cada criança, e as mães já devem ter percebido e deverão saber lidar com cuidado quando tiver de contrariá-la. O problema é que quando estas crises ocorrem fora de casa, na rua, nas visitas, nas lojas comerciais, deixam os pais numa situação difícil, porém não se deve perder a calma. Os pais ficam até envergonhados. O mais aconselhável é levá-la para um banheiro ou para o carro com um abraço imobilizador e voz mansa.

Estas explosões são sempre conflitos de disciplina, e a mãe deverá prever o que vai acontecer. As mães não deverão empurrá-las para a crise. Não provoque, a não ser que a luta valha a pena; a mãe já sabe o que pode desencadear essas crises, entretanto, alguns assuntos são inegociáveis, como tomar banho, não ir para o meio da rua, ir para cama e outras situações.

SUGESTÃO DE CARDÁPIOS PARA CADA DIA DA SEMANA

A orientação para a execução dos cardápios a seguir é em função de características regionais e dos hábitos do brasileiro.

Segunda-feira

Refeição	Horário	Preparação
Desjejum	7 horas	Leite com café ou achocolatado Pão de fôrma com manteiga ou margarina
Colação	10 horas	Limonada
Almoço	12 horas	Arroz e feijão Almôndegas de carne bovina com nabo, vagem e cenoura Docinhos de pêra
Lanche	15 horas	Vitamina de banana
Jantar	18 horas	Sopa de massinha com carne e feijão

Preparo:

Almôndegas de carne

Misture 350g de carne moída cozida, 1 ovo batido, 1 pitada de sal, 1/4 de cebola picada, 1 fatia grossa de pão amanhecido picada. Faça bolinhas e coloque-as num tabuleiro untado. Leve-as ao forno para assar. Regue as almôndegas, de vez em quando, com caldo de carne.

Pêra em calda

Descasque 1 ou 2 pêras maduras e coloque-a (as) em uma panela com pouca água e bastante açúcar. Leve ao fogo para cozinhar. Acrescente 1 colher (das de sopa) de creme de leite.

Terça-feira

Refeição	Horário	Preparação
Desjejum	7 horas	Suco de fruta Pão de leite com queijo-de-minas
Colação	10 horas	Melancia picada
Almoço	12 horas	Arroz e feijão Picadinho de fígado Purê de batatas Pudim de leite
Lanche	15 horas	Arroz-doce
Jantar	18 horas	Canja de galinha

Preparo:

Pudim de leite

Numa batedeira, bata 3 gemas com 300g de açúcar. Acrescente 1 xícara (das de chá) de leite e 1 colher (das de chá) de maisena (dissolvida no próprio leite) e leve ao forno, em banho-maria, numa fôrma untada com manteiga.

Arroz-doce

Leve ao fogo 1 xícara (das de chá) de arroz para cozinhar em 3/4 de litro de leite. Depois de 5 minutos, acrescente 3/4 de xícara (das de chá) de açúcar. Retire do fogo após vinte, 25 minutos.

Quarta-feira

Refeição	Horário	Preparação
Desjejum	7 horas	Leite com achocolatado Pão francês com queijo prato
Colação	10 horas	Suco de abacaxi com hortelã
Almoço	12 horas	Macarrão Frango ensopado desfiado Cenoura *sauté* Docinho de abóbora
Lanche	15 horas	Iogurte com frutas
Jantar	18 horas	Iscas de fígado Purê de batatas Arroz e feijão

Preparo:

Cenoura *sauté*

Numa panela, aqueça 1 colher (das de sopa) de manteiga, cebola picadinha e óleo, deixando dourar. Adicione as cenouras raspadas e cortadas em rodelas finas. Acrescente água suficiente para cobri-las e deixe cozinhar com a panela tampada, em fogo moderado, até a cenoura ficar macia. Escorra a água e sirva.

Doce de abóbora

Corte 50g de abóbora em cubos pequenos e leve ao fogo com 50g de açúcar, sem água, até ficar uma pasta homogênea, pois a abóbora se desfaz. Mexa com uma colher de pau para ver o ponto em que a massa começa a pegar no fundo da panela.

Purê de batatas

Descasque 250g de batatas e cozinhe-as em 500ml de água com 1 pitada de sal. Passe-as depois pelo espremedor e leve de novo ao fogo. Acrescente 1/2 copo de leite e 2 colheres (das de chá) de manteiga, mexendo sempre, até ficar cremoso.

Quinta-feira

Refeição	Horário	Preparação
Desjejum	7 horas	Mingau de aveia Biscoito com manteiga, margarina e geléia de frutas
Colação	10 horas	Suco de caju
Almoço	12 horas	Polenta ou angu Filé de pescada ao forno com brócolis e cenoura Pudim de maçã
Lanche	15 horas	Iogurte com sucrilhos
Jantar	18 horas	Arroz e feijão Suflê de couve-flor e queijo

Preparo:

Filé de pescada ao forno

Limpe 1/2 kg de filé de pescada e tempere com suco de limão e sal. Faça uma pasta com 2 colheres (das de sopa) de manteiga, 1 colher (das de sopa) de salsa picada e sal a gosto. Unte um pedaço de papel-alumínio com a manteiga temperada, embrulhe os filés e leve ao forno moderado, numa fôrma untada com óleo, por vinte minutos.

Pudim de maçã

Unte um refratário com manteiga. Coloque 1 camada de fatias de pão amanhecido embebido em leite com açúcar. Polvilhe com açúcar e cubra com uma camada de maçãs descascadas e fatiadas. Polvilhe com açúcar e canela em pó. Repita as camadas sucessivamente. Asse em fogo brando.

Suflê de couve-flor e queijo

Lave a couve-flor e separe-a em buquês. Cozinhe por 20 minutos em água e sal. Escorra e passe-a pelo espremedor. Umedeça com leite 1/2 xícara (das de chá) de miolo de pão. Esprema o pão e misture à couve-flor. Junte 1/2 xícara (das de chá) de queijo prato ralado e 3 gemas. Por fim, acrescente as claras batidas em neve, misturando delicadamente. Coloque em fôrma untada e leve ao forno, em banho-maria, em forno quente pré-aquecido, por 40 minutos.

Sexta-feira

Refeição	Horário	Preparação
Desjejum	7 horas	Iogurte Banana amassada com biscoito tipo maisena picado
Colação	10 horas	Laranja-pêra fatiada
Almoço	12 horas	Arroz e feijão Bifinho de panela Quibebe de abóbora Salada de frutas
Lanche	15 horas	Canjica
Jantar	18 horas	Risoto de frango com cenoura e brócolis Feijão

Preparo:

Quibebe de abóbora

Aqueça o óleo e doure a cebola e o alho. Acrescente 50g de abóbora cortada em cubos pequenos e temperados com sal, sem água, até ficar uma pasta homogênea, pois a abóbora se desfaz. Mexa com uma colher de pau para ver o ponto em que a massa começa a pegar no fundo da panela.

Canjica

Leve ao fogo 250g de milho para canjica com bastante água e um pouco de açúcar. Deixe cozinhar até amolecer bem o grão. Acrescente 2 copos de leite e deixe ferver. Quando a canjica estiver macia, e o caldo bem espesso, retire do fogo.

Risoto de frango com cenoura e brócolis

Desfie 1 peito de frango temperado e pronto. Prepare o arroz normalmente, acrescentando na água de cozimento o frango, a cenoura e o brócolis picadinho. Não deixe secar muito, o risoto deverá ficar úmido.

Sábado

Refeição	Horário	Preparação
Desjejum	7 horas	Mingau de cremogema Pão de queijo
Colação	10 horas	Creme de abacate
Almoço	12 horas	Arroz com lentilhas Panqueca de frango Espinafre batido Purê de aipim Docinho de banana
Lanche	15 horas	Mingau de aveia
Jantar	18 horas	Sopa de batata com carne e couve picada

Preparo:

Panqueca de frango

Leve ao liqüidificador 1 xícara (das de chá) de leite, 1 xícara (das de chá) de farinha de trigo, 1/2 colher (das de chá) de fermento em pó, 1 ovo e 1 pitada de sal. Deixe descansar por 5, 10 minutos. Unte uma frigideira com 1/2 colher (das de sopa) de óleo e leve ao fogo baixo. Quando estiver quente, despeje 1 colher (das de sopa) cheia de massa. Quando estiver corada embaixo, vire-a e deixe corar. Retire do fogo e recheie com frango desfiado. Repita a operação até acabar a massa.

Purê de aipim

Descasque 250g de aipim e cozinhe em 500ml de água com 1 pitada de sal. Passe pelo espremedor e coloque de novo na panela. Acrescente 1/2 copo de leite, 2 colheres (das de chá) de manteiga e leve ao fogo, mexendo sempre, até ficar cremoso.

Sopa de batata com carne e couve picada

Cozinhe 4 batatas picadas em 50g de caldo de carne. Passe depois numa peneira e acrescente 1/2 xícara (das de chá) de leite, 1 colher (das de chá) de manteiga e 1 gema. Leve ao fogo com 2 colheres (das de sopa) de carne moída e couve picada.

Domingo

Refeição	Horário	Preparação
Desjejum	7 horas	Leite com Neston Biscoito tipo maisena com requeijão
Colação	10 horas	Suco de laranja com acerola
Almoço	12 horas	Bolo de batata com carne Salada de alface e tomate Arroz com lentilhas Mamão fatiado
Lanche	15 horas	Bolo de cenoura com sorvete de creme
Jantar	18 horas	Macarrão Vagem refogada com ovo pochê Musse de maracujá

Preparo:

Bolo de batata com carne

Numa vasilha, coloque 2 xícaras (das de chá) de batata cozida e amassada, 2 xícaras (das de chá) de farinha de trigo, 1 colher (das de sopa) de fermento em pó, 1/2 xícara (das de chá) de queijo ralado, 3 ovos batidos e misture tudo muito bem. Amasse com a ponta dos dedos até obter uma massa homogênea. Forre o fundo de um refratário com a metade da massa. Espalhe uma camada de carne moída refogada e cubra-a com o restante da massa. Asse em forno moderado, até dourar.

Arroz com lentilhas

Em 2 litros de água, coloque 200g de lentilhas e leve ao fogo até cozinhar. Acrescente 1 xícara (das de chá) de arroz e cozinhe em fogo brando, com a panela tampada, até que fique macio.

Capítulo 26

A Dentição

Cuidando dos dentes do bebê

A dentição

O momento da escovação dentária deve ser descontraído, para etimular a criança a manter uma boa higiene bucal.

Conhecendo os fatores envolvidos no aparecimento da cárie na primeira infância, os pais podem contribuir diariamente adotando medidas preventivas favoráveis ao desenvolvimento bucal de seu filho.

É importante ressaltar que a família representa o modelo de comportamento para a criança. Desta forma, pai, mãe, avós, e pessoas próximas as crianças precisam ter atitudes positivas e saudáveis!!! Sabemos que a alimentação tem papel importante no crescimento e desenvolvimento do bebê e os hábitos alimentares estão diretamente ligados à dieta consumida pela família. Aquela criança que convive com uma dieta baseada em açúcar apresentará maior chance de adquirir cárie. Precisamos ter em mente que os hábitos acabam fazendo parte de uma rotina que deve ser a mais saudável possível para que o bebê se torne uma criança saudável e um adulto feliz!

CUIDADOS COM A MAMÃE AINDA NA GRAVIDEZ

Além dos cuidados médicos recebidos durante o acompanhamento pré-natal, a futura mamãe deve ser orientada para adotar uma dieta variada, rica em cálcio e proteínas, vitaminas, sais minerais, elementos importantes para a formação de dentes e ossos, bem como o crescimento e desenvolvimento do feto. O consumo de carboidratos e gordura deve ser controlado durante a gravidez. Já se sabe que o paladar do bebê se desenvolve ainda dentro da barriga da mãe. Aquela mãe que possui uma dieta baseada em carboidratos (açúcar) estará influenciando seu bebê a receber alimentos açucarados. Além disso, o consumo freqüente de doces, biscoitos, massas, bolos, pães aumentam a formação de placa bacteriana na boca da mãe, comprometendo não só sua saúde bucal, como também seu estado geral.

Levando-se em consideração que a cárie é uma doença infecto-contagiosa, a mãe deve apresentar boa condição dentária a fim de diminuir (minimizar) a possibilidade de transmitir ao bebê as bactérias causadoras de cárie, após o nascimento da criança. Desta forma, seria conveniente que toda gestante consultasse seu dentista regularmente, além de redobrar a atenção com sua higiene oral. Durante a gravidez, o segundo trimestre parece ser o mais indicado ao tratamento dentário.

AO NASCIMENTO...

O desenvolvimento da face e da cavidade bucal se inicia precocemente entre a 4ª e 8ª semana de vida-intra-uterina. Por volta da 6ª semana de gestação os dentes de leite começam a se formar, de modo que ao nascer, o bebê apresenta os dentes de leite ainda incompletos em seus maxilares. Também ao nascer, observamos o início de calcificação dos primeiros molares permanentes, que aparecerão na boca por época dos seis anos de idade.

É importante ressaltar que fatores genéticos e ambientais podem acarretar alterações de desenvolvimento da boca e face do embrião. Desta forma deparamo-nos com as fissuras lábio-palatinas.

As fissuras lábio-palatinas constituem as mais comuns de todas as deformidades congênitas, isto é, presentes ao nascimento.

Uma série de estudos epidemiológicos, experimentais e genéticos tem sido realizada a fim de se estabelecer a relação causa-efeito para o aparecimento desta má-formação.

Dois fatores parecem determinantes ao seu aparecimento: genéticos e ambientais. Estes fatores podem atuar simultaneamente ou isoladamente e de acordo com sua intensidade, susceptibilidade do indivíduo, tempo de atuação e o período de gravidez, aqueles fatores determinarão o tipo de fissura como também o grau de complexidade da mesma.

As fissuras lábio-palatinas são resultado da falta de união entre os processos faciais durante a formação da face do bebê na vida intra-uterina.

Os tipos de fissuras variam de acordo com as partes afetadas da boca. Elas variam desde pequenos defeitos envolvendo o lábio superior (lábio leporino) até o tipo mais complexo que afeta tanto o lábio superior como o palato (céu da boca).

O Brasil dispõe de um hospital considerado centro de referência de pesquisa e tratamento de crianças portadoras de fissuras lábio-palatinas. O Hospital de Reabilitação de Bauru (HRB-USP) conta com uma equipe multidisciplinar (cirurgião-plástico, otorrinolaringologista, dentistas, nutricionistas, fonoaudiólogos). Ao chegar ao hospital a criança será acolhida pela equipe, que planejará todo o tratamento necessário, como época oportuna para a cirurgia da fissura acompanhando também o crescimento e desenvolvimento facial.

Alguns bebês podem apresentar, por ocasião do nascimento, os **dentes natais**. Normalmente estão localizados na parte inferior do arco dentário e costumam chamar muita atenção dos pais. É importante que o odontopediatra seja consultado a fim de examinar o dente e verificar se o mesmo tem boa implantação ou se apresenta risco de ser engolido. Neste caso a remoção do dentinho está indicada ainda mais se atrapalhar a amamentação.

Não é raro este dentinho ser um dente a mais, chamado de dente supranumerário devendo ser removido. Quando o dente irrompe nos primeiros trinta dias de vida ele é chamado de neonatal e os mesmos princípios devem ser observados.

Amamentação e aleitamento artificial

Sempre que possível deve ser dada preferência ao aleitamento materno, porque:

a) A amamentação promove uma troca de carinho entre a mãe e o bebê contribuindo para o desenvolvimento emocional da criança;

b) Supre as necessidades nutritivas do bebê;

c) Confere defesa ao bebê pela presença de anticorpos existentes no leite materno;

d) Promove um crescimento e desenvolvimento facial harmônico; a sucção faz com que o bebê fortaleça seus músculos da face, preparando-os para a mastigação e a fala;

e) A criança que mama bem no peito até os seis meses de vida tem menores chances de adquirir hábitos bucais não nutritivos (sucção de dedo/chupeta);

f) Diminui a possibilidade de ingestão de alimentos açucarados (pelo preparo da mamadeira);

g) **O aleitamento materno é prático, seguro e saudável!**

Ato de amamentar

A amamentação vai além do simples fato de alimentar o bebê. Para que realmente haja a troca de carinho e o bebê receba toda a atenção necessária, a família deve propiciar um ambiente tranqüilo. No ambiente escolhido, a mãe deve encontrar silêncio e o ideal é que ela se acomode confortavelmente. Ainda na maternidade a mãe deverá ser orientada quanto à melhor maneira de posicionar o bebê no colo durante a amamentação.

Até o sexto mês de vida a amamentação deve ser baseada na livre demanda, mesmo porque o bebê ainda não apresenta dentes para mastigar os alimentos. Por essa época, ele já é capaz de controlar as funções dos lábios e também de se sentar sozinho, sendo o momento ideal de transição de alimentação líquida (leite, sucos etc.) para pastosa (papa de frutas, sopinhas, maçã raspada etc.).

É importante ressaltar que a criança nesta fase está adquirindo hábitos alimentares que provavelmente a acompanharão por um bom período de sua vida, desta forma devemos:

a) Oferecer os alimentos líquidos em copinhos e colheres, no lugar da mamadeira, a fim de desestimular o seu uso;

b) Não acrescentar açúcar (sacarose), nem mel, em bebidas (mate, sucos de frutas etc.);

c) Evitar os biscoitos e as guloseimas, pois a consistência dos alimentos parece estar diretamente relacionada ao aparecimento da cárie dentária. Quanto mais tempo os resíduos alimentares ficarem em contato direto com a superfície dentária maior a probabilidade de cárie;

d) **Oferecer os doces como sobremesa, pois teremos a certeza de que os dentes serão escovados;**

e) Basear a dieta em alimentos naturais e se possível ricos em fibras o que promovem a autolimpeza das superfícies dentárias, além de estimular o desenvolvimento dos músculos faciais;

f) Evitar oferecer alimentos a criança a toda hora! Já se sabe que aquela criança que come pequenas quantidades de alimentos (geralmente sucos, biscoitos) estão mais suscetíveis ao aparecimento de cárie e além disso provavelmente perderão o apetite nas principais refeições. **Os horários de alimentação devem ser respeitados!**

É importante ressaltar que estudos realizados por Robin, Naylor em 1963, Walter et al (1987) demonstraram haver relação entre o aparecimento de cárie "tipo cárie de mamadeira" e o fato de a criança dormir mamando. Cerca de 30% da população estudada amamentava na cama e 88% dos filhos desta população apresentavam cárie, contra 12% sem cáries.

Cárie de mamadeira

A cárie de mamadeira é uma doença de progressão rápida, observada naquelas crianças que recebem mamadeiras durante todo dia e também à noite e onde a higiene oral não é realizada ou é feita inadequadamente. O conteúdo da mamadeira pode ser leite de vaca, sucos de frutas, mate ou até leite materno.

O hábito de fazer a criança dormir mamando parece ser determinante ao seu aparecimento. Ao pegar no sono cessam os movimentos musculares de sucção, deste modo o último gole de leite fica retido e estagnado na boca do bebê permanecendo em contato direto com as superfícies dentárias. O fluxo salivar também diminui consideravelmente, propiciando a descalcificação do esmalte dentário que passa a ter um aspecto opaco, tendo início a cárie dentária.

Características

- Observada em crianças que fazem uso da mamadeira para dormir e que não recebem a limpeza adequada;
- Os bebês são afetados antes de completarem o primeiro ano de idade;
- Evolui rapidamente, destruindo os dentes;
- Muitos dentes podem estar envolvidos;
- Inicialmente o esmalte dentário adquire o aspecto de cor branca opaca;
- Pode estar associada ao consumo excessivo de açúcar (sacarose), seja no preparo da mamadeira, sucos, mingaus etc;

Uso da mamadeira

Nos casos em que o aleitamento materno não se faz de maneira exclusiva (por razões diversas), os pais precisam lançar mão da mamadeira, a fim de alimentar seu filho. O ideal é que se consiga conciliar aleitamento materno mais complementação com a mamadeira com o objetivo de que a criança se beneficie das vantagens da amamentação natural. Quando precisamos utilizar a mamadeira, devemos estar atentos em também transmitir atenção e carinho ao bebê neste momento.

Como podemos evitar a cárie de mamadeira?

- Evite adoçar o conteúdo das mamadeiras, a não ser que o pediatra tenha recomendado. Os produtos destinados à alimentação infantil já possuem os carboidratos necessários ao crescimento e desenvolvimento da criança.
- Após as mamadas procure higienizar a boca da criança, seja com uma fralda enrolada no dedo indicador e umedecida com água filtrada, seja com uma escova dental macia e creme dental sem flúor. Esta higiene é indispensável à noite (de madrugada), quando a salivação está diminuída.
- Nunca adoce os bicos de mamadeiras nem chupetas com açúcar ou mel.
- A mamadeira deve ser removida da boca do bebê assim que ele adormece e a limpeza realizada em seguida.

É importante lembrar que estamos criando hábitos alimentares. Se o seu filho receber alimentos muito açucarados ele se acostumará com o paladar doce dificultando a aceitação de alimentos naturais no futuro, como frutas por exemplo.

Mesmo aquelas crianças que recebem exclusivamente o leite materno podem apresentar cárie se a atenção com a higienização da boca não for adequada. O leite materno contém a lactose (açúcar do leite) e o aparecimento da cárie nestas crianças parece estar associado ao número de vezes em que ela mama por dia com permanência por mais de três anos e com limpeza deficiente.

Desta forma concluímos que mesmo oferecendo exclusivamente leite materno a higiene dos dentes deve ser realizada.

Na tentativa de se remover o hábito da mamadeira noturna os pais podem diluir o leite com água. Isto deve ser feito gradativamente aumentando a quantidade de água aos poucos. Quando se percebe que a criança gosta de tomar o leite antes de dormir, a mamadeira deve ser oferecida meia hora antes do habitual e logo após os dentes devem ser limpos.

Qual mamadeira escolher?

Existem no mercado vários tipos de mamadeiras. Deve ser dada preferência às que possuem o bico ortodôntico. O bico ortodôntico tem a forma parecida ao bico do seio materno propiciando a embocadura mais adequada quando comparada aos bicos comuns, favorecendo o ato de sucção. O tamanho do orifício também tem importância para que, ao sugar, o bebê possa estimular o desenvolvimento dos músculos faciais. Se o furo for muito grande, a quantidade de leite ingerida será aumentada em relação ao seio materno, diminuindo os estímulos faciais. O bico da mamadeira deverá ser sempre bem higienizado e trocado quando o buraco aumentar ou conforme a boca do bebê for crescendo (alguns fabricantes possuem bicos ortodônticos de diferentes números 1-2-3, de acordo com a idade do bebê).

Uso da chupeta

O bebê ainda na vida intra-uterina experimenta o ato de sugar de maneira reflexa quando suga a língua, lábios e até os dedos.

Ao nascimento a sucção já está desenvolvida e é de extrema importância ao seu crescimento e desenvolvimento.

A boca e suas estruturas são muito sensíveis e através dela o bebê experimenta o primeiro contato com a mãe, o que lhe confere muito prazer, carinho e conforto emocional.

Algumas crianças não satisfeitas plenamente com o tempo em que sugam o seio ou a mamadeira podem demonstrar certa inquietação após terem sido alimentadas. A chupeta pode ser utilizada para acalmar a criança que não tem a sucção satisfeita por completo. Mas para oferecê-la nesta situação é preciso que os pais estejam atentos ao comportamento do bebê. Oferecer a chupeta a cada demonstração de choro, inquietação, irritabilidade, pode contribuir para que a criança se condicione a "necessitar" da chupeta todo momento em que demonstrar tal comportamento, transformando o uso da chupeta em um hábito de difícil remoção.

Antes de dormir os pais podem oferecer a chupeta ao bebê, tendo o cuidado de removê-la da boca assim que o bebê adormecer. As chupetas não devem ficar disponíveis pela casa nem presas ao corpo do bebê (uso de cordões). As chupetas ortodônticas são as mais indicadas, devendo ser trocadas de acordo com o crescimento da boca do bebê. Devem ser lavadas e se possível esterilizadas (microondas).

O uso prolongado das chupetas pode acarretar alterações tanto dos dentes propriamente ditos, como nos arcos dentais da criança. As crianças que fazem uso da chupeta durante grande período do dia podem apresentar mordida aberta anterior como também mordida cruzada posterior. A força muscular provocada pelo ato contínuo de sucção da chupeta sobre o osso maxilar parece determinar estas alterações, trazendo conseqüências à mastigação, à fala e à deglutição.

Se o hábito da chupeta (ou dedo) continuar após os dois anos de idade pode causar problemas ortodônticos aos dentes permanentes.

A fim de distraí-la quando estiver irritada o adulto poderá fazer brincadeiras, ler histórias, cantar para a criança assim como estimular seu desenvolvimento motor.

Para a remoção do hábito da chupeta toda a família deve ser carinhosa com a criança nunca utilizando métodos agressivos como apelidos, uso de pimenta ou castigos que podem afetá-la psicologicamente. Algumas vezes a chupeta é substituída pelo dedo, sendo este um hábito mais difícil de ser removido.

QUANDO COMEÇAR A LIMPEZA DA BOCA DO BEBÊ?

Os cuidados preventivos em relação à saúde bucal do bebê devem ter início logo que ele nasce. Assim como ele terá uma rotina de higiene corporal, a limpeza de sua boca deve ser realizada diariamente.

Por que e como realizar esta limpeza?

A limpeza se faz necessária para a remoção de resíduos de leite (materno ou industrializado) que permanecem retidos na boca após as mamadas. Este hábito, além de promover a limpeza, faz com que o bebê se acostume à manipulação de sua boca, facilitando a aceitação futura da escovação dentária.

Para uma limpeza eficaz as pessoas que cuidam do bebê devem:

- Lavar bem as mãos com água e sabão;
- Enrolar uma compressa de gaze ou a ponta da fralda no dedo indicador e em seguida umedecer com água filtrada;
- Passar suavemente nos rebordos gengivais (superior e inferior), como também na parte interna das bochechas, uma vez ao dia podendo ser realizada após o banho.

Este procedimento deve ser mantido e depois intensificado quando do aparecimento dos primeiros dentinhos (por volta dos seis meses de idade).

A partir dos seis meses de idade, podemos também utilizar dedeiras plásticas disponíveis no mercado ou escova dental macia com creme dental sem flúor.

QUANDO LEVAR PELA PRIMEIRA VEZ O BEBÊ AO ODONTOPEDIATRA?

Após o aparecimento do primeiro dentinho de leite parece ser a época ideal para a primeira consulta ao odontopediatra. Nesta consulta os pais/responsáveis receberão orientação quanto à dieta, higiene oral, técnica de escovação, tipo de creme dental a utilizar bem como um exame clínico apurado da boca do bebê deverá ser realizado.

Parece haver relação entre o aparecimento dos primeiros molares de leite e o período de contaminação da boca do bebê por bactérias causadoras da cárie dentária, portanto, cuidados intensificados nesta fase parecem eficazes visando diminuir a contaminação da boca do bebê por bactérias cariogênicas (causadoras de cárie).

A DENTIÇÃO HUMANA

A dentição humana é constituída por duas fases, a saber:

1) A dentição decídua (temporária, também chamada de "dentes de leite", que se completa por volta dos 3 anos de idade, com 20 dentinhos (10 superiores e dez inferiores)

2) A dentição permanente (está completa por volta dos 18 anos de idade com o aparecimento dos dentes sisos, tendo um total de 32 dentes).

Usamos o termo fase de dentição mista para descrever o período no qual a criança possui na boca tanto dentes de leite como os permanentes (geralmente a partir dos cinco anos de idade, até a troca do último dente de leite).

É interessante mencionar que por volta dos 6 anos de idade irrompem na região posterior da boca da criança os primeiros molares permanentes sem que precise "cair" nenhum dente de leite. Estes dentes são em número de quatro, sendo dois superiores e dois inferiores localizados atrás dos últimos dentes de leite.

Como sua anatomia é rica em sulcos e reentrâncias, especial atenção deve ser dada à escovação e o dentista deve avaliar a necessidade de aplicação de selante oclusal a fim de prevenir a cárie dentária nestes dentes.

Por que devemos nos preocupar em manter saudável a boca da criança, já que os dentes de leite têm caráter temporário?

Os dentes de leite cumprem importantes papéis, a saber:

- Participam da mastigação. A criança precisa mastigar bem os alimentos necessários ao seu crescimento e desenvolvimento. A mastigação compreende a primeira etapa da digestão, sendo de grande importância para o desenvolvimento dos músculos faciais;
- A criança com dor de dente não consegue se alimentar de maneira adequada;
- Mantém o espaço necessário nos arcos dentais (maxila e mandíbula) para o dente sucessor permanente (que se localiza abaixo de cada dente de leite), até a época de troca da dentição. Aquela criança que perde o dente de leite antes do tempo esperado poderá apresentar problemas de desenvolvimento de sua oclusão (relação funcional entre os dentes superiores e inferiores);
- Participam na emissão de vários fonemas, da deglutição;
- Quando bem cuidados, contribuem para a estética da garotada. Nada mais cativante que um belo sorriso de uma criança!

Os dentes de leite são bem semelhantes aos permanentes, tendo sua estrutura composta de esmalte dentário, dentina e polpa dentária (canal do dente de leite). Uma vez instalada a cárie, a porção mais dura, mineralizada do dente (esmalte dentário) começa a se descalcificar, em seguida a dentina (camada abaixo do esmalte), é afetada e a cárie progride até a polpa causando o envolvimento do "canal" do dente (ver ilustração na página 464).

Quando a prática odontológica preventiva é iniciada ainda na primeira infância, observa-se que a criança apresentará boas condições bucais (poucos ou nenhum dente cariado), atravessará a fase de dentição mista e chegará à adolescência livre de cárie dentária e gengivite. Esta prática inclui cuidados diários realizados por pais, babás, avós, como também visitas periódicas ao consultório do odontopediatra com intervalos indicados a cada caso.

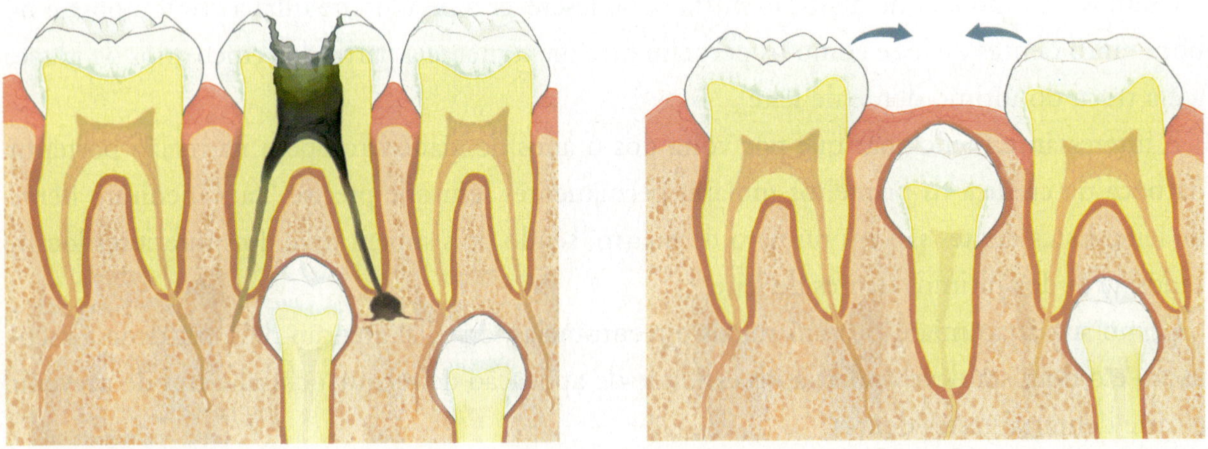

Perda precoce do dente de leite por lesão de cárie extensa: tendo como conseqüência o fechamento de espaço no arco dentário. Um aparelho para manter o espaço é necessário até o aparecimento do dente permanente sucessor.

Cronologia da erupção dentária

Ao nascer, embora ainda não aparentes, o bebê apresenta os dentes de leite em desenvolvimento, presentes na maxila (arco dental superior) e mandíbula (arco dental inferior).

Por volta dos seis meses de idade os dentes iniciam seu aparecimento na cavidade bucal. Geralmente a erupção dentária tem seu início com os incisivos centrais inferiores, podendo em alguns casos haver alteração quanto à época, como também à seqüência da erupção.

Cronologia de erupção dentária. Dentição decídua (segundo a ADA, 1981)

- Incisivos inferiores – 6-10 meses
- Incisivos superiores – 8-12 meses
- Primeiros molares – 12-16 meses
- Caninos – 16-20 meses
- Segundos molares – 20-30 meses

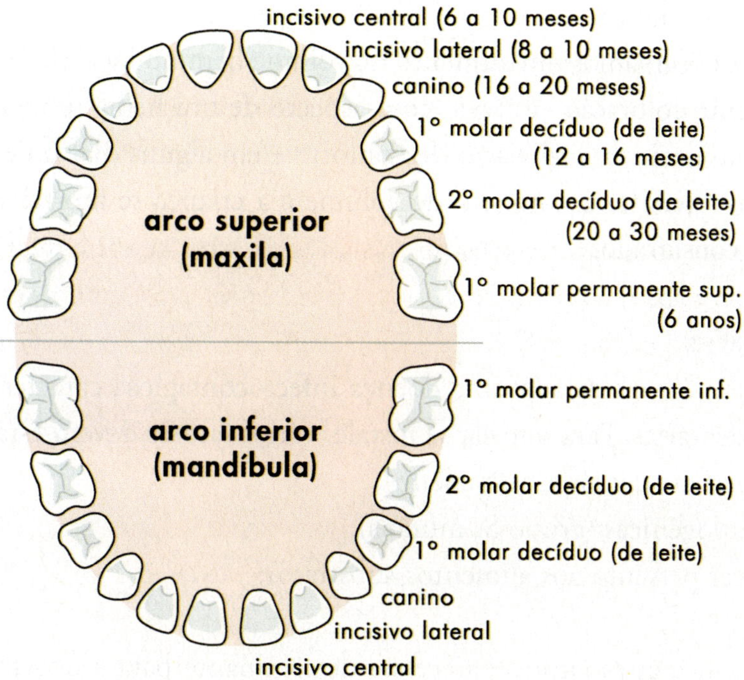

A dentição decídua (de leite) se completa por volta dos 2 anos e meio a 3 anos de idade. Quando completa, apresenta 20 dentinhos de leite, sendo 10 no arco superior e 10 no arco inferior.

A irrupção dentária não é absolutamente silenciosa. Embora não estejam diretamente ligadas à irrupção dentária, os bebês podem apresentar algumas alterações de ordem sistêmica por época do aparecimento dos dentes de leite, são elas:

- Sialorréia (aumento da salivação – 88% dos casos). O bebê "baba" muito;
- Diarréia (87%). Nesta fase o bebê leva muitos objetos contaminados à boca;
- Coriza;
- Irritabilidade;
- Febre;
- Inapetência;
- Tosse etc.

Após ter sido examinado pelo pediatra e excluídas várias enfermidades, os pais podem ajudar o bebê a fim de diminuir os sintomas apresentados. Em caso de dor e febre poderá ser administrado o analgésico e antitérmico de costume. Para alívio do local, está indicada massagem na gengiva várias vezes ao dia; para massagear poderá ser usada uma dedeira de silicone, uma escova dental macia ou até mesmo o dedo indicador depois de limpo. Outro recurso eficaz é o uso de mordedores de silicone que contêm líquido no interior. Estes mordedores devem ser colocados no refrigerador, pois quando gelados aliviam o local dando conforto a criança.

Algumas vezes observamos um aumento de volume bem no local de aparecimento do dente de leite. Apresenta coloração violácea, com aspecto de um hematoma. A massagem do local com uma escova macia deve aliviar o desconforto e em alguns dias o dentinho deve aparecer na gengiva. Caso persista o aumento de volume e a criança se mostre irritada, o odontopediatra deve ser consultado.

Cárie dentária

A cárie dentária é considerada uma doença infectocontagiosa caracterizada pela destruição das estruturas dentárias. Para que ela se instale, vários fatores devem estar presentes. São eles:

- Dente (superfície dentária-hospedeiro);
- Bactérias cariogênicas (grupo S. mutans);
- Dieta (açúcar presente nos alimentos-substrato);
- Tempo.

O equilíbrio entre estes fatores parece ser determinante para a ocorrência ou não da cárie dentária.

Na boca existem bactérias causadoras de cárie. Estas bactérias utilizam os restos alimentares, se organizam e colonizam a superfície dentária, formando a placa bacteriana. O açúcar presente na dieta serve como fonte de energia a estas bactérias tendo como resultado a produção de ácidos para o meio bucal. A acidez do meio bucal favorece a saída de minerais (desmineralização) do esmalte dentário, iniciando a lesão de cárie.

Nesta fase inicial da cárie, o esmalte dentário perde seu aspecto de superfície brilhante, assumindo um aspecto de mancha branca, opaca e de superfície rugosa. É importante ressaltar que

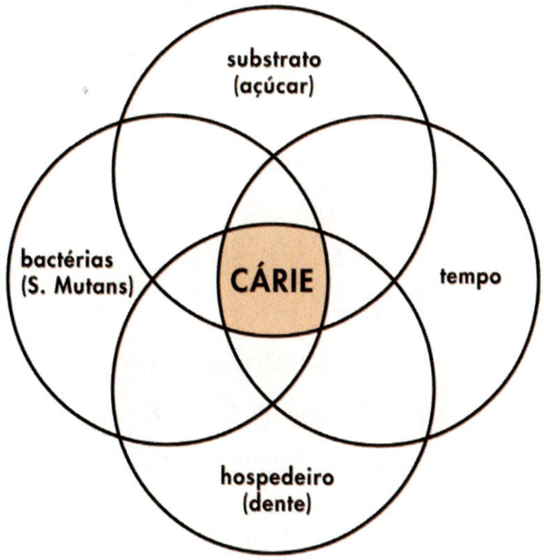

Diagrama de Keyes 1972, Newbrun 1988.

com a mudança de hábitos alimentares e de higiene somados à fluorterapia pode haver a paralisação do processo de cárie.

Ao contrário, quando estas medidas não são adotadas, o acúmulo de placa bacteriana fará com que o dente continue sofrendo ataques ácidos, perdendo cada vez mais minerais para o meio bucal. A lesão de cárie que tinha o aspecto de mancha branca assume um aspecto de cavidade (buraco) pela perda de apoio da estrutura do esmalte dentário. Nesta fase encontramos envolvimento da dentina (tecido subjacente ao esmalte dentário) e a criança poderá sentir dor ao provar algum alimento frio, quente ou doce. A dentina por não ser tão mineralizada quanto o esmalte dentário não confere tanta resistência à progressão da cárie, deste modo, a cárie avança em direção à polpa dentária (canal do dente). Nestes casos, o tratamento endodôntico (do canal) está indicado a fim de se manter o dente de leite na boca até a época de sua troca pelo dente permanente.

E na boca, onde há maior acúmulo destas bactérias cariogênicas?

Justamente naquelas superfícies dentárias em que a remoção de placa bacteriana durante a escovação é mais difícil, são elas:

- Parte de cima (oclusal) dos dentes posteriores (molares decíduos), onde a própria anatomia dental apresenta muitos sulcos e fissuras que retêm os restos alimentares;
- Nas áreas de contato de um dente com o dente vizinho (onde para uma perfeita higiene devemos usar o fio dental, mesmo na criança);
- Na região do dente próxima à gengiva (sulco gengival) onde o acúmulo de placa bacteriana pode causar gengivite (inflamação gengival).

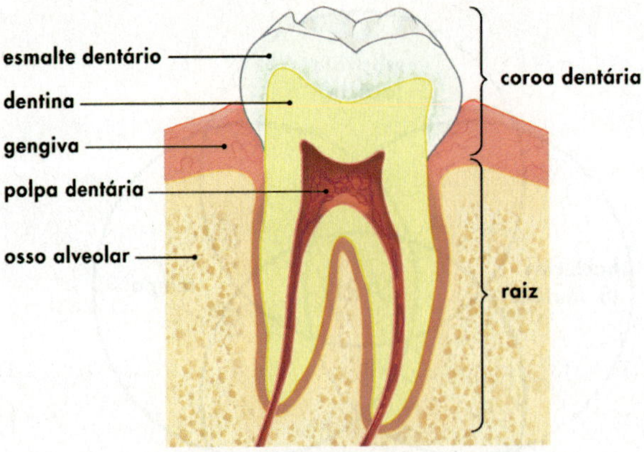

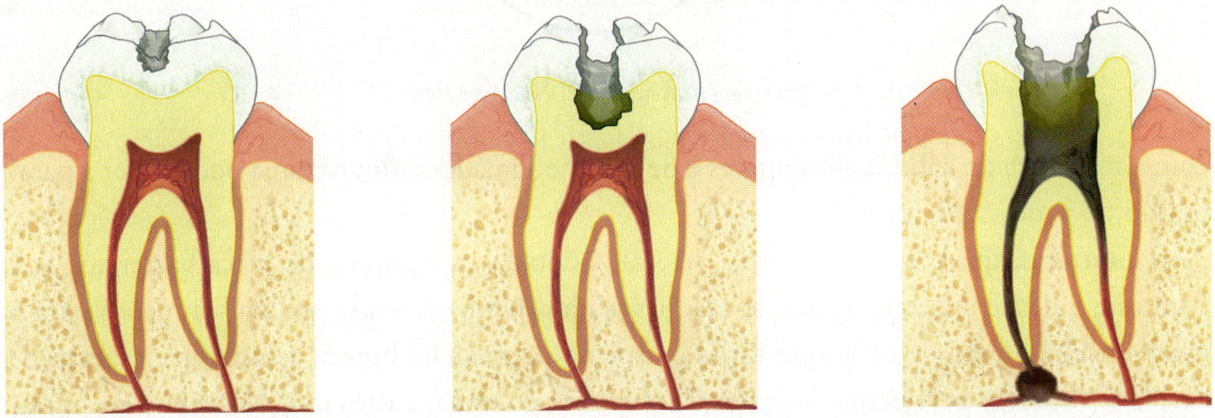

a) Lesão de cárie limitada ao esmalte dentário

b) Lesão de cárie atingindo esmalte e dentina

c) Lesão de cárie envolvendo a polpa dentária, necrose pulpar

Caráter infectocontagioso da doença cárie

Já se sabe que a cárie dentária é uma doença infectocontagiosa, isto é, pode ser transmitida de uma pessoa à outra. As bactérias causadoras de cárie podem ser transmitidas ao bebê através do contato com pessoas do meio familiar, sendo as mães as grandes responsáveis por esta transmissão.

O que podemos fazer para que esta contaminação seja a menor possível?

A mãe e pessoas próximas ao bebê devem apresentar boa saúde bucal. Isto quer dizer que devem não só ter os dentes bem restaurados como também adequada higiene oral.

- Evitar beijar o bebê na boca; existem outras formas carinhosas de expressar o amor;
- Não provar a comida que vai ser oferecida ao bebê num mesmo talher;
- Não beber no mesmo copo ou canudo que o bebê está utilizando;
- Não soprar a comida do bebê;
- Cada um deve ter sua própria escova de dentes;
- Os bicos de mamadeiras e chupetas devem ser esterilizados.

Que cuidados os pais podem ter diariamente a fim de minimizar o risco de seu filho ser acometido pela cárie dentária?

Devemos nos preocupar com a ingestão diária de açúcar!

Já foi dito que o açúcar representa a fonte de energia para as bactérias causadoras de cárie e que elas dependem dos alimentos doces para produzirem ácidos, desta forma devemos estar atentos ao consumo de açúcar no dia-a-dia.

O açúcar está contido mesmo naqueles alimentos que aparentemente não são considerados "doces", como por exemplo biscoitos, pães, salgadinhos, frutas, cereais, farináceos...

Segundo Rugg-Gunn (1992), o potencial do alimento contendo açúcar causar cárie vai depender:

Da concentração de açúcar presente nos alimentos (alimentos açucarados como balas, pirulitos, chicletes, biscoitos, sucos, doces, refrigerantes) têm a capacidade de formar maior espessura de placa bacteriana que ficará aderida à superfície dentária.

Do tempo em que os alimentos permanecem na boca em contato direto com os dentes. Isto está intimamente ligado à consistência física dos alimentos. Os alimentos pastosos permanecem por mais tempo em contato com os dentes, ficando muitas vezes retidos nos sulcos devido à própria anatomia dental.

Vale a pena lembrar que o tempo em que a criança gasta mamando uma mamadeira é maior do que se usasse um copo para tomar o leite.

Da relação entre a quantidade e a freqüência de ingestão de alimentos açucarados. A freqüência de ingestão de alimentos açucarados parece ser mais importante quando se fala em cárie dentária do que a quantidade de açúcar ingerido. Aquela criança que come pequenas quantidades de alimentos (sucos, biscoitos, iogurtes) oferecidos entre as principais refeições, está mais sujeita a desenvolver cárie do que a criança que come um belo doce oferecido como sobremesa. É preciso que os pais tenham em mente que os intervalos entre uma refeição e outra devem ser respeitados a fim de que a criança tenha apetite para se alimentar de maneira saudável nas principais refeições. E necessário um tempo entre uma alimentação e outra a fim de que se restabeleça o equilíbrio bucal, isto é quando a boca deixa de ficar tão ácida, diminuindo a perda de minerais do dente para o meio bucal.

Higiene bucal

Devemos caprichar na higiene bucal.

Através de uma correta higiene bucal, conseguimos "desorganizar" a placa bacteriana, contribuindo desta forma para manter o equilíbrio bucal.

Como já foi dito, os cuidados com a higiene bucal do bebê deve ter início antes do aparecimento do primeiro dentinho a fim e se remover os resíduos de leite, bem como acostumar a criança à manipulação de sua boca, facilitando a aceitação da escova a dentária ou dedeira quando aparecerem os dentinhos.

Para esta limpeza podemos utilizar a fralda umedecida em água filtrada enrolada no dedo indicador. Movimentos suaves devem ser aplicados, limpando os cantinhos da boca, a parte interna das bochechas, bastando realizá-la uma vez por dia, após o banho.

A escovação dentária propriamente dita deve ser iniciada após o aparecimento dos primeiros dentinhos! O adulto deve supervisioná-la até que a criança desenvolva boa coordenação motora para escovar os dentes sozinha, o que se dará por volta dos sete anos de idade.

O momento da escovação deve ser descontraído, com conversas, cantorias, brincadeiras, mesmo que a criança inicialmente ofereça resistência ao ato de escovar os dentes. Não desista!

Escolha da escova dental

Existem no mercado inúmeros tipos de escova dental. Alguns aspectos devem ser observados na hora da compra:

- A escova ideal deve possuir cerdas arredondadas e flexíveis;
- Deve possuir um cabo longo para que facilite a empunhadura;
- A sua parte ativa (cabeça da escova) deve ser pequena, em torno de 1,5cm para que consiga alcançar todos os cantinhos dos dentes;
- Para os bebês podemos adaptá-las cortando alguns tufos, pois a boquinha é pequena e apresenta um menor de número de dentes aparentes.

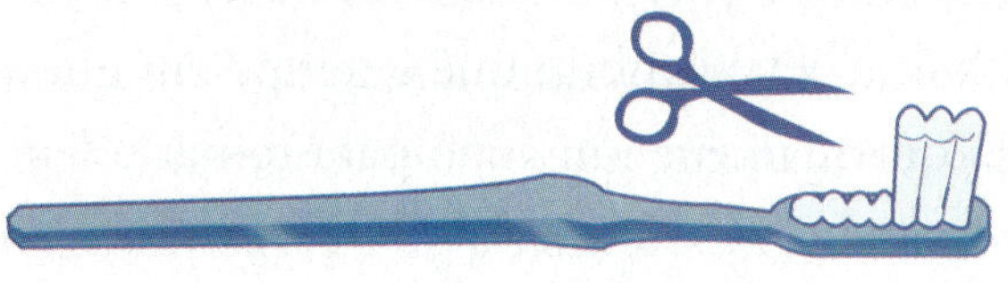

As escovas devem ser trocadas a cada sessenta dias, ou antes, dependendo do estado das cerdas. Com o uso, as cerdas perdem flexibilidade. Há aquelas crianças que desenvolvem a mania de mastigar a escova, deformando as cerdas. Após a escovação a escova deve ser lavada e seca, diminuindo a possível contaminação por fungos e bactérias.

Com que freqüência devemos escovar os dentes

Os dentes devem ser escovados após as principais refeições. Especial atenção deve ser dada à última escovação do dia quando a criança vai dormir, pois ao pegar no sono os movimentos musculares cessam e ocorre a diminuição do fluxo salivar. Tanto os movimentos musculares como a saliva protegem os dentes. A mastigação promove a autolimpeza e a saliva controla a acidez do meio bucal.

É importante lembrar que após o lanche da tarde a escovação deve ser feita também e a ingestão de alimentos (beliscos) a toda hora devem ser evitados.

Para ser eficaz, a escovação deve ser feita com calma e o adulto não deve se deixar abalar caso a criança chore. É preciso que o adulto se posicione ao lado da criança como se fosse abraçá-la passando seu braço esquerdo por trás da mesma e apoiando a cabecinha no seu braço; neste momento o adulto deve conversar e distrair a criança enquanto faz a escovação. A fim de facilitar a rotina, a pessoa que vai escovar os dentes pode deixar a escova dentária próxima à cadeirinha de alimentação e logo após a sobremesa realizar a escovação, desta forma se evita que a criança saia da cadeira e comece a brincar esquecendo de escovar os dentes.

Qual o creme dental utilizar?

O creme dental utilizado na escovação dentária tem a função de auxiliar na limpeza dos dentes graças às suas propriedades adstringentes. Além disso, facilitar a escovação graças ao seu sabor agradável.

O flúor é amplamente utilizado como medida preventiva eficaz para a cárie dentária, em termos de saúde pública, quando acrescentado à água de abastecimento em vários países. A fim de possibilitar um aumento de flúor livre na cavidade bucal, o flúor foi acrescentado aos cremes dentais, ou seja, quando escovamos os dentes estamos aplicando flúor sobre os mesmos. O flúor é capaz de reagir quimicamente com a superfície dentária tornando-a mais resistente à cárie.

As crianças abaixo de três anos de idade devem utilizar um creme dental sem flúor. Como elas não conseguem cuspir com eficácia, correm o risco de engolir quantidade considerável de flúor a cada escovação, aumentando assim o risco de desenvolver fluorose dentária na dentição permanente que está em desenvolvimento. A fluorose dentária caracteriza-se clinicamente pelo aparecimento de manchas brancas ou castanhas e defeitos no esmalte dentário nos dentes permanente que estão se desenvolvendo.

É importante assinalar que os cremes dentais são um medicamento e como tal devem ficar longe do alcance das crianças!

E devemos estar atentos quanto à quantidade de pasta a ser colocada na escova dental! A quantidade recomendada é a de um grão de arroz distribuída no sentido transversal da escova. Com isto evitamos que faça muita espuma durante a escovação, como também diminui-se a quantidade de pasta que a criança possa engolir. Após a escovação a criança deve ser orientada a cuspir vigorosamente.

Técnica de escovação

A melhor técnica de escovação dentária é aquela que possibilita a remoção de forma mais eficaz da placa bacteriana do maior número de superfícies dentárias. É preciso observar que cada dente tem várias faces, a saber:

- A parte da frente (que aparece quando a criança ri);
- A parte voltada para a língua no arco inferior e no arco superior a parte voltada para o céu da boca;

- A parte de cima dos dentes que trituram os alimentos durante a mastigação (face cheia de sulcos e reentrâncias);
- A parte bem próxima da gengiva (sulco gengival).

Escovação para a arcada superior

O adulto deve achar a maneira mais confortável para alcançar a boca da criança. Desta forma a escovação pode ser realizada com o adulto passando o braço por trás da criança. É importante que o ajudante consiga visualizar os dentes e a posição em que a escova será colocada. Para isso o adulto deverá usar o seu dedo indicador para afastar tanto o lábio superior como as bochechas criando espaço para escova atuar colocada. A escova deve ser posicionada inclinada em direção ao longo eixo do dente próximo a região de encontro da gengiva e do dente, realizando movimentos circulares alcançando um grupo de 3 dentes por vez. Enquanto repete os movimentos o adulto pode contar histórias ou cantarolar ou contar números com o objetivo de distrair a criança.

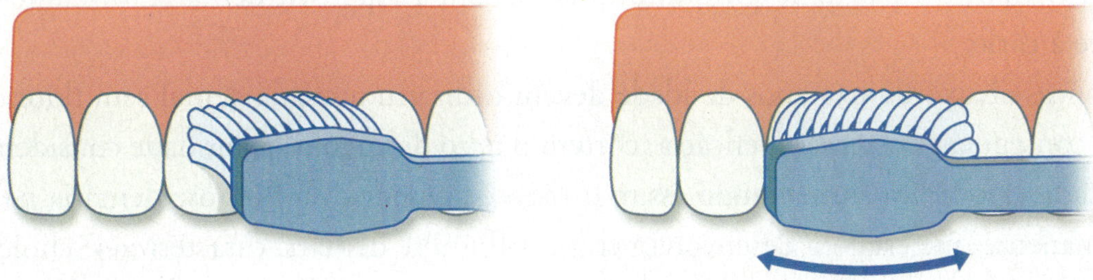

Escovação para a arcada inferior

Devemos repetir os mesmos movimentos realizados no arco superior tendo-se o cuidado de afastar a língua e pedir à criança que deixe o lábio inferior frouxo para a escova poder alcançar as faces da frente dos dentes inferiores.

Ao terminar a escovação de todas as faces devemos promover a limpeza da língua onde ficam retidos resíduos alimentares que se não forem removidos podem causar halitose (mau hálito).

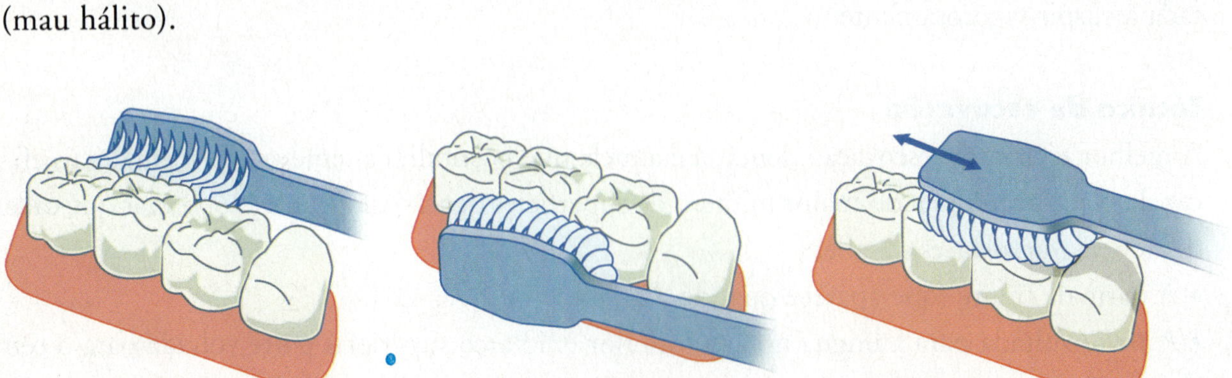

Uso do fio dental

Na fase da dentição decídua algumas crianças apresentam espaço entre os dentes de leite facilitando, sobremaneira, a higienização com a escova dentária. Entretanto para aquelas crianças que apresentam os dentinhos muito juntos aos dentes vizinhos, o fio dental é indispensável a uma correta higiene. Ele deve ser usado sempre que temos um dente fazendo contato com o vizinho a fim de removermos a placa bacteriana aí acumulada que não é removida pela escovação.

Uma vez iniciada nestas superfícies de contato entre os dentes, a cárie dentária progride de maneira rápida em direção à polpa dentária (canal do dente).

Mesmo naquelas crianças que possuem espaços entre os dentes de leite anteriores o uso do fio dental está indicado regularmente nos dentes posteriores que serão trocados, em média, por volta dos 9 e 11 anos de idade e nas meninas e 10 a 12 anos de idade nos meninos.

Como e quando utilizar o fio dental?

O fio dental deve ser utilizado pelo adulto levando-se em consideração que isso requer uma habilidade motora que a criança ainda não possui!

Devemos cortar um bom pedaço de fio dental (cerca de 20cm de comprimento), damos um nó formando um círculo o que facilita o manuseio. Pedimos a criança para abrir a boquinha e apoiando com os polegares e os dedos indicadores começamos a limpar penetrando nos espaços interdentais indo em direção do sulco gengival, voltando para a parte de cima dos dentes. À medida que o fio vai ficando sujo de placa bacteriana vamos trocando a porção do fio por uma que ainda esteja limpa.

O ideal seria passar o fio dental após cada refeição, mas como nem sempre é possível, pelo estilo de vida que temos, o uso do fio dental deve ser feito após a última escovação do dia, garantindo-se desta forma que a criança vá dormir com a boquinha bem limpa!

ACIDENTES EM ODONTOPEDIATRIA

É importante que os pais e ou responsáveis pela criança tenham condições de prestar os primeiros socorros em caso de acidentes que envolvam a boca e suas estruturas (lábios, língua, dentes, bochechas). Por menor que pareça o traumatismo o dentista deve ser procurado o mais rápido possível a fim de prestar o tratamento necessário. É preciso que se saiba que o trauma sofrido na dentição decídua (de leite), pode acarretar problemas nos dentes permanentes em desenvolvimento.

Na primeira infância a fase em que a criança está mais sujeita a quedas é aquela em que ela está aprendendo a andar (entre 1 a 2 anos e meio de idade). Nesta fase a criança não tem noção do perigo e seu desenvolvimento motor ainda é pobre aumentando o risco de quedas.

Acidentes em piscinas, berços, escadas, tapetes, móveis são freqüentes. Em casa deve-se retirar tudo que representa risco à criança.

Por volta dos 7 aos 14 anos de idade os acidentes mais comuns ocorrem na prática de esportes, ainda mais naquelas crianças que apresentam os incisivos superiores bem projetados para a frente. Tanto na dentição de leite como na permanente, os dentes incisivos são os mais acometidos por trauma.

Os acidentes podem atingir os tecidos moles (bochechas, língua, lábios etc.), como também os dentes, causando fraturas dos mesmos ou deslocamento do(s) dente(s) para dentro do osso alveolar ou para fora da boca (extração traumática).

Em caso de acidentes envolvendo os dentes e/ou face como devemos proceder?

O adulto que irá socorrer a criança precisa antes de tudo manter a calma, tranqüilizando-a!

Devermos observar o estado geral da criança: se ela está consciente, se responde aos estímulos, se consegue dizer o local que "dói", se há presença de fragmentos dentários dentro da boca ou perdidos no chão próximo à queda... Se a criança apresentar sonolência e vômitos após o acidente, ela deve ser levada a um pronto atendimento hospitalar! Devemos estar atentos à validade de imunização da vacina antitetânica, quando o acidente acontece em ambientes de terra vale a pena fazer reforço desta vacina.

Se houver sangramento

Tente localizar a origem do sangramento (se é proveniente de lábios, língua, bochechas ou na própria gengiva). Não se assuste! Como a boca é uma região rica em vasos sangüíneos o sangramento pode ser abundante;

Lave as áreas afetadas com água filtrada;

Pegue um pedaço de pano (de preferência de algodão) limpo dobrado e pressione o local por cinco minutos; o esperado após este tempo é que o sangramento diminua! Caso seja observado um sangramento de maiores proporções procure um atendimento hospitalar para fechar (suturar) a ferida adequadamente. Enquanto transporta a criança continue pressionando o local.

Se você perceber algum dente quebrado

Tente achar o pedaço do dente, procurando próximo do local do acidente como também dentro da boca da criança. Neste caso retire o pedaço se estiver solto e coloque dentro de um copo com água ou soro fisiológico. Ligue imediatamente para o dentista. Hoje em dia, graças às técnicas adesivas em muitos casos se consegue "colar" o fragmento dentário fraturado ao dente remanescente.

Se o dente saiu inteiro da boca (avulsão): Extração por trauma

a) Ao encontrar o dente segure-o pela coroa (parte branca) sem tocar a raiz do dente;

b) Se a raiz estiver suja, lave com água corrente sem esfregar;

c) Coloque o dente num copo com soro fisiológico ou leite e procure o dentista imediatamente. O reimplante do dente tem maiores chances de ser bem-sucedido quando o atendimento é realizado nos primeiros trinta minutos após o acidente;

d) É preciso estar atento à imunização contra tétano, muitas vezes o reforço da vacina antitetânica se faz necessário!

Se um ou mais dentes ficarem moles por causa do acidente

- Limpe a boca da criança com água filtrada;
- Não tente mover os dentes abalados;
- Ligue imediatamente para o dentista para que no consultório ele preste o atendimento adequado muitas vezes sendo possível reposicionar o(s) dente(s) que foram deslocados.

Se um ou mais dentes forem empurrados para dentro das gengivas

- Limpe a boca com água filtrada;
- Não tente reposicionar o(s) dente(s);
- Procure um atendimento imediatamente.

Alterações observadas nos dentes de leite acometidos por trauma

Com o passar do tempo, algumas alterações podem ser observadas sobre o dente de leite que foi acometido pelo trauma. É difícil predizer qual será a evolução do caso, desta maneira os pais devem constantemente observar os dentes envolvidos e procurar o odontopediatra caso percebam:

- Presença de uma bolinha na gengiva (aumento de volume) próximo à raiz do dente contendo pus (fístula);
- Que a criança se queixa de dor espontânea;
- Aumento de mobilidade do dente traumatizado;
- Mudança da coloração da coroa do dente, passando do branco para um tom amarelado ou acinzentado.

Nos casos de trauma dentário um acompanhamento profissional é indicado. O odontopediatra determinará o retorno ao consultório a fim de acompanhar o caso até a época de troca do dente de leite pelo dente permanente.

Esperamos neste capítulo ter contribuído para que os pais e responsáveis pela criança se conscientizem e sintam-se motivados a adotar uma rotina bem saudável no que diz respeito à dieta, e higiene da cavidade bucal de seus filhos.

Trilhando este caminho diariamente, toda a família estará contribuindo para que o bebê atravesse a fase da dentição de leite livre de cárie dentária, passe a fase de dentição mista com a boca saudável chegue à dentição permanente com um sorriso feliz!

Lembrando...

Do nascimento aos seis meses de idade:

O bebê deve ser amamentado de maneira satisfatória. Se precisar utilizar a mamadeira deve ser dada preferência ao bico ortodôntico.

O uso da chupeta deve estar associado à hora de dormir e retirada da boca após a criança ter adormecido.

Embora ainda não tenha dentes, a boca do bebê deve ser higienizada uma vez ao dia; para isso podemos utilizar a ponta da fralda de pano enrolada ao dedo indicador e umedecida com água filtrada. Movimentos suaves devem se realizados limpando os resíduos de leite presentes nas gengivas.

Dos seis meses aos três anos de idade:

É a época de aparecimento na boca dos primeiros dentinhos (6 meses)!

Nesta fase a alimentação do bebê passa a ter uma consistência mais pastosa e sólida! Cuidado com hábito de oferecer alimentos muito açucarados!

O doce deve ser oferecido como sobremesa, as guloseimas devem ser evitadas.

Os alimentos devem ser ricos em fibras a fim de estimular a mastigação, função tão importante ao desenvolvimento dos músculos da face.

A criança não deve pegar no sono utilizando a mamadeira, pois este hábito aumenta as chances dela desenvolver a "cárie de mamadeira".

A higiene dos dentes deve ser feita com uma escova dental macia, colocando-se pequena quantidade de creme dental sem flúor. A escovação deve ser realizada após as principais refeições e com muito capricho antes de dormir.

É a época ideal da primeira consulta ao odontopediatra.

A remoção do hábito da chupeta deve ser feita de maneira amigável por volta dos dois anos de idade.

Os tombos e batidas afetando a boca são comuns nesta fase. O odontopediatra deve ser sempre procurado quando um dente de leite sofre algum tipo de trauma.

As referências bibliográficas relativas ao capítulo 26 podem ser encontradas na página 788.

Capítulo 27

Práticas Médicas Domiciliares

Práticas médicas domiciliares

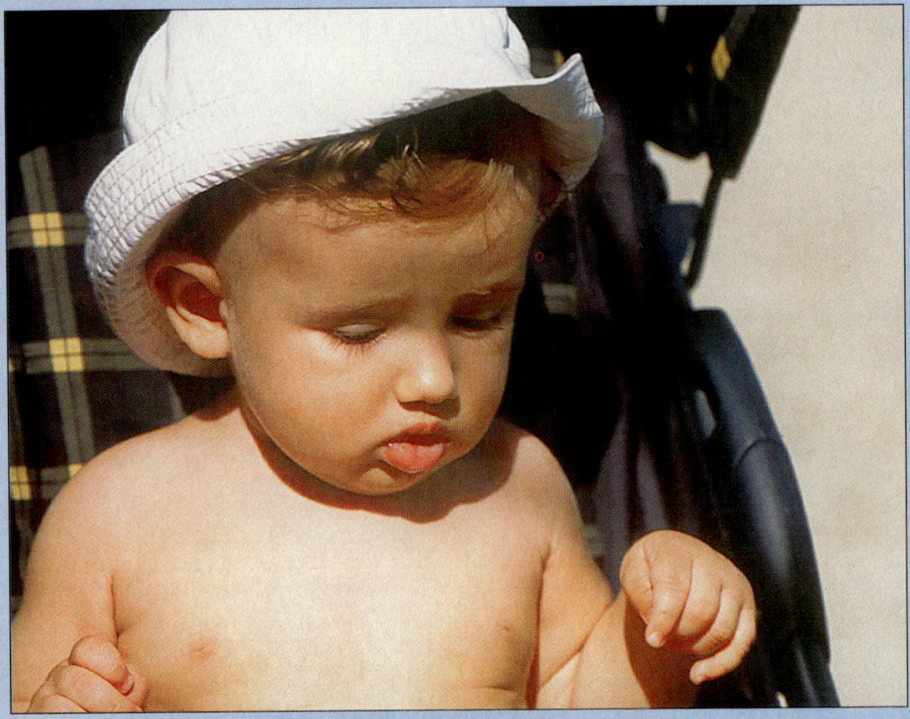

Nos dias de sol, a mãe deve tomar todos os cuidados para proteger os olhos e a cabeça do bebê e impedir que seja atingido constantemente pelas correntes de ar.

INSTRUÇÕES SOBRE COMO ADMINISTRAR OS MEDICAMENTOS

a) medicamentos líquidos;
b) medicamentos em comprimidos;
c) como aplicar supositórios;
d) como aplicar injeções;
e) medicamentos em pó;
f) cremes e pomadas.

1) procure distrair a criança;

2) seja decidida(o), porém simpática(o);

3) nunca a engane, dizendo que o remédio é "muito gostoso";

4) não bata ou ameace. Além de errado, você não repetirá este erro toda vez que administrar o remédio;

5) verifique a data de validade do medicamento;

6) não dê aspirina a seu filho sem indicação do pediatra.

Medicamentos líquidos (como administrá-los)

a) verifique sempre o rótulo da embalagem;

b) preste atenção na dosagem, prescrita pelo médico; no caso de ter mais de um filho, escreva seus nomes no rótulo do remédio de cada um;

c) acerte o despertador (mesmo que seja de dia) para a hora da próxima dose. Dar os remédios, sobretudo antibióticos, em hora certa, é indispensável;

d) dar remédio para criança menor de dois anos de idade é geralmente difícil;

e) nunca dê remédio com o bebê deitado. Ele deverá ser levado ao colo ou colocado em uma cadeira, permitindo controlar melhor o engasgo, evitando sufocação;

f) se a criança tem tendência a cuspir o remédio, deverá ser colocado com a colher bem no fundo da língua, não perto dos lábios;

g) se vomitar toda a dose, dentro de trinta minutos, esta deverá ser repetida. Antes de repetir a dose, entre em contato com o pediatra, pois alguns medicamentos, por serem sedativos ou tóxicos em doses mais elevadas, não podem ser dados em excesso;

h) se for vomitado sempre, é possível que haja intolerância absoluta ao remédio;

i) quando não se consegue sua aceitação, poderá ser feita uma contenção, "enrolando" os braços e o tórax da criança com um lençol ou toalha, prendendo-o no colo. Em seguida ao remédio, administre um refrigerante de seu agrado. Este método parece estranho, e alguns pais

ficam contrariados em ter de fazê-lo, mas a maioria das crianças, após uma ou duas vezes, "resolve" aceitar o remédio;

j) é prudente colocar metade da dose a ser dada em uma colher e a outra metade em outra; há menos oportunidade de derramar e, se ela o cuspir, sabe o quanto foi perdido para substituir;

l) misture o remédio líquido com um xarope pesado, mel ou geléia; entretanto, é preferível dá-lo puro e em seguida um pouco de líquido preferido: suco de frutas ou refrigerante;

m) não é aconselhável diluir o medicamento na bebida, pois poderá ficar grande parte dele no fundo do copo e a criança não tomar a dose necessária;

n) não coloque o remédio na mamadeira;

o) não aperte o nariz da criança para forçá-la a engolir o remédio; ela poderá aspirá-lo, penetrando nos pulmões, provocando pneumonia;

p) alguns laboratórios farmacêuticos apresentam, com o medicamento, uma medida (colher das de chá, das de sobremesa ou das de sopa) acompanhada com o número da medida (2,5; 5; 7 e 10ml), o que facilita o trabalho dos pais;

q) existem no mercado colheres de plástico com medidas marcadas, para a administração de remédio líquido. Outra boa opção é a utilização de uma seringa descartável, que além de permitir a medida exata pode facilitar a ingestão pela injeção gradativa do volume;

r) para os bebês que relutam em aceitar remédios líquidos, os europeus usam o método da "ponta do dedo". Preparando a dose na colher-medida, molhe o seu dedo mínimo na colher, pondo-o na boca do bebê, fazendo-o sugar o remédio, até que ele tenha tomado toda a dose. Não há dúvida de que este método exige paciência e tempo.

Medicamentos em comprimidos

a) muitas crianças de pouca idade surpreendem seus pais chupando e engolindo comprimidos;

b) a criança menor de cinco anos não engole bem os comprimidos, havendo necessidade de reduzi-los a pó;

c) cápsulas não devem ser abertas ou esmagadas; são medicamentos que devem ser dissolvidos no estômago e não na boca;

d) coloque o comprimido no fundo da colher e com outra triture-o até reduzi-lo completamente a pó. Se a criança sentir pedaços, fragmentos, poderá rejeitá-lo jogando-o fora;

e) se o comprimido for duro, difícil de dissolver, deverá ser colocado na colher, com algumas gotas de água, meia a uma hora antes da aplicação devendo se dissolver sozinho;

f) o comprimido poderá ser dissolvido em suco de frutas, mel, geléia ou mesmo no achocolatado;

g) em seguida, ofereça-lhe qualquer líquido (água, suco de frutas ou refrigerante).

Medicamentos em pó

São usados diluídos em água para ingestão oral, de acordo com a prescrição do pediatra.

Como aplicar supositórios:

a) só aplique quando a criança estiver vomitando ou se não aceitar de modo algum um remédio por via oral e há urgência na sua administração. Não os use como rotina, hábito;

b) deverá ser mantido em geladeira, para conservar firme a glicerina que é empregada na sua fabricação;

c) o supositório deverá estar à temperatura ambiente quando aplicado, não devendo estar gelado e sim morno;

d) se tiver de ser partido, deverá ser feito no sentido longitudinal (ao comprido) e usada uma faca aquecida;

e) não use lubrificantes, óleos, que possam interferir na absorção da droga; só deverá ser usada água;

f) o lado mais fino é que deverá ser introduzido. O dedo indicador deverá ir o mais longe possível, até sentir que o esfíncter anal foi ultrapassado. Pessoas com unhas grandes não deverão aplicá-lo;

g) mantenha as nádegas da criança juntas por cinco minutos após a aplicação;

h) se ela o expelir antes de passada meia hora, uma nova aplicação deverá ser feita, sob orientação do pediatra.

Cremes e pomadas

Devem ser aplicados com cuidado somente na área indicada.

Como medir a temperatura retal

a) verifique se a temperatura do termômetro foi "abaixada", estando em menos de 35°C;

b) nunca deixe a criança sozinha com o termômetro no reto;

c) use o termômetro retal que tem o mercúrio (prateado) em bulbo (bolinha) e não comprido, apropriado para medir a temperatura axilar;

d) a posição poderá ser com o bebê deitado de lado, segurando-se as pernas dobradas para relaxar os músculos das nádegas, facilitando a manobra. Convém estar sempre segurando a extremidade livre do termômetro;

e) introduza apenas 2,5 centímetros (1 polegada); os fabricantes deveriam marcar este nível;

f) mantenha o termômetro por três minutos;

g) antes de introduzi-lo, lubrifique-o com óleo ou vaselina.

Como medir a temperatura axilar

a) enxugue a axila do bebê;

b) coloque o termômetro (ponta prateada, mercúrio) debaixo do braço;

c) mantenha o braço da criança apertado do seu lado, para manter o termômetro em posição certa;

d) mantenha esta posição por cinco minutos, antes de retirar o termômetro;

e) no caso de a criança estar excitada, procure distraí-la neste período de tempo;

f) a temperatura corporal situa-se entre 36°C e 37°C; só é considerada febre a temperatura corporal acima de 37,5°C.

A temperatura oral, usada em crianças da idade escolar, não tem encontrado no Brasil boa aceitação, tanto pelos médicos como pelas mães.

Higiene do termômetro

a) lave-o com água fria e sabão neutro (a água quente poderá quebrá-lo);

b) enxugue com algodão embebido em álcool;

c) após o uso, guarde-o na sua embalagem.

Termômetros eletrônicos

Têm grande aceitação, hoje em dia, o uso de termômetros digitais, eletrônicos, que, colocados na região axilar, "apitam" avisando a hora de ser retirados, quando foi medida a temperatura do bebê. O procedimento para sua utilização é o mesmo do termômetro de mercúrio:

a) enxugue a axila, coloque a ponta prateada embaixo do braço;

b) mantenha o braço abaixado até a sinalização avisando que pode ser retirado.

Outro dispositivo moderno é o termômetro auditivo. Ele tem o formato de um otoscópio (aparelho utilizado para examinar o ouvido). Colocado em contato com o ouvido do paciente, revela a temperatura em apenas um segundo. É um grande avanço, especialmente em crianças pequenas que se agitam e choram muito, ainda mais quando com febre. Seu inconveniente é o custo.

Envoltórios

a) envoltório frio (úmido) – coloque a criança sobre a cama; com uma toalha de banho umedecida em temperatura ambiente e torcida, envolva o tronco e as pernas; com outra nas mesmas condições, o tórax e os braços e, por cima das duas, uma terceira, seca e felpuda, manta de lã ou cobertor. O envoltório deverá ficar por vinte minutos. Se a temperatura não cair, pode-se repetir o envoltório duas ou três vezes. Ao terminá-lo, friccione o corpo com álcool, e enrole-a diretamente em toalha felpuda e seca. Poderá ocorrer que algumas crianças sintam calafrios, apresentem os lábios arroxeados, tenham tremores e, nestas condições, deve-se interromper imediatamente a aplicação e aquecê-las com fricções de álcool;

b) envoltório quente (úmido) – se o envoltório frio é usado para baixar a temperatura, o quente servirá para elevá-la. O processo é o mesmo que o anterior, porém em vez de molhar a toalha em água fria, molha-se na quente, à temperatura de 38°C (use termômetro para água). O tempo de espera de melhora deverá ser de dez minutos, repetindo-se duas ou três vezes para evitar que a temperatura da toalha abaixe demais. Pode-se aquecer também usando bolsas com água quente (a 40°C), protegidas com flanelas espessas e *nunca* diretamente sobre a pele, para evitar queimaduras.

OS BANHOS

Nunca coloque álcool na água do banho, ele poderá ser absorvido pela pele do bebê ou inalado, causando graves conseqüências. Também não esfregue o álcool na pele do bebê.

O banho morno

É geralmente empregado para diminuir a temperatura. A temperatura da água da banheira, tomada previamente, será dois graus mais baixa do que a do bebê enfermo. Se a criança estiver com 40°C, o banho deverá ser iniciado com 38°C (use termômetro próprio para banho); após três ou cinco minutos de banho, adiciona-se, aos poucos, água fria, baixando a temperatura de 38°C, até 35°C, mantendo por mais três ou cinco minutos esta temperatura, quando então se dará por terminado o banho, retirando a criança e envolvendo-a com toalha seca e felpuda durante trinta minutos. Estes banhos podem ser repetidos de duas em duas horas.

O banho quente

É indicado apenas em casos especiais; tem efeito inverso ao acima, e portanto não deverá ser empregado quando o bebê já estiver com sua temperatura acima de 37°C. A água da banheira deverá ser de 36°C, colocando-se água quente até elevar a temperatura a 38°C; sua duração deverá ser de cinco minutos. Retirado o bebê, envolva-o na toalha, colocando-se uma bolsa de água quente nos seus pés. Pode-se dar também chá quente e antipirético receitado pelo pediatra, para proporcionar bem-estar, que é a grande finalidade deste banho. Após trinta minutos, se os resultados esperados não foram conseguidos, pode ser repetido. Se por acaso o bebê apresentar tremores, lábios roxos etc., deverá ser interrompido. Este banho só poderá ser dado sob recomendação médica.

O banho de amido

É refrescante, podendo ser dado no verão, contra as brotoejas, eritemas solares (queimaduras de sol). Use 1 colher (das de sopa) de amido, dissolvida em 1 litro de água e, em seguida, junta-se este líquido à água do banho.

OS CLISTERES (Enemas)

São empregados para provocar a evacuação intestinal. Para as crianças deverão ser usadas as seringas de borracha (pêras); as que são providas de bico de osso não servem. O tamanho da seringa deverá estar de acordo com a idade da criança. Existem seringas de 25cc, 50cc, 100cc e 200cc. Usa-se como líquido água fervida (morna), podendo-se acrescentar 1 colher (das de chá) de glicerina, óleo de oliva ou mesmo de sal, conforme a indicação do médico. A seringa deverá ser desinfetada em água fervente por alguns minutos, e a pessoa que aplicar o clister deverá fazê-lo com as mãos limpas. Coloca-se a criança deitada sobre o lado direito, mantendo as pernas flexionadas. O cano da seringa deverá ser untado com vaselina e introduzido uns 5 a 10cm, fazendo-se então pressão vagarosa, porém firme, sobre o fundo da seringa, até esvaziá-la. Deve-se ter o cuidado de não injetar ar; se, contudo, isto acontecer, não haverá maior perigo. A mãe não deverá ficar aflita se o clister ficar retido. Neste caso, poderá ser repetido uma ou duas horas depois. A dúvida é a quantidade de água a injetar. Para facilitar, segue uma tabela prática:

Recém-nascido:	10 a 15ml (1 colher, das de sopa), com seringa nº 0.
1º ao 2º mês:	20 a 40ml (2 a 4 colheres, das de sopa), com seringa nº 2.
3º ao 5º mês:	40 a 45ml (4 colheres, das de sopa), com seringa nº 3.
6º ao 9º mês:	50 a 55ml (5 colheres, das de sopa), com seringa nº 3 ou 4.
9º ao 12º mês:	80 a 90ml (8 ou 9 colheres, das de sopa), com seringa nº 5.
12º ao 15º mês:	100 a 110ml (10 ou 11 colheres, das de sopa), com seringa nº 6.
15º ao 18º mês:	150ml (15 colheres, das de sopa), com seringa nº 7 ou 8.
18º ao 24º mês:	200ml (20 colheres, das de sopa), com seringa nº 9.
três anos:	250ml (1copo e 1/4), com seringa nº 10.
quatro anos:	300ml (1copo e 1/2), com irrigador.
cinco anos:	(dois copos), com irrigador.
seis anos:	450ml (dois copos e 1/4), com irrigador.
sete anos:	500ml (dois copos e meio), com irrigador.

Quando são empregados mais de 200g, deve-se usar um irrigador de metal, ágata ou vidro, com tubo de borracha (1 metro), e sonda Nelaton nº 12, ou então pipo de massa, com ou sem torneira. Ferva a água e todo o material em panelas separadas. Unte a sonda ou o pipo com vaselina e introduza-o uns 10cm. O irrigador deverá estar a meio ou 1 metro de altura, nunca devendo ultrapassar esta medida. Use água fervida e morna.

Atualmente dispomos de clisteres já prontos para uso, facilitando o trabalho dos pais: Enema bifosfato Darrow (frasco de 125 e 250ml), Enema Braun de fosfato de sódio composto (120ml), Enema Braun de Sorbitol – Dioctiolsulfossuccinato de sódio (120ml), clister de glicerina 12%

(250ml), Fleet enema (130ml), Minilax (em bisnaga). Seu uso em crianças deverá ser orientado pelo pediatra, pois há perigo de efeitos colaterais (hipertonicidade e convulsão).

A DESINFECÇÃO DO NARIZ

Instruções para o uso de conta-gotas nasal, ver página 646 com detalhes.

Inalações

Há inalações diversas, sobretudo para os casos de laringite, falso crupe e algumas faringites. Os nebulizadores também são úteis. Os umidificadores elétricos estão sendo cada vez mais utilizados pelos brasileiros. Entretanto, alguns alergistas contra-indicam o seu uso, pelo risco de aparecimento de fungos causado pelo excesso de umidade. É muito importante que o nebulizador seja, quando usado, limpo diariamente com algodão e álcool nas suas paredes internas. O líquido utilizado deverá ser o soro fisiológico, que é menos irritante para a mucosa respiratória do que a água comum ou mesmo destilada. O mais prático é colocar a criança em um quarto pequeno; põe-se água para ferver e, quando estiver fervendo, coloca-se 1 colher (das de chá) do líquido a inalar. Depois de algum tempo, o quarto todo estará impregnado. Continue a repetir o processo diversas vezes com duração de quinze minutos em cada vez, até se obter o fim desejado. No caso de a criança transpirar, dê-lhe água para evitar desidratação. Um processo simples, em caso de emergência, é levar a criança ao banheiro e, com a porta fechada, colocá-la sob o chuveiro quente, permanecendo por dez a quinze minutos. Verifique, no caso de haver aquecedor, se não existe risco de escapamento de gás.

A DESINFECÇÃO DA BOCA

Use uma solução de água oxigenada a 10% (1 colher, das de sopa, dissolvida em meio copo de água fervida). Com algodão embebido nesta água, faça a limpeza levemente, uma vez por dia. As mãos de quem executar a limpeza deverão estar perfeitamente limpas. Pode-se também usar a solução de violeta genciana a 1%, sem álcool, aplicada levemente com algodão.

A DESINFECÇÃO DOS OUVIDOS

Deve ser feita com cotonete. Existem cotonetes especiais, mais rombudos, apropriados para a limpeza dos ouvidos, evitando a lesão do tímpano. Não usar palitos. No caso de suspeita de dor de ouvido (otalgia), ou como preventivo em resfriados, é de grande utilidade instilar 1 gota de água oxigenada pura, previamente amornada à temperatura do corpo (36°C, 37°C). A gota fria, além de ser incômoda, é dolorosa. Outros anti-sépticos poderão ser usados, de acordo com a indicação do pediatra.

A DESINFECÇÃO DOS OLHOS

A higiene dos olhos não deverá ser desprezada, principalmente nas crianças com tendência à conjuntivite. A limpeza feita com água fervida, ou soro fisiológico, oferece bons resultados. Anti-sépticos mais fortes, no caso de vermelhidão ou de purgação, deverão ser usados sob indicação médica. O melhor processo de instilar a gota é colocá-la no ângulo formado pelo globo ocular e a pálpebra inferior, quando puxada para baixo com o dedo. É comum em algumas crianças a formação de caspa, com vermelhidão na ponta de inserção dos cílios, sobre a borda das pálpebras; é a chamada blefarite. Em caso crônico, está indicado o uso de xampu neutro, fazendo a limpeza com o dedo indicador.

AS INJEÇÕES

Na criança com menos de dois anos de idade deverão ser preferidas as nádegas (glúteos). A imobilização é indispensável, principalmente a das ancas, região que a criança mais agita e a mais difícil de ser convenientemente contida. Prendem-se as pernas da criança entre as pernas do adulto que faz a contenção, mantendo firme o tronco e os membros superiores com as mãos. A posição deitada sobre o ventre é a que permite melhor segurança, sendo preciso ter cuidado não só com as ancas, mas também com os braços e as pernas. O local preferido deve ser o do quadrante superior externo; dividida a nádega em duas linhas perpendiculares, como mostra a figura. A agulha

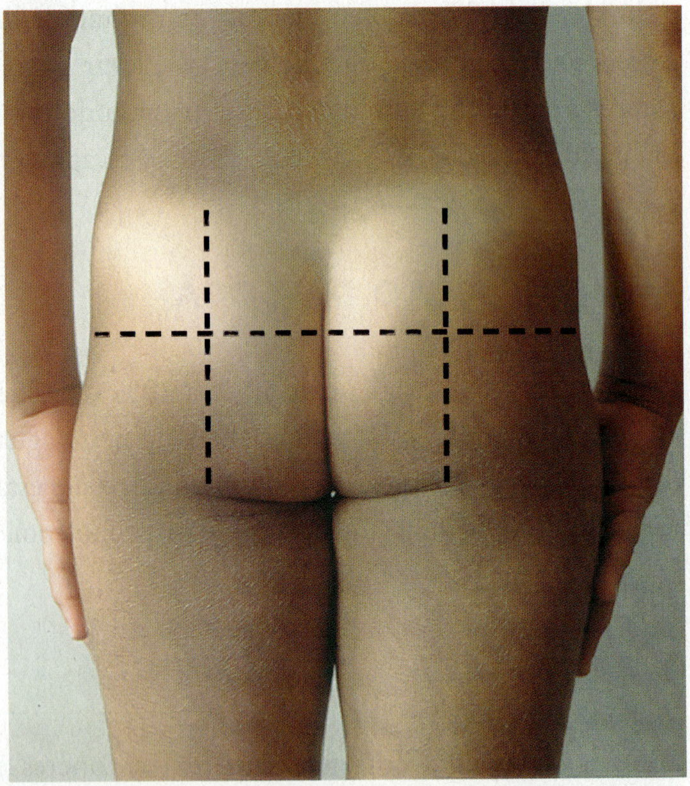

O local preferido para injeções é o quadrante superior externo da nádega.

deverá ser descartável, não muito longa, nem muito fina. Algumas vacinas, como a contra hepatite B, deverão ser aplicadas por via muscular profunda. Neste caso, recomenda-se o uso da musculatura lateral externa da coxa que, por ter menos gordura que a região glútea, garante melhor absorção da injeção.

Seringas plásticas

Na infância, as vacinas injetáveis deverão ser sempre aplicadas com estas seringas. Não aplique injeção na nádega do recém-nascido com apenas trinta dias de vida. O local indicado é a região muscular superior externa do braço ou a região muscular média externa da coxa.

COLETA DE URINA

A obtenção da urina para exames de laboratório não é tão difícil quanto parece, mas exige paciência e atenção a alguns detalhes. Por exemplo, os frascos para coleta deverão ser bem limpos, do contrário surgirão falsos diagnósticos, como o de glicosúria – perda de açúcar pela urina. Os frascos para cultura deverão estar, além de bem limpos, esterilizados.

Para as meninas, faz-se a lavagem da vulva com um chumaço de algodão embebido em água morna. Se a criança for capaz de compreender as instruções e colaborar, poderá ser instruída para que urine diretamente dentro de um frasco limpo, esterilizado e de boca larga; despreza-se o início e o final do jato urinário (jato intermediário). A micção deverá ser feita com as pernas bem abertas, para evitar a contaminação da urina pelo contato com as paredes da vagina. Se a criança for muito pequena, a mãe deverá procurar separar bem os lábios da vulva, com os dedos, com o mesmo objetivo. Dá-se preferência à primeira urina da manhã, levando-a imediatamente ao laboratório. Se houver necessidade de esperar algumas horas até levá-la, guarde-a em geladeira, fora do congelador, pelo tempo mais breve possível.

Para os meninos, procede-se de maneira semelhante, fazendo-se previamente a higiene do pênis, prepúcio e glande com água morna.

Se o menino for muito pequeno, incapaz de cooperar, ainda assim se consegue, com paciência, fazer a coleta do jato intermediário de urina. Dê-lhe um líquido diurético, como chá ou mate, tira-se a sua roupa e em geral a micção ocorre em seguida.

Em situações excepcionais, pacientes graves, sépticos ou chocados, incapazes de micção espontânea, pode-se recorrer à cateterização ou punção da bexiga com agulha, procedimentos que envolvem riscos e que, portanto, só deverão ser realizados excepcionalmente e por profissionais experientes.

Nos casos menos graves e urgentes, em bebês e lactentes pequenos, pode-se utilizar os saquinhos coletores, que são bolsas plásticas com uma parte auto-adesiva que se prende à região perineal (em volta do órgão genital do bebê). Faz-se uma boa higiene da região, secando-a bem com uma toalha limpa. Adere-se o saco coletor e fecha-se a fralda. Verifique a cada 5 minutos se já houve emissão de urina. Assim que urinar, fecha-se o saquinho, levando ao laboratório.

Lembre-se: é preferível um pequeno volume de urina bem coletado, de acordo com as técnicas explicadas, a um grande volume obtido sem os devidos cuidados.

O USO DE BOLSAS QUENTES E DE GELO

Ainda muito usadas pela sua comodidade, como também pelas suas múltiplas aplicações, sobretudo para o caso de dores abdominais. São de borracha ou impermeáveis, cheias de água quente ou fria, neste caso contendo pedaços de gelo; deverão ser bem fechadas para evitar o extravasamento do líquido, provocando queimaduras no caso de água quente, resfriados no caso de água gelada, também não devendo ser demasiadamente pesadas para as crianças. As de forma redonda são as mais práticas, e as retangulares para os flancos (lados). Não deverão ser aplicadas diretamente sobre a pele, e sim envolvidas em lã ou flanela.

O BANHO DE SOL

A exposição ao sol deverá ser sempre progressiva, procurando-se adaptar o organismo da criança de acordo com a sua reação. Deve-se colocar o bebê diretamente sob o sol e não através do vidro da janela. Estando a criança protegida contra as correntes de ar, o período mais conveniente é o das oito às dez horas, conforme a estação do ano, quando a atmosfera está menos carregada de umidade e rica de raios ultravioletas. Durante o inverno, será protelado para as dez ou onze horas, e no verão, antecipado para as oito ou nove horas, conforme o calor do dia. A cabeça sempre deverá estar coberta e os olhos protegidos. A temperatura deverá ser verificada após o banho, não devendo ser elevada, e sim normal. A curva semanal de peso deve ser verificada, bem como observar se após a exposição ao sol a criança se mostra abatidinha.

O banho de sol, para o bebê de menos de um ano, não deverá passar de quinze minutos para a frente do corpo e quinze minutos para o dorso. As queimaduras causadas pelo sol são tão perigosas quanto as causadas pelo fogo. Nas crianças que forem mais sensíveis aos raios solares poderá ser aplicado antes um creme adequado, que proteja a pele sem prejudicar a absorção benéfica dos raios ultravioletas (ver pág. 785). Os cremes protetores solares só estão indicados para uso após os seis meses de idade.

Hérnia umbilical

O emprego de objetos pequenos, como moedas e botões, é contra-indicado, pois, às vezes, podem penetrar no orifício herniário, traumatizando-o (machucando) ou dificultando a obturação desejada. O processo mais seguro é o de provocar o desaparecimento do orifício pela aproximação das paredes musculares, conseqüentes à tração sobre a pele do abdome. O meio de reduzir a hérnia é o seguinte: com o dedo indicador da mão esquerda, comprime-se a hérnia; com o polegar e o indicador da mão direita aproxima-se fortemente a pele, formando um sulco longitudinal que a manterá reduzida. Nesta posição, deverá ser mantida, por meio de esparadrapo comum ou cirúrgico (Micropore), permanecendo até descolar espontaneamente. Não interrompa os banhos, e no caso de não descolar inteiramente, o restante poderá ser retirado com óleo ou benzina. Convém esperar até três dias até a pele ficar com aspecto normal, para fazer nova aplicação se a hérnia não desapareceu. Não convém grudá-lo no mesmo local anterior, e sim escolher outra região. Alguns tipos de pele mais sensíveis ou alérgicas ao esparadrapo podem apresentar um eritema (inflamação), que poderá ser evitado mediante a aplicação prévia de tintura de benjoim. A hérnia umbilical reduzida deverá ser mantida por meio de três a cinco pequenas fitas.

Alguns cirurgiões pediátricos contra-indicam qualquer procedimento, aguardando sua redução espontânea até os dois anos de idade, quando, em casos resistentes, indica-se a cirurgia.

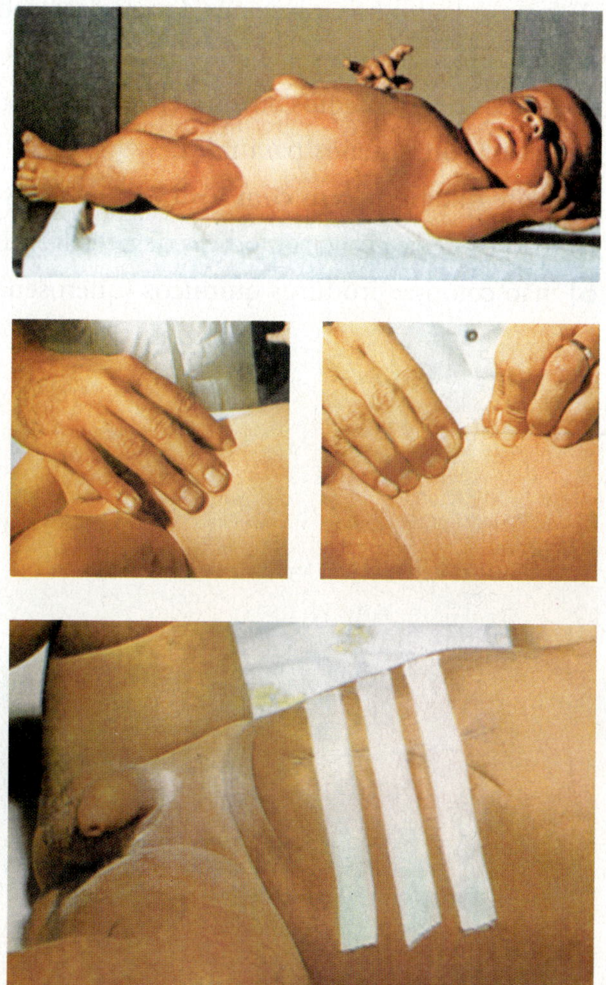

Com o dedo indicador da mão esquerda comprime-se a hérnia, e com o polegar e o indicador da mão direita forma-se um sulco longitudinal, que será mantido por esparadrapo. A hérnia umbilical é facilmente reduzida entre um e quatro meses, aplicando-se o processo do esparadrapo.

Hérnia inguinal

Também neste caso, objetos pequenos, botões e moedas não deverão ser usados. No capítulo referente à hérnia inguinal (ver pág. 632) está relatado que a intervenção cirúrgica é a solução indicada, devendo ser feita o mais breve possível após seu diagnóstico.

a) use cadeiras baixas;
b) as escadas deverão ter portões;
c) as janelas deverão ser protegidas do meio para o parapeito;
d) use grades nas janelas e varandas;
e) evite cadeiras ou móveis encostados próximos às janelas;
f) mantenha os cabos das panelas voltados para o lado de dentro do fogão;
g) proíba as crianças de irem à cozinha;
h) não lhes dê objetos pequenos, que possam engolir (botões, feijões, contas etc.);
i) assegure uma instalação elétrica bem protegida, inclusive tomadas;
j) poços, laguinhos e piscinas deverão ser cobertos com redes quando não possam ser constantemente vigiados;
l) coloque os remédios em prateleiras altas ou em armários fechados com chave, bem como inseticidas ou venenos para ratos;
m) evite que brinquem com fósforos, tesouras etc.;
n) não os deixe comer gulodices de preparo duvidoso, evitando, assim, intoxicação alimentar;
o) não coloque produtos químicos (querosene, detergente etc.) em garrafas de refrigerante.

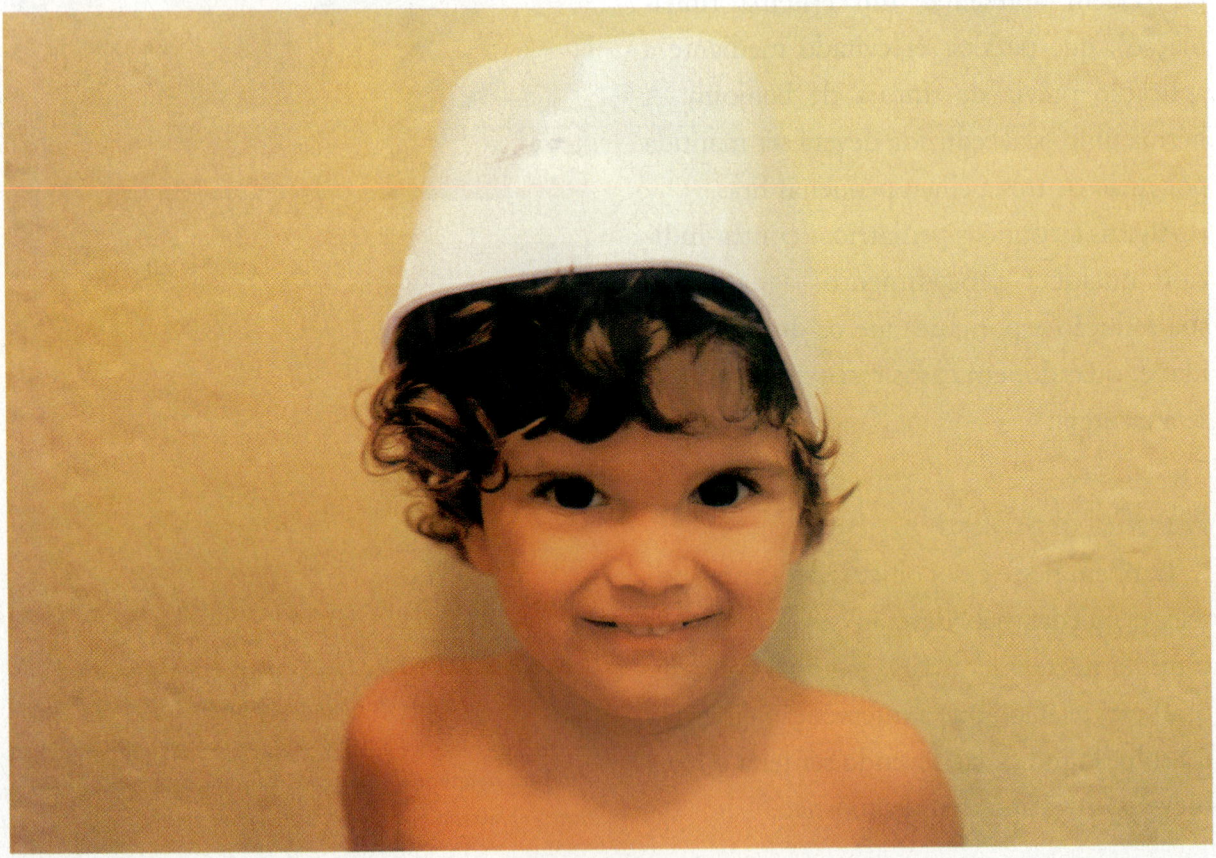

Capítulo 28

Socorro Urgente

Socorro urgente

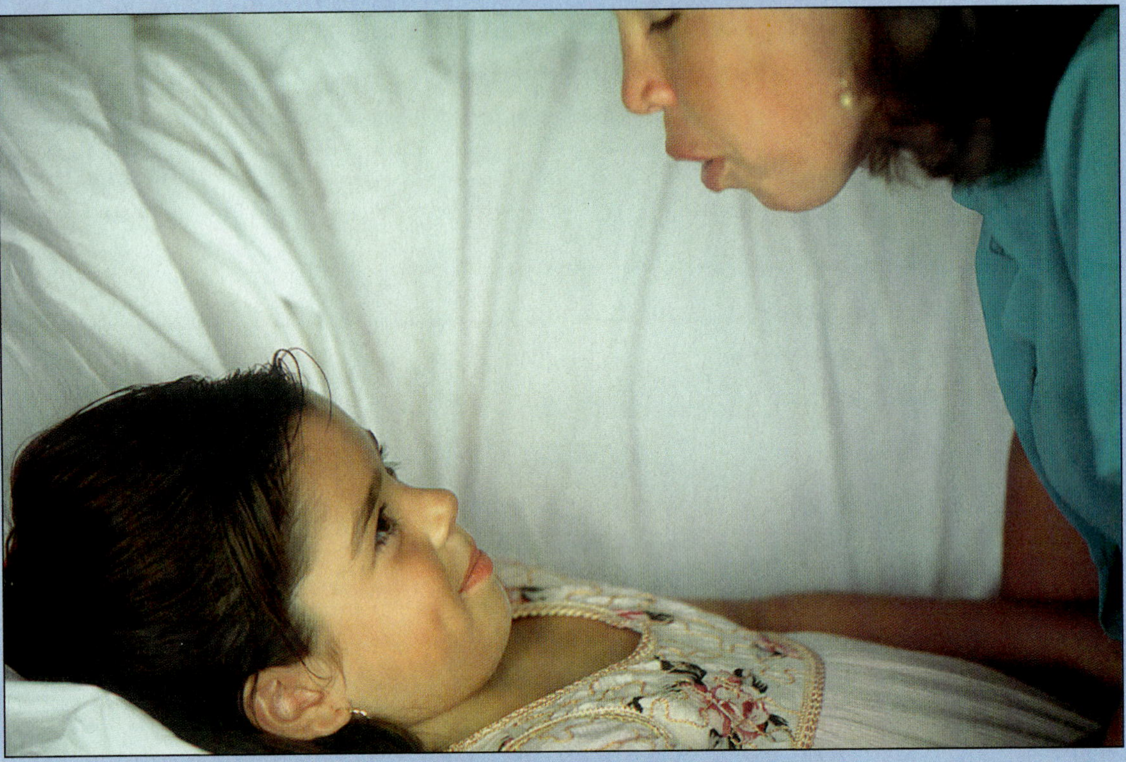

É muito importante que os pais aprendam a dar um primeiro atendimento em caso de acidentes domésticos.

RESSUSCITAÇÕES CARDÍACA E PULMONAR

Em muitos acidentes domésticos, antes do atendimento médico-hospitalar, ocorre uma parada da circulação e da respiração com grave risco de vida para o doente. É muito importante que os pais aprendam a fazer um primeiro atendimento para estas situações com risco de vida, de forma a evitar que ocorra o pior ou mesmo dar à criança chance de sobreviver em boas condições, ou seja, sem dano cerebral.

Estes primeiros-socorros são chamados de o ABC da ressuscitação. Estas letras, procurando uma analogia com o ensinamento das primeiras letras, são retiradas das iniciais em inglês do que deve ser procurado como urgência máxima em uma criança em risco de vida. A de *airway*, ou seja, via aérea; B de *breathing*, ou seja, respiração; e C de *circulation*, ou circulação.

A primeira coisa a ser feita é verificar se o bebê está respirando e se o seu coração está funcionando de maneira adequada. A cor da pele estando arroxeada (moteada) e os lábios cianosados são o primeiro sinal. Para termos certeza de que o coração está batendo, devemos apalpar uma artéria de grosso calibre e sentir sua pulsação. Os melhores lugares para esta avaliação são o pescoço (veia carótida) e a região inguinal (veias femorais).

Se a criança não respira, ou o faz de maneira irregular, e se o seu pulso não puder ser apalpado, deve-se iniciar imediatamente a ressuscitação artificial. Seguindo o método ABC, a prioridade é estabelecer uma via aérea adequada. Antes de ventilá-la, deve-se livrar a boca da criança de qualquer corpo estranho, água, vômitos, objetos etc. A respiração deverá ser feita através da respiração boca a boca, soprando-se ar para dentro dos pulmões. Para crianças maiores, fecha-se o nariz com uma das mãos enquanto se sopra na boca até que se sinta elevação do seu peito (tórax).

O terceiro passo deverá ser fazer a massagem cardíaca, para que o sangue volte a circular. Deve-se fazer pressão sobre o esterno (osso na frente do tórax, onde as costelas se encontram), fazendo com que ele desça mais ou menos 1 ou 2cm. Faz-se cinco compressões para cada "soprada" de ar na boca.

Duas observações importantes:

1) Sempre que possível, peça ajuda antes de iniciar as manobras de ressuscitação. É importante ter uma pessoa auxiliando na reanimação e chamando por socorro especializado.

2) Assim que for possível, chame uma ambulância ou remova o doente para um serviço de urgência mais próximo.

SITUAÇÕES EM QUE É NECESSÁRIO SOCORRO URGENTE

1) acidose
2) afogamento
3) artralgia
4) asfixia
5) asma
6) choque clínico
7) choque elétrico
8) cólica (dor de barriga)
9) coma
10) contusão craniana (pancada na cabeça)
11) contusão ocular (pancada nos olhos)
12) contusão comum (em qualquer parte do corpo)
13) contusão abdominal (pancada na barriga)
14) convulsão (ataque)
15) desidratação
16) deslocamento do cotovelo
17) desmaio
18) diarréia aguda (emergência)
19) envenenamento
20) febre
21) ferimento
22) fratura
23) hemorragia nasal
24) hemorragia em geral
25) hemorragia intestinal (sangue nas fezes)
26) inflamação
27) insolação
28) luxação (torcedura)
29) mordida de animal
30) mordida humana
31) morte no berço
32) objetos (corpo estranho) engolidos ou no nariz
33) animais peçonhentos (picadas venenosas)
34) queda (tombo)
35) queimadura
36) respiração artificial
37) ressuscitações cardíaca e pulmonar
38) sonolência repentina
39) soluços
40) sufocação (engasgo)
41) temperatura baixa (hipotermia)
42) vômitos

ACIDOSE

A palavra acidose, bem conhecida do público, significa apenas um detalhe de grave distúrbio que pode acometer a criança. No conceito clínico usado para o público, acidose é a condição causada pelo acúmulo, no corpo da criança, de ácidos (envenenamento ácido). A explicação de como este fenômeno ocorre não ficaria muito adequada para um livro de puericultura. Assim, acidose não é diagnóstico, mas um sintoma, um sinal de doença que está ocorrendo no organismo da criança (desidratação). Para os pais, a acidose ocorre sempre por vômitos; porém, pode haver acidoses sem vômitos e, por sinal, são os mais graves (caso de retenção de urina ou de diarréia com grande perda de água). Os sinais que chamam a atenção dos leigos são cheiro de acetona no hálito da criança, palidez e prostração (a criança fica caidinha).

O que se deve fazer antes de o médico chegar?

Dê à criança colherinhas (das de chá) de cinco, ou de dez em dez minutos, da seguinte solução: 1 copo de água levemente gelada, com 1 colher (das de sopa) de açúcar refinado ou Nidex e 1colher (das de chá) de sal. Há soros prontos à venda (ver pág. 784).

O que chama a atenção é a prostração da criança e a taquipnéia (respiração acelerada). Deve-se investigar a possibilidade de doença renal ou diabetes. Suspeita-se de diabetes quando há hálito cetônico e quando a criança continua urinando abundantemente apesar de estar desidratada. Na desidratação por gastroenterite, uma das características é a diminuição ou parada da eliminação da urina. Doenças renais também podem provocar acidose grave. O esclarecimento da causa da acidose será feito pelo médico, que solicitará exames de sangue e de urina. No caso de acidose provocada pela gastroenterite com desidratação, recomenda-se administrar, aos poucos, a seguinte solução hidratante oral (soro oral).

- 1 litro de água
- 1 colher (das de café, cheia) de sal
- 1 colher (das de café, rasa) de bicarbonato de sódio
- 2 colheres (das de sopa, cheias) de açúcar

Este soro deverá ser dado à temperatura ambiente (nem quente nem gelado).

Nos casos de desidratação grave, com acidose, o médico deverá recorrer à via venosa, com a criança internada.

AFOGAMENTO

As medidas de socorro terão de ser imediatas. O afogado apresenta pulso fraco, perda da consciência e queda de temperatura. Às vezes apresenta-se com coloração azul (afogado azul); outras, extremamente pálidos (afogado branco). O primeiro cuidado, depois de tirar as roupas molhadas, é colocar a criança sobre os joelhos, em decúbito ventral, para fazê-la expelir a água ingerida. Limpe ou aspire as secreções do nariz e da garganta, iniciando, imediatamente, a respiração artificial (ver pág. 530). Aquecimento com cobertas ou bolsas quentes, fricções com álcool também poderão ser úteis.

ARTRALGIA (dor nas articulações)

Sua maior causa é o traumatismo, a pancada; se não houver ferimento penetrante ou escoriação (arranhadura), bastará aplicar compressas geladas, ou mesmo gelo, e fazer a criança repousar, e tudo estará bem. A radiografia só será exigida se houver suspeita de fratura. Se aparecer febre, há perigo de infecção do osso (osteomielite), que torna o caso grave e a assistência médica indispensável. Dores nos joelhos e nos tornozelos são comuns durante a infância. Não havendo vermelhidão, inflamação, aumento de volume, sensação de volume ou sensação de calor, geralmente nestes casos a causa está nas próprias atividades diárias (correrias, quedas, pulando ou andando de velocípede, triciclo) e a criança só se queixará algum tempo depois da pancada. Normalmente esta dor só dura de seis a oito horas. Se ela persistir por mais de 24 horas, o médico deverá ser consultado. Outro fato que deve ser valorizado é o de mais de uma articulação afetada ao mesmo tempo.

Quando a criança que se queixa de dor nas articulações, sem qualquer história de traumatismo, começar a capengar (claudicar), diversas causas deverão ser procuradas: reumatismo, artrite, alergias, disritmia e outras doenças.

ASFIXIA – INSUFICIÊNCIA RESPIRATÓRIA NA CRIANÇA

A asfixia é o estado clínico resultante da obstrução da passagem do ar através das vias respiratórias, nos próprios pulmões ou ainda a incapacidade de os glóbulos vermelhos fixarem o oxigênio do ar (no caso de envenenamento).

A criança asfixiada, sufocada, apresenta sintomas clínicos conhecidos: movimentos respiratórios acelerados (taquidispnéia), retração acima das clavículas, entre as costelas e abaixo delas, batimentos das asas do nariz, gemidos, coloração azulada dos dedos e lábios (cianose), escurecimento da visão (obnubilação), perda dos sentidos, desmaio e coma. As causas da asfixia em clínica infantil devem ser divididas em dois períodos: o primeiro, do recém-nascido; o segundo, dos bebês de 1 a 24 meses. Recém-nascido: as causas são membrana hialina, aspiração maciça do líquido amniótico, septicemia, pneumotórax, enfisema, malformações congênitas de qualquer local das vias aéreas, cardiopatia (doença do coração), hemorragia pulmonar e traumatismo cerebral. No bebê após trinta dias de vida até dois anos: obstrução das vias aéreas ou corpo estranho, infecções, laringites, bronquiolites, pneumonia, septicemia, doença do coração (cardiopatia congênita), infecções no sistema nervoso, como meningites e encefalites, e asma brônquica.

Tratamento

O tratamento depende da causa que está provocando a asfixia. Entretanto, existem medidas de ordem geral, como a de dar oxigênio de qualquer maneira, por cateter (tubo plástico) nas narinas, máscara, tenda de oxigênio, recursos "heróicos" (como a intubação e a traqueostomia), aumentar a umidade do ambiente (vapor d'água) e hidratar a criança, a fim de evitar a desidratação.

A ASMA

Conselhos para os pais quando seu filho tiver uma crise de asma:

a) todos deverão manter a calma, pois o temor, a angústia passam à criança, agravando a crise;

b) mantenha a criança deitada ou sentada na cama, confortável, recostada num travesseiro;

c) distraia-a com a televisão, com o rádio, converse ou conte-lhe histórias;

d) a criança deverá estar sempre acompanhada, se possível, de uma pessoa de que goste e lhe transmita confiança e segurança;

e) faça com que ela beba líquidos (sem forçá-la);

f) evite odores fortes, como o de comida (peixe frito e outros, por exemplo), pintura de paredes dos quartos e a presença de animais (gatos, cachorros ou aves);

g) cuidado com os vaporizadores. Os vaporizadores para aumentar a umidade do ar podem ser úteis para outras doenças do aparelho respiratório, mas raramente ajudam a melhorar a crise asmática e, em alguns casos, podem até piorá-la, considerando que existem asmáticos em quem a umidade agrava a dificuldade respiratória;

h) a medicação deverá ser prescrita pelo médico se for a primeira crise; no caso de ser repetição, doente crônico, poderá ser administrado o medicamento já empregado e que tem dado resultado satisfatório;

i) o mal asmático (status asmático), a crise que não cede com medicação habitual e se prolonga, requer hospitalização.

Quando a criança em crise asmática deverá ser hospitalizada:

a) no caso de não melhorar com a medicação adequada e rigorosa por mais de 24 horas;

b) quando desidratada, mesmo sem apresentar vômitos ou diarréia, mas que apresente transpiração abundante (sudorese intensa), boca e língua secas, dificuldade de cuspir ou expectorar (escarrar). A desidratação dificulta a ação terapêutica da medicação habitual;

c) com a presença de vômitos constantes;

d) quando os pais estiverem apavorados e o doente angustiado, amedrontado;

e) no caso de hipercapinéia (excesso de gás carbônico no sangue), o asmático se apresenta sonolento, com diminuição de resposta à dor, perturbação da consciência, contrações musculares involuntárias, tônus muscular reduzido (braços e pernas moles);

f) no caso de hipoxemia (diminuição de oxigênio), o asmático apresenta-se cianótico (lábios azulados), inquieto, agitado, cansado, com dificuldade para falar e com batimentos acelerados do coração (taquicardia).

CHOQUE CLÍNICO

Ele se caracteriza pela diminuição duradoura da irrigação do sangue no organismo. A deficiência de sangue nos órgãos causa uma insuficiência aguda na nutrição e oxigenação dos tecidos. Das causas mais freqüentes de choque na criança podemos destacar a redução de volume do sangue por perda de água (plasma líquido), hemorragias, doenças cardíacas, infecções bacterianas graves que causem perturbações sérias no sistema vascular etc.

O tratamento terá de ser o mais rápido e enérgico possível, utilizando-se, conforme o caso, soro fisiológico, alcalinizantes, sangue, medicamentos etc.

O choque alérgico, denominado anafilático, é raro, mas temido pela sua dramaticidade. O tratamento de urgência consiste na administração de adrenalina milesimal, na dose de 0,2ml, por via subcutânea ou muscular.

CHOQUE ELÉTRICO

Os acidentes causados por corrente elétrica, provocados por aparelhos elétro-eletrônicos e tomadas, apesar de serem de baixa tensão, não deixam de provocar sintomas para os acidentados, desde queimaduras, vertigens e desmaios até a inconsciência e mesmo parada respiratória e parada cardíaca. O tratamento inicial consiste em afrouxar as roupas e colocar compressas frias na testa e, se for mais intenso, fazer respiração boca a boca. No caso de a criança ficar presa pela corrente elétrica, a medida imediata é desligá-la e livrar a vítima, usando borracha, madeira, plástico ou luvas isolantes. Dos aparelhos domésticos, a televisão deverá ser vigiada com maior cuidado, por ser o mais perigoso (alta tensão). Outro problema é quando a criança morde um fio elétrico, o que pode levar a uma grave queimadura em volta da boca, com grande perda de tecido.

CÓLICA (dor de barriga)

Geralmente a dor começa por cólicas ou cãibras (contração dolorosa e espasmódica dos músculos do abdome ou das vísceras). Habitualmente a palavra cólica se refere às vísceras (órgãos), intestinos, vesícula, rins e outros, e cãibra, à dor nos músculos. A causa mais comum de dor de barriga são as infecções do estômago e dos intestinos, tecnicamente denominadas de gastroenterites, quando as cólicas duram alguns minutos e vão se repetindo. Geralmente são acompanhadas de vômitos ou diarréia. No caso de, após uma hora, os pais não conseguirem suavizá-las, deverão contactar o médico. No bebê, nos dois primeiros meses de vida, quando as cólicas são intermitentes, associadas a vômitos, e o bebê permanece estranhamente quieto, parado, pálido, mas sem febre, e com os olhos arregalados, é possível que seja a invaginação intestinal, intussuscepção que os leigos chamam de "nó nas tripas". Deve-se evitar dar aspirina, qualquer outro analgésico ou medicamentos antiespasmódicos contra cólicas, como o Elixir Paregórico e outros, pois, melhorando a dor, pode dificultar o exame médico, impedindo um diagnóstico rápido, principalmente se a doença for de solução cirúrgica.

O que se deve fazer, então, é colocar uma bolsa de água quente, com calor suportável, e observar a melhora do bebê. A dor de barriga pode ter a causa fora do aparelho digestivo; assim, até infecções urinárias, inflamações de garganta e pneumonia podem vir acompanhadas de dor de barriga. Os alimentos contaminados (infectados), estragados, ingeridos em excesso ou mal preparados também poderão ser os responsáveis pelas perturbações gastrointestinais. Os vermes são freqüentemente apontados, mas só quando em grande número, podendo produzir inflamação do revestimento (mucosa) do estômago ou dos intestinos. As dores de barriga, às vezes, têm causa "nervosa" emocional ou por disritmia (eletroencefalograma anormal), podendo ser observadas desde o primeiro ano de vida.

COMA

Neste caso, a criança apresenta perda total (ou parcial) da consciência, não reagindo aos estímulos sensoriais (som, luz, beliscões, alfinetadas), e apenas mantendo a circulação sanguínea e a respiração, sendo que, nas formas graves, estas também poderão estar seriamente comprometidas.

O estado de coma pode se instalar lentamente, o que permite ao médico fazer o diagnóstico e proporcionar um tratamento adequado, embora o estado do paciente vá se agravando progressivamente. Entretanto, há comas que aparecem repentinamente no decurso de algumas doenças, cuja evolução corria favoravelmente, e temos de admitir a possibilidade de o coma se instalar repentinamente em pessoas que estavam em aparente bom estado de saúde. As causas mais freqüentes de coma na infância têm sido a desidratação grave, as infecções agudas do sistema nervoso central (meningites e encefalites), as infecções bacterianas (sepsis), traumatismos, quedas, pancadas na cabeça, diabetes, hemorragias e intoxicações.

Tratamento

O tratamento varia com a causa responsável e os leigos pouco podem fazer para socorrer. O coma é um caso de emergência. Enquanto se aguarda por socorro, deve-se colocar a pessoa em posição confortável, para facilitar sua circulação e se evitar qualquer manipulação, como mexer ou mudar o doente de posição, para que não se acentue o estresse, que é o desequilíbrio do organismo em relação às suas funções e à composição química dos seus líquidos e das suas células. O importante é manter a temperatura normal. Se o doente estiver frio, procure aquecê-lo com um cobertor.

CONTUSÃO CRANIANA – pancada (traumatismo) na cabeça

Receber pancadas na cabeça (golpes, choque, baque) é comum no decorrer da infância. É para a criança que nunca caiu da cadeira, da cama ou, correndo, caiu e bateu com a cabeça no chão ou nos móveis. Um educador americano já disse que a criança que nunca deu uma cabeçada ou levou uma queda deve ser observada com a maior atenção.

Geralmente muito choro e um apertado abraço da mãe superam as dificuldades; em alguns minutos tudo é esquecido, a criança voltará a brincar normalmente e nada deverá ser feito; os pais deverão ficar calmos. Há um ditado popular que diz: "Deus protege as crianças e os bêbados", ou "À criança e ao borracho, Deus põe a mão por baixo".

Quedas de cabeça decorrentes de certa altura ou encontrões contra móveis, portas e colegas podem trazer problemas. Pancadas deste tipo causam dor e a criança habitualmente grita, revelando sofrimento; a criança pára, senta ou fica deitada, segurando a cabeça, e terá uma expressão fisionômica de quem está apavorado. Após alguns minutos, embora revelando sofrimento, ela procurará estabelecer contato com as pessoas e, se for maior, conversará sobre o ocorrido. Ela acusará dor de cabeça e procurará se deitar ou dormir. Poderão ser colocadas compressas frias no local da pancada.

CONCUSSÃO CEREBRAL (comoção cerebral)

É o trauma do cérebro, sem que haja lesão alguma, causada por queda ou traumatismo após um acidente. A criança fica inconsciente durante minutos ou horas, vomita e queixa-se de dor de cabeça. Não é necessário forçá-la a ficar acordada, principalmente à noite. Isto só a tornará mais irritada, prejudicando a avaliação do estado mental.

A criança deverá ser observada constantemente durante seis horas, se possível por um médico ou em um hospital. Os sintomas a serem observados são os relacionados com a atividade e à vivacidade do estado mental dela. Mantenha-a em repouso.

TRAUMATISMO CRANIANO (lesão cerebral)

O grande perigo no trauma encefálico é a possibilidade de ruptura dos pequenos vasos sanguíneos, existentes na superfície do cérebro, debaixo do crânio, causando hemorragia, com a formação de coágulos que poderão comprimir o cérebro. A hemorragia poderá ocorrer imediatamente ou horas mais tarde. Em muitos casos há um intervalo de algumas horas entre o momento da pancada e o aparecimento da hemorragia. Esta é a razão de a criança que levou uma grave queda ficar em observação constante por seis horas pelo menos e, em alguns casos, por 12 ou 24 horas. Confirmada a hemorragia pelo exame clínico de um neurologista, e indicada a intervenção cirúrgica, esta deverá ser feita por um neurocirurgião. O diagnóstico das lesões cerebrais deverá ser feito, obrigatoriamente, com o auxílio de uma tomografia computadorizada. Este exame permite ao neurocirurgião localizar o ponto exato da lesão, facilitando a cirurgia. Crianças que apresentem complicações após uma pancada na cabeça poderão apresentar perda da consciência, convulsão, delírio, confusão, desorientação, sonolência, letargia (sono profundo e contínuo) e vômitos. Neste caso, a presença do médico é indispensável e urgente. Se a criança tiver de ser transportada em automóvel comum, deverá ser colocada no banco de trás, com travesseiros ou almofadas ao lado da cabeça para firmar seu pescoço. Deve-se evitar que sua cabeça balance ou fique caída quando ela for levantada. Se não houver automóvel, poderá ser transportada em ambulância, o que é mais indicado, ou, em caso de emergência, até o carro da polícia poderá ser solicitado. Nos casos graves, quando a criança manifesta alguns sintomas, como palidez acentuada, transpiração (sudorese) abundante, pele fria, ela está em estado de choque, necessitando de socorro imediato.

Pode acontecer de o bebê cair do berço, do carrinho, da cadeirinha, da balança pesa-bebê, apesar de todos os cuidados. O tombo do bebê é seguido de um período de silêncio absoluto, que parecerá durar horas, seguido de uma forte crise de choro. O bebê poderá mostrar a formação de um "galo" (hematoma) na cabeça ou no local da pancada. Depois de alguns minutos, a maioria dos bebês se apresenta calma. Entretanto, alguns ficam sonolentos ou desinteressados de suas atividades habituais. Os pais deverão observar se o bebê se mantém alerta em relação ao ambiente (pessoas e coisas), embora ainda esteja tonto ou sonolento, da mesma forma que ele fica em condições normais meia hora antes de dormir. Se o bebê estiver bem é porque nada houve de anormal, fora o susto dos pais. Se houver alguma dúvida, os pais deverão entrar em contato com o médico. O hematoma formado deverá desaparecer em alguns dias, sem necessidade de qualquer medicação.

Sinais de complicação decorrentes de pancada na cabeça

O médico deverá ser sempre avisado:

a) se não for possível acordar facilmente a criança;

b) se a criança vomitar, mais de uma vez, logo após, ou se começar a vomitar horas depois do acidente;

c) se a pupila de um dos seus olhos se mostrar maior do que a outra;

d) se a criança não usar os braços ou as pernas em condições normais, como fazia;

e) se seu modo de falar estiver diferente ou se a criança estiver aparentemente incapaz de falar direito;

f) se a dor de cabeça não melhorar com a administração de um analgésico, aspirina ou outros, ou se for piorando;

g) se a criança se queixar de estar vendo imagem dupla das pessoas e dos objetos ou se não puder mover os olhos com facilidade;

h) se a criança respirar com dificuldade ou apresentar cianose (lábios e mãos roxos). Nos casos em que a criança apresenta distúrbios de comportamento após traumatismo craniano, deverá haver acompanhamento pediátrico e neurológico por um período variável, até que a situação de normalize.

A radiografia da cabeça

Saber se há necessidade de bater uma "chapa", radiografar o crânio, é sempre uma questão a ser analisada. De modo geral, não é obrigatória a radiografia sempre que a criança sofrer uma pancada na cabeça. Naturalmente dependerá das condições e das conseqüências do que aconteceu. Raramente ela dará informação importante melhor do que o exame clínico.

Na hipótese de ter havido fratura de um dos ossos do crânio, ela só será importante se provocou sintomas na criança. Pequenas fraturas lineares e fissuras são comuns, sem maiores conseqüências, e não exigirão qualquer tratamento.

TRAUMATISMO (pancada) NO GLOBO OCULAR

Corpo estranho (cisco, grão de areia etc.)

No caso de a criança sofrer uma pancada forte, pingue uma ou duas gotas de anestésico próprio para os olhos. Após a aplicação, fechar o olho com compressa de gaze, mas sem apertar. No caso de haver um corpo estranho, não o aperte nem esfregue, nem procure tirá-lo com a ponta de um lenço; o bom mesmo é chorar, pois as lágrimas lubrificam os olhos e conduzem o corpo estranho para o canto interno, acabando por ele sair sozinho. O indicado é lavar bem os olhos com água. Se houver um anestésico ocular, pingue uma ou duas gotas, e após trinta segundos lave-os abundantemente durante três a cinco minutos, e em seguida coloque uma compressa de gaze.

Para os casos de contato com ácido, álcool, amônia, agentes físicos (como queimadura de sol, devido a ficar olhando diretamente o sol ou a radiação de raios ultravioleta) ou secreção de plantas, o tratamento será o mesmo que o aconselhado anteriormente.

CONTUSÃO SIMPLES (equimose)

A contusão (pancada) que deixa uma marca preto-azulada na pele, por traumatismo, é provocada pela hemorragia dos vasos sanguíneos da pele. Pode acontecer com a pele íntegra ou associada a escoriações, ferimentos, arranhões ou cortes. Com os dias, esta marca se apresenta com uma coloração verde-amarelada que, habitualmente, desaparece em duas semanas. O tratamento consiste em aplicar compressas frias.

PANCADA NA BARRIGA (traumatismo abdominal)

Contusão abdominal

Existem dois tipos de traumatismo abdominal: o primeiro, quando há penetração, em que um objeto perfurou a barriga e a cavidade peritoneal (interior do abdome), ou o estômago, se comunica com o exterior. É evidente que o socorro médico deverá ser imediato. Entretanto, os mais freqüentes são os não penetrantes, a segunda categoria de traumatismo. O abdome não foi ferido, mas devido à violência da pancada a criança poderá apresentar dor abdominal difusa (espalhada), mais intensa na região atingida pela pancada, e a criança se mostrará pálida, suando frio, com o pulso acelerado, o coração batendo forte, podendo haver até uma hemorragia das vísceras, como o baço e o fígado. Este tipo de traumatismo é grave, e o socorro médico deverá ser imediato. Existe outro tipo de pancada em que a pele que reveste o abdome fica roxa, sobretudo próximo dos ossos da bacia, quando as crianças maiores batem em móveis ou mesmo quando caem; o maior perigo é o anterior. No caso de ser atingida apenas a pele, basta a colocação de compressas frias, seguidas de compressas mornas. A ultra-sonografia é o recurso médico mais seguro para verificar se houve lesão interna (hemorragia e rupturas).

CONVULSÃO (ataque)

Definição

A convulsão é a contração muscular, repentina, involuntária, inconsciente e automática provocada pela suposta excitação espontânea da atividade potencial elétrica de uma ou mais partes do cérebro humano. A convulsão é um sintoma de disfunção do cérebro, como a febre é um sintoma de infecção. Das manifestações mórbidas da infância, entre as mais temidas pela sua violência, a convulsão ocupa o primeiro lugar.

A história da convulsão tem grande importância, e no recém-nascido é sempre muito grave. No lactente e nos três primeiros anos de vida de uma criança é geralmente benigna. Dos três anos em diante, exige maiores cuidados. A convulsão febril é geralmente menos severa do que a que se apresenta sem temperatura. Quando a convulsão se processa no início das doenças, é sempre menos grave do que quando aparece no decurso das mesmas. Verifique se é a primeira ou se as convulsões são repetidas. A convulsão febril que durar mais de cinco minutos deverá ser considerada com maior atenção. As convulsões sem febre poderão ocorrer de forma isolada, como doença do sistema nervoso central (cérebro), ou poderão estar associadas a doenças mais graves. No primeiro caso está a epilepsia, que é classificada em diversos grupos e que depende do exame de eletroencefalograma (EEG) para seu diagnóstico. Nas convulsões associadas a doenças, destacamos as meningoencefalites, que precisam de uma punção lombar (exame do líquido espinhal) para seu diagnóstico, sendo sempre graves, e as doenças metabólicas decorrentes de distúrbios do cálcio e da glicose (açúcar no sangue).

Tratamento

a) procure evitar que a criança se machuque;

b) aplique respiração artificial se estiver indicada;

c) não coloque nada entre os dentes da criança;

d) não dê qualquer líquido;

e) não ponha a criança na banheira;

f) se a convulsão foi provocada por febre alta, repentina, coloque um pano frio sobre a testa e passe uma esponja umedecida em água morna, quase fria, pelo corpo;

g) procure imediatamente socorro médico em hospital de urgência. Atualmente o medicamento mais utilizado para debelar a crise convulsiva é o Diazepam, por via venosa (ver pág. 784).

No caso de hipocalcemia ou hipoglicemia, o tratamento de emergência consistirá na administração de cálcio ou glicose por via venosa, sob orientação médica.

Passada a crise convulsiva, será investigada cuidadosamente sua causa, para evitar que se repita. No caso de epilepsia, serão empregados medicamentos anticonvulsivos, a serem escolhidos pelo pediatra ou neuropediatra, de acordo com as características clínicas e do eletroencefalograma.

A desidratação é causada pela perda de água e de sais minerais pelo corpo humano. É a condição clínica mais comentada pelos pediatras. Três motivos justificam toda publicidade sobre o assunto:

1) a sua freqüência

2) a sua gravidade (podendo causar perigo de vida)

3) a facilidade de ser evitada ou tratada. É, sem dúvida, a emergência mais freqüente em clínica infantil. Sua importância é devida ao fato de que grande parte do corpo humano é composta de água. Num adulto, 55% do peso correspondem à água que o corpo contém; na criança, esta proporção é ainda maior, e no recém-nascido 80% do peso são correspondentes à água. A água encontra-se nas células de todos os órgãos, nas artérias, veias, e no chamado espaço intersticial, entre as células e os vasos sanguíneos. Este espaço é o "reservatório" de água do organismo, que "socorre" as células, as artérias e as veias. Quando precisa de mais água, este reservatório é regulado pelo funcionamento dos rins, e assim eles funcionam como uma fonte reguladora. Faltando água nas células, nas artérias e nas veias, ele a fornece imediatamente, para que o funcionamento do organismo não sofra a mínima interrupção. Porém, quando este reservatório está deficiente ou vazio (desidratado), a tragédia está formada. Se o sangue estiver pobre em água, ficará viscoso, e a circulação do sangue diminui e não fornecerá ao cérebro, aos pulmões, ao fígado, aos rins e a outros órgãos a quantidade suficiente de sangue para seu funcionamento.

De modo geral, as necessidades diárias de água (líquido) nas diferentes idades são as seguintes (24 horas):

Necessidades diárias de água nas diferentes idades*

3 dias	10 dias	3 meses	6 meses	9 meses	1 ano	2 anos
3.000g	3.200g	5.400g	7.300g	8.600g	9.500g	11.800g
250 a 300g (ml)	400 a 500g (ml)	750 a 850g (ml)	950 a 1.100g (ml)	1.100 a 1.250g (ml)	1.150 a 1.300g (ml)	1.350 a 1.500g (ml)
1 copo (mamadeira de 200g (ml) a 1 1/2)	2 copos (mamadeira de 200g (ml) a 2 1/4)	3 copos e 3/4 (mamadeira de 200g (ml) a 4 1/2	4 copos e 1/4 (mamadeira de 200g (ml) a 5 1/2)	5 copos e 1/2 (mamadeira de 200g (ml) a 6 1/4)	6 copos (mamadeira de 200g (ml) a 6 1/2	6 copos e 1/2 (mamadeira de 200g (ml) a 7 1/2

* *Fonte:* Pediatria, Doutrina e Ação *de Eduardo Marcondes Hansem*

O peso dos alimentos sólidos é medido em gramas, o dos líquidos, usa-se modernamente a nomenclatura mililitro (ml), que é a milésima parte do litro, e não o cc.

De acordo com sua gravidade, a desidratação poderá ser classificada como de primeiro, segundo e terceiro graus.

No caso de desidratação de primeiro grau, a criança apresenta-se irritada, agitada, dormindo pouco e mal, e sua perda de peso é de 2,5 a 5%.

Na de segundo grau, a criança é mais agitada, raramente dorme, podendo às vezes estar quieta ou gritando. Sua perda de peso é de 5 a 10%.

Na de terceiro grau, a criança está algo inconsciente, "largada", e não chora mais. Sua perda de peso é de mais de 10%. Naturalmente, cada um destes parâmetros é acompanhado de outros sintomas relacionados à perda de água e de sais minerais.

De modo geral, os sintomas de desidratação são fáceis de ser percebidos:

a) a criança tem sede;
b) urina pouco ou nada;
c) apresenta músculos flácidos, moles;
d) apresenta irritabilidade;
e) há perda de peso;
f) tem pele seca, com "sinal da prega positiva";
g) a mucosa da boca apresenta-se seca e descorada;
h) língua suja (saburrosa);
i) a moleira mostra-se deprimida;
j) os olhos parecem fundos, encovados, sem lágrimas.

As causas da desidratação são de fácil percepção:

a) diarréias e vômitos, que podem ser provocados por infecções, alimentos deteriorados (estragados) e as viroses, possivelmente as causas mais freqüentes;

b) elevação acentuada da temperatura ambiente, falta de ventilação, quartos, casas de laje sem telhas, coberturas de apartamento, automóveis com vidros fechados (bebês em viagem) ou automóveis parados;

c) febre de 39°C a 40°C; cada grau acima de 37 exige um acréscimo de água. A sudorese (transpiração), febre ou calor consome 80ml (cc) de água por quilo de peso por dia; o bebê de dez quilos precisa de quatro copos ou mamadeiras de 200ml por 24 horas. A perda de água pela pele e pelos pulmões (respiração acelerada) é maior do que se pode imaginar;

d) falta de oferta de água nos quadros febris e nos dias de calor. O bebê é extremamente dependente da ingestão de líquidos. O que é importante e trágico é que depende de terceiros, pelo menos até os dois anos, para receber a água de que tanto necessita. Oferecer água ou qualquer líquido (sucos, refrigerantes, chás) deve ser a maior preocupação da pessoa responsável por uma criança sadia ou doente, e deixá-la beber o quanto quiser. O leite de vaca tem maior concentração de sais minerais do que o leite materno, se o bebê receber leite de vaca puro, não diluído em água, ou leite em pó, nas concentrações normais aconselhadas pelo pediatra ou pelos fabricantes (ver informações na lata), terá mais sede do que os alimentados com leite materno e necessitará mais de água ou de chá nos intervalos das mamadas. Pelo menos a mãe ou a babá não deverá se esquecer de oferecer, principalmente no verão;

e) outras causas, como queimaduras, hemorragias, doenças metabólicas, como o diabetes e alguns distúrbios de glândulas de secreção interna, quando a criança exige maior quantidade de líquidos.

Existem bebês predispostos à desidratação?

Não há dúvida de que existem bebês e crianças que se desidratam com maior facilidade do que outros. Em primeiro lugar, os desnutridos, crianças subnutridas, abaixo do peso normal. Em segundo lugar, as subnutridas, com dieta pobre, recebendo pouca proteína em relação aos hidratos de carbono ou regimes alimentares com excesso de açúcar e farinhas. Quando o bebê é gordo, porém de carnes "moles" e não firmes, é um bebê balofo.

E, por último, o bebê hidrolábil, que se desidrata com facilidade, e neste caso o pediatra e mesmo os pais já perceberam que o seu bebê perde facilmente água demais, por diarréia ou vômitos, mesmo em casos clínicos benignos, de pouca gravidade. Esta particularidade poderá ser uma característica familiar, tendo acontecido com o pai ou com a mãe.

Tratamento:

Felizmente já dispomos de conhecimentos e meios adequados para evitar ou tratar a desidratação. O mais importante é que os pais aprendam a reconhecer os sinais de desidratação e tomem logo as medidas indicadas, de preferência com orientação do pediatra.

Ofereça à criança a solução reidratante oral (SRO), que pode ser preparada da seguinte maneira:

- 1 litro de água
- 1 colher (das de café, cheia) de sal
- 2 colheres (das de sopa, cheias) de açúcar
- Gotas de limão (a gosto)

Também poderá ser colocada 1 colher (das de café, rasa) de bicarbonato de sódio.

A água deverá ter sido fervida antes de se colocar o sal e o açúcar, pois a fervura poderá concentrar a quantidade de sal e de açúcar, o que é perigoso. O soro deverá ser oferecido

grave e urgente, havendo necessidade imperiosa da presença do médico (desidratação). Caso o bebê continue alegre, disposto, embora a diarréia seja profusa, um simples telefonema para o pediatra poderá resolvê-la, provisoriamente. Estabelecido o diagnóstico de diarréia grave ou benigna, a mãe deverá ficar atenta, administrando a solução reidratante oral (SRO) toda vez que a criança evacuar, ou mais freqüentemente, se desejar. Não deverá ser suspendida a alimentação da criança com diarréia, se bem que a falta de apetite, principalmente nos dois primeiros dias, impedirá a alimentação normal. A alimentação que a criança com diarréia deverá receber é a trivial, comum, sem guloseimas ou extravagâncias. Ofereça-lhe também água, chás, sucos, principalmente o de maçã, vitamina de banana etc. Gelatina, só a branca, pois a vermelha poderá dar uma tonalidade avermelhada às fezes ou à urina, confundindo o diagnóstico inicial (sangue?). Purgantes ou laxantes não deverão ser dados. Além desses cuidados, deverão ser tomados outros, como a verificação da temperatura e a observação do aspecto das fezes, se contêm sangue, pus, catarro ou gleras (aspecto de clara de ovo). A diarréia verde, tão temida, é benigna, de evolução favorável. Fezes esverdeadas são vistas na alimentação por leite materno ou pelo leite com ferro e vitaminas.

Atualmente as drogas que atuam no movimento intestinal, os adstringentes, anti-sépticos, antidiarréicos e antibióticos só deverão ser usados sob orientação médica (ver pág. 783). A diarréia é um sintoma com muitas causas; as viroses são causas freqüentes de diarréia, e neste caso a administração de antibióticos por via oral ou parenteral pouco adianta, e até pode agravar a situação. No caso de infecção por bactéria invasiva, como a *Shigella*, o antibiótico estará indicado. Nesta situação, encontram-se piócitos (células de pus) e hemácias (glóbulos vermelhos) nas fezes; o exame laboratorial das fezes deverá ser feito: parasitológico, cultura, pesquisa de pus e sangue. A evolução de um caso de diarréia aguda varia de cinco a dez dias.

A possibilidade de desidratação deverá ser sempre considerada. Prepare o soro reidratante oral da seguinte maneira: 1 litro de água fervida, 1 colher (das de café, cheia) de sal, 2 colheres (das de sopa, cheias) de açúcar; gotas de limão a gosto. O volume necessário de água no primeiro ano de vida deverá ser de 60ml; por hora, dos dois aos seis anos, 120ml; por hora, na escola, 150ml. Ofereça o soro toda vez que a criança evacuar, ou mais freqüentemente, se ela aceitar. Crianças bem pequenas, 50 a 100ml (uma ou duas chucas); crianças maiores, uma mamadeira e meia (120 a 240ml). Se a criança estiver bem e dormindo, não há necessidade de acordá-la de hora em hora para dar líquido; basta regular a média de cada seis horas. Se estiver acordada, pode-se então experimentar de hora em hora. Alguns bebês toleram melhor a sede do que outros. Observe a eliminação urinária. Se a criança parar de urinar, a situação é grave.

Preste atenção aos seguintes fatos para informar seu pediatra:

Qual é o aspecto das fezes, se estão muito líqüidas, se são eliminadas em grande quantidade, se têm cheiro ácido ou pútrido, acompanhadas ou não de cólicas, com a presença ou não de assaduras ao redor do ânus, distensão do abdome, com ou sem vômitos, com ou sem febre, presença visível de sangue, muco, pus, se a criança tem sede, se está urinando ou há quanto tempo não urina.

Estas informações servirão para o pediatra ter uma primeira impressão sobre o caso. Pode-se também preparar o soro caseiro, usando uma tampinha de refrigerante ou de cerveja com sal, outra cheia de bicarbonato de sódio e seis cheias de açúcar para 1 litro de água filtrada.

O médico deverá ser sempre consultado:

a) quando, além da diarréia, houver vômitos;

b) se a temperatura estiver acima de 38,5°C;

c) se a criança estiver sonolenta, abatida;

d) se aparecer sangue ou pus nas fezes;

e) se a quantidade de líquido ingerido, em seis horas, for a metade do volume necessário;

f) se as evacuações forem seguidas;

g) em seguida, observe o tórax, se tem movimento respiratório normal;

h) a respiração normal em bebês de um ano de vida é de quarenta movimentos respiratórios por minuto, de um a três anos, trinta; e, próximo aos dez anos, é de vinte movimentos.

ENVENENAMENTO

Veneno é qualquer substância tóxica que, se for ingerida em quantidade elevada, pode provocar danos ao funcionamento normal do organismo. Qualquer substância não alimentícia é um veneno em potencial. É uma das principais causas de morte e motivo de hospitalização de crianças. A criança entre um e três anos de idade leva tudo o que encontra à boca, morde e chupa qualquer objeto. Esta atitude faz parte do desenvolvimento normal, constituindo um modo de aprender a respeito das coisas. Elas comerão e beberão tudo aquilo que lhes parecer interessante.

Hoje, dentro dos padrões da nossa civilização, é comum as pessoas terem em casa diversos medicamentos e drogas para as mais diferentes finalidades: sedativos, tranqüilizantes, antitérmicos, anticoncepcionais, antibióticos, cosméticos, desinfetantes, inseticidas e os mais variados remédios para doenças crônicas ou agudas, como gotas para o nariz, xarope para tosse, remédios para asma, enfim, uma série deles. Conseqüência desta grande farmácia doméstica é a possibilidade de as crianças beberem ou engolirem estas substâncias, devido à sua perigosa curiosidade e à mínima distração de seus pais.

Se a criança ingerir qualquer substância, principalmente se considerada tóxica, os pais deverão imediatamente tomar providências, mesmo antes da chegada do socorro médico. Estas providências deverão ter duas finalidades: primeiro, tirar o veneno e, segundo, administrar um antídoto, isto é, um neutralizante; esta prática deverá ser feita sempre que necessário e os pais também deverão ter algum conhecimento.

A primeira medida geralmente é a de provocar vômitos para a criança expelir a substância tóxica. Entretanto, este procedimento deverá ser evitado quando da ingestão de soda cáustica ou voláteis (querosene, gasolina), além dos pacientes desacordados. Portanto, a primeira e clássica medida é a de enfiar o dedo na garganta da criança, ou administrar xarope de ipeca, prática comum nos Estados Unidos, e sobre a qual falaremos em seguida. Igualmente, fazer a criança ingerir uma substância neutralizante, contendo o que se chama de Antídoto Universal, ou administrando-lhe carvão ativado ou magnésia calcinada é também outra medida. A prática de fazer a criança ingerir grande quantidade de água morna para vomitar é mais um recurso.

O XAROPE DE IPECA

É o meio mais prático de provocar vômitos, com a devolução do medicamento ingerido. Os pais deverão ter em casa um vidro de xarope de ipeca 30ml, não mais, para evitar que a criança o tome todo ou, na afobação, os pais o dêem em exagero. Esta dose é segura e livre de qualquer efeito colateral, mesmo se for ingerida toda: somente doses maiores de 30ml são tóxicas. O xarope de ipeca, em vidro fechado, conserva-se até por um ano; basta depois renová-lo. Depois de dado à criança, ele provoca, em 90% dos casos, vômitos dentro de vinte minutos. A devolução do material ingerido é estimada em 90 a 100%.

Não confunda o xarope de ipeca com o extrato fluido de ipeca, que é quatorze vezes mais forte e nunca deverá ser empregado. A dose de ipeca para uma criança de mais de um ano é de 15 a 20ml, 1 colher das de sopa; menos de um ano, 1 colher das de chá ou das de sobremesa, podendo ser repetida somente uma vez. Deve-se, em seguida, dar à criança 200ml, isto é, um copo de água, para facilitar o exame do conteúdo do vômito. Finalmente, a criança deverá ser mantida ativa; não a deixe dormir, para assegurar o efeito do remédio. Se ela não vomitar dentro de vinte minutos, repita a dose, mas de 15ml (1 colher das de sopa). No caso de ela não vomitar, deverá ser submetida a uma lavagem gástrica. Não deverá ser adicionado qualquer preparado de carvão absorvente, porque ele neutraliza a ação da ipeca.

Fórmula do xarope de ipeca:

- Extrato fluido de ipecacuanha 7ml
- Glicerina 10ml
- Xarope 83ml

Contra-indicações

Em crianças menores de seis meses, na ingestão de derivados de petróleo (querosene e gasolina) e corrosivos ácidos ou alcalinos.

O CARVÃO ATIVADO

É preferível administrar somente o carvão ativado, preparado com o pó preto, que é o resíduo da destilação da polpa da madeira; é sem gosto e sem risco para a criança, podendo ser empregado para os medicamentos que ele absorve, protegendo a criança. A dose deverá ser cinco a dez vezes maior do que a da substância que a criança ingeriu. A dose sugerida é 1g por quilo de peso, ou 1 a 2 colheres (das de sopa), em 240ml de água. Doses repetidas não são mais eficientes do que uma única dose; não vale a pena repeti-las. Com a aplicação do carvão ativado, não se deve dar vomitórios nem ipeca, como também fazer lavagem estomacal.

Lavagem estomacal

É um recurso usado para provocar a devolução da substância ingerida. O método tradicional é feito por meio de uma sonda colocada no estômago por profissional (médico ou enfermeira), ou então pela tentativa de dar à criança, para beber, a maior quantidade possível de água morna, até provocar vômitos.

Em alguns casos podem ser adicionadas à água determinadas substâncias, quando a droga ou tóxico ingerido for desconhecido. Se a criança ingeriu uma substância alcalina (bicarbonato de sódio, sabão, loções e pomadas), pode ser usada uma solução fraca de vinagre a 1 por 4, ou suco de limão; mas se tiver sido ingerida uma substância ácida, deverá ser empregada uma solução alcalinizante fraca, com hidróxido de magnésio ou leite de magnésia composta de permanganato de potássio a 0,1 por 1.000, ou solução de bicarbonato de sódio a 5%; porém, se o medicamento ingerido tiver sido um tranqüilizante, a solução deverá conter uma suspensão de carvão ativado ou magnésia calcinada.

Contra-indicações:

Em recém-nascidos e na ingestão de cáusticos e corrosivos.

Objetos existentes habitualmente no lar, cujas substâncias uma vez ingeridas são de baixa toxicidade, não exigindo tratamento:

- Tinta de canetas esferográficas
- Pilhas elétricas pequenas
- Vela
- Massa de modelagem
- Pacote de desumidificador
- Tinta a óleo
- Tinta de bola de golfe
- Giz
- Creme dental
- Creme para as mãos
- Jornal
- Xampu
- Creme para assaduras
- Pasta d'água
- Graxa de sapatos
- Sabonete em barra
- Sabão em pó (bolhas)
- Adoçantes (Adocil, Dietil etc.)
- Lápis de cor
- Detergente líquido
- Comida para peixes
- Loção para o corpo
- Termômetro
- Batom
- Lápis de qualquer finalidade
- Creme de barbear
- Caixa de fósforos
- Pomadas de antibióticos

Substâncias que quando ingeridas em dose elevada exigem intervenção:

- Loção após barba
- Água-de-colônia
- Amaciantes de roupas
- Spray para cabelos
- Tinta de marcar roupas ou objetos
- Anticoncepcionais
- Anilina
- Sabões e detergentes (Fisohex, Zephrian)
- Bebidas alcoólicas
- Inseticidas
- Querosene
- Desodorantes
- Tinturas para cabelos e tecidos
- Tônicos capilares
- Palitos de fósforo ou de dentes
- Óleos bronzeadores
- Água boricada
- Álcool etílico
- Álcool metílico (industrial)
- Neocid
- Naftalina
- Perfumes

INFORMAÇÕES E INSTRUÇÕES PARA O TRATAMENTO DAS INTOXICAÇÕES E ENVENENAMENTOS

Constituem uma das principais causas de hospitalização e morte em crianças, especialmente nas menores de quatro anos de idade. Nesta faixa etária, a criança leva tudo o que encontra à boca, principalmente bolinhas coloridas (drágeas e cápsulas), folhas de plantas do tipo "comigo-ninguém-pode" ou líquidos coloridos e adocicados (xaropes). Esta atitude faz parte do desenvolvimento normal, constituindo um modo saudável de aprender sobre a forma e a consistência das coisas que a envolvem.

Nos tempos modernos, com o pouco controle exercido sobre a comercialização e uso dos medicamentos, é prática comum a automedicação, sendo também comum a presença de pequenas farmácias em casa, com sedativos, xaropes para tosse, asma, gotas nasais, antibióticos, enfim, uma série de substâncias potencialmente tóxicas, freqüentemente armazenadas sem o devido cuidado e ao alcance das crianças.

Outro problema é a presença de produtos de limpeza (desinfetantes, detergentes, querosene, inseticidas), em armários de fácil acesso e, mais grave ainda, em garrafas de refrigerante.

Se a criança ingerir qualquer substância tóxica, deverá ser levada imediatamente a uma clínica ou pronto-socorro, a fim de que sejam tomadas as providências necessárias.

Entretanto, nem todos os remédios ou substâncias ingeridos são necessariamente tóxicos. Assinalaremos adiante um Quadro de Recomendações do Ministério da Saúde para o Tratamento das Principais Causas de Intoxicação Aguda.

As providências variam desde ausência de tratamento específico até a necessidade de aplicação de antídotos ou tratamentos sofisticados, possíveis apenas em ambiente hospitalar.

No caso de a criança ingerir, aspirar ou absorver pela pele substâncias tóxicas e apresentar perda de consciência, dificuldade respiratória, convulsões, queimaduras ou outras anormalidades graves, deve-se procurar socorro médico imediato ou, na falta deste, contactar o Centro de Intoxicações do seu Estado. Fornecemos o telefone no final deste capítulo.

Caso tenha havido ingestão, mas o paciente apresente boas condições gerais, consulte no quadro da Relação de Substâncias Ingeridas, localizando na coluna da direita o número do procedimento indicado.

Exemplo:

ingestão de aspirina: ver a coluna da direita, número 2. Conduta nº 2 – provocar vômitos após a administração de água morna etc.

CONDUTA NOS DIVERSOS TIPOS DE INTOXICAÇÃO

(localize no índice o número indicado)

Recomendações do Ministério da Saúde para o tratamento das principais causas de intoxicação aguda

1) Em pequena quantidade, não apresentam problema. Administre líquidos. NÃO É NECESSÁRIO TRATAMENTO ESPECÍFICO.

2) Provoque vômitos, após administração de água morna e estímulos: crianças de até um ano, 2 colheres (das de chá) de xarope de ipeca, seguidas de 1 ou 2 copos de água; crianças acima de um ano, 1 colher (das de sobremesa), seguida de 2 ou 3 copos de água. Administre 2 colheres (das de sopa) de carvão ativado para 100ml de água.
Não tente provocar vômitos em pacientes semicomatosos, comatosos ou que apresentem convulsões. Chame o Centro de Envenenamento para informação complementar.

3) Diluir ou neutralizar com água ou leite. NÃO PROVOQUE VÔMITOS. Use carvão ativado. É indicada a lavagem gástrica. Chame o Centro de Envenenamento para instruções específicas.

4) Tratamento sintomático. No caso de suspeita de botulismo, chamar o Centro de Envenenamento para instruções específicas.

5) NÃO PROVOQUE VÔMITOS. Dilua ou neutralize com água ou leite. Evite lavagem gástrica. Os produtos ingeridos poderão causar queimaduras nas mucosas. Consulte um endoscopista após o tratamento de emergência. Chame o Centro de Envenenamento para instruções específicas (ver telefone na pág. 516).

6) Lave amplamente a pele com água corrente. Chame o Centro de Envenenamento para informações específicas.

7) Lave os olhos com água corrente durante quinze minutos. Chame o Centro de Envenenamento. Deverá ser feita uma avaliação por um oftalmologista.

8) Antídotos específicos são indicados. Chame o Centro de Envenenamento.

9) Remova-a para um lugar ao ar livre. Cuidados respiratórios são fundamentais. Chame o Centro de Envenenamento.

10) Chame o Centro de Envenenamento para instruções específicas.

Relação de Substâncias Ingeridas

A

Absorventes de umidade	
(carvão sílica)	1
Acetona	
— inalação	10
— ingestão	2
Ácidos	
— ingestão	5
— contato com os olhos	7
— contato com pele	6
— inalação	10
Ácido bórico	2
Adesivos de dentadura	1
Aerossóis	
— contato com os olhos	7
— inalação	9
Aguarrás	10
Álcalis (ver Cáusticos alcalinos)	
Álcool	
— ingestão	2
— contato com os olhos	7
Álcool etílico	2,8
Alimentos	4
Alucinógenos	8
Amido	1
Amônia, amoníaco	
— ingestão	5
— contatos com os olhos	7
— inalação	9
Analgésicos	10
Anfetaminas, anorexígenos	2,8
Anilinas	
— ingestão	2,8
— inalação	8,9
— contatos com a pele	6,8
Anovulatórios	1
Antiácidos	1
Antibióticos	
— doses inferiores a três doses diárias	1
— doses superiores a três doses diárias	2
Anticongelantes	10
Antidepressivos	
— Tricíclicos	2,8
— outros	2
Antiespasmódicos	2,8
Anti-histamínicos	2,8
Aquário (produtos)	1
Arsênico	2,8
Aspirina	2

B

Batom	1
Barbitúricos	2,10
— ingestão	10
— local	6
— inalação	9
Brometos	2

C

Calicidas	5
Cânfora	2
Cáusticos alcalinos	
(soda cáustica)	
— ingestão	5
— contatos como os olhos	7
— inalação	9
— contato com a pele	6
Chumbo	2,10
Cianetos	2,8

D

E

F

G

H

I

INTOXICAÇÃO POR GÁS

O gás aspirado geralmente é monóxido de carbono, que é o gás do banheiro ou então o do fogão de cozinha, o gás de rua. Os sintomas são tonteira, enjôos, acompanhados de dor de cabeça, vômitos e grande fraqueza muscular. Ao paciente intoxicado falta-lhe ânimo para se afastar do local ou fechar a torneira de gás. Na fase final vêm a falta de ar, a asfixia, o coma e a morte. O tratamento consiste na administração de oxigênio puro. Nos casos mais brandos, em que não ocorre coma profundo ou convulsões, o oxigênio poderá ser administrado por máscara de borracha. Nos casos mais graves é necessária a intubação traqueal (colocação de um tubo na traquéia) para que maior concentração de oxigênio chegue aos pulmões, deslocando o gás carbônico da hemoglobina (nos glóbulos vermelhos do sangue).

Atenção

As intoxicações são causadas por uma grande variedade de agentes. O primeiro tratamento, ainda no local do acidente, é muito importante. Para orientação dos pais, instruindo-os sobre como agir no primeiro socorro, existem centros de informação toxicológica, que devem ser procurados antes mesmo do hospital.

O telefone no Rio de Janeiro é (0xx21) 2290-3344.

FEBRE

O que fazer para baixar a temperatura

Existem três recursos:

1) facilitar a irradiação do excesso de calor;

2) administrar antitérmicos e

3) dar banhos mornos.

1) Deve-se facilitar a irradiação do excesso de calor corporal, tornando mais fresco o ambiente do quarto com ventilador removedores de ar e no verão ar-condicionado. Vista a criança com roupas de algodão; os tecidos sintéticos, náilon, dácron, tergal e outros, bem como os de lã e flanela não estão indicados.

2) Antitérmicos são os medicamentos que reduzem a febre, podendo ser aplicados e em comprimidos, em gotas ou na forma de supositórios, de acordo com a criança. São comercialmente disponíveis quatro tipos de antitérmicos, variando conforme sua composição química:

a) Aspirina (ácido acetilsalicílico);

b) Dipirona;

c) Acetaminofen;

d) Ibuprofeno.

De modo geral, nas doses adequadas, todos são bem tolerados; entretanto há algumas crianças que poderão apresentar intolerância ou reações colaterais inaceitáveis; assim, a Aspirina poderá causar alergias da pele ou hemorragia do estômago; a Dipirona poderá diminuir o número de glóbulos vermelhos do sangue; e o Acetaminofen poderá acarretar problemas no fígado. Estas reações são raras e não deverão impedir a administração dos antitérmicos no caso de haver febre alta. No caso de se verificar a reação, o médico mudará o tipo de antitérmico usado. Não se esqueça de que a dose de Aspirina em excesso é uma das causas de envenenamento na infância. Se a criança vomitar o antitérmico dentro de 45 minutos, deverá ser repetido, se vomitá-lo outra vez, deverá ser aplicado na forma de supositório.

3) Se a temperatura permanecer igual ou acima de 40°C (temperatura axilar, debaixo do braço) por mais de uma hora, apesar da aplicação correta do antitérmico, de usar roupas leves, o quarto estar arejado e ter sido administrados líquidos (água, chá ou suco de frutas), um banho será conveniente. O tipo pode ser:

a) por imersão, na banheira (banho morno); banho de chuveiro, envolvendo a criança da cabeça aos pés com uma toalha felpuda. Abra o chuveiro com temperatura quente, porém agradável para a criança. Deixe-a debaixo do chuveiro até a toalha ficar bem encharcada. Com a água quente, a sensação para a criança é agradável. A seguir, vá esfriando a água gradativamente, até deixá-la a 37°C. A partir deste ponto, deixe a criança recebendo esta água por quinze a vinte minutos. Depois seque-a e vista-a;

b) banho de esponja, como preferem os americanos e europeus;

c) com envoltório frio.

Banho morno de esponja ou toalha:

a) use a banheira ou uma bacia;

b) encha-a com água quente e fria, ao mesmo tempo, até ficar morna;

c) deixe que a água chegue até a cintura da criança sentada;

d) deixe a torneira de água fria correndo bastante fina, quase gota a gota;

e) coloque na água duas toalhas e brinquedos flutuando;

f) com uma toalha, esfregue o corpo, do rosto até os dedos dos pés, em movimentos rápidos, para trazer o sangue dos vasos sanguíneos para a superfície da pele, e esfriá-lo, fazendo perder calor;

g) quando a toalha ficar quente, troque por outra, e deixe a primeira na banheira, para esfriar;

h) para tornar a fricção mais eficiente, gaste muito tempo esfregando o rosto, o pescoço, os cotovelos, os joelhos e a barriga, locais de maior concentração de sangue;

i) se a criança começar a apresentar calafrios, a tremer, aqueça um pouco a água, substituindo a fria, da torneira, pela água quente, ou com o recurso de um jarro, já preparado com água quente;

j) a criança deverá ser mantida na banheira por vinte minutos;

l) então, retire a criança da banheira e a envolva com a toalha, mantendo-a seca, não esfregando a umidade que ficou na pele, refrescando ainda mais;

m) vista-a com uma camisa de mangas curtas e calça ou fralda;

n) verifique a temperatura novamente, meia hora depois do banho terminado;

o) habitualmente a temperatura baixa 1 a 2 graus depois do banho;

p) se a temperatura não baixar, deverá ser dado outro banho, que também poderá ser repetido. Às vezes o bebê apresenta aumento de temperatura acima de 38°C, devido à excitação, roupas de lã, flanela, náilon, temperatura esta que descem sem antitérmicos, bastando tomar as medidas aconselhadas.

Se a criança já apresentou crise convulsiva febril, deve-se manter sua temperatura abaixo de 38°C.

Instruções para a criança febril. O que os pais devem perguntar ao médico:

a) se ela deverá ficar na cama, no sofá ou na espreguiçadeira;

b) se ela deverá ficar no quarto, em casa ou se poderá sair por algum período ou se poderá viajar;

c) se tem necessidade de ter talheres próprios (doença transmissível);

d) que tipo de roupa deverá usar;

e) que líquido poderá tomar, como os refrigerantes;

f) se são permitidos alimentos sólidos;

g) se poderá ficar ao ar-condicionado;

h) se poderá ouvir rádio ou ver televisão;

i) que brinquedos, leitura e atividades poderá fazer;

j) se terá necessidade de companhia, vigilância ou enfermeira permanente.

Pesquisas recentes têm demonstrado que a febre, o pavor dos pais, tem utilidade. Animais impedidos de elevar sua temperatura têm dificuldade de vencer as infecções. A atividade dos glóbulos brancos aumenta durante os episódios febris. Aumenta também a produção das defesas, chamadas anticorpos. Desta forma, o que se deve ter como objetivo é evitar a febre alta (acima de 38°C). É melhor evitar os antitérmicos quando a febre estiver abaixo desta temperatura.

FERIMENTOS

Um ferimento pode ser provocado por objetos, animais ou quedas. Aqui trataremos das denominadas contusões, que dilaceram a pele, com perda maior ou menor de sangue. Neste caso, os ferimentos deverão ser bem limpos com água fervida, água boricada ou água oxigenada e pincelados em seguida com solução de mercúrio cromo, mertiolate ou tintura de iodo. Assim, protege-se o ferimento com gaze ou esparadrapo; o algodão não deverá ser colocado diretamente sobre a ferida. Um curativo apertado também dificultará a circulação. Os ferimentos que são produzidos na rua ou em jardins deverão ser tratados com muito cuidado, visto que o bacilo do tétano vive nos intestinos dos cavalos, existindo a prática condenável de adubar os jardins com suas fezes, onde brincam as crianças (ver Vacinação Antitetânica, pág. 604). No caso de a ferida apresentar bordas muito afastadas, profundas, estará indicada uma sutura, o que só poderá ser realizada em hospital.

FRATURAS

A criança, pela sua irrequietude natural, está predisposta à fratura dos ossos, principalmente dos ossos dos braços, antebraços e clavículas; as das pernas são mais raras, por serem os ossos mais resistentes. A suspeita de fratura conseqüente à queda ou ao mau jeito é caracterizada pela impotência funcional e pela dor, não permitindo que a criança mova o membro. Às vezes não há modificação da região da pele correspondente à da fratura. Estão contra-indicadas as manobras, a fim de fazer o diagnóstico, ou fricção, que só podem agravá-la. Deve-se fazer a imobilização do membro, com papelão e gaze, enquanto se espera o socorro. A tala deverá ser comprida, ultrapassando o membro a ser imobilizado, feita de papelão forte e presa com lenço ou atadura. Os raios X são sempre indispensáveis.

HEMORRAGIA NASAL (Epistaxe)

O sangramento nasal de quase todas as crianças costuma ter uma conotação familiar. Se investigarmos, o pai ou a mãe, quando crianças, também apresentavam o problema.

É a ruptura (rompimento) de pequenos vasos sanguíneos das mucosas das fossas nasais. A maior causa é o hábito de introduzir o dedo no nariz, e a segunda é o nariz alérgico, que coça, e a criança vive esfregando. Poderá ocorrer também durante a noite, assustando os pais e a própria criança. Na hemorragia nasal que perdurar mais de vinte minutos, apesar da pressão dos dedos, a criança deverá ser levada ao médico. Alguns casos requerem a cauterização dos vasos sanguíneos. Outros recursos empregados são tamponamento com gaze umedecida em água oxigenada, introduzida nas fossas nasais, compressão das asas do nariz, colocar a criança em posição horizontal, com a cabeça em plano mais alto do que o corpo e colocar uma compressa de água gelada sobre o nariz.

HEMORRAGIAS

Qualquer que seja sua natureza, alguns cuidados imediatos deverão ser tomados:

a) compressão no local da ferida, com gaze seca e atadura, ou, então, com os próprios dedos no local, para estancar o sangue. Às vezes a compressão procedida com um lenço no local dá resultado;

b) repouso absoluto;

c) aplicação local de uma bolsa de gelo;

d) deverão ser evitados os torniquetes, que poderão agravar o sangramento.

CORTES COM PEQUENA HEMORRAGIA

a) a pessoa que atender a criança deverá lavar as mãos antes, vigorosamente, com sabão, se possível anti-séptico;

b) lavar em volta do ferimento, usando algodão ou gaze para remover qualquer corpo estranho;

c) lavar em água corrente, mesmo da torneira;

d) enxugar com gaze ou qualquer tecido limpo;

e) colocar com firmeza uma gaze esterilizada, curativo comercial ou pano limpo.

HEMORRAGIA INTESTINAL

A perda de sangue pelos intestinos poderá ser verificada com alguma freqüência na infância. No recém-nascido, poderá ocorrer, devido ao sangue deglutido, e no bebê, por fissura anal, pólipos, vermes (tricocéfalo) ou mesmo reação alérgica conseqüente à intolerância a alguns alimentos. Causas mais graves, como doenças hemorrágicas, estrangulamento dos intestinos e hemangiomas deverão ser consideradas pelo médico.

INFLAMAÇÃO

Uma inflamação é caracterizada pelo aumento do volume da região (tumor), por coloração vermelha, calor e dor. Traduz sempre uma infecção e é conseqüente a traumatismos, picadas de insetos ou a ferimentos infectados, podendo levar à formação de furúnculos e abscessos. Deverão ser bem tratadas, para evitar agravamentos (erisipela, antraz, septicemia). São geralmente subfebris, deixando a criança manhosa e impertinente. O tratamento deverá ser antiséptico. Compressas mornas são úteis para aliviar a dor e acelerar a involução do processo. No caso de evoluir para um abscesso, poderá haver a ruptura espontânea, com liberação de pus, ou ser necessária a intervenção pelo bisturi. A pessoa leiga que preparará o curativo deverá ter o cuidado de desinfetar as mãos e a região inflamada. Administrar antibióticos, em alguns casos, é indispensável, devendo ser usados sob orientação do pediatra.

INSOLAÇÃO

A criança com insolação apresenta febre alta, dor de cabeça, vômitos e desidratação; às vezes, convulsão com sintomas de meningite. Outras vezes os sintomas demoram algum tempo, com sinais de confusão mental. A intermação, isto é, a exposição ao calor sem ser aos raios diretos do sol, também poderá provocar os sintomas.

Tratamento:

a) remova a criança para um lugar mais fresco e ventilado;
b) use envoltórios frios;
c) dê-lhe bastante água, com uma pitada de sal;
d) se necessário, proceda à respiração artificial;
e) remova-a para um hospital.

Prevenção:

a) evite que a criança fique em ambientes excessivamente quentes;
b) faça-a usar roupas leves no verão;
c) faça-a ingerir bastante líquido, principalmente quando na praia ou na piscina, ou após grande atividade física com calor;
d) evite expô-la ao sol entre as dez e as quinze horas.

LUXAÇÃO (Torcedura)

As luxações comumente ocorrem nas articulações, sendo então chamadas "destroncamentos" ou "deslocações". As superfícies articulares saem dos limites normais, forçando a cápsula (invólucro ligamentoso). Das articulações, as mais sujeitas são as dos cotovelos e a dos tornozelos. Às vezes, logo após as superfícies terem se deslocado, voltam automática e imediatamente aos seus lugares; outras vezes torna-se necessária a intervenção do médico para "reduzi-la", isto é, fazê-la voltar ao seu lugar primitivo. Envolver a articulação com ligas, elásticos e ataduras de crepom firmes é útil, bem como repousar. Geralmente segue-se a edemaciação (inchação) da região, que, por algum tempo, ficará bastante dolorida.

MORDIDA DE CACHORRO OU GATO

O local da mordida deverá ser limpo, lavado com água filtrada ou mesmo da torneira, com sabão. Se não estiver sangrando, mantenha o local debaixo da torneira por alguns minutos. Aplique, depois um curativo feito com gaze esterilizada. A aplicação de antibióticos, de vacina antitetânica ou da vacina contra a raiva dependerá das condições do acidente e da decisão do médico. Aconselhamos ler o capítulo sobre a Raiva, página 598.

MORDIDA HUMANA

A possibilidade de uma criança ser mordida por outra é um fato. Se houver apenas contusão, isto é, somente as marcas dos dentes, bastará lavar o local com sabão com hexaclorofeno. Porém, no caso de o ferimento sangrar, há possibilidade de inflamação, devido a uma infecção. Se a infecção se revelar mais intensa, é indicado o emprego de antibiótico por via oral ou injeção intramuscular. Em alguns casos, as crianças ficam nervosas, e a administração de um sedativo suave ou mesmo o emprego de aspirina será útil. Quando a extensão da lesão for grande, e havendo possibilidade de contaminação com terra, a reativação da vacina antitetânica deverá ser considerada. Geralmente há possibilidade de contaminação por bactérias (micróbios) que normalmente existem na saliva humana. As mordidas que exigem maior atenção são as localizadas nas articulações dos dedos das mãos, devido à possibilidade de ruptura ou inflamação das cartilagens e ligamentos, sempre de tratamento mais delicado e demorado.

MORTE NO BERÇO (morte súbita)

Esta condição patológica é observada geralmente nos seis primeiros meses de vida do bebê, sendo mais freqüente nos primeiros quatro meses.

O bebê aparentemente sadio pode, em alguns casos, morrer subitamente, durante o sono. Hoje está provado que há uma causa na maioria das vezes, e por isso os pais não devem se opor à autópsia, se o pediatra aconselhar. Entretanto, ainda existem casos de morte súbita em que, apesar da autópsia, nada foi encontrado que justificasse a morte.

É mais comum em bebês prematuros e em bebês de mães fumantes ou que usam drogas. Nos bebês nascidos a termo, a morte súbita é rara antes de completado um mês de idade.

A posição no berço é um dos cuidados preventivos (nunca deitar um bebê de bruços, até os seis meses de idade, segundo recomendações da Sociedade Brasileira de Pediatria e da Academia Americana de Pediatria).

As causas identificadas são:

1) congênitas:

a) devido a problemas cardíacos (arritmias, malformações);

b) devido a problemas no sistema nervoso central.

2) adquiridas:

a) refluxo gastroesofageano;

b) devido a infeções (pneumonia, meningite, septicemia);

c) traumas: 1) devido a quedas (que não forem comunicadas aos pais); 2) por sufocação (bebês que dormem junto com adultos na cama).

CORPO ESTRANHO ENGOLIDO (presente nas vias digestivas)

Engolir objetos é o risco das crianças que levam tudo à boca. O objeto poderá se localizar no esôfago (é o tubo que liga a garganta ao estômago), no próprio estômago ou nos intestinos. Quando localizado no esôfago, o corpo estranho provoca regurgitação, desconforto, desassossego, um grande mal-estar. No estômago e nos intestinos, são bem tolerados; o objeto que passa pelo estômago geralmente é expelido, embora pareça impossível, como alfinetes de fraldas abertos. O importante é não ter pressa, esperar alguns dias, se o estado da criança se apresentar normal. Atualmente, com o uso cada vez maior de objetos de plástico, o número de corpos estranhos transparentes tem sido muito mais freqüente quanto ao seu aparecimento no aparelho digestivo. Os raios X e a ultra-sonografia abdominal são indispensáveis para se fazer um diagnóstico.

PICADAS VENENOSAS (de animais peçonhentos)

Cobras

O acidente causado por picada de cobra venenosa denomina-se *ofidismo*. As cobras venenosas mais comuns são a jararaca, a jararacuçu, a cascavel, a surucucu e a cobra coral.

Características das cobras venenosas: cabeça triangular, achatada, "separada" do corpo, olhos pequenos, fossas lacrimais entre os olhos e narinas. Cauda curta e grossa, afilando bruscamente. Picada: simples arranhões, quatro linhas de escoriações superficiais ou duas linhas com dois orifícios maiores nas pontas e inchação local.

Não-venenosas: cabeça alongada, arredondada, olhos grandes, fossas lacrimais ausentes, cauda longa, comprida, afilando gradativamente. Picada: somente dois orifícios nítidos.

Tratamento: amplie a ferida provocada pela mordida da cobra, espremendo bem o local, para que o sangramento produzido elimine parte do veneno. O Instituto Butantã, em São Paulo, produz soros que deverão ser sempre conservados em geladeira e ao abrigo da luz. Os soros principais são o antibotrópico, contra a jararaca e a jararacuçu, e o antiofídico, contra a jararaca e a cascavel. Existem ainda o antilaquético, contra a surucucu, e o antielapídico, contra as cobras-corais.

Caravelas, medusas (águas-vivas) e celenterados

São agressivos, mas sem apresentar perigo de vida. O local da agressão apresenta dormência ou perda de sensibilidade. Os sintomas são agitação, angústia, mal-estar, palpitação passageira. O tratamento é feito com compressas, analgésico e sedativo. Estes seres têm o corpo gelatinoso, em forma de guarda-sol transparente, com filamentos. A água-viva é inócua, mas a caravela provoca queimaduras de primeiro e segundo graus, coceiras, suor, dor de cabeça e às vezes desmaios e falta de ar. O tratamento é feito com aplicação local de gaze embebida em solução de amônia diluída. O paciente deverá evitar coçar a área atingida, para evitar infecções. A pomada de xilocaína poderá aliviar o mal-estar decorrente.

Abelhas

Aqui também podem ser incluídos os marimbondos, as vespas, as formigas e as lagartas urticantes. As picadas causam dor, inchação (edema), vermelhidão (eritema) e aumento das ínguas (gânglios, adenopatia). Geralmente os sintomas desaparecem nas 24 horas que se seguem à picada. Nas crianças hipersensíveis, ou alérgicas, o quadro poderá se complicar com uma espécie de sufocação, isto é, um edema da glote. As picadas destes animais são mais graves nas crianças do que nos adultos.

Tratamento: local, com compressas de álcool com gotas de amônia, ou então solução de glicerina fenicada (10 a 50); caso tenha ficado preso o ferrão, ele terá de ser extraído. Tire-o desde a sua base, se houver; não o esprema, use uma pinça, e se possível aplique compressas frias. Se houver reação alérgica, aplique uma pomada ou creme antialérgico (anti-histamínico). Nos casos mais graves, o socorro médico é indispensável, aplicando uma injeção de uma solução milesimal de adrenalina, isto é, adrenalina a 1 por 1.000, na dose de 0,3ml subcutâneo. Não havendo resposta, poderá ser aplicada uma injeção intramuscular de Fenergan.

Lacraias (centopéia)

Não constitui perigo. Surge uma dormência no local, agitação e mal-estar, às vezes palpitações, todos sintomas passageiros.

Tratamento: com compressas, analgésico e sedativo.

Aranhas

As mais conhecidas e temidas são basicamente duas: a viúva-negra, e a aranha caranguejeira. A viúva-negra é muito venenosa e a mais perigosa, porque pode se esconder em roupas, sapatos etc. e também viver em gramados e árvores. Tem hábitos diurnos e prefere as horas mais quentes do dia para atacar, ao passo que com as aranhas denominadas caranguejeiras, também conhecidas por nhanduguassu, os acidentes são mais raros, porque é uma aranha grande, facilmente vista, ao passo que a viúva-negra é pequena. A aranha caranguejeira tem hábitos noturnos, é pouco agressiva, foge mais do que ataca, e vive sobretudo na zona rural.

Tratamento: feito com soro, preparado no Instituto Butantã. O tratamento mais prático, porque nem sempre a aranha é identificada, é dar o soro misto antiaracnídeo. A medicação coadjuvante é feita pelos analgésicos e sedativos. Se houver prisão de ventre, poderão ser usados laxativos. O uso de antialérgicos (anti-histamínicos) poderá ser feito por via oral ou injetável, com a finalidade de evitar a doença do soro.

Escorpiões

Dá-se o nome de escorpionismo ao acidente causado pela picada de escorpião. Eles geralmente se ocultam em lugares frescos e sombrios. Os sintomas poderão ser constatados duas horas após a picada, com dores violentas, náuseas e vômitos. Ocorrem também distúrbios cardíacos, como a síncope, isto é, a parada cardíaca, ou então a parada respiratória. Ocorre mal-estar, agitação, lacrimejamento e dormência. Nem sempre existem estas formas graves; às vezes as manifestações são benignas, com uma inflamação local, fraqueza e sonolência, sem maiores complicações.

Tratamento: Pelo soro fornecido pelo Instituto Butantã.

Sapos

As rãs não possuem veneno, mas os sapos, sim. O veneno do sapo é branco, leitoso, viscoso, pegajoso, projetado em gotículas ou pequenos jatos. Este veneno não penetra na pele, a não ser que haja algum ferimento. O simples contato com as mucosas, lábios, boca e conjuntiva ocular é perigoso; procure socorro médico.

PICADAS DE INSETOS

Inicialmente devemos separar as picadas de pulgas, pernilongos, carrapatos das picadas de formigas, marimbondos, abelhas, vespas etc.

Quando a criança tem alergia às primeiras, costuma surgir no local uma pápula vermelha, com um ponto mais elevado e amarelado. Esta lesão é muito pruriginosa, sendo chamada de estrófulo. Deve-se passar no local uma mistura de água e vinagre, para a coceira diminuir. Pode-se usar também antialérgicos.

Para evitar essas picadas, pode-se usar o complexo B, pois assim a criança vai eliminá-lo pelo suor, funcionando como repelente para os mosquitos.

O segundo grupo poderá apresentar maiores problemas.

Para evitar a picada

Os repelentes são úteis quando usados corretamente, entretanto são efetivos entre 45 minutos e duas horas após a aplicação na pele, havendo necessidade de uma reaplicação.

Não há tratamento para curar picadas de insetos, os cuidados são para melhorar a dor e evitar infecção secundária. Geralmente a inflamação e a vermelhidão atingem o máximo após uma ou duas horas da picada. Se depois de duas horas continuar a aumentar a dor e a vermelhidão e a criança apresentar febre, o médico deverá ser comunicado e o caso deverá ser discutido com ele, mesmo que seja pelo telefone. A aplicação de compressas frias, pedras de gelo no local podem reduzir a dor e o prurido (coceira). Loções e cremes são de pouca utilidade. A administração por via oral de anti-histamínicos pode melhorar a coceira e a inchação. Deve-se evitar que a criança coce o local da picada, pois há perigo de infecção. As unhas deverão ser cortadas bem curtas. Em algumas crianças poderá haver uma reação alérgica generalizada, exigindo maior cuidado. Às vezes esta reação se manifesta horas após a picada, consistindo em urticárias generalizadas, fraqueza, tonteiras, náuseas, dores de barriga e dificuldade de respirar. Os insetos que habitualmente provocam estes sintomas com suas picadas são as abelhas, as vespas e os marimbondos; e se estes sintomas se agravarem, deverá ser procurado, sem perda de tempo, um hospital, porque há possibilidade de choque anafilático. (Ver dengue, pág. 565)

QUEDA (tombo)

Não há criança que não caia, e tanto é que a natureza lhe deu a mesma sensibilidade periférica, bem menor do que a do adulto; geralmente ela não se machuca, e o ditado popular diz: "À criança e ao borracho, Deus põe a mão por baixo." Evitar quedas, porém, é o dever de quem toma conta de crianças. Não deixe que elas subam em mesas, cadeiras e, sobretudo, que crianças maiores as levem ao colo. As quedas poderão causar sustos, às vezes pequenos, de conseqüências graves, e outras vezes grandes, absolutamente sem conseqüência. O maior perigo está em afetar a cabeça e as clavículas. Nos casos de quedas leves, de lado, sobre os ombros, é comum as clavículas se partirem, o que se exterioriza pelo choro e pela imobilidade do braço correspondente. Já na cabeça, o que se observa comumente é a formação de um galo, tumor formado em conseqüência do traumatismo, e que necessita, na maioria das vezes, de cuidados. Apresenta, às vezes, forte coloração arroxeada, em conseqüência do extravasamento do sangue, devido à ruptura de alguma veia, mas sem maior importância. Outras vezes fica apenas edemaciado (inchado). Após uma queda, a criança poderá apresentar febre, causada pelo choque, devendo ceder logo, sem necessidade de medicamento algum. No caso de traumatismo craniano, ver a página 495 (Concussão e Contusão cerebral).

No caso de queda, como proceder?

Coloque a criança na cama e observe qualquer alteração. Para tranqüilizá-la, dê-lhe um pouco de água açucarada. No caso de ter havido ferimento, aplique-lhe pomadas neutras ou anti-sépticas. Se houver suspeita de fratura, proceda como indicado na página 519. Passado o susto, se a criança começar a mostrar desejo de brincar novamente, não deve haver nada de importante e o melhor é esquecer a queda. Mas se a criança continuar chorando, queixando-se de dor localizada, de algum membro, ou continuar excitada, agitada, chame o médico.

QUEIMADURAS

Extensas ou profundas, por choque elétrico ou quando atingem olhos, rosto ou dedos, o socorro médico é indispensável e urgente.

Queimaduras pequenas

Apresentando vermelhidão ou formação de bolhas, são as que poderão ser tratadas em casa pelos pais, devendo ser tomados os seguintes cuidados:

a) lave a área afetada suavemente, com água e sabão;

b) aplique compressas frias. Se forem as mãos, deverão ser mergulhadas em água fria;

c) a dor geralmente passa, ou diminui, em meia hora ou uma hora;

d) a antiga prática de aplicar pasta de dentes, manteiga, gordura ou azeite, deverá ser evitada;

e) as aplicações gordurosas não ajudam a curar e poderão ser causas de futura infecção;

f) sprays, pulverização de anestésicos, comprados sem prescrição médica, poderão abrandar a dor, porém poderão sensibilizar e provocar reações alérgicas futuras, e por este motivo não são recomendados;

g) depois de ter sido limpa a lesão, poderá ser aplicada uma pomada de vaselina esterilizada ou sulfadiazina de prata, que poderá atenuar a dor, mas não é indispensável para a cura;

h) um curativo não é necessário, a não ser que a queimadura esteja num local sujeito a atritos e pancadas. Neste caso, use gaze esterilizada com vaselina para evitar que fique colada à pele;

Fogão é um perigo. Pode provocar desde queimaduras até intoxicações por gás.

i) a formação de bolhas dá uma proteção, evitando a infecção. A bolha, se for grande demais, poderá ser furada com uma agulha ou alfinete fervido ou flambado, mas a parte da bolha que adere à pele deverá ser deixada. Habitualmente as bolhas murcham e desaparecem após alguns dias;

j) sempre é prudente consultar o médico, mesmo no caso de uma queimadura pequena;

l) a aplicação de antibióticos ou do reforço da vacina antitetânica ficará a critério exclusivo do médico;

m) para as queimaduras mais graves, o tempo de cura dependerá da profundidade da lesão, se somente parte da pele foi destruída, como acontece no caso de queimadura por líquidos quentes, com uma nova pele se formando em até três semanas. A nova pele poderá ser mais escura, levando meses para adquirir sua tonalidade normal;

n) no caso de uma queimadura por fogo, contato com metal quente ou corrente elétrica, uma cicatriz se formará;

o) no caso de destruição total da pele, se imporá um enxerto, para evitar cicatrizes graves;

p) as queimaduras elétricas são sempre graves; não tire a criança com as mãos, mas usando um pedaço de madeira que esteja disponível. Se a criança não estiver respirando, use a reanimação boca a boca;

q) para o caso de queimadura química, se for através de roupa, esta deverá ser tirada e em seguida lave a lesão com bastante água. Se for lesão nos olhos, lave-os com água por quinze minutos, no mínimo, evitando que a água atinja o olho não afetado. Depois de bem lavada e removida com gaze ou com um lenço, remova partículas, para, finalmente, cobrir as pálpebras com gaze esterilizada; não use algodão;

r) as queimaduras nas mãos deverão ser avaliadas por um cirurgião, pela possibilidade de retrações, com grave deficiência física. Alguns estudos comprovaram que a imersão da área queimada em uma vasilha com álcool, até que a dor desapareça, tem dado resultados sensacionais.

Queimadura solar

É provocada pela exposição contínua aos raios solares. Os raios infravermelhos são os responsáveis pela queimadura; eles não são bloqueados pelas nuvens. As crianças de pele branca são mais sensíveis, principalmente as com olhos azuis, louras ou ruivas, menos capazes de produzir melanina.

Tratamento: É feito com aplicação de pasta d'água, e nos casos mais graves a aplicação de um creme à base de cortisona melhora a dor e a inflamação. Pomadas que contêm anestésicos, como Benzocaína ou Lidocaína, deverão ser evitadas. É preferível usar pastas inertes (ver Pele, na pág. 785).

Queimaduras extensas e graves podem causar náuseas, vômitos e febre.

A melhor maneira de tratar as queimaduras solares é com a prevenção. O uso de filtros solares com fator de proteção acima de 15 são eficientes na proteção da pele sensível da criança. Os protetores não devem conter PABA (ácido-paraaminobenzóico). Embora não saiam facilmente, deverão ser reaplicados após banho de mar ou de piscina.

RESPIRAÇÃO ARTIFICIAL

A respiração boca a boca, ou boca-nariz, é o procedimento inicial;

a) verifique a presença ou a ausência de pulsação na carótida (veia no pescoço);

b) limpe a boca e a garganta, com os dedos, de qualquer líquido, vômito, catarro ou corpo estranho;

c) ponha a vítima de costas, colocando sua cabeça bem para trás, com o queixo para cima, manobra que colocará a língua em posição de facilitar a passagem de ar;

d) reforce esta posição, colocando a mão esquerda atrás do pescoço da vítima, e com a palma da mão direita colocada na testa, inclinada para trás o máximo possível;

e) aperte as narinas com o polegar e o indicador, usando a mão que está colocada sobre a testa, para evitar a saída de ar quando este for insuflado por meio da manobra boca a boca;

f) na respiração boca a boca para a criança de um ou dois anos, a pressão não é grande. Bastará soprar o ar das bochechas, como se estivesse bufando, porém para as maiores poderá ser feita maior pressão;

g) a boca deverá ser aplicada apertada na boca da vítima, para em seguida poder assoprar. Nas crianças pequenas, a boca do adulto poderá englobar, abocanhar a boca e o nariz ao mesmo tempo;

h) verifique a eficiência da manobra pela elevação do tórax da vítima.

SONOLÊNCIA OU DELÍRIO REPENTINO

Apresenta-se geralmente em uma criança que estava aparentemente bem, e subitamente fica fora de contato com o seu ambiente, podendo ter as seguintes causas:

1) febre alta e repentina

2) infecção (principalmente meningite)

3) traumatismo craniano

4) envenenamento acidental, como a ingestão de alguns medicamentos contra alergia, vômitos, asma e tranqüilizantes

5) disritmia (faça um eletroencefalograma)

SOLUÇOS NO RECÉM-NASCIDO

(ver pág.153)

SOLUÇOS NA CRIANÇA MAIOR

São causados pela contração do diafragma, com fechamento súbito da glote, produzindo um ruído característico. As causas mais freqüentes são as seguintes: ingestão rápida de alimentos, ingestão de alimentos muito quentes, fermentação, distensão do estômago (para quem "engole" ar), excitação. Existem causas mais graves, como hérnia estrangulada, pneumonia e infecções, sendo indispensável comunicar ao pediatra.

Providências no caso de soluços persistentes:

a) aperte rapidamente as narinas e a boca, por alguns segundos, repetindo se necessário;
b) beba líquido frio, aos goles;
c) respire num saco de papel por alguns minutos, tentando respirar o próprio ar expirado (aumentando o teor de gás carbônico);
d) faça cócegas no céu da boca ou no ouvido;
e) puxe a língua para fora;
f) coloque uma bolsa de gelo ou de água quente sobre o estômago;
g) cheire álcool ou éter;
h) dê à criança um calmante, mas apenas com orientação médica;
i) dê 1 colher (das de sobremesa) de açúcar.

SUFOCAÇÃO (engasgo) CAUSADA POR INGESTÃO OU ASPIRAÇÃO DE OBJETOS ESTRANHOS

Se a criança estiver sufocada por ter engolido algum objeto, que possa ser visto e facilmente pinçado de sua boca, isto deverá ser feito imediatamente. Se o objeto estiver fora de alcance, o melhor é não tentar tirá-lo, porque só poderá piorar a situação. A Academia Americana de Pediatria aconselha o seguinte: dê tapas vigorosos nas costas da criança e depois comprima repetidamente o tórax, sempre com a cabeça da criança em posição mais baixa do que o tronco. A técnica deverá ser executada novamente se houver necessidade. Se não surtir efeito, leve-a imediatamente ao hospital. Porém, se a criança sufocada repentinamente se sentir bem, o objeto não aparecer nem for devolvido, tudo indicará que ele passou pelo esôfago (tubo que leva os alimentos da boca para o estômago), e se não apresentar dor no pescoço (à altura da garganta) ou respirar com dificuldade, não haverá nenhum problema.

Porém, se o objeto se localizar nas vias aéreas, se a criança apresentar tosse, respiração difícil, dispnéia, dor no pescoço, uma radiografia mostrará se está na traquéia, nos brônquios e se há alguma lesão pulmonar conseqüente (pneumonia, enfisema, atelectasia). Objetos redondos, como contas e bolas de gude não acarretam problemas, atingindo o estômago sem dificuldade. Na maioria das vezes eles atravessam o aparelho digestivo e depois de dois ou três dias aparecem nas fezes, que deverão ser observadas. Se após cinco dias não aparecerem, o médico deverá ser consultado. Porém, se o paciente apresentar dor abdominal, vômitos ou sangue nas evacuações, alguma complicação se estabeleceu, devendo ser resolvida com urgência. No caso de o objeto engolido ser de forma irregular (alfinetes, pregos, cacos de vidro), a presença do médico é necessária desde o início, porém há a possibilidade de tudo correr bem.

TEMPERATURA BAIXA (hipotermia)

Como a temperatura corporal pode se elevar, o inverso também é possível, desde a 36°C e 35°C. O bebê ou a criança apresenta-se frio, principalmente nas extremidades, com coloração arroxeada, calafrios e, neste caso, a aplicação de banho quente (ver pág. 479) é de ótimo resultado, com a administração de uma ou mais colheres (das de chá) de café forte com açúcar e quente. Fricções com álcool canforado poderão ser feitas com sucesso. Crianças alérgicas são sujeitas à hipotermia, sobretudo na primeira hora de sono. Os antitérmicos não causam queda de pressão ou hipotermia, sendo freqüente com o uso de anti-histamínicos (ver pág. 781).

VÔMITOS

São acompanhados de uma sensação de enjôo, náuseas, um sintoma de muitas doenças. Vomitar, apesar de desagradável, não é perigoso, exceto para crianças desacordadas, inconscientes, que poderão aspirá-los, levando-os aos pulmões (causando sufocação ou pneumonia). A criança quando vomita precisará da presença de um médico nos seguintes casos:

a) quando vêm acompanhados de sonolência ou delírio;
b) quando em confusão mental;
c) quando tiver dor de cabeça;
d) quando tiver dor de barriga;
e) quando urinar freqüentemente com dor;
f) quando for difícil respirar;
g) com febre alta ou persistente;
h) quando vêm acompanhados de acessos de tosse (sem ser coqueluche);
i) quando os vômitos se repetem três ou quatro vezes em duas horas; e
j) se vierem acompanhados de diarréia.

Oferta de líquidos

Comece a dar líquidos aos goles. Em pequeno volume (10 a 20ml), a cada dez ou quinze minutos, iniciando com 1 colher (das de chá), até atingir 30g com intervalos de trinta minutos, em seguida de uma hora. O líquido que poderá ser oferecido no intervalo de duas em duas até quatro em quatro horas é o seguinte:

- 1 litro de água filtrada
- 2 colheres (das de sopa) de açúcar
- Metade de 1 colher (das de chá) de sal ou 1 tampinha de refrigerante com sal

Alimentação

a) gelatina (1 envelope para cada 1 litro de água quase gelada). A gelatina vermelha poderá dar coloração às fezes, podendo ser confundida com sangue, devendo então, ser evitada;
b) refrigerantes com gás (soda, guaraná, Coca-Cola);
c) gelo picado;
d) calda de fruta e açúcar (para crianças maiores);
e) caldo de carne ou de frango (se for usado caldo concentrado em cubinhos, dilua-o em água para evitar maior concentração de sal que ele normalmente contém);
f) após duas ou oito horas, ofereça purê de maçã, banana, arroz, batata e leite meio gordo diluído (metade da diluição normal);
g) os vômitos do bebê menor de seis meses são perigosos e devem ser sempre avaliados pelo médico.

A banana e a maçã assadas ou cozidas são mais bem toleradas. A banana própria para ser cozida ou assada é a banana-d'água ou a banana-nanica.

Causas

Gastroenterite, infecções (causadas por viroses e bactérias), pancadas na cabeça, dor de ouvido (otite), dor de garganta (faringite), infecções urinárias, apendicite, obstrução intestinal, indigestão e tensão nervosa.

VÔMITOS COM SANGUE (hematêmese)

São causados por hemorragia no estômago ou no esôfago. A perda de sangue poderá ser em quantidade apreciável ou vestígio.

Causas

No recém-nascido: fissura ou rachadura dos mamilos da mãe, com sangramento, em crianças amamentadas ao seio materno; deglutição de sangue materno na hora do parto (normal ou cesariana); doença hemorrágica (deficiência de vitamina K); doenças do fígado; distúrbios da coagulação; infecções graves (septicemia).

Em crianças maiores: deglutição de sangue devido à hemorragia nos dentes, no nariz ou nas gengivas; tosse violenta; gastrite; ingestão de ácido ou grande quantidade de aspirina ou ferro medicamentoso.

Causas mais graves, como úlceras e varizes, são raras na infância. De qualquer modo, uma hemorragia digestiva pode ter causas muito graves, devendo o pediatra ser sempre consultado.

Tratamento

Deite a criança, ofereça-lhe líquidos (refrigerante, suco de frutas) ou gelatina. A administração de metoclopramidas (ver a pág. 756), por via oral ou intramuscular é eficiente e de ação rápida, sendo indispensável a prescrição médica.

Capítulo 29

Como Evitar Doenças e Acidentes

Como evitar doenças e acidentes

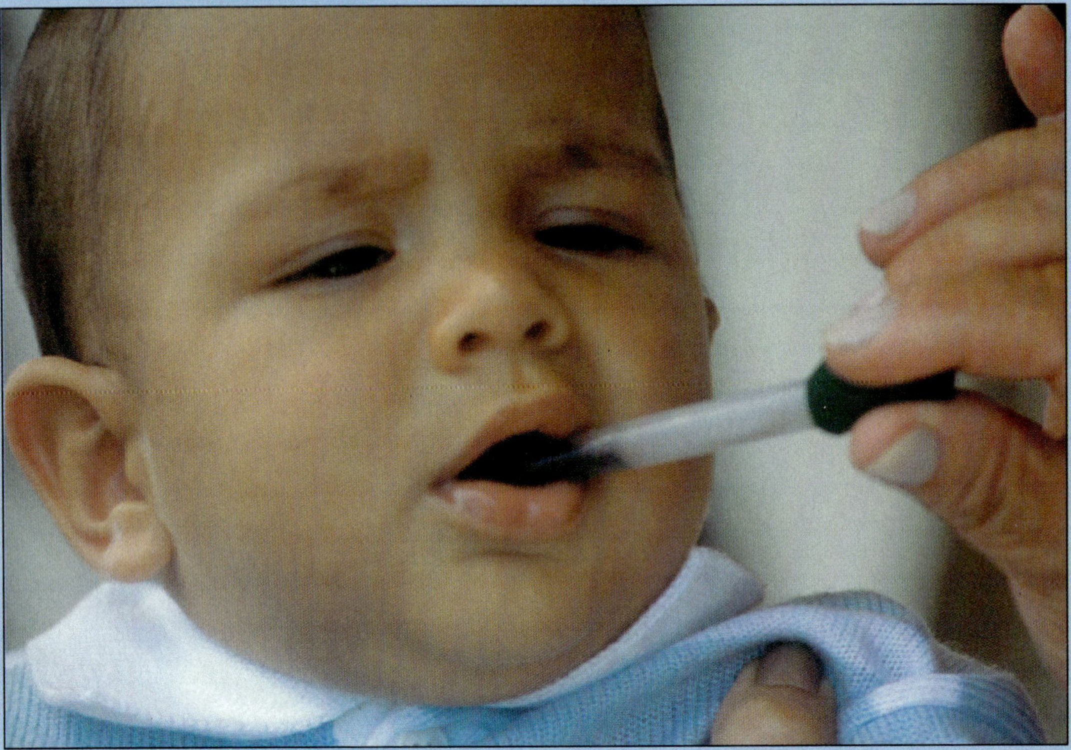

A vacinação é uma das principais armas para a defesa da saúde da criança.

A melhor maneira de ajudar seu filho a crescer saudável e com desenvolvimento adequado é evitando que ele fique doente. Apesar de todo o progresso da ciência, o tratamento de determinadas doenças é muito ineficiente ou incapaz de resultar em cura completa sem deixar qualquer seqüela.

Neste capítulo abordaremos algumas regras para proteger seu filho das doenças infecciosas, tão freqüentes nesta fase da vida. Uma das principais armas de que dispomos é a vacinação.

Apresentamos a seguir o Calendário de Imunizações recomendado. Elaboramos esta recomendação a partir das recomendações da Academia Americana de Pediatria e da Sociedade Brasileira de Pediatria. Algumas vacinas não são obrigatórias no calendário do Ministério da Saúde.

A vacinação é a aquisição mais sensacional que os cientistas do século XX puseram à disposição da humanidade para evitar doenças infecciosas. As crianças foram as maiores beneficiadas, sendo protegidas desde o primeiro dia de vida de doenças mortais ou de doenças que prejudicam seu crescimento e desenvolvimento.

Apresentamos as vacinas existentes que poderão ser usadas pelas crianças, de acordo com seu pediatra.

As vacinas podem ser divididas em dois grupos:

VACINAS OBRIGATÓRIAS

São as que estão no calendário da Sociedade Brasileira de Pediatria.

Ao nascer (de três a trinta dias):
Contra a tuberculose, a BCG intradérmica e a vacina contra a hepatite B.

1º mês
A segunda dose da vacina contra a hepatite B.

2º mês (sessenta dias completos):
A primeira dose da vacina oral Sabin, contra a paralisia infantil (poliomelite), a primeira dose da vacina tríplice bacteriana contra a difteria, o tétano e a coqueluche, também conhecida por vacina DPT (D, difteria; P, pertussis, coqueluche; T, tétano, ou DPaT, acelular), a primeira dose da vacina anti-*hemophilus* e a primeira dose da vacina contra pneumococo.

4º mês (120 dias completos):
A segunda dose da vacina oral Sabin, a segunda dose da vacina tríplice bacteriana (DPT ou DPaT, acelular), a segunda dose da vacina anti-*hemophilus* e a segunda dose da vacina contra pneumococo.

6º mês (180 dias completos):
A terceira dose da vacina oral Sabin, a terceira dose da vacina tríplice bacteriana (DPT ou DPaT, acelular, a terceira dose da vacina anti-*hemophilus*, a terceira dose da vacina contra pneumococo e a terceira dose da vacina contra a hepatite B.

12º mês
Vacina contra a catapora e a vacina MMR (sarampo, rubéola e caxumba).

15º mês
A quarta dose da vacina oral Sabin e a quarta dose da vacina tríplice bacteriana, ou DPaT(acelular), sempre doze meses após a aplicação da terceira dose de ambas as vacinas.

VACINAS OPCIONAIS

1) Contra a hepatite A. Está aprovado o seu uso para crianças acima de um ano. É aplicada em duas doses, por via intramuscular, sendo a segunda dose aplicada de seis a doze meses após a aplicação da primeira dose.

A vacina contra a hepatite A e a hepatite B é a única forma para se proteger seguramente contra estas graves doenças.

2) Contra pneumococos. É a vacina que protege contra a pneumonia, que é a doença bacteriana mais grave nas crianças. A Academia Americana de Pediatria aconselha a aplicação da vacina conjugada hepatovalente (PCV7), que é a única que pode ser aplicada em crianças menores de dois anos, sendo aplicada no segundo, quarto e sexto mês. A quarta dose deverá ser aplicada entre o 12º e o 15º mês.

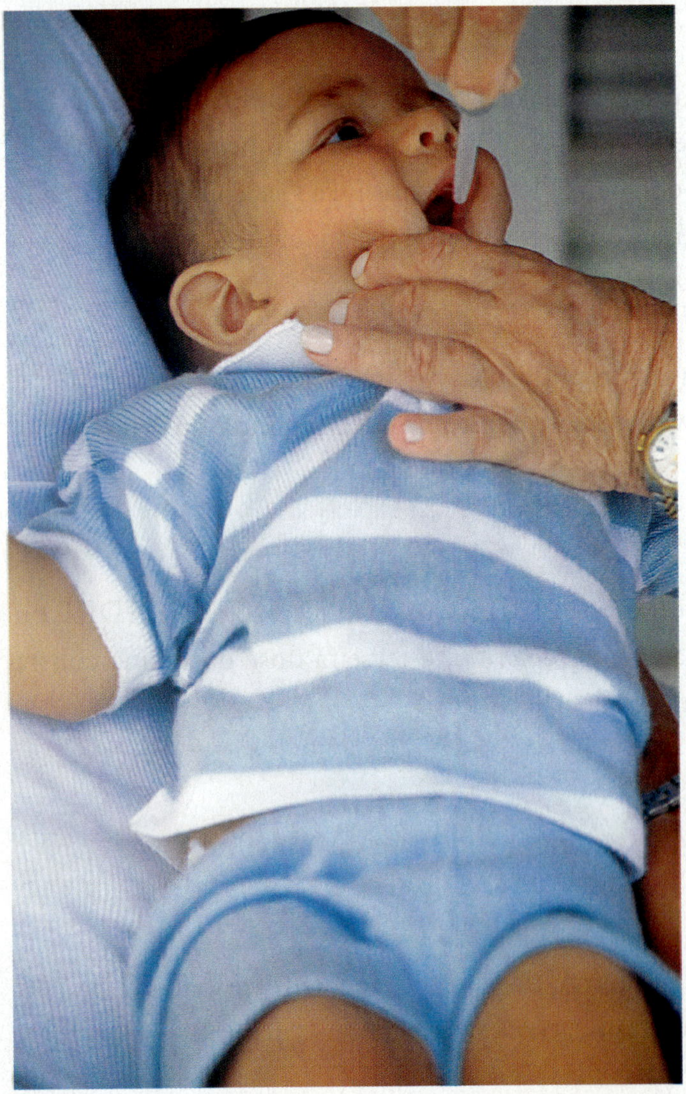

3) Contra a diarréia (gastroenterite). Geralmente a diarréia é decorrente de uma infecção causada por bactérias ou vírus (como o rotavírus). A primeira dose é aplicada no segundo mês e a segunda dose no quarto mês.

4) Contra a febre amarela. É uma vacina segura, eficiente, só podendo ser aplicada em bebês maiores de nove meses de idade em uma única dose (0,5ml, subcutânea), dez dias antes de viagem para uma área endêmica.

5) Contra o cólera. É uma vacina que tem apenas 50% de eficácia, com duração de três a seis meses. Deverá ser aplicada em duas doses, com uma dose de reforço a cada seis meses. Devido à sua proteção insuficiente e freqüência elevada de reações, só deverá ser aplicada em pessoas que corram risco em potencial de contaminação em locais de alto risco. Não é recomendada para crianças menores de seis meses.

6) Contra a meningite. Geralmente a vacina disponível é a que protege contra os tipos A e C. O maior problema é que normalmente as epidemias são causadas pelo tipo B, para o qual só existe um tipo de vacina, produzido em Cuba. Esta vacina contra meningococos B tem sua ação limitada às crianças acima de quatro anos de idade, sendo muito pequena a experiência mundial em relação ao seu uso.

7) Contra a gripe. A vacina contra a gripe é especial, produzida com vírus inativado, apresentando mutações (mudanças) a cada ano, obrigando sua reaplicação anual, de acordo com o novo vírus. É aplicada em duas doses de 0,5ml cada, com intervalo de um mês, podendo ser aplicada a partir dos seis meses de idade. Em crianças menores de seis meses, a vacina poderá ser aplicada sob orientação do pediatra. As reações desta vacina são discretas (febre e mal-estar).

8) Contra a leptospirose. Existe uma vacina (Formalin Killed polyvalent human vaccine) que está sendo testada na Europa e na Ásia; entretanto, não existe qualquer prova de sua eficácia (Nelson, *Textbook of Pediatrics*, 16ª edição).

Em dia 30 de janeiro de 1980, a vacina contra a varíola deixou de ser obrigatória no Brasil.

O calendário de vacinação

(Elaborado pela Sociedade Brasileira de Pediatria – 2007)

Vacina	Idades												
	Ao nascer	1 mês	2 meses	3 meses	4 meses	5 meses	6 meses	7 meses	12 meses	15 meses	18 meses	4 a 6 anos	14 a 16 anos
Hepatite B	X	X					X						
BCG-id	X												
Rotavírus			X		X								
DTP ou DTPa (Difteria, coqueluche e tétano)			X		X		X			X		X	
dT ou dTpa													X
Hib (Hemófilos)			X		X		X						
VOP ou IPV (Sabin ou Salk)			X		X		X			X		X	
Pneumococo			X		X		X		X				
Influenza							X	X					
SCR X (Sarampo, cachumba e rubéola)									X			X	
Varicela									X				
Hepatite A									X		X		
Meningococo C				X		X			X				
Febre Amarela	A partir de 9 meses												

Observações ao Calendário

1) Este calendário não deverá ser utilizado de maneira rígida e imutável, podendo ser adaptado de acordo com as circunstâncias epidemiológicas ou operacionais.

2) Quanto mais precoce a vacinação BCG, melhor, visando-se à profilaxia de formas graves de tuberculose na infância, como a meningite tuberculosa. Quando não for feita no primeiro mês de vida, poderá ser aplicada até os quatro anos de idade, sem PPD prévio.

3) Entre nós, as estatísticas revelam ser alta a mortalidade pelo sarampo abaixo de um ano de idade, principalmente nas classes menos favorecidas, o que justifica antecipar a vacinação nestes grupos. Uma segunda dose, a partir dos quinze meses, é necessária.

4) Pesquisas demonstraram que a vacina contra o sarampo é, significativamente, mais eficaz após os quatorze meses de idade.

Considerações gerais

As vacinas deverão ser aplicadas nos meses apropriados; porém, no caso de alguma não ter sido aplicada, poderá ser iniciada em qualquer mês subseqüente, respeitando os intervalos aconselhados. Nunca é demais insistir em que os pais e o médico não devam perder a oportunidade de imunizar o bebê na idade exata.

Reação local após a aplicação da vacina injetável

É comum o local da aplicação da injeção apresentar vermelhidão, uma mancha roxa ou um endurecimento, um nódulo que se percebe ao contato com a ponta do dedo. A vermelhidão quase imediata é uma reação de natureza alérgica à própria picada da agulha ou ao líquido injetado, às vezes até a fricção do anti-séptico usado: álcool, éter ou acetona. Esta vermelhidão costuma ceder num período entre uma a 24 horas; entretanto, quando aparece dois a três dias depois, estamos diante de um processo inflamatório e a avaliação do médico será necessária.

O aparecimento de uma mancha roxa é devido à ruptura de pequenos vasos sanguíneos, provocada pela introdução da agulha, e depende em parte de um pouco de sorte da criança, pois não é possível ao médico que aplica a injeção saber realmente o local onde estão os vasos sanguíneos. Entretanto, se esta mancha roxa (equimose) for extensa, volumosa, já passará a ser um hematoma e poderá haver algum problema de coagulação sanguínea que a criança tenha e até então havia passado despercebido. O exame de sangue, denominado coagulograma, deverá ser feito.

No terceiro caso, o endurecimento, o aparecimento de um nódulo, se for imediato é uma reação de natureza alérgica às substâncias que foram injetadas, mais comum em vacinas do que em antibióticos ou qualquer tipo de injeção. Este nódulo cederá após alguns minutos ou horas. No caso de permanecer dias, semanas e até meses, demonstrará que o organismo não absorve com facilidade ou não absorveu parte do líquido injetado. Todo cuidado deverá ser tomado quando for aplicar uma nova injeção, evitando sempre o mesmo lugar.

O tratamento é simples: consiste na aplicação de compressas mornas, só que mais para frias.

A reação geral que pode acontecer em algumas crianças, acompanhando a reação local e manifestada por ligeira elevação de temperatura, dor local e algum mal-estar, como diminuição de apetite ou perda de sono, cede facilmente com a aplicação de um analgésico por via oral de seis em seis horas durante 24 ou 48 horas.

CONTRA-INDICAÇÕES DAS VACINAS

a) febre;

b) diarréia e vômitos (golfadas não contra-indicam);

c) na evolução de doenças graves, tanto na fase aguda quanto na convalescença;

d) crianças que estejam tomando, ou que tomaram, cortisona, quimioterápicos ou imunossupressores nos últimos noventa dias;

e) crianças que foram submetidas à vacinação contra raiva somente poderão ser vacinadas trinta dias após a última dose;

f) crianças com doença progressiva do sistema nervoso central ou predisposta a convulsões (só o médico deverá aplicá-la – nada de enfermeiros ou leigos);

g) durante uma epidemia de paralisia infantil, deverá ser suspensa a aplicação da vacina tríplice.

Observação: quando houver reação muito forte com a aplicação de vacina tríplice, diminua as doses, aplicando-as em seis vezes em lugar de três.

A IMUNOGLOBULINA (gamaglobina) E A APLICAÇÃO DE VACINAS

As imunoglobulinas contêm anticorpos que podem prejudicar a eficácia das vacinas vivas. Esta interferência não é observada com outras vacinas mortas, como a Tríplice DPT, que pode, então, ser aplicada em qualquer tempo após o uso da imunoglobulina (anteriormente chamada de gamaglobulina). Vacinas vivas, como a MMR, só deverão ser aplicadas após três meses de administração da imunoglobulina.

Parece que a imunoglobulina não interfere com a pega da vacina viva contra a poliomielite (Sabin) ou contra a febre amarela.

Por outro lado, às vezes é necessário, por vários motivos, aplicar imunoglobulina após a administração de vacina de vírus vivo. Se o intervalo entre a administração da vacina e a aplicação de imunoglobulina for inferior a duas semanas, é melhor repetir a vacina três meses depois da imunoglobulina. Se o intervalo entre a aplicação da vacina e da imunoglobulina for superior a duas semanas, não haverá necessidade de repetir a vacina. Com outras vacinas, como a Tríplice DPT, não há problema.

Se houver necessidade, a imunoglobulina e a vacina poderão ser dadas no mesmo dia. Isto ocorre, por exemplo, em crianças não-imunizadas contra o tétano, após ferimentos profundos e muito contaminados. Faz-se a vacina contra o tétano numa nádega ou coxa, e a imunoglobulina hiperimune contra o tétano na outra nádega ou coxa. Se for aplicada uma vacina viva no mesmo dia da aplicação da imunoglobulina, a vacina deverá ser repetida três meses depois.

Uso e abuso da imunoglobulina humana (gamaglobulina)

Atualmente, no louvável desejo de proteger as crianças contra as infecções, mães e médicos recorrem à aplicação da já popularizada gamaglobulina, como se fosse verdadeira panacéia (droga que serve para tudo). Entretanto, a gamaglobulina tem suas indicações exatas, não valendo a pena aplicar injeções em crianças quando não-indicadas. Daremos a seguir um esquema da conveniência ou não da aplicação da gamaglobulina, publicado pela Academia Americana de Pediatria.

Indicação certa:

a) a agamaglobulinemia (ausência congênita da gamaglobulina, normalmente existente no sangue);

b) atenuação ou prevenção de sarampo, devendo ser empregada até o sexto dia de incubação;

c) prevenção das hepatites A e B.

Indicação sem proveito:

a) asma infecciosa ou não;

b) resfriados, bronquites, amigdalites, otites;

c) pielonefrite crônica (pus na urina);

d) osteomielite crônica (inflamação da medula óssea);

e) leucemia;

f) queimados.

POR QUE AS CRIANÇAS NOS PRIMEIROS ANOS ADOECEM MAIS DO QUE OS ADULTOS?

a) Por causa da velocidade de aumento de peso e estatura (triplica o peso e cresce a metade do tamanho inicial no final do 1º ano) – uma criança com três quilos chega ao final do seu primeiro ano de vida com nove quilos e com altura de 75cm;

b) Porque há certo grau de imaturidade do mecanismo de imunidade. Assim, muitos bebês perdem cedo os anticorpos (defesa) herdados de sua mãe, geralmente até os seis meses, ficando desprotegidos contra as infecções, pois são incapazes ainda de produzir em quantidade satisfatória seus próprios anticorpos. Daí a importância do leite materno, já que os anticorpos são passivamente transferidos para o feto durante a vida intra-uterina e pelo leite materno durante a amamentação;

c) Pelo fator ambiental. Pelo fato de o organismo infantil ser mais sensível às variações do meio ambiente, deve-se evitar as más condições de higiene, a falta de saneamento, a falta de redes de água e esgoto, quartos mal ventilados, onde o sol não penetra, excesso de umidade, a promiscuidade com os adultos, pois tudo isto facilitará as infecções secundárias no bebê;

d) Pela facilidade de perder calor, de esfriar com maior facilidade, devido à grande superfície corpórea em relação ao seu peso;

e) Por sua imaturidade psíquica, que o torna desinteressado de sua própria proteção;

f) Pelos vômitos relativamente mais freqüentes, acarretando uma diminuição transitória do ácido clorídrico gástrico, favorecendo a maior penetração de bactérias no aparelho digestivo e provocando infecções intestinais;

g) Pela facilidade de se contaminar, levando à boca tudo aquilo que consegue alcançar. A saliva tem ação eficiente contra as bactérias, mas não contra os vírus, e é por isso que são freqüentes as infecções do aparelho respiratório, a febre, tosses, catarro, coriza e até pneumonia, provocados por vírus;

h) Pela displicência dos pais, de não terem dado as vacinas nas épocas certas, com os intervalos e em instituições ou consultórios médicos;

i) Pela ausência de imunidade contra alguns tipos de viroses, contra as quais ainda não existam vacinas;

j) Porque o mecanismo de defesa, embora presente no bebê, é inferior ao da criança na idade escolar e ao do adulto, tendo menos capacidade de produzir anticorpos e uma menor resposta no desenvolvimento dos leucócitos, os glóbulos brancos, encarregados da defesa, evitando que as bactérias ou outros germes se multipliquem no sangue, agravando a doença e dificultando o tratamento. O homem é, ao nascer, o mais frágil de todos os seres, o que necessita de maiores cuidados, sendo também o mais sujeito às agressões externas. Entre estas destacam-se, pela sua freqüência e gravidade, as moléstias infecciosas. Como, então, afastá-las da criança?

Mantenha o bebê com saúde

Verifique seu peso, estatura, perímetros (circunferência da cabeça e do peito), qualidade dos alimentos, enfim, todos os sinais de saúde.

Respeite todas as regras da higiene pessoal

Banhos diários, ambientes limpos e ventilados, horas de sono normais, vida ao ar livre, banhos de sol, e o mais cuidadoso de todos os hábitos infantis: mãos limpas às refeições.

Não saia de casa com o bebê para fazer passeios longos e desnecessários

Principalmente de ônibus e automóvel, onde ele fica exposto à superventilação, diminuindo-lhe a resistência.

Evite aglomerações

Principalmente as de adultos, festas, aniversários, feiras, procissões etc.

Cuide da higiene na alimentação

A água deverá ser sempre fervida e filtrada, o leite de vaca fervido e guardado em lugar fresco, ao abrigo da contaminação exterior. Bicos de mamadeira, colheres, pratos e copos deverão estar sempre limpos. Alimentos crus, como legumes, frutas etc., deverão ser guardados em geladeira.

Evite contágio com pessoas estranhas

Os adultos que convivem com o bebê deverão estar em perfeito estado de saúde. Cuidado com as babás.

Evite contato com pessoas doentes (viroses respiratórias)

Evite contato com pessoas portadoras de doenças agudas ou crônicas, mesmo que sejam visitas ou parentes. Sobretudo, evite os beijos. Adulto com viroses, gripes ou resfriados que beija uma criança recém-nascida não tem educação, principalmente educação sanitária, pois existem os denominados *portadores sãos* de germes, isto é, pessoas que albergam os micróbios, sem contudo sofrerem da moléstia, transmitindo-a aos outros.

Evite contato com animais

Principalmente com cachorros, pois estes, além de transmitirem a raiva, poderão transmitir muitas outras moléstias. Gatos e papagaios podem transmitir toxoplasmose. Os mosquitos, pulgas e percevejos transmitem moléstias terríveis, desde o impaludismo e a febre amarela até a peste bubônica. Proteger a criança contra eles é fundamental.

Não descuide do mais leve distúrbio alimentar

Vômitos, diarréias, resfriados e ferimentos deverão ser considerados na infância e tratados convenientemente.

Utilize as grandes conquistas da imunização

As crianças podem aproveitar das magníficas e quase milagrosas conquistas da medicina no campo da prevenção. A vacinação, aconselhada neste livro, nos dois primeiros anos de vida, confere à criança segura e eficiente proteção contra diversas moléstias comuns e perigosas. Os pais não deverão deixar de submeter seus filhos a ela, quando indicada pelo médico, a não ser que queiram arcar com toda a responsabilidade e risco que esta atitude possa acarretar.

COMO EVITAR ACIDENTES

Aspectos gerais da proteção contra acidentes na infância

Do nascimento aos 3 meses. A criança costuma levar à boca qualquer objeto que tenha ao seu alcance e que possa segurar. São freqüentes as sufocações devidas a roupas inadequadas, roupas de cama mal colocadas propiciando a cobertura da boca e das narinas da criança, as queimaduras principalmente na hora do banho, uso indevido de antialérgicos e descongestionantes nasais, levando a intoxicações.

Precauções: observe a temperatura da água do banho. Evite pequenos objetos que possam ser levados à boca. Evite objetos com tinta e pinturas que contenham chumbo. Use colchão firme e lençóis leves.

De 4 a 6 meses. Não deixe a criança sozinha, pois ela poderá rolar e cair. Não deixe objetos perto do bebê. Quando ele estiver na banheira, observe se tem alguma torneira ao seu alcance. Poderá abrir a torneira quente e se queimar. Não deixe a criança sozinha no banho. Os chocalhos deverão ser fortes, e quando possuírem contas, estas deverão ser grandes e bem presas. A cama não deverá ser pintada com tinta que contenha chumbo.

De 7 a 12 meses. Mantenha remédios e produtos tóxicos longe das crianças, pois tudo que estiver ao seu alcance será levado à boca. Alfinetes, agulhas, botões, pequenos objetos, não deverão ficar ao alcance dela. Não deixe a toalha de mesa pendendo nos cantos da mesa, pois ela poderá puxá-la e cair tudo em cima dela. Líquidos e alimentos quentes deverão ficar no centro da mesa, para não ser alcançados. Se não puder vigiá-la, o melhor é colocá-la num cercado.

De 1 a 2 anos. Evite quedas, coloque portões nas escadas, rede de segurança nas sacadas e varandas, grades nas janelas. As portas de automóveis deverão ter travas, fora do alcance da criança. As portas que dão saída para a rua ou áreas perigosas deverão estar bem fechadas. As tomadas deverão estar tampadas. Substâncias venenosas, tóxicas, água sanitária, detergentes etc. deverão estar fora do alcance da criança. As piscinas, por menor que sejam, deverão ser cercadas ou cobertas quando sem supervisão de adultos. A cozinha é sempre o lugar preferido das crianças nesta idade, mas é o local de ocorrência da maioria dos acidentes. Coloque um portão baixo vedando a passagem das crianças para a cozinha. Evite brinquedos com peças facilmente removíveis, pois poderão ser retiradas, engolidas ou aspiradas.

Fatores que facilitam os acidentes:

- As piscinas em casa facilitam os afogamentos.
- Em casa de médicos e enfermeiros, existe maior facilidade de acidentes com ingestão de medicamentos.
- Casas cujos pais usam muitas ferramentas cortantes.
- Falta de informação dos pais sobre riscos de acidentes. Em 80% dos acidentes, segundo as estatísticas, os pais não estavam prevenidos para a possibilidade de um acidente.
- O risco de acidente em crianças com retardo mental é maior.
- As crianças da zona rural são mais expostas aos riscos com inseticidas, adubos, defensivos agrícolas, maquinário pesado, facas, machados, serras, coices de animais e afogamento em barro e pântanos.

É importante que os pais das crianças dos grandes centros urbanos sejam prevenidos das principais causas de acidentes, pelos pediatras, professores e demais membros da comunidade.

Decálogo da prevenção

1) prevenção contra quedas, evitando permitir que a criança fique só em locais de risco (em cima da mesa, em escadas etc.);

2) prevenção contra cortes, evitando que alguns objetos, como tesouras, facas e serras, estejam ao alcance da criança;

3) nunca deixe uma criança com menos de um ano sozinha, mesmo que esteja dormindo, pois ela poderá cair do berço ou da cama, vomitar (e aspirar os vômitos), sufocar-se com as roupas etc;

4) para evitar a queda de berço, mantenha as grades laterais sempre elevadas;

5) ao alimentar a criança durante a noite, a mãe precisará esta bem alerta;

6) não fume enquanto cuida do bebê, pois poderá queimá-lo ou sufocá-lo (o ideal é não fumar nunca);

7) não deixe a criança pequena sob os cuidados de outra pessoa ou criança por muito tempo. Ela poderá se cansar, deixar de prestar atenção, e um acidente acontecer;

8) impeça que ela suba ou desça escadas, evitando também quinas de móveis (se for preciso, coloque protetores acolchoados nas pontas);

9) quando colocar uma criança no colo, observe bem por onde anda, para não tropeçar, bater com a cabeça da criança em algum lugar mais baixo. Não vá a uma janela aberta com a criança ao colo;

10) a criança não deverá ficar no banco da frente do carro, apenas no de trás, e com cinto. Nunca ande de moto com seu filho, muito menos ande com ele de bicicleta em local movimentado.

Aspectos gerais da proteção contra intoxicações na criança

Algumas drogas causam um efeito muito maior na criança do que no adulto; elas são mais sensíveis.

Dentre elas podemos destacar: álcool, anilinas, cafeína, cloranfenicol, cocaína, morfina, quinina, resorcina, fenobarbital, ácido cianídrico, adrenalina, apomorfina, digitálicos, estricnina, monóxido de carbono (presente na fumaça que sai dos canos de descarga do carro) e pilocarpina.

Normas para prevenir intoxicações

1) Guarde remédios e produtos tóxicos longe do alcance da criança.

2) Nunca guarde produtos tóxicos onde são guardados os alimentos.

3) Guarde os produtos tóxicos sempre em seus frascos originais e nunca em outros frascos, principalmente nos de bebidas conhecidas pelas crianças.

4) Não guarde desnecessariamente medicamentos já usados e que restaram ainda no vidro.

Do contrário, não os deixe ao alcance da criança.

5) Nunca ofereça medicamentos à criança sugerindo que têm sabor agradável, mas sempre diga que são *remédios*.

6) Nunca pegue ou ofereça um medicamento no escuro. Veja com atenção o que está sendo ministrado a seu filho.

7) Nenhum inseticida deverá ser guardado ao alcance da criança. Deverão ser colocados em armários fechados.

8) Sempre que for usar um produto químico, leia com atenção as instruções, principalmente como agir em caso de acidente ou intoxicação.

Deixar remédios ao alcance das crianças é uma distração que pode ter conseqüências imprevisíveis.

9) Nunca reutilize recipientes de produtos tóxicos. Ao terminar o conteúdo, jogue-os fora, em saco de lixo fechado.

10) Tenha sempre em casa um vidro de xarope de ipeca a 10 ou 7,5% para ser usado, quando necessário, para provocar vômito, a fim de eliminar a droga ingerida. Nas crianças até dois anos, dê 2ml do xarope a 10% ou 3,5ml a 7,5%.

Deve-se tomar bastante cuidado com os comprimidos que tenham sabor doce (adocicados); até os comprimidos infantis poderão matar uma criança. Constitui um erro algumas mães, ao darem um destes tipos de remédio ao seu filho, dizerem: "Tome, meu filho, é uma bala, um doce." A pessoa que dará o remédio deverá sempre verificar o rótulo antes de administrá-lo, principalmente durante a noite, se ela estiver sonolenta; é prudente acender a luz e ver se o rótulo e a dosagem estão certos e ler sua formulação. Das crianças maiores, procure saber o que ela bebeu ou comeu. Os pais deverão ser cautelosos durante uma mudança de residência ou quando estiverem se preparando para viajar, porque os remédios poderão estar fora do seu lugar normal. No caso de a criança ingerir pílulas ou drágeas que não são preparadas com substância alcalina, ácidos fortes ou derivados do petróleo (querosene e gasolina), o vômito deverá ser provocado.

Guarde os remédios sempre fora do alcance das crianças, em gavetas e armários trancados na cozinha, em gavetas de cômodas e armários nos quartos, no banheiro, não os deixe na garagem ou no sótão, onde às vezes são guardados desinfetantes e gasolina em garrafas de refrigerantes, em bolsa de mulher, que as crianças adoram abrir e tirar o que podem. Nos Estados Unidos, 40% das mulheres carregam em suas bolsas remédios para dor de cabeça, sedativos, vitaminas e pílulas anticoncepcionais.

No caso de a criança beber uma dose exagerada de algum medicamento, o mais aconselhável é provocar o vômito.

Instruções para fazer a criança vomitar

a) dê 1 colher (das de sopa), aproximadamente 14ml (g), de xarope de ipeca para a criança de 1 ano de idade ou maior, e em seguida um pouco de água. Incentive a criança a andar, se movimentar. Se ela não vomitar dentro de vinte minutos, repita a dose uma única vez;

b) se não for possível usar o xarope de ipeca, dê-lhe um copo d'água e procure induzir os vômitos coçando o fundo da língua e a garganta da criança com o cabo de uma colher.

Os vômitos não devem ser provocados

a) quando a criança estiver inconsciente, tonta ou apresentar tremores;

b) quando ela ingerir veneno (alcalino ou ácido). No caso de o veneno ser ácido, dê leite de magnésia ou um copo de leite; se for alcalino, dê suco de fruta, leite ou uma parte de vinagre para quatro de água.

Capítulo 30

Doenças Infecciosas

Doenças infecciosas

Albert Sabin venceu a guerra contra a paralisia infantil ao desenvolver a vacina antipoliomielítica.

RELAÇÃO DAS DOENÇAS INFECCIOSAS

Aids
Brucelose
Caxumba
Cólera
Coqueluche
Coqueluchóide (*parapertussis*)
Dengue
Difteria (crupe)
Disenteria amebiana
Disenteria bacilar
Doença de Chagas

Eruptivas:
- Catapora
- Eritema infeccioso
- Escarlatina
- Exantema súbito
- Rubéola
- Sarampo
- Erisipela

Esquistossomose
Febre amarela
Febre da mordida do rato
Febre da arranhadura do gato
Gripe
Hepatite infecciosa
Hepatite A e B
Hepatite C
Herpangina
Herpes simples e Herpes zóster
Leishmaniose (calazar)
Leptospirose
Malária
Meningite
Micoses
Mononucleose infecciosa
Neuroviroses
Paralisia infantil (pólio)
Psitacose (papagaio)
Raiva
Sífilis
Tétano
Toxoplasmose

Tíficas:
- Tifo (febre tifóide)
- Paratifo
- Tifo epidêmico (exantemático)

Salmonelose
Tuberculose
Varíola
Varíola minor (alastrim)
Viroses

Doenças infecto-contagiosas – Período de contágio e medidas de isolamento*

	Período de contágio	Isolamento recomendado	Permissão para o paciente voltar à escola	Pessoa não vacinada em contato com o doente podendo voltar à escola
Caxumba (parotide epidêmica)	de 7 a 9 dias, antes do aparecimento da inflamação das glândulas ou febre	enquanto durar a inflamação das glândulas	quando desaparecer a inflamação das glândulas	sem restrição
Catapora (varicela)	um dia antes do aparecimento da erupção, até 6 dias depois, quando as lesões formarem cascas	até 6 dias após o aparecimento, quando as lesões formarem cascas	nunca antes de 7 dias depois do aparecimento, quando se formarem cascas	22 dias após o contato com o doente
Coqueluche	desde o início do período de tosse catarral até 4 semanas	4 semanas, desde o início ou até a tosse ter cessado	somente 3 semanas depois do início da tosse típica (coqueluchosa)	2 semanas depois do contato com o coqueluchoso, se ele estiver bem
Difteria	2 a 4 semanas	até 2 culturas consecutivas negativas (exame de secreção da garganta)	2 culturas negativas das secreções do nariz e da garganta tomadas depois de parada a terapêutica e com intervalo de 24 horas	após 2 culturas negativas da secreção do nariz e da garganta, 24 horas de intervalo
Escarlatina	1 ou 2 dias após o começo da terapêutica	um dia após o começo da terapêutica	24 horas depois da cura; entretanto, nunca antes de 7 dias após o aparecimento da erupção depois das primeiras semanas	sem restrição
Hepatite infecciosa	variável, até 3 semanas após o aparecimento da icterícia	desinfecção do vaso sanitário, mãos, copos e talheres	depois das primeiras semanas do início da doença	sem restrição
Paralisia infantil (poliomielite)	variável, desde a secreção do nariz e da garganta no início, até as fezes, várias semanas depois	desinfecção do vaso sanitário, mãos, copos e talheres	uma semana após o início dos sintomas ou depois de terminada a febre 1 semana depois	sem restrição
Rubéola	7 dias antes, até 5 dias depois do aparecimento da erupção	unicamente para as grávidas nos 3 primeiros meses	o período de contágio é estimado em 7 dias antes, até 5 dias depois do aparecimento da erupção	sem restrição. Deve ser evitado contato com grávida no 1º trimestre
Sarampo	5 dias de incubação antes do aparecimento da erupção e todo o tempo que durar a erupção	desde o aparecimento de catarro no nariz e na garganta até o 3º dia da erupção	até 8 a 9 dias do início febril até 5 dias após o aparecimento da erupção	até 14 dias após o contágio com o doente

* *Adaptado do relatório da Comissão de Doenças Infecciosas da Saúde Pública dos Estados Unidos.*

As doenças infecciosas, todas transmissíveis, sempre despertaram preocupação tanto para os médicos como para os leigos. A maioria delas está sob controle, sendo disponíveis vacinas e eficientes medicamentos para evitá-las ou dominá-las.

A História da humanidade constata o aparecimento, em determinadas épocas, de sucessivas epidemias de doenças infecciosas, que se revelaram verdadeiros flagelos, apavorando e exterminando povos (lepra, peste, sífilis, malária, influenza – gripe pandêmica –, febre amarela, paralisia infantil – pólio – e tuberculose). Todas acabaram subjugadas, pois após identificada a causa e os meios de transmissão, foram fabricadas vacinas e medicamentos eficientes.

Entretanto, quando a humanidade já se considerava a salvo desses sofrimentos, eis que surgiu a Aids, com as mesmas circunstâncias dos tempos passados – o pânico e a impotência contra esta doença terrível e fatal.

Não há dúvida, como aconteceu com todas as doenças infecciosas, de que a medicina acabará encontrando recursos para vencer esta síndrome da imunodeficiência adquirida, a Aids.

No início deste capítulo sobre as doenças infecciosas poderão ser encontradas instruções e cuidados a serem tomados pelo leigo com a criança infectada (o isolamento, ou quarentena).

QUARENTENA

O isolamento de pacientes com doença infecciosa dependerá do tipo da doença.

De modo geral, não deverá ser permitido o contato de paciente infectado com outras crianças. O tempo de isolamento para algumas das principais doenças pode ser observado no Quadro à página 533.

A principal arma contra a disseminação das infecções é a higiene adequada das mãos, antes e após o contato com o paciente.

A fervura e a esterilização de roupas de cama e utensílios são, em geral, desnecessárias. Todo cuidado deve ser tomado na manipulação de secreções, urina e fezes dos pacientes.

O BEBÊ COM AIDS

A Síndrome (conjunto de sintomas de uma doença) de Deficiência Imunológica Adquirida, conhecida pelas iniciais da sua definição em inglês (AIDS), pode acometer o bebê, na maioria das vezes através dos pais, principalmente da mãe, durante a gravidez.

É uma doença provocada pelo vírus HIV (vírus da imunodeficiência humana), que uma vez no organismo se refugia em algumas células, destruindo-as. Estas células o defenderão das infecções por bactérias (micróbios) e outros microorganismos e, quando sadias, produzem anticorpos que aderem aos invasores, permitindo que outro grupo de células do sangue anule o inimigo.

O vírus da Aids não ataca nem destrói os órgãos; ele apenas destrói as possibilidades de defesa, deixando o organismo absolutamente desprotegido, vítima fácil e fatal de qualquer infecção.

A contaminação do bebê

Para o bebê ser contaminado é necessário que o vírus penetre na corrente sanguínea; ele não pode fazê-lo através da pele ou de mucosas perfeitas. A infecção só poderá ocorrer quando um número de vírus atinge o sangue, seja por transfusão ou, ainda, no útero, através do cordão umbilical ou da placenta, ou ainda por contaminação no canal vaginal, por ocasião do parto normal. Poderá ocorrer também pela aplicação de injeções com agulha contaminada, o que, com o uso de agulhas descartáveis, é excepcional. O parto, nos casos de mulheres portadoras de vírus HIV, deverá sempre ser cesariana.

A MÃE CONTAMINADA ESTARÁ PROIBIDA DE ALIMENTAR O BEBÊ AO SEIO, POIS SEU LEITE ESTARÁ CONTAMINADO

O maior perigo de contaminação está no ato sexual, pois o sêmen é a secreção mais predisposta a infecções.

PREVENÇÃO DA TRANSMISSÃO VERTICAL (da mãe para a criança, ainda na vida intra-uterina) DA AIDS PARA A CRIANÇA

Após o parto, evite o aleitamento da criança pela mãe contaminada. Use as fórmulas infantis.

Deve-se identificar o mais precocemente possível as gestantes contaminadas, pois estudos têm demonstrado que o início precoce do tratamento com o AZT, ainda durante a gestação, durante o parto e no recém-nascido, nas primeiras seis semanas de vida, diminui significativamente o número de bebês contaminados. Deve-se investigar sempre a presença de outras doenças infecciosas associadas ao vírus HIV como sífilis e toxoplasmose.

Fatores que não transmitem o vírus

a) picadas de insetos;

b) abraços, apertos de mão e beijos (o vírus, em contato com a saliva, é inativado por uma enzima contida na própria saliva);

c) piscinas cloradas (o vírus contido na saliva e na urina são destruídos pelo cloro)

d) os vírus não são transmitidos pelos objetos levados à boca (colheres, garfos, copos, xícaras e pratos);

e) alimentos;

f) máquina de lavar roupas ou tanques, desinfetantes, sabão, detergentes, álcool;

g) sanitários;

h) objetos levados à boca.

Creches e escolas maternais

As crianças portadoras do vírus, desde que não estejam doentes (com infecções oportunistas), poderão freqüentar normalmente as creches e escolas, sem qualquer problema. O período de incubação da doença poderá levar meses, até anos (cinco a sete), no adulto. Entretanto, na criança este período é bem menor. No caso de o vírus penetrar no organismo, a produção de anticorpos para a defesa no sangue exigirá de três a seis semanas para ser comprovada.

No período inicial da doença, quando o vírus se multiplica, a pessoa infectada não apresenta qualquer sintoma que revele a presença da doença. Existem indivíduos que possuem imunidade própria contra a doença, e mesmo contaminados não adoecem, mas podem transmiti-la para os outros. Este é o grande perigo.

Para as crianças o perigo estará nas brigas, quando podem ocorrer ferimentos com sangramentos. As mordidas não são meios de transmissão. As práticas de fazer tatuagens, e mais tarde de furar orelhas de colegas e firmar alianças de sangue deverão ser condenadas.

Os sintomas no bebê

O bebê nascido de mãe contaminada não apresenta sintomas logo ao nascimento. Os problemas clínicos surgirão nos meses seguintes. O período de sobrevivência é, em geral, de, no máximo, dois anos.

O bebê apresentará freqüentes e intermináveis infecções respiratórias, bronquites, pneumonias, doenças de pele e das mucosas, herpes, candidíase, otites e diarréias repetidas e resistentes ao tratamento; quando atinge o sistema nervoso, o bebê terá dificuldade em se sentar, ficar de pé, falar (balbuciar) e poderá apresentar meningite e encefalite.

Diagnóstico laboratorial

O diagnóstico sorológico da Aids no bebê é difícil, pois o exame clássico é feito por meio da dosagem de anticorpos IgG. Ocorre que os anticorpos dosados poderão ser os da mãe, estando o bebê livre da doença. O teste poderá ser considerado positivo após os dezoito meses, quando já houver eliminação dos anticorpos maternos e um resultado positivo significará a produção de anticorpos pelo organismo do bebê infectado pelo vírus.

Prevenção

Todos os homens e mulheres que desejam constituir família deverão obrigatoriamente fazer o exame laboratorial pré-nupcial, incluindo, sempre, o teste para a existência dos anticorpos

HIV, reveladores da Aids. Cinqüenta por cento das grávidas com a doença têm probabilidade de transmiti-la para seu filho.

A melhor medida para prevenção da Aids é a informação. Os pais deverão estar informados sobre os riscos de contaminação pelo HIV, a fim de evitá-los.

A Academia Americana de Pediatria recomenda que seja feito o teste HIV em todos os recém-nascidos cujas mães não tenham feito o teste durante a gravidez.

A Aids é uma doença muito grave!

Tratamento. A grande esperança é a descoberta de uma vacina o mais breve possível. Além do acompanhamento médico constante e de certas medidas (boa alimentação e tratamento das infecções oportunistas), existem medicamentos atualmente empregados para controlar a doença. Dos medicamentos usados, o AZT (azidotimidina) é a droga de escolha para o tratamento inicial, sendo aplicada por via oral, sob a forma de xarope. A dosagem e o controle da aplicação do AZT, como também de outros medicamentos que estão sendo usados, ficarão a critério do pediatra. O esquema de vacinas deverá ser mantido nas crianças já apresentando sintomas, com exceção da vacina contra tuberculose (BCG), que não poderá ser aplicada.

Atualmente, com as novas drogas aplicadas separada ou conjuntamente a outras drogas, tem-se conseguido prolongar a vida do doente.

Novos tratamentos continuam sendo desenvolvidos, e a cura da doença poderá se tornar uma realidade num futuro próximo.

BRUCELOSE

Também é conhecida como "febre ondulante", febre de Malta, doença de Bang, sendo felizmente pouco freqüente em crianças nos primeiros anos de vida. A doença se manifesta sorrateiramente: cansaço fácil, abatimento, dor de cabeça, irritabilidade, mal-estar e febre que pode durar dias, semanas e até meses. Às vezes toma forma crônica que, de tão suave e inexpressiva, passa despercebida e o doente é diagnosticado com neurastenia, indolência, insônia e irritação.

É uma febre de tipo variável, ondulante, fato que sugeriu a designação da doença. A cura é simples, os casos de morte são raros, porém durante a doença o indivíduo fica incapacitado para suas atividades escolares, devido à astenia (desânimo, fraqueza) que acompanha a doença.

Período de incubação. Muito variável e difícil de determinar; o início é insidioso e a data da infecção raramente pode ser precisada, sendo, geralmente, de cinco a trinta dias.

Período de transmissibilidade. Raramente se transmite de um indivíduo para outro. O germe poderá ser eliminado pela urina e por outras secreções durante muito tempo.

Suscetibilidade e resistência. A suscetibilidade é variável, conforme demonstra a grande diferença entre o grau de severidade e a duração da doença, além da menor sensibilidade das crianças às manifestações clínicas e a freqüência das infecções leves ou inaparentes. Não se conhece ao certo a duração da imunidade adquirida.

Diagnóstico. É feito pelo isolamento do germe no sangue; o teste intradérmico revela infecção presente ou passada, e é de valor limitado para o diagnóstico.

Modo de transmissão. São fontes de infecção: o leite, a urina, o sangue de animais infectados (boi, porco, ovelha, cabra, cavalo). O leite e o queijo cru são fontes mais prováveis. Raramente é transmitida de um indivíduo para outro.

Prevenção. Ferva sempre o leite. Existem vacinas preparadas. Não há necessidade de isolamento do doente.

Tratamento. O tratamento com antibióticos tem apresentado resultados razoáveis, mas têm sido comprovadas recaídas, apesar da medicação. As tetraciclinas têm sido para o adulto a medicação aconselhada, pelo espaço mínimo de 21 dias, mas para as crianças abaixo de oito anos as tetraciclinas estão contra-indicadas. Para a criança, os antibióticos aconselhados são a eritromicina e as sulfas. A estreptomicina intramuscular também é empregada, devendo ser aplicada, entretanto, associada a outro medicamento. As penicilinas não se têm revelado úteis. Nos casos extremamente graves, a possibilidade da aplicação de cortisona deverá ser decidida pelo médico.

Não existe tratamento específico; nos casos benignos, administre analgésicos e antitérmicos, mantenha uma alimentação rica em proteínas (leite, ovos e carne), vitaminas e frutas. Nos casos graves, o mais provável é a apresentação de edema faringotonsilar (inchação intensa das amígdalas e garganta).

A inflamação do fígado e do baço poderá acarretar grandes dores abdominais, e a administração de cortisona (corticosteróide) estará indicada para aliviar as dores.

Nos casos crônicos, com meses de evolução, a aplicação de agentes antivirais como o aciclovir, poderá ser tentada; entretanto, sua aplicação é discutida.

CATAPORA

A catapora, também denominada por alguns de varicela, e por outros de varíola boba, é uma moléstia infecto-contagiosa de caráter eruptivo. Durante muito tempo foi considerada por alguns como varíola branda, mas a idéia de moléstia autônoma, independente da outra, chegou até os nossos dias. É extremamente contagiosa. Raras moléstias infecto-contagiosas a ultrapassam nesta característica. Para dar um exemplo do seu contágio, citamos o fato de alguns médicos já terem podido fixar a infecção levada a efeito através de janelas abertas, ou de tubos de ventilação, pela condução de fragmentos de vesículas.

O início da moléstia é discreto, com a temperatura entre 37,5°C e 39,5°C. A criança não apresenta sintomas alarmantes; inapetência, pouca disposição, dor de cabeça, e de 24 a 48 horas aparecem sobre a pele manchas vermelhas, que se transformam em vesículas, mantendo um halo de inflamação. O líquido desta vesícula se transforma de claro a purulento; a vesícula acaba por se romper, formando-se depois uma crosta, que se desprende de quinze a 21 dias, podendo deixar ou não cicatriz.

Estes elementos eruptivos não são disciplinados; enquanto uns começam, outros acabam na mesma região, dando o aspecto de céu estrelado. Daí o nome dado por alguns de varíola louca, e por outros de varíola boba, pois o mesmo não se verifica com a terrível varíola.

Às vezes a catapora é tão branda que passa despercebida e somente quando começam a aparecer as vesículas é que se suspeita da moléstia. O exame da boca e da garganta mostrará, então, a existência de vesículas. Em alguns casos, os leigos pensam em urticária, ignoram estar diante da moléstia infectocontagiosa, pois a catapora, como urticária, provoca prurido (coceira). A verificação da temperatura, correlata com outros dados, esclarecerá o caso, pois a urticária não causa febre.

Agente infeccioso. Vírus varicela-zóster, relacionado com o do herpes-zóster.

Reservatório e fonte de infecção. O reservatório é o indivíduo infectado. As secreções das vias respiratórias constituem a fonte de infecção. As lesões da pele têm bastante importância no contágio e as vesículas são infectantes.

Modo de transmissão. De um indivíduo para outro, sob contágio direto, por intermédio das gotículas de muco ou saliva, ou através do ar; indiretamente, por meio de objetos recém-contaminados pelas secreções da pele ou das mucosas das pessoas infectadas. É das doenças que mais facilmente se propagam, principalmente nas primeiras fases de erupção.

Período de incubação. De duas a três semanas; geralmente de treze a dezessete dias.

Período de transmissibilidade. Provavelmente, no máximo um dia antes, até seis dias depois do aparecimento do primeiro surto eruptivo. A criança poderá voltar à escola sete dias após o aparecimento da erupção.

Suscetibilidade e resistência. A suscetibilidade é universal entre indivíduos que nunca tiveram a doença. Assume forma mais grave nos adultos. Um ataque da doença confere imunidade duradoura, sendo raros os casos de reinfecção.

Tratamento. Corte as unhas e mantenha-as escovadas. Evite o prurido (coceira). Use Pasta de Lassar, para o local, banho de amido (ver pág. 479) ou solução de mentol a 1/4 %. Para controle da coceira poderá ser usado um anti-histamínico (ver pág. 783). Na catapora infectada pelos agentes piogênicos (estafilococos), o antibiótico tipo penicilina estará indicado. No caso de ter de ser usado um antitérmico (febre alta), está contra-indicado o uso da aspirina, pois seu uso poderá levar a um tipo de encefalite denominada síndrome de Reye, e deverá ser usado o acetaminofen.

A gamaglobulina administrada nos primeiros três dias após o contágio poderá modificá-la, atenuando-a; é empregada sobretudo nas crianças que estão ou que usaram recentemente a cortisona. As crianças submetidas à aplicação de cortisona quando acometidas de catapora poderão apresentar complicações sérias, desde a púrpura (hemorragias), lesões oculares, lesões do fígado, até a encefalite, que é a inflamação cerebral. Existe no momento um soro chamado ZIG (imunozóster-globulina), que, se aplicado, poderá evitar a catapora e deverá ser empregado em casos graves de doença crônica, em que a criança não pode absolutamente ser contaminada pelo vírus da catapora, pois há grande risco de vida. Neste capítulo, estão incluídas as crianças em tratamento contra a leucemia e com qualquer outra doença que exija a aplicação de cortisona em doses elevadas e constantes.

Prevenção. Vacina contra a catapora – deverá ser aplicada (0,5ml) aos doze meses em injeção subcutânea.

CAXUMBA

A expressão caxumba é adotada hoje para designar o ataque de um vírus específico a um organismo suscetível e capaz de desencadear quadros clínicos diversos. Sua forma mais comum é a parotidite, isto é, o comprometimento das glândulas salivares, comumente designado pelo povo como "papeira". Outras manifestações, como a meningoencefalite (mais freqüente), ocasionada pela infecção do sistema nervoso central, pancreatite, orquiepididimite (infecção nos testículos e no epidídimo) ou ooforite (infecção nos ovários, mais comum na puberdade), podem ser observadas. Há ainda os casos em que, apesar de haver infecções no organismo causadas pelo vírus, não há doença clínica – são as chamadas formas inaparentes, que conferem proteção e imunidade para o resto da vida, sem que o indivíduo saiba que já teve infecção.

A doença se inicia pela febre. A temperatura é variável, às vezes leve, às vezes alta, com inapetência e prostração; onze a treze dias depois, nota-se a inflamação de uma ou mais glândulas salivares (parótida, sublingual, submaxilar); a criança sente dor ao abrir a boca, bem como pela compressão do tumor glandular. Este, durante dois ou três dias, atinge o máximo de volume, para depois decrescer, juntamente com a febre. Algumas complicações são possíveis, como a inflamação dos testículos e dos ovários; existem também outras possíveis, como a pancreatite, com vômitos e náuseas, e a mais grave de todas as complicações, a meningoencefalite. Por isso não convém subestimar a gravidade da infecção; a criança, mesmo que a caxumba seja benigna, deverá permanecer em repouso e ser convenientemente tratada.

A inchação (edema) é a maior e principal característica da doença. Começa a ser observada atrás do pavilhão auricular, pela inchação da depressão existente entre o queixo e a mastóide (região logo atrás do lóbulo da orelha); em seguida, a inchação desce, levantando o lóbulo inferior da orelha. Esta inchação é diferente das outras comumente observadas, pois apresenta uma consistência gelatinosa ao ser apalpada. O edema atinge seu limite entre o terceiro e o sétimo dias, para em seguida diminuir gradativamente.

Existem outros vírus que também causam aumento das parótidas, que não o vírus da caxumba. O quadro clínico é bastante semelhante ao da caxumba, o que explica a "recaída" da doença em algumas crianças.

Agente infeccioso. O vírus da caxumba (Paramixovírus).

Reservatório e fonte de infecção. O reservatório é o homem, e a fonte de infecção, a saliva de pessoas infectadas.

Meio de transmissão. Por contágio direto, pelas gotículas expelidas pela criança doente ou pelo contato com objetos recém-contaminados pela sua saliva.

Período de incubação. De quatorze a 27 dias; geralmente, dezoito.

Período de transmissibilidade. De cerca de sete dias antes do aparecimento dos sintomas característicos, até nove dias depois, mas nunca ultrapassando o período de tumefação das glândulas salivares. Os indivíduos suscetíveis poderão contrair a doença por meio da exposição ao contágio com pessoas portadoras de infecção inaparente. Quarenta por cento dos indivíduos têm infecção sem inflamação das glândulas salivares, entretanto são contagiantes.

Suscetibilidade e resistências. Acredita-se que a suscetibilidade é geral. São raros os segundos ataques, admitindo-se, em geral, como permanente a imunidade conferida por um acometimento típico ou inaparente.

Isolamento. Enquanto durar a inflamação das glândulas salivares.

Diagnóstico. Nem sempre a doença é evidente. São numerosos os casos de caxumba sem inflamação das glândulas salivares. Existem inflamações dos gânglios (ínguas) do pescoço, provocadas por bactérias ou por outro tipo de vírus, que podem ser confundidas com a caxumba. Neste caso, só o médico estará em condições de fazer o diagnóstico.

Tratamento. Faça com que a criança repouse na cama, ou, se não for possível, mantenha a criança em casa na fase inflamatória, ou seja, enquanto o pescoço estiver inchado. Nesta fase deverá ser proibido qualquer esporte, sobretudo andar de bicicleta e jogar futebol, fazer natação e tomar banhos de mar. Dieta líqüida, sopas e purês mornos e suco de frutas não-ácidas. Antibióticos e gamaglobulina não têm qualquer valor.

Prevenção. Com a Mumppsvax, a vacina de vírus vivo atenuado. Atualmente existe um tipo de vírus que, ao que tudo indica, protege por toda a vida. Entretanto existem médicos que prescrevem uma segunda dose cinco anos após a primeira. A vacina é aplicada por via subcutânea, em dose única, e não causa reação. Poderá ser aplicada a partir do primeiro ano de idade. Aconselha-se sua aplicação na idade pré-pubertária, na adolescência e aos adultos que não tiveram caxumba e que não tiveram necessidade de ser vacinados.

A vacinação contra a caxumba ocorre geralmente aos doze meses, com a aplicação da MMR, que é uma vacina combinada contra o sarampo, a rubéola e a caxumba.

CÓLERA

O cólera é uma doença caracterizada por uma intensa diarréia aquosa, sem ser acompanhada por dor e febre, levando a uma desidratação grave, que poderá levar ao estado de choque se não for feita reidratação num período de quatro a doze horas.

As crianças são mais sujeitas às convulsões, à redução das taxas de açúcar no sangue (hipoglicemia) e ao coma do que os adultos. As crianças alimentadas ao seio podem desenvolver uma proteção contra o cólera grave durante os primeiros dois anos de vida.

Período de incubação. De um a três dias, podendo variar de poucas horas a cinco dias.

Agente infeccioso. É causada pelo *Vibrio cholerae*, com diversos tipos de gravidade variável.

Forma de transmissão. A infecção é transmitida geralmente por água e alimentos contaminados. Nas regiões onde não existem esgotos, nem água potável, é mais fácil o contágio.

Vegetais folhosos, frutas regadas com água contaminada e frutos-do-mar mal preparados (peixes, mariscos, siris etc.) são meios de transmissão. Os insetos (moscas e baratas) são fontes de pouco perigo para o contágio.

Os familiares que cuidam dos doentes com cólera, raramente, contrairão a doença, desde que lavem diversas vezes as mãos com sabão e sempre usem roupas limpas. Os surtos de cólera aparecem principalmente no verão, nas estações chuvosas, sobretudo quando há enchentes. Entretanto, poderá aparecer em qualquer lugar e época devido à presença de uma pessoa portadora crônica do *Vibrio cholerae*, tendo vindo de regiões infectadas.

Tratamento. A hidratação venosa é a forma de tratamento mais importante, devendo ser iniciada o mais rápido possível, assim que houver suspeita da doença. Nos casos menos graves, a hidratação oral é outro recurso.

Os antibióticos usados são a Tetraciclina, o Doxycycline, a Eritromicina e as sulfas (Trimetropin) (ver a pág. 750).

Prevenção (vacina). A vacina deverá ser aplicada em ocasiões epidêmicas. A proteção é aproximadamente de 50%, e sua duração é de três a seis meses.

COQUELUCHE (*Pertussis*)

A coqueluche é uma doença infecciosa aguda no aparelho respiratório, caracterizada por repetidos acessos de tosse convulsiva, terminando por um guincho, seguido ou não de vômitos. Como particularidade especial desta doença, o diagnóstico é feito pelas avós e, sem dúvida, é uma das ocasiões em que elas estarão certas...

É uma moléstia infecto-contagiosa, caracterizada por um tipo particular de tosse. Acomete geralmente a criança de dois a quatro anos. Antes dos dois anos é mais grave pela facilidade de complicações, sobretudo pneumonia – quanto menor a criança, mais grave a coqueluche. A duração da doença é longa, de 45 dias a três meses, e o povo diz que a coqueluche não-tratada dura de seis meses a um ano. O início da moléstia é traiçoeiro, tem aspecto de uma bronquite gripal comum; somente depois de dez a quinze dias é que se iniciam os terríveis acessos de tosse característicos da moléstia, acessos em número variado, de dez, vinte e até trinta por dia nos casos graves; são mais freqüentes pela madrugada. A tosse torna-se tanto mais característica quanto mais idade tiver a criança, e nas menores de um ano não é nítida.

O período de acesso. Isto é, da tosse convulsiva, poderá durar de dez a 25 dias, para então se tornar uma bronquite banal, que durará de quinze a trinta dias. Durante a coqueluche, a criança apresenta o rosto inchado e os olhos empapuçados, devido à compressão das veias pelas contrações musculares durante o acesso; nos casos mais severos, pode haver até hemorragia subconjuntival, ficando os brancos dos olhos avermelhados. A criança, durante a coqueluche, fica sensível, e logo que sente que vai tossir corre para junto da mãe, pressentindo o temporal que se desencadeia. O acesso é doloroso, maltratando-a extraordinariamente, e acabando, às vezes, em vômitos, ou pela expulsão de um catarro viscoso. Os leigos têm a impressão de que a criança não resistirá, que ficará sufocada: uma vez passada a tosse, a prostração domina, momentaneamente, a criança, que depois reage como se nada houvesse, voltando a brincar.

A temperatura. Na coqueluche, a temperatura é baixa, apresentando 37°C, 37,5°C até 38°C, e temperaturas elevadas significam quase sempre complicações pulmonares ou infecção gripal intercorrente. É interessante observar algumas crianças que, após se curarem da coqueluche, passam bem alguns meses, mas, se acontecer de mais tarde se resfriarem e terem tosse, o fazem como se fosse coqueluche, e os pais julgam que a doença possa ter voltado; isto é exclusivamente um fenômeno nervoso, um reflexo condicionado, que a criança guarda na sua memória por algum tempo e que é despertado pela tosse. A intensidade da coqueluche varia de caso para caso, às vezes sendo branda, outras vezes grave, principalmente em crianças nervosas.

Agente infeccioso. É causada pela *Bordetella pertussis*. A transmissão é direta, por gotículas dos doentes, tosse, espirros, principalmente na sua fase inicial.

Modo de transmissão. Pelo contato direto com indivíduo infectado, através das gotículas de muco e saliva que expele, ou indiretamente, pelo contato com objetos recentemente contaminados pelas suas secreções.

Período de incubação. Geralmente de sete dias; quase sempre dentro de dez dias e nunca acima de 21.

Prevenção. Pela vacina Tríplice (DPT-DPaT), no segundo, no quarto e no sexto mês de vida (ver págs. 208, 250 e 274).

Período de transmissibilidade. A doença é particularmente transmissível durante a fase inicial do período catarral, antes que a tosse característica confirme o diagnóstico presuntivo. Uma vez iniciada a fase de tosse, a transmissibilidade vai decrescendo progressivamente, até tornar-se, ao fim da terceira semana, praticamente nula para os contatos menos diretos, embora ainda persistam os paroxismos de tosse e os guinchos. Considera-se que o período de transmissibilidade se estende desde o sétimo dia após a exposição ao contágio, até três semanas após o aparecimento dos acessos típicos, quatro semanas ao todo. Depois de seis semanas não é contagiante.

Tratamento. A coqueluche é uma das infecções mais difíceis de serem tratadas. Os resultados obtidos, contudo, não são confiáveis, e apesar de se conseguir na maioria dos casos melhora clínica, a doença habitualmente segue seu curso, cabendo ao organismo reagir contra ela, pela formação de defesas específicas.

O cocobacilo responsável pela doença é sensível à eritromicina administrada durante quatorze dias por via oral ou injetável. As sulfas poderão ser usadas como terapia alternativa. Para controle da tosse, os corticóides (cortisona) e o salbutamol poderão ser usados, mas sob indicação do pediatra. Além do antibiótico, outras medidas deverão ser tomadas e se constituem em elementos auxiliares de grande valor. No caso de grande agitação, é conveniente dar um sedativo à criança, sempre sob orientação médica.

Um ambiente calmo, tranqüilo, evitando-se os jogos e brincadeiras excitantes ou cansativos, auxilia na involução da doença. Também os passeios ao ar livre e a ventilação constante nos ambientes fechados parecem encurtar a enfermidade.

A globulina hiperimune não mostrou ter valor, sendo seu uso contra-indicado. Da mesma maneira, as viagens de avião ou câmaras hiperbáricas não demonstraram utilidade.

DENGUE

É uma doença infecciosa, transmitida pela picada de um mosquito, geralmente benigna. Também denominada "febre quebra-osso" ou "febre dândi".

Os sintomas clínicos são variados de doente para doente. Nas crianças geralmente apresenta um estado febril, que poderá durar de um a quinze dias (com inflamação da garganta, rinite, corrimentos no nariz), tosse fraca e discreta, erupção (*rash*) da pele; entretanto, algumas crianças poderão manifestar sintomas intensos, febre repentina e alta (39°C a 41°C); dor de cabeça forte (testa) e retroorbital (atrás dos olhos), dor intensa nas costas (que poderá ser o sintoma mais precoce), dores nos músculos e nas articulações, muito fortes, responsáveis pelo modo diferente de andar do paciente, como se estivesse fazendo de dengoso. Algumas crianças doentes podem ter náuseas e vômitos, um perigo para a desidratação. A convalescência é longa, com falta de apetite e astenia (desânimo).

Existe a dengue hemorrágica, forma muito grave da doença, caracterizada por hemorragias e choque; nestes casos a internação hospitalar deverá ser imediata. O diagnóstico pode ser suspeitado quando há, no hemograma, diminuição da contagem de plaquetas. A sorologia deve ser solicitada após cinco dias para confirmar o diagnóstico.

Agente infeccioso. Existem quatro tipos de vírus bem-definidos por exame de laboratório. No Brasil, os tipos 2 e 3 são os responsáveis pelo surtos e epidemias desde 2002. Ainda não temos o tipo 4 no Brasil.

Incubação. De um a sete dias.

Transmissão. É feita pela picada do mosquito *Aedes aegypti*, que ataca somente durante o dia e ao crepúsculo, e não à noite, o que torna desnecessário o uso de cortinados e mosquiteiros. O mosquito se alimenta dentro das moradias e imediações, sendo atraído pelo homem. Para evitar as picadas de inseto pode-se usar repelentes próprios para o bebê a partir dos seis meses de idade, e os repelentes ambientais a base de líquido ou pastilha, que não contenham organofosforados.

Prevenção. É feita pelo controle do mosquito que se reproduz pelas larvas provenientes dos ovos depositados em águas paradas (pratos de vasos de plantas, calhas, garrafas, pneus abandonados etc.) Recomenda-se o uso de mosquiteiros nos berços durante o período do sono. Para crianças maiores, recomenda-se o uso de meias e calças compridas para evitar exposição das pernas, pois o mosquito voa baixo e pica, preferencialmente, as pernas e os tornozelos.

Não há vacina disponível. Em vários países do mundo, inclusive o Brasil, está sendo pesquisada a vacina contra a dengue do tipo 1, 2 e 3.

Havendo quatro tipos de vírus da dengue, é possível o indivíduo contrair a doença mais de uma vez.

Tratamento. Não há terapêutica específica. Deve-se repousar na cama no período de febre, que deverá ser mantida abaixo de 39°C com antitérmico. Use analgésicos para controlar as dores. Não dê aspirina (há perigo de hemorragia), mas líquidos e refrigerantes no caso de haver transpiração, sede, inapetência e vômitos. Nos casos de piora clínica, a criança deverá ser levada ao serviço de urgência para hidratação venosa, internação e monitorização rigorosa.

Em Cuba foi experimentado o Interferon leucocitário durante a fase febril; foi notada diminuição das complicações e cura mais rápida.

DIFTERIA (Crupe)

É uma doença infectocontagiosa caracterizada pela formação de placas na faringe (garganta) e na laringe, dando ao doente tom de voz característico, justamente quando estas placas se assentam na laringe, causando sufocação. Denomina-se crupe, que é a forma mais temida da doença. Conhece-se o agente responsável e o meio de transmissão; tem-se na terapêutica um soro de bons resultados e, ultimamente, já entrou na prática diária a vacinação prévia, que evita, na sua quase totalidade, que a doença acometa a criança.

O início da doença é insidioso; há febre pouco acentuada, a criança mostra-se inapetente, tem pouca disposição para brincar, sintomas geralmente atribuídos à indisposição passageira. Algumas mães zelosas e calmas hoje já conseguem examinar a garganta do filho; apesar de não ser fácil para um leigo, é aconselhável este exame porque a verificação de qualquer placa branca ou cinzenta mostrará a necessidade imediata de chamar o médico. A placa diftérica, além de poder localizar-se na laringe, nas amígdalas, no céu da boca, na úvula etc., pode localizar-se no nariz ou na pele.

A intensidade dos casos varia muito, sendo mais freqüente nos lugares de clima frio. O importante é a urgência de administrar o soro, que deverá ser dado logo e em doses elevadas. Quanto mais tarde se emprega o soro, menos probabilidade de cura e maior de complicações. A difteria diagnosticada cedo quase nunca constitui perigo para a criança.

Agente infeccioso. É causada pelo *Corynebacterium diphtheriase,* ou bacilo de Klebs-Loeffler.

Reservatório e fonte de infecção. O reservatório é a pessoa infectada. As mucosas do nariz, da faringe, da nasofaringe e das lesões, cutâneas ou outras constituem fonte de infecção.

Modo de transmissão. Pelo contágio com o doente ou portador, ou através de objetos contaminados pelas suas secreções. A doença pode ser transmitida pelo leite.

Período de incubação. De dois a seis dias, mas poderá ser mais longo.

Período de contágio. É variável, até que os bacilos virulentos desapareçam das secreções e lesões; em geral, duas semanas ou menos; raramente mais de quatro. O contágio varia de duas a quatro semanas nas pessoas não-tratadas e um ou dois dias nos pacientes tratados.

Tratamento. É feito com a administração de soro antidiftérico, em injeção intramuscular, nas doses: doença leve, de 20.000 a 40.000 unidades; doença moderada, de 40.000 a 80.000, e doença grave, de 80.000 a 120.000 unidades.

Deverá ser feito repouso na cama, por até quatorze dias, devido a complicações neurológicas ou cardiovasculares. Alimentos líquidos ou em forma de purê poderão para ser engolidos sem dificuldade. Vaporização (spray) com soro fisiológico amornado melhora o mal-estar da garganta.

Deverá ainda ser usada a penicilina-procaína (na dose de 300.000 unidades por dia, para crianças abaixo de 10kg e 600.000 unidades para as maiores) durante quatorze dias, por via intramuscular, ou a penicilina G (100.000 a 150.000 u.i./kg/dia), até o máximo de 1,2 milhão de unidades divididas em duas doses, por via intramuscular. Também pode-se administrar entromicina oral ou parenteral, na dose de 40 a 50mg/kg/dia, até o máximo de 2g/dia durante quatorze dias.

Todos os pacientes deverão ser isolados de outras crianças. Todos os objetos, como pratos, colheres, garfos, roupas de uso e de cama deverão ser fervidos por até vinte minutos, em água com sabão. Os que cuidam do doente deverão lavar suas mãos com água e sabão.

É importante que o diagnóstico seja feito dentro de 48 horas, porque a ação do soro é muito mais eficaz neste período do que quando aplicado pela primeira vez após este prazo.

Quando foi dado antibiótico, antes da retirada do material, a cultura pode levar de cinco a sete dias para se mostrar positiva, e às vezes, apesar da doença, poderá dar negativa; o diagnóstico clínico neste caso é que tem valor absoluto.

O exame diário da garganta pelo médico-assistente é indispensável. A aspirina e a codeína poderão aliviar a dor de garganta. A penicilina e a eritromicina poderão ser administradas como auxiliares, mas nunca como substitutas do soro.

A sensibilidade ao soro deverá ser, sempre que possível, pesquisada por injeção intracutânea de 0,05 a 1 por 20 do soro antidiftérico, dissolvida em solução fisiológica. Se for positivo, o soro deverá ser aplicado em doses fracionadas, com intervalos de quinze minutos, de acordo com o médico-assistente, mas sempre tendo ao lado uma injeção, para os casos de emergência, de solução milesimal de adrenalina, fresca, de preparação recente, que em caso de choque poderá ser aplicada de um décimo a cinco décimos de cm^3 na criança.

Prevenção. A vacina contra a difteria é de grande eficiência. Deverá ser aplicada a cada dois meses, no segundo, no quarto e no sexto mês, juntamente com a de pólio. É dada uma quarta dose aos dezoito meses, juntamente com a da coqueluche e a do tétano, a conhecida vacina tríplice. No início do ano escolar, aos seis anos, deverá ser dada, então, uma quinta dose. Desta data em diante, bastará ser dada a cada cinco anos, ou, segundo outros, a cada dez anos, mas unicamente com a de tétano, sem a da coqueluche, a vacina dupla difteria-tétano, porque a vacina tríplice desta data em diante costuma provocar reação muito forte, devido ao antígeno da coqueluche (ver pág. 563).

DISENTERIA AMEBIANA (Amebíase)

É uma infecção do aparelho digestivo, caracterizada por diarréia e mal-estar abdominal. Mais raramente, poderá ocorrer eliminação de fezes com mucosidade clara, misturada a sangue, o que se verifica na disenteria bacilar. A febre é baixa ou ausente. Em alguns casos poderá provocar abscessos no fígado.

Agente infeccioso. Uma ameba (protozoário) denominada *Entameba histolitica.* Às vezes este parasita vive como comensal do intestino, sem provocar a doença no seu portador. O número de portadores com a doença é muito maior do que se pode imaginar, sobretudo na sua forma de resistência, denominada cisto. A *Entameba coli* não causa a doença.

Diagnóstico. É feito pelo exame direto das fezes ou de tecidos obtidos de lesões.

Contágio. Processa-se por meio de água e alimentos contaminados, o que pode ser evitado com sua fervura. A prática de colocar os legumes numa solução de água e vinagre (5% de ácido acético), durante quinze ou vinte minutos, também é aconselhada. Devemos, entretanto, ter cuidado com as crianças, pois algumas não o toleram bem. Não há drogas que evitem a doença (profilática).

Tratamento. Confirmada a doença, deve-se manter a criança em repouso na cama e regime próprio na fase aguda. Dieta: maçã, banana bem madura, chá adoçado com Nidex, arroz e batata cozida na água e sal. O medicamento preferido é o Metronidazol (ver pág. 787), por via oral, durante dez dias. As tetraciclinas não deverão ser empregadas antes dos oito anos de idade.

DISENTERIA BACILAR (Shigelose)

É caracterizada por cólicas, evacuações freqüentes com catarro, sangue e pus. É mais comum nos países de clima quente. A moléstia pode adquirir todas as características, desde as formas agudas febris, com início violento, até as formas crônicas subagudas, discretas, quando a confirmação da disenteria bacilar constitui verdadeira surpresa para a família e, às vezes, também para o médico. É moléstia que exige grande atenção do médico e cuidados da família.

Agentes infecciosos. Várias espécies do gênero *Shigella* (bacilos disentéricos), como *Sh. dysenteriae (shiga), Sh. sonnei, Sh. flexneri, Sh. boydii* e outras.

Período de incubação. Varia de um a sete dias.

Período de contágio. Durante todo o tempo em que o doente elimina a bactéria pelas fezes, em até quatro semanas. Manter as mãos bem lavadas é uma medida importante de prevenção, bem como isolar o doente. Serão necessárias três culturas negativas de fezes, com intervalos mínimos de 24 horas, para se confirmar a cura.

Modo de transmissão. Pela ingestão de alimentos, água ou leite contaminados, pela transferência de material das mãos à boca, pelas moscas e pelos objetos infectados com fezes de pacientes ou portadores.

Tratamento. Em primeiro lugar, evite a desidratação. Dar soro hidratante, água fresca, com glicose ou Nidex, guaraná, suco de maçã, chá fraco adoçado com Nidex, sopa preparada com caldo de carne magra, frango, arroz, batata e uma folha de gelatina branca. Se for dado leite, deve-se preferir o leite ácido tipo Nestogeno Plus. A ampicilina é o antibiótico mais indicado, pelo menos por cinco dias. A amoxiclina não é eficaz contra a *Shigella* e não deverá ser usada. O sulfametox-trimetropina (ver pág. 785) também poderá ser empregado. As tetraciclinas não deverão ser aplicadas. Combata a febre alta. Cuide da limpeza da casa com a maior cautela, sobretudo os vasos sanitários. Lave as mãos antes e depois de cuidar da criança.

Prevenção. Não há vacina apropriada. Medidas sanitárias são úteis, principalmente com relação à água e aos alimentos. Evite moscas e controlar em locais apropriados as dejeções humanas.

DOENÇA DE CHAGAS

É transmitida pelo *Trypanosoma crusi*, um protozoário, sendo transmitida ao ser humano por um inseto, conhecido vulgarmente pelo nome de "barbeiro". O barbeiro oculta-se nos buracos das paredes, fendas de assoalhos, rachaduras nos tetos, enfim, em qualquer lugar que possa constituir-se um bom refúgio. Ali permanece durante o dia, saindo à noite, em busca de sangue. Para que se efetue a contaminação, torna-se necessário que o barbeiro absorva o sangue de algum animal ou de uma pessoa já infectada. A transmissão não ocorre pela picada; logo após a picada, o barbeiro elimina sobre a pele do indivíduo suas fezes, nas quais são encontrados os tripanossomas; na hipótese de o inseto estar contaminado, os parasitas penetrarão no organismo pelo local da picada, sobretudo se a pessoa se coçar.

Cerca de uma semana após o contágio, surgem os sintomas: inchação unilateral das pálpebras (sinal de romana), aumento dos gânglios no pescoço, mal-estar, fraqueza e febre.

Às vezes os sintomas são leves, passando despercebidos, aparecendo, anos mais tarde, perturbações cardíacas.

A única forma de se evitar a propagação da doença consiste no extermínio dos barbeiros, com emprego de inseticidas e outros cuidados na reparação da casa. É uma doença difundida em alguns estados do Brasil, sobretudo em Minas Gerais, com tendência à forma crônica, não havendo até o momento tratamento próprio. O tratamento é feito na fase aguda por drogas especiais (Nirfurtimox), que estão sendo observadas nos Estados Unidos, não estando ainda disponíveis para o público.

ERITEMA INFECCIOSO (Quinta Moléstia)

É uma doença eruptiva bastante rara, que se apresenta com caráter epidêmico, especialmente entre os dois e os seis anos, manifestando-se por exantema de grandes máculas, manchas vermelhas, localizadas no rosto e na face, podendo atingir as extremidades. O estado geral permanece bom. O período de incubação, desde o contato até aparecer, é de sete a quatorze dias. Ela se manifesta no rosto, dando à mancha vermelha um aspecto de borboleta, e o nariz e a boca não são atingidos. Raramente apresenta-se no tórax, no peito ou na barriga; entretanto poderá haver erupção intensa nas nádegas. Não há, habitualmente, febre. Não requer tratamento; é doença que passa automaticamente.

ESCARLATINA (Infecção Estreptocócica)

Das doenças infectocontagiosas eruptivas, é a mais grave, felizmente rara entre nós. Nos estados do Centro-Oeste e Norte do Brasil é excepcional, mas no Sul, em São Paulo, Paraná, Santa Catarina e Rio Grande do Sul, ela é observada. As crianças louras parecem mais sensíveis à moléstia do que as morenas. O contágio poderá ser tanto direto do doente para a pessoa, como indireto, por meio de objetos, pessoas, roupas etc., pois o germe responsável vive muito tempo fora do organismo humano. O começo da doença é brusco e violento, com febre até 41 °C, vômitos, dor de cabeça e inflamação de garganta (angina). A língua tem aspecto característico, chamado língua de morango, seca, muito vermelha, com as papilas salientes. O exantema, isto é, a erupção, é intenso, aparecendo dois ou três dias após o início da febre, mais acentuado nas partes do corpo em contato com o colchão e nas dobras das articulações. A distribuição é a mesma da do sarampo, isto é, começando pela cabeça, atingindo posteriormente o tronco, os braços, as pernas e os pés. Para muitos médicos, é particular à escarlatina a localização em uma zona peribucal pálida, sem erupção, e na região mentoniana (queixo). A erupção dura de quatro a seis dias, e depois começa a esmaecer; a descamação é profusa, feita em verdadeiras escamas, e bastante prolongada, o que não se verifica no sarampo. A escarlatina poderá levar a muitas complicações: abscessos, nefrite, miocardite (inflamação do coração) e febre reumática. A doença é causada pelo estreptococo beta-hemolítico do grupo A, que tem mais de sessenta tipos diferentes. Podem provocar escarlatina os tipos que produzem algumas toxinas denominadas eritrogênicas, responsáveis pela erupção.

Reservatório e fonte de infeção. O reservatório é o ser humano; doentes em estado grave, convalescentes ou portadores. As secreções do nariz, da garganta das lesões purulentas ou dos objetos contaminados constituem a fonte de infecção. Os portadores nasais estão particularmente aptos a contaminar o ambiente.

Modo de transmissão. A transmissão é feita por contágio direto, pelo contato com um paciente ou portador ou pela inalação de estreptococos existentes nas gotículas de muco e saliva expelidos pelo indivíduo infectado ao espirrar ou tossir. A transmissão raramente se efetua pelo contato ocasional. A contaminação do ar por estreptococos é feita através da poeira, do solo, felpas de roupas de cama e do corpo, lenços etc. Não está ainda claramente definida a importância da veiculação pelo ar e da contaminação do ambiente na propagação da doença. A ingestão de leite e outros alimentos contaminados poderá causar surtos epidêmicos explosivos.

Período de incubação. Curto; em geral, de dois a cinco dias.

Período de transmissibilidade. Nos casos sem complicações, a doença é transmissível durante o período de incubação e das manifestações clínicas, isto é, cerca de dez dias. Os indivíduos com complicações que não tenham sido tratadas e que dêem origem a secreções purulentas poderão disseminar a infecção durante semanas ou meses. O tratamento adequado com penicilina faz desaparecer, em 24 horas, a capacidade infectante dos doentes ou portadores.

Tratamento. Repouso, líquidos, regime em forma de purê, de acordo com os desejos da criança. Codeína e acetaminofen poderão melhorar a febre, a dor de cabeça e o desconforto da garganta. Um exame de urina deverá ser feito durante o período febril, pelo menos duas vezes. A penicilina é o medicamento preferível; se a criança for alérgica à penicilina, deve-se dar eritromicina, cefalexina, ampicilina ou amoxiclina. A penicilina poderá ser aplicada em injeção intramuscular, a denominada penicilina benzatina, na dose de 600 mil unidades, para crianças com menos de 27kg e 1.200 mil para as maiores, em dose única. Também pode ser administrada a penicilina V oral, de seis em seis horas, durante dez dias (ver pág. 781).

EXANTEMA SÚBITO (*Roseola infantum*) – SEXTA MOLÉSTIA

É uma doença que se apresenta repentinamente, com febre alta, de 39°C a 40°C, com início de diagnóstico difícil, confundindo-se com gripe, pneumonia, otite e nefrite. Três dias depois aparecem manchas vermelhas generalizadas na pele, chamadas máculo-eritematosas; às vezes estas manchas são salientes, sendo chamadas de papulosas, o que a confunde com a rubéola. O interessante é que, imediatamente antes do aparecimento da erupção, do terceiro para o quarto dia, a febre cessa. É uma doença que ocorre geralmente na primavera, tendo uma incubação de sete a dezessete dias, porém a média é de dez dias. Ataca geralmente as crianças entre seis meses e três anos. Não tem tratamento próprio, devendo-se dar antitérmicos e poderá ser dada vitamina C em gotas, dieta líqüida, evitar prisão de ventre (com laxante). É comum nas crianças entre um e três anos, devido à elevação rápida da temperatura, o surgimento de convulsão febril. É doença de evolução benigna, sem maiores complicações. A causa, a fonte de infecção e o modo de transmissão são desconhecidos.

Agente infeccioso. Vírus.

Contágio. Provavelmente por indivíduos transmissores da doença. É pouco contagiosa.

Período de incubação. Varia, de sete a dezessete dias.

Quarentena. Não é necessária.

Tratamento. Específico não existe. Sintomático, antitérmico (em comprimidos ou em gotas) para baixar a febre, dieta leve etc.

Prevenção. Não existe vacina.

RUBÉOLA

É conhecida também pelo nome de sarampo alemão ou sarampo de três dias. É uma moléstia infecto-contagiosa eruptiva, que durante muitos anos, e ainda hoje, é confundida com o sarampo, sendo mais benigna e menos freqüente do que ele.

A febre e o exantema (erupção) são quase constantes na maioria das vezes, e a difusão da erupção é mais rápida do que no sarampo; em alguns casos o exantema toma conta de todo o corpo, em questão de horas.

Uma característica da doença é o infartamento (aumento) de gânglios linfáticos do pescoço, da nuca e atrás das orelhas, facilmente notados pela palpação ou mesmo à simples inspeção. Falta geralmente a secreção dos olhos e do nariz, não há o horror à luz, tão freqüente no sarampo, nem a tosse cansativa. As manchas do exantema são redondas ou ovais, mais pálidas e mais distanciadas uma das outras do que no sarampo. Sua tonalidade é vermelho-rosada, quando no sarampo é violácea, e vermelho-amarelada na escarlatina.

Rubéola do recém-nascido (congênita neonatal). A rubéola adquirida durante o primeiro trimestre de gravidez é uma das causas da incidência de malformações, fetos mortos e abortos. Os bebês com rubéola congênita poderão apresentar as seguintes manifestações:

a) baixo peso;
b) lesões congênitas dos olhos, como catarata, glaucoma, retinite e coloboma;
c) surdez;
d) microcefalia (cabeça pequena), meningoencefalite ou atraso mental;
e) doença congênita do coração;
f) púrpura trombocitopênica, que provoca hemorragias da pele e das mucosas;
g) hepatomegalia (fígado aumentado);
h) esplenomegalia (baço grande);
i) icterícia, devido à inflamação do fígado, hepatite;
j) lesões ósseas.

Bebês com infecção da rubéola congênita eliminam o vírus através da garganta e da urina durante vários meses após o parto. Estes vírus eliminados pelos bebês são contagiosos, detalhe de grande importância, pois o bebê deverá ser isolado de mulheres grávidas ou na iminência de ficarem grávidas. Recomenda-se que estas mulheres só cuidem do bebê se forem imunes contra a rubéola (isto poderá ser determinado pelo exame de sangue – o teste de inibição de hemaglutinação para rubéola). O bebê com rubéola congênita deverá ser considerado contagiante durante o primeiro ano de vida.

Agente infeccioso. Vírus específico, transmitido por secreções da boca, do nariz e da garganta.

Período de incubação. Quatorze a 21 dias, média de dezoito dias.

Considera-se a criança exposta à rubéola quando esteve em contato com o doente dois dias antes do aparecimento da erupção e por todo o tempo da evolução da doença, cinco dias.

Reservatório e fonte de infecção. O reservatório é o ser humano. As secreções nasofaríngeas dos indivíduos infectados constituem a fonte de infecção.

Modo de transmissão. Pelas gotículas de muco e saliva disseminadas pelo doente ou pelo contato com o paciente. A transmissão poderá também ser feita pelo ar.

Tratamento. Não há tratamento próprio. Dê repouso e dieta líqüida à criança.

Particularidades. As mulheres, durante o primeiro trimestre de gravidez, deverão evitar ser contaminadas, devido à possibilidade de virem a ter bebês defeituosos.

Prevenção. Existe, desde 1980, a vacina contra a rubéola, sendo esta aplicada aos doze meses de idade. A vacina é administrada com a da caxumba e do sarampo, sendo denominada MMR (M, *mumps*; M, *measles*; R, *rubela*, primeira letra da denominação na língua inglesa). A dose aplicada deverá ser de 1ml, em injeção subcutânea, no braço, e confere proteção para toda a vida. Deve-se dar um reforço da vacina aos quatro anos de idade.

No caso de epidemia, a MMR poderá ser aplicada no primeiro ano de vida, devendo a criança receber uma segunda dose aos quinze meses, pois a vacina aplicada antes desta fase confere imunidade apenas transitória.

A vacina contra a rubéola (sem os outros dois componentes) denomina-se Meruvax.

Não há reação de maneira geral. Manifestações clínicas leves, como febre baixa, erupção da pele (*rash)* ou dores articulares leves poderão aparecer no sétimo dia após a aplicação, sendo estas reações conseqüentes ao componente anti-sarampo da vacina, ocorrendo com maior freqüência em crianças maiores.

As contra-indicações para a vacinação são:

- Doença febril
- Criança usando cortisona (para o tratamento de outra doença)

Nestes casos, a vacina poderá ser aplicada após três meses de suspensão da cortisona. A criança que recebeu a vacina anti-sarampo aos nove meses deverá receber a MMR aos quinze meses de idade.

Vacinação. Deve ser administrada de rotina aos doze meses de idade e aos quatro anos de vida. A vacina é aplicada em conjunto com a do sarampo e caxumba. Sua denominação, MMR, deriva das iniciais em inglês das três doenças. A dose é de 1ml por via subcutânea, e confere proteção para toda a vida. Em caso de epidemias pode ser aplicada no primeiro ano de vida, devendo, neste caso, ser feito um reforço aos quinze meses de idade. A vacina contra a rubéola, isoladamente (Meruvax), é difícil de ser encontrada. Não há geralmente reação. Podem ocorrer manifestações alérgicas ou febre, *rash*, erupção, dores articulares, cerca de sete dias após a aplicação.

SARAMPO

O sarampo é uma moléstia infecto-contagiosa de caráter eruptivo. Tem um nível de contágio elevado às crianças não-imunizadas com a vacina ou que não tiveram a doença. Nos primeiros meses de vida é excepcional, pois o bebê ao nascer traz, herdada de sua mãe, alguma imunidade, que vai desaparecendo gradualmente durante os primeiros meses de vida. O sarampo, quando incide no primeiro ano de vida, ou em crianças desnutridas, é doença muito grave, com mortalidade elevada, pela alta incidência de complicações (por exemplo, pneumonia).

O início da moléstia é caracterizado pela febre, por catarro nasal e ocular, com fotofobia (incômodo à luz), inflamação da garganta e tosse rouca e seca. O exame da garganta a mostrará de tonalidade bem vermelha, com pontilhado branco nas bochechas (sinal de Koplik). Só o médico com experiência poderá identificá-lo. A temperatura sobe progressivamente, a pele fica áspera e grossa, e quando a febre estiver mais alta, aparece a erupção. Geralmente esta temperatura não é influenciada pela administração de antitérmicos. O aparecimento total da erupção leva de três a cinco dias; mostra-se primeiramente no rosto, atrás do pavilhão auricular, pescoço, tórax, braços, abdome, pernas e pés. Após este período a erupção vai esmaecendo, durante três a cinco dias, com fina descamação. Uma vez desaparecido o exantema, a febre deverá baixar até atingir a temperatura normal; se, porventura, isto não acontecer, alguma complicação se estabeleceu, e deverá ser pesquisada com todo o cuidado. Às vezes o aparecimento do sarampo surpreende a todos, inclusive ao médico, e por isso não devem os leigos julgar mal o profissional por não tê-lo diagnosticado precocemente, o que nem sempre é possível, devido à insignificância ou fugacidade dos sinais da garganta, imprecisos no momento do exame. O sarampo só ocorre uma vez. O que se verifica na prática é a confusão com outras moléstias eruptivas.

É muito comum entre as pessoas a noção de que a criança com sarampo deve ser mantida em quarto fechado, mesmo calafetado, para o sarampo não se recolher. O sarampo se recolhe quando se estabelece alguma complicação pulmonar (pneumonia). Neste caso, não há dúvida de que o caso se agravou. A causa da pneumonia ou bronquite será devida às más condições orgânicas ao ar livre. Está claro que não se deve expor a criança ao vento e às grandes mudanças de temperatura; deverá ficar em quarto abrigado e ventilado. O chá de sabugueiro, tão louvado pelo uso e há anos empregado, poderá ser dado, e não negamos sua influência benéfica sobre a moléstia; porém outras bebidas quentes parecem ter efeito similar. Nos países de clima quente, o sarampo é geralmente benigno, e tudo deverá correr bem, desde que, naturalmente, o tratamento tenha sido corretamente orientado e o trabalho do médico será o de evitar as possíveis complicações (pneumonia, nefrite, otite etc.).

Agente infeccioso. O vírus do sarampo.

Reservatório e fonte de infecção. O reservatório é o ser humano. As secreções do nariz e da garganta das pessoas infectadas constituem a fonte de infecção.

Modo de transmissão. Pelas gotículas de muco e saliva expelidas pelo doente ou por contato direto com pessoa infectada. É uma das doenças transmissíveis mais contagiosas; em alguns casos, transmite-se, provavelmente, pelo ar.

Período de incubação. Cerca de dez dias; desde a exposição ao contágio até o aparecimento da febre; aproximadamente quatorze dias até o aparecimento do exantema; raramente é mais curto ou mais longo. A administração de gamaglobulina, se feita demasiadamente tarde para impedir a infecção, poderá prolongar o período de incubação em até 21 dias.

Período do contágio. Durante a fase catarral; geralmente nove dias, desde quatro dias antes até cinco depois do aparecimento do exantema.

Suscetibilidade e resistência. A suscetibilidade é praticamente geral. A infecção confere quase sempre imunidade permanente. Os lactentes, cujas mães já tiveram sarampo, possuem, em regra, imunidade à doença durante os primeiros meses de vida.

Tratamento. A imunoglobulina dá resultados preventivos (por quarenta dias) e moderados quando empregada no período de incubação, antes da erupção. Penicilina e amoxiclina (ver pág. 781) são empregadas para tratar complicações (pneumonia, otite etc.).

A Organização Mundial da Saúde recomenda o uso de vitamina A (400.000 u.i.) por via oral como medicamento importante para diminuir a gravidade e a mortalidade, sobretudo em países em desenvolvimento.

Prevenção. A aplicação da vacina de vírus vivo é eficiente e dá imunidade provavelmente por toda a vida. Deve-se dar a vacina com um ano (primeira dose) e aos quatro anos (reforço), através da vacina MMR (tríplice viral).

ERISIPELA (Fogo-de-Santo-Antônio)

É uma moléstia infectocontagiosa localizada na pele, provocada pelo estreptococo, germe bastante perigoso; é uma moléstia grave, não se devendo mais perder tempo em práticas leigas para debelá-la (rezas, xaropadas etc.). Aparece geralmente circundando uma ferida ou escoriação. Logo nos primeiros dias de vida, quando não se tem a higiene necessária, é possível aparecer no recém-nato a erisipela do umbigo e, em crianças maiores, poderá surgir em volta de ferimentos malcuidados; temos visto, também, em conseqüência de traumatismos (pancadas) e furúnculos. Mostra-se como uma placa vermelha, áspera ao tato, e bem limitada na periferia, com aumento sensível de calor na região. No bebê há perigo da generalização, atingindo grande extensão. Provoca temperaturas elevadas.

Seu maior perigo está na passagem do germe ao sangue (septicemia), ataque aos rins (nefrite) ou então febre reumática. É uma moléstia que nunca deverá ser descuidada.

Causa. Estreptococo hemolítico do grupo A.

Período de incubação. Dois a cinco dias.

Período de contágio. Durante o período febril e a descamação.

Tratamento. Com penicilina G, eritromicina e cefalosporinas.

Prevenção. Não existe vacina. Algumas pessoas são predispostas a tê-la repetidas vezes. O recém-nascido é altamente suscetível.

ESQUISTOSSOMOSE

É provocada por um parasito, apresentando-se como doença crônica, de evolução arrastada e cura problemática. O parasito, denominado *Schistosoma mansoni*, necessita de um hospedeiro intermediário para se desenvolver. Este hospedeiro é um caramujo que existe em grande quantidade nas lagoas e rios de água doce do Brasil.

A transmissão processa-se da seguinte forma: as fezes de um doente contaminam a água onde existem os caramujos. Na água, os ovos do parasito, contidos nas fezes, rompem a casca. Uma vez em liberdade, as larvas procuram os caramujos e neles penetram, completando seu desenvolvimento e saindo espontaneamente do caramujo, pronto para infestar o homem. A água do local fica então infestada, e a contaminação da pessoa ocorre, seja em conseqüência de um banho em lagoa ou rio, pela penetração através da pele ou das mucosas (aparelho digestivo), no caso de se beber a água poluída.

O primeiro sintoma é um prurido (coceira) intenso no ponto de penetração pelos parasitos; após três ou quatro semanas, o doente poderá apresentar dor de cabeça, vertigens, tonteiras, sensação de mal-estar, fraqueza, calafrios, dores abdominais e febre baixa ou alta, e com o tempo a inflamação dos órgãos, fígado, pulmões etc. será inevitável. O diagnóstico é feito pelo exame de fezes. O tratamento até bem pouco tempo era difícil e problemático; atualmente a droga de escolha é o Praziquantel, em dose única de 40mg/kg (ver pág. 787). Poderão ser usados Oxamniquine, Hycantone ou Niridazol, dando resultados, porém sob controle médico. Deve-se evitar banhos em águas paradas.

FEBRE AMARELA

É uma doença aguda provocada por vírus, acarretando inflamação do fígado, icterícia, vômitos sangüinolentos (vômitos negros) e nefrite.

É transmitida pelo mosquito *Aedes aegypti.* Existem casos brandos e outros com febre muito elevada; de modo geral, é uma doença grave.

Período de incubação. De três a seis dias.

Tratamento. Não há tratamento adequado. A aspirina (ácido acetilsalicílico) não deverá ser administrada. Antitérmicos (Dipirona, Acetaminofen) poderão ser usados sob supervisão médica.

Prevenção. A vacina é de vírus vivo atenuado, extremamente seguro, e a criança a suporta com facilidade. A vacina dá proteção com uma única dose durante dez anos. Poderá ser aplicada desde os nove meses de idade. Bebês com menos de quatro meses não poderão tomá-la. As crianças entre quatro e nove meses de idade só deverão ser vacinadas em áreas de atividade epidêmica sob decisão do pediatra. As crianças alérgicas à gema de ovo poderão ter reações indesejáveis. A vacina contra a febre amarela não poderá ser aplicada junto com a vacina contra o cólera. A administração destas vacinas terá de ser separada por três semanas, no mínimo.

FEBRE CAUSADA PELA MORDIDA DE RATO

Também é conhecida como Soduku. É caracterizada por ulceração (ferida) no local da mordida por rato, com intensa linfadenite regional (íngua) e temperatura muito alta, às vezes irregular e com período de remissão. A penicilina cura esta doença rapidamente.

FEBRE CAUSADA PELA ARRANHADURA DE GATO

Também é conhecida por linforreticulose benigna, caracterizando-se por mal-estar, febre e linfadenite, que é o aumento dos gânglios linfáticos (ínguas), que às vezes supuram, exigindo intervenção cirúrgica. A doença poderá ser transmitida por gatos que não estejam doentes. Aparentemente o paciente não parece estar doente, pois é de evolução benigna, nunca fatal.

Agente infeccioso. Os ingleses admitem ser o agente infeccioso uma bactéria (*Afipias felis*).

Período de incubação. Em média, de três a dez dias.

Isolamento. Não é necessário.

Tratamento. O uso de antibióticos está indicado (rifampicina, gentamicina e algumas cefalosprinas e sulfas).

Prevenção. Não há vacina.

GRIPE (Influenza)

É uma doença provocada por vírus, afetando principalmente o aparelho respiratório (nariz, garganta, laringe, brônquios, pulmões e pleura). Na sua forma clássica, é conhecida pelo nome de influenza, tendo por característica sua grande forma epidêmica, provocando verdadeira pandemia, atingindo todo um continente, como a célebre epidemia de 1918 que, segundo cálculos, matou vinte milhões de pessoas.

Uma das características da doença é a sua facilidade de causar complicações secundárias por infecções bacterianas, principalmente por pneumococos, estreptococos, estafilococos, causando pneumonias, otites, pielites e meningites. Seu aparecimento é rápido, com calafrios, febre alta (que poderá provocar convulsões na criança com menos de dois anos), dor de cabeça, dor de garganta, dores nos músculos das costas e das pernas, vermelhidão das faces e olhos brilhantes. No início, surge uma tosse seca e curta, que vai aumentando, podendo até assumir aspecto coqueluchóide. No primeiro ano de vida provoca diarréia e vômitos.

Nas crianças portadoras de doenças crônicas, é uma doença muito perigosa. Nos recém-nascidos, a gripe adquire um aspecto muito grave, podendo ocorrer dificuldades respiratórias e sinais de infecções generalizadas.

A convalescença poderá ser considerada tão perigosa quanto a doença, e deve ser, por isso, cuidadosamente supervisionada. A doença acarreta prolongado estado de fraqueza e depressão, facilitando as célebres recaídas.

Período de incubação. De um a três dias.

Agente infeccioso. Há três tipos de vírus mais comuns que provocam a doença: o vírus A, o vírus B (1940) e o vírus C. Os vírus A e B são os responsáveis pelas epidemias.

Período de contágio. De 36 a 48 horas antes da doença e durante o período febril. Contaminação direta por meio das gotículas (perdigoto) dos doentes. Geralmente a epidemia ocorre durante o inverno, devendo ser evitados agrupamentos (colégios, festas, cinemas, shoppings etc.).

Tratamento. Não existe até o momento um antibiótico ou produto químico que seja eficiente contra a gripe epidêmica. A penicilina e outros antibióticos podem ser empregados como preventivo de complicações, embora tal prática seja discutível pela probabilidade de acarretar resistência aos antibióticos. A maioria dos médicos os prescrevem, e mesmo se o clínico responsável não o fizer, o doente ou a família o farão por conta própria. É difícil manter uma criança com febre alta, com tosse e catarro sem aplicar um antibiótico, esperando que se manifeste a complicação, como pneumonia, infecção urinária ou otite, para fazê-lo. Dos antibióticos que podemos usar com maior desembaraço no tratamento da gripe, destacamos a penicilina e a eritromicina.

Prevenção. A vacina contra a gripe epidêmica (influenza) não é recomendada como rotina no esquema de vacinações para crianças normais. Isto porque sua aplicação provoca comumente reações fortes, febre e inflamação local. Atualmente é recomendada para crianças portadoras de doenças crônicas durante surtos epidêmicos, pois a doença apresenta um risco bem maior do que a reação vacinal. Está indicada especialmente para crianças que apresentam doenças do coração, reumatismo, doença pulmonar crônica, fibrose cística do pâncreas, asma, tuberculose, bronquite crônica, doença renal (nefrose ou glomerulonefrite), doença do sistema nervoso e outras a critério do médico-assistente.

Nos Estados Unidos a vacina contra a influenza é preparada todos os anos de acordo com as recomendações dos Centros para o Controle de Doenças (saúde pública americana). Isto porque os vírus estão sempre sofrendo mudanças na sua composição (mutações), e assim vacinas preparadas num ano freqüentemente não são adequadas para o ano seguinte.

Parainfluenza. Existem outras infecções do tipo gripal produzidas por outros quatro vírus diferentes dos que produzem a gripe clássica, a influenza. O quadro clínico é idêntico: febre, coriza, tosse, dor de garganta etc. Entretanto, na maioria das vezes são de evolução mais rápida e de sintomas mais leves, denominadas parainfluenza. Algumas mães se queixam de que seu filho vive gripado; quando não se trata de alergia, a causa residirá no acontecimento a curto prazo pelos diferentes vírus.

HEPATITE A (Hepatite Infecciosa)

A hepatite A é caracterizada por infecção aguda, com febre, inapetência, náuseas, vômitos, malestar e dores abdominais, geralmente seguidas por amarelidão da pele. Muitos casos são benignos, sem icterícia, e diagnosticados pelo laboratório. As fezes ficam claras e a urina carregada. A convalescença é prolongada; o doente deverá ser acompanhado com cuidado até sua cura total.

Agente infeccioso. O vírus da hepatite infecciosa (tipo A).

Reservatório e fonte de infecção. O ser humano é o reservatório. As fezes e o sangue de pessoas infectadas constituem as fontes de infecção. A presença do vírus nas secreções nasofaríngeas não está comprovada, mas é, geralmente, admitida por causa das características epidemiológicas da doença.

Modo de transmissão. Geralmente de pessoa para pessoa, os vírus são eliminados pelas fezes e transportados pelas mãos para a boca de outras pessoas. Às vezes há epidemias provocadas pela água, pelo gelo ou por alimentos contaminados. Mariscos e ostras estão entre os alimentos mais perigosos.

A doença poderá se disseminar às outras pessoas de uma casa, o mesmo podendo ocorrer em creches e jardins-de-infância. Os pacientes transmitem a doença mais intensamente no período que antecede a ictérica, isto é, antes do diagnóstico.

A transmissão por transfusão de sangue existe, mas é rara.

Período de incubação. É, em média, de 25 a trinta dias, desde o contágio até o aparecimento da icterícia.

Período de contágio. O contágio máximo ocorre nas duas semanas que precedem o início da icterícia. Não há infecção crônica com o vírus da hepatite A.

Diagnóstico. Feito pelo quadro clínico e por testes de laboratório: transaminases, determinação de anticorpos contra o vírus da hepatite A, quando indicados.

Tratamento. Não há tratamento específico. Recomenda-se repouso, mas sem exagero. A própria criança procura a cama, quando não está bem. Deverão ser proibidos esportes e exercícios violentos, banho de mar, bicicleta, futebol, vôlei, judô, basquete, de trinta a sessenta dias. Depois, vida normal.

Estão contra-indicados os antibióticos e sulfas, e como regra geral quaisquer medicamentos.

O complexo vitamínico B parece ter ação favorável, principalmente pela melhora do apetite e pelo fator psicológico, pois o doente sente que está recebendo alguma medicação além de ficar submetido ao repouso e à dieta. A dieta deverá ser trivial comum, inclusive carne cozida ou grelhada, com arroz, batata, cenoura e mesmo leite (quando meio gordo), além de frutas em pasta e compotas.

Prevenção. Os familiares próximos deverão receber gamaglobulina na dose de 0,02ml por via intramuscular. Seu uso, duas semanas após o contágio, é desnecessário.

Nos recém-nascidos de mães infectadas com hepatite A está indicada a aplicação intramuscular de imunoglobulina (0,02ml/kg), se os sintomas na mãe começarem entre duas semanas antes e uma semana após o parto.

Imunização. É feita pela aplicação da vacina anti-hepatite A (HAVRIX e VAPTA). Deverá ser aplicada sob orientação do pediatra, sendo a primeira dose com um ano de idade e a segunda seis meses depois.

HEPATITE B

Trata-se de uma doença subaguda, com icterícia, falta de apetite, náuseas e mal-estar. Nas crianças são freqüentes os casos de icterícia. Às vezes há dor articular ou erupção da pele. Em alguns casos, a hepatite B poderá causar uma infecção crônica do fígado e, raramente, há formas fulminantes, que levam infelizmente à morte.

Assim, a hepatite B é mais grave que a hepatite A.

Agente infeccioso. O vírus da hepatite B.

Reservatório e fonte de infecção. O ser humano é o reservatório. O sangue e as secreções de pessoas infectadas ou portadoras crônicas do vírus são as fontes de infecção.

Modo de transmissão. O vírus da hepatite B é transmitido de pessoa para pessoa por meio de transfusões de sangue ou de produtos derivados do sangue, como o plasma.

Também é transmissível por contato sexual, insetos ou contato com objetos ou superfícies contaminados. Em todos estes casos há uma pequena lesão da pele ou da mucosa, por onde penetra o vírus.

Os portadores crônicos. São indivíduos que têm o vírus no seu sangue, durante muitos meses ou anos, às vezes sem nenhum sinal clínico de doença. A doença pode ser adquirida no momento do nascimento, quando a mãe é portadora do vírus. Habitualmente o vírus não é transmitido para o feto durante a gravidez; o risco existe no momento do nascimento ou nas semanas ou meses seguintes.

Período de incubação. Quarenta e cinco a 160 dias, em média 120 dias, desde o contágio até o aparecimento da icterícia.

Período de contágio. Enquanto o vírus estiver no sangue, sendo o risco maior antes ou logo após o aparecimento da icterícia.

Diagnóstico. Pelo quadro clínico, pelo histórico de transfusões ou contágio e por exames de laboratório. A determinação da presença do vírus da hepatite B no sangue, como através do chamado teste HbsAg, ou dos anticorpos contra o vírus, como o anti-HbsAg, são um progresso extraordinário para confirmar o diagnóstico e a presença ou não de imunidade contra a doença.

Tratamento. Não há tratamento específico. Para o tratamento das formas crônicas estão em experimentação medicamentos como o Interferon, que deverá ser unicamente usado a critério do médico pediatra responsável e por substâncias antivirais. Evite a aspirina e o acetaminofen.

Isolamento. Precauções com o sangue dos pacientes infectados.

Prevenção. Uso da imunoglobulina, de acordo com orientação do médico-assistente. Nos contatos com pessoas recém-contaminadas, deverá ser aplicada a imunoglobulina da hepatite B (HBIG), na dose de 0,06ml/kg, IM.

Existe uma vacina contra a hepatite B, que deverá ser aplicada nos indivíduos com risco elevado de contrair a infecção, como, por exemplo, naqueles que são obrigados a fazer transfusões de sangue freqüentes. A dose é de 0,5ml para menores de dez anos e de 1,0ml para maiores.

Recém-nascidos de mães portadoras do vírus da hepatite B deverão receber imunoglobulina e vacina, caso esta esteja disponível.

Quando o recém-nascido for atendido, na sala de parto ou no berçário, deve-se tomar cuidado para não lacerar ou escoriar sua pele ou mucosas, pois através desta solução de continuidade podem penetrar os vírus, presentes no sangue da mãe e recobrindo o recém-nascido. Por esta razão deverão ser evitadas as injeções no recém-nascido, a não ser quando indispensáveis.

A injeção poderá inocular o vírus.

Não está provado que o leite de mãe portadora do vírus da hepatite B faça mal para o bebê, mas ainda há dúvidas a este respeito.

Sangue ou plasma, antes de serem administrados, deverão ser testados para HbsAg por método bem sensível.

Os positivos não poderão ser aplicados, em nenhuma hipótese. Este procedimento diminui muito a hepatite após transfusões.

Imunização. É feita pela aplicação da vacina anti-hepatite B (Engerix) (ver pág. 786).

Como rotina, deverá ser dada a primeira dose durante o primeiro mês; a segunda dose um mês após; e a terceira dose seis meses após a segunda.

HEPATITE C (Não-A, Não-B)

Com os exames de laboratório modernos, que permitiriam o diagnóstico mais preciso das hepatites A e B, verificou-se que alguns pacientes continuavam a adquirir hepatite após transfusões, por vírus ainda não-identificados, e que foram então denominados provisoriamente Não-A e Não-B.

Hoje já sabemos tratar-se de hepatite causada pelo vírus C.

As características clínicas são iguais às da hepatite B.

Período de incubação. Seis a sete semanas; em média de duas semanas a seis meses.

Diagnóstico. Pesquisa de anticorpo antivírus da hepatite C (anti-HVC).

Tratamento. Não há tratamento específico.

Isolamento. Deverão ser tomadas precauções com o sangue dos pacientes infectados.

Prevenção. Administrando imunoglobulina nas pessoas expostas ao contágio, de acordo com o médico-assistente. As pessoas com hepatite C crônica deverão ser vacinadas contra hepatite A e B.

HERPANGINA

Esta doença se manifesta por febre repentina, dor de cabeça, dores musculares e dor de garganta. O exame da faringe (garganta) mostra uma inflamação por pequenas bolhas (vesículas), como se fora herpes, não atacando as gengivas nem a mucosa da boca. É doença de conhecimento recente (1948). Sua duração é, em média, de cinco dias, podendo durar doze dias.

Agentes infecciosos. Vários tipos imunologicamente distintos de vírus *Coxsackie* do grupo A e outros enterovírus.

Reservatório e fonte de infecção. O reservatório é o ser humano. As secreções nasofaríngeas e as fezes dos indivíduos infectados, muitas vezes sem que apresentem sintomas clinicamente reconhecíveis, constituem a fonte de infecção.

Forma de contágio. Contágio direto com pessoa infectada e pelas gotículas de muco e saliva expelidas pela boca e pelo nariz. Têm sido encontradas moscas contaminadas, mas não há provas de que os insetos, a água, os alimentos ou os efluentes de esgoto possam transmitir a doença.

Período de incubação. Geralmente de três a seis dias.

Período de contágio. Durante a fase aguda, e talvez por mais tempo, pois o vírus persiste nas fezes por várias semanas.

Tratamento. Não há tratamento sintomático, podendo ser feito algo com antitérmicos e analgésicos, como a aspirina e outros sucedâneos. A alimentação deverá ser líqüida, nem gelada nem quente, mas à temperatura do corpo, usando-se suco de maçã, sopa de legumes com carne e gelatina. Para melhorar a dor, pode-se pincelar o local com uma solução de xilocaína, uns vinte minutos antes das refeições.

Prevenção. Não existe vacina.

HERPES

Denomina-se herpes uma infecção provocada por um vírus que se localiza na pele e nas mucosas. No início, o doente apresenta sensação de queimadura, seguida de manchas vermelhas, pápulas, transformando-se em bolhas (vesículas) que acabam por se romper, causando uma ferida com formação de casca. Existem dois tipos de herpes: o denominado herpes simples e o herpes-zóster.

Herpes simples (Símplex)

O herpes simples é provocado por um vírus denominado *herpes virus hominis*, tendo dois tipos, o primeiro tipo, oral, e o segundo, genital. A manifestação clínica se revela pela sua localização nos lábios, nos olhos e também nos órgãos genitais. É mais freqüente dos dois aos seis anos de idade. É uma doença benigna, durando até duas semanas. Só é perigosa quando se localiza nos olhos ou aparece em crianças portadoras de eczema ou que estejam tomando cortisona. O herpes simples no recém-nascido é mais grave. O recém-nascido se contamina através da passagem pela vagina por ocasião do parto, quando a mãe é portadora de vulvovaginite herpética crônica ou periódica, ou mesmo através de pessoas portadoras de vírus que lidam com ele, como enfermeiras, babás ou parentes. Neste caso a mãe tem uma história de herpes recorrente (periódico) nos lábios da vagina.

O recém-nascido atacado por este vírus poderá apresentar doença grave, de diagnóstico difícil, como a meningite, a miocardite e a hepatite.

Forma de transmissão. Possivelmente é transmitido por contato direto com pessoas infectadas; entretanto a maioria destas pessoas tem a infecção inaparente, sendo portadores do vírus.

Período de incubação. Varia de dois dias a duas semanas.

Período de contágio. A maior possibilidade de infecção está no decurso da doença. Entretanto, a excreção do vírus através da saliva poderá continuar periodicamente por diversas semanas, depois que o doente está curado da infecção herpética, indicando o grande perigo potencial de infecciosidade. Isto é importante para o caso de enfermeiras que trabalham em berçários ou babás que lidam com recém-nascidos. O aparecimento das lesões está relacionado com fadiga, nervosismo (tensão), resfriamento, exposição demorada ao sol, resfriado comum.

Diagnóstico. Exames específicos de laboratório.

Tratamento. Estão sendo testados vários medicamentos novos contra o vírus do herpes.

O tratamento da forma ocular deverá ser feito por um oftalmologista, usando-se drogas antivirais – Iododeoxiuridina e tratamento tópico local. A pomada de Aciclovir é muito útil neste caso.

A droga mais usada atualmente é o Aciclovir, útil principalmente nas infecções primárias, podendo ser usada localmente, por via oral ou injetável, a critério do médico.

Para o tratamento da gengivoestomatite herpética aguda, poderá ser aplicada localmente uma solução oleosa de xilocaína a 2%, cinco minutos antes das refeições; lavagem com anti-sépticos, uso de analgésicos e sedativos poderão completar o quadro do tratamento.

Prevenção. Não há vacina eficaz.

Gestantes com lesões herpéticas na vulva, no final da gestação, deverão ser submetidas à cesariana para evitar infecção no recém-nascido, que poderá se contaminar na passagem pelo canal vaginal durante o parto.

Herpes-zóster

O herpes-zóster é uma infecção aguda, caracterizada pelo aparecimento de vesículas, eminentemente dolorosas, que se distribuem ao longo dos nervos. A sensação de queimadura é bastante acentuada. Nas crianças a sua evolução é mais benigna do que no adulto; é bastante rara antes dos dez anos de idade.

Causa. Está confirmado que tanto a catapora como o herpes-zóster são diferentes manifestações clínicas de uma infecção produzida pelo vírus, denominado V-Z, o Varicela-zóster. A varicela popularmente conhecida, como catapora, é o resultado da infecção primária por este vírus. O herpes-zóster representa uma reativação ou uma infecção latente da varicela em uma pessoa cuja imunidade anterior se esgotou.

Período de incubação. De quatorze a dezesseis dias.

Diagnóstico. Exames específicos de laboratório.

Período de contágio. A possibilidade de que a varicela pode ser conseqüente a um contágio com uma pessoa com herpes-zóster deverá sempre ser lembrada.

Tratamento. Igual ao do herpes simples. Contra-indica-se o uso de aspirina. Poderão ser usadas compressas e, se houver infecção secundária, antibióticos. A administração de gamaglobulina ou cortisona não tem qualquer valor.

Prevenção. Ainda não está provado que a vacina contra a varicela proteja contra o herpes-zóster, embora isto seja provável.

INFECÇÃO HOSPITALAR NO BERÇÁRIO

Os recém-nascidos e os idosos, devido à sua baixa resistência às doenças, são mais suscetíveis do que em outras idades ao primeiro contato com qualquer tipo de vírus ou bactéria, elevando o risco de infecção.

As causas mais prováveis de infecção no recém-nascido são:

1) a própria mãe ser infectada durante o período pré-natal, durante o parto e nos primeiros dias após.

2) o ambiente hospitalar – a equipe hospitalar, o médico, as enfermeiras, os serventes e as visitas ou funcionários estranhos – poderá ser inocente portador e transmissor de germes infecciosos.

3) a falta de higiene das enfermeiras e médicos que lidam com o bebê:

a) higiene insuficiente das mãos;

b) máscaras, aventais e luvas contaminados pelo uso constante ou esterilizados insuficientemente.

4) a presença do recém-nascido no quarto da mãe e a falta de rigor necessário quanto à higiene e ao comportamento das visitas, que não devem tossir, espirrar ou falar debruçadas sobre o bebê.

As bactérias (micróbios) que mais freqüentemente contaminam o recém-nascido são geralmente transmitidas pelas pessoas que trabalham no berçário. Mãos mal-lavadas poderão transmitir bactérias Gram-negativas *(E. coli, Klebsiella-enterobacter-proteu* e *Pseudomonas aeruginosa)* que causam infecções no aparelho digestivo e septicemias (circulação de bactérias no sangue), que deverão ser tratadas com antibióticos adequados para os diversos tipos.

As bactérias denominadas Gram-positivas, como os estafilococos áureos (responsáveis por 40% dos casos) e os estreptococos A, também poderão ser transmitidas pelos funcionários do berçário. Estas infecções respondem bem aos antibióticos usados.

Os vírus (coxsackie B, echovírus, adenovírus, vírus sincicial, influenza) são agentes infecciosos que se alojam na nasofaringe (nariz e garganta) dos adultos, tornando-os transmissores sadios da doença e podendo ser difundidos apenas pelo portador falar: um sério problema de saúde pública. O uso constante de máscaras, freqüentemente substituídas durante o dia, torna-se obrigatório para qualquer pessoa que trabalhe no berçário.

Infecção hospitalar em hospital geral, mesmo em quarto particular, ou na UTI (Unidade de Tratamento Intensivo), apresenta os mesmos riscos. A tendência atual é de aconselhar a grávida a ter seu filho (se puder) em hospitais denominados perinatais, que só internam parturientes e recém-nascidos. Mulheres com outras doenças ou para se submeterem a qualquer cirurgia, não-obstétrica não são aceitas nestes hospitais.

LEISHMANIOSE VISCERAL (CALAZAR)

O calazar e a leishmaniose tegumentar americana são doenças provocadas por um agente protozoário denominado leishmânia.

Ambas as doenças são transmitidas ao homem pela picada de um mosquito – o flebotomus (mosquito – palha) –, que, após ter sugado o sangue do homem ou animal infectado (cão e raposa para o calazar, cão e gato para a leishmaniose tegumentar), transmite o parasita ao picar uma pessoa sã. O calazar localiza-se no baço, no fígado e na medula óssea (*Leishmania donovani*), ocasionando uma doença de evolução com tendência crônica, de febre irregular e persistente, baço e fígado aumentados, com graves alterações no sangue: o número de glóbulos brancos é muito pequeno. É uma doença grave. A leishmaniose tegumentar americana (*Leishmania brasiliensis*) provoca ulceração da pele e das mucosas, apresentando-se no início de aspecto nodular, que progride para uma ferida indolor avermelhada e de aspecto muito feio.

Diagnóstico. Exame específico de laboratório.

Tratamento. Ambas as doenças são tratadas com preparado de antimônio, devendo o tratamento ser orientado pelo médico, pois é tóxico e provoca intolerância e alergias (Glucantime).

Prevenção. A profilaxia de ambas as doenças é feita por meio do controle dos animais doentes e dos mosquitos que podem transmiti-la.

LEPTOSPIROSE

É uma doença grave que tem tido ultimamente sua freqüência aumentada no nosso país. Seu início é repentino, com os sintomas comuns às infecções – febre, calafrios, dor de cabeça, fortes dores musculares e acentuado mal-estar. Na expressão popular, como se fosse uma "forte gripe".

Passados de quatro a nove dias, o estado geral poderá se agravar seriamente por inflamação do fígado (icterícia), dos rins e do sistema nervoso. É uma doença freqüente após enchentes.

Agente infeccioso. É um micróbio (microorganismo) da família espiroqueta (em forma de espiral), denominado *Leptospira ictero* – hemorrágica, pela propriedade de provocar icterícia e hemorragia.

Reservatório. Os transmissores são animais urbanos, como ratos e cachorros, ou selvagens, como gambás, raposas e outros.

Forma de contágio. A infecção humana poderá ocorrer, seja pelo contato direto com a urina e tecidos (partes) de animal infectado, seja indiretamente, através da terra, poços, pântanos, lagoas, riachos e piscinas, contaminados com a urina do animal infectado. Esta eventualidade poderá ser a causa de surtos epidêmicos em algumas localidades. A porta de entrada usualmente é a pele lesada (feridas e arranhaduras), especialmente dos pés; as mucosas da boca, nariz e conjuntivas é outra possibilidade. Pessoas infectadas poderão excretar o micróbio na urina por vários meses. A transmissão de uma pessoa para outra nunca foi observada.

Período de incubação. De sete a treze dias, podendo variar de dois a 26 dias.

Forma de contágio. Pela urina do indivíduo durante toda a doença.

Tratamento. A eficácia dos antibióticos é discutida; entretanto, admite-se como benéficos se iniciados até o quarto dia da doença; penicilina G ou doxicilina poderão ser usadas.

Prevenção. A vacinação só é útil em cachorros e outros animais, não para o ser humano. Botas e luvas são necessárias para os que lidam com animais. Deve-se exterminar os ratos.

MALÁRIA

É conhecida também no Brasil pelo nome de impaludismo, maleita, sezão, tremedeira, febre quartã ou terçã, manifestando-se por temperatura elevada e calafrios acompanhados de intensos tremores, conhecidos por acessos, que se repetem periodicamente. No primeiro e segundo anos de vida, a doença não se mostra tão disciplinada como no adulto, que tem acessos diários ou em dias alternados. Os calafrios e os tremores do acesso poderão ser substituídos por convulsões, suores abundantes ou então descargas gastrointestinais (vômitos e diarréias). Esta particularidade dificulta às vezes o diagnóstico e o pediatra alerta deverá pensar nesta hipótese. É a doença febril; os acessos poderão ser muito rápidos, ou poderão durar de duas até doze horas. É produzida por protozoários, que se localizam nos glóbulos vermelhos, onde vivem como parasitas, acabando por destruí-los e causando anemia intensa. Existem quatro tipos de parasitas, sendo mais pernicioso o denominado *Plasmodium falciparum*. As outras formas, *vivax*, *malarie* e *ovale* produzem doença mais benigna. O mosquito *Anopheles* é o transmissor. Já existem remédios seguros para seu tratamento. Na contingência de os pais terem de levar os filhos para cidades situadas em regiões de incidência elevada de malária, a solução será administrar Camoquim, sistematicamente, um dia por semana, para prevenir a doença. A dose indicada para a criança é de 1/4 de comprimido no primeiro ano de vida; meio comprimido de um a três anos; 3/4 de comprimido de três a seis anos e 1 comprimido de sete a doze anos.

Diagnóstico. Exames específicos de laboratório.

Tratamento. Dependerá do agente transmissor, devendo ser feito somente sob supervisão médica.

MENINGITE

Dá-se o nome de meningite à inflamação das meninges, que são as membranas que envolvem o cérebro, separando-o dos ossos da cabeça.

Os sintomas da meningite são variados e o seu quadro clínico, diverso. Podem começar insidiosamente, com mudança de humor (sobretudo na tuberculose), sonolência, dor de cabeça, vômitos, febre. Outras vezes começam logo com contrações musculares generalizadas ou parciais, atacando os braços, as pernas, ou um lado só. A rigidez na nuca e o abaulamento intenso da fontanela (moleira) são os sintomas que deverão ser pesquisados.

As meningites mais freqüentes são: meningites por *Haemophilus influenzae* e tipo B, meningite meningocócica, também conhecida por cérebro-espinhal epidêmica, meningite pneumocócica, meningite estreptocócica e meningite tuberculosa. No bebê, a causa habitual são as bactérias existentes nos intestinos (bacilo coliforme).

O sucesso do tratamento dependerá do diagnóstico precoce e da aplicação imediata de antibióticos.

Meningite bacteriana é uma das doenças mais perigosas em bebês e crianças, podendo provocar complicações no sistema nervoso central (convulsões, paralisia etc.)

A meningite viral é causada por diversos tipos de vírus. Geralmente identificada pela punção lombar, habitualmente de um líquido claro, nunca purulento, como na meningite bacteriana. A evolução clínica entre nós é geralmente benigna, porém em alguns casos pode apresentar extrema gravidade. Não são sensíveis ao uso de antibióticos, com exceção de etiologia herpética (vírus do herpes) em que se usa o Aciclovir.

Punção lombar. A família não deverá se opor por questões sentimentais. A obtenção do líquido da espinha é de extrema importância para o diagnóstico certo e a cura completa, salvando a vida da criança. Somente pela punção lombar é possível conhecer o germe responsável pela meningite e estabelecer um tratamento adequado. Quanto mais cedo for feito o diagnóstico do agente responsável, maiores as probabilidades de cura rápida, definitiva e sem conseqüências. A punção lombar não causa maiores problemas à criança, possibilitando a identificação do agente causador da infecção.

Tratamento. O tratamento da meningite dependerá da causa. De modo prático, podemos dividi-la em dois grupos: as purulentas e as não-purulentas por vírus ou tuberculose. Meningites chamadas purulentas são quando o líquido da espinha (liquor cefalorraquidiano) apresenta-se turvo ou mesmo de cor amarelo-purulenta e são provocadas por bactérias, como o meningococo, o estreptococo e pneumococo, e pela *Haemophilus influenzae.*

O *Haemophilus* é a causa mais freqüente da meningite na infância. Ultimamente tem aumentado a incidência da meningite meningocócica.

As meningites podem se apresentar na criança desde recém-nascida. A maioria das meningites purulentas são favoráveis, respondendo bem à aplicação de antibióticos, entre eles, principalmente, as penicilinas semi-sintéticas (ampicilina-amplacilina) associadas ou não às cefalosporinas de terceira geração (cefotaxima e ceftriaxona) em combinação com o cloranfenicol. Uma vez isolada a bactéria responsável e feito o antibiograma, o antibiótico será indicado de acordo com o resultado laboratorial.

O importante é que deverá ser aplicada em dose elevada logo que for suspeitado o diagnóstico, em injeção endovenosa, independente da classificação do germe responsável, porque o resultado da cultura somente se revela dois ou três dias depois.

Quando surge um caso de meningite meningocócica ou por *Haemophilus*, as pessoas que tiveram contato íntimo com o infectado têm risco de adquirir também a doença. Isto pode ocorrer na escola, numa festa, numa residência, na vizinhança, nas creches. As pessoas que tiveram contato íntimo deverão receber rifampicina, 600mg, duas vezes ao dia para os adultos, 10mg/kg duas vezes ao dia para crianças de um mês até doze anos de idade, e 5mg/kg duas vezes ao dia para recém-nascidos, por via oral. A duração do tratamento é de quatro dias. Estas pessoas também deverão receber a vacina meningocócica.

Vacina. A vacina contra a meningite epidêmica, conhecida outrora por meningite cérebro-espinhal epidêmica, e causada pelo meningococo denominado *Neisseria meningitidis*, foi criada em laboratório, sendo útil na prevenção da doença contra os grupos A e C. Deve-se esclarecer que os meningococos pertencem a vários grupos, sendo que os grupos A, B e C são os que provocam a maioria dos casos da meningite. Nos últimos anos tem predominado no Brasil o grupo B. Existe uma vacina contra a meningite B, produzida em Cuba, que já foi utilizada no Brasil. Seu efeito é controverso, sendo muito questionada sua eficácia pela pequena experiência internacional. Este fato, aliado à baixa proteção dos primeiros meses ou anos de vida, limita a utilização da vacina contra a meningite, que só deverá ser usada após contato íntimo com o doente, como esclarecido anteriormente, ou em situação de epidemia, quando esta for provocada por meningococo do grupo A ou C.

A vacina contra meningite do tipo C só terá eficácia em crianças maiores de dois anos. Entretanto, a vacina do tipo A poderá ser dada desde os três meses de idade, dividida em duas doses, sob orientação do pediatra.

A vacina contra o *Haemophilus* é obrigatória devido à gravidade da doença. Deverá ser dada no 2º, no 4º e no 6º mês, com um reforço aos dezoito meses.

Meningismo. Entende-se por meningismo o aparecimento discreto de sintomas de meningite no decurso de algumas moléstias (pneumonia etc.) que provocam elevação de temperatura. As meninges não estão atacadas, e os sintomas cederão tão logo baixe a temperatura.

MICOSES

Existe uma série de doenças provocadas por microorganismos pertencentes a diversas classes de fungos que atacam o ser humano, sendo mais freqüentes nos países de clima quente (trópicos) as infecções micóticas. Observam-se desde as formas benignas, como o sapinho (oidiose), que ataca a boca dos recém-nascidos, as micoses da pele (dermatomicoses), das unhas (onicomicoses), da cabeça (couro cabeludo), até as mais graves, que atacam as vísceras, os pulmões etc. (actinomicose, blastomicose, esporotricose, histoplasmose etc.). A evolução depende da forma da doença. O diagnóstico é feito pelo dermatologista, com o auxílio do laboratório. A maioria das formas cutâneas responde bem aos tratamentos modernos.

As micoses mais populares são a oidiose (sapinho), descrita na página 166, e as tinhas, que são dermatomicoses provocadas por diferentes fungos e de localização variada.

Tinha do couro cabeludo (*Tinea capitis*)

Acarreta a perda dos cabelos (pelada) e a formação de seborréia, escamas (caspas) e vesículas (pequenas bolhas). O tratamento deverá ser feito com Grisofulvina, Cetoconazol e Terbinafina, todos por via oral (cautela para crianças). Para tratamento local, poderão ser usados o Miconazol, o Tioconazol, o Cetoconazol, o Ciclopirox alamina e a Terbinafina.

Tinha da pele (*Tinea corporis*)

É uma lesão arredondada ou oval, escamosa, de tonalidade róseo-clara, que vai gradativamente aumentando de tamanho, ao mesmo tempo que o centro da lesão vai clareando. A aplicação local de solução a 1% de ácido salicílico e 2% de ácido benzóico, uma vez por dia, é útil. A lesão poderá localizar-se na região inguinal (virilha) e se denomina *Tinea cruris*, ou então nos pés, entre os dedos, chamada "pé-de-atleta" (*Tinea pedis*). Em ambos os casos a aplicação de solução a 2% de ácido salicílico e 2% de ácido benzóico está indicada. O tratamento local é igual para o da tinha do couro cabeludo (*Tinea capitis*).

MONONUCLEOSE INFECCIOSA (conhecida como Doença do Beijo)

É uma doença de difícil diagnóstico precoce, podendo apresentar os mesmos sintomas iniciais de outras doenças. A assistência do pediatra é indispensável.

É uma doença caracterizada por febre, mal-estar, dor de garganta e gânglios infartados (ínguas). A febre dura até três semanas. A particularidade da febre é a de que ela desaparece pela manhã. A inflamação dos gânglios poderá ocorrer no início ou então somente no fim.

Os primeiros gânglios a crescerem são os do pescoço, na sua parte posterior; em seguida vêm os da frente do pescoço, depois os da orelha, das axilas e da região inguinal (virilhas). Às vezes a inflamação ainda persiste por meses, depois de terminada a doença. Em alguns casos observa-se uma erupção da pele, lembrando sarampo leve. A mononucleose poderá simular outras doenças, sendo às vezes difícil o diagnóstico. O exame laboratorial conhecido por monoteste é o melhor recurso para o diagnóstico.

Agente infeccioso. Vírus E. B. Epstein-Barr.

Reservatório e fonte de infecção. O reservatório é o ser humano. A fonte de infecção é constituída pelas secreções nasofaríngeas.

Forma de contágio. A transmissão se faz de um indivíduo para outro, por contágio direto. A saliva é importante na transmissão (daí a denominação de doença do beijo).

Período de incubação. De dez a quinze dias.

Tratamento. Tratamento próprio não existe. Vitaminas, alimentação rica em proteínas (leite), repouso, clima, acetaminofen etc. são importantes. Se houver complicações, o uso de um antibiótico estará indicado. O uso de corticosteróides e Aciclovir somente deverá ser permitido pelo médico (casos graves).

NEUROVIROSES

Modernamente, entende-se por neuroviroses algumas infecções geralmente muito graves, causadas por diferentes vírus que atacam o sistema nervoso da criança, no todo ou em parte: meninges, cérebro, medula e nervos. O protótipo deste grupo é a paralisia infantil. Em segundo lugar, vêm as chamadas encefalites (inflamações do cérebro), que poderão ser causadas por vírus diferentes (caxumba, sarampo, varicela, varíola, raiva etc.). Existe um tipo (neurite infecciosa), conhecido como ascendente, que, não sendo fatal, regride totalmente. Nele a paralisia vai subindo das pernas para os braços e o tórax; o vírus, enfim, vai subindo pela espinha. Neste grupo existe uma, provocada por vírus, que vive nos camundongos e ratos, acarretando moléstias benignas, que se curam, na maioria das vezes, sem conseqüência alguma.

Tratamento. Não há tratamento próprio. A evolução do caso, para melhor ou para pior, dependerá da capacidade de o organismo produzir suas próprias defesas e do grau de agressividade do germe em questão. O médico assistente deverá auxiliar o enfermo, mantendo-o em repouso, dando-lhe dietas adequadas, vitaminas e medicação sintomática.

PARALISIA INFANTIL (Pólio)

Também conhecida por poliomielite, ou pela sua abreviação (pólio), é uma doença infectocontagiosa de caráter geral. Modernamente, o conceito é de que é tão freqüente quanto o sarampo e a coqueluche. Sendo de caráter benigno, simulando uma gripe leve ou perturbação gastrointestinal, a pessoa fica imunizada contra ela. Assim, temos a forma abortiva, a forma não-paralítica e a forma paralítica. O diagnóstico da forma paralítica poderá ser feito antes de ela se declarar realmente, devido à rigidez dos músculos da nuca e do dorso. A criança só poderá sentar-se, na cama, apoiando-se nas palmas das mãos, e esta mesma rigidez impede, às vezes, que a criança, sentada, possa beijar os joelhos.

Uma vez declarada a doença (paralisia), os pais não deverão ficar desesperados, porque as oportunidades de cura são bem maiores do que se pode julgar. Assim, existe a possibilidade de, em 70% dos casos, a paralisia regredir espontaneamente, em 25%, ficando seqüelas, que poderão melhorar dentro de um ano, e há, infelizmente, ainda uma pequena quantidade de 5% que é fatal.

Quanto à lesão paralítica, acredita-se atingir apenas 1% das crianças que entram em contato com o vírus. Pelos conhecimentos atuais, podemos de modo geral apresentar o seguinte quadro numérico: em 1.000 crianças que entram em contato com o vírus, 900 ficam vacinadas, sem apresentar qualquer sintoma grave.

Causa. A doença pode ser causada por três vírus diferentes: o tipo 1 (Brunhilde), o tipo 2 (Lansing) e o tipo 3 (Leon).

Período de incubação. Geralmente de sete a 21 dias, e no caso de doença benigna, sem paralisia, de três a seis dias.

Período de contágio. Corresponde ao período durante o qual o vírus está presente na garganta ou nas fezes. Na garganta, permanece somente por poucos dias, antes e depois do aparecimento dos sintomas. A permanência do vírus nas fezes do doente demora mais tempo, tanto durante a doença como na convalescença. As vias possíveis de transmissão poderão ser a água, o leite e alimentos contaminados diretamente ou por moscas. O vírus persiste na garganta aproximadamente uma ou duas semanas após o aparecimento da doença, mas poderá ser excretado pelas fezes, às vezes de modo intermitente, durante seis a oito semanas.

Isolamento do paciente. Durante o período febril, até uma semana após o desaparecimento da febre.

Diagnóstico. É feito por exames específicos de laboratório.

Tratamento. Não há tratamento próprio. Várias medidas de ordem geral são empregadas. Na fase aguda, as compressas quentes (método de Kenny) melhoram as dores musculares e os espasmos, auxiliando o tratamento da forma paralítica da doença. Procure manter as pernas e os braços da criança em posição correta, por meio de travesseiros ou pequenos sacos de areia. A fisioterapia é fundamental para uma melhor recuperação motora.

Prevenção. A conquista da vacina contra a paralisia infantil é um dos mais belos capítulos da medicina. Não há dúvida de que sua aplicação fará desaparecer esta doença, livrando o gênero humano de tão dramáticas conseqüências. A vacina Salk, injetável, preparada com vírus inativado e aplicada nas doses aconselhadas, duas ou três, ainda poderá ser empregada na ausência da vacina oral Sabin, embora não dê proteção permanente; é, às vezes, o único recurso de que, em muitas cidades, o médico dispõe. Seu emprego é preferível em crianças que apresentam seu sistema imunológico deprimido ou nas portadoras de doenças que são tratadas com medicamentos imunossupressores (cortisona) e quimioterápicos, porque a vacina Sabin (vírus vivos) nestes casos pode, raramente, provocar a doença. A vacina Sabin aplicada em gotas, por via oral, dá imunização, que se acredita permanente. As doses estão indicadas na página 537, que deverão ser rigorosamente seguidas.

A vacina contra a poliomielite, preparada com vírus vivo atenuado, poderá ser monovalente, isto é, conter apenas um dos tipos de vírus, ou trivalente, que contém os três tipos já conhecidos. Quando um indivíduo usa a vacina monovalente, fica protegido apenas contra o tipo de vírus existente nesta vacina, sendo obrigado, portanto, a imunizar-se, posteriormente, contra os outros dois. Assim tomará o tipo 1 no segundo mês, o tipo 3 no terceiro mês, e o tipo 2 no quarto mês. A vacina usada no Brasil é a polivalente; cada gota contém os três tipos de vírus juntos; é a mais prática e a mais econômica. Embora já esteja à disposição do público, a maioria dos pediatras prefere que a saúde pública a aplique. Não deverá ser empregada quando a criança estiver com febre, vômitos ou diarréia; nada mais deverá constituir motivo para não usá-la na ocasião certa, como citamos. Deverão ser aplicadas três doses, no segundo, quarto e sexto meses de vida, e uma outra (4ª) no 15º mês de vida, e a quinta, aos quatro anos de idade. Em 1994, o Brasil recebeu o Certificado de Erradicação da Poliomielite. Este ótimo resultado deveu-se às campanhas de vacinação desenvolvidas nos últimos anos.

Recentemente, nos Estados Unidos, estão aplicando a vacina Salk devido ao desaparecimento da pólio nesse país. A vacina oral é feita com vírus vivo (Sabin) e a Salk com vírus inativado (ver pág. 208)

Providências necessárias para os casos de epidemias. A Organização Mundial da Saúde aconselha, embora já tenhamos a felicidade de possuir a vacina, tomar as seguintes providências:

a) deve-se empreender a vacinação em massa à primeira indicação de ocorrência de epidemia;

b) proteger as crianças, tanto quanto possível, do contato íntimo e desnecessário com pessoas que não pertençam à família. As escolas nas zonas urbanas não deverão ser fechadas, nem o início das aulas retardado, mas é necessário adiar as atividades atléticas intensivas ou competições esportivas. As escolas rurais, especialmente aquelas que utilizam ônibus para recolher crianças que vivem em áreas escassamente povoadas, e os internatos que recebem alunos procedentes de regiões distantes e livres da doença não devem iniciar suas atividades enquanto a epidemia não declinar;

c) adiar as operações no nariz ou na garganta que não sejam de urgência;

d) adiar a inoculação de qualquer antígeno do tipo precipitado, a menos que se considere que o risco da ocorrência da doença, contra a qual se trata de imunizar, é maior do que o ligeiro aumento do risco de contrair poliomielite, provocado por tais injeções;

e) evitar esforços físicos excessivos, como nos exercícios violentos, por ocasião de epidemias ou no caso de exposição ao contágio;

f) evitar viagens e visitas desnecessárias, mormente em se tratando de crianças, durante as épocas de maior incidência da doença;

g) isolar no leito todas as crianças que apresentem febre, até que se obtenha o diagnóstico;

h) educação no tocante às técnicas de enfermagem e aos cuidados que se devem prestar ao doente, a fim de evitar o aparecimento de deformidades e reduzir o risco de transmissão da infecção;

i) provisão de recursos que assegurem o tratamento prolongado dos casos com paralisia, a fim de se obter o máximo de recuperação por meio da terapêutica de reabilitação.

PSITACOSE (Doença do Papagaio)

A relação entre os pássaros e a pneumonia foi descoberta em 1930. Não é somente o papagaio, mas também pombos, patos e perus que, mostrando-se sadios, poderão transmitir o agente para o indivíduo. A infecção é feita por aspiração (inalação) de pó de gaiolas ou então de pó de terrenos, quintais, onde existem excretas (fezes) secas e pulverizadas destas aves. A transmissão por bicada é muito rara, como também de pessoa para pessoa. É rara antes dos dez anos de idade. O quadro clínico é grave desde o aparecimento da doença, com começo repentino, febre alta, dor de cabeça forte, tosse seca sem catarro, náuseas, vômitos, dor de barriga e das articulações, pneumonia. A evolução é de dez a 21 dias.

Agente infeccioso. *Chlamidia psittaci.*

Período de incubação. De quatro a quatorze dias; média de dez dias.

Isolamento. Quatorze dias. Mantenha os vasos sanitários e as roupas de cama do doente desinfectados.

Tratamento. Usando a tetraciclina em crianças maiores de oito anos, eritromicina para crianças menores de oito anos. A azitromicina e a claritromicina também poderão ser usadas.

Prevenção. A saúde pública dos Estados Unidos exige que as aves da família dos papagaios sejam submetidas previamente a um período de 45 dias de uso profilático de clorotetraciclina antes de serem admitidas no país.

RAIVA

É uma doença de evolução sempre fatal, apresentando-se em três fases. Na primeira, manifestam-se sonolência ou torpor, sensação de formigamento, de calor ou de frio ao redor do local da mordedura, tudo isto acompanhado de irritabilidade, agitação, salivação, lacrimejamento e insônia. Na segunda fase, a excitação aumenta rapidamente e há sensação de angústia e terror, seguida de espasmos da garganta e dificuldade para alimentar-se ou beber líquidos (hidrofobia), a que se seguem convulsões e dificuldade respiratória. A temperatura é usualmente elevada e, às vezes, excessivamente baixa. Na terceira e última fase, cessam os espasmos e a convulsão, apresentando-se então a paralisia, o coma e a morte.

Agente infeccioso. O vírus da raiva.

Reservatório e fonte de infecção. Os canídeos, silvestres e domésticos, como o cão, a raposa, o coiote, o lobo, mas também o gato, a jaratataca, o quati e outros mamíferos que podem morder constituem os reservatórios. A infecção existe em morcegos hematófagos e frugívoros da América do Sul e da América Central (México). Demonstrou-se, recentemente, nos Estados Unidos, no Canadá, na Europa e no Oriente Médio, a presença de infecção em algumas espécies de morcegos insetívoros. A fonte de infecção na raiva humana é a saliva de animais raivosos.

Forma de transmissão. Pela mordedura de animal raivoso ou pelo contato da saliva deste animal em arranhaduras recentes da pele. Embora teoricamente possível, a transmissão direta de um indivíduo para outro nunca foi confirmada. Sabe-se que a saliva do paciente é infectante.

Período de incubação. Habitualmente é de quatro a seis semanas, mas poderá ser mais prolongado. A duração dependerá da extensão da dilaceração e do grau de inervação da região atingida. Quanto mais próximo da cabeça, menor o tempo de incubação.

Período de contágio. No cão e na maioria dos animais que mordem, três a cinco dias antes do aparecimento dos sintomas clínicos e durante a evolução da doença. Os morcegos podem disseminar o vírus durante muitos meses.

Tratamento. Não há tratamento específico, uma vez declarada a doença. Deverão ser tomados os seguintes cuidados: o animal doméstico deverá ser preso e observado durante dez dias. O hábito de matar o animal logo após a mordida não é aconselhável. No caso de animais selvagens, quando possível, mate o animal, examinando seu cérebro para identificação da raiva.

Local. O local da mordida deverá ser limpo cuidadosamente com muita água e sabão. Posteriormente, deverá ser aplicado álcool a 70%. Antibióticos, de preferência penicilina, deverão ser usados, nos casos de ferimentos profundos ou contaminados. Deverão ser vacinados todos os cães e gatos domésticos.

Prevenção. A vacina tem ação protetora garantida e deverá ser aplicada dentro de quatorze horas após a mordida. Se for aplicada mais tarde, deverá ser dada uma dose maior. Se a criança vacinada sofrer nova mordedura dentro de três meses, não haverá necessidade de nova vacina, a não ser que as mordidas tenham sido muito extensas. Entre os três e os seis meses, deverão ser aplicadas duas doses. Se o intervalo for acima de seis meses, uma nova série completa deverá ser aplicada.

Vacina. Usada nas vítimas de mordidas de animais selvagens ou domésticos, porém com suspeita de raiva. São usadas cinco doses nos dias 0, 3, 7, 14 e 30 após a mordida.

Soro. Deverá ser usado nos casos anteriores. Usamos a globulina humana (americana), na dose de 10 unidades no local da lesão e 10 unidades IM.

SALMONELOSE (Gastroenterite)

Existem diversas variedades de germes pertencentes ao chamado grupo das salmonelas. As doenças que eles provocam nas crianças são de três tipos:

1) tifo;

2) paratifo e

3) as gastroenterites, geralmente causadas por alimentos contaminados. As chamadas infecções intestinais são comumente produzidas pelas salmonelas. As fontes de contaminação são as carnes, o leite, os ovos, os vegetais crus, a água, principalmente durante o verão. Os animais, como os ratos, cachorros, vacas e cavalos, são os reservatórios dos germes; os veículos são as moscas e os alimentos contaminados.

A doença se manifesta com dores de cabeça, enjôos, vômitos, dores abdominais e diarréia e, às vezes, somente febre, com o estado geral relativamente bom. Os sintomas poderão variar, desde os casos benignos até os graves, com complicações sérias.

Agente infeccioso. Diversos tipos de salmonelas.

Período de incubação. De seis a 72 horas.

Tratamento. As salmonelas são germes que causam gastroenterite no bebê. Existem diversos tipos destes germes; já foram identificados mais de 2.200.

A salmonelose é uma doença que ocorre de modo permanente; entretanto existe uma incidência maior durante o verão. A doença se manifesta após um período curto de incubação, de seis horas até sete dias, a criança tem febre, náuseas, enjôos, vômitos, diarréia e cólicas. O exame de fezes é definitivo para o diagnóstico e ainda se pode ter a cultura por meio do exame de sangue. Deve-se administrar Ampicilina ou Cloranfenicol (ver pág. 781).

As medidas para evitar a infecção são de ordem higiênica: usar água potável ou fervida, manter vasos sanitários limpos e desinfetados, alimentos guardados em lugares apropriados, evitar que os alimentos fiquem expostos a moscas. A obtenção de uma vacina contra a salmonelose tem sido difícil, considerando, como já foi acentuado no início deste capítulo, sua enorme variedade (2.200). Deve-se evitar o contato da criança doente, com outras (escola, creche) até que se tenha a negativação do exame de fezes.

SÍFILIS

É uma doença infecciosa crônica que apresenta períodos de atividade demonstráveis por sinais e sintomas, alternados por longos períodos de latência. O feto é contaminado pela mãe através da placenta. O pai não afeta o filho diretamente, mas contaminando a mãe. Sua incidência, que havia decrescido, vem crescendo muito nos últimos anos, devido à Aids.

Atualmente já perdeu o caráter de moléstia vergonhosa, como há anos era interpretada. Na infância, só excepcionalmente é adquirida, sendo quase sempre congênita, passando do organismo materno para o feto. Talvez seja de todas as moléstias a que mais modalidades apresenta. Na infância, poderão ser divididos os seus sintomas em três classes: de certeza, de probabilidade e de possibilidade. Muitas vezes, diante de lesões ou sintomas diversos que resistem aos tratamentos, o tratamento anti-sifílico poderá resolver o caso. Atualmente, com o exame e tratamento pré-nupcial, a que todos os noivos devem se submeter, e com o tratamento durante a gravidez, tem diminuído notadamente o número de crianças nascidas com sífilis. Sua sintomatologia é variada, podendo manifestar-se em diversas partes do corpo humano, sob forma de lesões ósseas, nervosas, cutâneas e viscerais.

Na infecção congênita, observa-se: coriza sangüinolenta, bolhas e descamação da pele, fígado e baço aumentados, icterícia, pneumonia, meningite, osteomielite etc. Às vezes a criança nasce com aspecto normal e os sintomas aparecem mais tarde. O exame radiológico é de grande ajuda, e os testes sorológicos, bem-interpretados, selam o diagnóstico. As gestantes contaminadas poderão ter filhos prematuros. Atualmente, o Ministério da Saúde, devido ao aumento do número de casos de sífilis congênita, considera portadores de sífilis congênita os bebês cujas mães não foram tratadas ou foram inadequadamente tratadas ou ainda quando os parceiros não foram tratados. Sendo assim, deverão realizar investigação e tratamento completos, independentemente dos resultados da sorologia para sífilis.

Agente infeccioso. *Treponema pallidum.*

Reservatório e fonte de infecção. O ser humano é o único reservatório. As fontes de infecção são as secreções de lesões recentes – manifestas ou encobertas – da pele e das mucosas de indivíduos infectados; os líquidos e as secreções orgânicas (saliva, esperma, sangue, corrimento vaginal) são facilmente contaminados durante a fase infectante.

Forma de transmissão. A sífilis na infância é adquirida quase sempre através da placenta, durante a gravidez. Esta transmissão é mais freqüente após o quarto mês de gestação, mas poderá ocorrer também antes. Nos adultos (e adolescentes) a transmissão quase sempre é sexual. As lesões sifilíticas da pele ou mucosas também são contagiantes.

Período de incubação. De dez dias a dez semanas; geralmente é de três semanas.

Período de contágio. Variável, não sendo conhecido com exatidão. A doença é contagiosa durante os períodos primário e secundário, bem como as recidivas mucocutâneas, que poderão ocorrer, intermitentemente, durante dois a quatro anos. Não está estabelecido o grau de contágio através do contato sexual, durante o período de latência (de dois a quatro anos). A possibilidade da ocorrência de lesões inaparentes justifica considerar-se este estágio como potencialmente infectante. O tratamento adequado suprime, geralmente, em 24 horas, a capacidade infectante.

Diagnóstico. Por exames específicos de laboratório.

Tratamento. O tratamento da sífilis no recém-nascido é feito por meio das injeções de penicilina G aquosa, durante dez a quatorze dias, aplicadas com intervalo de doze em doze horas. Nas crianças maiores e em recém-nascidos com mais de uma semana, elas deverão ser aplicadas de seis em seis horas. Em alguns casos, de acordo com o médico, se a criança tiver uma boa massa muscular nas nádegas (região glútea), poderá ser dada penicilina G-procaína de doze em doze horas também por dez a quatorze dias, intramuscular.

A penicilina benzatina (Benzetacyl) não deverá ser usada.

TÉTANO

O começo da doença é insidioso (lento) e há o aparecimento de rigidez muscular, especialmente do queixo e do pescoço. Quarenta e oito horas depois, a doença está definida, apresentando-se dificuldade de abrir a boca e de engolir, inquietude, irritabilidade excessiva, dor de cabeça, calafrios, dor nas extremidades e convulsões. Uma característica da doença é a expressão da face da criança, denominada de riso sardônico, revelando-se pelo franzimento da testa e afastamento dos cantos da boca, como se estivesse chorando do nariz para cima e rindo do nariz para baixo.

Felizmente, cada dia vai se tornando mais raro, porquanto os conhecimentos científicos sobre a moléstia vão se aperfeiçoando constantemente. Conhece-se o agente causador e a maneira pela qual ele invade o organismo humano; já se tem o soro específico de magníficos resultados e a parte preventiva não foi esquecida, pois a vacinação antitetânica já é uma realidade, faltando unicamente sua generalização sistemática.

Logo que a criança nasce, o maior perigo é a infecção tetânica da ferida umbilical, pela falta de cuidados higiênicos com ela, principalmente em alguns lugares onde é prática corrente tratar o umbigo com pó de estrume, que veicula os esporos do tétano. É chamado mal-de-sete dias, pois é por volta do fim da primeira semana que o recém-nascido começa a apresentar os sintomas característicos da moléstia.

O mal-de-sete dias já entrou antigamente com grande cifra na porcentagem da mortalidade infantil, mas, com a difusão dos conhecimentos de puericultura, tem decrescido.

As crianças maiores adoecem em conseqüência de ferimentos malcuidados, sobretudo dos que se verificam na rua e em jardins. O bacilo do tétano vive geralmente nos intestinos dos cavalos e, como conseqüência, suas fezes o contêm; daí sua freqüência nos jardins (estrume) ou nas ruas.

Agente infeccioso. *Clostridium tetani* (bacilo do tétano).

Reservatório e fonte de infecção. Os reservatórios são os animais domésticos infectados, especialmente o cavalo. O solo e a poeira, contaminados com as fezes de animais, constituem a fonte de infecção.

Forma de transmissão. Os esporos do tétano penetram no corpo através de um ferimento, geralmente do tipo perfurante, mas também de queimaduras e de ferimentos insignificantes ou que passam despercebidos. O tétano do recém-nascido geralmente ocorre através da infecção umbilical.

Período de incubação. Em geral, de dois dias a dois meses, e, em média, dez dias, dependendo, em parte, da natureza, da extensão e da localização do ferimento. Têm-se observado períodos mais longos, podendo, entretanto, durar apenas um dia. Em recém-nascidos o período de incubação é de cinco a quatorze dias.

Período de contágio. Em condições naturais, não é diretamente transmissível de um indivíduo para outro.

Tratamento. Inicialmente é dada globulina antitetânica humana (3.000 a 6.000 unidades) por via intramuscular. Não sendo possível sua obtenção, deverá ser dado soro antitetânico em dose elevada (50.000 a 100.000 unidades) em injeções intramusculares. Deve-se fazer o tratamento local do ferimento. Nos casos mais graves, estará indicada a curarização e o uso de ventilação artificial. Metronidazol (30mg/kg/dia, a cada seis horas), oral ou intravenoso, ou Penicilina G (100.000u.i/kg/dia, a cada quatro ou seis horas) durante dez ou quatorze dias é recomendado.

Medicação para controlar os espasmos tetânicos é de maior importância (relaxante muscular).

Prevenção. A vacina contra o tétano deverá ser dada no primeiro ano de vida, juntamente com contra a coqueluche e a difteria, a primeira vacina tríplice conhecida. A primeira dose deverá ser aplicada no segundo mês e as outras no quarto e sexto meses, acompanhando a aplicação da vacina contra a poliomielite. Aos quinze meses deverá ser dada a quarta dose, juntamente com a contra a coqueluche e a difteria, o mesmo sendo feito entre aos quatro anos (segundo reforço da vacina tríplice DPT ou DPaT). Daí em diante, revacine contra o tétano a cada dez anos (ver pág. 540)

O quadro seguinte serve de guia para a profilaxia contra o tétano após ferimentos.

Profilaxia contra o tétano

	Feridas limpas e pequenas		Todas as outras feridas	
História de imunização antitetânica (doses)	TT	TIG	TT	TIG
duvidosa ou menos de 3	sim	não	sim	não
mais de 3	não	não	não	não

TT = toxóide tetânico (ATT) *TIG = imunoglobulina humana contra o tétano*

SAT significa soro antitetânico. A imunoglobulina hiperimune contra o tétano (TIG) é aplicada na dose de 250 unidades. Quando for aplicada juntamente com o toxóide tetânico (TT), utilize seringas descartáveis diferentes e aplique-os em lugares diferentes do corpo.

A aplicação da globulina humana hiperimune tem substituído a aplicação do soro antitetânico, pois sendo este preparado com soro feito com o sangue do cavalo, dá reações, o que não acontece com a globulina. Entretanto, a globulina humana hiperimune é bem mais cara do que o soro antitetânico conhecido.

No caso de ser aplicado soro antitetânico, deverão ser usadas sempre 5.000 u.i. É prudente verificar a possibilidade de alergia, especialmente se a criança já foi submetida a tratamento por soro antitetânico ou antidiftérico. Para pesquisar a suscetibilidade, existem duas provas: a intradérmica e a oftálmica (ocular).

Para a prova ocular, instila-se uma gota de soro diluída em dez gotas de soro fisiológico, observando-se o resultado dentro de meia hora; se for negativo, instila-se uma gota do soro não diluído. A reação é considerada positiva, indicando sensibilidade, se houver aparecimento de congestão e lacrimejamento dentro de vinte minutos.

O teste intradérmico é realizado pela injeção intradérmica, na face interior do antebraço, de 0,2cc de soro diluído a 1:10 ou 1:1.000 (asmáticos). Se for positiva e houver necessidade de ser aplicado o soro, usa-se o processo de dessensibilização de Besredka ou outro semelhante. A Academia Americana de Pediatria aconselha dar, a cada quinze minutos, as seguintes doses:

Subcutânea

1) 1/2 de 0,1 cc a 1:20 – diluído
2) 1/2 de 0,1 cc a 1:10 – diluído
3) 1/2 de 0,3 cc a 1:10 – diluído
4) 1/2 de 0,1 cc de soro não diluído
5) 1/2 de 0,2 cc de soro não diluído
6) 1/2 de 0,5 cc de soro não diluído
7) Dê a dose completa

TIFO (Febre Tifóide)

O início da doença poderá ser insidioso (lento) ou repentino. Em alguns casos, assemelha-se a infecções do aparelho respiratório.

O abdome se apresenta timpânico (cheio de gases), há diarréia em 50% dos casos, com fezes líqüidas e mucosas. No lactente é comum a prisão de ventre. Às vezes apresenta reação da pele em tom avermelhado. É rara nos dois primeiros anos de vida. Na criança é mais benigna do que no adulto.

Agente infeccioso. *Salmonella typhosa* (bacilo de Eberth). As fezes e a urina dos pacientes e portadores sãos da doença poderão ser veículos de contaminação. Água, leite e alimentos contaminados são perigosos. Até o gelo poderá ser contaminado.

Período de incubação. De três a sessenta dias.

Período de contágio. Durante a moléstia e enquanto houver micróbios sendo eliminados pelas fezes.

Tratamento. As fontes de infecção para as crianças incluem portadores crônicos da doença, que são muito freqüentes nas grandes cidades, e a contaminação através das fezes, conseqüente a enchentes ou desastres nos esgotos sanitários da cidade. Na nossa experiência a febre poderá estar presente por um período curto, de cinco dias, ou mesmo de trinta dias, antes de o diagnóstico ser firmado; as manifestações são febre, vômitos, diarréia, dores de barriga e de cabeça, aumento do fígado e do baço, perda de apetite e de peso, depressão, tosse e o aparecimento de pequenas manchas vermelhas, em alguns casos, sinais de meningite, que não é propriamente meningite, mas meningismo.

É importante relembrar que o exame feito pela cultura de sangue para o diagnóstico é mais precoce do que aquele que é feito através das fezes (na primeira semana da doença).

O tratamento pelo cloranfenicol é o tratamento de escolha, sobretudo para as crianças, em dose apreciável, rigorosamente dividida em quatro doses diárias. Nos casos graves, poderão ser dadas intravenosamente. Para as crianças que recebem tratamento demorado, o cloranfenicol poderá ser administrado oralmente, como o palmitato de cloranfenicol (ver pág. 781), nas mesmas 24 horas, mas neste caso com intervalos de quatro em quatro horas. Com este sal, o palmitato, as reações indesejáveis que às vezes este antibiótico produz são muito menos freqüentes. As reações desfavoráveis ocorrem especialmente em crianças que receberam anteriormente doses pequenas, em curtos intervalos, por três ou quatro dias. É necessário que seja feito um hemograma, a pequenos intervalos, e se por acaso os glóbulos brancos caírem abaixo de 5.000, o médico deverá realmente tomar maior cautela. A ampicilina e a cefotaxima em doses elevadas têm sido recomendadas como droga eficaz no caso o cloranfenicol não poder ser aplicado. Entretanto, terão de ser dadas em doses elevadas e por via intravenosa, especialmente nos primeiros dias.

A recaída de febre tifóide poderá ocorrer, às vezes, noventa dias após o paciente ter recebido alta.

A vacina contra a febre tifóide é satisfatória, mas deverá ser dada com cautela, porque poderá haver uma certa reação; é indispensável que ela seja dada pelo médico, e que a criança permaneça no consultório por trinta minutos após sua aplicação, não devendo se retirar logo em seguida. A administração da vacina para crianças de seis meses a dez anos deverá ser dada em duas doses de 0,25ml cada, subcutânea, com três semanas de intervalo, ou três doses, com intervalos semanais; as crianças com mais de dez anos deverão receber duas ou três doses, com intervalos semanais de 0,5ml, também subcutânea, com intervalos de três semanas. Convém repetir a vacina depois dos três anos, se a criança permanecer em ambiente cuja contaminação pela doença possa ser provável. Uma injeção de reforço poderá ser administrada, intradérmica, na dose de 0,1ml, no antebraço e em qualquer idade; por via subcutânea, de 0,5ml, para crianças com mais de dez anos, e menos de dez anos, 0,25ml.

TIFO EPIDÊMICO (Exantemático)

É a forma mais grave das doenças tíficas, sendo conhecida, em alguns lugares, por "tifo das montanhas". O agente responsável é a *Rickettsia prowazekii*, transmitida pelo piolho (*Pediculus capitis*). É geralmente uma doença de evolução muito violenta. O tratamento é feito com o cloranfenicol (ver pág. 781).

Retrovírus é um tipo de vírus responsável pela maior parte das diarréias agudas em crianças nos primeiros seis meses de vida e até o terceiro ano. Na Europa ele aparece relacionado a epidemias em determinadas épocas do ano. Entretanto, no Brasil, ele ocorre de maneira regular durante todo o ano. O tratamento é o mesmo para todas as diarréias agudas.

Contágio. A transmissão é feita de uma pessoa para outra por contaminação fecal-oral, principalmente em locais de pouca higiene, sem saneamento básico.

Diagnóstico. É feito por imunoensaio (ELISA), com as fezes de pacientes com diarréia. Sua positividade é maior nos primeiros três dias da doença.

Tratamento. Como toda doença causada por vírus, não há tratamento específico, limitando-se às medidas gerais de manutenção da hidratação e controle sintomático de vômitos e cólicas.

TOXOPLASMOSE

O nome desta doença está sendo mais conhecido no decorrer dos últimos anos. O primeiro caso foi descrito em 1939. Tem adquirido importância excepcional para o nascimento dos bebês devido a manifestações sérias que eles apresentam quando a doença ataca sua mãe durante a gravidez. As manifestações no recém-nascido portador da toxoplasmose são as mais dramáticas possíveis: hidrocefalia (cabeça-d'água), microcefalia (cabeça pequena), lesões oculares graves (coriorretinite), com perda ou precariedade da visão e convulsões. Nos casos generalizados, a criança pode ter aumento do fígado (hepatomegalia), aumento do baço (esplenomegalia), pneumonia, febre e convulsões, devido às calcificações cerebrais. Entretanto, existem crianças, principalmente com afecções do sistema nervoso, que se apresentam relativamente bem ao nascer e a doença aparece após algumas semanas ou muitos meses.

Agente infeccioso. A toxoplasmose é uma doença causada por um protozoário nos homens e nos animais. O agente responsável é o *Toxoplasma gondii.*

Transmissão. O gato é o maior responsável pela propagação da doença, pois é o único animal que elimina os cistos nas fezes. Estes cistos poderão contaminar outros animais e o próprio homem. O homem se infecta pela ingestão destes cistos ou então pela ingestão de carne crua ou malcozida, proveniente de animais infectados. A toxoplasmose congênita resulta de infecção da mãe durante a gravidez. Apareçam ou não os sintomas na grávida, cerca de 1/3 dos fetos estará infectado. Esta doença é também causa de aborto, ou de fetos nascidos mortos, o que na verdade é uma seleção da natureza para evitar o recém-nascido doente sem cura. A forma adquirida da doença na sua forma clínica mais comum é o aumento dos gânglios, com ínguas por todo o corpo. Foi relatada uma epidemia desta doença numa universidade nos Estados Unidos, seguida de uma ingestão de hambúrgueres crus pelos estudantes, que continham provavelmente carne de vaca contaminada ou misturada com carne de porco ou de carneiro infectada.

A doença ocular é geralmente congênita. O exame de fundo-de-olho é indispensável em todo recém-nascido com toxoplasmose. Freqüentemente a doença ocular só se manifesta meses ou anos após o nascimento. Todo recém-nascido com suspeita de toxoplasmose congênita deverá realizar a ultrassonografia transfontanela para detectar a presença de calcificações cerebrais.

O diagnóstico clínico da doença é feito pela observação dos sintomas; entretanto, a confirmação por meio dos exames de laboratório é indispensável. O exame consta da pesquisa de anticorpos no sangue. O que importa é que o exame seja feito no exame pré-nupcial ou pelo menos antes que a mulher engravide. As mulheres que possuem anticorpos contra o toxoplasma, ao engravidarem, não correm risco, pois a toxoplasmose só é perigosa para o feto quando adquirida durante a gravidez. Se uma mulher, antes de engravidar, não possui anticorpos (defesas) contra o toxoplasma, deverá tomar o maior cuidado para não adquiri-lo durante a gestação.

Período de incubação. Aproximadamente sete dias; a média é de quatro a 21 dias.

Prevenção. Evitando o contato tanto com gatos quanto com suas fezes. Só coma carne bem cozida (cuidado com os rosbifes, pastéis, bolinhos de carne!).

Diagnóstico. É feito por exames especiais de laboratório. Durante a gravidez, o exame do líquido aminiótico deverá ser feito se houver suspeita de toxoplasmose.

Tratamento. Os melhores medicamentos contra o toxoplasma são a sulfadiazina e a pirimetamina, esta bastante tóxica (ver a pág. 754), não devendo ser administrada durante a gestação. Neste caso, recomenda-se a espiramicina. O tratamento dá resultados precários, pois o parasita fica encistado dentro dos tecidos e os medicamentos não o atingem bem.

Na forma adquirida, ganglionar, normalmente a cura é espontânea, não exigindo tratamento específico na maioria dos casos. O emprego do ácido folínico previne efeitos tóxicos hematológicos (sangue).

É obrigatório o acompanhamento pelo oftalmologista (exame de fundo-de-olho).

TUBERCULOSE

A introdução do bacilo da tuberculose no corpo humano não é, invariavelmente, seguida do desenvolvimento da doença. Algumas pessoas têm maior resistência do que outras. O número de bacilos que entra no organismo tem importância extraordinária no desenvolvimento da doença. A questão sobre fatores predisponentes é motivo de alguma discussão.

Hereditariedade. Não há evidência de que exista uma tendência hereditária à infecção tuberculosa. A infecção intra-uterina é muito rara, mas até hoje já estão comprovados mais de cem casos.

Raça. Não pode ser afirmado que a raça seja fator de predisposição. A incidência maior entre as raças negra e mestiça está ligada a fatores socioeconômicos, como precariedade de sistemas sanitários.

Clima. É discutível a importância do clima no desenvolvimento da doença. Cidades com superpopulação, com poucos lugares ao ar livre e com sol, subnutrição e moradias inadequadas deverão ser os fatores responsáveis.

Idade. É a doença mais freqüente na criança pré-escolar e no adolescente. As crianças, nos dois primeiros anos de vida, estão particularmente expostas aos riscos de contaminação com as babás, habitualmente submetidas a exames prévios e muitas vezes doentes bacilíferas (infectantes). A responsabilidade de parentes e amigos sem escrúpulos deverá ser considerada igualmente.

Transmissão. O bacilo da tuberculose não ataca apenas por inalação, como pela ingestão. Justamente a infância é a fase mais perigosa para a infecção, quando o ser humano apresenta notável suscetibilidade para a moléstia e fraca resistência. Deve-se evitar, de qualquer maneira, o contato de uma pessoa com tuberculose com um bebê, pois ele é uma verdadeira "esponja" em relação ao micróbio, absorvendo-o com extrema facilidade. Parentes e amigos que tenham sido afetados de tuberculose não deverão conviver com uma criança menor de três anos, pois embora tenham sido dados como curados, por diversas causas poderão se tornar contagiantes sem saber. A infecção tuberculosa é tão generalizada, o seu contágio é tão fácil que a imensa maioria dos adultos já sofreu a agressão do bacilo, uns conseguindo derrotá-lo, permanecendo sãos, outros por ele derrotados e adoecendo. E por isso já disse um grande médico, "que a tuberculose do adulto é uma velha canção, cuja primeira estrofe foi cantada no berço".

Na epidemiologia da doença, domina o contágio: a mãe tuberculosa não deverá amamentar seu filho (ver pág. 84), e a separação máxima torna-se indispensável ao nascer; se, porventura, não for contagiante (eliminadora de bacilos), não deverá ser também facilitada, convivendo-se o menos possível com a criança. Deve, além disto, vigiar-se para surpreender qualquer agravamento da doença, porque ocorre um fenômeno curioso: a mulher tuberculosa, quando engravida, melhora extraordinariamente da lesão pulmonar e do estado geral, permanecendo assim durante toda a gravidez.

As formas clínicas da tuberculose são diversas e sobretudo traiçoeiras. Chamamos a atenção para um tipo especial que se verifica no lactente: é a chamada tuberculose florida, em que embora albergando lesão tuberculosa grave, o bebê se mantém com aspecto excelente, conservando bom peso, humor etc., e repentinamente pode deflagar-se a tragédia!

Com o aparecimento da Aids, aumentou também a freqüência da tuberculose, como também o risco de as crianças serem contaminadas por meio dos pais infectados pelo HIV, e possivelmente já tuberculosos.

Agente infeccioso. O bacilo da tuberculose é o *Mycobacterium tuberculosis.* O tipo humano é o responsável por quase todos os casos de tuberculose pulmonar, cabendo ao tipo bovino raros casos de tuberculose extrapulmonar e variando a proporção, de acordo com as oportunidades de contágio por outro tipo.

Reservatório e fonte de infecção. O reservatório é, primordialmente, o ser humano, e, em algumas áreas, também o gado *vacum* infectado. As secreções das vias respiratórias de indivíduos com tuberculose pulmonar aberta (baciloscopia positiva) e o leite cru da vaca infectada constituem fonte de infecção. Os pacientes de tuberculose extrapulmonar não representam, geralmente, fonte de infecção.

Modo de transmissão. Ao tossir ou espirrar, o paciente com tuberculose pulmonar aberta lança no ar partículas infectantes; as diminutas partículas desta nuvem poderão ser inaladas diretamente ou após terem se depositado nas superfícies e novamente suspensas no ar, incorporadas à poeira. O contágio, direto ou indireto, constitui importante método de transmissão. A infecção alimentar, através de utensílios de mesa contaminados, não tem a mesma importância. A infecção decorre, geralmente, da convivência prolongada e íntima que caracteriza a vida em família. A tuberculose bovina é transmitida pela ingestão de leite ou laticínios que não tenham sido pasteurizados, provenientes de vacas tuberculosas, ou através do ar contaminado nos estábulos ou da manipulação de produtos de origem animal infectados.

Período de incubação. Da infecção ao aparecimento das lesões da fase primária, cerca de duas a doze semanas.

Período de transmissibilidade. Enquanto o paciente eliminar os bacilos da tuberculose. Começa quando as lesões se tornam abertas. O escarro de alguns pacientes permanece positivo, intermitentemente, durante anos. A terapia antimicrobiana abrevia o período de transmissibilidade.

Prevenção (vacina). A prevenção contra a tuberculose na infância resume-se em algumas medidas fundamentais, entre as quais se destacam a vacinação pela BCG intradérmica no primeiro mês e o controle de sua imunização por meio da tuberculino-reação (reação de Mantoux – PPD). Evite contato com pessoas tuberculosas ou suspeitas, sobretudo pessoas idosas, com tosse crônica, que, segundo dizem, é devida aos cigarros; uma chapa dos pulmões não fará mal para que possam, com tranqüilidade, continuar a beijar seus netos. Alimentação rica em leite, carnes, ovos, frutas cruas e legumes verdes, de preferência, é recomendada. Controle médico periódico e, no caso de qualquer suspeita, submeter a criança à abreugrafia, ar livre, quartos bem ventilados, arejados, atingidos pelo sol, bem como evitar dormir com muitas pessoas no mesmo quarto, enfim, são todas medidas de bom senso. A Sociedade Brasileira de Pediatria recomenda aplicação da segunda dose da BCG aos seis anos.

Tratamento. O uso de novas drogas, como a Rifampicina, a Estreptomicina, a Isoniazida e a Pirazinamida, em combinações com a hidrazida, melhorou extraordinariamente o prognóstico da tuberculose (ver pág. 785). Convém, entretanto, que o diagnóstico seja feito com urgência e que as doses dos remédios sejam rigorosamente adequadas; doses insuficientes ou tratamento interrompido dificultam a cura.

VARÍOLA

Moléstia terrível, que, além da gravidade, deixava o doente marcado para o resto da vida. A erradicação da varíola foi uma vitória extraordinária da medicina, resultando de um grande esforço de vacinação realizado em todo o mundo.

O último caso de varíola no Brasil ocorreu em abril de 1971, no Rio de Janeiro.

Ali Maow Maalin, cozinheiro do Hospital Distrital da cidade de Merka, no Sul da Somália, na África, apresentou erupções típicas de varíola em 26 de outubro de 1977. Este é o último caso de varíola registrado no mundo, de aquisição comunitária.

Em agosto de 1978, Janet Parker, uma fotógrafa que trabalhava num hospital em Birmingham, na Inglaterra, adquiriu infecção por exposição ao vírus, em laboratório, morrendo em conseqüência. Este é o último caso de varíola conhecido no mundo.

Numa reunião realizada em dezembro de 1979, a Comissão Mundial de Certificação da Erradicação da Varíola, da Organização Mundial da Saúde, concluiu que a doença tinha sido erradicada do mundo.

No Brasil, a Portaria nº 055 de 29/01/80, do Ministério da Saúde, aboliu a obrigatoriedade da vacina antivariólica, que já não é mais utilizada.

Esta praga milenar, que aterrorizou gerações, foi eliminada graças aos esforços dos cientistas e trabalhadores da saúde, bem como à cooperação das comunidades.

A todos, e especialmente a Jenner, o criador da primeira vacina (a vacina contra a varíola), nossas homenagens e gratidão.

VARÍOLA MINOR (Alastrim)

É uma doença menos grave do que a varíola e mais intensa do que a catapora. Alguns a chamam de varíola mansa. É de evolução benigna, deixando cicatriz residual, com marcas mais intensas do que as da catapora.

VIROSES

As doenças causadas por vírus estão sendo cada vez mais freqüentes, apesar dos grandes progressos alcançados pela medicina atual. Nas doenças provocadas por vírus que a medicina conseguiu isolar e preparar uma vacina, a situação está sob controle. Assim acontece com a paralisia infantil, a caxumba, o sarampo, a rubéola, a febre amarela e a varíola; entretanto, existem novos grupos de vírus que estão sendo progressivamente conhecidos e estudados, e que provocam uma série de doenças, algumas benignas e outras graves, para as quais ainda não se conseguiu identificar a todas ou preparar vacinas para os casos conhecidos. Um fato que complica a situação é a propriedade de os vírus não serem sensíveis aos antibióticos em quaisquer doses ou combinações.

Mas o que é um vírus? É um agente infeccioso, infinitamente pequeno, apenas visível pelo microscópio eletrônico. Os cientistas nos dão como ponto de transição entre o inorgânico e o orgânico, isto é, a vida e a não-vida. O vírus é composto por moléculas do núcleo das proteínas, só podendo viver no interior das células vivas do corpo humano, atingindo-o pelo contato com as secreções (saliva, esperma), excreções (fezes, urina) e sangue dos indivíduos ou animais contaminados. De modo geral, o período de incubação de uma doença por vírus é de três a cinco dias, e sua evolução varia de três dias a quatro semanas, ou mais, e a gravidade dependerá da natureza destrutiva do vírus e da capacidade de o organismo contaminado produzir imediatamente suas defesas (anticorpos) em quantidade suficiente para inativá-los e destruí-los.

O exame laboratorial de um vírus exige equipamento próprio e técnica especializada, o que torna a rotina do seu exame ainda difícil no exercício diário da clínica, somente sendo exigido em casos especiais, e em muitos casos sem conseguir um resultado positivo. Para dar uma noção aos pais de como é difícil o problema das viroses na infância, basta lembrar que, além das doenças provocadas por vírus definido, como já é do nosso conhecimento, a paralisia infantil, a rubéola, o sarampo, a catapora e outras já citadas, existem dois grupos de vírus que provocam uma série de doenças relativamente freqüentes na criança e outrora todas catalogadas como estado gripal, resfriados ou perturbações gastrointestinais. Destes dois grupos citados, os mais bem estudados são as echoviroses e as coxsackioses. Echovirose, a denominação echo vem da combinação americana das palavras: E (entero, intestino); C (célula); H (humana) e O (órfão). Esta denominação surgiu quando o vírus foi isolado de uma célula do intestino pela primeira vez, e, no começo, não se sabia que doenças ele provocava; assim, a denominação de órfão era devida à ignorância da sua finalidade. Hoje sabemos que neste grupo já foram identificados trinta tipos. Um estado febril leve, com erupção que lembra o exantema do sarampo, está associado ao tipo 19; estados febris, com manifestações de inflamação do sistema nervoso, com sinais de meningite ou encefalite, poderão ocorrer com a contaminação pelos vírus 2, 3, 4, 5, 6, 7, 9, 14 e 16. Os tipos 4, 9 e 16 aparecem em epidemias, porém os 2, 6 e 14 ocorrem de modo esporádico, casual, raro, acidental. Enterites, diarréias com vômitos poderão aparecer em caráter epidêmico, levando a criança facilmente à desidratação, sendo obrigatória a internação, provocada pelos vírus 14, 18 e 28. Entretanto, outros tipos, como o 8, 11, 12, 19, 20, 22, 23 e 24, aparecem de modo esporádico, raro, sem ser em epidemias.

O segundo grupo, cuja denominação é atribuída ao nome da cidade em que foi descoberto o vírus, no estado de Nova Iorque, Coxsackie. Já existem 24 tipos conhecidos, que provocam doenças na infância. Entre eles estão a herpangina (ver pág.585), quadros febris assemelhando-se à meningite, com vômitos, rigidez da nuca e dor de cabeça intensa, estados febris com dor intensa muscular, sobretudo no tórax, denominada pleurodinia, que é uma dor reumática nos músculos intercostais, inflamações do coração, miocardite, principalmente no recém-nascido, enfermidades do aparelho respiratório, inflamação da garganta, tosse irritativa constante, febre e inflamação dos olhos (conjuntivite), estados febris sem características orgânicas bem definidas, que se prolongam por dias e semanas e terminam pela cura. Unicamente o exame de sangue, o hemograma, é que deverá ser pedido de forma periódica, para ir acompanhando a evolução da doença e poder fazer o prognóstico.

Recentemente foram descobertos vírus de grande importância nas causas da diarréia infantil: os rotavírus, chamados assim porque têm aspecto de roda, e o vírus *Norwalk*, este com dez tipos.

Tratamento. De modo geral, o tratamento contra as viroses varia muito com a evolução da doença; entretanto, é aconselhável que o doente fique em repouso, tenha uma alimentação leve, mas rica em proteínas e vitaminas (carne cozida, grelhada e frutas), hidratação perfeita, ingestão de líquidos, intestino livre, e use antitérmicos ou analgésicos. O uso da injeção de gamaglobulina tem sido o recurso usado por muitos médicos; entretanto apresenta resultados discutíveis. O uso de antibióticos, principalmente de penicilina de grande espectro, é mais para tratar complicações bacterianas associadas do que realmente para o combate à virose.

A indústria farmacêutica dispõe atualmente de medicamentos antivirais que são empregados com razoáveis resultados: Aciclovir (Zovirax), Azidotimidina (AZT), Ganciclovir (Cytovene), Fascarnet (Foscavir), Amantadine (Symmetrel), Rimantadine (Flumadine) e outros. Estes medicamentos deverão ser prescritos pelo médico especialista e a sua aplicação deverá ser acompanhada pelo mesmo, pois poderão causar graves reações colaterais.

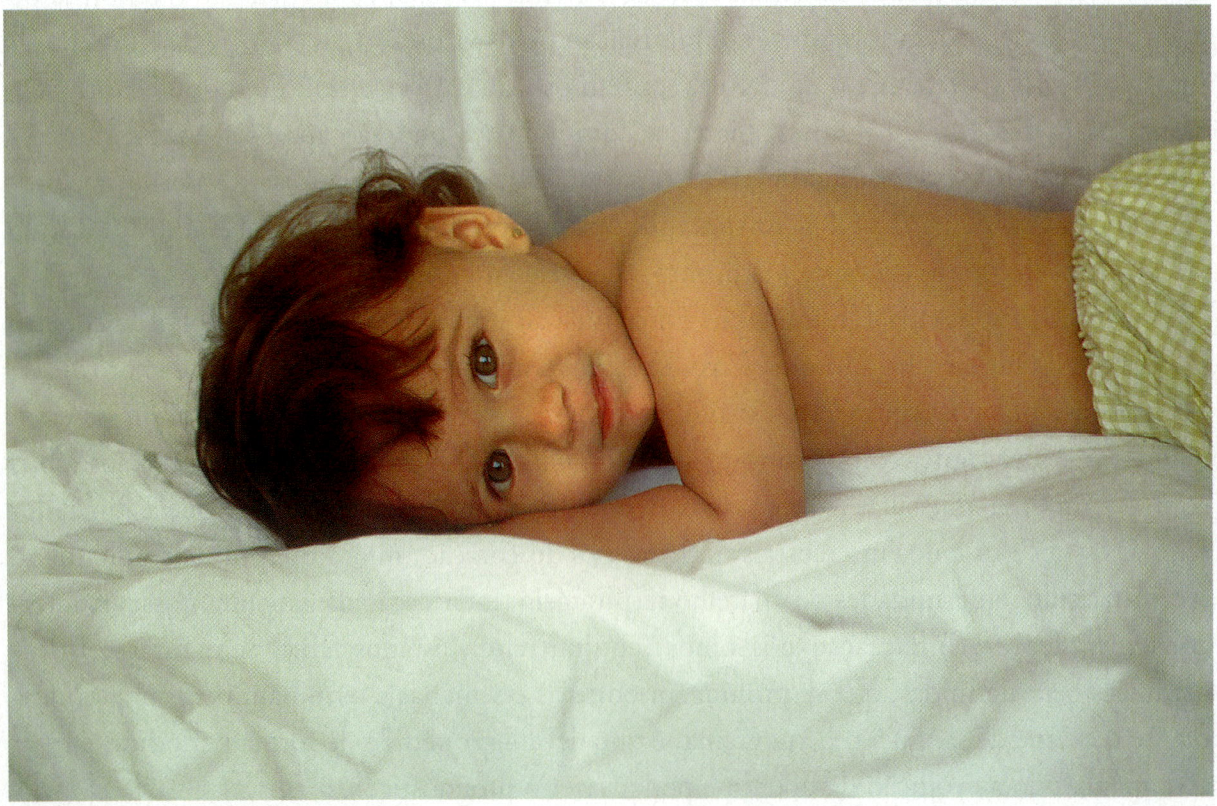

Capítulo 31

Doenças Comuns na Criança

Não-contagiosas

Doenças comuns na criança

QUANDO CHAMAR O PEDIATRA OU LEVAR A CRIANÇA AO CONSULTÓRIO

A decisão dependerá de diversas considerações: a idade da criança, os sintomas, o grau de febre, enfim, o aspecto geral.

O médico deverá examinar:

a) todo bebê com febre, com menos de seis meses de idade, independentemente do estado geral;

b) febre de 39°C em criança de seis meses a dois anos;

c) a criança sonolenta ou *desligada*, desinteressada do ambiente e das pessoas, mesmo sem febre, deverá ser examinada pelo médico;

d) qualquer criança com dificuldade respiratória ou com respiração acelerada;

e) criança de dois anos, com 40°C de febre, que os pais não conseguem baixar com antitérmicos e banhos, embora o estado geral seja bom;

f) criança com dor de barriga que resiste mais de duas horas aos medicamentos contra cólicas;

g) qualquer vômito que deixe a criança abatida;

h) diarréia que deixa a criança *caidinha* ou que tenha mais de seis evacuações em 24 horas; ou, então, menos evacuações, porém apresentando sangue ou pus;

i) criança que apresenta sinais evidentes de dor de ouvido;

j) choro ou gemido permanente, incontrolável pelos recursos habituais, carinho ou sedativo;

l) qualquer febre que dure mais de três dias, embora o estado geral se apresente satisfatório;

m) pálida ou assustada, expressão do rosto diferente, que as mães percebem por este sentimento misterioso, enigmático, que elas possuem;

n) infecções purulentas da pele (impetigo, piodermite) no bebê, bem como eczemas extensos;

o) manifestações hemorrágicas da pele – petéquias, hemorragias da pele semelhantes a picadas de pulga, e equimoses, que são manchas escuras na pele ou nas mucosas da boca.

REAÇÃO ALÉRGICA A MEDICAMENTOS

a) a reação poderá ocorrer imediatamente após a ingestão ou dentro de horas ou dias após o medicamento ter sido ingerido;

b) as reações mais comuns são urticária, coceira (prurido) e, em casos mais graves, alguma dificuldade para respirar;

c) quando as reações são mais duradouras, persistentes, elas se iniciam após três dias de o remédio ter sido tomado, e são urticária e inflamação das articulações; o *rash*, erupção de tonalidade rósea, pode aparecer entre cinco e sete dias depois de o medicamento ter sido interrompido;

d) o eritema urticariforme poderá se apresentar pelo rosto, braços, tronco e pernas; as solas dos pés e as palmas das mãos poderão ser também atingidos. São comuns as mudanças bruscas, com surgimento e desaparecimento rápido das "placas" que surgem em novos locais;

e) reações severas, como bolhas, vesículas, feridas (ulcerações) e hemorragia da pele são raras, mas possíveis. A eventualidade de febre e inflamação de órgãos internos (como os rins) tem sido relatada;

f) não só os remédios ingeridos são os únicos causadores. Qualquer medicamento que estabeleça contato com o corpo poderá provocar alergia; são suspeitos os colírios, gotas nasais, sprays (vaporizadores) nasais ou para garganta, supositórios, vacinas, sedativos, laxantes, analgésicos, tônicos, pastas de dentes e loções tópicas aplicadas na pele;

g) existem casos em que a criança é alérgica a medicamentos tomados ou aplicados na mesma ocasião. Saber qual foi o causador é questão de observação e tempo;

h) se a criança apresentar alergia a determinado medicamento, não deverá tornar a tomá-lo, pois as reações subseqüentes serão cada vez mais graves. A família deverá sempre avisar ao médico que estiver atendendo à criança;

i) até hoje não há teste definitivo e seguro para determinar a sensibilidade às drogas e os médicos acreditam ser da maior importância que isto se esclareça.

O APARELHO DIGESTIVO

Falta de apetite (inapetência)

As crianças que se negam a comer – recém-nascidos, pré-escolares e escolares – passam a constituir uma das maiores preocupações dos pais. Em primeiro lugar, a falta de apetite crônica, que interfere no peso, na estatura e no estado geral, é, sem dúvida, um caso de exame clínico. Diversos estados patológicos, como anemia, verminose, carência de vitaminas, infecções subagudas de evolução longa (algumas viroses) ou formas latentes de tuberculose ganglionar, amigdalites, sinusites, adenoidites crônicas, são provavelmente razões mais freqüentes que, após exame cuidadoso, o pediatra poderá verificar.

No que se refere aos pais, a falta de apetite poderá ser provocada por erros educacionais em relação à alimentação.

São os mais prováveis:

a) insistência (às vezes violenta): obrigar a criança a comer mais do que necessita; obrigá-la a comer quando está doente; obrigá-la a comer quando está contrariada; obrigá-la a comer o que os pais "imaginam" ser o ideal; obrigá-la a comer alimentos que ela detesta, porque os pais julgam ser muito bons;

b) ambiente agitado: excitações, brinquedos barulhentos etc.;

c) má qualidade do alimento em apresentação e preparação;

d) ambiente anti-higiênico, falta de ar, sol, repouso;

e) ambiente rígido e excesso de tarefas escolares;

f) falta de afetividade dos pais;

g) pais nervosos, angustiados com a comida;

h) alimentos maltemperados.

Remédio para induzir o apetite

Tem sido sempre um problema para os pediatras o tratamento da falta de apetite da criança. Os pais deverão compreender que após o primeiro ano de vida a criança normalmente tem o seu apetite diminuído, até aproximadamente os três anos. Corresponde esta *falta de apetite* ao período de *negativismo*, em que a criança é extremamente rebelde e inquieta, não ficando quieta para comer, e tem um prazer sádico em exasperar a mãe ou quem lhe vai alimentar. Também nesta idade os *resfriados* e *gripes* são muito freqüentes e contribuem para a falta de vontade de comer. A própria natureza do crescimento nesta idade faz com que ela coma menos. No primeiro ano de vida a criança triplica de peso, entre um e três anos engorda apenas dois quilos por ano, cerca de 200 gramas por mês. Os pais deverão ser alertados para o que possivelmente vai acontecer, antes do final do primeiro ano de vida, para que se preparem para enfrentar os problemas da melhor maneira possível, sobretudo com muita paciência.

Os tônicos para abrir o apetite administrados em colheres das de sopa, em gotas ou em comprimidos, depois das refeições, são de resultados desanimadores. Os denominados "estimuladores do apetite", baseados na diminuição do açúcar que eles acarretam, provocando a fome, dão resultados satisfatórios, porém terão de ser mantidos constantemente, pois a suspensão diminui o efeito. É conveniente que sejam administrados sob orientação médica, e não a critério dos pais, pois sendo compostos de drogas ativas podem repercutir sobre o sistema nervoso (ver anti-histamínicos estimuladores do apetite, pág. 783).

No capítulo Bebês-problema, na página 755, explicamos detalhadamente a questão da inapetência. Outros medicamentos que poderão melhorar o apetite e aparentemente engordar a criança são os chamados corticosteróides, isto é, a cortisona. Mas este é um recurso de baixa moral; são os médicos inescrupulosos que os usam para fazer a criança engordar, ou aparentemente melhorar o aspecto da criança, esquecendo-se dos efeitos secundários em relação ao uso da cortisona na infância.

A DOENÇA DOS LÁBIOS

Quilite angular (comissurite-perleche)

Denomina-se quilite angular a inflamação localizada nos cantos da boca, nas comissuras labiais, decorrendo deste fato o nome técnico de comissurite; ataca geralmente as crianças em idade escolar. Atualmente é atribuída à avitaminose B – deficiência de vitamina B_2 – ou infecção (estafilococos, sapinho, vírus etc.). A quilite angular é transmitida por objetos, como lápis, copos, garfos etc. Seu tratamento é com anti-séptico, tocando os cantos da boca duas ou três vezes ao dia, com algodão embebido em tintura de iodo, ácido lático ou solução de nitrato de prata a 1% sem álcool. O uso de complementos vitamínicos é útil. Seu nome popular é *boqueira.*

Lábios secos

Descamativos, fissurados, sangrando. A criança tem sensação de queimadura, tecnicamente denominada quilite. São comumente observados nos processos febris, como também pela sensibilidade (alergia) ao contato com brinquedos, alimentos, dentifrícios e goma de mascar. Algumas crianças apresentam o tique de umedecer os lábios constantemente com a língua, acabando por causar esta inflamação. Existem crianças que apresentam sensibilidade aos raios solares ou à exposição demorada ao vento frio. O tratamento consiste na aplicação de cremes à base de manteiga de cacau.

Lábios inchados

Urticária ou angioedema. A criança acorda subitamente com o lábio inferior ou superior extremamente inchado, sem dor, e surpresa. Trata-se de uma manifestação alérgica, causada por um tipo de alimento ou outro agente alérgeno (tudo que pode causar alergia), podendo ainda ser de causa hereditária, mais grave, ou por doença do complemento. O tratamento consistirá em um antialérgico ou anti-histamínicos (ver pág. 783).

Lábio leporino e fenda palatina

Lábio leporino é a separação do lábio superior da boca, de um lado só (unilateral), ou dos dois (bilateral), deixando visíveis as gengivas, e às vezes até as narinas. O bebê poderá apresentar, além do lábio leporino, uma abertura no céu da boca (fenda palatina), não havendo neste caso a separação da cavidade bucal da nasal. A incidência é de 1 por 1.000 casos de lábio leporino associado à fenda palatina, também conhecida como goela-de-lobo, e a eventualidade de ser somente a goela-de-lobo é de 1 por 2.500. O lábio leporino é mais freqüente nos meninos e a goela-de-lobo nas meninas. Sua causa parece ser genética, com casos anteriores em avós ou tios. Esta hipótese é reforçada pelo fato de aparecerem 40 a 50% de casos de gêmeos de uma só placenta (univitelinos, gêmeos verdadeiros) e somente 3 a 5% em gêmeos fraternos, isto é, de duas placentas. O maior problema é a alimentação. O bebê alimenta-se melhor na posição vertical, isto é, sustentado de pé.

O bico da mamadeira deverá ser flexível, com orifício bem aberto. É importante evitar que o bebê aspire o leite, atingindo o pulmão. O uso precoce de uma prótese de plástico, nos portadores de fenda palatina, auxilia sua alimentação, fornecendo uma base para a pressão da língua durante a sucção. Depois de alguns dias, o bebê acabará por se ajeitar com o bico da mamadeira; raras vezes há necessidade de usar sonda. A cirurgia do lábio leporino poderá ser feita desde os dois meses de idade, depois de o bebê ter ganho peso normal, estar livre de qualquer infecção oral ou respiratória. Quatro a cinco anos depois, deverá ser feita outra operação para possíveis correções. A correção das narinas, quando necessária, deverá ser feita na adolescência. A correção da goela-de-lobo variará de acordo com o seu tamanho e sua largura; deverá ser feita entre os seis meses e os cinco anos de idade. Se passar dos três anos, deverá ser colocada, então, uma placa para facilitar o treino da fala. A consulta ao cirurgião plástico é indispensável.

AS DOENÇAS DA LÍNGUA

Língua geográfica

A língua, neste caso, apresenta-se com uma camada branca, irregular em seus contornos, assemelhando-se à forma de um mapa, sendo esta a causa de a chamarem geográfica. Mostra variações, aparecendo e desaparecendo, e em outras ocasiões permanecendo por um, três ou cinco anos. Do ponto de vista clínico imediato, não tem significado ou perigo maior. Sua causa é desconhecida, sendo apontados diversos fatores: aumento da acidez gástrica, estados alérgicos, verminoses (oxiúros), falta de vitamina B (riboflavina) e em crianças portadoras de doenças crônicas.

Língua preta

São manchas pretas ou marrom-escuras que ocupam toda a face superior da língua, ou parte dela, sobretudo a posterior, mais para o fundo da garganta. O uso prolongado de antibióticos, por via oral, poderá provocá-la, especialmente pastilhas. A higiene regular da língua, com a própria escova de dentes, faz desaparecer o problema.

Língua suja

Língua saburrosa, freqüente em crianças com tendência a perturbações do estômago (má digestão, gastrites), crianças desidratadas, durante os períodos febris e nas que respiram constantemente pela boca, devido à hipertrofia das adenóides e amígdalas.

Língua fissurada (língua escrotal)

Que sangra com facilidade. Trata-se de língua geralmente grande, de aspecto feio, cheia de fissuras (cortes), e nos lábios percebe-se a impressão dos dentes; é observada com maior freqüência nas crianças mongolóides (ver pág. 734). Pode tornar-se dolorida pelo acúmulo de restos alimentares nas fissuras. A limpeza diária com a escova de dentes resolverá o problema.

AS DOENÇAS DAS GENGIVAS

A gengivite, inflamação das gengivas, é muito mais freqüente nos adultos e adolescentes do que nas crianças. As causas mais prováveis, quando se manifestam na infância, são infecções, entre as quais a estomatite (descrita na pág. 622) é a mais freqüente; falta de higiene bucal, com ausência de remoção dos resíduos alimentares entre os dentes, coisa comum nos escolares; falta de quantidade suficiente de vitaminas, especialmente por deficiência de sucos de frutas na dieta; reações alérgicas a alguns remédios e também são possíveis respiração constante pela boca, por obstrução nasal, pela hipertrofia das adenóides.

AS DOENÇAS DA BOCA

Mau hálito (halitose)

O mau hálito, o hálito fétido, é possível nas crianças, e tem comumente as seguintes causas:

a) dentes mal conservados, abertos, com fermentação das substâncias alimentares neles retidas;

b) amígdalas ou adenóides (carnes da garganta e do nariz) infectadas, com formação de pus ou catarro crônico; sinusite;

c) estômago "sujo", com expulsão de gases dos resíduos da digestão gástrica malfeita, conseqüente à insuficiência gástrica ou hepática;

d) mau hálito no decurso de moléstias graves, infecciosas, como estomatite, bronquite, bronquite pútrida, gangrena pulmonar e desidratação. A possibilidade da introdução de um corpo estranho na cavidade nasal deverá ser considerada. Os casos de esofagite crônica e por cândida (sapinho) deverão ser lembrados.

Aftas

São ulcerações de tamanho variado, eminentemente doloridas, localizadas nas paredes internas da mucosa que reveste a cavidade bucal. Suas causas são diversas, entre as quais podemos destacar alergia, distúrbios gástricos, infecções por vírus ou bactérias e o traumatismo provocado por brinquedos, escova de dentes, dentes quebrados ou cariados, alteração do sistema neurovegetativo e estados emocionais prolongados. Deve-se combater a dor, a acidez bucal e a infecção. Para a dor e a acidez, pode-se pulverizar, colocando na boca, de hora em hora, uma pitada (1g) de anestesina e uma pitada (1g) de bicarbonato de sódio. A administração de complexo vitamínico B, por um longo período, estará indicada nas crianças que constantemente apresentam aftas. Usa-se também uma solução anestésica local, como a solução oleosa de xilocaína a 2%, três vezes ao dia, antes das refeições. Elas se curam entre sete e quinze dias sem deixar marcas.

Estomatite (herpética)

A inflamação da mucosa que recobre a boca denomina-se estomatite. A forma mais freqüente, em crianças de um a três anos de idade, é a estomatite ulcerosa, estomatite catarral, e seu nome técnico é gengivo-estomatite herpética aguda. É uma doença infecciosa, provocada por vírus (Herpes *virus hominis*); é aguda, dolorida, com temperatura elevada, de evolução relativamente demorada, levando de sete a doze dias. Maltrata muito a criança, impedindo-a de se alimentar; com hálito malcheiroso, apresenta gânglios hipertrofiados (ínguas) no pescoço, além do aspecto desagradável quando atinge os lábios. As gengivas se mostram inchadas, sangrando com facilidade.

Não há medicação própria; a administração de antibióticos não está indicada, somente se houver infecção secundária, e assim mesmo deverão ser aplicados por injeção e não por via oral. Há medicação sintomática, sedativos para tirar a dor, aspirina, antitérmicos para baixar a febre e calmantes, mas prefira os supositórios. A alimentação é um problema; deverão ser dados líquidos mornos e nutritivos, isto é, concentrados. Leite condensado, caldo de carne com gema e cereais ou sopas em conserva, sucos de frutas não-ácidas, maçã, pêra, mamão. No caso de a criança não suportar a alimentação por via oral, absolutamente nada, nem água, na fase aguda, deverá ser aplicada hidratação venosa (soro). A hidratação facilita a cura, diminuindo sensivelmente a doença, evitando que as mucosas ressecadas piorem o quadro clínico.

Sapinho

Também conhecido por monilíase oral ou estomatite sacaromicósica (ver pág. 166).

AS DOENÇAS DO ESTÔMAGO

Vômitos

Os vômitos são tão freqüentes na infância, que só preocupam os pais quando se repetem no mesmo dia, quando se tornam crônicos ou no caso de deixarem a criança "caidinha". Não confunda os vômitos com as regurgitações. Vômito é a saída forçada do conteúdo do estômago pela boca; a regurgitação, mais comumente vista em bebês e em crianças com menos de um ano de idade, é a saída espontânea do conteúdo do estômago pela boca, freqüentemente com arrotos. No recém-nascido, as causas mais freqüentes são a superalimentação e os gases; no caso de persistirem, poderão ser conseqüência de causas mais graves, como acometimento cerebral, devido a partos difíceis, demorados ou cirúrgicos. A possibilidade de problemas no aparelho digestivo, de origem mecânico-obstrutiva, deverá ser admitida com urgência.

No lactente, de um mês a dois anos, as causas mais prováveis são doenças infecciosas agudas, do tipo denominado, de modo genérico, de gripais; são as rinofaringites, bronquites etc. Em segundo lugar, as doenças gastrointestinais, devido a alimentos inadequados, malpreparados ou em grande quantidade. As infecções por vírus, cujo tipo nem sempre é possível identificar, poderão se manifestar com febre e vômitos incoercíveis, exigindo hidratação. As de causa mecânica, como estenose do piloro e invaginação intestinal ("nó nas tripas" e obstrução por vermes, sobretudo lombrigas) manifestam-se sempre com violência, exigindo a presença do médico. Os vômitos causados pela apendicite, que nem sempre são obrigatórios, vêm acompanhados de outros sintomas. Os vômitos nervosos, emocionais, são freqüentes em crianças com distúrbios de comportamento, filhos de pais nervosos e vivendo em lares desorganizados. Os vômitos de viagem, em crianças que enjoam quando andam de automóvel, são manifestações de desequilíbrio neurovegetativo, comum em pessoas alérgicas, e costumam desaparecer com o tempo. A administração de remédios em gotas para vômito (ver pág. 787), por via oral, antes de começar a viagem, poderá evitar náuseas.

De modo geral, o que interessa aos pais é a condição de saúde em que se encontra a criança que vomita. Se estiver alegre, sem febre, sem dores e sem abatimento, foram vômitos ocasionais, sem maiores conseqüências. Porém, se vierem acompanhados dos sintomas citados com repetição, o socorro médico será indispensável. Ao esperar o médico, administre unicamente a seguinte solução: 1 copo de água (preferivelmente gelada, aos goles) com 1 colher (das de sopa) de açúcar comum ou 2 medidas rasas de Nidex. Se ela não aceitar a água, coloque na boca gelo picado, administre bebida gasosa bem gelada e aplique um supositório contra vômitos (ver Vômitos, págs. 157 e 532). No caso de os vômitos persistirem, haverá perigo de desidratação e a assistência médica será indispensável.

Gastrite

É a inflamação da mucosa que reveste o estômago. Poderá ser provocada pelo *Helicobacter pylori*, que é a mesma bactéria (micróbio) recentemente admitida como responsável pela úlcera do estômago nos adultos, que cede com medicação apropriada. Geralmente é dolorida e de evolução demorada; além da dor, poderá provocar, na sua fase aguda, distensão abdominal, com vômitos contendo bile ou sangue. Na sua forma crônica, as eructações fétidas (arrotos) são o sintoma provável. O tratamento dependerá da causa; dieta leve, sem frituras e de fácil digestão, sedativos, antiespasmódicos e líquidos espessos ou pós para proteção da mucosa do estômago são úteis. Não dê chá ou café (ver Cólicas, pág. 494). As infecções, especialmente as causadas pelo *Helicobacter pylori*, são de comprovação diagnóstica obrigatória e deverão ser tratadas com antibióticos e antiácidos, sob supervisão de um gastroenterologista infantil.

AS DOENÇAS DOS INTESTINOS

Diarréia

É definida como um aumento na freqüência, no volume ou na diminuição da consistência das fezes. A diarréia aguda é uma emergência. Segundo a definição da Organização Mundial da Saúde, deverá ser considerada diarréia a presença de três ou mais evacuações de fezes moles ou líquidas, no prazo de doze horas, ou uma única evacuação de fezes moles ou líquidas, contendo sangue, muco ou pus.

A diarréia da infância é dividida clinicamente em dois grupos: diarréias monossintomáticas e polissintomáticas. Monossintomática é a diarréia que representa um único e exclusivo sintoma, isto é, não vem acompanhada de febre, vômitos ou prostração. Este tipo é comumente benigno, e o bebê continua alegre e disposto. Na diarréia polissintomática, a criança apresenta febre, às vezes vômitos, e sede, e o mais grave de tudo, comprometimento do estado geral e prostração. Esta forma de diarréia é sempre grave, e não se deve perder um minuto sequer; o socorro médico é indispensável e urgente. O aspecto das fezes revela o grau de digestão dos alimentos, porém, se com as fezes for expelido catarro, pus, sangue ou muco, na maioria das vezes trata-se de infecção das mucosas (parede) dos intestinos.

As causas mais prováveis são as seguintes:

a) infecções intestinais (gastroenterites) causadas por bactérias ou vírus;

b) infestações por protozoários ou vermes;

c) reações colaterais de infecções gerais, gripe, otite, pneumonia, amigdalites etc.;

d) erro no preparo dos alimentos (malcozidos ou com excesso de açúcar ou farinha);

e) alimentos deteriorados (estragados);

f) superalimentação, por excesso de volume ou intervalos pequenos;

g) calor excessivo;

h) alergia a alguns alimentos;

i) uso de antibióticos, principalmente por via oral.

De modo geral, quanto menor o bebê, mais grave a diarréia; o médico deverá ser sempre informado.

A diarréia com desidratação quase sempre é devida ao primeiro item, isto é, infecção intestinal, devido ao hábito de os bebês levarem à boca tudo o que estiver ao seu alcance, como objetos, brinquedos, chupetas caídas no chão.

Tratamento (hidratação). O tratamento tem por finalidade corrigir a desidratação e evitar a desnutrição. De início, faça uma pausa alimentar até que a criança se hidrate, de acordo com a gravidade dos sintomas e a orientação médica. As crianças em uso de leite materno não deverão suspender esta alimentação. A hidratação prolongada com pausa alimentar, em bebê de poucos meses ou crianças já desnutridas, poderá levar rapidamente à desnutrição, o que é perigoso.

Deverá ser tentada a hidratação oral, com soro hidratante, cuja fórmula daremos a seguir.

A Organização Mundial da Saúde (OMS) recomenda o seguinte soro hidratante:

- 3,5g de cloreto de sódio
- 2,5g de bicarbonato de sódio
- 1,5g de cloreto de potássio
- 20g de glicose
- 1 litro de água

É um soro de formulação muito simples, distribuído pelo Ministério da Saúde em pacotinhos aluminizados, estando disponível nas farmácias.

Prepara-se o soro diluindo-se o pacotinho em 1 litro de água, de preferência filtrada e fervida. Na sua falta, pode-se usar o soro caseiro:

- 1 litro de água potável filtrada e fervida
- 1 colher (das de café, cheia) de sal de cozinha
- 2 colheres (das de sopa) de açúcar comum
- Gotas de limão (a gosto)

Como o soro caseiro não contém potássio, é importante que a criança receba logo que possível alimentos que contenham este sal mineral (banana, maçã, leite, cenoura).

O soro deverá ser dado, com a criança ao colo, em um intervalo de aproximadamente quatro horas, às colheradas, mesmo nas alimentadas exclusivamente ao seio. A dose total a ser administrada nas quatro horas é de um volume igual ao peso em quilogramas multiplicado por 100 (ou acrescido de dois zeros). Por exemplo: um lactente de sete quilos deverá receber 700ml do soro da OMS, ou caseiro, em quatro horas, dado às colheradas.

Se a criança iniciar um quadro de diarréia e vômitos, recomenda-se administrar imediatamente o soro, em pequena quantidade, em intervalos de cinco minutos.

Pode-se também oferecer um pouco de água com Nidex, ou água de arroz, mas a prioridade é para o soro.

A administração de antibióticos e medicamentos antiespasmódicos contra cólicas e vômitos deverá ser orientada sempre que possível pelo médico.

As drogas para combater os vômitos (metoclorpramida ou metopizamina), bem como as gotas antiespasmódicas contra as cólicas, não são, em geral, necessárias, sendo os antiespasmódicos até prejudiciais, pois impedem o movimento ativo dos intestinos, eliminando os vírus ou bactérias causadoras da diarréia. Estas drogas poderão provocar distensão abdominal ou sono na criança, que terá então dificuldade maior para tomar o soro ou se alimentar.

Os remédios para combater a febre (Aspirina, Dipirona ou Acetominofen) só deverão ser usados se a febre for elevada, pois poderão provocar irritação nas mucosas do estômago e complicar a situação.

Medicamentos contra a diarréia não são recomendados para as crianças abaixo de dois anos de idade, a não ser excepcionalmente, sob orientação do pediatra.

HIDRATAÇÃO ENDOVENOSA

Se a criança tomar o soro e não melhorar, não ganhar peso e cerca de quatro horas depois estiver na mesma situação, então deverá ser feita a hidratação endovenosa. Esta é indicada nos seguintes casos:

a) desidratação muito grave, principalmente se houver estado de consciência alterado (coma) ou convulsões;

b) estado geral grave, com a criança apresentando intoxicação ou infecção grave (septicemia);

c) falta de melhora clínica e de ganho de peso após quatros horas de hidratação oral;

d) vômitos incontroláveis, que não melhoram com a administração de soro. Observe que, na maioria dos casos, os vômitos vão diminuindo ou desaparecendo à medida que a criança toma o soro;

e) impossibilidade de tomar o soro, por fraqueza ou dor à deglutição (otite, inflamação no ouvido).

A EVOLUCÃO DA DIARRÉIA

Deverá ser explicado à mãe que a diarréia continuará presente ainda durante alguns dias. O importante é que ela não se desidrate, nem se desnutra. Dá-se, então, a alimentação normal da criança e administra-se soro toda vez que ela evacuar: aproximadamente 50ml (uma chuca) para crianças bem pequenas e 100 a 150ml (duas ou três chucas) para crianças maiores. Pode-se dar mais se a criança quiser. Se ela não quiser, não force.

Três a sete dias depois, a diarréia deverá ter passado. Na convalescença, normalmente aumenta o apetite da criança, pois ela desejará recuperar o que perdeu ou deixou de ganhar durante sua doença.

Se, na realimentação, ficar evidente uma grande intolerância ao leite de vaca, estará indicado o leite de soja, sob orientação médica, ou mesmo a Fórmula de Carne (ver pág. 118).

Crianças que se alimentam exclusivamente de leite materno raramente sofrem infecções intestinais. Quando isto ocorre, geralmente é porque a mãe decidiu acrescentar chá, água de arroz etc. à alimentação.

A alimentação ao seio jamais deverá ser suprimida na criança com gastroenterite, principalmente se ela estiver desidratada. Continue com o leite materno e acrescente o soro. A pausa para a aplicação de soro, indicada para crianças que tomam mamadeira e que estão desidratadas, não se aplica no caso do aleitamento materno. O soro para a criança que mama ao seio deverá ser oferecido em colherinhas sempre que possível.

Colite

Termo bastante popular, consiste na inflamação da parte final dos intestinos, o colo, justamente a parte mais grossa, onde as fezes se acumulam para serem evacuadas. Sua inflamação é mais benigna, silenciosa e menos perigosa do que a do intestino delgado (enterite). Algumas crianças, como adultos, têm a possibilidade de apresentá-la em caráter periódico. Existe evidente tendência familiar. Clinicamente, manifesta-se por cólicas que mais incomodam do que doem, por evacuações insuficientes ou mais freqüentes. Suas causas são diversas: infecções por bacilos disentéricos, salmonelas, coliformes, verminoses, alergia que provoca catarro e muco, pólipos e deficiência de sucos digestivos.

O tratamento dependerá da causa

Entretanto, uma dieta adequada, prescrita pelo médico ou pelos pais, poderá ajudar. Algumas crianças, bem como adultos, são vítimas de crises de colite com fezes líquidas, no verão ou durante viagens (são as chamadas "diarréias dos viajantes", "dos turistas" e "diarréias de verão"). O tratamento é o mesmo para a diarréia aguda.

DIARRÉIAS CRÔNICAS

As diarréias agudas, graves, as benignas e as periódicas (colites) já foram analisadas. A diarréia crônica é um problema sério na criança, considerando suas prováveis conseqüências, como a interrupção do crescimento e as dificuldades de ganhar peso, acompanhadas de irritabilidade, flacidez, palidez e predisposição às doenças do aparelho respiratório, além de, nos casos demorados, o comprometimento da inteligência. O diagnóstico e o tratamento imediato adequados se impõem para atenuar ou evitar estas conseqüências.

As principais causas da diarréia crônica durante a infância são:

Doença celíaca

É uma desordem intestinal caracterizada por fezes volumosas e gordurosas, em que a criança se apresenta barriguda, pálida, e pára de crescer e engordar. É causada pelo glúten, a proteína do trigo e das farinhas de aveia, cevada e centeio, usada na fabricação de pães, bolos, biscoitos etc. O diagnóstico é feito com facilidade, e o tratamento compõe-se de uma dieta sem trigo, aveia, cevada e centeio. São prescritas bananas em quantidade, que ajudam a controlar a diarréia e recuperar o peso.

Fibrose cística do pâncreas (mucoviscidose)

É uma doença congênita e hereditária, que altera as secreções de algumas glândulas, principalmente os pulmões e o pâncreas. A criança poderá apresentar tosse crônica, pneumonias repetidas, perda de sódio pelo suor (que poderá ser percebido quando se beija a criança), diarréia e deficiência de peso e altura. É uma doença rara em crianças afrodescendentes. O tratamento apropriado melhora sua sobrevida (ver pág. 748).

Alergia ao leite de vaca

A alergia às proteínas do leite não é tão freqüente quanto se pensa. Sua incidência oscila entre 2 e 10%. Parece que o recém-nascido é mais suscetível que a criança de mais idade. Alguns médicos admitem que os processos infecciosos intestinais predispõem à alergia ao leite de vaca nos primeiros meses de vida do bebê, principalmente às infecções intestinais. O processo é conseqüente à maior fragilidade da barreira intestinal (mucosa), permitindo a assimilação das proteínas, ainda não convenientemente digeridas, e estimulando a produção de anticorpos do sangue, acarretando manifestações alérgicas. Neste caso, a solução é administrar fórmula de soja ao bebê, a fórmula de frango ou as fórmulas hipoalergênicas (ver pág. 116).

Infestação de parasitas nos intestinos

Principalmente pela giárdia e por estrongilóides. Estes parasitas invadem as mucosas dos intestinos, prejudicando a assimilação das proteínas. Deverão ter tratamento apropriado.

Intolerância à lactose

Algumas crianças apresentam uma deficiência congênita de lactase, uma enzima existente normalmente no organismo e que desdobra a lactose (açúcar do leite) em glicose e galactose, facilitando a digestão e a assimilação das proteínas.

A deficiência de lactase é o modelo dos distúrbios da assimilação dos hidratos de carbono (farinhas e açúcares), denominada de disdissacaridases. Os sinais clínicos são diarréia aquosa, distensão abdominal e, nos casos mais graves, vômitos e desidratação. Para todo bebê que, recebendo leite materno ou leite de vaca – este tanto líquido como em pó –, que são ricos em lactose, apresentar estes problemas, a solução é administrar leite sem lactose (ver pág. 107).

As diarréias agudas podem, por lesão da mucosa intestinal, levar à deficiência transitória da lactase, que é mais comum que a forma congênita, apresentando os mesmos sintomas.

Hoje a lactose pode ser comprada nas farmácias e em importadoras (*lact-aid* ou lactase) e usada no momento em que se dá leite ou seus derivados à criança.

Os casos rebeldes devem ser acompanhados, se possível por pediatra especialista em gastroenterologia.

PRISÃO DE VENTRE (Obstipação)

Prisão de ventre (obstipação)

Entende-se por obstipação a ausência de evacuação diária ou então a eliminação de fezes duras, em pequena quantidade e ressequidas, eliminadas com dor. A evacuação diária de fezes macias, e em coluna, não pode ser considerada prisão de ventre.

As causas são, normalmente:

a) subalimentação;

b) dietas com excesso de leite, carne e ausência de legumes, verduras e frutas;

c) evacuação dolorida provocada por pólipo, hemorróida, fissura no ânus ou bolo fecal volumoso (obstipação de defesa);

d) nervosismo, grande tensão emocional;

e) em crianças entre um e dois anos, com medo do sanitário grande, ou, então, uma experiência desastrosa, caindo ou escorregando do vaso pequeno;

f) causas anatômicas, intestino muito grosso ou dobrado (ver Megacolo, pág. 630).

Tratamento da prisão de ventre – obstipação. Para o tratamento da prisão de ventre, em primeiro lugar deverá ser considerada a idade da criança (recém-nascido, bebê nos primeiros dois anos de vida, de dois a seis anos, em idade pré-escolar e de sete anos em diante, em idade escolar). Mas, de modo geral, podemos dizer que o tratamento consiste em cinco princípios fundamentais:

1) Dietético. Prescrevendo alimentos que a impeçam e não que provoquem a prisão de ventre. Assim, proíba banana, cenoura, maçã sem casca (porque a casca é laxante) e goiabada; dê aqueles que "soltam" os intestinos (legumes, folhas verdes, alface, couve, bertalha, espinafre, caruru); dê também frutas frescas (como mamão e laranja), fazendo a criança comer o bagaço, e frutas em compota (sobretudo pêra e pêssego). O mel de abelha, não o mel preparado com glicose, dextrose e outros hidratos de carbono, é útil; no que diz respeito ao leite, sabemos que tem tendência a prender os intestinos, e deve-se restringir seu consumo.

2) Medidas de ordem psíquica. Considerando ser a criança nervosa, devido a um parto difícil ou educação rigorosa no treino dos hábitos higiênicos, filhos de pais neuróticos, sedativos ou tranqüilizantes poderão ser usados, por alguns poucos dias.

3) Os supositórios de glicerina. Simples para bebês e crianças pequenas, podem ser usados, de preferência, nos dois primeiros anos de vida. Não os use mais tarde, como rotina, por problemas que todos podem compreender, isto é, chamar a atenção da criança para a libertação das suas dificuldades por meio de uma manobra que envolve o esfíncter anal. A aplicação de lavagens intestinais, com água fervida e morna, em que foi dissolvida 1 colher (das de sopa) de glicerina, poderá ser feita no caso de a criança reter fezes por mais de 24 horas, mas estas medidas devem ser orientadas pelo médico.

4) Medicamentos laxativos. Os menos prejudiciais são os óleos minerais; no caso de serem dados, não deverão ser como rotina; neste caso é preferível usar medicamentos tônicos polivitamínicos, que devido à sua composição xaroposa podem causar fezes mais líquidas (ver pág. 785).

Os medicamentos que agem de modo especial pela excitação da mucosa intestinal deverão ser empregados somente com prescrição do médico (ver pág. 785).

5) Água. Não há constipação que resista a uma super-hidratação oral. Dois a quatro litros de líquido por via oral, de acordo com a idade da criança, resolvem o problema das fezes secas.

Megacolo

Sua característica é a de terrível prisão de ventre, durando dias, acompanhada de grande distensão abdominal. É uma doença mais freqüente nos meninos do que nas meninas, prejudicando o crescimento. Sua causa reside na dilatação exagerada e congênita dos segmentos finais do intestino grosso (colo), por falta da inervação dos segmentos distais, criando uma área de estreitamento. É grave, criando uma série de problemas psicológicos, não só para o paciente como para toda a família, pois cada evacuação poderá demorar de seis a oito dias, e quando se processa, é um verdadeiro drama. O diagnóstico é confirmado pelos raios X. O prognóstico é reservado; alguns conseguem soluções clínicas. O tratamento é médico, porém a possibilidade de intervenção cirúrgica deverá ser examinada e, em alguns casos, a cura é completa. O clister aplicado pela família deve ser composto de meio ou 1 litro de água morna com 20 a 40cm^3 de óleo mineral, aplicado vagarosamente e por sonda.

Dor de barriga

Manifestações dolorosas localizadas no abdome, fortes ou brandas, permanentes, transitórias ou periódicas, são freqüentes na infância. De modo geral, podemos afirmar que toda dor de barriga que dura mais de duas horas pede a presença do clínico; se depois de seis horas dos cuidados clínicos ainda perdurar, será necessária a presença do cirurgião. As causas das dores de barriga são inúmeras; podemos resumi-las nos seguintes grupos:

a) gases;

b) inflamações;

c) nervosismo;

d) conseqüência de traumatismos anteriores;

e) estrangulamento do intestino (torções);

f) congestão das vísceras (fígado, baço);

g) verminoses e protozooses (giárdias, ameba etc.). Do ponto de vista médico, são classificadas em emergências abdominais clínicas ou cirúrgicas, quando são dolorosas ou quando comprometem o estado geral. O diagnóstico diferencial exigirá grande perícia e conhecimento do médico; sendo caso clínico, sedativos, antiespasmódicos ou antibióticos resolvem, mas, sendo cirúrgico, restará somente a intervenção cirúrgica. A situação é de tal gravidade que a falta da intervenção poderá custar a vida do doente.

Invaginação intestinal

Esta doença consiste na introdução de uma parte do intestino por dentro da outra; é a intromissão de um segmento do intestino na porção distal adjacente. É mais freqüente entre os quatro e os sete meses de idade, mais nos meninos do que nas meninas, sobretudo em bebês vítimas de terríveis cólicas nos seus primeiros meses de vida. Sua manifestação clínica é dramática e repentina: dores abdominais, vômitos, palidez, transpiração, gritos e evacuação sanguinolenta e com muco. Estes sintomas tornam a se manifestar após um período de relativa tranqüilidade. A presença do médico é indispensável. O exame processado pelo cirurgião e os raios X, com o uso de contraste (bário) e a ultrassonografia, completam o diagnóstico. O tratamento é clínico ou cirúrgico; existe sempre a possibilidade de se resolver durante a aplicação de clister de bário em alguns casos, ou mesmo espontaneamente.

Apendicite

A inflamação do apêndice é mais freqüente na idade escolar, porém poderá ser observada excepcionalmente nos dois primeiros anos de vida. De modo geral, a ordem do aparecimento dos sintomas é muito importante. O primeiro sintoma é a dor, espontânea ou por apalpação, e o local da dor varia muito: estômago, umbigo ou sobre o apêndice (lado direito do abdome). O segundo sintoma são as náuseas e os vômitos. O terceiro, a sensibilidade exagerada da pele na região do apêndice. O quarto, a febre, é discreta ou alta. O que os pais deverão fazer antes da chegada do médico é colocar a criança em repouso, tendo uma bolsa de gelo sobre a barriga. Nunca, nunca mesmo, deverão ser dados purgantes ou laxantes, e também devem ser evitados os sedativos ou antiespasmódicos (codeína, beladona), porque a administração destas drogas dificulta o exame clínico, diminuindo os sintomas e não permitindo ao médico o diagnóstico seguro com as providências imediatas que, muitas vezes, são indispensáveis. Outras moléstias que podem simular apendicite são a pneumonia (faça sempre a radiografia dos pulmões), infecção intestinal, invaginação intestinal ("nó nas tripas") e infecção urinária.

Hérnia umbilical

É mais freqüente nos prematuros e nos bebês que nasceram com pouco peso, mongolismo e casos de deficiência da tireóide. Admite-se ser de tendência hereditária. É percebida mais durante o choro, não incomodando a criança e desaparecendo facilmente pela pressão suave dos dedos. O tratamento dependerá do seu volume. Desaparece espontaneamente, na maioria das vezes entre os dois e os três anos. Se permanecer além dos quatro, e, no máximo, dos seis anos, deverá ser operada. Tratamos deste assunto nas páginas 212 e 485.

Hérnia inguinal

Ocorre comumente em 5% dos bebês. Sua localização difere do local da hérnia umbilical; apresenta-se geralmente na virilha (região inguinal). É mais freqüente nos meninos do que nas meninas, aparecendo mais do lado direito do que do esquerdo; a hérnia dupla é rara. É quase sempre congênita, raras vezes adquirida. As hérnias inguinais deverão ser operadas o mais cedo possível, caso permitam as condições da criança. A hérnia que se insinua nos testículos (bolsa escrotal), diagnosticada na primeira semana de vida ou no primeiro mês, deverá ter o mesmo tratamento. A colocação de fundas está abandonada. A possibilidade de estrangulamento estará sempre presente. A criança suporta muito bem a cirurgia, que se denomina herniorrafia, apresentando-se bem 24 horas depois, e a alta hospitalar poderá ser dada de acordo com o caso e a decisão do cirurgião.

Hérnia inguinal encarcerada

É o caso de uma hérnia localizada na virilha ou no saco escrotal não voltar para a cavidade abdominal quando submetida a manobras suaves pelos dedos. A hérnia não está estrangulada, ela incomoda mais do que dói, e o bebê pode se apresentar manhoso ou inquieto. Apenas a hérnia está encarcerada em lugar impróprio, devido a uma dilatação provocada por gases em local cujo orifício, por sua exigüidade, não permitir sua redução. Se este fato perdurar mais de doze horas, não sendo possível removê-la pelos processos manuais habituais, a criança deverá ser levada ao médico.

Hérnia estrangulada

A hérnia inguinal é muito mais freqüente no sexo masculino e o seu estrangulamento ocorre na freqüência de um caso para 500 crianças herniadas. O estrangulamento completo é observado mais freqüentemente no primeiro ano de vida e os prematuros são os mais predispostos. Instala-se de maneira repentina e dá-se a conhecer antes de tudo por fazer a criança dar gritos violentos; mais tarde sobrevêm vômitos e abaulamento do abdome são sinais de obstrução e o bebê se mostra inquieto e apavorado, e os pais percebem logo que ele está em perigo. O local da hérnia não se apresenta inflamado (quente e vermelho); apresenta um edema (inchação) local. A intervenção cirúrgica é a solução imediata, a tentativa de reduzir (desfazer) a hérnia com o auxílio dos dedos esta fadada ao fracasso.

Hérnia epigástrica

Ocorre no meio da linha que liga o umbigo à extremidade inferior da parte média do tórax (osso esterno). Não é comum; é uma saliência que se mostra nesta linha, geralmente indolor e sem cor, e que cede facilmente sob a pressão da ponta do dedo. Alguns pais a confundem com a hérnia umbilical, quando, na verdade, se apresenta muito acima da cicatriz umbilical. Somente a correção cirúrgica resolverá a situação, cuja intervenção ficará a critério do médico quanto à necessidade ou a ocasião de procedê-la.

Hérnia diafragmática

O diafragma é um músculo que separa o tórax do abdome, sendo responsável pela respiração. O bebê nasce com um defeito neste músculo, permitindo aos intestinos e ao estômago penetrarem no peito, comprimindo o coração, as artérias e os pulmões, dificultando a respiração.

A hérnia diafragmática é uma emergência cirúrgica no berçário nos casos graves; apesar de a cirurgia infantil atual ter alcançado um alto nível de perfeição, este tipo de intervenção poderá ter resultados desfavoráveis, embora o diagnóstico tenha sido feito logo e a intervenção cirúrgica, perfeita. Existem casos benignos em que a hérnia diafragmática é discreta, não incomodando o bebê, e ela só será diagnosticada mais tarde, no decurso de qualquer investigação radiológica.

Fissura anal

Consiste em uma ulceração das pregas do ânus, provocada por clisteres, oxiúros, alergia ou fezes duras. A defecação dolorida, acompanhada de estrias de sangue vivo, acarreta como defesa da criança a prisão de ventre. O tratamento consiste em amolecer as fezes e proteger o ânus com uma pomada anestésica ligeiramente anti-séptica. A aplicação de uma solução de nitrato de prata a 1%, uma a duas vezes por dia, está indicada. Faça o asseio da criança apenas com água. Não use papel.

Prurido anal

É a coceira no ânus, às vezes tão violenta a ponto de sangrar. É provocada geralmente por oxiúros, alergia, falta de higiene e limpeza local, fraldas molhadas ou de tecidos sintéticos etc. O tratamento dependerá da causa, procurando-se remover os fatores determinantes da coceira. Os cremes à base de cortisona são muito úteis, desde que não haja infecção local ou parasitose (oxiúros). Quando o prurido é causado pelos oxiúros, recomenda-se o tratamento local com pomada de Tiabendazol (ver pág. 785), colocando-se a pomada ao redor do ânus, deixando entrar um pouquinho. No caso das meninas, deve-se passar a pomada também na vagina. Como a coceira é mais intensa à noite, então esta é a hora mais importante para passar a pomada. Ao mesmo tempo, deve-se tratar dos oxiúros, com pomato de pirantel (Pyr-Pam) ou Mebendazol (Pantelmin, Panfugam). O tratamento deverá ser estendido a toda a família, pois o oxiúro é contagioso (ver Mebendazole pág. 785).

Expulsão do reto

Popularmente denominada de "pôr a via para fora", e pelos médicos de prolapso retal, é o ato de expulsão da parte final do intestino quando a criança vai evacuar. É mais freqüente entre dois e os quatro anos de idade, com tendência à cura espontânea.

As causas são, em primeiro lugar, predisposição anatômica de algumas crianças; segundo, algumas verminoses (tricuríase), o hábito de evacuar de cócoras (sertanejo); por último, doenças que acarretam certo grau de desnutrição, como o raquitismo, a anemia, doenças que se caracterizam por diarréia crônica, todas que provocam diminuição do tono (força) muscular. A redução, isto é, a correção, deverá ser feita com o auxílio de compressas mornas; as frias estão contra-indicadas. Um método simples de correção é o de cobrir o dedo indicador com papel higiênico e introduzi-lo no centro (orifício) da parte exposta, empurrando-o suavemente e retirá-lo repentinamente. Assim, o papel higiênico aderirá à mucosa do intestino, permitindo que o dedo fique livre para ser retirado. O papel umedecido será expulso mais tarde. Naturalmente deve-se proceder antes a uma limpeza feita com algodão embebido em água fervida e morna e sabão. Nos casos rebeldes, a colocação de esparadrapo, unindo as nádegas por algum tempo, é indicada. Outros cuidados deverão ser tomados, como o de evitar a prisão de ventre; administrar vitaminas, sobretudo A e D, oferecer dieta rica em proteínas. Examine cuidadosamente para verificar se há pólipos ou tendência a hemorróidas, trate as verminoses e evite, com todos os recursos possíveis, a diarréia. O tratamento cirúrgico estará indicado no caso de o tratamento clínico não ter tido sucesso.

Hemorragia gastrointestinal (evacuação com sangue vivo ou digerido)

A hemorragia retal na criança poderá ser devida a várias causas, algumas benignas e outras graves. Ocorrendo perda de sangue através do ânus, a causa deverá ser investigada para se estabelecer o tratamento adequado. As seguintes perguntas deverão ser respondidas pelos pais:

a) há quanto tempo ocorre hemorragia?

b) qual é a cor do sangue eliminado?

c) qual é a quantidade de sangue eliminado?

d) o sangue eliminado vem misturado com as fezes ou apenas as recobre?

e) há vômitos concomitantes?

f) a criança, além da eliminação sanguínea, apresenta outros sintomas?

As causas mais freqüentes de sangue vivo (hematoquezia) nas fezes são fissura (rachadura) anal, fístula anal, prolapso retal, hemorróidas, pólipos (caroços pediculados), hemangioma, colite infecciosa, púrpura, doença hemorrágica do recém-nascido, corpo estranho engolido e invaginação intestinal. As causas mais freqüentes de sangramento digerido (melena) são sangue deglutido, varizes esofágicas, úlcera gastroduodenal (sempre com vômitos com sangue), divertículos, duplicações intestinais e esofagite.

VERMINOSES

O problema dos vermes intestinais constitui capítulo antigo da medicina infantil. No passado, era o diagnóstico mais freqüente, pois por tudo que acometia a criança os responsáveis eram os vermes. Com a evolução e o progresso científicos, eles foram colocados em seu lugar exato. Alguns vermes são mais prejudiciais do que outros e, quando em grande número, podem provocar obstrução nos intestinos, como acontece com as lombrigas. A célebre história das convulsões provocadas por vermes está desacreditada atualmente, porque, na verdade, as convulsões são desencadeadas pela febre, ocasião em que os vermes são também expelidos, porque suportam mal as temperaturas elevadas do organismo. Os pais, impressionados pela presença dos vermes, atribuem-lhes a causa da convulsão, quando na verdade são igualmente vítimas da temperatura alta, bem como o organismo infantil. Não há dúvida de que, se não provocam convulsões, eles são responsáveis por anemias, diarréias, vômitos, desnutrição etc. Sua eliminação torna-se necessária. Por que as crianças sofrem de verminose com tanta facilidade? Para responder a isto é suficiente considerar a freqüência das fontes de contaminação, todas fáceis de atingir a criança. Isso será analisado posteriormente.

Contaminação pela boca

a) alimentos sem ter sido lavados ou crus ou mal cozidos: *frutas e legumes* – acarretam principalmente áscaris (lombrigas), trichuris, giárdia, ameba; *carnes de vaca – Taenia saginata*, toxoplasma; *carne de porco – Taenia solium*, toxoplasma, trichinela. As tênias são conhecidas pelo nome de solitárias. Qualquer carne crua ou mal cozida pode causar toxoplasmose;

b) terra contaminada: acarreta principalemnte áscaris, trichuris, ameba, giárdia;

c) contato com animais domésticos: *cachorros e gatos* – as fezes destes animais transmitem *Toxocara canis* e *Toxocara catis*, que acarretam a larva *migrans* visceral. Os gatos são os principais transmissores da toxoplasmose. Os cistos de toxoplasma são eliminados nas fezes e os outros animais e o homem se contaminam ao ingerir estes cistos;

d) água: é o maior meio de transmissão da ameba e da giárdia;

e) pessoa para pessoa: é o círculo pessoa – ânus – dedo – boca – roupa. Acarreta o *Enterobius*, conhecido popularmente por oxiúro, além de giárdia, ameba, estrongilóides.

Contaminação pela pele

a) terra ou areia contaminada: acarreta estrongiloidose, provocada pelo verme estrongilóide, ancilostomose, provocada pelo necátor, pelo ancilóstomo e pela larva *migrans* cutânea (dermatite serpiginosa, "bicho geográfico" ou "bicho-de-praia"), provocada pelas larvas de vermes de cães e gatos (*Ancylostoma caninum* e *Ancylostoma brasiliensis*);

b) água parada de lagoas: acarreta esquistossomose, provocada pelo esquistossoma;

c) mosquitos: acarretam a filariose (ou calazar).

Moscas, baratas e outros insetos contribuem para a disseminação das parasitoses, pois transportam larvas, ovos etc. de um local contaminado para outro.

Como evitar as verminoses

a) conserve as unhas cortadas rentes e limpas;

b) mantenha os brinquedos que a criança leva à boca bem limpos;

c) só consuma água filtrada ou fervida;

d) use xícaras, pratos, copos e talheres somente bem lavados;

e) as verduras deverão ser bem lavadas e mergulhadas dez a quinze minutos em água com vinagre;

f) não dê raízes cruas (cenouras), nem frutas e legumes com casca;

g) as carnes deverão ser bem cozidas;

h) hábitos de chupar o dedo ou roer unhas deverão ser controlados, quando for possível;

i) evite deixar a criança brincar com terra, principalmente em lugares sem rede de esgotos;

j) mantenha rigorosa higiene após ir ao banheiro, não só do local como das mãos, lavadas e escovadas;

l) combata moscas, mosquitos, baratas etc.

O tratamento das parasitoses é feito hoje com grande simplicidade e segurança, graças a novos medicamentos, fáceis de administrar, bem tolerados e eficazes contra a maioria dos parasitos.

Não há, assim, necessidade de cuidados especiais para o tratamento das parasitoses habituais, como áscaris (lombriga), oxiúros, trichuris, necátor (amarelão), tênia (solitária) etc. Uma exceção é a esquistossomose, cujo tratamento ainda apresenta alguns problemas, devendo sempre ser feito sob orientação médica.

O diagnóstico e o controle do tratamento deverão ser feitos a partir do exame de fezes. O exame de fezes não é perfeito, sempre há uma margem de erros. Estas medidas, entretanto, poderão ser reduzidas ao mínimo, fazendo-se ao mesmo tempo de duas maneiras diferentes, incluindo uma pesquisa de ovos no ânus. Os exames deverão ser os seguintes:

1) um exame de fezes, parasitológico, pelo método de coleta denominado MIF. As fezes são coletadas durante três dias e colocadas em um frasco fornecido pelo laboratório, contendo a mistura MIF (M, de mertiolate; I, de iodo e F, de formol). Este método é o mais indicado para a maioria das parasitoses;

2) um exame de fezes frescas, pelo método de Baermann Moraes. Coletam-se as fezes, que deverão ser levadas imediatamente ao laboratório. Este processo visa à pesquisa de larvas de estrongilóides que não possam ser diagnosticadas pelo método anterior;

3) uma pesquisa de ovos de oxiúros na região perianal. Os ovos de oxiúros raramente aparecem nos exames de fezes, pois estes ficam colados na pele ao redor do ânus, onde provocam coceira, geralmente durante a noite. O método consiste em passar a parte colante de uma fita apropriada ao redor do ânus, pela manhã, bem cedo, antes de a criança se levantar, sem ter tomado banho ou qualquer higiene prévia. Coloca-se a fita dentro de um vidro ou frasco e leva-se para o laboratório. Os ovos de oxiúros, colados presos à parte gomada da fita, serão vistos ao exame microscópico.

Com estes três tipos de exames tem-se uma ótima probabilidade de diagnóstico das parasitoses, mas mesmo assim há erros. Desta maneira, quando houver sintomatologia sugestiva de parasitose, é válido fazer-se tratamento de prova, mesmo com exames negativos. Também é válido em lugares desprovidos de recursos de laboratório, dar-se uma ou duas vezes por ano antiparasitários polivalentes destituídos de efeitos tóxicos (Mebendazole, 100mg, 1 medida ou 1 comprimido duas vezes ao dia, durante três dias; mesma dose para criança e adultos). A orientação médica, entretanto, sempre será melhor.

Cuidados ao administrar um vermifugo:

1) a criança deverá estar em perfeitas condições de saúde, sem febre, vômitos, diarréia ou urticária;

2) na véspera da aplicação do vermífugo, a criança deverá estar sob dieta leve, sem frituras e gulodices. Deverá ser alimentada com legumes, massas, carne, tudo cozido em água e sal, e, como sobremesa, frutas frescas ou em compotas;

3) no dia da administração do vermífugo é prudente suspender qualquer medicação, principalmente sedativos ou tranqüilizantes.

Lombriga (*Ascaris lumbricoides*)

É um verme que pode ter o tamanho de um lápis. A fêmea chega a eliminar, por dia, 200 mil ovos, que saem com as fezes. A criança se infecta levando à boca alimentos e ou objetos contaminados pelos ovos. Segundo estatísticas, na idade pré-escolar, em algumas regiões, 95% das crianças são infectadas. Os sintomas dependerão do número de vermes, que poderão até obstruir os intestinos, com graves conseqüências. Os sintomas geralmente são vômitos, cólicas, enjôos, colite, diarréias, irritabilidade e urticária. Às vezes emigram para o fígado, o estômago ou os pulmões.

Tratamento. É feito com Tetramisol, Levamisol, sais de piperazina ou Mebendazole. O Tetramisol e o Levamisol são dados em dose única, sendo uma grande vantagem. Os sais de piperazina deverão ser dados quando houver quadro obstrutivo (bolo de áscaris nos intestinos). Entretanto, na maioria dos casos deve-se preferir o Mebendazole, pelo fato de ser um medicamento polivalente, isto é, capaz de eliminar também outros parasitos. O Mebendazole é administrado na dose de 100mg (uma medida ou um comprimido), duas vezes ao dia, durante três dias. Este medicamento não é absorvido pelos intestinos, sendo, portanto, destituído de efeitos tóxicos para o paciente. A dosagem e a duração do tratamento são as mesmas para crianças e adultos. Não há necessidade de jejum ou uso concomitante de laxantes.

Oxiúros (*Enterobius vermiculares*)

Pequenos, finos como uma linha, são os mais freqüentes de todos. O ovos são depositados ao redor do ânus e a coceira que provocam contamina os dedos da criança. Só raramente é eliminado pelas fezes. Os sintomas mais comuns são perda de apetite e de sono. O sintoma mais evidente é a coceira, isto é, o prurido anal, presente em mais da metade dos casos. As demais manifestações são vagas e inespecíficas: falta de apetite, irritabilidade, cólicas ligeiras (que se repetem), insônia ou sono agitado. Nas meninas há possibilidades de ele migrar para a vagina, causando prurido intenso e às vezes dor ao urinar. A profilaxia da oxiuriase deverá ser feita com insistência, senão permanecerá por toda a infância. O vermífugo deverá ser dado às outras pessoas da casa, pois possivelmente também estarão infestadas. Cuidados a serem tomados:

a) mantenha sempre as unhas da criança cortadas e escovadas, diariamente;

b) faça-a usar pijamas de uma só peça, para evitar que a criança coce o ânus à noite;

c) limpe freqüentemente seus brinquedos. O uso do aspirador está indicado no quarto do bebê e nas salas em que ele costume ficar;

d) as roupas de cama e pessoais deverão ser lavadas diariamente e fervidas;

e) evite dar banho de banheira; o chuveiro é preferível;

f) faça higiene local duas vezes por dia, com água e sabão, e, em seguida, passe óleo mineral.

O tratamento é feito com o uso de Mebendazole (ver pág. 785).

Giárdia

A infestação pela giárdia está se mostrando cada vez mais freqüente nas crianças durante a infância. Acredita-se que a urbanização, nos dias atuais, de cidades que se desenvolvem rapidamente, seja um dos fatores responsáveis. A giardíase passou a ser igualmente tão freqüente nas populações pobres como nas ricas das cidades dotadas, entretanto, de razoável saneamento. O confinamento passou a constituir o maior fator de disseminação do parasita, sobretudo nas comunidades infantis, como creches, colégios, grupos escolares, enfermarias. Nestes locais a contaminação de criança para criança se faz onde há maior contato, como em salas de brinquedos, de refeições coletivas e nos pequenos quadrados onde as crianças trocam entre si suas infestações parasitárias. É provocada por um protozoário denominado *Giardia lamblia*, que vive no duodeno (parte alta do intestino, próximo ao estômago). Às vezes vive, durante anos, absolutamente inofensivo; outras vezes pode provocar distúrbios intestinais e dores abdominais com surtos diarréicos. Pode perturbar a assimilação dos alimentos, enfraquecendo a criança, mesmo que ela coma bem. É transmitido por alimentos, água e moscas. Quando a infestação é maciça, pode prejudicar extraordinariamente a assimilação da criança, como já acentuamos, levando-a a um estado grave de desnutrição, podendo ser confundido com outros sintomas de causas mais sérias e difíceis de debelar. O diagnóstico diferencial deverá ser feito com atenção.

O tratamento é feito por medicamentos compostos de Metronidazol ou Furazolidona, administrados após as refeições, duas vezes ao dia durante cinco dias (ver pág. 787).

Estrongilóides

Estes vermes causam a doença denominada estrongiloidose. São vermes pequenos, com até dois milímetros, e uma vez localizados na parede dos intestinos, particularmente nas partes altas, perto do estômago, colocam ovos embrionados que se transformam em larvas. A via de penetração é a pele, assim como as mucosas do aparelho digestivo, boca, estômago e reto, parte final do intestino. As manifestações clínicas são mal-estar às refeições, dor de estômago, vômitos repetidos e surtos diarréicos (as fezes têm aspecto de alimentos mal digeridos, cheias de gordura), alternando com período de prisão de ventre. É rara antes dos dois anos, mas comum dos cinco em diante. As crianças nos países tropicais quentes e úmidos são as mais predispostas. A medicação deverá ficar a critério do médico. O medicamento indicado é o Tiabendazol (ver pág. 785), bem tolerado e que deverá ser dado em dose única.

Necator americanus

Denominado igualmente ancilóstomo duodenal, acarreta a doença conhecida por necatorose, ancilostomíase ou uncinariose. O verme é menor e mais fino do que o oxiúro, as larvas atacam através da pele, geralmente dos pés, em crianças que andam descalças na terra úmida. São vermes perigosos, porque geralmente surgem em grande número, sugando progressiva e constantemente muito sangue, provocando anemia intensa. De modo geral os sintomas são os mesmos da anemia: pele e mucosa descoradas, desânimo físico e mental, abdome proeminente, falta de apetite e tendência a comer barro e terra. A pele toma coloração característica amarelo-terrosa, de onde provém a denominação de "amarelão". Os lábios e as orelhas ficam pálidos, e a língua, além da palidez, perde a formação das papilas, tomando o aspecto característico de língua de porcelana.

Tratamento. Poderão ser usados o tetracloretileno ou o Mebendazole, devendo ser dada preferência a este último, pois é mais bem-tolerado e capaz de eliminar outros parasitos presentes (ver pág. 785). A dose do Mebendazole é de 100mg (uma medida ou um comprimido), duas vezes ao dia, durante três ou quatro dias. Não há necessidade de usar laxativo ou fazer jejum. A anemia, quase sempre associada a esta verminose, deverá ser tratada com sais de ferro e por uma alimentação rica neste sal mineral (feijão e outras leguminosas, folhas verdes, carne – principalmente fígado – e ovos).

Trichuris trichiura

Também conhecido por tricocéfalo, provoca a tricurose ou tricocefalose. É extremamente comum na infância, geralmente acompanhada por *Ascaris* (lombrigas) e oxiúros. Quando a infestação é pequena, o trichuris é inofensivo, porém em grande número pode provocar colite (ver pág. 627), com eliminação de fezes com catarro, muco e sangue.

Tratamento. Não existe ainda um medicamento totalmente eficaz contra o tricocéfalo. O Mebendazole, entretanto, embora muitas vezes não negative o exame de fezes, reduz muito o número de vermes, fazendo com que desapareçam os sintomas. A dose deverá ser de 100mg (uma medida ou um comprimido), duas vezes ao dia, durante quatro dias. É conveniente repetir o tratamento algumas semanas depois.

Solitária (*Taenia*)

Existem três tipos: a *Taenia saginata*, transmitida pela carne de boi; a *Taenia solium*, pela carne de porco, e a *Himenoleps nana*, pelo cão, extremamente pequena, encontrada geralmente nas crianças. A *Taenia saginata* é a que atinge maior tamanho, podendo medir até cinco metros e tem 2.000 anéis; a *Taenia solium* possui, geralmente, dois ou três metros.

Os sintomas, de modo geral, são vagos: dores abdominais, periódicas e rápidas, e fome, sobretudo à noite. A nosso ver é este último o sintoma mais característico na infância, assim como náuseas e vômitos repentinos e sem motivo aparente. A eliminação dos anéis pelas fezes (proglótides), com aspecto de pevide de abóbora, é a confirmação da doença.

O tratamento deverá ser feito com o Mebendazole, com o dobro da dose utilizada nas outras parasitoses. Emprega-se, então, na dose de 200mg (duas medidas ou dois comprimidos), duas vezes ao dia, durante três dias. Pode ser usado o Praziquantel (Cestox), em dose única de 200mg/kg.

Não podemos deixar de dar a fórmula do clássico, apreciado e popularizado tenífugo feito com sementes de abóbora:

- 50 a 100g de sementes de abóbora (frescas e piladas)
- 50 a 100g de açúcar
- 3 gotas de essência de hortelã (a gosto)

Emulsione em meio copo de leite de coco; tome em jejum, duas horas após beber um purgante salino preparado com 10g de sulfato de sódio, 20g de xarope de hortelã e 40g de água fervida (dose: 1g por quilo de peso).

Esquistossomo

Provoca a esquistossomose (doença do caramujo), altamente difundida nos estados de Pernambuco, Paraíba, Rio Grande do Norte, Alagoas, Sergipe, Minas Gerais e Bahia. Os ovos, expelidos pelas fezes do infestado, rompem-se e soltam larvas que atacam caracóis (caramujos). A larva, depois de se desenvolver durante trinta dias, abandona-o e nada para atacar, através da pele, os mamíferos e o homem. Em quinze minutos atravessa a pele, provocando coceira intensa e localiza-se dentro das veias, indo alojar-se, finalmente, nas veias dos intestinos e do fígado. Deverão ser evitados os banhos de rio, sobretudo em lagoas, principalmente durante sol alto, entre as dez e as duas horas da tarde, pois com o calor os vermes se exaltam e atacam com mais vigor.

O diagnóstico na fase aguda é suspeito se a pessoa apresentar prurido (coceira) muito forte, generalizado, depois de ter tomado banho em lago ou riacho com águas poluídas. Em seguida a este prurido, horas depois, o paciente poderá apresentar náuseas, vômitos, dor de cabeça e febre. Mais tarde, uma a duas semanas, virão urticária, prostração, vômitos, aumento do baço e do fígado. Para o tratamento, o medicamento indicado é o Praziquantel (Cestox).

Ameba (amebíase)

A *Entamoeba histolitica* acarreta a disenteria amebiana, descrita na página 568.

Tratamento. Para o tratamento da amebíase têm sido empregados com êxito diversos medicamentos, de acordo com a tolerância da criança e a indicação do médico (ver pág. 787). Exames de fezes periódicos deverão ser feitos duas ou três vezes para confirmar a cura.

O APARELHO RESPIRATÓRIO

Infecções respiratórias

As infecções respiratórias têm aumentado, principalmente em crianças até três anos de idade. Os casos de pneumonia costumam ser mais freqüentes nas crianças que vivem nas cidades do que nas que vivem no campo.

As causas estão na poluição do ar das grandes cidades, principalmente, tanto pela fumaça das fábricas como pela dos veículos. O ambiente doméstico, apartamentos pequenos pouco arejados, com muitas pessoas, o hábito de fumar em casa (a fumaça permanece no quarto por oito horas) provocam bronquites e pneumonias em bebês, com freqüência três vezes maior do que em casa de não-fumantes. Estima-se que crianças que vivem com fumantes fumam um cigarro em cada três que o adulto fuma.

As crianças nos dois primeiros anos de vida costumam ter, em média, de cinco a sete infecções respiratórias, como resfriado, coriza, amigdalite e bronquite. As infecções mais graves (10%) são provocadas por bactérias como estafilococos, estreptococos e outras, além das que são provocadas por viroses respiratórias.

Considerando que uma infecção respiratória não fica restrita a uma rinite, faringite, bronquite ou pneumonia, a tendência é agrupá-las em uma denominação mais genérica pelos médicos para diagnóstico ("infecção respiratória aguda", registrada pela abreviação IRA) nas fichas dos hospitais e dos consultórios médicos, e classificá-las de acordo com a benignidade e gravidade dos seus sintomas, fator indispensável para a prescrição terapêutica mais ou menos enérgica pelo médico.

No primeiro tipo, leve, sem febre ou subfebril, a medicação simples – por analgésicos, antitérmicos, gotas ou xaropes antitussígenos ou antialérgicos – é suficiente.

No segundo tipo, moderado, o exame médico já se torna necessário e possível a aplicação de antibiótico ou medicamento quimioterápico.

No terceiro tipo, grave. Não só a presença do médico é indispensável, como na maioria das vezes determina a hospitalização do bebê.

O RESFRIADO

A causa dos resfriados, febris ou não, são os diversos tipos de vírus, desde os da gripe até os denominados adenovírus e rinovírus, elementos estes com que a criança vai entrando em contato nos primeiros anos de vida e acaba estabelecendo sua imunidade, isto é, sua defesa; este detalhe explica por que os adultos e crianças maiores não são tão susceptíveis aos resfriados como a criança nos primeiros anos de vida. Como os vírus estão sempre sofrendo mutações, estão constantemente renovando seu potencial infeccioso. É por isso que a imunidade que eles provocam no organismo humano nunca é perfeita. Uma nova infecção será sempre feita por um vírus modificado.

Outro ponto importante é a relação entre o frio e o surgimento de gripes e resfriados. A queda de temperatura diminui a resistência do organismo às infecções.

Causas que facilitam os resfriados

a) frio, vento, poeira, fumaça, inalações (cheiros) e poluição atmosférica;

b) fadiga, cansaço, viagens longas de automóvel;

c) aglomerações: carnaval, procissões, missas, festinhas de aniversário (neste caso, além da fadiga provocada pela emoção, excitação de brinquedos, existe a possibilidade de infecção pelas outras crianças);

d) o quarto da casa, ou a própria casa, mal ventilada, sem sol, com umidade constante, aparecendo às vezes mofo nas paredes;

e) a erupção dentária, especialmente por ocasião da erupção do primeiro e segundo molares, geralmente entre quinze e 21 meses;

f) a criança que vive agasalhada e ao primeiro descuido se resfria;

g) banho de mar e piscina prolongados, especialmente em dias de sol com vento;

h) regimes alimentares deficientes, criança que toma pouco leite e não o substitui por qualquer derivado, como queijo, creme, doce de leite e outros, falta de carne e ovos, como também de frutas cruas;

i) a "criança úmida", isto é, portadora de diátese exsudativa (estudada na pág. 760), é a criança que responde com uma produção de catarro à menor agressão, como umidade, poeira e contato com bactérias que para outras crianças nada causam;

j) aumento e aderência das amígdalas e das adenóides, que são as chamadas "carnes do nariz". As amígdalas e as adenóides estão descritas na página 647.

Além dos sintomas (febre, tosse e outros), o número de movimentos respiratórios deverá ser observado e participado ao médico:

MÉDIA DE MOVIMENTOS RESPIRATÓRIOS POR MINUTO:			
de 0 a 1 ano	**de 1 a 2 anos**	**de 2 a 3 anos**	**de 3 a 4 anos**
23 a 39	22 a 30	21 a 29	21 a 27

Tratamento. Não há tratamento que elimine o vírus do resfriado. A orientação médica consiste em medidas gerais para aliviar o mal-estar, a congestão nasal (entupimento do nariz), a coriza (corrimento nasal), a dor de cabeça, a sensação de cabeça pesada, a faringite (dor de garganta) e a tosse. Para o mal-estar e a dor de cabeça são usados analgésicos, que também servirão para diminuir a febre (Aspirina, Dipirona e Acetaminofen), administrados em gotas, xaropes ou comprimidos para serem dissolvidos em água.

Estudos recentes revelaram que a febre por vezes estimula a produção e a atividade dos elementos de defesa do organismo (glóbulos brancos, linfócitos, anticorpos, Interferon e outros), de modo que não se deve deixar a criança inteiramente sem febre durante a doença. Use antitérmicos somente quando a temperatura axilar estiver acima de 38°C; neste caso, investigue a possibilidade de uma complicação (otite, sinusite, bronquite, pneumonia), como também na eventualidade do estado febril se prolongar além do período habitual do resfriado, três, cinco ou sete dias.

Para a congestão nasal são empregados medicamentos com ação descongestionante e antialérgica, por via oral, em gotas, em xaropes ou comprimidos. Gotas nasais poderão ser usadas quando o descongestionante oral não foi suficiente para permitir a respiração pelo nariz ou deter a coriza. As gotas nasais são preparadas, como os descongestionantes orais, com substâncias muito ativas, podendo provocar em bebês mais sensíveis queda de temperatura, excitação, perda do sono ou sono demais. A indústria farmacêutica apresenta estes medicamentos em dois tipos, para lactentes até dois anos de idade, e os infantis para crianças acima desta idade.

Para as tosses secas, as gotas e os xaropes com sedativos compostos de codeína, dropropizina ou outras drogas semelhantes são os indicados; entretanto, deverão ser dados em doses certas, de acordo com a idade e o peso da criança, pelo perigo de causar intoxicação. É prudente, antes dos nove meses, administrar com a maior cautela, de preferência sob prescrição médica. Na tosse produtiva com catarro os xaropes denominados "expectorantes" são de pouco resultado, além da possibilidade de tirar o apetite e provocar irritação do estômago (gastrite). O uso de vaporização ou nebulização (com aparelho especial), sempre usado com soro fisiológico, ou na sua falta com água filtrada e fervida, com substâncias medicamentosas, são mais eficientes (ver Medicamentos para Tosse, pág. 787).

A administração de 1 colher (das de sobremesa) de leite de magnésia, à noite, ao deitar, principalmente para as crianças com prisão de ventre, é aconselhável, pois elas não sabem cuspir, engolindo o catarro, que se acumula no estômago.

A gamaglobulina de nada serve, como pôde ser visto na página 542. Nos casos de obstrução nasal importante, os anti-histamínicos ou descongestionantes, em xarope ou em gotas, por via oral, poderão proporcionar alívio (ver págs. 783 e 785).

Como regra geral, a gripe ou o resfriado se cura espontaneamente após três a sete dias, e deve-se evitar os medicamentos desnecessários, principalmente antibióticos, a não ser em poucas indicações e sob orientação do médico.

A vitamina C evita um resfriado?

O Dr. Linus Pauling aconselhava doses elevadas de vitamina C para evitar resfriados. Apesar desta declaração, em 1970 outros pesquisadores verificaram que não era exata. A Comissão para Medicamentos da Academia Americana de Pediatria, que é a maior organização mundial da especialidade, apresentou um relatório que diz: "(...) Em resumo, não há evidência suficiente de que o ácido ascórbico (vitamina C), recomendado pelo Dr. Linus Pauling, seja eficaz na prevenção e no tratamento do resfriado comum. Até esta data, o ácido ascórbico não deve ser usado para esta finalidade." Este documento foi publicado pela academia, em novembro de 1971. Há suspeitas de que a vitamina C em doses muito elevadas pode até prejudicar a criança, além da possibilidade de algumas crianças apresentarem alergia ao ácido ascórbico, mesmo com doses pequenas; o médico deverá ser sempre consultado. A falta de vitamina C facilita o surgimento de infecções, mas o seu excesso não as impede.

Se a vitamina C não evita o resfriado, alguns autores acreditam que pelo menos reduz a inflamação da mucosa produtora de muco e do catarro do aparelho respiratório, quando dada em dose relativamente elevada de um ou dois gramas diários no caso de a criança não ser alérgica à vitamina C.

Coriza

É o nome da secreção nasal que se apresenta com consistência aquosa, catarral, purulenta, com tonalidade esverdeada ou não e, às vezes, sanguinolenta. O corrimento revela inflamação da mucosa nasal. Pode ser obstrutiva ou não, acompanhada ou não de febre. As causas mais freqüentes são as mesmas do resfriado, não esquecendo a possibilidade de ser conseqüência de sinusite crônica.

Existem dois tipos: a *coriza aguda* e a *coriza crônica.* A coriza aguda obedece às causas já citadas. A crônica, porém, pode obedecer às seguintes razões:

a) adenóides ("carne no nariz") infectadas;
b) pólipos nasais;
c) sinusite crônica;
d) alergia;
e) corpo estranho;
f) difteria nasal;
g) desvio do septo.

Todas as mães têm de enfrentar o problema de desinfetar e desobstruir o nariz do bebê. Não há dúvida de que as drogas usadas nem sempre são úteis, nem toleradas pelos bebês, que se podem mostrar excitados, pálidos, com perda de sono ou com suor frio. O remédio deverá ser escolhido com cuidado, a observação do tipo e do número de gotas e o intervalo não deverão ser descuidados; o hábito de constantemente desinfetar o nariz do bebê é absolutamente contra-indicado; o melhor método para fazê-lo é, indiscutivelmente, com solução fisiológica morna, na dose de cinco a dez gotas, duas ou três vezes ao dia.

Coriza posterior

Este termo define o corrimento de secreção nasal para a parte posterior ao nariz, ou seja, a garganta. A coriza posterior também é conhecida como gotejamento nasal posterior e tem as mesmas causas da coriza comum aguda, ou seja, rinites e sinusites. Ocasiona sensação de pigarro e o "bichinho do rã-rã". É causa de tosse crônica.

INSTRUÇÕES PARA O USO DAS GOTAS NASAIS

a) use remédios de solução aquosa e não-oleosa;

b) os que contêm sulfamidas e antibióticos não são recomendáveis;

c) use somente quando houver obstrução nasal impedindo o sono e a alimentação;

d) administre-o, de seis em seis horas, no máximo quatro vezes ao dia, e não a toda hora;

e) é conveniente administrá-lo quinze minutos antes das refeições ou antes de deitar;

f) a aplicação deverá ser feita em dois tempos: as primeiras gotas atuam na parte anterior da cavidade nasal; cinco minutos depois, outras gotas para agirem sobre a parte posterior;

g) o conta-gotas do bebê deverá ser usado exclusivamente pela criança, e não pelos adultos;

h) o conta-gotas indicado é o de plástico. Deverá ser desinfetado diariamente; caso contrário, use um para cada infecção;

i) algumas crianças alérgicas apresentam reações para alguns remédios nasais, como palidez, vermelhidão, excitação, perda de sono e urticária. A observação materna é importante para a verificação dos sintomas já citados;

j) ter certeza do número de gotas aplicadas; duas ou três são usualmente suficientes; mais do que isto passará para a garganta (faringe), engasgando a criança;

l) a possibilidade de irritar e provocar efeito contrário ao desejado deverá ser considerada; em casos raros, a criança poderá ter sua inflamação e obstrução nasal aumentadas;

m) não use mais de quatro dias seguidos, após este período, consulte o médico. Na sua ausência, uma pausa de 24 horas é útil, para então recomeçar;

n) use, de preferência, o conta-gotas que vem com o medicamento;

o) não se esqueça de que os antibióticos em solução de gotas nasais só deverão ser usados, uma vez abertos, por três meses;

p) o emprego de gotas nasais descongestionantes poderá evitar que a inflamação do nariz provoque otite e sinusite.

Gotas nasais

Existem alguns tipos de gotas nasais comumente usadas contendo algumas substâncias que em doses elevadas são perigosas. São as gotas nasais que contêm nafazolina, tetraidrozolina, fenilefrina e similares. A dose perigosa para os bebês, isto é, na criança até dois anos, é estimada em cinco miligramas. O frasco cheio do produto comercial contém quinze miligramas; portanto, ingerir 1/3 do vidro de uma só vez poderá ser fatal.

Faringite (dor de garganta)

As inflamações da garganta, denominadas faringites, são bastante freqüentes na infância. O aspecto físico é a coloração escarlate da mucosa; os sintomas, dor à deglutição, mal-estar, tosse e febre baixa. A causa principal é a infecção por vírus ou pelas bactérias que habitualmente vivem na própria faringe, sendo transmitidos de uma pessoa para outra. Às vezes poderá ser o início de uma doença infecciosa. A tosse é geralmente seca, irritante e incomodativa. Pessoas nervosas poderão ter tosse espasmódica, escandalosa. O aquecimento do pescoço nos dias frios ou a inalação de vapor de água são, sem dúvida, de efeito benéfico. Geralmente ocorre aumento dos gânglios (caroços) no pescoço. Quando a infecção é mais intensa, acompanhada de prostração (fraqueza), um médico deverá ser consultado. Na total impossibilidade de fazê-lo, poderá ser usada Penicilina.

Os comprimidos de Ibuprofeno infantil estão indicados no caso de haver febre alta. Para crianças maiores, fazer gargarejos com água morna, 1 colher (das de chá) de sal e 1 colher (das de café) de bicarbonato de sódio quatro vezes ao dia, é aconselhável.

Amigdalite

Deve-se operar as amígdalas? A extração das amígdalas e das adenóides, que podemos chamar de "amígdalas do nariz", tem suas indicações precisas. Sua extração não é um recurso leviano para ver se a criança melhora de algum problema que vinha se arrastando. De modo geral, a melhor ocasião para fazê-lo é dos três aos seis anos; mais cedo ou mais tarde é assunto de decisão médica em casos especiais.

As complicações, como hemorragias, infecção hospitalar ou acidentes anestésicos, ocorrem em quase 10% dos casos, o que é uma taxa relativamente alta.

As indicações bem-estabelecidas de amigdalectomia são as infecções repetidas (mais de sete em um ano), abscessos peri ou retroamigdalianos, neoplasias (tumores) das amígdalas ou obstrução respiratória grave. A adenoidectomia está indicada no "respirador oral", com respiração noturna ruidosa e provável deformação torácica.

A cirurgia

Deverá ser feita antes dos três anos. Na maioria dos casos, a causa que indicava a cirurgia desaparece com a idade. A cirurgia também deverá ser protelada, se possível, por um prazo de duas ou três semanas após uma amigdalite aguda. A cirurgia não diminui a incidência de infecções de garganta ou resfriados na maioria dos casos.

A extração das amígdalas e adenóides é um ato cirúrgico e, portanto, deverá ser executado com todo cuidado. O processo cirúrgico antigo, de extração sob anestesia local, praticamente por arrancamento, já não é usado. A criança deverá estar anestesiada antes de entrar na sala de cirurgia, e a extração é feita por dissecção cuidadosa, para evitar hemorragias e mal-estar pós-operatório. A criança, na semana que precede à cirurgia, deverá evitar alimentos pesados (frituras e gulodices). Exames prévios de sangue e urina são necessários. É consenso entre os médicos que não há utilidade em extrair as amígdalas para melhorar a asma ou evitar a febre reumática.

Tosse

A tosse é, sem dúvida, a queixa mais freqüente da mãe para o médico; as queixas vão desde o telefone, passando pelos encontros eventuais pela rua, até os encontros sociais. Antes de tudo a tosse é, em princípio, necessária, decorrente de um reflexo destinado a conservar desimpedidas as vias respiratórias desde o nariz, a garganta, a traquéia e os brônquios até o interior dos pulmões, os alvéolos pulmonares. A tosse mais comum é a causada pela rinofaringite ou traqueobronquite aguda, doença de evolução benigna, da qual algumas crianças são freqüentes vítimas. Existem tosses que não têm origem no aparelho respiratório; são as tosses nervosas, as tosses das adenopatias traqueobrônquicas, as tosses provocadas por problemas hepáticos e as da criança que está em estado grave, chocada.

Em primeiro lugar, verifique se ela aparece sozinha ou se está acompanhada de outros sintomas, como febre (pontada do lado, ou no peito etc.). Em segundo lugar, diferencie a tosse gorda e profunda, da bronquite, com a tosse magra, seca e vibrante das inflamações da garganta. Na primeira há a presença de esputo (catarro) preso ou solto, e na segunda não há catarro, com a criança sentindo apenas sensação de ardência na garganta.

O timbre também varia: é forte e rumoroso na bronquite e na traqueíte, com catarro esbranquiçado ao começo e amarelado por fim; é áspera, rouca, chamada "tosse de cachorro", no crupe e nas laringites; é curta, pertinaz, no pleuris; é dolorida e rápida na pneumonia; é quintosa, sufocante, na coqueluche e na adenopatia traqueobrônquica (gânglios nos pulmões); vem acompanhada de falta de ar na asma. Quanto ao tempo, pode ser aguda, crônica ou periódica. Aguda nas gripes, faringites, moléstias eruptivas, traqueítes, laringites infecciosas; crônica nas manifestações respiratórias alérgicas, fibrose cística do pâncreas (ver pág. 748); em algumas crianças nervosas, sendo mais uma tosse provocada, um tique, do que inflamação do aparelho respiratório; periódica, igualmente em crianças alérgicas, ou de baixa resistência e sensíveis a infecções na garganta e nos brônquios, e em meninos e meninas neuropatas. Muitas mães confundem o engasgo do bebê com a tosse, o que, às vezes, vem acompanhado de vômitos.

Para o tratamento existem os xaropes expectorantes e sedativos. Os expectorantes têm drogas, como o alcatrão, cloreto de amônia, iodeto de potássio e de sódio. E os sedativos, chamados pelos médicos de béquicos, têm codeína e dropropizina como base. Alguns laboratórios adicionam diversas outras substâncias, como antialérgicos e sedativos. As mães deverão ter cautela para não administrar um xarope béquico, contendo codeína, isto é, sedativo, sem autorização e vigilância médicas. Os expectorantes, antes do primeiro ano, poderão causar vômitos, diarréias e inapetência. Chamamos a atenção porque dar um xarope não é tão simples como pode parecer. É sempre prudente a mãe ou a responsável pela criança, ao dar informações, explicar se a criança está "caidinha" ou não, se está com febre e se a tosse é antiga ou recente, se a criança é asmática ou então se é filha de pais asmáticos. Acreditamos que as vaporizações, isto é, o uso de vaporizadores, é útil, tendo havido o cuidado de limpar sistematicamente a caixa do vaporizador com algodão e álcool duas vezes por dia (ver Medicamentos para a Tosse, pág. 785).

Todo bebê que apresente tosse com febre alta, ou mesmo subfebril, está seriamente enfermo, porque há possibilidade de apresentar o temido catarro sufocante (ver Bronquiolite, pág. 653), de extrema gravidade, devendo ser examinado pelo pediatra.

Para o controle da tosse, deve-se evitar para o bebê os medicamentos xaroposos, com taxa elevada de açúcar, pelo risco de haver diarréia.

Tosse persistente

Deverá ser preocupante a persistência da tosse por mais de um mês. O médico deverá ser necessariamente consultado, e uma radiografia de tórax e dos seios da face deverá ser realizada. Se for anormal, auxiliará o médico a procurar e determinar a causa. Se não mostrar alterações, a tosse terá grande chance de significar um dos seguintes problemas:

a) gotejamento pós-nasal ou coriza posterior causada por rinite ou sinusite;

b) asma ou brônquios muito reativos;

c) refluxo gástrico, que é muito comum em crianças. Não se esqueça de que a tosse persistente poderá ser causada por uma série de doenças, mais graves ou menos graves, inclusive a tuberculose.

A LARINGITE

É a inflamação da laringe, que é, na verdade, a porta de entrada do ar para os pulmões, o órgão essencial da voz (cordas vocais), a parte superior da traquéia, localizada na garganta. As laringites agudas constituem, na clínica infantil, capítulo importante, considerando a gravidade que podem assumir, exigindo atendimento de urgência e internação hospitalar devido ao local do processo inflamatório ser estreito e que concorre para a obstrução da passagem de ar para os pulmões. Na laringite a criança apresenta voz rouca ou ausente, mas só é perigosa quando é seguida de dificuldade respiratória, que se revela pela taquipnéia (aceleração dos movimentos respiratórios), e taquicardia (aumento dos batimentos do coração). A criança está inquieta, agitada, aflita, e poderá até apresentar cianose (lábios roxos). A criança poderá apresentar rouquidão (choro rouco), tosse rouca, chamada de "tosse de cachorro", estridor (ruído forte, penetrante, desagradável) quando a criança respira ou aspira, e afundamento do peito ao nível das clavículas e da garganta, ou na parte inferior do tórax, ao nível do estômago e também entre as costelas (espaço intercostal). A doença poderá começar seguida a um simples resfriado ou imediatamente com febre alta ou com sinais imediatos de obstrução, em vez de os sinais serem evidenciados gradativamente.

Os sintomas dependem das causas das laringites. De modo prático, podemos destacar quatro, que são as mais freqüentes na infância:

1) Laringite diftérica (crupe)

Atualmente, é rara devido à vacina tríplice, aplicada no segundo, terceiro e quarto meses, com reforço aos dezoito meses, e a última, entre quatro e cinco anos. Entretanto, poderá ser vista entre os dois e os sete anos de idade em crianças não-vacinadas. O começo é gradativo: voz rouca, febre moderada, palidez. O exame de garganta revela placas brancas acinzentadas, os gânglios do pescoço apresentam-se grandes e doloridos e a criança mostra que está apavorada porque existe a possibilidade de morte se não for tratada a tempo. O tratamento é clássico, pelo soro antidiftérico e pela penicilina.

2) Laringite bacteriana

Também chamada de epiglotite aguda. É observada no curso de epidemias ou mesmo em casos esporádicos; o germe causador é o *Haemophilus influenzae*. Geralmente acomete a criança de três a sete anos. O começo é repentino: febre alta, voz abafada, não rouca, dor de garganta e dificuldade de engolir; ao exame, a garganta apresenta-se bem vermelha, estado geral muito abatido. É doença grave, exige emergência, socorro imediato e a família deverá estar preparada para a hospitalização da criança. O tratamento é eficiente, com antibióticos e nebulização, e na maioria das vezes é necessária a colocação de um tubo na traquéia ou mesmo traqueostomia, para que a criança respire. A criança que recebeu a vacina contra *Haemophilus* no segundo, quarto e sexto meses e o reforço no 15º mês terá pouca probabilidade de contrair a doença.

3) Laringite viral

É produzida por vírus de diversas categorias, podendo começar geralmente por um simples resfriado, inflamação do nariz e da garganta, para, em seguida, atingir a laringe, provocando tosse rouca, febre discreta, estado geral não tão comprometido como o anterior, gânglios aumentados no pescoço. Ao exame, a garganta não estará vermelho-escarlate como a do tipo gripal; geralmente este tipo é mais benigno do que o anterior, mas excepcionalmente pode adquirir aspecto mais sério.

4) Laringite espasmódica

É conhecida por falso crupe ou doença da meia-noite. É uma doença autolimitada e raramente permanece mais de dois dias (48 horas). Ela é causada por vírus similares aos que provocam resfriados e por algumas bactérias. É a laringite da meia-noite, que se instala repentinamente durante a noite. A criança acorda com tosse rouca, respiração difícil, movimentos respiratórios acelerados e às vezes mesmo com tom arroxeado nos lábios. É conhecida como laringite estridulosa, caracterizada pela instalação súbita, pela madrugada, em criança com histórico de ligeiro resfriado. Outra coincidência é o aumento de freqüência destes casos nos dias de queda brusca de temperatura. A criança se apresenta agitada, com grande dificuldade respiratória, ruído laríngeo, transpirando muito e com grande ansiedade. Quanto maior o nervosismo da criança e da família mais dispnéica ela fica. Quando o médico consegue acalmá-la e à família, ela irá melhorando progressivamente. Como a laringite estridulosa é mais comum e mais dramática, porque se apresenta na madrugada, apanhando os pais de surpresa, daremos então as instruções detalhadas, bem úteis aos pais.

Instruções:

a) leve a criança imediatamente ao banheiro e abra a água quente do chuveiro, banheira ou pia, para encher o ambiente de vapor;

b) se não houver água quente disponível, abra as janelas para deixar entrar ar frio;

c) os pais deverão se manter calmos, procurando tranqüilizar a criança;

d) se após dez minutos de vapor ou ar fresco não melhorar ela deverá ser levada ao hospital. Não adianta chamar o médico em casa;

e) a viagem de automóvel poderá fazer a criança melhorar;

f) se tiver em casa um vaporizador, ele deverá ser usado – os vaporizadores de ar frio são os melhores, mas geralmente em casa existe o de ar quente que deverá ser empregado;

g) a criança deverá estar sentada na cama, recostada num travesseiro;

h) os pais deverão procurar distraí-la com rádio, músicas, televisão ou contar histórias;

i) se não melhorar, poderá voltar ao banheiro por mais alguns minutos;

j) se apresentar febre deverá ser dado um antitérmico;

l) oferecer líquidos, aos goles, é bom, como água, refrigerantes, suco de frutas;

m) colocar na água fervente álcool anidro a 20%, ou vodka; 1 colher (das de sopa) é útil;

n) colocar um lenço ou fralda embebida em álcool ao redor do pescoço, melhora;

o) dê-lhe para beber anti-histamínicos, na dose de 1 colher (das de chá) de seis em seis ou de oito em oito horas;

p) no caso de a família estar num lugar sem qualquer socorro médico, ou que leve muitas horas para solicitá-lo, poderá ser aplicada uma injeção intramuscular de Fenergan, em pequena dose, em uma seringa de 1cc (2 ou 3 décimos de mililitro, cada tracinho equivale a um mililitro). Também poderá ser aplicada a mesma dose de adrenalina (solução milesimal) subcutânea. Dê por via oral meio a 1 comprimido de Decadron de 0,50 ou meia a 1 medida em elixir.

Aspiração de corpo estranho

Deverá ser diferenciado da laringite. Ocorre com maior freqüência em lactentes e crianças menores. Existe história de *engasgo* com surgimento súbito de falta de ar. O tratamento é pela broncoscopia, com retirada do objeto das vias aéreas. Não é uma laringite verdadeira.

Epiglotite

É uma doença de extrema gravidade, e no bebê tem alto índice de mortalidade. A epiglote é uma lâmina cartilaginosa protegendo a entrada do orifício superior da laringe, cobrindo-a no momento da deglutição, evitando a inalação de líquidos ou alimentos que penetram no tubo da traquéia, passando pelos brônquios, atingindo os pulmões, causando sufocação ou pneumonia.

A epiglote, pela sua localização, pode ser infectada principalmente pela bactéria *Haemophilus influenzae B,* acarretando uma rápida inflamação edematosa, impedindo a respiração total da criança em poucas horas. Felizmente existe uma nova vacina HIB que previne a infecção por esta bactéria, devendo ser aplicada obrigatoriamente no segundo, quarto e sexto meses do primeiro ano de vida (como foi explicado no esquema obrigatório das vacinas no primeiro ano de vida). Esta infecção geralmente começa com uma inflamação dolorida de garganta, com menos de 38°C de febre, e rapidamente leva o bebê a graves sintomas, principalmente uma respiração ruidosa, palidez e dificuldade respiratória, não podendo ficar deitado, devendo se evitar dar líquidos ao bebê. A criança entre dois e seis anos já se queixa de dor de garganta.

Tratamento. A epiglotite é uma emergência médica. Deverá ser atendida prontamente pelo pediatra e pelo otorrino, e de preferência ser hospitalizada. O uso de antibióticos (ampicilina e cefalosporina) e, em casos graves, a entubação endotraqueal ou a traqueostomia (abertura da traquéia), são procedimentos necessários, que levaram a mortalidade a zero.

Estridor laríngeo congênito

Notado logo nas primeiras semanas de vida pela respiração ruidosa, alta, às vezes acompanhada de retração do espaço entre as costelas e da parte inferior do pescoço (fossa supra-esternal) durante a inspiração. Pode mudar de tom, conforme a posição da criança, diminuindo durante o sono, com a cabeça para trás e com alongamento do pescoço e aumentando com a excitação. O estado geral é ótimo; a criança não apresenta qualquer sinal de sofrimento ou de desconforto. O estridor laríngeo congênito geralmente desaparece espontaneamente entre os seis e os doze meses de idade. Nos casos mais graves, procure orientação médica.

Bronquite

As inflamações dos brônquios deverão merecer maiores cuidados do que geralmente lhes são dispensados. Elas são divididas em agudas e crônicas. As agudas, que se estabelecem em bebês com menos de um ano de idade, deverão ser tratadas com rigor, pois seu descuido poderá acarretar complicações pulmonares, sobretudo o tão temido catarro sufocante, que é a bronquite capilar ou bronquiolite aguda (brônquios de calibre mínimo, em que a secreção interrompe a passagem do ar para o pulmão propriamente dito, condicionando assim um estado de verdadeira asfixia). Em outras ocasiões, as bronquites são acompanhadas de congestões pulmonares, com temperatura elevada, prostração, movimentos respiratórios acelerados, em que a medicação enérgica (antibióticos) dá magníficos resultados.

As bronquites crônicas revelam má resistência orgânica ou, então, constituição especial. As bronquites alérgicas são as mais freqüentes. Existem as bronquites recidivantes, que se repetem, com facilidade, sendo raro o mês em que a criança não esteja acometida de tosse. Estas crianças têm tendência às inflamações das mucosas do aparelho respiratório e reagem com bronquite a qualquer estímulo, como infecções, mudanças de temperatura, correntes de ar etc. Neste caso, com um tratamento medicamentoso, dietético regular e método de vida obtêm-se curas animadoras. Este tipo de bronquite é, geralmente, de fundo alérgico, de natureza asmática.

O recurso da tosse é o mecanismo da natureza para expelir o catarro que se forma na inflamação dos brônquios. Os fluidificadores do catarro, expectorantes, são inúmeros (ver pág. 788), porém na bronquite acompanhada de febre, a aplicação de antibióticos, sobretudo de penicilina, é indispensável, para evitar que se complique com pneumonia. A contingência de a criança, após tossir, engolir o catarro, justifica a administração de 1 colher (das de sobremesa, ou das de sopa), de leite de magnésio, para auxiliar sua remoção do estômago. A inalação de vapor d'água nos dias secos, ou nas formas rebeldes, está indicada. O vapor d'água facilita a fluidificação, transformando o catarro espesso e pegajoso em mais fluido, permitindo sua expectoração.

Os cigarros têm sido acusados de muitos males, e modernamente está provado que na casa de pais fumantes a incidência de doenças respiratórias, como a pneumonia e a bronquite, nos bebês e crianças até seis anos, é muito maior; é duas vezes maior na casa de pais fumantes do que na dos que não são.

Bronquiolite (catarro sufocante)

A bronquite é a inflamação e exsudação (produção de muco e catarro) dos brônquios, que são verdadeiros tubos de médio e grande calibres; a bronquiolite é o mesmo processo, atingindo os brônquios de pequeno calibre, denominados bronquíolos. Para se ter uma idéia, basta lembrar que os brônquios têm o diâmetro de um lápis, e os bronquíolos o de um alfinete; vê-se como é fácil entupi-los. É preciso fazer o diagnóstico diferencial com a asma. Embora a asma grave seja uma doença séria, a bronquiolite é muito mais perigosa.

A bronquiolite ocorre geralmente nos dois primeiros anos de vida e alcança maior freqüência antes dos nove meses de idade. Seu aparecimento é verificado geralmente no inverno ou no começo da primavera (junho, julho, agosto, setembro). A bronquiolite aguda é provocada por vírus, o vírus sincicial respiratório. A associação com bactérias, como estafilococos, estreptococos e pneumococos, agrava a doença. O fenômeno que caracteriza a gravidade da doença é a obstrução (entupimento) dos bronquíolos, provocada pelo edema (inflamação) das mucosas, além da produção de muco e catarro que se localizam na mucosa que reveste interiormente os bronquíolos. Este entupimento impede a passagem do ar que deve atingir os alvéolos pulmonares para a oxigenação do sangue; quando isto não acontece, a criança fica asfixiada (ausência de oxigênio, com iminente perigo de vida). A doença poderá começar simulando um leve resfriado, com coriza, espirros, tosse discreta, porém sempre com dificuldade respiratória.

Atenção: a febre é variável, às vezes alta, mas na maioria das vezes moderada ou baixa. Na dúvida, deve-se medir a temperatura retal; a axilar e a inguinal podem acarretar erros; doze a 24 horas depois de aparecer o resfriado, a situação poderá se agravar repentinamente. Aumento dos batimentos do coração e também batimento das asas do nariz, com acentuada falta de ar, coloração arroxeada dos lábios e esforço dos músculos do tórax são evidentes. A presença do médico é urgente e a internação no hospital é indispensável. A criança deverá ser colocada na tenda de oxigênio, com vapor e umidade aumentados. Os medicamentos deverão ficar por conta e responsabilidade exclusivas do médico. Quanto menor a criança, maior a gravidade da doença.

Traqueíte

As inflamações da traquéia são, em grande parte das vezes, conseqüentes às inflamações da garganta. Provocam tosse intensa, com expectoração abundante e dor localizada no meio do peito, que corresponde anatomicamente à projeção externa da traquéia. São geralmente concomitantes às bronquites. Seu tratamento é feito com xaropes fluidificadores do catarro, dipirona, inalações etc., conforme a intensidade da inflamação. A nebulização é um recurso útil (aspiração de vapor d'água com ou sem adição de medicamentos). O médico poderá receitar penicilina ou outro antibiótico em alguns casos.

Pneumonia

A pneumonia, também chamada de pneumonite, pode se apresentar desde o primeiro dia de vida e persistir durante toda a infância.

É um processo inflamatório, localizado nos alvéolos pulmonares, tecidos circunvizinhos e bronquíolos, isto é, brônquios de pequeníssimo calibre. O termo usado outrora de broncopneumonia foi substituído atualmente por pneumonia, apenas, considerando que a assistência ao doente e os cuidados terapêuticos são os mesmos e, assim, teremos bronquites e pneumonias.

Diversos agentes poderão provocar uma pneumonia, e dois grupos se destacam: o das bactérias (estafilococos, pneumococos etc.) e o dos vírus. A manifestação clínica é diversa, mais violenta no caso das bactérias do que nas viroses. As pneumonias causadas por vírus são traiçoeiras e, às vezes, só se revelam através dos raios X, e assim mesmo poderão ser confundidas com tuberculose.

De modo geral, na sua forma clássica, o início é violento, brusco, com febre muito alta, fenômenos nervosos, agitação, tremores, distúrbios musculares, vômitos, podendo chegar até às convulsões.

Uma particularidade é que logo no início da pneumonia a criança poderá se queixar de dor no abdome ao nível da região apendicular, levantando a suspeita de apendicite, quando a localização da moléstia está unicamente no pulmão. Em alguns casos a pneumonia acompanha uma moléstia infecciosa, gripe, sarampo ou coqueluche; em outras ocasiões, poderá complicar um resfriado forte e malcuidado. No recém-nascido ou lactente pequeno, poderá manifestar-se inicialmente apenas por choro excessivo (dor pleural).

O tratamento variará, naturalmente considerando a idade. Entretanto, os medicamentos são os mesmos. O ideal seria a identificação da bactéria (pneumococo, estafilococo ou outras), administrando o antibiótico mais indicado para cada tipo. As penicilinas, sobretudo as denominadas semi-sintéticas, e as rifampicinas (ver pág. 781), dão excelentes resultados; entretanto é importante, sempre que possível, sua indicação pelo pediatra. O regime (de preferência líquido) deverá constar de leite, como também suco de frutas e sopas. Acredita-se que no bebê nos primeiros anos de vida, até os quatro anos, as causas mais freqüentes das pneumonias são os vírus respiratórios, que não respondem aos antibióticos, entretanto de evolução fácil, benigna, durando a doença de uma a duas semanas, com bom estado geral e terminando sem conseqüências.

A pneumonia é uma doença grave e deverá sempre ser acompanhada e tratada pelo médico, que utilizará radiografia de tórax para o diagnóstico.

Pleuris

Pleuris para os leigos é inflamação ou derrame pleural; para os médicos, é a concentração de líquido no espaço pleural. Quando purulento, denomina-se empiema.

Entende o leigo por pleurite a presença de água no pulmão, mas onde realmente ela se concentra é no espaço pleural (entre o tórax e os pulmões). Aparece acompanhando as pneumonias. Quanto ao líquido, pode ser aquoso, purulento e até sanguinolento. Poderá atingir grande volume; mesmo na criança pequena, até um litro. Quanto menos idade tiver a criança, mais grave, principalmente se o líquido tiver pus. Uma vez suspeitado, é necessário fazer-se a punção para verificar a natureza do líquido e mandar examiná-lo em laboratório. Esta providência é muito útil e a família não deverá se opor.

Hoje, o emprego precoce dos antibióticos diminuiu extraordinariamente o seu aparecimento. O diagnóstico é confirmado pelos raios X. O tratamento, além do repouso, dos antitérmicos, das vitaminas e de boa alimentação, dependerá da decisão do médico. A presença do cirurgião será indispensável, porque a intervenção para drenar o pus será o processo adequado.

Outra causa possível de derrame pleural é a tuberculose.

Atelectasia

Significa falta de expansão parcial ou total dos pulmões. Pode ocorrer o "desaparecimento" dos alvéolos, que são sacos mínimos de ar normalmente existentes nos pulmões e elemento fundamental da respiração. A atelectasia é posterior à obstrução das vias aéreas, especialmente dos brônquios de pequeno calibre, não permitindo a entrada de ar. A atelectasia total de ambos os pulmões é incompatível com a vida. A atelectasia é observada em recém-nascidos, com maior freqüência em prematuros do que em crianças de mais idade, e tem diversas causas, dentre elas traumatismo craniano por ocasião do parto, dosagens exageradas de sedativos maternos antes do parto, maior sensibilidade do prematuro para uma determinada dosagem de anestésico materno, incapacidade funcional do aparelho respiratório, doença da membrana hialina e outras causas menos freqüentes. Nas crianças maiores, as causas geralmente são outras, como aspiração de corpo estranho, como botões, grãos de cereais, feijão, casos graves de asma e alergias respiratórias. Os sintomas dependerão da sua extensão; quando em pequenas áreas, poderão passar despercebidos, porém quando grande parte do pulmão, de uma ou das duas partes é atingida, e o é geralmente de modo repentino, a criança apresenta dificuldade em respirar, com movimentos respiratórios acelerados, aumento dos batimentos cardíacos e, nos casos mais graves, cianose (coloração arroxeada dos lábios). O médico, ao analisar os pulmões, e pelo aspecto geral do paciente, poderá suspeitar de atelectasia. A radiografia é sempre indispensável para o diagnóstico e o acompanhamento até a cura. O tratamento dependerá da causa.

Enfisema

O enfisema pulmonar é mais comum. Consiste na dilatação dos alvéolos, podendo ser generalizado ou localizado, ocupando um lobo, uma parte do pulmão. O ar entra e não consegue sair do pulmão, causando o que chamamos de hiperinsuflação.

Quando há ruptura dos alvéolos, o ar penetra no mediastino ou pleura, levando ao pneumotórax. Quando o ar invade a estrutura do pulmão, ocorre o enfisema intersticial. É a presença de ar no interstício (tecido conjuntivo de sustentação) dos pulmões.

Os sintomas são variados, mas sempre existe dificuldade tanto para inspirar como para expirar, e nos casos graves aparece cianose. As causas poderão ser asma crônica, alterações da elasticidade dos pulmões, problemas congênitos do recém-nascido, acúmulo de muco, presença de catarro inflamatório no interior dos brônquios ou obstrução, entupimento dos brônquios por objetos, botões, grãos ou feijão, pedaços plásticos de brinquedos. A radiografia é o elemento indispensável para o diagnóstico. A gravidade dos sintomas dependerá do grau de distensão dos alvéolos, no caso de enfisema pulmonar e o estado geral, falta de ar (dispnéia), coloração arroxeada da face (cianose). O tratamento dependerá da causa e da localização a critério do médico. Às vezes o cirurgião é convocado para fazer uma lobectomia, isto é, a remoção de parte do pulmão, ou então o especialista em broncoscopia para, por meio de aparelhos, desentupir os brônquios. A cura espontânea também é possível em alguns casos.

Pneumotórax

É o termo para definir a presença de ar dentro do tórax em local em que não deveria haver. A presença de ar poderá ser detectada na cavidade pleural, que é uma membrana serosa dupla e justaposta que envolve cada um dos pulmões, permitindo seu movimento durante a respiração, podendo também o ar estar no mediastino (é o espaço mediano do tórax que contém vários órgãos, como o coração, a traquéia, o esôfago, menos os pulmões). No recém-nascido, o pneumotórax poderá ser uni ou bilateral e a sua presença é estimada em 1 a 2% de todos os recém-nascidos, passando despercebido e curando-se espontaneamente. Porém, quando o pneumotórax é extenso demais, o volume de ar, tanto na pleura como no mediastino, é grande, provocando pressão, e a situação é bastante grave. As causas no recém-nascido poderão ser espontâneas, ou devidas às manobras de ressuscitação, quando a criança nasce com morte aparente e são necessárias manobras de reanimação. Nas crianças maiores é mais raro e as causas são pneumonia por estafilococos, abscesso pulmonar, cistos congênitos, corpos estranhos engolidos, traumatismo, pancadas, acidentes no tórax. Os sintomas se revelam de modo repentino e, se o pneumotórax for extenso, é grave. Manifesta-se logo falta de ar, dor e até cianose (coloração azulada dos lábios). No caso de haver compressão dos órgãos do mediastino e da pleura, o mal-estar será acentuado, com sinais evidentes de desconforto. As radiografias deverão sempre ser exigidas.

Tratamento. O tratamento dependerá da causa. Quando é pequeno o volume de ar, não acarretando problemas clínicos e desconforto, ele é reabsorvido com os dias, sem necessidade de qualquer intervenção maior. O ar será reabsorvido durante um período de dez a vinte dias. No caso de ser grande o volume de ar, com acentuada compressão dos pulmões ou do mediastino, o cirurgião deverá ser chamado. O tratamento dependerá da causa; a intervenção cirúrgica, com a introdução de um tubo através das costelas até a bolsa de ar, é a medida adequada. Muitas crianças se recuperam completamente, sem a possibilidade de haver qualquer complicação futura.

Sinusite

É a inflamação dos seios da face. Em medicina, entende-se por seio maxilar a cavidade que existe normalmente no osso maxilar. Além desta cavidade, existe outra, localizada no osso frontal (testa), que somente aos seis anos se torna evidente. O seio maxilar já existe mais precocemente, sendo possível sua inflamação dos dois anos em diante. A causa reside nas infecções pelas bactérias em crianças predispostas, sobretudo naquelas que apresentam alergia nasal com resfriados repetidos. A sinusite comumente aparece após um resfriado. As secreções da sinusite provocam tosse, geralmente intensa, com "engasgos" e vômitos, principalmente à noite, com a criança deitada, porque a secreção (mucus) não é engolida como acontece com a criança acordada, e vai para a traquéia. O organismo se protege com a tosse, para evitar que atinja o pulmão. A criança que tem um resfriado após outro, ou um resfriado permanente, crônico, possivelmente sofre de sinusite crônica, sendo que os surtos agudos são desencadeados pelo esfriamento, natação, fadiga, modificações bruscas de temperatura, ou alergia por aspiração, inalação. Para drenar e remover o catarro das cavidades dos seios nos ossos maxilares ou frontais indica-se a aplicação de gotas nasais com medicamentos vasoconstritores, que desobstruem as passagens aéreas, é necessário que as gotas sejam aplicadas com técnica, ensinada por um especialista (otorrino).

A ASMA

A asma ocorre praticamente em todas as idades, com exceção do primeiro mês de vida. A existência de asma no primeiro ano de vida da criança, que durante algum tempo foi posta em dúvida, é possível; entretanto, ela é rara. Do terceiro ano em diante, torna-se a causa mais freqüente de falta de ar na infância. A causa principal da asma é a alergia. A alergia é um assunto vasto da medicina e é considerada um modo diferente de reagir do indivíduo, o que pressupõe que exista um modo considerado normal de agir em relação a alguns fatores que entram em contato com o organismo humano. O bebê asmático geralmente tem antecedentes familiares de alergias: eczemas, urticária, enxaqueca, dores de cabeça atrozes, colites, corrimento ou obstrução crônica do nariz e mesmo crise asmática; quando não existir nenhum destes fatores nos pais, avós e tios, o fato não implica uma ausência da possibilidade da asma do bebê, porém neste caso a criança poderá se curar da asma com alguma facilidade, respondendo bem ao tratamento. Ultimamente, com o aumento da poluição atmosférica, tem aumentado o número de crianças asmáticas.

Sintomas

A asma é uma doença que se apresenta por acessos de falta de ar, com ou sem tosse e febre. No início a criança se apresentará com mau humor, impaciente, inquieta, seguindo-se na maioria das vezes uma tosse irritante, pequena, repetida constantemente, sem catarro, e sem apetite; poderá surgir pressão no peito, e às vezes as crianças maiores se queixam de dor de barriga, devida ao esforço muscular para compensar a deficiência da musculatura do tórax.

Por fim, instala-se a falta de ar. As crianças maiores ficam sentadas na cama para respirar melhor, ao passo que a criança no primeiro até o segundo ano de vida poderá ter crise de asma deitado; apenas a família nota os movimentos respiratórios abdominais, devido à grande movimentação da musculatura da barriga em auxílio aos músculos do tórax, que não são suficientes para fazer a criança respirar.

Isto parece ser verdadeiro, pois o asmático passa pior à noite do que de dia, e às vezes a crise começa durante a noite; esta causa tem sido relacionada às alterações de temperatura que ocorrem na passagem do dia para a noite, especialmente a queda de temperatura e elevação da umidade; entretanto existem especialistas que admitem igualmente a possibilidade de diferentes descargas elétricas na atmosfera durante o dia e à noite, talvez devido à presença ou ausência do sol. Alguns especialistas acham que a piora noturna é devida a um problema funcional do sistema nervoso central (neurovegetativo), cujo estado funcional se modifica ao dormir, com a predominância de um sistema vagotônico sobre o simpático. Outra causa é que a posição deitada predispõe à ocorrência da asma com maior facilidade do que quando a pessoa está em pé. Os novos conhecimentos da Cronobiologia vieram esclarecer este assunto. Todas as funções biológicas variam com a hora do dia. Assim, também o calibre brônquico. Os brônquios estão mais dilatados às dezesseis horas e mais fechados às quatro horas da madrugada. Nas pessoas normais, esta variação é de 5% e, em asmáticos, de 20 a 50%, e até mais. Por isso as crises são mais fortes à noite.

Doenças que simulam a asma

Diversas afecções poderão se assemelhar à asma. Sempre que a criança apresentar sintomas diversos daqueles comuns na crise de asma, convém pensar que talvez não seja asma. Podemos destacar, como as principais afecções que podem simular a asma, as seguintes: edema da glote – inchação da laringe e das cordas vocais, diminuindo a passagem de ar para os pulmões, laringite estridulosa – inflamação da laringe, que diminui seu calibre, ocasionando um ruído forte quando o ar passa para os pulmões, infecções no aparelho respiratório, comuns na gripe, como a laringotraqueobronquite; existem bronquites denominadas fibrosas obliterantes, entretanto raras na criança; existe igualmente a possibilidade da aspiração de corpo estranho, comum nas crianças que põem na boca ou no nariz objetos como botões, chicletes e tudo o que possam encontrar; as pneumonias e as broncopneumonias poderão de início, ou mesmo na sua evolução, apresentar dificuldade respiratória; a possibilidade da "falta de ar" de origem nervosa, denominada dispnéia de angústia, também é possível. No passado, uma das causas freqüentes simuladoras de asma era o crupe, a difteria da laringe, que começava de modo traiçoeiro e acabava por instalar uma terrível e perigosa falta de ar. Entretanto, com a vacina tríplice, aplicada obrigatoriamente no primeiro semestre de vida (ver pág. 274), esta afecção praticamente desapareceu da história clínica moderna. Algumas doenças genéticas, como a mucoviscidose, também poderão ser confundidas com a asma.

Causas

As causas que provocam a asma podem ser divididas nos seguintes grupos:

1) inalantes: poeira, fumaça, odores diversos, pólen, tecidos de lã, flanela de limpeza (pode, entre suas fibras, acumular o pó), pêlos de animais (cachorros e gatos), pó de gaiolas de passarinhos; poluição, fumaça de fábricas e poeira domiciliar. Quanto à poeira domiciliar, desejamos chamar a atenção para o que modernamente é admitido como a causa mais importante do ambiente físico no desencadeamento da crise asmática. A poeira doméstica é formada por muitas substâncias diferentes, e dentre elas fica difícil saber qual realmente é a responsável pela crise asmática. Já foram determinados como componentes da poeira doméstica os seguintes elementos: pêlos, penas, células epiteliais (da pele humana ou de animais), fibras de madeira ou tecido dos móveis, sementes de vegetais, produtos decorrentes de inúmeros materiais utilizados na limpeza doméstica, mofo, pólen de diferentes flores, o que não é freqüente no Brasil, e, finalmente, restos de insetos pequeníssimos. Desde a década de 1960, foram identificados os ácaros como principais alergenos da poeira de casa. Atualmente, vacinas preparadas com ácaros têm colaborado muito no tratamento da asma.

2) alimentares: qualquer alimento poderá desencadear em determinadas crianças a crise asmática; entre os mais freqüentes podemos destacar o leite e, mais remotamente, os derivados de amêndoas, o trigo, frutas cítricas (frutas ácidas) e o camarão.

3) infecções: do aparelho respiratório, da garganta, do nariz, dos brônquios e da traquéia são as maiores responsáveis. A questão das amigdalites e adenóides (inflamação das "carnes no nariz") é controvertida. A amigdalite e a adenoidite crônica podem ser fatores agravantes e desencadeantes da asma, mas, como fatores exclusivos, não está provado.

4) fatores psíquicos: podem ocorrer alterações respiratórias de origem nervosa na infância, não tão freqüentemente quanto na idade adulta; sustos, quedas, ausência de pessoas queridas e outras manifestações que acarretam emoção profunda podem ser igualmente causas de crise asmática.

Existem fatores que influenciam o aparecimento de sintomas de asma em crianças já predispostas, isto é, alérgicas, que provocam a asma. Assim, temos a temperatura e a umidade; existem crianças que apresentam a asma denominada estacional; numa determinada época do ano, a velocidade dos ventos, a fadiga e o cansaço, as viagens longas, excitações por brincadeiras e jogos demorados ou violentos, todos são fatores que podem influenciar o desencadeamento da asma em uma criança já predisposta.

Tratamento. O tratamento da crise ou acesso agudo de asma é feito com diversos medicamentos. Os mais usados atualmente são os chamados broncodilatadores simpaticomiméticos, entre os quais está incluída a clássica adrenalina, bem como novos medicamentos bastante eficazes e com menos efeitos colaterais, como o salbutamol, a terbutalina e o fenoterol. Estes medicamentos podem ser usados por via oral, subcutânea, intramuscular ou em aerossol (em nebulizações ou spray). Como todos os medicamentos utilizados no tratamento da asma, eles não são isentos de risco, devendo ser aplicados sob orientação médica. Os tremores são comuns, e às vezes pode haver taquicardia. Recomenda-se administrá-los a cada oito horas. Intervalos mais curtos são desaconselháveis (ver Medicamentos, pág. 474).

Caso os medicamentos anteriores tenham falhado, poderá ser utilizada a teofilina, também chamada aminofilina (a aminofilina tem 80% de teofilina, sendo esta a droga ativa). A aminofilina ou teofilina existe sob a forma de supositório, xarope, gotas, ou para uso intravenoso. É uma droga potente e perigosa, só devendo ser usada sob prescrição médica. O uso sob a forma de supositório é fácil, mas tem levado a numerosos casos de intoxicação, pois não há garantia de absorção uniforme do medicamento, e além disto os familiares às vezes os usam de maneira abusiva.

Finalmente, nos casos mais difíceis, poderão ser usados os corticosteróides (cortisona). Sua ação não é imediata, mas são medicamentos de grande eficácia. Existem sob forma de elixir, comprimidos ou injetável. O uso da cortisona não poderá ser feito como rotina, por decisão dos pais; além de ter efeitos desfavoráveis, alguns leves, como edema (inchação), aumento de peso, insônia, excitação ou sensação passageira de bem-estar, que cedem logo após a interrupção do medicamento, existem os mais graves, como interferência com o sistema ósseo, infecções, diabetes etc. O uso constante de cortisona diminui a resistência da criança às infecções. Por exemplo, a catapora, que é geralmente uma doença banal, quando acomete uma criança que está se submetendo ao tratamento com cortisona, poderá se tornar grave.

No tratamento da crise asmática, quando existe infecção no aparelho respiratório e a criança se apresenta febril, além dos medicamentos descritos, um antibiótico deverá ser aplicado.

Uma vez passada a crise de asma, os pais deverão tomar providências, levando a criança ao médico-assistente para iniciar o tratamento básico, para evitar novas crises. A mãe deverá aprender a reconhecer os sinais precursores da crise de asma, como espirros, tosse seca, peito ligeiramente insuflado, iniciando logo os medicamentos indicados – poderá ser o fenoterol, o salbutamol, a terbutalina ou mesmo outro tipo. O tratamento da crise de asma, depois de plenamente desencadeada, é muito mais difícil.

Prevenção da alergia respiratória – bronquite asmática, asma propriamente dita, rinite ou rinussinusite alérgica. Poderá ser feita com medicamentos, vacinas e, o mais importante de tudo, evitando-se os fatores que a desencadeiam, geralmente substâncias inaladas. Alguns alimentos raramente são causa de alergia respiratória. Quando isto ocorrer, tire-os do regime.

Controle ambiental

Como a principal causa da asma é a inalação de substâncias que provocam alergia, é importante tomar medidas para eliminá-las do ambiente doméstico. Assim, a eliminação da poeira doméstica e dos ácaros (com aspirador de pó) é essencial. Os cuidados deverão ser redobrados no quarto, onde o colchão e os travesseiros deverão ser bem protegidos e aspirados. As roupas de cama deverão ser trocadas pelo menos duas vezes por semana. Nunca varra a casa em presença do asmático (conforme nos referimos antes, dê preferência ao aspirador de pó, que deverá ser limpo bem longe do asmático). Retire tapetes, carpetes, cortinas, bichos de pelúcia e tudo que possa reter poeira. Procure arejar a casa e deixar que o sol ilumine os armários. Evite a formação de mofo e infiltrações. Não use produtos de limpeza com cheiro forte. Os asmáticos deverão ser retirados de casas que estejam sendo pintadas ou reformadas. Como as baratas podem ser causa freqüente de alergia, deverão ser eficazmente combatidas; é preferível o uso de ácido bórico ao DDT, que pode ficar impregnado nas paredes e também causar irritação nos brônquios. Uma importante fonte de ácaro é o travesseiro, no qual a cabeça da criança fica por oito a dez horas à noite, ou seja, um terço de sua vida. Encapar o travesseiro e o colchão com material impermeável é obrigatório.

Asma de esforço

Algumas crianças, após serem submetidas a esforço durante alguns minutos, costumam apresentar crise de asma (falta de ar, "chiado" no peito e tosse). Isto é provocado pela respiração rápida, com brônquios hipersensíveis. A atividade física que mais provoca este esforço é a corrida, inclusive as brincadeiras infantis e o futebol. As que menos provocam são a natação e o ciclismo. Para lidar com o problema, antes de proibir a corrida, é preferível lançar mão de um recurso que costuma ser eficaz: inalação de spray (bombinha) de salbutamol ou fenoterol, cerca de quinze minutos antes do exercício.

Tratamento medicamentoso a longo prazo

Hoje sabe-se que a asma é uma doença crônica, com inflamação dos brônquios. Assim, o tratamento básico dos asmáticos que não têm crises apenas esporádicas é feito com antiinflamatórios inaláveis. Dentre eles, os mais potentes, mais importantes e mais utilizados são os corticosteróides em spray, dosados em microgramas, portanto, mil vezes menores do que os miligramas dos produtos orais ou injetáveis. Para as crianças, o cromoglicato dissódico poderá ser utilizado. A teofilina, por via oral, também poderá ter algum efeito antiinflamatório.

Como o principal problema da asma é a diminuição mais ou menos difusa do calibre dos brônquios, o que pode existir mesmo fora das crises, o uso de broncodilatadores muitas vezes é necessário. Existem substâncias que dilatam os brônquios e que têm duração prolongada, podendo ser usadas como medicamentos básicos para combater o "fechamento" dos brônquios (salmeterol, formoterol e mesmo a teofilina de longo espectro). Quando a criança asmática precisa de um reforço de broncodilatação ou fica patente que precisa combater de imediato este fenômeno, poderá usar, sob a forma de spray (bombinha) ou com nebulizadores, as mesmas substâncias que usa para tratar a crise: salbutamol, fenoterol ou terbutalina. Assim, estes medicamentos são usados quando necessário.

Sempre que houver piora da asma, mesmo sem se configurar uma crise ou quando esta ainda não foi completamente debelada, depois de convenientemente tratada e de sair da fase mais dramática, é comum que os médicos reforcem a medicação, principalmente com o uso de corticosteróides (prednisona ou outro medicamento) orais, pelo período de sete a dez dias.

Como a asma crônica, maltratada ou de grande intensidade, pode promover alterações importantes nos brônquios, levando ao chamado "remodelamento brônquico", que provoca doença com tendência irreversível, é muito importante os pais terem a noção clara de que o asmático deverá ser tratado desde criança. Desta forma, deverá ser periodicamente avaliado pelo seu médico e seguir fielmente suas indicações. Neste particular, hoje se tem como as medidas mais importantes o controle do ambiente e o uso crônico (meses e mesmo anos) de antiinflamatórios ou spray, principalmente corticosteróides, nas doses adequadas e com controle estrito do crescimento. O emprego das vacinas preparadas com antígenos de ácaros não dispensa os cuidados ambientais; é de maior importância obedecê-los para ter-se resultados definitivos.

Vacinas

Há vários tipos de vacinas; geralmente os alergistas utilizam vacinas mistas, constituídas de antígenos de ácaros, mofo e germes comuns nas vias aéreas superiores. Poderão ser feitos testes alérgicos, preparando-se então vacinas específicas, de acordo com o resultado dos testes. As vacinas poderão ser injetáveis ou de uso sublingual; as injetáveis, aquosas ou de depósito. São apresentadas em várias concentrações (séries). A finalidade das vacinas é promover alterações defensivas no sistema imunológico para tornar o organismo do alérgico mais resistente à ação dos fatores que desencadeiam a alergia respiratória (asma, bronquite asmática e rinite alérgica). O tratamento é de longo prazo (meses ou anos). As vacinas associadas aos cuidados ambientais permitem controlar a maioria das manifestações mais importantes de alergia respiratória.

O APARELHO URINÁRIO

A principal função do nosso aparelho urinário é "filtrar" todas as impurezas do sangue, eliminar todo o excesso de líquido e outras substâncias que não serão usadas pelo nosso corpo.

O aparelho urinário é constituído dos rins, ureteres (canal que liga os rins a bexiga), bexiga e uretra (canal que liga a bexiga ao exterior). A diferença de anatomia do aparelho urinário entre meninos e meninas explica o porquê de certas patologias serem mais comuns em cada um deles.

Colocar a criança para "fazer pipi" ou trocar fraldas diariamente, são atos quase que involuntários, que fazemos várias vezes ao dia. Muitas vezes não paramos para prestar atenção nos sinais que esses "atos involuntários" nos trazem. A cor, o odor, ou até mesmo a quantidade de fraldas úmidas e/ou secas por dia, por exemplo, contêm informações importantes para a avaliação da criança com doenças do aparelho urinário.

É importante que os pais tenham algumas noções rápidas sobre vários pontos importantes do aparelho urinário:

1) Elementos que poderão aparecer no exame de urina laboratorial (EAS);

2) Sinais de alerta, quando se deve procurar a opinião do seu pediatra, que o simples exame da urina na própria fralda pode trazer;

3) Doenças do aparelho urinário e urológico.

O EXAME DE URINA

Também chamado de EAS (sedimento) o exame laboratorial de urina simples serve para avaliar a presença ou a ausência de elementos que deveriam ou não ser filtrados pela urina, além da quantidade e da qualidade desses elementos. Ao analisar o exame de urina, o pediatra pode obter informações importantes que o permitem levar a diagnósticos simples, como uma cistite (infecção da bexiga) e a diagnósticos mais sérios e com maiores complicações, como o diabetes mellitus.

Como coletar a urina para o exame

A Academia Americana de Pediatria recomenda que as crianças que estão usando fralda, principalmente no primeiro ano de vida, tenham a urina coletada através da cateterização da bexiga. Essa recomendação é baseada nos fatos que predispoem a contaminação da urina, por exemplo, e levam a um diagnóstico errado, causando mais danos que uma simples cateterização.

Essas crianças evacuam mais freqüentemente e a colocação do saco coletor de urina pode trazer resultados errados. Isso exporia a criança a um tratamento desnecessário de uma infecção inexistente. A coleta da urina por cateterização é um pouco mais invasiva, mas obtém informações precisas e muito importantes para se evitar um desgaste maior à criança no futuro (exames de sangue ou exames radiológicos desnecessários). A cateterização sendo feita por pessoas experientes é praticamente indolor, não traumática e extremamente rápida.

Nas crianças maiores a coleta pode ser obtida quando ela expressa vontade.

É muito importante a higiene local antes da obtenção da urina:

- Lave os órgãos genitais e o períneo (nas meninas, espaço entre o ânus e a vagina e, nos meninos, entre o saco escrotal e o ânus) com água e sabão de glicerina;
- Seque com uma toalha normal;

• Colete a urina (evitar a primeira urina que sai) com o coletor proporcionado pelo laboratório e/ou seu pediatra. Deve-se coletar o jato de urina no meio da micção. Evite colocar os dedos dentro do coletor proporcionado, para evitar a contaminação.

Atualmente, a coleta com saco coletor só é recomendada no laboratório ou diretamente no consultório do seu pediatra. Tente administrar o máximo de líquido possível à criança uma vez que o saco coletor tenha sido colocado, para que ela urine o mais rápido possível. O ideal é que se mude o saco coletor a cada vinte minutos caso a crianças não tenha urinado.

Caso não seja possível levar a urina coletada imediatamente ao laboratório, é permitido guardá-la na geladeira por pelo menos 12 horas, colocando-a longe da porta da geladeira, onde a temperatura é mais elevada, podendo alterar os resultados.

ELEMENTOS QUE PODEM APARECER NO EXAME DE URINA

Albuminúria (proteína na urina)

Traços de albumina (proteína) na urina são destituídos de significação importante. Durante estados febris ou infecções virais, a urina pode apresentar uma quantidade elevada de albumina sem significar patologia. O exame pode ser repetido, em caso de dúvida, após o término da infecção ou causa da febre. Algumas crianças apresentam uma quantidade maior de albumina na urina causada pela posição ortostática (de pé). Ao final de um dia em que a criança brincou ou ficou de pé por muito tempo, a urina pode apresentar uma quantidade de albumina elevada. Nesses casos o exame da primeira urina da manhã, antes que a criança se levante da cama, deve demonstrar uma diminuição ou até mesmo desaparecimento da albumina na urina. Essa condição, chamada de proteinúria ortostática, é benigna e não deve assustar os pais. Em casos de exercícios violentos a urina pode apresentar uma quantidade aumentada de mioglobina (proteína vinda dos músculos). Algumas drogas como salicilatos (aspirina) por exemplo podem causar albuminúria.

Sem dúvida alguma a albuminúria abundante e duradoura poderá significar doença renal grave como nefrite ou nefrose e nesse caso dever ser acompanhada por uma especialista, nefrologista pediátrico.

Piúria (pus na urina)

A presença de piócitos (células de pus) na urina pode significar infecção no aparelho urinário desde a uretra (uretrite), bexiga (cistite) ou rins (pielonefrite). Em condições normais a presença de alguns piócitos não deve ser motivo de preocupação, mas a associação de febre alta, vômito, dor ao urinar, piócitos na urina podem ser os primeiros sinais de infecção urinária.

Hematúria (glóbulos vermelhos)

Também chamado de sangue na urina, pode ser causada por várias condições como cálculos, nefrites, traumatismos, exercícios em excesso, infecções e também hematúria familiar. Nesse último caso, depois de eliminar qualquer outra causa, infecção etc., o pediatra deve examinar a urina dos pais e avós para confirmar o diagnóstico. O aparecimento de duas ou três hemácias por campo não significa problema. A urina cor de Coca-Cola pode significar nefrite e exige avaliação medica imediata.

Bacteriúria (bactérias)

O exame de urina podera revelar grande quantidade de bactérias, na maioria das vezes conseqüente da contaminação da própria urina durante a coleta, como por exemplo na coleta feita com saco coletor. Outras vezes sua presença significa infecção urinária. Nesses casos uma cultura para determinação do tipo de bactéria, contagem de colônias e sensibilidade a determinados antibióticos devem ser realizados. A presença de catalase positivo junto com esterase de leucócitos no EAS aumenta a possibilidade de uma infecção urinária.

Cristais

Compostos de ácido úrico, oxalato de cálcio, oxalato de fosfato, cistine e uratos poderão ser observados em condições normais. A presença desses cristais em excesso associado a sintomas de dor intensa, vômitos e sangue na urina pode significar pedras nos rins e deve ser examinada com mais cautela.

Glicose

Quando houver glicose na urina (glicosúria) a possibilidade de diabetes deverá ser pesquisada e um exame de sangue determinando a taxa de glicose (açúcar) no sangue deve ser realizado.

Acetona

A presença de acido acético ou hidroxibutírico pode significar desde uma infecção, como desidratação causada por vômitos e diarréia, acidose, inanição e diabetes. Nesses dois últimos casos sua presença é um sinal grave.

Pigmentos biliares

Seu aparecimento na urina normalmente está correlacionado a uma lesão hepática, principalmente quando em números aumentados. Significa que a lesão hepática está aumentando a quantidade de bilirrubina no sangue, e os rins, por serem um filtro, ficam responsáveis por eliminar essa quantidade maior do que o normal, expelindo na urina. O mesmo pode acontecer com urobilina, que também é derivada do fígado. Em pequena quantidade, isto é, traços, revela apenas que o fígado está com sua função aumentada, mas em grande quantidade, pode estar relacionada a uma hepatite ou doença do sangue.

O EXAME DA URINA NA FRALDA OU A OLHO NU

Quando trocamos a fralda ou mesmo ajudamos nossos filhos a "se limparem" temos na nossa frente uma informação importante, que não devemos desprezar. É nessas horas que muitos pais vêem na urina um sinal de que devem contatar seu pediatra. Daremos uma noção rápida das mudanças na urina que podem estar relacionadas a condições benignas e também sinais de que algo mais sério está ocorrendo:

Cor

Em situações normais a urina deve ter uma cor amarela. Além do aumento de peso ao ser checado na visita ao pediatra, uma outra informação importante que pode tranqüilizar os pais de que a quantidade de leite materno está sendo suficiente para o recém-nascido é a cor da urina. Uma criança bem hidratada apresenta uma urina de cor amarela bem clara, quase transparente. Discutiremos adiante, com mais detalhes, como avaliar se o leite materno está sendo suficiente ou não, somente pelo exame da urina na fralda. Também devemos lembrar que, em caso de alteração da cor da urina, é sempre importante discutir com seu pediatra as medicações e a comida que a criança ingeriu nos últimos dias.

Amarela bem escura. Caso a criança não esteja bebendo muito ou em dias mais quentes de verão em que também a criança não esteja tomando a quantidade de líquido adequada, é normal se observar uma coloração mais amarela ou até mesmo quase laranja da urina. Isso se deve à concentração da urina, que não diluída pela "falta" de água, toma a cor dos outros elementos presentes na urina. Nesses casos o ideal é aumentar a oferta de líquidos e observar na próxima troca de fralda ou na próxima ida ao banheiro a coloração da urina.

Laranja. Algumas medicações como a Rifampicina, usada no tratamento da tuberculose, por exemplo, alteram a coloração da urina, das lágrimas e da saliva para a cor laranja. Outras medicações como Vitamina B, Piridium (usado para cistites), e alguns laxativos, podem tornar a urina laranja.

Vermelha. O sangue na urina pode ser causado por infecções, glomerulonefrites, nefroses, hematúria familiar, Síndrome de Alport, cálculo renal, traumatismo, exercício excessivo. A menstruação em adolescentes também pode ser confundida com sangue na urina. Doenças sanguíneas e outras causas serão discutidas com mais detalhes a seguir. Várias associações de medicações também podem tornar a urina avermelhada sem significar sangue na urina. Dentre elas devemos citar a associação de Warfarin (usada nas doenças tromboembólicas) com Ibuprofeno, Naproxeno (antiinflamatórios). Algumas comidas podem tornar a urina avermelhada como a beterraba e não deve assustar os pais. Em caso de urina avermelhada é sempre importante contatar o pediatra.

Marrom ou Cor de Coca-Cola. Nesse caso, tanto pode significar uma inflamação dos rins, glomerulonefrite, como também pode ser um sinal de infecção viral do fígado: hepatite. Caso a criança apresente essa coloração de urina é importante que seja avaliada pelo pediatra o mais rápido possível.

Volume

O volume de urina emitido em 24 horas talvez seja a informação mais importante que os pais podem adquirir em simples trocas de fraldas. A forma mais pratica é contar o número de fraldas úmidas trocadas por dia. Nos recém-nascidos, o ideal, seriam pelo menos de 6 a 8 fraldas bem úmidas por dia. Caso o número de fraldas úmidas trocadas por dia seja menor do que isso, ou se os pais estão trocando as fraldas e observam que elas estão secas, é hora de ligar para seu pediatra. O bebê recém-nascido normalmente urina cada vez que amamenta. Depois de cada amamentação deve-se trocar a fralda e avaliar se está úmida ou não. A pergunta mais freqüente que os pacientes têm é como saber se a criança está urinando o suficiente quando a fralda está cheia de fezes, o que normalmente é o caso em recém-nascidos. Além da coloração da urina ser diferente, a urina, por conter principalmente água, é absorvida mais rapidamente e enche a parte interna da fralda, enquanto a água das fezes, por estar misturada com partes sólidas, fica mais flutuante junto com as fezes. Além do volume e do número de fraldas, outros sinais importantes para a observação da hidratação da criança é a presença de lágrimas e saliva na boca.

Crianças que urinam muito (Poliúria)

A quantidade de urina eliminada pela criança em condições normais está relacionada ao volume de líquido ingerido. A estação do ano também influencia. Assim sendo no inverno, quando as crianças suam menos e perdem menos líquido pelo suor, a quantidade de urina pode aumentar sem significar doença. Muitas vezes, no inverno, a criança que já não urinava durante a noite, volta a ter esses "acidentes". Assim também, durante o verão, a criança tem a tendência a urinar menos, pois grande parte da água corporal é eliminada pelo suor.

O temperamento da criança também pode influenciar na quantidade de urina. As crianças mais ansiosas têm a tendência de urinar mais freqüentemente e em pequenas quantidades.

Uma das doenças a se considerar e checar em presença de aumento na quantidade e volume urinário é o diabetes. As cistites (inflamação da bexiga) podem se manifestar como um aumento na freqüência da micção, em pequenos volumes e podem ser dolorosas. Qualquer alteração na quantidade, volume e coloração da urina deve ser discutida com seu pediatra.

Enurese (acidentes noturnos e/ou diurnos)

Os "acidentes" noturnos e/ou diurnos são queixa comum no consultório de um pediatra. Há vários fatores que devem ser considerados. Existem dois tipos de enurese: noturna (durante a noite), diurna (durante o dia). Dentre essas há ainda duas classificações:

1) Enurese Primária: a criança que nunca teve controle da urina.

2) Enurese Secundária: a criança que tinha controle da urina durante a noite e por outros motivos começou a perder o controle e começa a apresentar acidentes durante a noite.

A ocorrência de enurese deve sempre ser investigada pelo pediatra para afastar doenças importantes como diabetes e ou infecções urinárias. Há causas simples como a mudança de temperatura (verão ou inverno), quantidade de água e líquidos ingeridos, ou simplesmente mudanças na rotina da criança que causam um estresse qualquer não observado pelos pais e que pode ser manifestado somente pela enurese. A simples chegada de um irmãozinho pode ser manifestada através da enurese e não significa patologia.

Nos casos de aumento do volume e/ou freqüência urinária em que patologias tenham sido descartadas pelo seu pediatra, é aconselhável seguir certas medidas para evitar acidentes principalmente à noite:

1) Evite líquidos depois do jantar (qualquer tipo de líquido: gelatina, sorvete, água, refrigerantes etc.);

2) Coloque a criança para urinar antes de dormir;

3) Também coloque a criança para urinar antes que de os pais irem dormir;

4) "Exercite" a bexiga: faça a criança contar até 10 ao urinar e ao terminar peça a ela para "apertar a bexiga", esvaziando-a completamente;

5) Faça um calendário e coloque a criança para participar na montagem dele: caras felizes quando a criança não urina na cama e caras tristes quando acidentes acontecem;

6) Recompense a criança com pequenos presentes, por exemplo, depois de três dias sem acidentes. Aumente progressivamente os intervalos sem acidentes (de três dias sem acidentes para receber a recompensa, passe para cinco dias sem acidentes) dando assim, um estímulo para que a criança "exercite" sua bexiga e evite acidentes cada vez mais.

Caso a enurese persista apesar de todas essas medidas, é hora de contatar seu pediatra outra vez.

Crianças que urinam pouco (oligúria)

É caracterizada pela diminuição da produção de urina em 24 horas e normalmente é um sinal importante de que a criança, especialmente um recém-nascido, deve ser avaliado o mais rápido possível pelo pediatra. No verão, é normal acontecer a diminuição do volume de urina, como já mencionado anteriormente. Nesses casos essa diminuição pode ser o primeiro sinal de que a criança necessita ingerir líquido. Uma regra geral a ser seguida é avaliar a quantidade de fraldas úmidas, como também o volume de urina na fralda. Caso haja uma diminuição importante, tanto no volume, como na quantidade de fraldas trocadas num período de tempo, o pediatra de ser contatado imediatamente. Nos casos de gastroenterite, em que a criança apresenta diarréia, fica difícil saber se a criança está urinando ou não, pois as fezes serão líquidas. Portanto nos casos de vômito, e/ou diarréia é sempre importante contatar o pediatra caso haja qualquer dúvida quanto à hidratação da criança ou caso a criança não esteja aceitando a ingestão de líquidos, ou vomite logo apos a ingestão do mesmo.

A anúria é a diminuição da quantidade de urina em volumes alarmantes e necessita avaliação imediata. Os rins normalmente são órgãos nobres, inteligentes e resistentes e na maioria das vezes recuperam-se bem e rapidamente.

Disúria (dor ao urinar)

Nas crianças menores, e que ainda usam fralda, é difícil avaliar a "dor ao urinar".

Algumas mães percebem que a criança fica mais irritada e chora mais, logo após urinar.

Nas crianças maiores, principalmente meninas, é uma queixa também freqüente. Nesses casos aconselha-se a avaliação do pediatra, para que possa ser determinada a causa da disúria. Entre as causas mais freqüentes encontra-se a irritação local da vagina devido à falta ou higiene inapropriada (vaginites). Outras causas de disúria também freqüentes são cistites (inflamação da bexiga), pielonefrites (infecções nos rins) e cálculos renais (pedras nos rins).

Caso patologias, como infecção urinária ou alterações da anatomia, tenham sido descartadas pelo pediatra e a causa da disúria tenha sido determinada como a irritação na área genital, aconselha-se várias medidas para se evitar o reaparecimento da disúria.

Em meninas principalmente evitar os banhos de imersão demorados, calcinhas com pinturas e de cores fortes, dar preferência ao algodão, em vez de lycra, em calcinhas, evitar que a criança permaneça com o biquíni/maiô por muito tempo depois de sair da piscina, pois o cloro e a lycra do biquíni são irritantes e podem causar a dor ao urinar sem significar infecção. É aconselhável o uso de sabão neutro nos banhos para evitar que os agentes químicos irritem a pele e produzam a dor ao urinar. Nos meninos, não ciscuncisados, a higiene do prepúcio, para evitar a inflamação dessa área, também é uma medida importante para evitar a disúria.

A disúria associada com febre, perda do apetite, vômito ou diarréia pode significar infecção urinária e necessita avaliação imediata.

Em casos de cálculos renais, normalmente a dor é abdominal, mas também pode se apresentar somente como disúria associada, na maioria dos casos a hematúria (sangue na urina).

Crianças com urina vermelha (Hematúria)

É considerada como a presença de pelo menos cinco glóbulos vermelhos na urina, e ocorre com uma prevalência de 0,5 a 2% em crianças de idade escolar. Como já mencionado anteriormente, a avaliação da coloração da urina é um dado importante na avaliação do pediatra. É comum a mãe relatar ao médico que seu filho está com a urina "carregada", avermelhada, manchando a fralda. Antes de tudo é necessário esclarecer sobre a coloração:

A urina avermelhada é um sinal de que a criança deve ser avaliada pelo pediatra sem demora.

Pode ser causada por infecções, pedras nos rins, glomerulonefrites, nefroses etc. Alguns medicamentos podem tornar a urina de cor avermelhada: metronidazole, nitrofurantoina, salicilatos, rifampin, dentre outros. Sempre relatar ao médico as medicações que a criança está tomando em caso de alteração da coloração da urina. Outras doenças renais como a IgA nefropatia e a Síndrome de Alport, podem aparecer primeiramente com sangue na urina.

Se a coloração for amarelo-escura, poderá ser um sinal de que a criança está tomando pouco líquido. No caso de dúvida, e em caso de qualquer suspeita de sangue na urina, um exame de urina é necessário. Há ainda uma patologia de origem familiar chamada de hematúria familiar benigna, que é associada com a presença de sangue microscópico na urina, sem apresentar alteração da função renal. Em caso de hematúria freqüente não associada a nenhum outro sintoma, e que se suspeita de hematúria familiar benigna, deve-se também fazer o exame de urina em familiares para se afastar essa possibilidade.

Crianças com pedras nos rins apresentam uma hematúria importante, e dependendo da localização do cálculo, uma dor abdominal também importante. Quando a menina atinge a adolescência, é comum a mãe chegar ao consultório com a queixa de sangue em grandes quantidades na urina, que pode ser somente o início da menstruação, não detectada pela adolescente. Sempre perguntar pela presença ou não da menstruação.

Crianças que têm urina turva

É freqüente observar, em crianças na idade pré-escolar (dois a quatro anos), a urina de coloração turva, assustando os pais, que julgam como pus. Normalmente, no verão, quando a criança não toma líquidos apropriadamente, a urina pode aparecer de coloração turva, ou mais escura. Não há dúvida de que a urina contendo pus é turva, por isso mesmo o exame de urina é necessário, para afastar hipóteses de presença de albumina (albuminúria), e de pus (piúria).

Cistite (inflamação de bexiga)

Normalmente as crianças queixam-se de dor ao urinar (disúria), urinam com mais freqüência e em menor quantidade. Na maioria dos casos, a cistite não está relacionada com febre alta, vômitos ou diarréias, como é o caso de pielonefrites (infecções renais). O exame de urina é recomendado assim como o tratamento acompanhado pelo pediatra.

Em casos de cistites de repetição uma avaliação do especialista, nefrologista pediátrico, é necessária. A história familiar pode auxiliar no diagnóstico e no tratamento. Esse último normalmente é feito pelo uso de antibióticos apropriados. É importante ensinar as meninas de idade escolar a se limparem apropriadamente. Devem evitar limparem as partes genitais de trás (ânus) para a frente (vagina), pois assim trazem as bactérias da mucosa intestinal para a parte vaginal o que pode predispô-la a infecções ascendentes do aparelho urinário.

Pielonefrite (infecção de urina)

A criança com infecção urinária apresenta sintomas como vômito, febre alta, diarréia, diminuição do apetite e, caso não esteja tomando líquido em quantidades adequadas e vomitando demasiadamente, a desidratação também é comum. O exame de urina demonstra a presença de pus, e a cultura de urina vai demonstrar a presença e o tipo de bactéria, assim como ao antibiótico mais indicado.

Nas crianças menores de cinco anos é indicada a investigação da causa da infecção com exames como a ultra-sonografia renal e a uretrocistografia retrógrada. Com esses dois exames pode-se avaliar as causas mais comuns como alguma alteração anatômica, ou o refluxo vesico-ureteral.

A disposição da uretra curta e reta facilita a infecção ascendente, principalmente em meninas. O diagnóstico das infecções urinárias é feito pelo exame de urina. Como já explicado anteriormente, nas crianças menores a coleta da urina deve ser efetuada através de cateterização para que o diagnóstico seja mais preciso. Por ser um exame mais invasivo os pais tem a tendência a recusarem que a cateterização seja feita. Com a explicação apropriada do pediatra, de que a "dor" que a criança vai sentir nesse exame é muito menor do que a dor que as conseqüências de uma infecção urinária, não diagnosticada, podem causar, como em casos extremos a insuficiência renal, os pais entendem e aceitam o procedimento sem menor reclamação. É bom sempre dar o exemplo de vacinas, que ao serem aplicadas, doem na hora e a criança chora, mas é muito melhor a dor e choro curtos da vacina, do que a criança não chorar por cinco minutos ou menos, e ter aquela doença. O diagnóstico é feito pela cultura de urina principalmente. Como a urina ao ser eliminada se contamina por micróbios na uretra, no prepúcio ou na vagina, as culturas de urina estão sujeitas a muita contaminação, especialmente quando a coleta não é feita de maneira apropriada. O número de colônias deverá ser valorizado. A urina coletada por cateter com mais de 100 mil colônias no resultado da cultura, indica infecção urinária.

O tratamento da infecção urinária deve ser feito com antibióticos e cada caso devera ser analisado. Os antibióticos de amplo espectro são recomendados. Normalmente o médico deve analisar no resultado da cultura, qual o antibiótico é "mais indicado" para esse tipo de bactéria, e basear o tratamento nesse resultado. Nas crianças que não conseguem tolerar líquidos, que estão vomitando demais por exemplo, assim como nas crianças menores, é recomendada a internação hospitalar para que o antibiótico seja administrado pela via intravenosa por alguns dias ou até a criança tolerar a ingesta oral. Nas crianças com pielonefrite de repetição o acompanhamento pelo especialista também está indicado.

Refluxo vesico-ureteral

É uma das causas mais freqüentes de infecção urinária de repetição em crianças. Significa o retorno da urina ao ureter quando a bexiga está se contraindo para que a urina seja eliminada. Em vez de seguir na direção da uretra para ser eliminada, a urina volta pelo ureter, podendo chegar a voltar até os rins. O "sintoma" ou apresentação mais comum é a infecção urinária de repetição. Especialmente nas crianças menores está indicada a investigação por exames radiológicos desde a primeira infecção urinária (peilonefrite). O diagnóstico é feito pela uretrocistografia miccional retrógrada.

Nesse exame um cateter é colocado na bexiga e um contraste é injetado até enchê-la. A radiografia é tomada com a bexiga cheia, e daí por diante, uma seqüência de radiografias são tomadas com a criança urinando, para ver se a urina está regressando ao rim (refluxo).

O refluxo é classificado em graus, sendo 1 o grau mais leve e 5 o grau mais severo. O tratamento será feito de acordo com o grau do refluxo e com um quarto da dose normal de antibiótico todos os dias, para evitar a repetição de uma infecção urinária (profilaxia). É importante sempre lembrar aos pais que essa dose de antibiótico profilática é mínima e não deve causar mais danos à criança. É muito melhor tomá-la e evitar infecções de repetição e danos ao rim do que expor a criança à possibilidade de ter que fazer tratamentos extremos como diálise. As infecções de repetição danificam os rins e podem levar à insuficiência renal (falência da função renal).

Nos graus mais leves, 1 e 2, não está indicada a profilaxia. Lembre-se sempre que cada caso é um caso. Essa é a regra, mas há exceções, e a decisão deve ser tomada pelo nefrologista pediátrico. A uretrocistografia miccional deve ser repetida a cada ano, até os cinco anos de idade, para ver se o refluxo está melhorando, ou até mesmo desaparecendo e assim evitar a administração de antibiótico profilático sem necessidade. A partir da primeira uretrocistografia, as outras podem ser feitas como cistografia nuclear, que consiste basicamente do mesmo exame, somente com menor exposição radiológica a criança.

O DMSA, exame radiológico que injeta contraste na veia e delineia a função renal, deve ser feito quando a criança já tenha sido tratada da infecção urinária, para se avaliar se a infecção danificou ou não o rim. Caso tenha ocorrido danos aos rins com uma infecção, a cirurgia para correção do refluxo vesico ureteral está indicada. A decisão, mais uma vez, deve ser tomada pelo nefrologista e o urologista pediátrico (cirurgião do aparelho urinário). Normalmente, mesmo nos casos mais severos, grau 5, o refluxo sc "autocorrige" até os cinco anos de idade. Após essa idade, caso o refluxo não tenha se corrigido naturalmente, e/ou a criança apresente infecções de repetição, mesmo com profilaxia adequada, a cirurgia para corrigir o refluxo também pode estar indicada.

Glomerulonefrite

Na maioria dos casos, é uma doença não infecciosa, provocada por um processo imunológico, cujo fator desencadeante normalmente é uma infecção. Há alguns outros tipos de glomerulonefrites que serão diagnosticadas por uma biópsia renal, e devem ser acompanhadas pelo nefrologista pediátrico. Exemplos dessas são Glomerulonefrite Membranoproliferativa (normalmente mais crônica), glomerulonefrite associada com o lupus eritematoso sistêmico, a glomerulonefrite rapidamente progressiva e a glomerulonefrite da Síndrome de Henoch-Schonlein por exemplo.

A infecção por estreptococco é comum causar a glomerulonefrite difusa aguda. No passado acreditava-se que o tratamento da infecção estreptococcica (amigdalites e impetigos por exemplo) evitava o desenvolvimento da glomerulonefriet. Atualmente já se comprovou que o tratamento da infecção estreptococcica NÃO EVITA, o aparecimento da glomerulonefrite difusa aguda. A única doença que o tratamento da infecção estreptococcica como a amigdalite impede o seu aparecimento é a febre reumática (ver página...) Por ser uma reação imunológica a uma infecção, a glomerulonefrite normalmente aparece de uma a três semanas depois da infecção (de garganta ou de pele por exemplo). A idade mais comum para seu aparecimento é entre os quatro e os nove anos de idade, mas isso não significa que crianças de outras idades não possam apresentar a doença.

Os sintomas mais comuns são: oligúria (pouca urina), hematúria (urina de cor escura), edema (inchaço), hipertensão (pressão arterial aumentada), e nos casos mais graves insuficiência cardíaca. O tratamento deve ser sempre sobre a orientação do pediatra e em alguns casos requer a hospitalização para o controle da pressão arterial. O tratamento consiste em restrição hídrica, restrição na quantidade de sal na dieta, diuréticos, e hipotensores. No caso da glomerulonefrite difusa aguda, o prognóstico é bom. Os outros tipos de glomerulonefrites exigem um tratamento mais agressivo, intenso, prolongado, e seu prognóstico depende muito de paciente para paciente.

Síndrome nefrótica

Pode estar associada a várias causas e é constituída, como em qualquer outra síndrome, de um conjunto de sinais e sintomas:

Edema (inchaço), proteinúria (presença de proteína na urina em quantidade aumentada), e aumento do colesterol são os principais sinais e sintomas. A síndrome nefrótica pode ser de origem idiopática e dentre essas a mais comum, principalmente entre os dois e seis anos de idade, é a síndrome nefrótica de alteração mínima. Há ainda outros tipos menos comuns, como a esclerose focal e segmentar, com conseqüências e prognósticos mais graves, e ainda a síndrome nefrótica de proliferação mesangial. Ambas deverão ser diagnosticadas através de uma biopsia renal. O tratamento da síndrome nefrótica de alteração mínima se da pelo uso de corticóide sistêmico, também sob constante avaliação do nefrologista pediátrico. As infecções secundárias e os efeitos colaterais do uso do corticóide por tempo prolongado são as complicações mais freqüentes, e devem ser tratadas por um especialista cuidadoso. Há crianças que respondem bem ao tratamento com corticóide como há outras que não respondem ao uso do mesmo, e necessitam medicações mais "potentes", com diferentes mecanismos de ação. Normalmente, as crianças que respondem bem ao tratamento com corticóide nos primeiros seis meses, apresentam um bom prognóstico. Já as crianças que são "resistentes" ao tratamento com corticóide apresentam um prognóstico mais problemático.

Existe também um tipo de síndrome nefrótica chamada de síndrome nefrótica congênita. São casos em que as crianças desenvolvem os sinais e sintomas de síndrome nefrótica nos primeiros três meses de vida. As causas podem ser associadas a infecções como o sífilis congênito, HIV, hepatite B, toxoplasmose ou também pode ser considerada uma doença autossômica recessiva (de origem genética). Em casos de síndrome nefrótica congênita, o uso de corticóide é inefetivo, e o tratamento acaba sendo a nefrectomia (retirada dos rins bilateralmente), e diálise até o aparecimento da possibilidade de um transplante renal.

Insuficiência renal aguda

Há várias causas que levam à insuficiência renal (perda da capacidade de filtração dos rins). Normalmente a causa mais freqüente em crianças é a desidratação aguda, que se tratada apropriada e rapidamente, permite o retorno da função renal ao normal. A interrupção da eliminação urinária poderá também ter várias outras causas, dentre elas: doenças renais como glomerulonefrites, intoxicações, incompatibilidade sanguínea durante transfusões, queimaduras que levam à desidratação, choque séptico ou de qualquer outra natureza, malformações urinárias, infecções crônicas e não tratadas adequadamente nos rins. Naturalmente a criança se revela gravemente enferma, exigindo tratamento imediato. Além da diminuição de eliminação de líquidos, como a água corporal, também há diminuição da eliminação de substâncias tóxicas ao organismo, como a uréia. Em casos de desidratação, somente a reidratação adequada e em tempo certo deve fazer a função renal retornar ao normal. Algumas vezes tem-se de recorrer a técnicas especializadas de diálise peritoneal e ou hemodiálise.

Insuficiência renal crônica

Caracteriza-se por uma redução irreversível da função renal. O prognóstico para crianças com insuficiência renal crônica melhorou muito nos últimos anos devido aos avanços na área de transplante renal. O tratamento consiste, e é determinado, por uma avaliação multifatorial de vários especialistas como o pediatra da criança, o nefrologista pediátrico, psicólogos, nutricionistas, enfermeiras e mais importante, pais, familiares e a própria criança. Cada caso se adapta diferentemente aos tipos de tratamento por diálise, peritoneal ou hemodiálise. É uma decisão que deve ser tomada em grupo, tomando em consideração não somente a rotina dos familiares envolvidos, mas principalmente a qualidade de vida e o conforto da criança que irá se submeter a esse tratamento. Deve-se tentar não retirar a criança da sua rotina normal, escola e atividades extracurriculares que sejam permitidas. Muitas vezes os próprios pais podem ser qualificados como doadores, o que aumenta ainda mais a relação de amor e carinho existente entre os pais e a criança. O tratamento após transplante exige cuidados também especiais devido a medicações que aumentam e predispõem a criança ao risco de infecções graves.

DOENÇAS UROLÓGICAS

Fimose

É a incapacidade de se retrair o prepúcio (pele extra ao redor do pênis).

Ao nascer todos meninos apresentam esse excesso de pele ao redor da glande, que deixa somente exposto um pequeno orifício, e é considerado fisiológico. Isso é normal ao nascimento. Em meninos não circuncidados 90% das vezes essa pele pode ser retraída antes de eles completarem três anos de idade. Do ponto de vista clínico, a cirurgia só se justifica quando houver dificuldade de urinar, mas há casos em que a cirurgia é recomendada por diferentes causas, como infecções constantes da área do prepúcio. Atualmente a Academia Americana de Pediatra não recomenda a circuncisão em todos os meninos. Fica a critério dos pais a escolha da circuncisão, seja por motivos religiosos (no caso da religião judaica por exemplo), higiênicos (para facilitar a limpeza da área) ou estéticos/psicológicos (quando o pai e/ou irmãos apresentam a área circuncidada, é indicado fazer a circuncisão no menino, para que ele não se sinta "diferente do pai e/ou irmãos).

Parafimose

É o estrangulamento da glande pelo prepúcio, deixando um orifício muito estreito. Isso pode causar a inchação (edema) local, com diminuição do suporte sanguíneo ao local e dor importante. Pode ser provocada quando os pais ou babás puxam a pele diariamente, na tentativa de reduzir ou acabar com a fimose, e a pele não volta para a posição anterior, estrangulando a glande. O tratamento consiste na tentativa de desfazer esse estrangulamento por um médico manualmente, e se não for conseguido, a intervenção cirúrgica está indicada.

Criptorquidia

É a ausência dos testículos na bolsa escrotal. Pode ser unilateral, somente um lado, ou bilateral. Alguns meninos nascem com a bolsa escrotal vazia, sem testículos. A deiscência dos testículos ocorre no final da gestação (gravidez) e 30% de bebês prematuros apresentam ausência de testículos na bolsa escrotal. A maioria recupera a bolsa escrotal espontaneamente durante os três primeiros meses de vida. É importante o pediatra avaliar se os testículos estão ausentes completamente da bolsa escrotal e do canal inguinal, ou presentes no canal inguinal. Nesse último caso, podem ser considerados testículos retráteis e, na maioria das vezes, descem a bolsa escrotal naturalmente. Já a ausência completa dos testículos na bolsa escrotal pode significar que eles estejam ainda localizados no abdome, e não desceram, como deveriam, ao final da gravidez. A presença ou não dos testículos no abdome pode ser determinada pela ultra-sonografia. Caso ausentes totalmente a avaliação por um endocrinologista pediátrico é necessária para se afastar outras patologias de origem endocrinológica. Caso os testículos não voltem à bolsa escrotal a criança estará predisposta a patologias como a esterilidade, torção de testículo, hérnia inguinal e câncer de testículo. É importante se corrigir essa patologia por meio de cirurgia, caso os testículos não sejam encontrados na bolsa escrotal até antes de se completar um ano de idade (normalmente com nove meses de idade).

O tratamento hormonal ficará a critério do médico.

Válvula da uretra posterior

Ocorre em meninos, e pode ser responsável pela insuficiência renal caso não diagnosticada. Ela causa um "bloqueio" na saída da urina pela uretra, fazendo com que a urina regresse aos rins e assim danifique a sua estrutura. Algumas vezes é descoberta pela ultra-sonografia da mãe quando ainda grávida. Nesses casos se demonstra um aumento do volume dos rins do bebê, que depois do nascimento não retorna ao normal. Algumas vezes também pode se demonstrar através de infecções urinárias após o nascimento em crianças pequenas. O diagnóstico pode ser feito através da uretrocistografia miccional. O tratamento é feito pela cirurgia corretiva, e não deve ser postergado.

Hidrocele

É a presença de líquido entre as membranas que envolvem os testículos. Existem dois tipos de hidrocele: comunicante e não comunicante. Nas crianças maiores a presença de hidrocele pode ser devida à presença de uma infecção na bolsa escrotal ou pela torção de testículos. O exame com luz por trás da bolsa escrotal feito pelo pediatra poderá diferenciar a hidrocele da hérnia inguinal. Na hidrocele, a luz passa e transmite pelo testículo. Já com a presença de hérnia a luz fica opaca. A cura da hidrocele se dá espontaneamente depois de algumas semanas ou meses. A correção cirúrgica da hidrocele está indicada quando a hidrocele não regride até um ano de idade ou em casos mais complicados. Caso seja diagnosticada a hérnia inguinal o tratamento é cirúrgico.

Varicocele

É a presença de veias dilatadas e tortuosas na bolsa escrotal. Pode se apresentar sem sintomas ou com dor na região. O tratamento fica a critério do médico.

Vulvovaginite

Na menina recém-nascida, é normal a presença de uma secreção vaginal esbranquiçada.

É causada pelo hormônio materno que aumenta a secreção na menina. Normalmente essa secreção não apresenta odor e não deve causar irritação local, ou vermelhidão. Desaparece normalmente em uma semana ou mais.

A presença de secreção vaginal na menina é muitas vezes normal, mas também pode ser causada por uma infecção local por bactérias ou fungos.

A vermelhidão ou irritação local pode causar a disúria, já que, sendo ácida, a urina irrita a pele já inflamada. Nas crianças pré-escolares é comum também a colocação de corpos estranhos na vagina. Nesses casos um forte odor pode ser notado assim como a inflamação local e secreção purulenta.

É importante também se afastar as doenças sexualmente transmissíveis, e em crianças menores deve sempre se avaliar e descartar a possibilidade de abuso.

Nas pré-adolescentes é comum o aumento da secreção vaginal antes do aparecimento da menstruação. É causada por um aumento hormonal e não significa infecções na maioria das vezes.

Os oxiúros em algumas ocasiões emigram do ânus para a vagina, causando prurido e conseqüentemente infecção. A higiene da vulva, quando não é feita apropriadamente, pode ser uma das causas.

Também como causa comum dessa inflamação, já mencionado anteriormente, são as calcinhas de tecidos que irritam a pele como o náilon, dácron etc. O tecido ideal é o algodão. O tratamento fica a critério do pediatra, que deve avaliar a causa da inflamação e da infecção. Em caso de bactéria o tratamento deve ser feito com antibióticos e nos casos de infecções por fungos o tratamento deve ser feito com pomadas antifúngicas.

Vagina fechada (sinequia) ou aderência dos pequenos lábios

Consiste na aglutinação labial, isto é, os pequenos lábios da vulva se apresentam colados. Pode ser causada por uma inflamação ou apenas irritação da mucosa de revestimento. Geralmente essa condição desaparece espontaneamente com o tempo ou, mais tardar, perto da puberdade. Pode se fazer a aplicação de creme com hormônio de estrogênio Premarim. Esse creme deve ser usado com indicação do pediatra, pois em se tratando de hormônio, o uso inadequado pode levar ao aparecimento de efeitos colaterais como os pêlos pubianos. Na maioria das vezes, após o término da aplicação da pomada a aderência pode regressar. A limpeza da área deve ser feita normalmente, aplicando leve pressão ao colocar a pomada para que evite a readerência.

O aparelho urinário é um filtro importante e a urina manifesta muitas vezes qualquer alteração nesse sistema nobre do organismo. É sempre importante contatar seu pediatra caso tenha uma dúvida em relação a alterações na urina. Qualquer sinal ou sintoma que esse aparelho demonstre pode ser tanto o início de uma doença grave, como a demonstração de um estresse qualquer.

AS DOENÇAS DE PELE

A pele é o maior órgão do organismo. Age como uma barreira de proteção, porém a quebra da sua integridade favorece o início de infecções. O risco de injúria cutânea nas crianças é muito superior que nos adultos, por haver maior risco de absorção através da pele e infecções. O bebê não tem flora protetora cutânea ao nascer, é exposto a objetos e pessoas que podem carrear agentes infecciosos, além de apresentar uma ferida aberta (umbigo) e eventualmente ser submetido à circuncisão. A pele da criança é diferente da do adulto, sendo 40% mais fina, com menos pêlos e menor produção de secreções pelas glândulas sebáceas (responsáveis pela produção de sebo – gordura) e sudoríparas (suor).

Dados atuais revelam que a pele de um bebê prematuro é mais permeável que a pele de um bebê nascido a termo, com aumento da perda de água através da pele. Esta imaturidade no prematuro pode levar à desidratação, distúrbios eletrolíticos e instabilidade térmica. O risco de toxicidade pela absorção de produtos através da pele está portanto aumentado em bebês, especialmente nos prematuros.

Características da pele de um recém-nascido em comparação com a pele de um adulto:

- Mais fina, com menos pêlos.
- Pouca secreção sebácea (gordura) e écrina (suor).
- Maior suscetibilidade a infecções por microorganismos.

Cuidados com a pele do recém-nascido

A pele do recém-nascido encontra-se coberta por um material graxento, que representa uma proteção fisiológica, chamado *vérnix caseosa.* Este deriva parcialmente da secreção das glândulas sebáceas, como também é produto da decomposição da camada mais superficial da pele do bebê. Embora sua função não esteja completamente esclarecida, muitos estudos sugerem que não deve ser removido, pois age como proteção. Este material será eliminado sucessivamente através das mudanças de roupa, geralmente dentro das primeiras semanas de vida.

Normalmente a descamação cutânea pode ser observada nos recém-nascidos após 24 a 36 horas do nascimento, podendo estender-se até a terceira semana de vida. Se a descamação é vista ao nascimento pode ser indicativo de parto pós-maturo, anóxia intra-uterina ou ictiose congênita.

Os cuidados com a pele do bebê devem envolver limpeza com produtos não tóxicos, não abrasivos, e sim neutros. A limpeza das nádegas e região perianal deve ser feita com água e algodão. Quando for necessário, um sabonete suave, com posterior enxágüe com água deve ser utilizado durante a troca das fraldas. Em relação ao coto do cordão umbilical, deve ser evitado o uso de substâncias que contenham povidine, devido ao risco de absorção do iodo, podendo desencadear uma queda dos hormônios da tireóide ou hipotireoidismo. Uma alternativa segura para higiene desta área é com produtos que contenham clorexidine. Outra opção é o álcool isopropílico.

DESORDENS CUTÂNEAS DO RECÉM-NASCIDO

Acne neonatal (erupção acneiforme do recém-nascido)

Ocasionalmente os bebês desenvolvem uma erupção semelhante à acne dos adolescentes, isto é, com pústulas (pequenos pontinhos com pus) e pápulas (diminutas bolinhas avermelhadas) nas bochechas, queixo e testa. Em muitos casos não é necessário tratamento, sendo apenas recomendada limpeza diária com água e sabonete. Em casos mais graves podem ser utilizados agentes tópicos (cremes queratolíticos com ou sem antibiótico tópico) prescritos pelo pediatra ou dermatologista. Em casos com recidiva e sem melhora ao tratamento deve-se investigar excesso de androgênios.

Hiperplasia das glândulas sebáceas

É um fenômeno fisiológico, em que o recém-nascido apresenta pequenos pontinhos amarelados no nariz, bochechas, lábios superiores. Representa um estímulo androgênico materno. Não requer tratamento, visto que as lesões desaparecem nas primeiras semanas de vida.

Milia

São pequeninos pontos endurecidos e amarelados que geralmente surgem na face dos bebês, podendo também ocorrer em outras regiões. Tendem a desaparecer na terceira ou quarta semana de vida, embora, às vezes, possam persistir até o segundo ou terceiro mês. Não é necessário realizar tratamento.

Dermatite seborréica

Apresenta-se como lesões eritematosas, descamativas, com superfície às vezes amareladas, graxentas e até mesmo áreas com fissuras, localizadas principalmente no couro cabeludo, sobrancelhas, atrás das orelhas, nariz, podendo, entretanto, surgir no tronco, virilhas e ao redor do umbigo. Quando surge no couro cabeludo é chamada crosta láctea. Sua remoção é feita através de massagens suaves com óleo infantil e posterior lavagem dos cabelos.

Dermatite das fraldas

Este termo é usado para descrever um processo inflamatório, com lesões avermelhadas na região das fraldas. Surge pelo contato prolongado da urina e das fezes com a pele, que se torna macerada, com microfissuras e coceira. Em muitos casos há infecção da pele por bactérias ou fungos (especialmente *Candida albicans*), o que acaba agravando o quadro. O tratamento consiste em medidas de higiene local, ou seja, limpeza com sabonete neutro (apenas se houver presença de fezes), caso seja apenas urina deve-se evitar lavar a região em excesso, limpando apenas com lenços umedecidos. Deve ser realizada também a troca constante das fraldas para manter a região seca. Muito importante é manter a região arejada sempre que possível. A aplicação de cremes contendo óxido de zinco e petrolato serve como uma barreira protetora, evitando o contato das fezes e da urina com a pele, este tipo de creme deve ser aplicado em camada espessa sempre que houver troca das fraldas. Caso haja candidíase, associar um antifúngico tópico (nistatina, clotrimazol, miconazol). Em casos de infecção bacteriana o uso de antibióticos tópicos ou sistêmicos é necessário. O uso de cremes contendo corticóides deve ser evitado, pois pode haver risco de absorção sistêmica pela oclusão com a fralda, além dos efeitos colaterais tópicos.

AFECÇÕES DAS GLÂNDULAS SUDORÍPARAS

Miliária (brotoeja)

Devido à imaturidade na diferenciação da epiderme e dos apêndices nos recém-nascidos, particularmente em prematuros, há uma alta incidência de retenção de suor nos recém-nascidos, que corresponde a miliária. Esta se caracteriza clinicamente por vesículas (pequeninas bolhas de água) e/ou pápulas eritematosas (diminutos pontos avermelhados), em geral acompanhados por prurido (coceira). Tende a ser precipitada por ambiente quente e úmido, uso excessivo de roupas, exposições demoradas ao sol, banhos quentes prolongados, deitar o bebê diretamente sobre impermeável de plástico ou borracha, surtos febris e uso de substâncias químicas que contêm óleo. Sua maior incidência é nas primeiras semanas de vida, embora possa ser vista em qualquer idade. O tratamento consiste em evitar ambientes quentes e úmidos, usar roupas frescas e leves, de preferência de algodão, evitar roupas com tecidos quentes como náilon, dácron, tergal, sintéticos, lã. O banho deve ser frio e a criança deve ser mantida em ambiente com ar-condicionado, caso este não seja disponível, pode-se usar ventilador. Para alívio dos sintomas podem ser usados: pasta d'água, loção de calamina (Caladerm loção, Calamina composta), óxido de zinco (Cutisanol gel), sulfato de cobre e zinco (Cicalfate loção) e caso o prurido seja muito intenso cremes com corticosteróides (apenas sob orientação médica).

Quando a miliária torna-se infectada por bactérias, do tipo estafilococos, origina a periporite (abscesso sudoríparo dos lactentes), caracteriza-se por minúsculas pústulas (pequenos pontos de pus) e nódulos eritematos (caroços vermelhos) que tendem a drenar pus. O tratamento é feito com antibióticos sistêmicos. Esta patologia geralmente compromete recém-nascidos com defesa orgânica comprometida, como desnutrição. Os cuidados para sua prevenção são os mesmos da milária.

Impetigo

Popularmente conhecido com o nome de pereba, é infecção cutânea primária da pele, contagiosa, provocada por bactérias, que freqüentemente estão em contato com a pele, aproveitando qualquer oportunidade para infectá-la. Há duas formas que predominam, uma com bolhas (impetigo bolhoso) e outra com vesico-crostas (impetigo não bolhoso, sendo este o mais comum). No primeiro a bactéria responsável é o *Stafilococus aureus*, enquanto no segundo tipo encontram-se misturas de estafilococos e estreptococos. Geralmente surge após feridas, picadas de insetos, traumas, sobre problemas cutâneos anteriores como escabiose (sarna) e eczemas (alergias). O impetigo geralmente surge na face, mãos, pescoço e extremidades. A infecção espalha-se rapidamente pela auto-inoculação, através de dedos, toalhas ou roupas.

No impetigo bolhoso, há formação de bolhas, às vezes de grande tamanho, parecendo queimadura. No início apresenta líquido claro no seu interior, que posteriormente torna-se amarelado, turvo, purulento. Em torno desta lesão a pele está avermelhada e inflamada. Os locais mais acometidos são a face, o tronco e as extremidades. A criança pode apresentar febre alta até 40°C, estar inquieta, agitada, chorosa e sem apetite, já que a lesão é dolorosa.

O outro tipo (impetigo não bolhoso), geralmente ocorre em crianças na fase pré-escolar, as lesões localizam-se principalmente nas pernas, depois que passam deixam cicatrizes mais ou menos circulares, de cor escura, difíceis de desaparecer.

Ambos são contagiosos, a criança deve ter seus pertences (toalhas de banho, rosto, lençóis) separados; freqüentemente há auto-inoculação, isto é, a criança após tocar a lesão com os dedos transmite a infecção para outras áreas do corpo.

O tratamento consiste em limpeza com remoção das crostas, podendo ser usados água e sabonete anti-séptico (Soapex, Protex, Stiefderm), devendo ser repetido de duas a três vezes ao dia. Caso seja difícil remover as crostas, pode-se fazer compressas com anti-sépticos (água boricada ou permanganato de potássio). Após a limpeza administra-se cremes contendo antibióticos, como mupirocina (Bactroban, Bacrocin), ácido fusídico (Verutex creme a 2%) ou neomicina mais bacitracina (Nebacetin pomada), aplicados três vezes ao dia, fina camada. Quando há lesões extensas e disseminadas, é necessário o uso de antibióticos sistêmicos, como penicilina, eritromicina, cefalexina, azitromicina, roxitromicina, todos sob prescrição médica. O descuido no tratamento pode levar a ulcerações.

Ectima

Inicia-se semelhante ao impetigo, após picada de inseto, traumas, escoriações. A lesão inicial é uma pústula (pontinho de pus), com base avermelhada, que posteriormente aumenta de tamanho, forma uma ulceração e recobre-se por crosta espessa. As lesões são dolorosas, crescem lentamente, e posteriormente deixam cicatrizes. Localizam-se principalmente nas pernas e nádegas das crianças. É contagioso, provocado por bactérias (especialmente estreptococos). O tratamento assemelha-se ao do impetigo: limpeza usando água e sabonete anti-séptico, compressas para auxiliar a remoção da crosta, uso de antibióticos tópicos e às vezes sistêmicos.

Furúnculo

É provocado pela bactéria *Stafilococcus aureus.* Clinicamente é um abscesso que tem tendência a necrose central e supuração (formação de carnegão), ou seja, caroço avermelhado, quente, que posteriormente drena secreção contendo pus e sangue. Em certas ocasiões não produz pus, nem estoura, permanece endurecido, produzindo nódulo grande e duro, que tende à evolução crônica, terminando por supurar ou regredir espontaneamente. Pode haver apenas uma lesão ou várias. Geralmente ocorre na face, atrás do pescoço, couro cabeludo, axilas, coxas, nádegas e períneo. O tratamento depende da área comprometida e do número de lesões. Compressas mornas devem ser feitas de três a quatro vezes ao dia, seguidas de cremes com antibióticos, contendo bacitracina ou mupirocina. Caso existam numerosas lesões ou estejam localizadas em áreas mais delicadas, como a face, administração de antibiótico sistêmico é obrigatório. Não é recomendado espremer a lesão, apenas o médico, caso seja necessário fará a drenagem cirúrgica da mesma. O risco de contágio é alto. O aparecimento de furúnculos pode ser mais comum em pacientes com diabetes, obesos, imunodeficiência, terapia com corticosteróides, portadores de escabiose, desnutrição, quimioterapia, trauma cutâneo local como abrasões, cortes ou escoriações.

Furunculose

É quando há multiplicidade ou recidiva dos furúnculos, é um problema que não deve ser menosprezado, já que pode levar a sérias complicações, inclusive sepse (infecção generalizada). Geralmente a criança apresenta várias lesões, acompanhadas de quadro febril, perda do apetite e irritabilidade. Neste caso, são necessárias alguma medidas: coleta do material purulento, análise laboratorial para identificação do germe e antibiograma (teste para determinar a sensibilidade aos antibióticos) e tratar com antibiótico sistêmico apropriado. As roupas e objetos de uso pessoal devem ser convenientemente limpos, e eventualmente desinfetados. As áreas do corpo que geralmente tornam-se úmidas devem ser mantidas secas, porque a secura inibe o crescimento de bactérias na pele, para isso pode-se usar loções a base de álcool. Os familiares ou contactantes da criança devem ser investigados quanto à possibilidade de apresentarem alguma doença cutânea infectada ou mesmo ocular (conjuntivite purulenta) para que não representem risco de novo contágio para a criança. Alguns hábitos devem ser adquiridos até que os furúnculos desapareçam, como lavar as mãos com sabonetes anti-sépticos (Soapex, Stiefderm, Soapelle, Protex, Fisiohex II). A bactéria causadora desta patologia geralmente habita a parte anterior das narinas, é recomendado então o uso neste local de creme contendo bacitracina, mupirocina, ácido fusídico. Se mesmo com todas estas providências o problema persistir, há necessidade de uma investigação imunológica do paciente, que deve ser feita por um especialista (imunologista).

Carbúnculo

Abscesso subcutâneo, resultante da confluência de múltiplos furúnculos ao mesmo tempo e no mesmo local, apresenta-se como área avermelhada, edemaciada (inchada), sobre a qual surgem vários pontos de drenagem de pus. O tratamento é idêntico ao do furúnculo.

Abscesso cutâneo

Geralmente é um quadro agudo, de início rápido, provocado por bactérias, principalmente do tipo estreptococos ou estafilococos. Clinicamente a lesão é avermelhada, dura, com calor local (quente) e dolorosa; posteriormente ela amolece e drena secreção, mas caso isto não ocorra pode ser necessária pequena intervenção cirúrgica. A criança pode apresentar febre, calafrios, vômitos etc. O abscesso do bebê é sempre grave, devido à tendência do organismo a generalizar os processos infecciosos, dando como complicações meningites, sepse, por isso exige tratamento com medicação antibiótica sistêmica, geralmente derivados da penicilina, para alérgicos a esta droga usa-se a eritromicina. Os pais devem lembrar que o abscesso deve ser tratado no início, com antibiótico adequado, prescrito por médico.

Celulite

Infecção aguda do tecido celular subcutâneo, com vermelhidão local, calor e edema, cujas bordas não são bem delimitadas. Mal-estar e febre em geral estão presentes. Os agentes etiológicos em geral são o *Staphilococcus* e o *Streptococcus*, hemolítico do grupo A, porém o *Haemophilus influenza* tipo B também seja responsável, especialmente nas crianças abaixo de dois anos. A criança deve ser examinada pelo médico o mais rápido possível, especialmente se a lesão for na face, pois há risco de abscesso e trombose do seio cavernoso. O tratamento, dependendo da localização da lesão, consiste em antibioticoterapia sistêmica, por via oral ou intravenosa (na veia com internação hospitalar).

Erisipela

Infecção cutânea, porém mais superficial que a celulite, apresenta-se com vermelhidão, edema e calor local, a borda da lesão é bem delimitada. Ocorre principalmente na face, braços e pernas, porém qualquer área corporal pode ser comprometida. Na maioria dos casos é provocada pelo *Streptococcus*, porém ocasionalmente o *Staphilococcus* também pode ser o agente etiológico. O tratamento consiste em antibioticoterapia sistêmica, específica para o agente etiológico.

INFECÇÕES DA PELE CAUSADAS POR VÍRUS (dermatoviroses)

Neste grupo as mais conhecidas são as verrugas, molusco contagioso e herpes.

Verrugas

Conhecidas com o nome popular de "berrugas". São provocadas por vírus do tipo papilomavírus humano (HPV), que provocam lesões elevadas na pele, ou seja, com superfície rugosa, apresentando pontinhos enegrecidos na superfície, que corresponde à oclusão do vaso pelo vírus, apresentam morfologia variada dependendo da localização. Acomete principalmente crianças, na idade escolar.

O período de incubação varia de um a seis meses, a transmissão é pelo contato de um indivíduo com outro ou estender-se na mesma pessoa de um ponto a outro (auto-inoculação). Os locais mais acometidos são mãos, dedos, joelhos, planta dos pés (popularmente conhecida como "olho-de-peixe", devido à pressão, cresce para dentro e pode provocar dificuldade para andar), palma das mãos, em torno das unhas ou no leito ungueal.

Profilaxia: Embora difícil, algumas medidas devem ser tomadas. Assim os portadores de verrugas na planta do pé (verrucose plantar) não devem freqüentar piscinas ou qualquer tipo de banhos públicos, já que são lesões contagiosas. Outro conselho importante é o de não morder as verrugas da mão, hábito muito comum entre as crianças, pois pode acarretar o aparecimento de verrugas nos lábios e gengivas. Pelo mesmo motivo, isto é, possibilidade de disseminação, deve-se evitar que as partes comprometidas entrem em contato com tecidos sadios, evitando-se alisar ou passar as mãos e dedos nas verrugas.

Embora 65% das verrugas possam ter involução espontânea ao longo de dois anos, é aconselhado seu tratamento, que varia dependendo do tipo e localização das verrugas. Utilizam-se os seguintes métodos: curetagem e eletrocoagulação (exceto nas verrugas plantares), este método é realizado pelo dermatologista, que após anestesia infiltrativa local (com injeção), cureta a verruga e coagula, o procedimento promove a erradicação das lesões. Criocirurgia, após anestesia com creme contendo prilocaína e xilocaína (Emla creme), direciona-se um jato de nitrogênio líquido sobre a verruga ou aplica-se com cotonete, provocando uma queimadura pelo frio, que resulta posteriormente na queda da verruga. O laser de CO_2 tem o mesmo resultado da eletrocoagulação, porém apresenta custo muito elevado. Cauterização química (também realizada por dermatologista), geralmente aplica-se ácido nítrico fumegante nas lesões, uma vez por semana, até a erradicação do quadro, este método dispensa anestesia; também pode ser utilizado ácido tricloroacético a 90%, ou solução contendo cantaridina a 0,7%. Soluções de bleomicina 1mg/ml, em injeções locais na base da verruga, tem sido tentado, porém o método é doloroso e os resultados são irregulares. O tratamento ambulatorial, ou seja, em casa pelos pais, pode ser realizado com cremes ou soluções contendo ácido salicílico, ácido lático (Duofilm, Verrux), aplica-se essas soluções duas vezes ao dia (manhã e noite), protegendo a pele ao redor com vaselina ou cortando-se um buraquinho no esparadrapo no tamanho da verruga, de forma a cobrir a pele ao redor com o esparadrapo para protegê-la, posteriormente coloca-se a medicação e oclui com esparadrapo (sem buraquinho), a cada troca de curativo recomenda-se lixar a verruga. Imiquimod (Aldara) é indicado apenas para crianças acima de 12 anos, apenas por recomendação médica, aprovado para verrugas perianais e genitais, embora o seu uso *off label* para verrugas vulgares tenha mostrado resultado bastante eficaz. Ácido retinóico a 0,05 a 0,1%, diariamente, é útil no tratamento das verrugas planas. Tintura de tuia (homeopatia), segundo alguns autores, pode dar bons resultados. A psicoterapia ("simpatias" ou "sugestões") pode dar resultados em alguns casos, embora não se conheça o mecanismo. Alguns autores acreditam que as verrugas que desapareceram pela sugestão, em algum momento teriam sido resolvidas espontaneamente. Outra opção terapêutica é a imunoterapia oral com cimetidina, alguns trabalhos mostraram que esta substância tem uma atividade imunomoduladora, ativando as células Th1, estimulando a produção de IL-2 e interferon Á, e inibindo a função supressora da célula T. Os estudos mostraram que houve uma melhora de 81% das verrugas, sendo bem tolerado, com poucos efeitos colaterais e recorrência rara.

Molusco contagioso

Causado pelo parapoxvírus, atinge exclusivamente a pele e excepcionalmente as mucosas, é adquirido por contato direto com outra criança ou adulto contaminado, piscinas ou através de objetos contaminados. Tende a ser mais freqüente em crianças atópicas, isto é, que apresentam história de asma, rinite ou bronquite alérgica. A auto-inoculação, com disseminação das lesões é freqüente, portanto a orientação é para que os pais não deixem as crianças manipularem as lesões. Complicações são raras, podendo ocorrer a impetiginação das lesões, isto é, contaminação por bactérias secundária ao hábito de coçar. O surgimento de área de eczema, avermelhada e pruriginosa próximo ao local dos moluscos é freqüente.

A lesão do molusco é uma bolinha da cor da pele, com brilho semitranslúcido e depressão central, assintomática, apenas se houver infecção associada será dolorosa. Geralmente ocorrem numerosas lesões, com preferência pelo tronco, região genital e membros. Seu tamanho pode ser variado, desde diminutas como a cabeça de um alfinete (lesões iniciais), posteriormente tendem a crescer (média de 5mm), a gigantes em imunodeprimidos.

O tratamento consiste na curetagem das lesões, seguida por aplicação de iodo. Criocirurgia, aplicação de nitrogênio líquido, também é eficaz. Em ambos procedimentos aplica-se uma hora antes creme anestésico contendo lidocaína-prilocaína (Emla pomada), o que minimiza o desconforto da criança. A aplicação de cantaridina nas lesões, seguida por oclusão com esparadrapo e lavagem da área com água e sabonete após trinta minutos é uma excelente terapêutica, pois é indolor para a criança, embora em alguns casos possa ocorrer aparecimento de bolhinhas e vermelhidão local, o que não é complicação, e sim reação cutânea ao medicamento, com cura espontânea dentro de uma semana. Outro método consiste em pinçar as lesões com agulhas e espremê-las. Pode também ser utilizado ácido tricloroacético 30 a 50%. Recomenda-se que os pais retornem ao consultório, caso haja recidiva das lesões, o que pode ocorrer no período entre duas a três semanas. Atualmente tem sido sugerido o uso de cimetidina via oral nas crianças que apresentam molusco, por um período de três meses. O uso do imiquimod também é eficaz, porém limitado devido a irritação local.

Herpes simples

Provocado pelo *Herpes vírus hominis*, caracteriza-se pela presença de vesículas (pequenas bolhas) agrupadas, como se fosse um cacho de uva, a base da lesão é avermelhada e em geral há sensação de queimação ou ardência antes e durante o episódio. Essas vesículas tendem a secar em torno de cinco dias, formando pequenas crostas secas.

O período de incubação dura em torno de quatro a cinco dias. A primeira infecção pode ter além das vesículas presença de gânglios aumentados e dolorosos próximos à área afetada, acompanhada ou não de sintomas gerais, como febre e prostração. Após a primoinfecção pode haver imunidade duradoura ou não, levando a infecções recorrentes.

A forma mais comum de primoinfecção em crianças é a gengivoestomatite herpética, pode ocorrer em qualquer idade, mas o pico de incidência é entre dez meses e cinco anos. A criança em geral apresenta febre, mal-estar, irritabilidade, rejeita alimentação. Há presença de gânglios ou "ínguas" aumentados de tamanho e febre. Após o período de incubação surgem as vesículas ao redor dos lábios, gengivas, palato duro ("céu da boca") e língua, após o rompimento das vesículas, formam-se áreas erosadas, ulceradas (aspecto de "carne viva"), com base avermelhada. Há edema (inchaço) das gengivas que sangram facilmente. Halitose (mau hálito) é freqüente, além de dificuldade para engolir. A febre cessa em torno de três a cinco dias, mas as lesões orais persistem por dez a 14 dias. A terapia nestes casos consiste em antitérmicos, soluções anestésicas com xilocaína para minimizar a dor a ingestão de fluidos e antivirais sistêmicos (Aciclovir).

É doença contagiosa, os locais mais comuns são áreas perto de orifícios, como ao redor dos lábios, narina, região genital, entretanto pode ocorrer em qualquer área. Deve-se evitar o hábito de beijar as crianças na boca, para que não haja transmissão do vírus. Em pessoas já portadoras do vírus, a ativação e reaparecimento das lesões é favorecida por exposição solar, frio intenso, estresse, febre, traumas, período menstrual, as lesões surgem na mesma área anteriormente comprometida, pois acredita-se que o vírus fica latente no nervo.

Os episódios de recidiva diferem da primoinfecção, por não apresentarem febre nem sintomas constitucionais.

O tratamento de lesões sintomáticas em geral requer uso de medicação sistêmica antiviral (Aciclovir, Valaciclovir ou Fanciclovir). Além de limpeza da área com água e sabão, podem ser aplicadas compressas com água boricada (pode ser usado próximo às mucosas) ou permanganato de potássio (deve ser diluído um sachê para cinco litros com água, de forma que a coloração seja rosa clarinho, caso fique muito escuro poderá queimar a pele). Atualmente é questionável o uso tópico de pomadas antivirais.

Herpes zoster

Provocado pelo vírus *Varicela zoster*, ocorre apenas naquelas pessoas que já foram infectadas por este vírus, ou seja, já tenham tido a varicela (catapora). Embora seja preferencialmente doença de adultos, pode ocorrer nas primeiras semanas de vida, presumivelmente em recém-nascidos cujas mães desenvolveram varicela na gestação.

Caracteriza-se por uma erupção papulo-vesicular sobre base eritematosa (bolinhas e pequenas bolhas sobre área avermelhada), seguindo o trajeto de um nervo, em geral compromete apenas um lado do corpo, não ultrapassando para o lado oposto, embora seja raro, isto pode ocorrer. Geralmente é precedida por desconforto, dor local, sensação de ardência, sintomas estes que persistem durante seu curso e após o desaparecimento das lesões. Pode atingir qualquer parte do corpo, mas é bastante freqüente no tronco. Na linguagem popular tem sido chamada de "cobreiro". Lesões na ponta do nariz sugerem comprometimento ocular, deve-se imediatamente levar a criança ao oftalmologista devido ao risco de complicações oculares.

Deve-se tratar os sintomas, prevenir infecção secundária, através de limpeza das lesões com água e sabão, compressas com anti-sépticos, uso de antivirais sistêmicos (Aciclovir, Valaciclovir, Fanciclovir) e em casos de comprometimento ocular, caso não haja contra-indicações, associa-se corticosteróides.

DERMATOZOONOSES

São doenças cutâneas provocadas por insetos, protozoários, vermes e celenterados, sejam parasitas ou não. As mais freqüentes são: escabiose (sarna), pediculose (piolhos), larva migrans, miíase (doenças provocadas por larvas de moscas).

Escabiose (sarna)

Popularmente conhecida como sarna ou "já começa". É encontrada com relativa freqüência na infância. Provocada por um parasita (*Sarcoptes scabiei*) que penetra na pele, por ela caminha, formando verdadeiros túneis.

É extremamente contagiosa de pessoa para pessoa, ou por intermédio de animais domésticos, existe possibilidade de contágio indireto por roupas ou objetos contaminados, embora saiba-se que o parasita morre após algumas horas quando fora da pele.

O período de incubação é de três a quatro semanas, ou de um a dois dias nos casos de reinfecção.

As lesões típicas são túneis da cor da pele ou acinzentados, que apresentam trajeto sinuoso ou linear, em cuja extremidade encontra-se uma pequena vesícula (bolinha com conteúdo líquido) do tamanho da cabeça de um alfinete. As lesões coçam muito e devido ao ato de coçá-las, surgem escoriações (arranhões). As lesões em crianças maiores e adultos localizam-se principalmente nas axilas, ao redor dos mamilos, do umbigo, virilhas, entre os dedos das mãos, pés, punhos, nádegas e genitálias. Em bebês e crianças pequenas há lesões na face, pescoço, palmas das mãos, plantas dos pés, tronco e extremidades. Pode haver nódulos (caroços) avermelhados na bolsa escrotal e pênis. A coceira é mais intensa à noite, devido à migração da fêmea na pele, provocando a postura dos ovos, isto devido ao calor do leito e cobertas. Por tal, deve-se desconfiar de sarna quando a criança se coça muito durante a noite.

Devem ser tratadas todas as pessoas contactantes. Mesmo após o tratamento pode haver persistência da coceira, isto ocorre devido à sensibilização da pele pelos produtos escabicidas e também devido à alergia ao parasita. As roupas pessoais, de cama e toalhas devem ser lavadas, de preferência colocadas para secar ao sol e passadas com ferro quente. Objetos que não possam ser lavados com água, devem ser lavados a seco ou mantidos em saco plástico fechado por uma semana. As medicações devem ser aplicadas do pescoço para baixo em adultos e em crianças até dez anos, nas menores recomenda-se aplicação inclusive no couro cabeludo, com cuidado para não atingir olhos, nariz e boca. A medicação deve ser aplicada à noite, por um período de três noites consecutivas, após o qual pára uma semana e repete mais três noites. Deve ser removida na manhã seguinte, durante o banho com água e sabonete. As mais usadas são: Monossulfiran (Tetmosol loção), apenas na hora do uso, deve-se diluir uma parte da droga para três a quatro partes iguais com água (para crianças) e duas a três partes com água (para adultos), estes não podem ingerir bebidas alcoólicas por até dez dias após o uso da medicação, por haver risco de tontura, mal-estar e sensação de morte. Pasta d'água com enxofre a 5 a 10% (manipulado) é útil para crianças pequenas e gestantes. A permetrina a 5% em creme é eficaz, deve ser aplicada do pescoço para baixo, deixando agir na pele por oito a 14 horas, e posterior banho para sua remoção, esta medicação pode ser repetida em uma semana. A permetrina não deve ser usada em crianças com menos de dois meses, gestantes ou mulheres amamentando. O benzoato de benzila atualmente está em desuso por causar freqüentemente irritação na pele. É importante evitar o uso excessivo das medicações, pois pode haver dermatite de contato por irritante primário (alergia). Em relação a tratamento sistêmico, a ivermectina em dose única de 200µg/kg/dose para adultos e crianças acima de cinco anos é bastante eficaz. Não se deve usar sabonetes escabicidas, pois são causadores de dermatites e ineficazes. Pode-se usar anti-histamínicos sistêmicos para alívio da coceira.

Os nódulos do pênis e bolsa escrotal em geral necessitam de cremes com corticosteróides, pois são persistentes. Infecção secundária deve ser tratada com cremes ou pomadas com antibióticos ou, caso muito extensas, com antibióticos sistêmicos.

Pediculose (piolho)

Causado por pequenos insetos parasitas do couro cabeludo (*Pediculus humanus capitis* – piolho da cabeça, também infesta pestanas e sobrancelhas), corpo (*Pediculus humanus corporis* – piolho do corpo) e região pubiana (*Phitirus pubis*). Destes a que predomina na criança é a pediculose do couro cabeludo, tendo se tornado mais freqüente pelo hábito do uso de cabelos grandes. A transmissão pode ser direta (de cabeça para cabeça) ou indireta (pelas roupas, bonés, pentes, escovas, travesseiros e cobertores). O piolho não tem asas, mas tem garras que o fazem andar. A fêmea sugando o sangue, vive de duas a quatro semanas.

Afeta crianças, principalmente as de cabelos compridos. A coceira no couro cabeludo está sempre presente. Ao exame encontram-se lêndeas aderidas aos fios dos cabelos e piolhos no couro cabeludo. Pode haver próximo às orelhas e pescoço, uma irritação da pele, como também presença de gânglios (ínguas) na parte posterior da cabeça e pescoço.

O tratamento em geral é eficaz, com xampu contendo permetrina a 1% (Kwell, Piolhol, Nedax) ou deltametrina (Deltacid), deixando agir por cinco minutos e enxaguando em seguida com água. Repetir o tratamento após uma semana. Para a retirada das lêndeas, pode-se fazer uma mistura com água morna e vinagre (diluído em 50%), aplica-se nos cabelos, nos quais deve-se passar pente fino para retirar as lêndeas manualmente. Na pediculose dos cílios pode-se usar vaselina, duas vezes ao dia, por oito dias juntamente com remoção manual das lêndeas, como também óxido amarelo de mercúrio a 2%. Outra opção é o tratamento com ivermectina por via oral, apenas nas crianças acima de cinco anos de idade.

Profilaxia: as roupas de vestir e de cama devem ser lavadas com água quente ou a seco, devem ser passadas a ferro. Escovas e pentes devem ser lavados com água fervente, banhados em pediculocidas por 15 minutos ou em álcool por uma hora. Outra opção seria desprezar estes objetos e adquirir novos. Evitar contato com indivíduos infectados por piolhos, não compartilhar pentes, escovas, boné, chapéu, toalhas. A mobília da casa/escola deve ser aspirada. Objetos que não possam ser lavados devem ser colocados em saco plástico e mantidos fechados por duas semanas.

Larva migrans

Também conhecida como "bicho geográfico" ou "bicho de praia". A forma clínica mais comum é caracterizada por bolinhas vermelhas que se juntam formando lesões de aspecto sinuoso, serpiginoso, ligeiramente elevado, com coceira muito forte. Aparece em áreas da pele que entram em contato com o solo, nádegas, pés, mãos, coxas. Provocada pelo contato com larvas de ancilostomas de animais (cão e gato), ou seja, há a introdução de uma larva, que caminha por debaixo da pele, avançando 1 a 2mm ao dia, descrevendo verdadeiros túneis. A fonte de infecção é a terra de quintais, praia, jardins contaminadas com fezes de cão e gato. O período de incubação pode ser prolongado, de semanas a meses. Pode haver dor local e contaminação por bactérias.

Opções de tratamento para poucas lesões: crioterapia, aplicação de pomada de tiabendazol (Foldan, Thiabena), quatro vezes ao dia, por duas semanas. Caso haja muitas lesões, o uso do albendazol, tiabendazol ou ivermectina são preferidos.

A profilaxia é importante, proibindo-se cães e gatos nas praias, evitando-se que a criança brinque em terrenos baldios, além de orientar o uso de sapatos.

Berne

Causado devido à inoculação de larvas de um inseto (*Dermatobia hominis*), e transmitidas por moscas varejeiras ou mosquitos que atacam seres humanos e animais domésticos. Geralmente ocorre em regiões tropicais, quentes.

As lesões assemelham-se a furúnculos, pode ser apenas um nódulo (caroço) ou vários. Diferenciando-se do furúnculo pela evolução mais lenta e a substituição do carnegão por um pequeno orifício, através do qual a larva respira, esta chega a sobreviver na pele cerca de um mês ou mais. A dor é variável, em geral há a sensação de ferroada. O berne pode atingir qualquer área do corpo.

O tratamento consiste na remoção da larva por meio cirúrgico ou fechando a lesão por algumas horas com esparadrapo, pois a larva devido à necessidade de respirar, surgirá no orifício podendo ser retirada com auxílio de pinça. Após a sua remoção, a lesão involui. Caso ocorra infecção secundária é recomendado o uso de antibióticos.

A profilaxia consiste em usar repelentes, manter ferimentos fechados, evitando que os insetos pousem nestes locais.

DOENÇAS DA PELE DE ORIGEM ALÉRGICA

Alergia significa uma alteração individual na resposta ao antígeno. As reações alérgicas podem ser de quatro tipos: reação tipo I (anafilática), tipo II (reação citotóxica), tipo III (imuno-complexo) e tipo IV (reação retardada).

A reação tipo I inclui a urticária, a angioedema, a anafilaxia, a febre do feno e a asma. A reação tipo II compreende o pênfigo, a doença hemolítica do recém-nascido e as reações após transfusões sanguíneas. A reação tipo III representa as reações de imuno-complexo, inclui a doença do soro, vasculite, glomerulonefrite entre outros. Por último, a reação tipo IV, de hipersensibilidade retardada, tem como exemplos a dermatite de contato, o teste de tuberculina (PPD), erupções devido a drogas, doença enxerto versus hospedeiro.

Edema angioneurótico (edema de Quincke ou urticária gigante)

Caracteriza-se por placas edemaciadas não dolorosas, transitórias, na pele (subcutâneo) ou mucosas, de várias partes do corpo. Existem dois tipos, o hereditário (em que há tendência familiar, é raro) e o esporádico (acidental ou angioedema adquirido).

A forma hereditária é rara, caracteriza-se por episódio de edema do tecido subcutâneo, especialmente das mãos, pés, face, trato gastrointestinal e sistema respiratório. Não há coceira, nem eritema (vermelho local), o edema evolui muito rápido, é assimétrico (de um só lado), autolimitado, dura de 12 a 72 horas e é não depressível (não forma área deprimida ao apertar). Pode atingir a laringe, provocando edema de glote, com perigo de vida, devido a asfixia, neste caso deve haver aplicação imediata de solução aquosa milisemal de adrenalina na dose de 0,5ml (1/2 cc), subcutânea. As substâncias que parecem ser mais efetivas são os derivados androgênicos, como o danazol. Anti-histamínicos e corticosteróides não são eficazes no tratamento destes pacientes.

O esporádico ocorre como urticária simples, alérgica, causada geralmente por medicamentos, alimentos ou estados de tensão emocional. A lesão pode ser única (o que é mais comum) ou múltipla. Não há relato de dor, nem de coceira. A pele que cobre não fica quente, nem apresenta modificação de cor. As lesões isoladas persistem de um a três dias, desaparecendo sem deixar marcas. As áreas mais atingidas são a face (lábios e pálpebras), as mãos, os pés e os órgãos genitais. É incomum o comprometimento da laringe nesta forma.

Urticária

É uma manifestação alérgica, cuja freqüência é de 10 a 14% nas crianças, apresentando-se de diversas formas na infância. Entre todas, as mais conhecidas são as placas de coloração avermelhada, salientes, quentes, fugazes, e que mudam constantemente de lugar na pele, ressurgindo em outras localizações e desaparecendo sem deixar vestígios. As placas de urticária apresentam tamanho variável, podendo às vezes se juntarem e formarem uma grande lesão (urticária gigante), neste caso devido à compressão dos vasos, o centro pode ficar claro. O edema pode ser tão grande que forma bolha (urticária bolhosa). Os limites das placas são irregulares e mais elevados que a pele sã vizinha. A coceira está presente, podendo ser intensa. A duração é de oito a 12 horas, podendo, entretanto, o ataque durar dias ou até semanas. Caso persista por mais de seis semanas é crônica. As causas mais comuns de urticária aguda na infância são por infecção viral, bacteriana, alimentos como nozes, chocolates, amendoim, frutos do mar e remédios (penicilina, cefalosporina, sulfa, anticonvulsivante, tetraciclinas, minociclina, ácido acetilsalicílico). Acima de 80% dos casos de urticária crônica são idiopáticos (sem causa conhecida), entretanto devem ser pesquisados aditivos em alimentos, remédios, imunizações, picadas de insetos, doenças auto-imunes e alergenos inalantes ou contactantes.

A seguir uma breve lista de causas mais freqüentes de urticária:

Alimentos: peixe, camarão, mariscos, ovo (principalmente a clara), trigo, frutas ácidas, morango, chocolate, feijão, cogumelos, nozes, tomates, alimentos com corantes amarelos (tartrazina), preservativos de alimentos (como azocorantes, derivados do ácido benzóico e do ácido cítrico);

Medicamentos: aspirina, indometacina, antibióticos (penicilina, sulfa, tetraciclina, cloranfenicol), vitamina B12, iodo, salicilatos, hormônios, laxantes, diuréticos, opiáceos, barbitúricos, arsenicais, codeína, anfetamina, atropina, antiinflamatórios não hormonais e outros;

Bactérias, vírus, fungos e parasitas: amigdalites, otites, sinusites, broncopneumonias, granulomas dentários, infecção gastrointestinal, mononucleose, vacina antivariólica, hepatite B, micoses, giardíase, tricomoníase, filariose, esquistossomose, estrongiloidíase e outros;

Insetos: picadas de abelhas, picadas constantes de mosquito e pulgas acarretam forma crônica chamada urticária papular, líquen urticado, de difícil tratamento.

Agentes físicos: sol, calor, frio, lã, seda, náilon, pressão etc;

Origem psicogênica: crianças emotivas, instáveis, atemorizadas;

Inalantes: inseticidas, poeira, pólen, penas, cosméticos (perfumes, pó, desodorantes, desinfetantes e outros produtos voláteis).

Tratamento. Em primeiro lugar procurar encontrar a causa desencadeante e afastá-la; em seguida verificar se a urticária é aguda ou crônica (acima de seis semanas).

Na urticária aguda, pode ser administrado anti-histamínico, por via oral; a dose deve ser estimada com cautela, porque certas crianças podem, mesmo nas doses aconselhadas da bula, apresentar uma sonolência exagerada. O anti-histamínico promove um alívio de cerca de 80% dos pacientes, mas seu uso não deve ser interrompido prematuramente. Em casos disseminados pode ser necessário associar aos anti-histamínicos, corticosteróides sob orientação médica, com doses gradativamente reduzidas; nos casos graves a adrenalina diluída 1/1.000, via subcutânea (0,5ml) ou até mesmo intravenosa, é eficaz. Nos casos de reexposição ao agente causal (por exemplo picada de abelha) e possibilidade de choque anafilático, existe um auto-injetor de adrenalina (EpiPen).

A urticária crônica pode ser tratada com corticosteróides associados a anti-histamínicos, estes às vezes são necessários até dois meses após o desaparecimento dos sintomas. Na urticária crônica pode ser necessário o uso de anti-histamínicos bloqueadores H2 (cimetidina, ranitidina, doxepin) associados a bloqueadores H1.

Estrófulo

Também denominado de urticária infantil ou dermatose pruriginosa, é uma reação de hipersensibilidade a diversos agentes, sendo freqüente nas crianças, principalmente nas alérgicas entre seis meses e três anos. Apresenta-se por surtos, com pequenas bolinhas do tamanho da cabeça de um alfinete (pápulas), endurecidas, acompanhadas de coceira, comprometendo todo o corpo, sendo a face a área menos atingida. As pápulas podem estar encimadas por pequenas bolinhas com conteúdo líquido no seu interior. Essas lesões devido a intensa coceira podem infectar, originando os impetigos ou outras infecções purulentas da pele. Diferente da urticária comum, na qual as lesões desaparecem em horas, as lesões do prurigo estrófulo podem durar no mesmo local cerca de uma semana, e ocorrem principalmente em áreas expostas (braços, pernas, face).

Causas mais prováveis:

- picada de inseto (mosquitos, pulgas, percevejos, piolhos de animais domésticos) é a causa mais freqüente;
- erupção dentária (provável);
- focos infecciosos bacterianos: amigdalites, adenoidites crônicas (prováveis);
- alergenos inalantes, como cheiro de desinfetantes (discutido);
- alimentos tipo chocolates e balas que contenham menta, anilina e outras substâncias (discutido);
- verminoses (discutido);
- certas drogas como a aspirina (discutido);
- alergia a certo tipo de roupa, como flanela, lã ou tecidos sintéticos (discutido).

Tratamento. Deve-se procurar identificar a causa, apesar de nem sempre ser possível. Em geral o tratamento é difícil. Às vezes passa automaticamente quando termina a erupção do dente que o provocava, para retornar no próximo, até terminar a dentição de leite. A medicação utilizada é anti-histamínico (antialérgico), por via oral, para tratar os sintomas, em doses específicas, dependendo do peso da criança.

Para alívio dos sintomas, pode-se utilizar medicação tópica como pasta d'água, loções antipruriginosas contendo cânfora e calamina (Caladryl loção), mentol (Prurix loção) ou cremes com corticosteróides (hidrocortisona a 1%).

Em casos de difícil controle pode-se utilizar pequenas doses de cortisona, por via oral, durante curto período de tempo. Caso haja infecção secundária há necessidade do uso de antibióticos.

Em casos de etiologia devido à picada de insetos, deve-se combatê-los com inseticidas, repelentes ou uso de mosquiteiros. Os mosquitos geralmente são atraídos por roupas brilhantes, calor e umidade, como também por cheiro de sprays para cabelos, perfumes, colônias, sabonetes, loções, talcos, por isso deve-se vestir a criança com roupas de cores neutras (branco, verde, cáqui) e evitar o uso de produtos com cheiro durante o banho e após. Embora os resultados não sejam bem definidos, o uso de vitamina B1 (25 a 50mg, três vezes ao dia) e alho, parece ajudar a repelir os insetos. Com o passar do tempo ocorre uma dessensibilização específica natural devido às repetidas picadas de inseto. Tratar os animais domésticos para eliminar piolhos e pulgas ajuda a reduzir os surtos. O uso de vacinas contendo alergenos de insetos é discutido, sendo aprovado por alguns autores e desaprovado por outros.

Em relação aos repelentes de insetos, o DEET (designação genérica dada ao composto orgânico N,N-dietil-meta-toluamida e N,N-dietil-3-metilbenzamida) é o mais eficaz. Tem amplo espectro de ação contra mosquitos, moscas, pulgas, carrapatos. O repelente não deve ser aplicado em crianças com menos de dois anos de idade. Permite-se o uso de repelentes para insetos contendo DEET, em crianças de dois a 12 anos de idade, desde que a concentração do referido ingrediente não seja superior a 10%, restrita a apenas três aplicações diárias, evitando-se o uso prolongado.

A quantidade a ser aplicada deve ser o suficiente para cobrir a pele, não se deve usar em excesso. O repelente deve ser colocado apenas nas áreas descobertas, evitar face devido ao contato com os olhos e boca. Em crianças pequenas não aplique o repelente nas mãos, devido ao risco de colocarem a mão na boca. Nunca usar em pele com feridas, traumas ou infectada. Não use produtos combinados, ou seja, repelente associado a filtro solar, pois a forma de aplicação de ambos é diferente, havendo o risco de diminuição da eficácia do filtro solar ou do uso excessivo de repelentes. Lembrar que alguns repelentes contêm substâncias inflamáveis, ter o máximo de cuidado com as crianças usando repelentes e aproximação com fogo, fogos de artifício ou faíscas. Outras opções de repelente, porém menos eficazes que o DEET são os sintéticos derivados de plantas como a citronela, o eucalipto e o cedro.

Eczema – também denominado dermatite

É muito freqüente na infância e ocorre por diversas causas internas ou externas. Pode ser agudo, subagudo ou crônico. Existem diversos tipos, serão comentados os mais comuns:

1) Eczema ou dermatite atópica: é uma doença crônica, recidivante, inflamatória, pruriginosa (com coceira), com início durante os primeiros seis meses de vida. O fator genético é sugerido pelo surgimento de dermatite atópica em 75% dos gêmeos idênticos e pela alta probabilidade quando um dos pais ou ambos são atópicos.

Geralmente associa-se com asma, bronquite ou rinite alérgica. Nestas crianças há uma maior susceptibilidade a infecções bacterianas, fúngicas e virais (verrugas e molusco contagioso). A pele da criança atópica é extremamente seca, levando à piora do quadro no inverno, devido ao tempo seco, frio e constantes banhos mornos. As manifestações clínicas variam dependendo da idade da criança. Até os seis meses as lesões predominam nas bochechas, fronte, couro cabeludo e depois se estendem para tronco e extremidades. Alguns fatores como dentição, processos infecciosos, distúrbios emocionais, mudança de temperatura, vacinações e antígenos alimentares podem agravar ou desencadear as crises de dermatite atópica. As áreas comprometidas coçam muito, as lesões são avermelhadas, com tendência exsudativa ("de minar água") e até mesmo formação de crostas. Entre oito e dez meses, há comprometimento das superfícies extensoras dos membros, isto é, joelhos, coxas e cotovelos, com lesões avermelhadas, coceira, escoriações e secura cutânea. As lesões de atopia poupam as virilhas e áreas das fraldas. Pode haver associação com dermatite seborréica. Em crianças a partir de um ano, as lesões são geralmente placas avermelhadas, arredondadas, especialmente na face, tronco e extremidades. Na adolescência, as lesões tendem a ser mais discretas, ocorre principalmente nas dobras dos cotovelos e joelhos, atenuando com o passar dos anos.

Hipopigmentação pós-inflamatória, isto é, lesões com coloração mais clara que a pele normal, pode ser vista especialmente durante os meses de verão. Em pessoas morenas também podem surgir áreas de hiperpigmentação (cor mais escura que a pele normal). Devido à coceira intensa é freqüente a presença de escoriações, o que pode levar a processos infecciosos, bacterianos, virais e fúngicos. São observadas com freqüência bolinhas nos braços, coxas, nádegas e tronco dando um aspecto de pele áspera, arrepiada como se fosse "pele de ganso", estas compreendem a ceratose pilar. Outros achados comuns na atopia são: dermografismo branco, palidez ao redor dos lábios, dupla prega infra-orbitária (nas pálpebras inferiores), espessamento da pele no centro do lábio superior (marcador clássico da dermatite atópica), olheiras (coloração acinzentada nas pálpebras), prega nasal pronunciada pelo hábito de esfregar o nariz, maior número de linhas nas palmas das mãos e plantas dos pés, ceratoconjuntivite alérgica, catarata subcapsular posterior.

A dermatite atópica prevalente na infância, cursa com coceira, levando às vezes à perda do sono, portanto o controle da dermatite é a chave para melhorar a qualidade de vida destas crianças. A terapêutica consiste em redução da secura da pele e da coceira, com medidas como: dar preferência a sabonetes com pouco detergente como o Dove ou sabonetes sem sabão (Lipikar Surgras ou Cold Cream sabonete ou gel de limpeza), usá-los em pouca quantidades, apenas nas áreas genitais, axilas, face e pés, nunca usar buchas ou esponjas. Em casos de pele extremamente seca, pode-se substituir o sabonete por loções hidrofílica de limpeza (Cetaphyl loção). Os banhos devem ser com água fria, pois a água quente ou morna tendem a ressecar a pele. A hidratação freqüente da pele com cremes contendo uréia (Nutraplus, Ureadin, Cetaphil loção advanced), alantoína (Proderm hidratante), manteiga de karité (Lipikar Baume), ceramidas (Trixera) evitando que esta fique seca é muito importante. Roupas sintéticas e de lã, que tendem a precipitar a coceira devem ser evitadas. Deve-se dar preferência a tecidos de algodão e roupas folgadas. Às vezes é necessário o uso de cremes contendo corticosteróides, estes devem ser prescritos por médico e usados conforme orientação, cuidado importante é a sua aplicação após o banho, momento em que a pele encontra-se úmida, com maior tendência à absorção. Caso haja infecção associada pode ser necessário o uso de antibióticos. O hábito de fumar em casa pelos pais ou contactantes da criança deve ser abolido, visto que precipita surtos de coceira na criança e pode aumentar a tendência para o desenvolvimento de asma. Também devem ser evitados animais de estimação com pêlos, penas, devido ao seu potencial alergizante. Compressas com permanganato de potássio, de três a quatro vezes ao dia, por 15 a 20 minutos, durante três a cinco dias, devem ser realizadas apenas se existirem lesões úmidas, bolhosas, "minando água", de preferência usar fralda de pano para as compressas ou tecidos de algodão, gazes e algodão devem ser evitados, desde que tendem a aderir à pele e causar irritação. Compressas com água boricada devem ser realizadas com cautela em áreas extensas e em crianças pequenas, já que pode haver absorção com risco de toxicidade neurológica e renal.

Para alguns médicos deve haver uma restrição dietética para os seguintes alimentos: chocolate, nozes, frutas cítricas, comidas condimentadas, tomate, ovos, trigo, peixes, até que o quadro esteja sob controle, pois estas substâncias podem exacerbar a dermatite pré-existente. Entretanto, deve ser lembrado que a restrição dietética pode causar perda de peso, deficiência de cálcio, hipovitaminose, outras alterações nutricionais. A reatividade das crianças com alergenos do ar aumenta com a idade. Os aeroalergenos mais comuns são ácaros, pólen, mofo, pêlos de animais. A casa deve ser mantida limpa. Cortinas, tapetes e carpetes devem ser evitados. A poeira deve ser aspirada e as janelas devem ser abertas, deixando o sol penetrar nos aposentos.

Os imunomoduladores ou inibidores tópicos da calcineurina compreendem uma nova modalidade terapêutica, evitando os efeitos colaterais indesejáveis do corticóide e promovendo diminuição do processo inflamatório e da coceira, sendo uma alternativa segura para a substituição ou diminuição do uso dos corticosteróides. As substâncias são pimecrolimus a 1% (elidel creme) e tacrolimus 0,03% e 0,1% (protopic pomada). Ambos são eficazes no controle a curto e longo prazo da dermatite atópica, melhorando o controle global da doença, limitando as crises que exigiam o uso de corticosteróides e os dias de tratamento com este tipo de substância. Ambos são seguros quando aplicados na face, pescoço e áreas de dobras. Não há relatos de efeitos colaterais nos olhos quando prescritos para usar nas pálpebras. Pode ocorrer uma leve sensação de pinicação nas primeiras aplicações destas substâncias, este fato pode ser minimizado se seu uso for associado a corticóides tópicos ou hidratantes.

Orientações gerais na dermatite atópica:

- Evitar ambientes muito secos ou muito úmidos;
- Evitar lavagem repetida das mãos, banhos freqüentes e estresse;
- Usar roupas de algodão. Evitar uso de roupas sintéticas e de lã;
- Usar cremes hidratantes várias vezes ao dia, especialmente após o banho (nos três primeiros minutos após a saída do banho, pois ainda não houve a evaporação da água). Quanto mais oleoso e espesso o hidratante melhor para a criança. O hidratante deve ser passado em todo o corpo e reaplicado sempre que a pele estiver seca;
- O banho deve ser de prefência frio, com duração de no máximo cinco minutos. O uso do sabonete deve ser limitado a axilas, região genital e rosto;
- Preferir sabonete com hidratante (Dove, Neutrogena fórmula original) ou sabonete sem sabão (Lipikar Surgras ou Cold Cream sabonete ou gel para banho);
- Evitar banho de espumas em banheiras;
- A dieta tem papel importante na infância, principalmente com crianças com doença de difícil controle. Evitar: tomate, laranja ácida, morango, abacaxi, chocolate, bebidas com preservativo de dióxido de enxofre;
- Quando necessário usar corticosteróides tópicos, preferir os de baixa potência, em áreas de dobras, por pouco período de tempo, fina camada, duas vezes ao dia, sem ocluir. Caso seja

necessário estender o prazo de aplicação, pode-se misturar o corticóide com um hidratante, em partes iguais. Não usar por tempo prolongado, devido ao risco de atrofia cutânea, telangiectasias, estrias, taquifilaxia, absorção sistêmica, infecções por fungos e bactérias;

- Corticosteróides sistêmicos podem ser usados em casos graves, atenção para contra-indicações e efeitos colaterais;
- Nos casos com prurido intenso pode-se associar anti-histamínicos, como: dexclorfeniramina, hidroxizine ou outros.

2) Eczema ou dermatite seborréica: erupção que ocorre nas áreas seborréicas, isto é com altas concentrações de glândulas sebáceas: face, glabela, nariz, couro cabeludo, região pré-esternal e áreas intertriginosas. Pode começar nos primeiros dias de vida. Ao nascimento manifesta-se como crosta láctea (comumente conhecida como capuz do bebê). São lesões crostosas, amarelo-avermelhadas, de aspecto gorduroso, aderentes ao couro cabeludo, com discreto prurido (coceira). Pode haver também vermelhidão, fissuras e descamação atrás das orelhas. Na face, as lesões comprometem as sobrancelhas, os cílios e as asas do nariz. Também podem ocorrer nas áreas de dobras. O tratamento depende da área comprometida, no couro cabeludo devem ser usados xampus com cetoconazol a 2% (Cetonil, Cetonax, Arcolan), enxofre e ácido salicílico ou piritionato de zinco a 2%; caso muito extenso, o uso de loções contendo corticosteróides é extremamente útil. Na face e outras regiões pode-se usar cremes contendo cetoconazol e corticosteróides. Em caso de blefarite, deve-se fazer compressa com água morna, limpeza com xampu infantil, massageando suavemente até a retirada das crostas. Caso necessário podem ser utilizados tópicos contendo inibidores da calcineurina, pois não há os efeitos colaterais possíveis dos corticosteróides.

3) Eczema ou dermatite de contato: ocorre em qualquer idade. Pode ser de dois tipos: Dermatite de contato por irritante primário – ocorre por substâncias alcalinas ou ácidas que entram em contato com a pele, como detergentes, urina e fezes (dermatite das fraldas), produzindo apenas irritação local. Clinicamente há lesões avermelhadas, vesículas (pequenas bolhas), bolhas e descamação, acompanhadas ou não por coceira, que em geral é discreta. As lesões existem apenas nos locais onde houve contato com a substância. A dermatite das fraldas caracteriza-se por pele avermelhada, pequenas bolhas, áreas desnudas (erosadas) na região inguinal, genital, raiz das coxas, porém as dobras são sempre poupadas. O processo ocorre pelo contato demorado com fezes e urina (demora na troca das fraldas), alergia de contato aos componentes da fralda, sabões e detergentes utilizados na lavagem das fraldas. O tratamento consiste em uso de pomadas contendo nistatina e óxido de zinco (Dermodex pomada), vitaminas A e D (Proderm creme, Hipoglos pomada), medidas anti-sépticas e retirada das fraldas por alguns dias.

Dermatite de contato alérgica envolve mecanismo imunológico, os agentes mais comuns desencadeantes deste processo são: anilina, procaína, sulfa, metais, níquel, mercúrio, penicilina, cloranfenicol, azocorantes, borrachas e derivados, objetos plásticos, plantas como aroeira, cajueiro, mangueira e outros. As lesões na fase aguda tendem a ser avermelhadas, edemaciadas, com prurido (coceira), podendo haver inclusive bolhas; nas fases subaguda e crônica, há persistência do prurido, porém as lesões são mais secas, com tendência à descamação e formação de crostas. O tratamento depende da fase, caso estejam presentes bolhas deve-se realizar compressas com permanganato de potássio, diluindo-se um comprimido do permanganato para no mínimo cinco litros com água, três a quatro vezes ao dia, com duração de 15 a 20 minutos, até as bolhas secarem (cerca de 24 a 48 horas); na fase subaguda em que há o processo de transição da fase aguda para a crônica, deve-se utilizar pasta d'água ou cremes contendo corticosteróides, enquanto na fase crônica, período em que a pele apresenta-se seca, o uso dos corticosteróides é preferível em pomada, pois esta é mais oleosa e será mais eficaz neste período. Em casos muito graves ou generalizados, pode ser necessário o uso de corticosteróides por via sistêmica. Os corticosteróides só devem ser usados com prescrição e orientação médica, pois podem surgir efeitos adversos.

MALFORMAÇÕES VASCULARES NA INFÂNCIA

Hemangioma

É um tumor benigno formado pela multiplicação dos vasos sanguíneos. Ocorre em cerca de 1 a 2% dos recém-nascidos, sendo mais comum em meninas. Sua incidência aumenta em prematuros. As áreas mais afetadas são a face e pescoço, embora possa existir em qualquer área corporal. Pode ser superficial, profundo ou misto (coexistência de comprometimento superficial e profundo na mesma lesão).

O mais comum é o hemangioma plano, ocorre devido à dilatação dos vasos, formando um agrupamento de pequenos pontos vermelhos, com limites bem definidos e tamanhos variados; desaparecem quando há compressão. Também chamado de hemangioma capilar, "mancha vinho do porto" ou "mancha salmão". Quando ocorrem na nuca (hemangioma plano occipital), a resolução espontânea é vista em 50% dos casos, desde que são assintomáticos e cobertos por cabelos, não apresentam problemas cosméticos. No encontro do nariz com a testa ou na pálpebra superior, representa a "mancha salmão", (devido à coloração cor de salmão), popularmente conhecido como "bicada da cegonha" ou "beijo de anjo"; estas manchas na maioria dos casos não requerem tratamento e desaparecem espontaneamente no primeiro ano de vida, caso não desapareçam pode ser realizado luz intensa pulsada (IPL) ou laser posteriormente. No caso da "mancha vinho do porto", também chamado nevus flameus, o hemangioma é permanente, embora não aumente de tamanho, pode apresentar posteriormente na superfície um aspecto verrugoso. Neste tipo, o tratamento proposto é o laser.

Outro tipo comum de hemangioma é denominado "marca do morango", porque o tumor se assemelha a um morango. Apresenta-se em 10% dos bebês, e é mais freqüente no sexo feminino, sendo a face e pescoço os locais em que mais aparecem. Tem incidência maior em bebês prematuros, com peso abaixo de 1.500g. Geralmente é muito pequeno no recém-nascido, de forma que passa despercebido, porém cresce rapidamente, atingindo o maior tamanho em seis meses. Quase sem exceção, este crescimento rápido significa que a marca desaparecerá logo. A modificação da cor para vermelho-escuro e o aparecimento de pequenos pontos cinzentos são sinais que a marca está em regressão.

Existe um tipo de hemangioma que não se encontra aparente na pele (visível), ele é apenas reconhecido pela palpação ou aparecimento de massa de tonalidade azulada por baixo da pele, é o hemangioma cavernoso, neste a tendência a desaparecer espontaneamente, completa ou parcialmente, é vista em 90% dos casos.

A intervenção cirúrgica está indicada caso o hemangioma adquira um volume muito grande, em local em que o traumatismo (machucado) possa levar a sangramento, ou caso esteja prejudicando alguma função fisiológica. A intervenção será decidida pelo médico-assistente. O tratamento alternativo com cortisona, crioterapia (nitrogênio líquido) e laser têm obtido bons resultados, embora não plenamente satisfatórios.

MICOSES DA PELE

Os cogumelos ou fungos são os responsáveis por este grupo e provocam inúmeras lesões. As micoses podem ser divididas em superficiais ou profundas. As primeiras estão limitadas a pele, cabelos, unhas e membranas mucosas. Nas micoses profundas há comprometimento de outros órgãos do corpo e invadem a pele por contato direto ou disseminação sanguínea. A seguir serão sumarizadas as micoses superficiais.

Pitiríase versicolor

Também conhecida com o nome de "pano branco", "acromia parasitária" ou "micose de praia". Caracteriza-se por manchas geralmente brancas, embora algumas vezes possam ser amarronzadas ou acastanhadas, localizadas principalmente na face, tronco e parte superior dos braços. Fator importante no diagnóstico é que pela distensão da pele próxima à lesão, ocorrerá uma leve descamação na mancha, o que representa a atividade do fungo. É provocada por um fungo chamado *Malassesia furfur*, que reside normalmente na pele, porém tende a se manifestar caso haja fatores predisponentes, como calor, umidade, aumento da oleosidade da pele, como por exemplo por uso de hidratante e protetor solar que contenham óleo. Tende a surgir especialmente no verão, devido ao tempo quente e úmido. Seu tratamento é baseado no uso de sabonetes contendo enxofre e ácido salicílico (Salisoap, Dermax, Sastid), que devem ser usados no banho massageando a pele com uma bucha vegetal, uma vez ao dia, por um mês. Além disso, recomenda-se o uso de xampus contendo ácido salicílico e enxofre (Salisoap xampu), zinco (xampu de piritionato de zinco a 1 ou 2%) ou cetoconazol (Cetonil, Cetonax, Arcolan, Capel), devido à presença do fungo no couro cabeludo. Também podem ser usados antifúngicos tópicos como: nitrato de isoconazol creme ou spray (Icaden spray ou creme), duas vezes ao dia, por uma semana, ou cremes com cetoconazol (Cetonil, Cetonax creme), duas vezes ao dia, por duas semanas ou outros antifúngicos. É freqüente haver recidiva, pela predisposição individual, por isso recomenda-se um tratamento de manutenção. Após o tratamento podem persistir manchas brancas, porém sem a descamação. A coloração da pele só voltará ao normal após lentas e progressivas exposições ao sol. Deve ser diferenciada do vitiligo, da pitiríase alba (eczemátide) que ocorre como manifestação da dermatite atópica, além de sinais de natureza congênita (nevus anêmico e hipocrômico), que tornam-se mais evidentes no verão devido à maior incidência de raios solares.

Dermatofitoses ou tinhas (*tineas*)

São causadas por fungos que habitam o solo, animais domésticos ou silvestres, ou o próprio homem. Podem acometer o couro cabeludo (*tinea caputis* ou tinha do couro cabeludo), a pele do corpo (*tinea corporis*), pés (*tinea pedis*), mãos (*tinea manuum*), virilhas (*tinea cruris ou inguinal*) e as unhas (onicomicoses). São contagiosas, tanto pelo contato direto com as lesões como também por objetos contaminados pelos fungos. Podem espalhar para outras áreas do corpo no mesmo indivíduo ou de uma pessoa para outra.

A *tinea caputis* (tinha do couro cabeludo) é a dermatofitose mais comum nas crianças, ocorrendo principalmente na idade entre três e sete anos. Caracteriza-se por áreas com descamação, ausência de pêlos, lesão única ou múltiplas, alguns pontos avermelhados e até mesmo pus e crostas, dependendo do fungo. O tratamento é feito com antifúngicos sistêmicos: griseofulvina, terbinafina, itraconazol ou cetoconazol até a cura clínica e cultura negativa. Concomitante terapia com xampus contendo cetoconazol a 2% ou sulfeto de selênio a 2,5%, devem ser prescritos para o paciente e familiares. Os utensílios como pentes, escovas, bonés devem ser desprezados e não devem ser compartilhados para evitar contaminação.

Tinea corporis: compromete braços, pernas, face, pescoço, qualquer região do corpo. Pode ser vista em qualquer idade. As lesões são arredondadas, a coloração é avermelhada, com crescimento do centro para a periferia (centrífugo). A periferia apresenta-se bastante avermelhada, podendo ter pequenas bolhas e superfície discretamente elevada. Pode ser uma ou várias lesões e a presença da coceira é uma constante. É popularmente conhecida com o nome de "impingem". O tratamento é com antifúngicos tópicos (derivados imidazólicos: Icaden, Tralen; ciclopiroxolamina: Loprox; terbinafina: Lamisil), por duas a quatro semanas.

Nos pés, também são conhecidas com o nome de "frieiras" ou "pé de atleta". Manifestam-se como áreas avermelhadas, com descamação, às vezes presença de pequenas bolhas, nas plantas dos pés (*tinea pedis*), como também áreas brancacentas, fissuradas, maceradas, com aspecto umedecido entre os dedos dos pés (*tinea interdigital*). Ambas apresentam coceira associada, podendo levar a aparecimento de odor nos pés. Tendem a ser mais comuns com o uso de sapatos fechados, sem meias. É relativamente incomum em crianças pequenas. O tratamento consiste em antifúngicos tópicos. Outras medidas como usar sapatos com meias de algodão, mudança diária de sapatos, expô-los ao sol e ambientes ventilados, secar bem entre os dedos dos pés também são necessárias.

As lesões das mãos (*tinea manuum*) assemelham-se às dos pés, e também são incomuns em crianças pequenas. O tratamento é com antifúngicos tópicos.

Nas virilhas, as lesões são bilaterais, eritematosas (avermelhadas), descamativas, pruriginosas, a periferia é bem delimitada. As lesões podem estender-se para raízes das coxas, períneo, região anal e genital. Ocorre na maioria das vezes por persistência de roupas molhadas, úmidas, apertadas, e em obesos, por manter a área das virilhas quente e úmida. É mais comum em adolescentes. O tratamento é semelhante aos anteriores.

Quando há comprometimento extenso ou lesões disseminadas, em quaisquer dos tipos, há necessidade de antifúngico por via oral com resultados satisfatórios.

Onicomicoses são raras na infância, quando ocorrem geralmente estão associadas a *tinea pedis ou manuum,* embora possam ser originalmente primárias ou estarem associadas a outras micoses. O início é lento, havendo presença de material brancacento, como se fosse uma massinha por baixo da unha, pode ser dolorosa ou assintomática. A unha torna-se quebradiça e fraca. Quando ocorre em crianças, geralmente está associada a *tinea pedis* ou onicomicose em algum familiar próximo.

Candidíase ou monilíase

Causada por um fungo chamado *Candida*, o mesmo agente responsável pelo sapinho. As condições que favorecem sua proliferação são: menor grau de defesa, uso de antibióticos, corticóides, imunossupressores, diabetes, doença de Addison, acrodermatite enteropática, umidade e maceração cutânea (como na dermatite das fraldas), dentre outros. Pode causar doença cutânea, mucosa ou sistêmica.

Candidíase oral ou sapinho: ocorre em recém-nascidos, por provável contaminação do bebê durante o parto no canal vaginal, durante a amamentação (seio materno ou mãos contaminadas) ou imperfeita esterilização das mamadeiras e chupetas. A criança apresenta placas brancas, cremosas, com aspecto de coalhada na mucosa oral. Deve-se pincelar a mucosa da criança após qualquer alimentação, com a seguinte mistura: uma colher de bicarbonato de sódio em um copo com água filtrada, fervida e esfriada, em seguida usar nistatina (Micostatin suspensão), usada quatro vezes ao dia, podendo ser ingerida. Também pode ser usada violeta de genciana 0,5 a 1%. O seio materno também deve ser tratado para evitar recontaminação, assim como deve ser realizada a desinfecção das mamadeiras e chupetas.

Vulvovaginite: caracteriza-se por corrimento branco leitoso, coceira, queimação, edema, vermelhidão nos lábios e desconforto na hora de urinar. O tratamento é feito com cremes à base de nistatina ou clotrimazol. Casos resistentes podem ser tratados com cetoconazol ou itraconazol sistêmicos.

Paroníquia e onicomicose por *Candida*: acomete principalmente as crianças que têm sapinho e o hábito de chupar o dedo pode ser a razão. Na paroníquia há inchaço ao redor da unha, vermelhidão, dor local e a expressão pode dar saída a pus. A onicomicose por *Candida* inicia-se na borda proximal da unha, como mancha branca amarelada, posteriormente a unha torna-se fofa. O tratamento é com antifúngico, na forma de esmalte ou solução tópica. Algumas vezes é necessário terapia sistêmica.

Candidíase cutânea: freqüentemente afeta as dobras do corpo, como, axilas, virilhas, região perineal, interglútea, interdigital. As lesões são avermelhadas, com aspecto brilhante, maceradas e com pontinhos de pus espalhados próximo à periferia das lesões. O tratamento consiste no uso de clotrimazol, ciclopirolamina, cetoconazol, nistatina tópicos (cremes, sprays ou pomadas).

Perlèche ou queilite angular: caracteriza-se por vermelhidão, áreas esbranquiçadas e fissuras nos cantinhos dos lábios. Em crianças associa-se com má oclusão dentária, aparelho dentário ou hábito freqüente de lamber os lábios. O tratamento consiste em corrigir o fator desencadeante e usar cremes contendo corticosteróides e/ou antifúngicos/antibióticos, caso haja contaminação respectiva por fungos ou bactérias.

ALOPECIA (QUEDA DE CABELOS)

Pode ser decorrente de numerosas causas, como infecções, doenças auto-imunes, problemas de tireóide (hiper ou hipotireoidismo), anemia, estresse, febre alta, contaminação por fungos (micoses), uso de certos medicamentos (albendazol, anfetaminas, inibidores da enzima conversora da angiotensina, anticoagulantes, aniconvulsivantes, B bloqueadores, cimetidina, danazol, lítio, interferon alfa, retinóides etc), cirurgias, problemas psicológicos etc. Em certas crianças, a queda capilar não tem motivo aparente, porém o renascimento progressivo é possível, demorando até 12 meses para se restabelecer.

Alopecia traumática: ocorre com o uso de penteados com grande repuxamento dos cabelos para trás (especialmente em crianças da raça negra, na tentativa de esticar os cabelos), assim como uso de faixas nos cabelos, leva a uma queda de cabelo por trauma local (alopecia por tração). Outro tipo é a alopecia provocada pelo arrancamento dos fios pela própria criança, a este processo dá-se o nome de tricotilomania, é mais comum em meninas, na idade entre quatro e dez anos, neste quadro em geral a criança puxa os cabelos em horários que os pais não presenciem, como quando deitada na cama para dormir, ao ler, escrever ou assistindo televisão. O hábito pode ser consciente ou inconsciente. Pode haver o arrancamento dos cabelos, como também dos cílios e sobrancelhas. Em geral há negação do fato, e em alguns casos a criança está passando por algum distúrbio emocional, como separação dos pais, não adaptação após mudança de cidade, colégio, creche etc. Neste caso deve haver acompanhamento com psicólogo.

A alopecia areata ou pelada caracteriza-se por placas desnudas de cabelos, uma ou várias, com aspecto oval ou arredondado, onde pode-se observar pêlos que lembram pontos de exclamação. Pode ser localizada apenas no couro cabeludo ou comprometer todas as áreas pilosas do corpo (sobrancelhas, cílios, todo o corpo), com perda parcial ou total dos cabelos/pêlos. Pode estar associada com doenças auto-imunes (principalmente alterações da tireóide), sendo necessária a investigação laboratorial. Sua incidência também está aumentada em pacientes com síndrome de Down.

O tratamento da alopecia depende do fator desencadeante: psicoterapia, orientação e distração para criança parar de arrancar os cabelos. Pode ser necessário também reposição de vitaminas, correção de anemias, soluções tópicas capilares e até mesmo o uso intralesional (injeção no local da perda do cabelo) de cortisona ou por via oral, sob prescrição médica.

ALTERAÇÕES UNGUEAIS

Podem ser de diversas causas, como trauma local, hábito de roer as unhas, cutículas, como também associados a patologias internas ou doenças cutâneas.

Distrofia ungueal pelo hábito de roer as unhas: caracteriza-se por cutículas irregulares, vermelhidão ao redor das unhas, lâminas ungueais alteradas. Em geral a criança desenvolve o hábito como forma de chamar a atenção, por ciúmes de irmãozinho recém-nascido etc. Os pais devem ficar atentos e orientar a criança a suspender o hábito o mais rápido possível, se necessário pode ser usado esmalte com gosto amargo para evitar a colocação dos dedos na boca.

Pits ungueais correspondem a pequeninos pontos deprimidos, do tamanho da cabeça de um alfinete ou maiores nas unhas. Acompanham casos de dermatite atópica, psoríase e alopecia areata.

Unha encravada: ocorre especialmente pelo erro no corte da unha. Observa-se excesso de pele cobrindo a unha, inchaço, vermelhidão e dor local. Pode haver a formação de tecido de granulação, que lembra "carne esponjosa" cobrindo a unha, a este processo denominamos granuloma piogênico. O tratamento da unha encravada consiste em deixar a unha crescer e cortar em ângulo reto os cantinhos da unha. Evitar o uso de sapatos fechados quando houver processo inflamatório e caso haja infecção local antibiótico tópico ou sistêmico. Em casos recorrentes, pode ser realizada cirurgia da borda lateral da unha.

Onicólise ou descolamento da unha: pode ocorrer na psoríase ungueal, lembrando um derrame de óleo na borda distal da unha, como também após trauma local, infecção por fungos ou uso de medicamentos (tetraciclina, doxiciclina, tiazidas, anticonvulsivantes, quimioterápicos), anemia por deficiência de ferro, outros.

Paroníquia: é uma inflamação ao redor das unhas, geralmente acompanhada de processo infeccioso. Pode ser causada por bactérias ou fungos (especialmente *Candida albicanas*), ocorre por traumatismos, como hábito de roer unhas, cutículas, chupar dedos ou após cortar as unhas com tesoura não desinfetada, dentre outros. Quando provocada por bactérias, geralmente é devido a estafilococos ou estreptococos, sendo necessário no tratamento antibióticos tópicos, e às vezes sistêmicos. Naquelas produzidas por fungos, a terapia consiste em antimicóticos tópicos e sistêmicos. Em ambas etiologias, a realização de compressas mornas ajuda bastante na resolução do quadro. Mudança de hábito como parar de colocar os dedos na boca, arrancar cutículas e roer unhas também é necessário.

QUEIMADURAS

Pode ser decorrente de agentes físicos, químicos ou devido à exposição solar.

As queimaduras podem ser acidentais ou até mesmo intencionais (queimaduras por cigarros, água quente, objetos quentes). A forma lembrando ponta de cigarros, com dimensões entre 8 a 10mm deve deixar os responsáveis pela criança atentos para possíveis abusos por terceiros.

Queimadura solar ocorre quando há excessiva exposição solar. A pele torna-se avermelhada, podendo ou não haver bolhas. Se a exposição solar tiver sido intensa pode haver mal-estar, dor de cabeça, náuseas, febre, calafrios e até mesmo delírios. Queimadura solar na infância está relacionada com alto índice de nevus (sinais), câncer de pele e fotoenvelhecimento (manchas, rugas, pele espessa) na idade adulta. Pode ser evitado usando camada espessa de filtro solar, evitando horário de sol muito forte (preferir exposição antes das dez horas ou após as 16 horas). O tempo de exposição solar deve ser adequado para a idade da criança e em caso de maior permanência usar roupas com fotoproteção, chapéu, óculos de sol, ficar embaixo da barraca ou na sombra. Ingestão de líquidos (água ou suco) deve ser estimulada. O uso do filtro solar é recomendado a partir dos seis meses, de preferência devem ser escolhidos os filtros físicos, que contêm óxido de zinco e dióxido de titânio. Sua aplicação deve ser em camada espessa, trinta minutos antes da exposição solar e reaplicado a cada duas horas, após sudorese excessiva ou banhos. Caso tenha ocorrido queimadura solar, o desconforto pode ser minimizado por banhos frios, com aveia coloidal, aplicação de cremes contendo corticosteróides e emolientes. O uso de analgésicos pode auxiliar na dor e em alguns casos pode ser necessário o uso de corticosteróides por via oral.

Em relação às queimaduras por substância quente, deve-se tentar esfriar a área queimada o mais rápido possível, imergindo a região em água fria corrente (pia ou chuveiro). Caso seja possível tratar a queimadura em casa, creme contendo sulfadiazina de prata é extremamente eficaz, devendo ser aplicado em camada espessa e coberto com gaze e atadura de crepon. A aplicação de manteiga, borra de café, creme dental é contra-indicada, pois pode provocar infecção. Os casos de queimaduras extensas devem ser direcionados para o hospital.

CÂNCER DE PELE E NEVUS (SINAIS)

Diversos tipos de nevus ou sinais podem ser vistos nas crianças. Alguns desde o nascimento, representados como manchas café com leite, manchas mais claras que a cor da pele, sinais lineares, nevus melanocíticos congênitos etc. Algumas destas lesões devem ser acompanhadas por dermatologistas, pois nos casos dos nevus melanocíticos congênitos gigantes (maiores que 20cm), pode haver risco de malignização da lesão. Os pais também devem ficar atentos para sinais de nascença que mudam de cor, forma, tamanho, coçam ou sangram, procurando atendimento por especialista.

Em relação ao câncer de pele induzido pela exposição solar destacamos o carcinoma basocelular e o espinocelular. Em ambos o risco pode ser minimizado com proteção solar adequada, roupas e chapéus com fotoprotetores, barracas, óculos escuros e evitando-se a exposição ao sol entre 10 e 16 horas.

Carcinoma basocelular

Apresenta-se como lesão avermelhada, com bordas peroladas, presença de vasos na sua superfície, podendo ou não haver ulceração. Ocorre especialmente nas áreas fotoexpostas, embora raro na infância, podem ser vistas quando há condições predisponentes, como crianças que nascem com síndrome do nevus basocelular (doença autossômica dominante), xeroderma pigmentoso, nevus sebáceo de Jadassohn.

Espinocelular

Um tipo de câncer cutâneo, embora raro na infância, pode surgir nas crianças que foram submetidas à exposição solar prolongada sem cuidados adequados, imunossupressão, após queimaduras ou traumas que deixaram cicatrizes, após infecções por vírus (papilomavírus humano) ou até mesmo quando nascem com síndromes como o xeroderma pigmentoso, epidermólise bolhosa distrófica, morféia ou esclerodermia. As lesões apresentam-se como placas enduradas, com vasinhos na superfície, podendo ou não haver ulceração.

Melanoma

É um câncer que apresenta risco de disseminação pelos vasos sanguíneos e linfáticos. Pode ter como sítio primário a pele, leptomeninges ou até mesmo olhos. Os fatores de risco para desenvolvimento do melanoma são: crianças que nascem com síndrome do nevus displásico, nevus melanocítico congênito gigante, xerodema pigmentoso, nevus atípicos, história familiar de melanoma, queimadura solar com bolhas e imunossupressão. Existe uma regra simples para que os pais possam desconfiar de sinais que podem ter risco de virar melanoma. A esta damos o nome de regra do ABCDE, onde cada letra representa uma característica a ser observada, ou seja: A (Assimetria), B (Bordas irregulares), C (mais que duas Colorações na lesão), D (Diâmetro maior que 6mm) e E (Evolução muito rápida na mudança da lesão), em resumo se estiverem presentes algumas destas características, a criança deve ser encaminhada para o dermatologista que dará o diagnóstico e aconselhará sobre o tipo de tratamento.

AS DOENÇAS DO SANGUE

Hemograma

O hemograma é o exame laboratorial que avalia concentração e características morfológicas dos corpúsculos do sangue circulante: glóbulos vermelhos (hemácias), glóbulos brancos (leucócitos) e plaquetas. Estes corpúsculos são produzidos na medula óssea e se comportam de modo diferente na saúde e na doença.

O hemograma pode ser útil tanto para investigação diagnóstica como para acompanhamento da evolução de um grande número de doenças. A obtenção da amostra de sangue a ser examinada é feita por punção de veia periférica.

Glóbulos vermelhos

São os corpúsculos que circulam no sangue com a função de transportar o oxigênio obtido por meio da respiração pulmonar até os diversos tecidos do corpo. Este transporte é feito por uma proteína encontrada nas hemácias denominada hemoglobina. O tempo de vida de um glóbulo vermelho (hemácia) na circulação é de cerca de 120 dias.

Os valores esperados para as concentrações de glóbulos vermelhos e de hemoglobina não são constantes ao longo da infância e da vida adulta, sofrendo variações, mesmo em condições normais.

Glóbulos brancos

Existem diversos tipos de glóbulos brancos (ou leucócitos) circulando no sangue: linfócitos, neutrófilos, eosinófilos, monócitos e basófilos. Os leucócitos têm como função primordial à defesa do organismo contra agressores como vírus, bactérias e outros agentes infecciosos.

A sobrevida média destas células na circulação varia de acordo com o tipo de leucócito.

Tanto o número de glóbulos brancos (leucometria global) quanto o percentual de cada um dos tipos de leucócito encontrados no sangue circulante (leucometria diferencial) sofrem variações fisiológicas em relação à idade. Além disso, em diversas situações de doença podem ser observadas alterações nestas concentrações.

Em crianças, considera-se que a quantidade mínima de leucócitos no sangue seja em torno de 4.000 por microlitro de sangue. Leucometria global abaixo deste limite é chamada de leucopenia. O limite superior para a leucometria global varia com a idade. Crianças menores costumam ter número maior de leucócitos no sangue circulante quando comparadas a crianças maiores e adultos. Leucometria global acima do limite máximo para a idade é chamada de leucocitose.

Plaquetas

As plaquetas – ou trombócitos – têm como função participar da hemostasia, ou seja, do processo que visa evitar ou minimizar o sangramento decorrente de eventuais lesões na parede dos vasos sanguíneos. As plaquetas são fragmentos de citoplasma de células denominadas megacariócitos, produzidas na medula óssea. Sua vida-média na circulação é de cerca de dez dias.

O número esperado de plaquetas em crianças é semelhante ao do adulto e gira em torno de 150.000 a 500.000 por microlitro de sangue.

ANEMIAS

A anemia pode ser definida como a redução na quantidade de hemoglobina no sangue circulante a níveis abaixo do valor mínimo considerado normal, levando-se em conta a idade e o sexo do paciente. A hemoglobina é a proteína encontrada nas hemácias responsável pelo transporte do oxigênio captado pelos pulmões até os diversos tecidos do corpo.

Para os leigos, anemia é palidez; portanto, toda criança que apresenta pele descorada seria anêmica. Não há dúvida de que o descoramento da pele e das mucosas (lábios e conjuntivas) é uma das características da anemia. Entretanto, é preciso levar em conta que a cor da pele resulta em grande parte da sua espessura e da quantidade de melanina nela presente, o que por sua vez depende de fatores genéticos e climáticos. Em locais de clima frio, onde há menos sol, a pele torna-se mais fina, para que o corpo possa absorver melhor os raios solares. As pessoas ficam com a pele de tonalidade rósea, pois os vasos sanguíneos, de cor vermelha, ficam muito próximos à superfície. Nos países quentes, a pele se torna mais espessa para proteger o corpo do excesso de exposição ao sol, adquirindo uma tonalidade pálida.

O exame das mucosas (da boca, da conjuntiva ocular etc.) é mais adequado para se procurar sinais clínicos de anemia. A tonalidade do tecido que se vê, por transparência, sob as unhas também dá boas informações.

Além da palidez da pele e das mucosas, a anemia pode causar outros sintomas (relacionados à repercussão da anemia sobre o organismo) como cansaço e aumento da freqüência dos batimentos cardíacos. A intensidade dos sintomas depende do grau de anemia e da velocidade com que ela se instalou. Por outro lado, de acordo com a causa da anemia, o exame clínico do paciente pode mostrar outras alterações, como, por exemplo, icterícia (coloração amarelada da pele e das mucosas) e alterações nas unhas e cabelos.

Causas de anemia

A anemia pode ter diversas causas, tanto relacionadas à produção de hemácias e de hemoglobina, quanto à perda de hemácias provocada por destruição (hemólise) ou por sangramento. A anemia pode se apresentar como problema isolado ou como parte do quadro clínico de diversas doenças tanto hematológicas quanto as que envolvem outros órgãos e sistemas.

As anemias por redução na produção de hemácias pela medula óssea podem resultar da carência de substâncias necessárias para a fabricação destes corpúsculos e da hemoglobina. Doenças da própria medula óssea ou de outros órgãos que interfiram com a função medular também podem ser causa de anemia por defeito de produção.

As anemias por destruição de hemácias (chamadas de hemolíticas) podem ser genéticas (como por exemplo a anemia falciforme, as talassemias e a microesferocitose hereditária) ou adquiridas (como por exemplo a destruição por anticorpos). Pacientes portadores de anemia hemolítica habitualmente apresentam icterícia (coloração amarelada da pele e das mucosas). A icterícia se deve à impregnação dos tecidos pela bilirrubina. A bilirrubina é um pigmento amarelo, fruto da degradação da hemoglobina contida nas hemácias. Quando existe destruição exagerada de hemácias tende a haver acúmulo de bilirrubina no sangue.

A causa mais comum de anemia é a carência de ferro. O ferro é um elemento essencial para a síntese de hemoglobina. Na criança, esta carência é provocada mais freqüentemente por erros alimentares, ou seja, dietas inadequadas em relação à oferta de ferro. A necessidade de ferro do organismo é maior durante as fases de crescimento (infância e adolescência) e também durante a gestação (a gestante precisa atender às necessidades do feto e às do seu próprio organismo). Nestas situações a quantidade (e também a qualidade) de alimentos ricos em ferro oferecidos na dieta é mais crítica. Quando a oferta não atende à demanda aumentada surge a condição de carência que provoca a anemia ferropriva. Em crianças saudáveis, o aleitamento materno exclusivo nos seis primeiros meses de vida consegue atender bem às necessidades de ferro do bebê. A partir do sexto mês a amamentação deve ser mantida, mas é necessária a introdução de outros alimentos. A partir desta fase é importante que as carnes sejam incluídas na dieta da criança. As carnes são consideradas a principal fonte de ferro da dieta, não só pela quantidade de ferro nelas contido, mas também pela facilidade maior com que o organismo consegue absorver este ferro. Outros alimentos como o ovo, o leite, o feijão e as folhas verde-escuras (como o espinafre, a couve e a bertalha) também são fontes de ferro.

Além dos erros alimentares, as perdas de sangue e os distúrbios de absorção intestinal também podem ser causas de carência de ferro. As parasitoses intestinais podem provocar dificuldades de absorção intestinal de nutrientes. Alguns destes parasitos provocam também sangramento de tubo digestivo, levando a perda de ferro e conseqüente anemia.

Prematuridade, infecções, doenças dos rins ou das glândulas endócrinas e uma série de outros fatores pode aumentar o risco de desenvolvimento de anemia.

Dois tipos de anemia de causa genética serão citados a seguir, devido à sua freqüência.

Anemia falciforme

É uma anemia hereditária, causada pela presença de uma hemoglobina anormal designada Hemoglobina S, mais freqüentemente observada em indivíduos de raça negra. As hemácias que contêm esta hemoglobina tendem a se deformar e assumir forma de foice. As hemácias em forma de foice tendem a ser retiradas da circulação e destruídas.

Os portadores desta doença apresentam anemia crônica do tipo hemolítica, icterícia e crises de dor causadas pela obstrução de pequenos vasos sanguíneos pelas hemácias em forma de foice. O diagnóstico é feito por exames de sangue que identificam a presença da Hemoglobina S, inclusive na triagem neonatal (teste do pezinho).

Estes pacientes deverão ser acompanhados por equipes multidisciplinares que incluam profissionais das áreas de pediatria, hematologia, psicologia, entre outros. O tratamento inclui uso de ácido fólico, terapia profilática com antibióticos desde o diagnóstico, vacinação contra o pneumococo e o meningococo – além das vacinas do calendário habitual – e transfusão de hemácias.

Talassemias

Este tipo de anemia genética é mais observado em descendentes de populações dos países mediterrâneos (italianos, gregos, turcos, libaneses). Também é conhecida como anemia de Cooley ou anemia do Mediterrâneo. É um tipo de anemia hereditária envolvendo defeito na produção de uma porção da hemoglobina denominada globina.

Os pacientes apresentam anemia hemolítica crônica, icterícia e aumento de volume do fígado e do baço. O diagnóstico é confirmado por exames de sangue. As manifestações da doença podem ser mais ou menos intensas de acordo com o tipo de defeito herdado. O tratamento varia de acordo com a forma clínica da doença.

Tratamento da anemia

O tratamento adequado da anemia depende diretamente da causa. Portanto, antes de instituir qualquer medida terapêutica é necessário, em cada caso, esclarecer quais os mecanismos responsáveis pelo surgimento da anemia. Só assim o melhor tratamento para cada paciente poderá ser estabelecido.

Na anemia ferropriva o tratamento consiste na reposição de ferro. Nestes casos é obrigatório investigar a causa da carência (erro alimentar, sangramento, má absorção) que deverá ser corrigida. O ferro medicamentoso deverá ser dado preferentemente entre as refeições, para que a absorção seja facilitada pela acidez gástrica e para que não haja formação de compostos insolúveis com outros alimentos. A vitamina C facilita a absorção do ferro.

LEUCEMIA

É o tipo de câncer mais comum em crianças. Surge a partir da transformação maligna de alguma das células produtoras das células sanguíneas – que compõem o tecido hematopoético, encontrado na medula óssea.

Existem diversos tipos de leucemia. A classificação da doença se baseia nas características da célula envolvida no surgimento da doença: linhagem, grau de maturação, características genéticas etc. Na criança, o tipo mais freqüente é a leucemia linfoblástica aguda.

As manifestações clínicas podem incluir febre, dores nas pernas, palidez, aumento de volume do fígado, do baço e dos linfonodos, além de sangramentos, principalmente da pele e das mucosas.

A confirmação do diagnóstico é feita por exames do sangue e da medula óssea.

O tratamento varia conforme o tipo de leucemia e inclui uso de quimioterapia.

O prognóstico depende de uma série de fatores. Os protocolos de tratamento utilizados atualmente possibilitam a cura da maioria das crianças com diagnóstico de leucemia linfoblástica aguda.

PÚRPURAS

As púrpuras são um grupo de doenças caracterizadas por aparecimento de lesões de cor púrpura na pele e nas mucosas, causadas por extravasamento de sangue ou inflamação da parede de vasos sanguíneos. As lesões podem ser puntiformes – chamadas de petéquias – ou mais extensas – chamadas de equimoses. Lesões por extravasamento de volume maior de sangue são denominadas hematomas.

As púrpuras podem ser causadas por alterações envolvendo as plaquetas – por alteração funcional destes corpúsculos ou por redução de seu número no sangue circulante – ou por comprometimento da parede dos vasos sanguíneos – chamadas de púrpuras vasculares. As púrpuras vasculares não são consideradas doenças hematológicas, mas devem ser consideradas no diagnóstico diferencial de quadros purpúricos.

A seguir serão mencionadas algumas das púrpuras mais freqüentes na infância.

Púrpura trombocitopênica imunológica

É o tipo de púrpura mais freqüente durante a infância, com pico de incidência entre dois e quatro anos. É causada por destruição das plaquetas por um anticorpo produzido pelo próprio paciente. É freqüentemente relacionada à exposição prévia a agentes virais – tanto por infecções quanto por utilização de vacinas produzidas com vírus vivos. Em alguns pacientes a púrpura pode ser secundária a alguma outra doença – como, por exemplo, doenças autoimunes, neoplásicas e infecciosas.

O paciente apresenta lesões hemorrágicas na pele e nas mucosas. Não é raro haver sangramento gengival e/ou nasal (epistaxe). A complicação mais temível é o sangramento de sistema nervoso central, que felizmente ocorre em menos de cinco por cento dos casos. A intensidade dos sintomas habitualmente se relaciona com o grau de redução no número de plaquetas (trombocitopenia).

O diagnóstico é feito por exame de sangue e pelas manifestações clínicas. O paciente deve ser avaliado por hematologista pediátrico para que sejam descartadas outras causas de trombocitopenia e para que seja bem avaliada a necessidade de exame da medula óssea (mielograma).

O tratamento pode incluir uso de corticóide, imunoglobulina humana e outros medicamentos. Em muitos casos o paciente poderá ser mantido apenas sob observação até que haja normalização do número de plaquetas. Pacientes com número de plaquetas abaixo do normal não devem receber injeções intramusculares nem medicamentos que possam alterar a função plaquetária (como AAS e antiinflamatórios).

Em alguns casos a doença pode ter evolução prolongada (forma crônica). Na maioria dos pacientes pediátricos o prognóstico é bom e a doença tem duração menor que seis meses (forma aguda).

Púrpura trombocitopênica no recém-nascido

A redução no número de plaquetas é um problema relativamente freqüente em recém-nascidos. Doenças da medula óssea, infecções e uma série de outras causas podem estar implicadas – tanto na diminuição de produção, quanto na destruição das plaquetas circulantes. Anticorpos maternos dirigidos contra as plaquetas também podem cruzar a barreira placentária e causar trombocitopenia no bebê.

O recém-nascido que apresenta trombocitopenia pode ter sangramento, principalmente da pele e das mucosas, de gravidade variável de acordo com o número de plaquetas e com a causa determinante.

Para o diagnóstico são necessários exames de sangue e, em alguns casos, da medula óssea.

O tratamento varia conforme a causa e pode incluir medicamentos (como corticóide) e transfusão de concentrado de plaquetas.

Púrpura de Henoch-Schönlein

É conhecida também como púrpura alérgica ou anafilactóide. Está relacionada a inflamação na parede dos vasos sanguíneos (vasculite), desencadeada por uso de medicamentos, infecções, picadas de insetos e até alguns alimentos. O número de plaquetas está normal ou aumentado.

As lesões purpúricas são geralmente pequenas, avermelhadas e habitualmente elevadas (palpáveis). Eventualmente podem ter tamanho maior e coloração vermelho-vinhosa. Tipicamente as lesões se concentram nos membros inferiores e região glútea. Pode haver outros sintomas como dores no abdome e nas articulações. Boa parte dos pacientes apresenta comprometimento renal (nefrite).

O diagnóstico se baseia no quadro clínico e em exames laboratoriais.

O tratamento pode incluir o uso de corticóide. Os pacientes devem ser acompanhados por profissionais pediátricos especializados nas áreas de reumatologia e nefrologia.

O prognóstico é bom, na maior parte dos casos.

DOENÇA DE VONWILLEBRAND

É o tipo mais comum de doença hereditária da hemostasia. É causada pela deficiência de produção ou pela alteração funcional do fator de vonWillebrand (vWF). Os pacientes apresentam tendência a sangramento.

A gravidade dos sintomas varia de acordo com o tipo específico da doença. O tipo mais freqüente de doença de vonWillebrand (vWD) – tipo Ia, causado pela deficiência parcial de vWF – é habitualmente pouco sintomático. Entretanto, todos os portadores da doença devem ser orientados quanto ao risco de sangramento durante procedimentos cirúrgicos (incluindo extrações dentárias e cirurgias plásticas) ou após traumatismos físicos.

O diagnóstico é baseado no quadro clínico, na história familiar e em exames de sangue.

O tratamento varia conforme a gravidade das manifestações clínicas e o tipo de alteração envolvendo o vWF, podendo incluir uso de medicamentos – como os derivados sintéticos da vasopressina (DDAVP) – e reposição do vWF.

HEMOFILIA

É uma doença hereditária da hemostasia, caracterizada por deficiência de Fator VIII (hemofilia clássica ou tipo A) ou de Fator IX (hemofilia tipo B). A herança é genética, relacionada ao cromossomo X. É transmitida aos filhos pela mãe – portadora da alteração específica no cromossomo X – e se manifesta clinicamente nos indivíduos do sexo masculino que herdaram da mãe o cromossomo X alterado. Nas mulheres que apresentam a alteração em apenas um dos seus dois cromossomos X, a doença não se manifesta clinicamente (portadora sã). Os hemofílicos transmitem a doença para todas as suas filhas, que, por sua vez, poderão transmiti-la à sua prole. Os filhos homens de um hemofílico não herdam a doença – já que só recebem do pai o cromossomo Y.

A doença se manifesta por tendência a hemorragias – espontâneas ou pós-traumáticas – de gravidade variável conforme o grau de deficiência do fator envolvido.

O paciente hemofílico pode apresentar sangramentos durante o parto, após circuncisão e em local de aplicação de qualquer injeção intramuscular. À medida que a criança cresce e começa a engatinhar e andar aumentam as chances de hemorragias provocadas por traumatismo. Na idade escolar, a hemorragia no interior das articulações (hemartroses) é um sintoma característico.

O diagnóstico é feito por exames de sangue que identificam o tipo e a intensidade da carência do fator de coagulação.

Estes pacientes devem ser acompanhados por hematologistas, habitualmente em centros de referência para tratamento de hemofílicos.

O tratamento pode incluir a reposição do fator deficiente e o uso de medicamentos como os antifibrinolíticos e os derivados sintéticos da vasopressina (DDAVP).

AS DOENÇAS DOS OSSOS E DAS ARTICULAÇÕES

Destacamos dois tipos neste grupo: no primeiro, as deformidades ósseas congênitas; no segundo, as infecções nos ossos e nas articulações.

Deformidades ósseas poderão ser resultantes de qualquer acometimento durante o seu desenvolvimento, sendo identificadas logo após o nascimento. A causa provável dessas deformidades poderá ser a interferência de fatores externos durante a gravidez, como irradiações, medicamentos, traumatismos, problemas intra-uterinos e posições viciosas do feto no útero.

Existem doenças genéticas cujas deformações ósseas são acompanhadas de outros sintomas fora do aparelho locomotor, isto é, dos ossos e das articulações.

AFECÇÕES DIAGNOSTICÁVEIS NO RECÉM-NASCIDO

Lesões traumáticas

Fraturas da clavícula, do úmero, do fêmur e da tíbia poderão ocorrer como resultado de manobras obstétricas em partos difíceis ou no período neonatal, em conseqüência de queda ou maus-tratos. Estas fraturas consolidam-se rapidamente, de duas a três semanas, e os desvios fragmentares não necessitam de redução anatômica – a deformidade residual corrige-se espontaneamente em poucos meses.

A tração do plexo braquial (puxar a criança pelo braço) durante o parto poderá determinar graus variáveis de paralisia do membro superior.

Luxação congênita coxofemural

Esta é uma afecção relativamente rara no Brasil. É mais comum nas meninas numa proporção de 5-10:1.

A luxação está sempre associada a um defeito na formação do acetábulo (parte do osso da bacia em que se encaixa a cabeça do fêmur), que é inadequado, raso.

As articulações coxofemorais do recém-nascido deverão ser examinadas, rotineiramente, no primeiro dia de vida e no dia da alta hospitalar, com a criança deitada ou apenas com as pernas fletidas, em busca de eventuais alterações em sua estrutura.

Em qualquer tipo, pré-luxação, subluxação ou luxação, deverá o tratamento ser iniciado logo que o diagnóstico for feito. Quanto mais cedo, melhor o resultado.

A luxação congênita é um problema de prognóstico completamente diferente se for diagnosticada no recém-nascido ou se for identificada logo após a marcha.

Deformidades

As deformidades mais freqüentes e mais conhecidas são:

Sindatilia. Dedos unidos, às vezes só pela pele, e outras também pelas unhas; nestes casos a correção deverá ser feita antes dos seis meses, quando forem dois ou mais dedos juntos. A correção cirúrgica será feita em dois tempos.

Pé torto congênito. É mais comum nos meninos (3:1). É a flexão plantar, com rotação de todo o pé, de modo a mostrar toda a sua planta. O tratamento deverá ser iniciado logo após a primeira semana de vida, com correção gradual feita através dos aparelhos gessados, trocados sucessivamente.

Problemas de postura, posição das pernas, dos pés, dos joelhos e dos tornozelos, como o pé pronado, o genuvalgo, o genuvaro, a tibiavara e pé supinado, são descritos às páginas 411 e 413.

Infecções

Das infecções, duas são as mais comuns:

Osteomielite (infecção no osso). De acordo com o Prof. Carlos Giesta (Rio de Janeiro), é uma moléstia grave e deve ser considerada sempre emergência (imediato atendimento por médico, de preferência ortopedista). Esta doença é mais freqüente entre os três e os doze anos, e duas vezes mais nos meninos do que nas meninas. No bebê e na criança com menos de dois anos de idade, seus sintomas são diferentes dos que aparecem em outras idades. O germe causador geralmente é o estafilococo, ou, na maioria das vezes, também o maior responsável; entretanto outros germes também são possíveis. A inflamação óssea poderá ser posterior a furúnculos, impetigo, catapora ou queimaduras infectadas, e a via de entrada é a corrente sanguínea. A inflamação nos ossos causada por ferimentos penetrantes ou extensão de infecção na pele é outra causa provável. É uma moléstia grave e deverá ser considerada emergência; seu início é rápido, com febre alta, mal-estar e dor local, com inchaço e vermelhidão. No bebê estes sinais são imediatos e o doente se apresenta intoxicado, pálido, extremamente fraco e irritado; os ossos mais atingidos são os da perna e os do braço.

O diagnóstico é feito pela história, pelo exame clínico e pelo de laboratório: o hemograma e a cultura de sangue (hemocultura). A radiografia só será positiva após cinco dias da doença em crianças menores de dois anos de idade e após oito a dez dias na criança maior.

O tratamento deverá ser feito, sempre que possível, pelo ortopedista e em caráter de urgência, porque em alguns casos a intervenção cirúrgica se impõe. A doença responderá bem aos antibióticos, geralmente um dos tipos de penicilina. O germe isolado em cultura e submetido ao antibiograma indicará a medicação exata.

Artrite infecciosa aguda ou artrite séptica (infecção da articulação). É a inflamação supurada das articulações, mais comum nos dois primeiros anos de vida. Habitualmente é precedida por alguma infecção em qualquer parte do corpo, mais freqüentemente após infecções no aparelho respiratório. Os germes mais comumente responsáveis são o estafilococo, o estreptococo, o pneumococo e o *Haemophilus influenzae*; outros são mais raros, como o meningococo e as salmonelas. Qualquer articulação poderá estar envolvida, entretanto, a do ombro (escapulo-umeral) e a das ancas (coxofemoral) são as mais atingidas. Outras grandes articulações poderão estar comprometidas. O diagnóstico e o tratamento deverão ser rápidos e eficazes, devido ao fato de a inflamação purulenta das articulações destruírem rapidamente as cartilagens, impedindo o desenvolvimento dos ossos ou a perda da articulação pela sua soldadura, pelo seu endurecimento (anquilose). O aparecimento da doença é repentino, com sintomas de infecção grave (septicemia), e a inflamação da articulação se manifesta rapidamente, acompanhada de rigidez dos músculos e dor intensa, que aumenta pela movimentação das juntas.

Tratamento. Deverá ser imediato e perfeito, evitando a supuração. A radiografia será de pouco valor para o diagnóstico precoce. O que valerá é o exame clínico e a experiência do médico. A artrite infecciosa aguda é uma emergência, e deverá ser tratada pelo ortopedista, pois a possibilidade de intervenção cirúrgica (punção e drenagem) será muito importante para a cura da lesão, e para a involução da doença. O uso de antibióticos dependerá do germe (bactéria) encontrado.

ANORMALIDADES NO TÓRAX

Há dois tipos de anormalidade do tórax, devido à irregularidade do esterno, osso dianteiro do peito, que se articula com as costelas.

1) Peito de pombo: tórax saliente, conhecido em medicina por *Pectus carinatum*; não é freqüente na infância, e neste período a causa mais provável é de haver uma doença congênita do coração. É raro aparecer como alteração isolada antes dos seis anos de idade. Às vezes é um traço familiar: o pai ou a mãe o apresentaram.

Somente haverá indicação cirúrgica no caso de ser do tipo isolado, sem estar associado às moléstias citadas, e assim mesmo se for muito acentuado.

2) Peito em funil: denominado pelos leigos de "peito de sapateiro" e pelos médicos de *Pectus excavatum*. Esta característia está presente por ocasião de uma deformidade progressiva. A hereditariedade é a causa mais provável. O peito afundado poderá causar problemas nos pulmões e no coração durante a adolescência. Nos casos graves, com insuficiência respiratória, deverá ser feita correção cirúrgica, porém sempre depois de dois anos de idade. Nos casos benignos não haverá indicação cirúrgica.

DOENÇAS DO CORAÇÃO

O coração é um órgão que lembra vida, amor e sonhos. Dessa forma, qualquer problema que envolva o coração é recebido pelos pais como motivo de pânico, principalmente quando o coração é o de sua criança... A família aguarda com muita ansiedade o resultado da primeira avaliação pediátrica. A primeira pergunta é, sem dúvida, "o meu bebê nasceu perfeito?". E logo depois, "e o coração doutor, está tudo bem com ele?". Esse questionamento não é sem sentido, pois sabe-se que a alteração do coração detectada logo após o nascimento implica encaminhamento para o cardiologista pediátrico, o que assusta a família.

Vamos falar do coração:

Logo após o nascimento, as trocas gasosas passam a ser assumidas pelos pulmões. O sangue venoso entra no coração direito através das veias cavas e da artéria pulmonar, que emerge do ventrículo direito, e chega aos pulmões. O sangue oxigenado dos pulmões retorna ao coração esquerdo, através das veias pulmonares, e sai pela aorta para ser distribuído para todo o corpo.

As doenças do coração podem ocorrer nas vias de entrada, nas vias de saída, nas válvulas, nas paredes que dividem as cavidades, nas artérias que nutrem o coração (coronárias), no músculo cardíaco e no sistema de condução elétrica.

Elas podem ser doenças congênitas, isto é, ocorrem dentro do útero, durante a formação do coração. Nesse caso, podem fazer parte de síndromes como, por exemplo, a síndrome de

Down, na qual 40% das crianças apresentam alterações cardíacas. A incidência de cardiopatia congênita é de 8 para cada 1.000 nascimentos vivos.

Quando o coração da criança sofre danos após o nascimento, trata-se das doenças adquiridas, dentre as quais destacamos as miocardites virais, a doença de Kawasaki e a doença reumática.

DOENÇAS CONGÊNITAS

Manifestação clínica no primeiro ano de vida:

Cianose

Coloração azulada das mucosas:

a) Transposição das Grandes Artérias;

b) Diminuição do fluxo de sangue para os pulmões.

Insuficiência cardíaca

Incapacidade do coração de assumir as suas funções.

Cardiopatia congênita cianótica

a) Com manifestação nas primeiras semanas da vida, TGA – Transposição das Grandes Artérias. Os grandes vasos que emergem do coração, isto é, a aorta e a artéria pulmonar, estão invertidos. Do coração direito sai a aorta que leva sangue com baixo teor de oxigênio para todo o corpo;

b) Após o primeiro mês de vida, Tetralogia de Fallot "Doença Azul". Obstrução severa na artéria pulmonar reduzindo o fluxo sanguíneo para os pulmões.

Cardiopatia com insuficiência cardíaca

a) Com manifestação nas primeiras semanas – Obstrução do fluxo de sangue na via de saída do ventrículo esquerdo que está conectado à aorta;

b) Após os primeiros meses – Comunicações entre a circulação arterial e venosa que podem ocorrer entre os ventrículos, esquerdo e direito, comunicação interventricular (CIV) ou entre a aorta e artéria pulmonar, persistência do canal arterial (PCA).

Sinais e sintomas: A observação de alterações circulatórias pode passar despercebida pela família, principalmente em se tratando do primeiro filho. A primeira consulta ao pediatra é muito importante e deve ser realizada nos primeiros 15 dias.

São sinais de alerta para a família:

a) Respiração rápida;
b) Choro de difícil consolo;
c) Recusa das mamadas;
d) Suor intenso quando mama;
e) Palidez ou cianose, que é a coloração azulada dos lábios e unhas.

Alterações no exame que indicam a avaliação por um especialista:

a) Sinais acima relatados pela família;
b) Freqüência respiratória elevada;
c) Batimento cardíaco muito rápido, lento ou irregular;
d) Sopro cardíaco;
e) Aumento do fígado;
f) Assimetria nos pulsos;
g) Alteração na pressão arterial.

DOENÇAS ADQUIRIDAS

No primeiro ano de vida

a) Miocardite: decorrente de infecção viral que afeta o músculo cardíaco causando disfunção miocárdica que vai prejudicar ó bombeamento de sangue para o corpo;

b) Doença de Kawasaki: de etiologia desconhecida, mais comum nos países orientais. A complicação mais grave dessa doença é o comprometimento do coração com lesão das artérias coronárias. A Doença de Kawasaki pode ser confundida com uma virose. Evolui com febre alta e persistente, mucosas vermelhas, alterações articulares. Se não for tratada adequadamente causará alteração cardiovascular grave.

Após o terceiro ano de vida

a) A febre reumática é uma doença adquirida de alta incidência no Brasil. É secundária à infecção estreptocócica. Tem início uma semana após infecção de garganta, que se não diagnosticada e tratada adequadamente ataca o coração e pode levar à lesão definitiva das válvulas cardíacas. As válvulas mais afetadas são: válvula mitral e válvula aórtica;

b) Infecção bacteriana em válvulas cardíacas que apresentam doença: o mais comum é o acometimento da válvula aórtica quando é bicúspide, diferente da normal que é a tricúspide. A válvula mitral quando apresenta prolapso com disfunção também é ideal para instalação de infecção bacteriana.

O pericárdio, membrana que envolve o coração, pode apresentar disfunção, seja como parte das doenças já referidas ou isoladamente.

Algumas dúvidas comuns:

a) O que é sopro cardíaco?

É um ruído auscultado pelo pediatra diferente das bulhas normais e que deve ser investigado.

b) O que é arritmia cardíaca?

O coração bate ritmado e com uma freqüência para cada faixa etária. Quando isso não acontece diz-se que existe alteração do ritmo do coração, isto é, arritmia cardíaca. Também neste caso se faz necessária a investigação cardiológica. O ritmo cardíaco normal é regular. A freqüência cardíaca nos primeiros meses de vida varia de 130 a 150 bpm. Após os seis meses a um ano varia de 90 a 130 bpm. Após um ano de 80 a 100 bpm.

Alterações do ritmo do coração:

a) Taquicardia: Quando a freqüência cardíaca é mais rápida que o esperado para a faixa etária;

b) Bradicardia: Quando a freqüência cardíaca é mais lenta que o esperado para a faixa etária;

c) Arritmia: Quando as batidas do coração são irregulares.

Sinais de alerta: Observe sua criança e ouça com atenção as suas queixas. Em um número superior a 80% dos casos, a queixa pode não significar doença, contudo os casos patológicos só serão diagnosticados se a criança for examinada.

A orientação é: Relate sempre a queixa de seu filho ao pediatra.

Queixas mais comuns apresentadas pelas crianças e a interpretação de seus familiares:

a) Dor nas pernas: preguiça de ir para a escola ou querer colo;

b) Dor no peito: gases;

c) Coração batendo forte; estado emocional.

Se estas queixas forem persistentes, fale com o pediatra.

Lembre-se, a avaliação cardiológica é feita de maneira não invasiva. Por isso não se assuste quando o seu pediatra lhe orientar a procurar um especialista.

Considerações gerais:

1) Atualmente, a maioria das cardiopatias congênitas assim como as arritmias fetais podem ser diagnosticadas dentro do útero com a ecocardiografia fetal. A realização deste exame é feita a partir da 20ª semana de gestação, sendo que as melhores imagens são obtidas entre a 25ª e 35ª semanas.

O conhecimento pré-natal da cardiopatia permite o planejamento do parto, a assistência cardiológica precoce ao recém-nascido e uma abordagem terapêutica e cirúrgica mais adequada, com o bebê em melhores condições de vitalidade e em UTI com serviço de cirurgia cardíaca.

As principais indicações para a realização do exame são:

a) Doenças maternas como diabetes, doenças do colágeno, infecções maternas e exposições a drogas teratogênicas, bem como história familiar de cardiopatia congênita;

b) Indicações fetais como hidropisias, doenças genéticas, malformações fetais extracardíacas e arritmias;

c) Fetos sem fatores de risco, mas que durante a ultra-sonografia obstétrica há suspeita de cardiopatia congênita.

2) A grande maioria das cardiopatias congênitas podem ser corrigidas cirurgicamente ou há possibilidades de se realizar cirurgias paliativas, para malformações mais complexas, tendo como objetivo fornecer ao cardiopata, uma qualidade e expectativa de vida melhor, até que ele seja encaminhado para a cirurgia definitiva, se possível.

Muitos sobreviventes à cirurgia cardíaca não estão curados e continuam, ainda, a apresentar morbidade e mortalidade originárias de seus problemas cardíacos.

3) Algumas anormalidades do desenvolvimento cardiovascular são aparentes primeiramente apenas na vida adulta. Exemplos: alguns tipos de miocardiopatia hipertrófica e dilatada, hipertensão arterial, válvula aórtica bicúspide que pode calcificar ou apresentar insuficiência valvar, e alguns tipos de doenças das artérias coronárias.

4) Devemos finalmente enfatizar que a criança de hoje será o adulto de amanhã, portanto, medidas preventivas como a prática normal de atividades físicas, as mudanças no estilo de vida com uma alimentação mais saudável, o controle nos níveis de colesterol e o diagnóstico mais precoce da hipertensão arterial devem ser estimuladas. A abordagem destas patologias pelos profissionais de saúde não deve ser somente a busca pelo tratamento e sim, ter como principal objetivo a prevenção.

PROBLEMAS NOS OUVIDOS

Na criança ocorrem dois problemas principais:

1) perda da audição

2) otites

Qualquer problema de audição poderá ser verificado na criança desde o seu nascimento. A cooperação ativa da criança não será necessária. Se a criança tiver menos de três anos de idade, ela poderá ser submetida a provas, no próprio quarto, em silêncio, estando sentada no colo de sua mãe. Suas reações aos sons produzidos pela pessoa que a observa (o médico, um especialista ou um leigo) deverão ser dirigidas primeiramente ao ouvido esquerdo, e em seguida ao direito. Alguns sons deverão ser muito leves, fracos para determinar sua sensibilidade, e em seguida sons fortes, altos, para verificar seus reflexos a eles. Diferentes tonalidades de som deverão ser apresentadas. De todos, sempre o mais significativo é a voz humana. O bebê, desde os quatro meses de idade, deverá virar a cabeça quando o seu nome for pronunciado suavemente, se ele estiver com a audição normal. A criança poderá obedecer a algumas ordens adequadas a cada idade.

A perda da audição poderá aparecer sozinha ou acompanhada por outros problemas.

A possibilidade da perda da audição deverá ser investigada se alguma das condições descritas existia durante a gestação:

a) doença anterior da mãe, como rubéola ou qualquer infecção não-bacteriana provocada por vírus;

b) história familiar de perda de audição em seus ascendentes;

c) malformação congênita do ouvido externo;

d) prematuridade ou baixo peso ao nascimento (2.500g ou menos);

e) icterícia grave, por incompatibilidade Rh ou outra causa (doença do fígado, septicemia e outras).

A possibilidade de perda ou diminuição da audição deverá ser investigada em qualquer idade da criança, se as seguintes condições estiverem presentes:

a) infecção crônica do ouvido, otites médias repetidas várias vezes;

b) traumatismo (pancada) da cabeça ou fratura do crânio;

c) doenças que incapacitem a criança, distúrbio de visão, distúrbio mental, emocional ou defeito físico, como a paralisia cerebral;

d) meningite ou encefalite;

e) doença renal hereditária na criança ou em pessoa próxima (tias, avós) da família;

f) doença da tireóide (deficiência no funcionamento – hipotireoidismo);

g) uso de medicamentos que possam prejudicar a audição, como alguns antibióticos denominados aminoglicosídios: gentamicina, amicacina, neomicina, tobramicina, netilmicina, canamicina, estreptomicina etc.;

h) tumores cerebrais;

i) quando houver uma forma especial de otite média, chamada "serosa", de causa discutida, causada provavelmente pelo mau funcionamento da trompa de Eustáquio até os dez, doze anos de idade, o que provoca acúmulo de líquido seroso no interior do ouvido médio, sem dor, acarretando a causa mais comum de surdez até esta idade. Crianças de audição normal e que, sem causa aparente, começam a apresentar baixo rendimento escolar, cometendo erros nos seus ditados, a aumentar o volume de som da televisão etc. são suspeitas desta modalidade de otite média. Deverão ser logo enviadas ao especialista para o tratamento adequado (médico ou cirúrgico); este último consiste em se praticar uma incisão (paracentese) na membrana do tímpano, aspirar o conteúdo líquido do ouvido médio e colocar, pela incisão, um tubo de ventilação, conhecido como carretel, que se elimina ao fim de alguns meses, com o paciente curado da surdez; a recidiva é rara.

A SURDEZ

O diagnóstico precoce da surdez e o seu tratamento são dois problemas bem difíceis de se solucionar na pediatria, porque necessitam de verdadeira equipe: pediatra, otologista, audiologista, foniatra e psicólogo. A surdez poderá ter causa congênita ou adquirida.

A surdez adquirida poderá ocorrer pela falta de uma das causas já mencionadas. Atualmente a surdez congênita poderá ser diagnosticada logo nas primeiras semanas de vida, por meio de um teste conhecido pela sigla BERA, que permite, quando confirmada a surdez, aplicar um aparelho de audição já aos seis meses de vida, a fim de se ir criando uma "consciência sonora" no recém-nascido, o que facilitará o futuro aprendizado da linguagem.

Até os três meses, o bebê com problemas de audição se comporta identicamente a qualquer outro; sorri e chora normalmente; entre os seis e os sete meses, começam as desconfianças, pois ele não responde aos sons provocados; entre doze e dezesseis meses, não apresenta qualquer verbalização. O teste de audição, por meio de assobios, sons de tambores e provocando reflexo palpebral (piscadelas) ao ruído é o mais usado. A determinação do grau de surdez exigirá uma série de exames. O tratamento deverá ser iniciado o mais precocemente possível, com estimulação após uma avaliação especializada da intensidade da surdez. As causas adquiridas, não considerando as congênitas, têm por fatores as otites graves e repetidas, as meningites, encefalites, a caxumba (que felizmente é unilateral), o uso continuado dos aminoglicosídios e outros fatores já mencionados.

OTALGIA (dor de ouvido), OTITES

a) O bebê não tem condições de se queixar de dor de ouvido como a criança maior. O bebê com otite apresenta-se irritado ou apático, sonolento, inapetente, com tendência a vômitos ou diarréia;

b) apertar seu ouvido, apesar da opinião geral, não é um teste seguro;

c) o bebê poderá se apresentar inquieto e chorar quando engole;

d) mais de duas otites por ano exigirão uma pesquisa da causa predisponente;

e) a otalgia é raramente uma emergência. Ela poderá ser curada espontaneamente ou causar conseqüências sérias;

f) a medicação de que a família poderá fazer uso consistirá em dar um analgésico (aspirina ou outro) e colocar uma compressa não muito quente sobre toda a orelha; só instile gotas dentro do conduto auditivo com autorização médica; entretanto, analgésicos para aplicação em gotas, antes do socorro médico, estão indicados para aliviar a dor;

g) "abrir o ouvido", como dizem os leigos, que é o corte cirúrgico do tímpano (membrana que limita o ouvido médio do externo, conduto auditivo), denominado miringotomia ou paracentese, às vezes terá de ser feita, para: 1) aliviar a dor; 2) auxiliar a cura; 3) evitar lesão do aparelho auditivo. Nos casos mais delicados, deverá ser feita sob anestesia;

h) o tratamento não visa unicamente eliminar os sintomas, mas a infecção subjacente (que está por baixo), que poderá estar ativa por alguns dias depois do desaparecimento dos sintomas. Se o médico aconselhar que a medicação deverá ser ministrada durante sete, dez ou doze dias, a família deverá cumprir a prescrição para evitar recaídas;

i) o especialista deverá reexaminar a criança duas ou três semanas depois, para ter certeza de que a audição voltou ao normal;

j) para aplicar gotas no ouvido, prescritas pelo médico, deve-se tomar os seguintes cuidados: deitar a criança com o lado do ouvido afetado para cima; puxar a orelha para trás, colocando o conduto auditivo para cima, e pingar as gotas prescritas, uma ou duas, e tampar o canal com algodão para manter o medicamento dentro. No caso de otite dupla, repita os mesmos cuidados com o outro lado;

l) em alguns casos difíceis de cura para a otite a colocação de um tubo plástico através do tímpano (carretel), sendo deixado por alguns dias ou meses, torna-se necessário. Mais tarde ele será retirado, sem maiores complicações;

m) quando a criança tem várias otites (infecção do ouvido médio) no ano, a extração das adenóides, ou das adenóides e amígdalas ao mesmo tempo, poderá ser a solução;

n) a otite externa, inflamação do conduto auditivo, é mais comum em crianças que tomam banho de mar ou piscina. O tratamento consistirá em pingar 1 ou 2 gotas de solução de cortisona e neomicina. A prevenção em vítimas freqüentes deste tipo de otite consiste em pingar gotas de álcool a 70% logo que a criança saia da água;

o) os bebês que mamam deitados de costas são mais suscetíveis a otites, devido à possibilidade da entrada de leite na trompa de Eustáquio, tubo que liga o ouvido médio à nasofaringe.

As rolhas e tampões de borracha ou de plástico, não têm se revelado eficientes.

DOR DE GARGANTA – AMIGDALITE

As amigdalites e as dores de garganta têm sido um problema para os pais no decorrer da criação do seu filho.

A dor de garganta é decorrente da inflamação aguda das amígdalas, que, quando associada à inflamação aguda do fundo da garganta, toma a denominação de "angina". Por vezes há pequenas placas esbranquiçadas sobre as amígdalas congestionadas. Além da dor à deglutição, por vezes poderão surgir também ardência e secura. Geralmente há sintomas gerais: mal-estar, calafrios, temperatura elevada (até 39°C, 40°C), dores musculares e nas articulações, gânglios debaixo do queixo, dores de ouvido reflexas. Na criança, evolui de três a seis dias, raramente mais. O tratamento consistirá em analgésicos, antitérmicos, aumento da ingestão de líquidos e repouso. De regra, a evolução é benigna, de modo que a administração de antibióticos deverá ser reservada para as formas mais graves e de febre persistente durante três, quatro dias, e neste caso o antibiótico deverá perdurar durante cerca de pelo menos seis dias, para evitar recidivas.

As amigdalites são freqüentes nas crianças. Antigamente, a repetição de duas ou três anginas febris por ano já era motivo mais que suficiente de indicação para uma cirurgia. Atualmente sabe-se que as amígdalas são órgãos que participam do sistema imunitário geral de defesa do organismo, de modo que a indicação cirúrgica foi rareando cada vez mais. Procura-se estimular o estado geral da criança por meio de alimentação adequada, estimular o apetite, administrar vitaminas, levar vida ao ar livre, praticar natação etc. Com isto as amigdalites poderão diminuir, a criança se desenvolve e o sistema imunitário melhora gradativamente com o crescimento; as amigdalites praticamente desaparecem aos sete, oito anos de idade. No entanto, há exceções: crianças que, apesar de tudo, apresentam angina de dois em dois meses, por vezes mensalmente, e até a cada quinze dias. A experiência clínica afirma que nestes casos a indicação cirúrgica proporciona resultados excelentes sobre a saúde e o desenvolvimento da criança.

Outra eventualidade de remoção cirúrgica é o aumento exagerado do volume das amígdalas, que chegam a ponto de impedir que a criança degluta alimentos sólidos. É comum haver, ao mesmo tempo, aumento acentuado das vegetações adenóides, o que impossibilita a respiração pelo nariz; a criança dorme com a boca aberta, baba no travesseiro e ronca durante o sono, que por vezes é interrompido por pausas respiratórias, denominadas apnéia do sono, repetidas vezes durante a noite, o que acarreta respiração insuficiente. Por isso mesmo estas crianças ficam sonolentas durante o dia. Além da respiração ruidosa, elas apresentam movimentos anormais durante o sono, com freqüência caem da cama ou acordam assustadas e chorando sem causa aparente. O resultado da extração cirúrgica das amígdalas e adenóidas neste caso é geralmente notável: o sono passa a ser tranqüilo e silencioso logo no pós-operatório imediato. Alguns meses depois, as crianças tornam-se calmas e perdem a sonolência durante o dia.

A SINUSITE

Sinusite é a inflamação dos chamados "seios da face", quatro para cada lado: maxilar, frontal, etmodal e esfenoidal. No lactente, o seio maxilar é apenas um prolongamento lateral da fossa nasal e já contém os "germes" dentários da segunda dentição. O seio frontal só começará a se formar dos cinco aos sete anos, portanto falar em sinusite frontal antes desta idade é um erro. Os seios se comunicam com as fossas nasais por meio de canalículos e orifícios. Por isso, durante os resfriados, a inflamação causada pelas rinites, quando intensas, poderá por vezes atingir os seios e dar origem às sinusites agudas, que são caracterizadas por dois sintomas principais, dor e corrimento nasal do tipo catarral. Todo corrimento nasal unilateral ou mais nitidamente acentuado de um dos lados, durante um resfriado, deverá levar à suspeita de sinusite, e o paciente deverá ser levado a um especialista.

A rinite aguda do resfriado provoca freqüentemente reação edematosa (inchação) da mucosa dos seios maxilares na criança, que cede com o resfriado. No entanto, a radiografia assinala *velamento* dos seios maxilares, que é interpretado como sinusite e tratado indevidamente com antibióticos, por vezes em períodos longos, de vinte dias ou mais.

Outra causa de sinusite são os banhos de piscina e de mar, em que a possível entrada de água no interior dos seios da face poderá acarretar-lhes infecção, principalmente quando se trata de água poluída.

O tratamento consistirá em facilitar a drenagem das secreções com instilações nasais à base de efedrina diluída em partes iguais de soro fisiológico, com nebulizações de água pura (evite os preparados que contenham mentol, que são agradáveis mas terminam por irritar a mucosa); recorre-se, também, ao uso de analgésicos e antitérmicos. Como último recurso, nos casos mais rebeldes à cura, recorre-se ao tratamento pelos antibióticos.

AS DOENÇAS DOS OLHOS

As doenças e anormalidades mais freqüentes nos olhos serão examinadas a seguir:

Conjuntivite

O recém-nascido, nos primeiros dias de vida, pode apresentar uma irritação caracterizada por inchaço das pálpebras, vermelhidão ocular, lacrimejamento e secreção de muco. Trata-se de uma *conjuntivite química*, produzida pela solução de nitrato de prata, que é empregada para prevenir a infecção dos olhos por germes existentes no canal de parto. O tratamento deste tipo de inflamação é feito através da simples instilação de soro fisiológico gelado. Dentre as *conjuntivites* infecciosas, as formas mais comuns são produzidas por vírus e bactérias. As *conjuntivites viróticas* manifestam-se através de intensa vermelhidão ocular, marcante edema palpebral, lacrimejamento e secreção de muco. São também tratadas com soro fisiológico e compressas geladas. Dependendo da gravidade com que comprometem os olhos, podem exigir o uso de colírios antiinflamatórios. As *conjuntivites bacterianas* produzem inflamação menos intensa e caracterizam-se pela presença de uma secreção nitidamente purulenta. O muco, muitas vezes, é confundido com o pus, que tem consistência líquida, enquanto o outro é mais denso e elástico. As inflamações produzidas por bactérias são tratadas com colírios antibióticos. Existem ainda as *conjuntivites de origem alérgica*, que também ocasionam edema palpebral, vermelhidão ocular e lacrimejamento. Têm, no entanto, certas particularidades: um início abrupto, intenso prurido e grande edema da conjuntiva, que dão a impressão de existir uma gelatina na porção branca do globo ocular. Seu tratamento é feito com antialérgicos orais.

Por fim, a inflamação das conjuntivas também pode ser causada pelos próprios colírios (*conjuntivite medicamentosa*) e talvez seja esta a causa mais comum de conjuntivite nos dias de hoje. Por isso, o uso de colírio só deve ser feito com indicação do oftalmologista, pois alguns deles, de acordo com o Dr. Carlos Roberto Paiva Gonçalves Neto, são capazes de produzir graves danos oculares, se empregados indevidamente.

Inflamações palpebrais

As pálpebras possuem uma série de glândulas produtoras de gordura, que podem dar origem a diferentes tipos de inflamação. O *hordéolo* (terçol), por exemplo, é caracterizado por intensa inflamação da pálpebra, que aparece inteiramente inchada e vermelha. Deve ser tratado com compressas geladas. No *calázio*, os sinais inflamatórios são mais discretos, há uma tumoração bem localizada (um caroço), de cor vermelha ou amarelada. É tratado com compressas quentes. A última condição é chamada *blefarite* e resulta da produção de uma gordura com qualidade alterada. Pode manifestar-se de forma discreta (coceira, secura, leve vermelhidão e flocos de gordura presos aos cílios), ou pode aparecer como intensa inflamação das bordas palpebrais (inchaço, espessamento e vermelhidão), acompanhada de conjuntivite e ceratite. Deve ser tratada por meio de compressas quentes e limpeza da região com colírio específico.

Ametropias

São defeitos da refração ocular (do foco). A *miopia* compromete a qualidade da "visão de longe". As crianças míopes costumam ter maior interesse por atividades que envolvam o uso dos olhos para perto. O contrário ocorre com a *hipermetropia*, a criança tende a ter pouca concentração nas tarefas a curta distância, preferindo brincadeiras ao ar livre. Quando maiores, já capazes de se queixarem, as crianças míopes relatam dificuldade para enxergar coisas distantes (quadro negro, por exemplo), enquanto as hipermétropes são acometidas por dores de cabeça freqüentes. Quanto ao astigmatismo, é uma condição que pode ter qualquer um dos defeitos citados, uma vez que existe nas formas miópica e hipermetrópica.

Estrabismo (olho torto, vesgo)

Durante as primeiras semanas de vida são normais os desvios ocasionais dos olhos e se devem ao estado de imaturidade do sistema visual. Nesta fase, só merecem ser investigados aqueles que acontecem de forma contínua. Posições anormais da cabeça (crianças que olham de lado) podem ser um meio de compensar os efeitos visuais de um desvio ocular e por isso também devem ser investigados. Algumas vezes, os cantos internos das fendas palpebrais são mais afastados do que o normal (telecanto), ou então se encontram encobertos por uma prega de pele vinda da testa (epicanto). Nestas condições, que tendem a desaparecer com o crescimento, os olhos parecem estar desviados para dentro (pseudo-estrabismo). O diagnóstico do estrabismo deve ser feito o mais cedo possível, para que o tratamento possa alcançar resultados funcionais satisfatórios e não apenas estéticos.

Nistagmo congênito

É caracterizado por movimentos involuntários dos olhos, que parecem tremer muito rapidamente e de forma oscilatória. O problema tem causa desconhecida e nenhum tipo de tratamento. Não costuma, entretanto, ocasionar um comprometimento da acuidade visual, ou seja, a criança, apesar do nistagmo, pode enxergar perfeitamente.

Catarata

É a opacidade do cristalino. Poderá apresentar-se ao nascimento ou se desenvolver durante a infância ou a adolescência. A congênita é, na maioria das vezes, provocada por infecções adquiridas durante a gravidez, como a toxoplasmose, e principalmente a rubéola, quando esta ocorre durante os três primeiros meses de gestação. Algumas doenças, como o diabetes e a insuficiência da paratireóide, são causas que deverão ser analisadas. A catarata traumática é uma infelicidade possível nas crianças em idade escolar. A idade adequada para a cirurgia dependerá das possibilidades da visão, o que somente o oftalmologista poderá resolver.

Obstrução do conduto nasolacrimal

Este conduto é responsável pela drenagem da lágrima até a cavidade nasal. Originariamente fechado por uma membrana, ele se torna permeável com o nascimento. Quando isto não ocorre, o que é relativamente comum, a lágrima não encontra saída e acaba transbordando (lacrimejamento). Esta disfunção pode ser acompanhada por conjuntivite, já que a retenção da lágrima facilita a proliferação de germes, ou pode dar origem a uma inflamação do saco lacrimal (dacriocistite). Tal complicação é bastante rara e se caracteriza pelo aparecimento de uma elevação avermelhada da parte lateral do nariz, próxima ao ângulo interno da fenda palpebral. Quanto ao tratamento da obstrução, deve ser inicialmente feito através de constante lavagem dos olhos (com soro fisiológico) e massagens, que visam a forçar a passagem da lágrima através da porção obstruída do conduto. Quando isto não tem efeito, usa-se sondar (desobstrução cirúrgica) esta estrutura para romper a membrana persistente, o que deve ser feito por oftalmologista.

Fibroplasia retrolenticular

É uma doença da retina que ocorre quase exclusivamente em bebês prematuros. É invariavelmente bilateral, isto é, atacando os dois olhos. A doença se manifesta pelo estreitamento das pequenas artérias da retina, seguida de dilatação e tortuosidade. É provocada por excesso de oxigênio no sangue, quando o bebê fica na incubadora por muito tempo, sob ação de grande concentração de oxigênio. É mais fácil evitá-la do que curá-la. A concentração de oxigênio na incubadora deverá ser em torno de 40%; esta concentração somente poderá ser aumentada sob vigilância e indicação exclusiva do médico. Nas maternidades do Brasil a vigilância tem sido satisfatória, porque os casos de fibroplasia retrolenticular têm sido raros. Entretanto, todo bebê prematuro deverá ser submetido ao exame oftalmológico, a cada dois meses nos primeiros seis meses de vida. A maioria dos casos apresenta regressão espontânea. O tratamento deverá ser feito pelo oftalmologista.

Glaucoma congênito

É uma condição rara, causada pelo aumento da pressão intra-ocular e subseqüente lesão do nervo óptico, com irreversíveis danos visuais. Na criança, tal condição pode ser identificada através de alguns sinais que dependem da época em que o problema se instala. Até o primeiro ano de vida, o edema da córnea é o mais significativo deles. Esta estrutura perde a transparência, ficando com aparência turva e azulada. A criança demonstra o desconforto à luz, causado por esta alteração, cobrindo os olhos com as mãos. Depois do primeiro ano o edema dificilmente ocorre; em vez disso, a córnea torna-se apenas aumentada e, não raramente, a criança é elogiada pelos grandes olhos que possui. Após o terceiro ano, é a esclera que distende, gerando um aumento no tamanho do globo ocular e, com isso, uma miopia. O tratamento do glaucoma congênito é cirúrgico e precisa ser realizado o mais precocemente possível.

AS DOENÇAS DO SISTEMA NERVOSO

Os problemas do sistema nervoso na infância ocupam grande parte da preocupação dos pais, devido à variedade de sintomas que podem apresentar. A experiente neuropediatra, Dra. Andrea Bacelar (Rio de Janeiro), analisa de modo prático as diversas condições clínicas mais comuns.

Transtorno do déficit de atenção / Hiperatividade (TDAH)

Antigamente chamada de Disfunção Cerebral Mínima (DCM) e modificada em 1975 por Lefèvre para síndrome do déficit de atenção, hoje é conhecido por TDAH. É estimado que 5% das crianças em idade escolar tenham este transtorno, sendo predominante no sexo masculino.

O TDAH pode ser dividido em três grupos (DSM IV TR, de 2002):

1) predominantemente desatento;
2) predominantemente hiperativo-impulsivo;
3) combinado.

As principais manifestações que estas crianças apresentam são falha no controle da atenção (distração), impulsividade, agressividade, hiperatividade (nunca estão cansadas), baixa tolerância a frustrações, instabilidade emocional e irritabilidade. Deve-se ter cautela para diferenciar entre o excesso normal de capacidade e o hiperativo como crianças com baixo QI (coeficiente de inteligência) com os desatentos que não aprendem pelo transtorno e não por deficiência intelectual.

Critérios para diagnóstico de TDAH:

É necessário haver pelo menos seis repostas "Bastante" ou "Sempre". Alguns desses sintomas devem estar presentes antes dos sete anos de idade. Estes sintomas devem comprometer pelo menos dois contextos diferentes (na escola ou trabalho e em casa). Deve haver problemas evidentes na vida escolar, social ou familiar. Devem-se afastar outros transtornos mentais que possam apresentar alguns destes sintomas.

CRITÉRIOS: RARAMENTE / POUCO / BASTANTE / SEMPRE

1. Ele presta pouca atenção em detalhes e comete erros por falta de atenção nos deveres?
2. Ele tem dificuldades de ficar concentrado nos deveres e também em jogos?
3. Ele parece estar prestando atenção em outras coisas, quando se fala com ele?
4. Ele tem dificuldades em seguir instruções até o fim ou deixa os deveres sem terminar?
5. Ele é desorganizado com os deveres e com outras atividades do dia-a-dia?
6. Ele evita ou tem antipatia por deveres ou atividades que exijam concentração?
7. Ele perde material da escola ou coisas do dia-a-dia?
8. Ele se distrai com facilidade com coisas fora daquilo que esta fazendo?
9. Ele se esquece de coisas que deveria fazer no dia-a-dia?
10. Ele mexe com as mãos e com os pés quando está sentado ou se mexe muito na cadeira?
11. Ele sai do lugar em sala de aula ou sem situações quando deveria estar sentado?
12. Ele corre ou sobe nas coisas quando deveria ficar tranqüilo?
13. Ele tem dificuldades de ficar em silêncio enquanto brinca?
14. Ele é elétrico e fica a mil por hora?
15. Ele fala demais?
16. Ele responde às perguntas antes de outros terminarem de falar?
17. Ele tem dificuldade de esperar a vez?
18. Ele interrompe os outros ou se mete na conversa dos outros?

O eletroencefalograma poderá ser uma ferramenta necessária para o diagnóstico diferencial, assim como potenciais evocados, estudos por imagem, avaliação de componentes do sangue ou testes neuropsicológicos poderão ser solicitados caso o neurologista ache conveniente prosseguir na investigação.

Para se propor um tratamento medicamentoso o especialista deve estar convencido do diagnóstico e avaliar se há outras manifestações associadas. É extremamente eficaz e seguro quando prescrito na dose e no horário corretos.

O eletroencefalograma (EEG)

É o registro da e a análise dos potenciais elétricos gerados pelo cérebro e captados na superfície do couro cabeludo. É um exame complementar inócuo, indolor sem contra-indicações à sua realização.

Para este exame é necessário que a criança permaneça em repouso psicossensorial por, no mínimo, vinte minutos. Por este motivo, muitas vezes é necessário que as crianças menores de cinco anos estejam dormindo, e, para isto, pede-se que a criança chegue ao local que irá realizar o exame bastante cansada e que não durma no trajeto. Algumas vezes estas manobras são suficientes para que a criança adormeça em um sono espontâneo; outras vezes é necessário administrar um sedativo leve.

O EEG dá informações das diversas ondas elétricas do córtex cerebral, através da sua forma, do seu tamanho, da sua velocidade, localização etc.

Estas informações serão analisadas conforme a idade do paciente, para determinar se são ou não normais para a idade cronológica.

O sono funciona como ativador da atividade elétrica, sensibilizando o exame e facilitando o aparecimento de alterações não-observáveis durante os momentos em atividade.

Da mesma forma que existem manobras para potencializar uma alteração no traçado, também alguns estados físicos poderão ser suficientes para gerar alterações eletrográficas (no traçado) ou eletroclínicas (através de uma crise). São eles: estados febris, cansaço, tensão emocional, hipoglicemia, calor intenso, enfim, fatores fora da normalidade do organismo.

O termo disritmia (dis = alteração; ritmia = ritmo), que significa somente alteração do ritmo do traçado eletroencefalográfico, foi abandonado da prática médica, pois estava sendo utilizado com vários fins e assustando muitas mães de crianças que tiveram uma crise ou um eletro alterado. Este termo jamais deverá ser usado como sinônimo de epilepsia.

O EEG é um exame indicado para esclarecer uma dúvida ou uma investigação feita pelo médico. Pelo fato de a atividade cerebral captada ser diferente a cada segundo de traçado, poderemos observar traçados completamente normais em pacientes comprovadamente epilépticos, pois naquele intervalo de tempo não se deflagrou nenhum elemento anormal. O contrário, da mesma forma, também é verdadeiro. Podem-se ter crianças sem queixas específicas, cujo traçado apresente alterações, às vezes até com descargas irritativas, porém não suficiente para gerar uma crise clínica. Isto ocorre devido a uma tolerância que o organismo possui para suportar determinada quantidade de descargas.

Nos casos em que a suspeita de epilepsia é confirmada, o EEG é de grande importância, pois poderá diagnosticar e classificar o tipo de epilepsia, bem como acompanhar sua evolução e como aquele cérebro está respondendo aos medicamentos ministrados.

Atualmente o EEG já poderá ser realizado por computador, de forma digital, e pelo mapeamento é possível topografar, com maior precisão, as lesões cerebrais.

As drogas antepilépticas (DAE) são medicamentos prescritos e acompanhados por neurologistas, tendo como finalidade aumentar o limiar para o desenvolvimento de crises, formando uma área amortecedora, de segurança. Deverão ser tomados diariamente e não poderão ser suspensos abruptamente.

Disritmia

Quando o eletroencefalograma registra alterações na atividade dos neurônios, seu traçado apresenta um distúrbio do ritmo, ou disritmia. Disritmia, portanto, nada mais é do que um exame alterado, e não uma doença. A epilepsia poderá provocar disritmia (alteração do ritmo de atividade cerebral), mas algumas pessoas, mesmo sem ter epilepsia, poderão apresentar exames ao eletroencefalograma alterados (com disritmia), e isto não caracterizará doença, nem terá indicação de tratamento.

Microcefalia

É caracterizada pela diminuição do perímetro cefálico (circunferência do crânio). O diagnóstico que costuma causar alguma confusão com a microcefalia é o fechamento precoce das suturas cranianas. Neste último caso há sinais de aumento da pressão intracraniana, com alterações típicas no exame de fundo-do-olho e nas radiografias do crânio.

As causas mais freqüentes são infecções intra-uterinas (rubéola e toxoplasmose), tóxicos perinatais (alcoolismo materno, uso de alguns anticonvulsivos e irradiação), síndromes geneticamente determinadas, anoxia neonatal etc.

Esta enfermidade não tem nenhum tratamento específico. Ao contrário, no caso do fechamento precoce das suturas cranianas recomenda-se a intervenção cirúrgica o mais rapidamente possível.

O prognóstico da criança microcefálica é reservado no que diz respeito à sua inteligência.

Hidrocefalia

É caracterizada pelo acúmulo anormal de líquido que habitualmente enche os ventrículos cerebrais. Neste caso, as fontanelas (moleira) estão muito abertas e tensas. A medida do perímetro cefálico deverá ser rotineira nos primeiros dois anos de vida. Neste paciente haverá uma aceleração na velocidade de crescimento do perímetro cefálico, revelando a hidrocefalia. Outro dado que poderá ser usado é a medida do perímetro da cabeça em relação à do tórax. Ao nascer, em condições normais, o perímetro da cabeça é 2cm maior do que o do tórax; a tendência é diminuir esta diferença, com a cabeça crescendo menos que o tórax e, aos seis meses, o perímetro torácico já deverá ser maior do que o cefálico. Na hidrocefalia, a diferença entre o perímetro cefálico e o perímetro torácico, observada inicialmente, em vez de diminuir, aumenta ao mesmo tempo em que a compressão e distribuição dos centros nervosos deterioram as funções cerebrais e afetam o estado geral. Quando o quadro de hidrocefalia é evidente na época do parto, o prognóstico é reservado, devido à possibilidade de compressão extrema do cérebro.

Quando houver suspeita, a medida da circunferência craniana deverá ser executada de sete em sete dias. As causas são diversas:

a) deformação do sistema nervoso (congênita);
b) toxoplasmose ou meningites;
c) traumatismo, hemorragia durante o parto;
d) tumoral, de natureza grave, maligna ou benigna (cistos).

Criança de 0 a 2 anos

Os sinais dominantes nesta faixa etária são a macrocefalia (aumento da circunferência do crânio) e anormalidades do movimento ocular – a criança fica com os olhos voltados para baixo (o chamado "olhar de sol poente"). A cabeça poderá apresentar coloração brilhante e a fontanela (moleira) apresentar-se aumentada e tensa.

Criança de 2 a 10 anos

Nesta fase, as manifestações clínicas variam, dependendo da forma de instalação. Caso seja aguda, haverá aumento abrupto da pressão intracraniana, gerando sintomas, como dor de cabeça, náuseas, vômitos e distúrbios visuais. As causas mais freqüentes para a instalação aguda são hipertensão intracraniana e tumores na fossa posterior. No caso da instalação crônica, esta decorre de um bloqueio incompleto da circulação do liquor e, neste caso, os fenômenos de compensação permitem uma evolução mais lenta dos sintomas.

O tratamento variará conforme o caso. Enquanto a hidrocefalia for estável, isto é, sem progressão, e se o estado geral for satisfatório, não será necessário intervir; deverá ser feito somente tratamento medicamentoso ou punções lombares repetidas. Estando em progressão, a intervenção cirúrgica será recomendada, tanto para o tratamento da causa básica como para colocação de válvula de drenagem do liquor em excesso.

Espinha bífida

É conhecida pelos especialistas como mielodisplasia. É um defeito congênito da medula espinhal, com alteração concomitante das vértebras. Seu aparecimento se dá na proporção aproximada de 1/1.000 nascimentos e aumenta para 5/1.000 nascidos vivos em irmãos de pacientes com esta enfermidade. Existe um tipo chamado espinha bífida oculta, que é o tipo mais comum, sem sinais externos; às vezes é a surpresa de um exame radiológico da coluna vertebral, pedido por qualquer outra razão. Nos casos mais graves, ela se apresenta como um tumor à altura da coluna vertebral, de consistência mole, contendo tecido nervoso da medula, e a pele que o recobre poderá estar perfeita ou sem o revestimento epidérmico, mostrando, então, coloração vermelha. Esta forma é a mais grave, pela possibilidade de infecção ou ruptura, com a liberação do líquido cefalorraquiano. A espinha bífida poderá vir acompanhada, em alguns casos, de alterações no controle neurológico, tornando difícil para o paciente urinar e defecar, e outras vezes para movimentar as pernas. Existem casos que não apresentam qualquer manifestação, sobretudo nos de espinha bífida oculta. A causa ainda é obscura. Parece haver um fator genético (hereditário, de tendência familiar). É três vezes mais freqüente no bebê do sexo masculino.

No caso de a bolsa formada conter unicamente liquor recoberto pela meninge, denomina-se meningocele; quando, além do liquor, houver medula (tecido nervoso), denomina-se mielomeningocele, ou mielosquise, dependendo de quando o defeito se formou: após quatro semanas de gestação, o primeiro caso; e antes de quatro semanas de gestação, o último e também o mais grave.

As alterações neurológicas mais observadas nas mielomeningoceles são a disfunção urinária, em 90% dos casos, e as lesões motoras nos membros inferiores, classificadas em cinco graus: grau 1 – paralisia completa dos membros inferiores; grau 2 – é preservada a flexão dos músculos; grau 3 – estando preservada a extensão das pernas; grau 4 – quando há somente transtorno esfincteriano; grau 5 – com exame neurológico normal (meningocele).

A correção cirúrgica da mielomeningocele deverá ser realizada nas primeiras 48 horas de vida, pelo risco de causar meningite. Os resultados são imprevisíveis, exigindo assistência multidisciplinar.

O diagnóstico durante a gravidez poderá ser feito pela ultra-sonografia e deverá ser recomendado se houver casos na família, considerando a possibilidade de aborto terapêutico.

Síndrome de Down

Conhecida como mongoloidismo. É, sem dúvida, uma das principais causas de atraso mental na infância. O coeficiente de inteligência é, em média, 50, quando analisado aos cinco anos de idade. A prevalência ao nascer depende da idade materna, sabendo-se que mães acima dos 35 anos apresentam maior chance de gerar crianças com esta alteração. A incidência é de 1/600 nascidos vivos.

O aspecto da criança é particular parecendo que todos são irmãos. O crânio é pequeno, achatado da frente para trás, as orelhas são pequenas, o rosto arredondado, os dentes irregulares e pontiagudos, a língua é proeminente, os cabelos são lisos, o nariz é chato e os olhos são amendoados, sendo o ângulo interno recoberto por uma dobra de pele (epicanto). São crianças carinhosas e dóceis. A causa da doença reside na presença de um cromossomo extra, responsável pela doença (trissomia do cromossomo 21).

O tratamento específico, apesar de estudos profundos e executados por pesquisadores competentes, até hoje não obteve êxito. A aplicação de hormônios, vitaminas, substâncias químicas e extratos cerebrais não foi correspondida. As melhoras obtidas são próprias de cada caso, uns mais benignos, outros mais graves. Às vezes é necessário tratar a apnéia do sono (ver nos distúrbios do sono) devido à macroglossia. Tivemos um cliente mongolóide que aprendeu a falar inglês e adquiriu uma profissão mecânica. Outros se dedicam à música e conseguem executá-la relativamente bem; um fato curioso, todos os mongolóides gostam de ouvir música desde pequeninos.

Pode-se evitar o mongoloidismo?

Há dois grupos de famílias que apresentam alta probabilidade de acontecer.

1) Quando a mãe está próxima do término da sua capacidade reprodutiva, por volta dos quarenta anos. Nesta idade há um aumento do risco de anormalidade dos cromossomos, conhecida tecnicamente como "não-disjunção".

2) Quando a mãe é portadora de um defeito genético chamado "translocação", poderá ter três tipos de filhos: normais, normais, mas também portadores da translocação, e mongolóides.

3) Quando o pai é o portador da "translocação", os filhos raramente são mongolóides, embora alguns deles sejam "portadores" sãos da doença.

O geneticista deverá ser chamado para orientar a família em relação ao risco de repetição da doença, o que exigirá estudo dos antecedentes genéticos familiares e o exame dos cromossomos pela cariotipagem.

Em alguns casos de risco elevado de repetição da doença, estará indicada a amniocentese, com a análise cromossômica das células fetais assim obtidas, podendo então ser determinado, geralmente entre a 16ª e a 18ª semana de gestação, se o feto é portador ou não da anomalia.

Não há tratamento específico para a doença. Há várias instituições que poderão ser contactadas para a obtenção de maiores informações sobre a doença. No Rio de Janeiro temos o Instituto Meta Social, SIM-Down, projeto Rio-Down e APPS-Down.

Sempre é importante reforçar a idéia de que o paciente com síndrome de Down tem grande possibilidade de se desenvolver como pessoa, desde que apoiado e estimulado pela sua família e pelos seus amigos.

Paralisia cerebral

Tecnicamente chamada de Encefalopatia Crônica da Infância, é uma alteração definitiva dos movimentos e postura (aspecto físico, atitudes) que aparece nos primeiros anos de vida, causada pela desorganização das células cerebrais, não progressiva durante o desenvolvimento da criança.

A modalidade da alteração dos movimentos dos braços, das pernas, do pescoço e do tronco poderá variar, desde a hipotonia, a flacidez, a fraqueza, até à contratura, dureza, rigidez. De modo geral, não há cura para esta desorganização funcional do cérebro, e até o momento é um problema para toda a vida. Além da incapacidade dos movimentos e da postura, outras emulações poderão se manifestar:

- 16% apresentam problemas de visão
- 49% apresentam problemas de audição e fala
- 35% apresentam problemas mentais

Quando não existem alterações motoras evidentes dos braços e das pernas, as outras modalidades de paralisia cerebral só se revelarão após a criança completar o primeiro ano, ou mesmo mais tarde, quando ela começar a ser iniciada na aprendizagem da leitura e em outras tarefas escolares.

As causas de paralisia cerebral são as doenças que podem acarretar lesão e prejuízo ao cérebro.

As causas são classificadas em função da etapa em que a agressão ocorre. No período pré-natal, temos problemas genéticos, que são a minoria, infecções intra-uterinas (rubéola), efeitos de alguns tóxicos próprios ou exógenos (diabetes materno e álcool) e traumatismos. A lesão cerebral dependerá do estágio de maturação em que se encontra o sistema nervoso, isto é, quanto mais precoce, mais grave. Dentre as causas perinatais, as mais conhecidas são os trabalhos de parto demorados, com sofrimento fetal, podendo gerar hipoxia, acidose e hipoglicemia (diminuição da taxa de açúcar no sangue).

A icterícia, que poderá ocorrer no recém-nascido por incompatibilidade Rh, poderá ser prevenida atualmente, e, com isto, a encefalopatia secundária à *kernicterus* vem, praticamente, desaparecendo.

Outra grande causa perinatal é a prematuridade e o baixo peso ao nascimento. Bebês com menos de 2.500 gramas apresentam maiores possibilidades de ser atingidos.

Dentre as causas pós-natais, as infecções, principalmente as meningites, as intoxicações e os traumatismos, são os mais importantes geradores de seqüelas irreversíveis.

O tratamento, antes de tudo, é fisioterápico, educacional e ocupacional. As escolas deveriam ser especiais para acolherem, de forma global, as crianças excepcionais, devendo trabalhar a psicomotricidade e desenvolver as terapias ocupacionais.

Não há nenhuma medicação específica para o tratamento da causa básica. Pode-se utilizar medicações com o intuito de melhorar a espasticidade (rigidez), como mio-relaxantes e toxina botulínica, os refluxos gástricos e as alterações de esfíncteres. Epilepsia secundária às lesões cerebrais podem estar presentes e também serão tratadas com DAE.

Crianças que engolem o choro

Na classificação médica, estão no grupo das síncopes infanto-juvenis. Estes episódios poderão aparecer após uma crise de choro, em momentos de ansiedade, angústia, tensão emocional e em mudanças bruscas de posição.

A experiência mostra que a síncope ocorre, na maioria das vezes, em situações de grupo, como, por exemplo, próximo aos familiares, na sala de aula, quando se deparam com sangue, no consultório do dentista etc.

Os sintomas iniciais são enjôo e turvação da visão (sensação de que está desmaiando). Durante as crises, nota-se palidez, diminuição da freqüência cardíaca, suor frio, parada temporária da respiração, cianose (a criança fica arroxeada), movimentos de virar os olhos, contraturas corporais, urina solta, até o desmaio propriamente dito. Diante deste quadro, que se instala em segundos, os pais pensam o pior; porém a criança logo retoma os sentidos, se recuperando totalmente. Isto é devido à falta de oxigenação momentânea no cérebro, que poderá ocorrer por uma reação vagotônica (estímulo de um nervo que gera todos estes sintomas).

A perda do fôlego poderá representar um perigo na educação da criança, pois, temendo um novo acesso, os pais passam a não contrariar o filho, que usa este recurso para ameaçá-los.

O tratamento exigirá o diagnóstico diferencial adequado de outras enfermidades, como problemas cardíacos, epilepsia e laringoespasmos. Com o diagnóstico, deve-se lançar mão de terapia medicamentosa, com algum tipo de tranqüilizante, ou psicoterapia, se a idade da criança já o permitir.

Crianças que custam a andar e a falar

Alguns pais ficam bastante apreensivos quando seu bebê não consegue sustentar a própria cabeça aos três meses de idade, não consegue se sentar aos seis, não consegue ficar de pé aos nove e não ensaia os primeiros passos aos doze, o que é natural. Os membros inferiores e os músculos, em geral, são moles; embora o bebê se movimente bem quando está deitado, não o faz com postura satisfatória quando sentado ou em pé. Se esta hipotonia muscular vem acompanhada de atraso na idade mental, o bebê não realiza os testes neste livro, nos diferentes capítulos; está, então, caracterizado o retardo na evolução psicomotora, que traduz incapacidade dos centros nervosos. Existem casos em que o problema é apenas muscular, e não-mental; embora os movimentos sejam lentos, eles têm sua inteligência normal.

A causa mais comum desta situação é por ter havido algum problema durante o parto; quando é um parto difícil, demorado, cirúrgico, havendo necessidade de reanimação artificial do bebê para respirar e chorar. Traumatismo craniano, ou asfixia, ao nascimento, provoca uma diminuição no desenvolvimento psicomotor do bebê. Se ele teve hemorragia cerebral, a possibilidade de recuperação satisfatória é pequena. Não havendo hemorragia, a criança melhora progressivamente. O tratamento deverá ser feito com muito estímulo, através de exercícios, ginástica, massagens e estimulação psicossensorial.

Epilepsia

Uma crise epiléptica é a exteriorização, no organismo do doente, de uma descarga dos neurônios, que, dependendo da sua localização, se manifestará de formas diferentes. Por exemplo, um foco epiléptico no lobo temporal poderá levar a crises de "ausência", com a pessoa olhando fixamente, por vezes apresentando movimentos mastigatórios, repetitivos com as mãos, e se a chamarmos, são incapazes de responder, embora mantenham-se despertas.

Não é uma doença isolada. Esta expressão representa um conjunto de sintomas e manifestações neurológicas que poderão ter várias causas, como tumores, derrames, hereditariedade, fatores genéticos, parasitos, toco-traumatismos, infecções congênitas. São desordens neurológicas paroxísticas, sempre relacionadas a uma crise de instalação e término abruptos, com características clínicas variadas.

A epilepsia poderá se manifestar por uma convulsão, com perda total ou parcial da consciência e abalos musculares tônicos (rigidez) e/ou clônicos (contração e relaxamento muscular). Uma convulsão sem perda da consciência, havendo somente rigidez muscular também é possível. Pode manifestar-se, também, como um desligamento momentâneo da realidade, que são as ausências, entre outras formas de expressão das crises. Crises epilépticas, portanto, nem sempre são acompanhadas de convulsões.

Para este diagnóstico ser feito, haverá a necessidade de repetição dos ataques com as mesmas características.

O EEG é o exame próprio para se avaliar a atividade elétrica cortical (ver Eletroencefalograma, pág. 731) e tentar classificar o tipo de epilepsia e a principal área do cérebro atingida, para posterior indicação de medicação de primeira escolha.

O tratamento é sempre a longo prazo, com duração mínima de dois anos. O prognóstico dependerá de muitos fatores, mas a assiduidade ao tratamento, a observação da medicação e o controle freqüentemente feito pelo EEG poderão levar a um resultado satisfatório.

A indústria farmacêutica dispõe de uma série de medicamentos para controlar a epilepsia. Entretanto, esta escolha deverá sempre ser feita por um especialista que saberá qual é a DAE mais indicada para aquele tipo de crise, sua dose e sua forma de adminstração. A principal causa da repetição das crises é a não-aderência ao tratamento; deixar de dar uma dose do medicamento prescrito poderá ser suficiente para que a criança tenha outra crise.

Causas da epilepsia. Os motivos que levam estes neurônios a se comportarem desta maneira são os mais diversos. Algumas pessoas nascem com essas alterações por motivos genéticos. Existem fatores desencadeantes de crises epilépticas em pessoas já susceptíveis e não é raro encontrarmos a associação destas duas condições: predisposição genética e fator desencadeante. Entre estes fatores destacam-se os mais comuns: privação do sono (ficar muitas horas sem dormir), hipoglicemia (ficar muitas horas sem se alimentar), exposição a estímulos visuais que alternem luzes e sombra, e estresse. As crises epilépticas poderão estar associadas a situações transitórias, como febre (convulsão febril), intoxicação por drogas, como álcool, cocaína e outras (que interferem na atividade dos neurônios), alterações do metabolismo (hipoglicemia, por exemplo) e outras. Existem, ainda, doenças que poderão se manifestar com crises epilépticas.

Encefalite

Denomina-se encefalite ao processo inflamatório que atinge o encéfalo (cérebro). Às vezes esta inflamação se estende às meninges (membranas que recobrem o cérebro), causando a meningite, o que se denomina meningoencefalite. São diversas as causas:

a) viroses;
b) infecções bacterianas;
c) processos alérgicos;
d) infestações parasitárias (cisticercose, toxoplasmose);
e) infecção micótica (causada por fungos);
f) imunológicas (criação de anticorpos contra as nossas células).

Os sintomas dependem da severidade do comprometimento, da localização, da extensão e do agente responsável. Alguns doentes são levemente afetados, e outros já iniciam a doença com sinais graves. Os sintomas são diversos: febre, convulsões, alucinações, cefaléia (dor de cabeça forte), náuseas, vômitos, dor abdominal e rigidez muscular, estupor (o doente, embora desperto, não reage às excitações, mantendo-se imóvel), evacuações ou micções involuntárias, desvio dos olhos.

O tratamento dependerá da causa e da evolução clínica. Apesar de ser uma doença grave, a cura absoluta, sem deixar seqüelas, é possível na maioria dos casos.

Delírio e confusão mental na criança

A criança em delírio e confusão mental se apresenta incoerente de idéias, sem coordenação dos movimentos e percepção dos sentidos (visão, audição, tato) e com desconhecimento das pessoas presentes.

A criança em confusão mental poderá se apresentar:

1) agitada, querendo sair da cama, sacudindo os braços e as pernas, batendo nas pessoas;
2) deprimida, astênica, indiferente, sem agitação motora;
3) delirante, tendo alucinações visuais, vendo bichos, fantasmas ou ouvindo gritos.

Atenção: existem casos em que a criança se apresenta muito agitada, se debatendo, gritando, sacudindo as pernas e os braços, sem haver confusão mental, em períodos descontínuos. Este estado é influenciado pelo ambiente; são crianças exibicionistas, que poderão ser controladas pelos pais, com calma e geralmente sem medicamentos.

Causas:

a) elevação de temperatura ou estado febril, comum nas moléstias infecciosas, ou então em casos de insolação (exposição ao sol) ou de internação em ambiente quente, sem ventilação, tumultuado;

b) sem febre (sem elevação de temperatura), acidentes, quedas, pancadas, traumatismos da cabeça e intoxicação (por remédios, álcool, arsênico ou desinfetantes);

c) problemas mentais, crises convulsivas, surtos psicóticos. Nestes casos, a criança já deverá estar sob controle médico e os pais já deverão ter sido instruídos sobre qual medicamento deverá ser administrado.

Tratamento. Dependerá da causa que provocou a crise.

No caso de haver febre, deve-se procurar baixar a temperatura com antitérmicos orais ou retais, banhos frios ou, até mesmo, com a colocação de bolsas de gelo nas dobras da pele.

Os calmantes ou sedativos (como diazepínicos, antialérgicos ou barbitúricos) somente deverão ser administrados sob orientação médica, pois poderão modificar o estado de consciência da criança, mascarando qualquer quadro clínico.

Distúrbios do sono na infância

As crianças estão dormindo menos do que o recomendado por especialistas e os pais, normalmente, não conhecem as melhores práticas para o sono dos filhos e deixam passar despercebido o fato de eles não dormirem o suficiente. Os malefícios desta rotina aparecem com o tempo.

As novas tecnologias têm influência direta sobre a falta de sono das crianças, que antes de aprender a segurar um lápis já estão manuseando um mouse. A internet, os brinquedos eletrônicos e a TV são artifícios que dispersam as crianças da hora de dormir. A criança passa então a adotar o ritmo de vida de um adulto, criando um círculo vicioso diário.

Este quadro pode gerar insônia infantil num momento da vida em que dormir tem influências diretas sobre a saúde e o comportamento. O sono prejudicado pode resultar em choro fácil, irritabilidade, mau humor, falta de atenção, dependência de quem cuida dela e problemas de crescimento já que o hormônio GH (Growth Hormone), de crescimento, só é produzido durante o sono.

Hiperatividade, déficit de atenção e até envelhecimento celular são os riscos a que são submetidas 20% das crianças brasileiras que sofrem de insônia crônica. O distúrbio se apresenta de várias formas, entre elas, dificuldade para dormir, acordar várias vezes de madrugada, ter um despertar precoce, além do sono não reparador, que é insuficiente para se ter um alerta adequado e um bem-estar físico e mental durante o dia. Tudo isso é insônia. Nas que estão em idade escolar, são notados fracasso nas notas finais, insegurança, timidez e dificuldade de relacionamento.

O sono é fundamental para reparar toda a energia gasta durante o dia e para consolidar a memória, já que o que se vive e se aprende durante o dia é armazenado à noite e, adequadamente, consolidado com o sono. Além disso, o indivíduo precisa de um tempo de sono e de uma qualidade boa de sono com percentuais adequados para se ter uma arquitetura do sono ideal. Cada criança tem o seu ritmo, ou seja, o tempo total de sono é individual, mas podem ser disciplinadas.

A partir dos cinco anos de idade, quando a criança entra na fase inicial do Ensino Fundamental, não há mais a necessidade do cochilo diurno. É nesse momento que os pais devem determinar para os filhos hábitos bem regulares do horário para ir para cama e respeitar o tempo total de sono de cada um, que nesta fase é de dez a onze horas de sono por noite.

A alimentação entra como ponto importante para o fator sono. A cafeína, por exemplo, é mesmo um excitante do sistema nervoso central e a ingestão desta e de outras substâncias como a cola dos refrigerantes e os chocolates podem privar a criança de horas de sono.

Carboidratos também devem ser evitados próximos da hora de dormir – arroz, macarrão, bolo, amido em geral. Ingerindo diariamente e em excesso esses alimentos, a criança pode sentir incômodos na hora de dormir por causa da "barriga cheia", e ainda acumular gordura por não queimar a energia acumulada com a ingestão desses carboidratos, tornando-se uma criança obesa. O carboidrato também inibe a produção do hormônio GH. A criança que dorme pouco, que dorme mal e que faz a maior refeição próxima da hora de dormir, cresce pouco. Então, não apenas o sono, mas o desenvolvimento físico dessa criança também fica comprometido.

Para garantir um sono adequado para a criança, é fundamental organizar uma rotina para todas as noites. Desacelerar a criança uma hora antes da hora de dormir ajuda muito. Dê um bom banho para relaxar, coloque roupas adequadas (pijamas), escove seus dentes e indique o caminho da cama. E um beijo de boa noite.

O que funciona

1) ensinar a criança a dormir sozinha;
2) criar uma rotina de horários de ir para a cama e atividades;
3) ir até a cama ou berço quando ela está insone, mas nunca tirá-la de lá;
4) mostrar segurança na hora de levá-la para a cama. Ela precisa compreender que realmente é hora de dormir;
5) o ambiente do quarto deve ser confortável com baixa luminosidade;
6 a criança deve ir para a cama alimentada.

O que não funciona

1) levar a criança para dormir na sua cama;
2) esgotar a criança com atividades físicas;
3) criar uma muleta na hora de dormir com algum acessório, como canções de ninar, mamadeira, chupeta etc;
4) tentar uma técnica diferente a cada noite;
5) desesperar-se e deixar a criança perceber sua insegurança;
6) colocar crianças acima de quatro anos para dormir à tarde.

Em alguns casos, somente mudanças nos hábitos não são suficientes havendo a necessidade de um especialista de sono para avaliar a necessidade de uso de medicação controlada associada a terapias comportamentais cognitivas.

Os distúrbios respiratórios do sono são um outro capítulo muito importante para serem alertados aos pais.

A Síndrome de Apnéia Obstrutiva do Sono (SAOS) se caracteriza por paradas respiratórias em decorrência da obstrução das vias aéreas superiores durante o sono. As apnéias geram quedas na oxigenação dos tecidos e, como uma forma de defesa ocorrem os micro-despertares, que permitem o reestabelecimento da respiração através de um ronco, que é a vibração dos tecidos moles da garganta no momento da inspiração. Estes eventos ocorrem inúmeras vezes ao longo da noite causando uma fragmentação do sono e conseqüentemente queixas diurnas.

Diferentemente dos adultos com esta síndrome que têm como queixa diurna cansaço e sonolência excessiva, as crianças ficam irritadas e hiperativas. Ocorre também diminuição da concentração e do desempenho escolar. Outros fatores de risco que nos levam a pensar nesta hipótese são crianças sobrepeso, respiradoras bucais, roncadoras com sono noturno agitado.

A polissonografia é o exame de escolha para o diagnóstico da apnéia do sono. Através dele, registra-se durante uma noite inteira de sono, uma série de funções do organismo, são elas: atividade elétrica do cérebro (EEG), movimentos oculares, atividade muscular, eletrocardiograma, movimentos respiratórios, respiração nasal e bucal e o nível de oxigênio no sangue.

O tratamento da apnéia do sono, nas crianças, quando diagnosticado precocemente tem uma proposta de cura. A cirurgia de adenoamigdalectomia (retirada das amígdalas e adenóides) tende a resolver o problema o que já não ocorre na idade adulta.

As parassonias são distúrbios do sono comuns da infância que consistem em seqüências de movimentos corporais que ocorrem principalmente na primeira metade do sono.

Os principais são:

1) despertar confusional em que a criança apresenta uma confusão mental, muitas vezes despertam com comportamento agitado e desorientadas. Os episódios duram de cinco a quinze minutos;

2) sonambulismo que se caracteriza por um despertar parcial associado a uma série de comportamentos complexos com estado de consciência alterado, havendo dificuldade em despertar, uma confusão mental quando acorda e amnésia ao fato. É uma parassonia muito freqüente dos 8 aos 12 anos;

3) terror noturno é um evento que assusta muito os pais, pois a criança desperta chorando e gritando muito, com olhar de pavor, além de aumento da freqüência cardíaca e respiratória e há um potencial risco de traumatismos.

4) outros: pesadelos, enurese noturna (urinar dormindo), solilóquio (falar dormindo).

O mais importante é alertar os pais da benignidade destes distúrbios, que a maioria desaparecerá com a maturidade neuronal e são raros os casos em que se institui medicação. Entretanto, há outras doenças que podem mimetizar uma parassonia sendo importante, em alguns casos, realizar a polissonografia para descartar a possibilidade de epilepsia noturna com proposta terapêutica completamente diferente.

Quanto maior a tentativa em despertar a criança mais se prolonga o evento, portanto, os pais devem somente conter a criança para que não se machuque. Sabe-se, também, que quanto mais agitado o dia maior a chance de ocorrer um evento noturno.

Bruxismo. É uma atividade oral caracterizada por ranger de dentes ou apertamento dos dentes durante o sono. Estas alterações podem não só gerar um sono fragmentado como efeitos deletérios sobre os dentes gerando desgaste nas superfícies de atrito. Alguns casos os pacientes reclamam de dor na articulação têmporo-mandibular, dores de cabeça, cansaço diurno ou hiperatividade. Quase 20% das crianças tem bruxismo, caindo para 10% dos adolescentes.

Crianças mais ansiosas, abuso de cafeína, dias mais agitados, aumentam a chance de apresentar bruxismo. A crença da associação ranger de dentes e verminose não foi comprovada cientificamente.

O uso de placas intraorais deve ser pensado nos casos de dentição definitiva para que não haja dano a estes dentes. Quando as queixas diurnas existem não se descarta tratamento com medicação.

Dor de cabeça

Chamada pelos médicos de cefaléia, é uma das queixas mais freqüentes em consultas médicas. As cefaléias são divididas em primárias e secundárias. As cefaléias primárias são aquelas causadas por distúrbios neuroquímicos no cérebro levando a funcionamento inadequado de neurotransmissores. As mais comuns são a enxaqueca e cefaléia do tipo tensional. Cefaléias secundárias são uma causa rara de cefaléias crônicas da infância e caracteriza-se por ser causadas por alguma outra doença, tal como tumores cerebrais, traumatismo craniano, meningites, hipotensão liquórica e aneurismas. A relação causal entre dor de cabeça e problemas de visão, chamados erros de refração, na infância é citada como um mito da oftalmologia pediátrica apesar de os pais buscarem, inicialmente, um atendimento com médicos oftalmologistas, esta relação é rara.

Pode ocorrer, também da causa da cefaléia estar relacionada a sinusites porém, quando se pensa nesta hipótese deve haver um contexto em que sintomas respiratórios e infecciosos estejam presentes.

É muito mais difícil fazer o diagnóstico de enxaqueca nas crianças (migrânia) devido a variedade de sintomas e não tendo as queixas clássicas presentes nos critérios diagnósticos do adulto. Não há nenhum exame complementar que seja um marcador para enxaqueca. O médico deve suspeitar de tratar-se de uma cefaléia primária, crônica e benigna, tipo enxaqueca, quando houver queixas de vômitos, vertigens, dores abdominais associadas a dor de cabeça de forma repetida.

O tratamento da criança com cefaléia crônica deve visar não apenas ao controle da freqüência, intensidade e duração das crises, mas também à melhora da qualidade de vida do paciente.

AS DOENÇAS ENDÓCRINAS

Segundo o Prof. Luiz Cesar Povoas (Rio de Janeiro), uma das maiores autoridades em endocrinologia entre nós, são as doenças determinadas por disfunções das glândulas endócrinas.

Estas glândulas são assim denominadas porque segregam substâncias (hormônios) que são lançadas no sangue, e não no exterior, como o suor e a saliva. Os hormônios atuam sobre todo o corpo e são responsáveis pelo crescimento, desenvolvimento e manutenção de uma série de funções. Qualquer doença endócrina só poderá ser tratada pelo médico. Faremos apenas algumas referências às mais conhecidas e freqüentes.

Tireóide

É uma glândula de secreção interna, situada na parte ântero-inferior do pescoço, produzindo um importante hormônio que interfere em diversas funções do organismo. Das suas alterações, examinaremos as mais freqüentes: hipotireoidismo, hipertireoidismo, bócio e as doenças auto-imunes.

Hipotireoidismo

É a denominação do funcionamento insuficiente da glândula. Pode ser congênito ou adquirido. Na criança congênita, ela já nasce com a deficiência; esta condição é habitualmente chamada de cretinismo. Não é fácil de ser reconhecida nos primeiros meses de vida do bebê; ele apresenta palidez, pele seca, prisão de ventre, demora na queda do cordão umbilical, chora pouco e dorme muito, tem dificuldade para pegar o seio ou a mamadeira, por inabilidade ou inapetência. Mais tarde os sintomas se acentuam: atraso no desenvolvimento físico (altura) e mental (não acompanhando os testes dados neste livro), moleira bem aberta, olhos separados, o nariz se apresenta grande, deprimido, abertura palpebral estreita e pálpebras inchadas (tumefatas), boca semi-aberta, com língua grossa, mostrando uma dentição atrasada, pescoço curto e grosso, abdome distendido, mãos largas e dedos curtos, pele seca, escamosa, de tonalidade amarelada, com pouca transpiração. A sensação gelatinosa da pele e do tecido subcutâneo é chamada de mixedema.

O prognóstico é absolutamente favorável, desde que o diagnóstico seja o mais precoce possível. Daí os pediatras deverão solicitar sempre o "teste do pezinho", já obrigatório em alguns estados, e que cada vez diagnostica mais doenças congênitas da forma mais precoce. Este teste, se completo, poderá também detectar anemia falciforme, fibrose cística e distúrbios da supra-renal, que se tratados precocemente poderão tornar a criança normal. A administração de hormônio da tireóide, em forma de tablete, por via oral, tornará a criança normal; entretanto, deverá ser dada por toda a vida e precocemente antes dos três meses de idade. A dose deverá ser ajustada pelo médico, continuadamente, de acordo com o aproveitamento e outros problemas que possam aparecer.

Não deverá ser confundida com outras doenças, como o mongolismo, o nanismo hipofisário (ver pág. 751) ou outras doenças mais raras, como a controdistrofia e o gargulismo.

O hipotireoidismo poderá aparecer em qualquer idade. A criança nasce com perfeito funcionamento dos seus órgãos, e causas externas ou mesmo genéticas afetam a glândula tireóide.

Dentre estas, podemos destacar como as mais possíveis o traumatismo e as doenças infiltrativas e imunológicas.

Prevenção. Como já dissemos, os sintomas de hipotireoidismo são, às vezes, difíceis de se diagnosticar. O tratamento antes dos três meses de idade é fundamental para a recuperação absoluta. A reposição hormonal deverá ser permanente, em doses estabelecidas, constantemente monitoradas uma vez que a formação do sistema nervoso central se completará até os dois anos.

Tratamento. Considerando o resultado espetacular que é a transformação de uma criança com acentuada debilidade mental em normal, faremos alguns esclarecimentos sobre o tratamento. O primeiro cuidado a ser observado é o tratamento mais breve possível, logo que for suspeitada e diagnosticada a doença. Consistirá em fornecer ao organismo o hormônio que falta, responsável por inúmeras manifestações clínicas. A finalidade é estabelecer as normas de crescimento e desenvolvimento de um bebê perfeito. É importante a família saber que não haverá dose certa; ela dependerá muito pouco da idade e do peso. A dose será regulada pelos resultados obtidos, aumentando ou diminuindo. As doses insuficientes poderão dissipar os sinais, mas não serão capazes de estimular de modo satisfatório o crescimento, o peso e a inteligência. Doses elevadas são tóxicas. Os pais deverão ser esclarecidos de que os medicamentos terão de ser tomados ininterruptamente, por toda a vida. O processo é fácil, porém deve ser orientado por especialista: dar o hormônio da tireóide por via oral. Existem no mercado diversos preparados, mas é importante que a criança tome um único tipo, padronizado. Se o paciente apresentar suor abundante, vômitos, diarréia, perda de peso, agitação, tremor e falta de sono, é porque a dose está sendo exagerada. O tratamento deverá ser suspenso por uma semana e recomeçado com doses menores. Logo que se estabelece o tratamento, a criança milagrosamente se transforma, a pele ressecada passa a ficar úmida, a indiferença mental e física é substituída pela atividade motora e pelo interesse pelas pessoas e objetos. É muito importante que o tratamento seja iniciado logo, porque o dano causado pela falta de hormônio da tireóide durante a primeira infância é irreversível.

Hipertireoidismo

Caracteriza-se pela liberação excessiva do hormônio tireóideo. Na maioria das vezes, mas nem sempre, a pessoa apresenta um aumento visível da glândula, engrossando o pescoço. Um dos sinais mais característicos desta condição é o brilho dos olhos e a sua saliência (exoftalmia). A doença é conhecida como "mal de Basedow", que é raro na criança pequena, podendo aparecer, entretanto, entre os dez e os quinze anos. As mães que abusam de derivados da tireóide para emagrecer durante a gestação poderão elevar os níveis sanguíneos do feto. Os sinais clínicos, além do brilho dos olhos e a sua saliência, são computados pela grande emotividade, chorando com facilidade, com inquietude e um tremor dos dedos ao estender os braços. Não falta também a pele lisa e congestionada, com grande sudorese, sobretudo nas palmas das mãos. Poderá ocorrer palpitação (taquicardia) ao mais leve susto ou emoção. É uma doença perfeitamente controlada com os medicamentos modernos; em alguns casos, entretanto, impõe-se a intervenção cirúrgica para a remoção de uma parte da glândula. A avaliação da eventual participação de um processo auto-imune é fundamental.

Tratamento. O hipertireoidismo não oferece tanto perigo para a criança pequena como o hipotireoidismo, por ser raro antes dos dez anos. As medidas higiênico-dietéticas oferecem particular interesse durante a infância. Logo que for estabelecido o diagnóstico, a criança deverá permanecer em repouso, até que desapareçam as manifestações tóxicas. Uma vez equilibrada, ela poderá retornar à vida normal, evitando, no entanto, o cansaço tanto físico como mental. Não deverá voltar ao jardim-de-infância ou à escola a fim de evitar competições e emoções, até nova determinação do médico. Sua alimentação deverá ser rica em leite e carne; convém evitar alimentos excitantes, como chocolate, chá e café, bem como refrigerantes do tipo coca.

Os casos mais brandos são resolvidos com pequenas doses de iodo associadas a outros medicamentos de grande eficácia. A intervenção cirúrgica apresenta uma série de inconvenientes; somente em casos excepcionais, de evolução grave ou de resistência ao tratamento, é que será indicada.

Bócio

Denomina-se bócio a qualquer aumento da glândula tireóide, não implicando necessariamente alteração na sua função. Os pacientes poderão apresentar uma função normal, como também aumento ou deficiência do hormônio. Analisaremos, no momento, o bócio simples, por deficiência de iodo, chamado de papeira, tão comum em algumas regiões do interior do país. A doença é verificada em regiões de solo e alimentos pobres em iodo. Sendo a água do mar, os peixes e mariscos ricos em iodo, é raro ver bócio nas populações litorâneas.

Nas regiões em que o solo é pobre em iodo, diversas pessoas o apresentam; é conhecido como bócio endêmico. Quando não há deficiência ou excesso na produção de hormônios, fora o aumento da glândula, não há qualquer sintoma digno de ser assinalado. O tratamento é simples, administrando-se medicamentos ricos em iodo, na dose de 10 miligramas, uma vez por semana, até que desapareça a hipertrofia da tireóide. O uso de sal iodetado nas regiões predispostas poderá evitar a doença. Por este motivo é obrigatória, por lei, a adição de iodo ao sal de cozinha. Na verdade, em muitos doentes apenas o aspecto estético preocupa, para os quais a cirurgia é a solução no caso de não haver regressão com a medicação.

Diabetes infanto-juvenil

Há duas formas de diabetes: o diabetes melito (açucarado), de origem pancreática, e o diabetes insípido, pouco comum, resultante de qualquer agressão ao sistema neuro-hipofisário (sistema nervoso e hipófise), provocando uma micção de até cinco litros por dia, sem presença de açúcar.

O diabetes melito é mais freqüente e mais conhecido, resultante da elevação da quantidade de açúcar no sangue, pela deficiência de insulina e com aumento da eliminação de açúcar pela urina. Uma criança em 1.500 é diabética, não havendo preferência por sexo, e a tendência familiar (hereditariedade) é a regra do diabetes, que se manifesta antes dos dezoito anos.

No recém-nascido, raramente poderá se apresentar um estado transitório por semanas e meses, terminando pela cura completa. A causa ainda não está estabelecida; a diferenciação com o verdadeiro, definitivo, é que este é permanente, e o diabetes do recém-nascido desaparece depois de algumas semanas após a aplicação de insulina.

Alguns especialistas admitem que o diabetes ocorre devido a infecções no pâncreas – pancreatites, provocadas por vírus, ou um trauma psíquico (grande choque emocional). O pâncreas é uma glândula abdominal que produz insulina (um hormônio), que regula a quantidade de açúcar normal no sangue.

Os sintomas nas crianças são mais acentuados logo no início: há muita sede (polidipsia), muita fome (polifagia) e muitas micções (poliúria), acompanhados de perda de peso, fadiga (cansaço), tristeza, irritabilidade, mau humor e extravagâncias.

Na criança predisposta, o diabete poderá se instalar após uma doença infecciosa aguda, principalmente as causadas por determinados vírus, como o Cocksakie, além de otite, amigdalite, infecção renal (pielonefrite) ou trauma psíquico (morte de um dos pais, um irmão, uma pessoa querida ou acidentes).

O diagnóstico deverá ser feito pelo exame de urina; porém o exame de maior valor é o da dosagem de açúcar no sangue (glicemia), feito com a criança em jejum.

O tratamento deverá ser feito, sempre que possível, por um especialista em diabetes, principalmente em se tratando de criança. Sendo uma doença genética, compreende-se o porquê de não haver cura para o diabetes melito. O tratamento deverá ser feito pela administração de insulina, dieta apropriada e atividades físicas. O problema é o estado psíquico (mental). Uma vez confirmada a doença, a criança se sentirá marcada para o resto da vida. Os pais, chocados com o diagnóstico, precisarão se conformar e se adaptar à nova condição do filho, auxiliando-o a aceitar a doença sem agravar o problema.

O pediatra deverá conversar com os pais, reforçando a possibilidade de um desenvolvimento normal para o paciente. Na maioria das vezes a criança se adapta muito bem ao tratamento com aplicação diária de insulina. Existem colônias de férias e grupos de apoio a diabéticos que deverão ser recomendados ao paciente, como uma forma de ele conhecer melhor e aprender mais sobre a sua doença.

Hipoglicemia

É a diminuição da taxa normal de glicose (açúcar) no sangue. Os sintomas são palidez, transpiração (sudorese), perturbação sensorial (a criança se apresenta desligada, desatenta), vômitos e convulsões.

A modalidade comum é a chamada hipoglicemia intermitente, descontínua, ou hipoglicemia cetótica da infância. Isto poderá ser um sinal de pré-diabetes. Geralmente as crianças se apresentam muito ativas e com variação de apetite, podendo ser magras ou gordas. Os meninos são duas vezes mais atingidos do que as meninas. Mais da metade destas crianças nasceu prematura ou com peso abaixo do normal.

As manifestações clínicas ocorrem geralmente pela manhã, ou mais tarde, depois de períodos de privação de hidratos de carbono (açúcares e farinhas) ou sendo praticados exercícios e esportes sem alimentação. Os sintomas desaparecem rapidamente após a administração de açúcar.

São observados ataques repetidos quase exclusivamente entre os dezoito meses e os seis anos. Após os nove anos, estes problemas desaparecem espontaneamente.

Poderá aparecer a hipoglicemia igualmente em crianças diabéticas que estão recebendo insulina. Uma hipoglicemia prolongada poderá lesar definitivamente o cérebro, devendo a família, então, ter sempre à mão um hiperglicemiante potente, como o Glucagor.

Fibrose cística do pâncreas

Do ponto de vista doutrinário, não é uma doença endócrina; entretanto, sendo o órgão responsável o pâncreas, de função dupla – endócrina e exócrina –, nós a colocamos no capítulo das doenças endócrinas.

É uma doença transmitida geneticamente, caracterizada pelo defeito generalizado das glândulas exócrinas, isto é, as glândulas cujas secreções se destinam à pele ou às mucosas, como o pâncreas e as glândulas sudoríparas. Os sintomas mais significativos, que levam os pais a levar seus filho a uma consulta, são diarréia crônica, fezes volumosas, perda de peso ou dificuldade de ganhá-lo, com conseqüente emagrecimento acentuado, abdome distendido, palidez, apetite acentuado, sudorese (transpiração excessiva), e em alguns casos, intolerância a determinados alimentos. Na maior parte dos casos, ocorrem distúrbios respiratórios (infecção e obstrução dos brônquios) com tendência crônica.

O diagnóstico deverá ser feito por exames adequados, como a prova do suor (aumento da quantidade de sal), a dosagem do nível de gordura nas fezes e radiografia dos pulmões.

A doença não tem tratamento próprio, mas poderá ser controlada, tomando-se os seguintes cuidados:

a) cuidado geral do paciente, com alimentação adequada, vitaminas, vacinas e ambiente saudável, ventilado e fresco (evitando suar);

b) controle das infecções respiratórias pelo uso sistemático de antibióticos e pela nebulização;

c) restauração da perda de sal, aumentando-o na alimentação;

d) vigilância permanente do padrão nutricional, com exames médicos periódicos.

Os pais que desejarem obter maiores informações, poderão contactar a

CYSTIC FIBROSIS FOUNDATION - *6931 Arlington Road, Bethesda - Maryland, 20814, EUA*

Obesidade

Toda mãe gosta de ter um bebê forte, mas não obeso. Obesidade é a localização excessiva de gordura debaixo da pele (tecido celular subcutâneo). De modo prático, existem dois tipos de obesidade: a primeira, a obesidade simples, essencial; a segunda, a obesidade patológica, isto é, uma doença, geralmente que se deve a um distúrbio da glândula endócrina, independentemente do volume ingerido de alimento, que é geralmente a causa da obesidade simples.

De modo geral pode-se considerar como um bebê obeso aquele que, de acordo com sua altura normal, idade e sexo, pesa 25% acima da média. É muito importante que a altura esteja proporcional à idade. Por exemplo, existem bebês de quatro ou seis meses com altura de bebê com oito a nove meses; portanto, o peso acompanha a altura e não a idade. Por exemplo, um bebê de seis meses, com 64cm de altura, deverá pesar 7.560g – se tiver esta mesma altura com mais 25% do peso, isto é, com 9.450g ou daí para cima, passará a ser obeso. Hoje, gordura não é mais sinônimo de saúde.

Obesidade simples

O bebê apresenta-se gordo demais porque é guloso, come muito, ou então suas mamadeiras e sopas estão com taxas muito elevadas, acima de 5% de açúcar ou farinha. Às vezes é uma característica familiar. Em 55% dos casos de obesidade infantil simples, o pai ou a mãe é obeso (a); quando é filho de pais obesos, chegam a 80%; quando ambos são mais magros, é raro o bebê ser obeso, somente 10%. A obesidade é mais freqüente no primeiro ano de vida e na pré-adolescência, por volta dos dez aos doze anos para as meninas, e dos doze aos quatorze anos para os meninos. Neste caso, torna-se fácil controlar a obesidade. Porém, se a criança chegar aos dez anos já obesa, será muito mais difícil o tratamento. No aumento simples, isto é, no bebê gordo, quando seu peso não ultrapassa 20% do normal e a gordura é bem distribuída, ele se apresenta normal, nada tendo a temer. Oitenta e cinco por cento das crianças que chegam à idade escolar e à adolescência serão obesas.

Obesidade patológica

No bebê cuja obesidade é uma doença, a gordura se localiza em alguns pontos, como no tronco, nos ombros, nas pernas (ancas) e no peito, simulando o desenvolvimento precoce da glândula mamária. A gordura na região pubiana, nos meninos, pode encobrir o pênis, fazendo-o, em alguns casos, quase desaparecer; porém, com exame cuidadoso, verifica-se suas condições normais. A criança sentada apresenta-se cheia de dobras de pele, em alguns casos até dificultando os movimentos. As causas deste tipo de obesidade geralmente são distúrbios de glândulas endócrinas ou do sistema nervoso, supra-renal, tireóide, hipófise e hipotálamo. Nos casos mais graves, a gordura pode se localizar em excesso na nuca ("pescoço de búfalo"), nas bochechas, no queixo e no abdome, cuja pele cai, ficando dependurada, formando uma grande dobra. A pele fica tensa, fria, úmida com estrias (linhas) brancas ou rosadas, mais visíveis nas nádegas, nas coxas e na barriga. O bebê quando de pé apresenta os joelhos juntos, os tornozelos separados e as coxas justapostas; é o denominado genuvalgo.

O tratamento da obesidade simples não é fácil, tendo em vista a necessidade de um processo educacional envolvendo toda a família, apesar dos apelos da mídia. Segundo a Organização Mundial da Saúde, a obesidade foi a grande epidemia global do século XX. Seu tratamento consiste em uma dieta rica em proteínas, sais minerais e vitaminas (carne, legumes e frutas), na diminuição de gorduras e hidratos de carbono (manteiga, cereais, tubérculos e açúcar), além de um estudo patológico da mãe ou do pai, como também da criança. Na obesidade patológica, o problema torna-se mais complicado; geralmente é necessária a avaliação do pediatra e do endocrinologista, especialista no tratamento das glândulas endócrinas, secretoras de hormônios. Para cem casos de crianças com obesidade simples, aparece um caso patológico, de tratamento mais complicado.

Puberdade precoce

Entende-se por puberdade precoce o aparecimento de alguns caracteres sexuais ainda nos primeiros anos de vida. Na infância, dois tipos relativamente freqüentes preocupam os pais: o aumento precoce do tecido mamário (ginecomastia) e o desenvolvimento precoce dos pêlos pubianos. Outros problemas mais graves, como o desenvolvimento rápido dos testículos e do pênis, e o desenvolvimento dos órgãos genitais femininos, que são devidos a alterações hormonais mais ou menos graves, produzidos pelas glândulas de secreção interna e por graves lesões intracranianas, não serão descritos pormenorizadamente, por serem mais próprios de livros de medicina.

Ginecomastia (aumento dos seios)

Existe uma tendência familiar evidente: o aumento de gordura, ou mesmo um desenvolvimento do próprio tecido mamário em algumas crianças. O aumento de gordura apenas na região mamária das crianças gordas ou com tendência à obesidade é a denominada pseudoginecomastia, por não estar em jogo o tecido mamário. Manifestações isoladas de desenvolvimento precoce sem qualquer outra manifestação de puberdade não são raras. A hipertrofia simples dos seios pode ser percebida entre o primeiro e o terceiro anos de vida. Poderá haver aumento de apenas um seio. Isto pode ser, ou não, o primeiro sinal de uma futura precocidade pubertária, porém é mas freqüentemente uma anormalidade benigna e sem conseqüências. A hipertrofia dos seios poderá desaparecer espontaneamente. É importante observar se não vem acompanhada de qualquer outro sinal de características sexuais próprias dos adolescentes. Temos observado que crianças que tiveram nos seus primeiros quinze dias de vida a denominada mamite fisiológica (citada na página 52), podem apresentar um rudimento de tecido mamário, por muito tempo, que acabará cedendo durante os primeiros anos.

Durante a puberdade, dois terços dos rapazes apresentam aumento do tecido subareolar, isto é, aumento dos seios. Pode ocorrer somente de um lado, ou em ambos. Às vezes o local fica sensível ao tato. Costuma haver regressão espontânea em alguns meses, raramente permanecendo após os dois anos. O tratamento visa principalmente orientar a família e o rapaz, chamando a atenção para a normalidade e a transitoriedade do fenômeno. Em casos raros, quando houver aumento exagerado e distúrbio emocional, pode-se justificar uma remoção cirúrgica, a cargo do cirurgião plástico. O tratamento hormonal com bloqueadores dos receptores de estrogênio pode apresentar bons resultados.

Desenvolvimento precoce dos pêlos pubianos

O aparecimento de pêlos pubianos nos primeiros anos, sem qualquer outra evidência de puberdade precoce, é observado em algumas crianças. Ocorre mais freqüentemente nas meninas do que nos meninos. Os pêlos podem aparecer primeiramente nos grandes lábios da vagina, e em seguida no púbis (parte logo abaixo do abdome). Geralmente estas crianças têm altura maior do que a média, e grande parte das vezes é uma característica individual, constitucional, de caráter familiar. O uso inadvertido, leviano, de alguns medicamentos compostos, embora em doses pequenas, de hormônios, poderá provocar o aparecimento de características sexuais secundárias nas meninas, até aumento do clitóris (pequeno tubérculo situado na parte superior da vulva); nos meninos, surge aumento do pênis e em alguns casos até ereção freqüente. Estas manifestações precoces desaparecem ou não após cessar a administração de alguns medicamentos.

A ginecomastia não tem tratamento próprio; a criança deverá ficar sob observação, para ser verificada a evolução da manifestação; se ela ficar estacionada, nada deverá ser feito. No desenvolvimento dos pêlos, fora qualquer recurso cosmético, sua evolução deverá ser observada atentamente. Como foi dito, deve-se suspender a administração de qualquer medicamento que contenha qualquer dose de hormônio empregado habitualmente para engordar ou estimular o apetite, e às vezes mesmo para induzir o crescimento. Em alguns casos é conveniente consultar um endocrinologista, para descartar a possibilidade de uma doença glandular.

A criança pequena, com pouca estatura

É um dos principais motivos que levam os pais a consultar o médico. É sempre uma consulta delicada, devido à situação emocional, psicológica, da criança e dos pais.

Cabe ao pediatra analisar as condições clínicas e suas possibilidades, e declarar com sinceridade as probabilidades de êxito do tratamento. Nos casos clínicos mais delicados, é aconselhável e indispensável também ouvir a opinião do endocrinologista.

Quando o médico consultar a criança com problemas de crescimento, os pais dela deverão estar preparados para responder a algumas questões:

a) qual é a altura do pai e da mãe;

b) qual é a altura das gerações anteriores, ou seja, dos avós, se possível também de bisavós;

c) as informações abrangem tanto o lado materno como o paterno;

d) possíveis ocorrências durante a gravidez, desde o primeiro mês de vida, até as condições do parto;

e) qual o peso, a altura e perímetro (do tórax e da cabeça) do recém-nascido;

f) qual a curva de peso e altura no primeiro ano de vida, aos dois, cinco e dez anos;

g) relatar a avaliação do curso de desenvolvimento da inteligência e das habilidades motoras;

h) hábitos alimentares, especialmente no que se refere a proteínas, em quantidade deficiente e diária de leite ou seus derivados (queijo, creme, iogurtes), carne, ovos e frutas cruas;

i) doenças anteriores (duração e gravidade);

j) medicamentos usados, se hormônios ou estimulantes do apetite.

OS PROBLEMAS DO CRESCIMENTO

A altura de uma criança bem alimentada e livre de doenças é determinada em parte por sua hereditariedade, que condiciona o número de células do crescimento na cartilagem (extremidade) dos ossos, e a resposta destas células a vários tipos de hormônios, como o do crescimento (hipófise), o da tireóide, e do sexo (genitais) e a insulina. O mecanismo exato, como os genes (elementos de hereditariedade), que controlam o crescimento, é ainda desconhecido. Ainda é também desconhecida a explicação química por uma criança crescer rapidamente ou alcançar uma altura superior à média dos adultos quando adulta. Além de ser medido o hormônio do crescimento no sangue, poderá igualmente ser testada a resposta da hipófise (glândula pituitária, uma parte da mesma) quanto à quantidade da produção do referido hormônio. É possível serem usadas doses de hormônio do crescimento purificado para a aplicação em crianças que estão sendo observadas e nas quais a deficiência deste hormônio ficou indiscutivelmente provada. Este hormônio já é comercializado no Brasil, porém seu custo é muito elevado para a maioria da população.

A radiografia dos ossos do punho constitui grande auxílio, pois a correlação da idade real (cronológica) com a idade óssea dá uma idéia da possibilidade de o paciente crescer. Quanto à faculdade de prever a estatura, ainda estão sendo feitas pesquisas quanto aos seus resultados positivos.

Não existe um determinado tipo de alimentação que faça crescer; entretanto, o regime deverá ser bem balanceado quanto à quantidade diária necessária dos diversos elementos para um desenvolvimento normal.

Não existem tônicos eficazes que estimulem o crescimento, mas se o regime for deficiente em vitaminas e sais minerais (ferro), haverá a necessidade de administrá-los por meio de medicamentos que os contenham em dose adequada à idade.

Tratamento

A angústia dos pais e, mais tarde, da própria criança de crescer como as outras é um dos problemas que o médico-assistente terá de enfrentar. O hormônio do crescimento usado hoje é produzido pela engenharia genética, tendo tido alguns resultados satisfatórios, sendo rotineiro o seu uso.

Uma dieta rica em proteínas animais, leite, carne e ovos, a aplicação coordenada de vacinas que evitam doenças graves e longas, exercícios respiratórios, horas de sono tranqüilo, esportes (como a natação, o vôlei, o basquete) e o uso de bicicleta estimulam o crescimento. Sono: a criança que não dorme, não cresce.

O ambiente familiar

Há crianças que não crescem devido à carência afetiva e desejam permanecer infantis por insegurança. Um lar feliz, onde a criança se sinta amada, completa seu desenvolvimento físico e mental. A criança hospitalizada por longo tempo ou criada em instituições, se desenvolve pouco, principalmente se não receber carinho e atenção.

Gigantismo (bebê com estatura anormal)

O gigantismo é raro nos primeiros anos de vida; em geral, o crescimento excessivo inicia-se na puberdade. Entretanto, existem casos raros, em que a criança cresce com rapidez anormal ainda nos primeiros anos. Nestes, a causa está num distúrbio da glândula do crescimento – a hipófise –, distúrbio provocado por uma infecção ou tumor.

Gigantismo primordial

Este tipo filia-se ao aumento do potencial genético do crescimento. Aparece em recém-nascidos com 60cm e cinco quilos de peso, sem relação com o tempo de gravidez, que poderá ser de 280 a 330 dias; geralmente predomina no sexo masculino. No caso de o bebê nascer normal e começar a crescer desmedidamente, deve ser feita uma investigação para a causa ser verificada; na hipótese de tumor da hipófise ou da supra-renal, deve-se operar a criança imediatamente.

Gigantismo parcial

É o tipo mais observado durante a infância, sendo de causa obscura, causado por fatores que atuam ("vícios embrionários") nas primeiras oito semanas de vida, podendo ter as mais variadas causas. O gigantismo parcial poderá atingir a pele, os músculos e os ossos; os mais freqüentes são:

a) hemi-hipertrofia corporal; todo um lado é maior;
b) forma cruzada; o braço esquerdo e a perna direita apresentam-se maiores;
c) macrodactilia; um dedo grande, geralmente o polegar, ou o primeiro artelho do pé;
d) macropodia; um braço ou mão crescidos;

e) localização de hipertrofia da pele, do tecido gorduroso ou dos espaços linfáticos, dando grande proporção ao braço, pé ou perna; são as denominadas elefantíases lipomatosas ou linfoagiectásicas. Neste grupo, a possibilidade de correção cirúrgica torna-se possível nos casos indicados pelo médico.

Procedimentos dos pais

Não é fácil, para os pais, criar e educar um filho com qualquer anormalidade física ou mental. Não deverão esperar resolver o problema por eles mesmos. Negar as evidências não é solução. A criança será a primeira a perceber e a sofrer as conseqüências da intranqüilidade emocional dos seus pais. O infortúnio de um filho é uma força poderosa de união ou desunião de um casal. Quando alguém sofre, toda a família sofre junta. É preciso ser forte para que os problemas da criança não atinjam a todos. O auxílio e os conselhos do pediatra, psicólogo ou psiquiatra são indispensáveis para que os pais resistam à adversidade e cumpram um plano integral, no dia-a-dia, no lar ou fora dele, para a proteção de seu filho e dos seus irmãos.

Capítulo 32

Bebês-problema

Bebês-problema

Alguns bebês apresentam condições que os afastam da normalidade. Até agora acompanhamos, nas páginas deste livro, o bebê normal, o tipo padrão que toda mãe deseja ter como filho o que, infelizmente, nem sempre acontece. Às vezes os bebês apresentam alguns problemas, alguns sem maior importância, solucionados, na maioria das vezes, satisfatoriamente, pelo médico, com o auxílio dos pais. Em poucas eventualidades, porém, os problemas são de natureza mais grave, de solução mais demorada ou de resultados desanimadores. Neste capítulo estudaremos os seguintes:

1) bebê alérgico (que vive resfriado ou apresentando erupções na pele)
2) bebê diatésico (bebê chiador ou catarral)
3) bebê exsudativo
4) bebê atrasado (que demora a se levantar e a se sentar)
5) criança excepcional (sua mente não corresponde à idade que tem)
6) bebê febril (sempre com um pouco de febre)
7) bebê hidrolábil (que se desidrata com facilidade)
8) bebê magro (hipotrófico, que não engorda)
9) bebê miúdo (hipoplásico, que não cresce)
10) bebê inapetente (que não come)
11) bebê linfático (sujeito a ínguas)
12) bebê nervoso (não dorme nem se aquieta)
13) bebê prematuro (de parto prematuro ou com peso inferior a 2.500g)
14) bebê pós-maturo (que teve mais de nove meses de gestação)

BEBÊ ALÉRGICO

O bebê, ou uma criança maior alérgica, é sempre um problema para o pediatra e para a família. Existem muitas definições de alergia, mas podemos entender, de modo prático, que a alergia é uma modificação da capacidade de o organismo reagir a determinados fatores que podem ser inofensivos para outras pessoas. As substâncias estranhas que provocam reação alérgica são conhecidas como alérgenos. Estas modificações podem ser reveladas clinicamente, por sintomas que variam desde manifestações na pele, como eczema, urticária, alterações do aparelho respiratório, como a asma, até manifestações clínicas mais diversas como espirros, obstrução nasal, pigarros, rouquidão, aftas, colites, prisão de ventre, crises de indigestão, eructações (arrotos), enjôos, gosto estranho na boca, mau hálito, sensação de plenitude gástrica (afrontamento), perda de apetite, produção de gases intestinais, cólicas, dores de barriga, coceira anal (que se confunde às vezes com a presença de oxiúros), dores nas articulações e nas pernas, coceira nos olhos, manchas na visão, enxaqueca, dor de cabeça, coceira no corpo, vermelhidões repentinas na pele, olheiras profundas, e assim todos estes sintomas poderão ser provocados por causa alérgica.

As partes e os órgãos do corpo humano mais propensos a apresentar reações alérgicas são pulmões, nariz, olhos, pele, condutos auditivos, estômago e intestinos, apresentando asma, rinite, conjuntivite, eczema, urticária, sinusite, dor de barriga, enjôos, vômitos e diarréia. Fatores genéticos desempenham também importante papel. O caminho é o seguinte: eczema do bebê, asma na idade pré-escolar e rinite (espirros e coriza) na adolescência. O indivíduo alérgico terá muita probabilidade de ser alérgico durante toda a sua vida. A alergia pode ser controlada, mas não curada, reaparecendo se for provocada pela mínima transgressão. Na infância, a poeira doméstica é o agente alérgeno mais comum, e como a criança passa três quartos do seu tempo em casa, ela adquire grande importância. Outros agentes alérgenos comuns para a criança são: pêlos de gatos e de cachorros, penas de pássaros e galináceos, picadas de insetos e alguns alimentos, como chocolate, camarão, leite, trigo e frutas cítricas. Tensão, ansiedade, fadiga e exaustão (esgotamento físico e nervoso) tornam o indivíduo alérgico mais vulnerável. Mas como se evita a alergia? Melhor do que evitar, é tratar a alergia. Como dissemos, a principal causa de alergia nas crianças é a poeira doméstica. Para evitar a inalação desta poeira a principal arma é a profilaxia ambiental, que consiste em evitar o acúmulo de poeira no ambiente em que o bebê vive. Os cômodos deverão ser mantidos muito limpos, passando-se um pano úmido sobre os móveis para evitar o acúmulo de pó. Outras ações importantes são:

a) aleitamento materno – as crianças em aleitamento têm menos manifestações alérgicas do que as alimentadas com leite artificial. Deve-se, do mesmo modo, evitar introduzir precocemente outros alimentos na dieta da criança que ainda mama ao seio;

b) hábitos higiênicos – ar livre, janelas abertas, sem ventania, luz solar dentro de casa, banhos frios, prática da natação etc. Evite ou trate os casos de parasitoses intestinais com ciclo da larva pelos pulmões (Ascaris, Necator, Strongilóides);

c) controle do ambiente;

d) promover a dessensibilização, por meio de vacinas, por via oral ou subcutânea (esta forma é a mais eficaz). As vacinas antialérgicas contêm partículas de poeira doméstica, de mofo, e às vezes de insetos, conforme o caso;

e) medicamentos profiláticos, sob a forma de xaropes, comprimidos ou por inalação (cetotifeno, beclometasona, cromoglicato);

f) orientação psicológica da criança e dos pais;

g) nos casos de alergia provocada por alimentos, suspenda os alimentos considerados suspeitos, reintroduzindo-os posteriormente. Se o quadro alérgico melhorar com a suspensão desses alimentos, piorando com sua reintrodução, está estabelecido o diagnóstico e eles então deverão ser suprimidos definitivamente da dieta. Os testes cutâneos para alimentos são destituídos de valor, como regra geral.

Como deve ser o quarto da criança alérgica, "asmática"

a) a porta deverá permanecer fechada;

b) a janela poderá ficar aberta, mas em ocasião própria (evite a poeira vinda da rua);

c) use cortinas compridas, laváveis, de algodão ou de tecido sintético, mas é preferível não tê-las;

d) evite livros nas estantes; se elas tiverem portas, deverão estar fechadas;

e) mantenha as cadeiras ou poltronas revestidas de lona ou plástico, evite veludo ou outros tecidos que possam acumular pó;

f) o chão deverá ser encerado, sem tapetes, ou de borracha ou plástico; evite os tecidos de lã, pano ou qualquer tecido felpudo;

g) nada de brinquedos do tipo animais de pelúcia, nem ter em cima de móveis ou de prateleiras talcos, perfumes e inseticidas;

h) evite quadros pendurados nas paredes;

i) os travesseiros de espuma criam mofo com facilidade, como também os de algodão e os de paina. O travesseiro deverá ser revestido de tecido plástico e fortemente costurado. No verão poderá ser colocada entre a fronha e o travesseiro uma pequena palhinha, para evitar o excesso de suor na cabeça;

j) as colchas deverão ser de tecido de algodão. As de tipo *chenille* não servem;

l) não use ventilador;

m) se houver aparelho de ar-condicionado, o filtro deverá ser limpo sistematicamente a cada quinze dias;

n) não guarde nada debaixo da cama, se houver espaço;

o) tire a criança do quarto durante a limpeza;

p) não fume no quarto;

q) não tenha animais;

r) as paredes deverão ser pintadas, lisas ou então de tecido lavável, sem relevos;

s) cobertores, se houver necessidade, deverão ser envolvidos em plástico fortemente apertado e com zíper;

t) passe pano úmido duas vezes ao dia; o aspirador de pó não deverá ser usado no quarto; se não quiser usar pano, poderá ser usado um tipo especial de vassoura, americana, do tipo com caixa de metal;

u) o abajur ou lustre não deverá ter enfeites, sendo de plástico ou vidro opaco;

v) evite paredes e móveis úmidos e mofados; se tiver bolor em casa, espalhe nos lugares embolorados ácido fênico a 5% com bomba de inseticida nova, ou coloque uma bacia com sal, trocando-o toda vez que surgir água;

x) não deixe plantas dentro de casa, principalmente as plantadas em xaxim;

y) evite usar lamparina ou lampião a querosene. Compre um lampião a gás, se for necessário;

z) não use inseticidas, ceras, defumadores ou espirais em casa.

Como tratar a criança alérgica (conselhos da Sociedade Brasileira de Pediatria)

1) Dê-lhe banhos diários com sabonete neutro, sem perfume (como o sabonete de glicerina). Enxugue-a e vista-a rapidamente.

2) Escove seus cabelos com movimentos para trás antes de ela se deitar; lave-os diariamente, procurando secá-los rápido.

3) Não use perfume, talco ou produtos de cheiro forte na criança.

4) Não a faça usar roupas de lã ou de tecido felpudo. Use roupas de acordo com o clima e evite agasalhá-la em excesso.

5) Não a deixe brincar com colas, tintas, gatos, cachorros e aves.

6) Deixe-a brincar, correr, pular à vontade ao ar livre e tomar sol.

7) Alimente-a no horário certo, de preferência em companhia de outras crianças. Não a force a comer.

8) Se possível, a criança deverá praticar natação regularmente.

9) Ensine-a a fazer ginástica respiratória pelo menos duas vezes ao dia: enchendo os pulmões, devagar e sem esforço, e em seguida soprar vagarosamente até não ter mais ar dentro dos pulmões. Este exercício deverá ser feito durante cinco minutos. Use um canudinho de refresco mergulhado num copo com água ou uma bexiga de borracha ou língua-de-sogra.

Atenção

A criança asmática deverá levar uma vida normal: não a prenda em casa, permita que ela brinque como desejar, inclusive com água, terra e areia (neste caso se o médico permitir). Mesmo que ela esteja em crise (moderada) deverá ir à escola ou poderá brincar como brinca habitualmente. Observe se há coisas que lhe fazem mal, e diga ao médico durante a consulta.

Conselhos para os pais

1) Não deixe que adultos fumem perto da criança, principalmente no seu quarto.

2) Dê à criança apenas os medicamentos que foram receitados pelo médico e nas doses que estão na receita. Evite usar, ao mesmo tempo, remédios de várias receitas dadas por médicos diferentes, pois poderão intoxicá-la.

3) Se a criança começar a ter crise, fique calma. Dê os medicamentos receitados pelo médico e, se ela não melhorar em pouco tempo, leve-a ao pronto-socorro mais próximo da sua casa. Não se esqueça também de levar a receita do remédio que a criança está tomando.

4) Não deixe que a criança vá para sua cama por causa da crise.

5) Não bata nem amedronte a criança. Quando ela quiser fazer algo errado, converse com ela.

6) Trate a criança sempre do mesmo modo, com atenção, normalidade e afeto, durante e após a crise de asma.

BEBÊ DIATÉSICO (bebê chiador ou catarral)

É o bebê que apresenta sintoma de exsudação respiratória (catarro), de difícil tratamento. Está sempre com tosse crônica, bastante produtiva (carregada de secreção), com chiado semelhante a um apito. Podem ser causas:

a) alergia respiratória (bronquite asmática);

b) adenóides ou amígdalas volumosas, infectadas, drenando secreção para a árvore respiratória, provocando tosse e catarro;

c) sinusite crônica (o catarro flui para a parte posterior da garganta, a faringe, ainda na árvore respiratória, provocando os sintomas;

d) refluxo gastroesofágico, onde o conteúdo do estômago reflui para o esôfago, principalmente durante a noite, causando aspiração e catarro;

e) deficiência de IgA (imunoglobulina, ou seja, anticorpos) que protegem a mucosa respiratória das infecções;

f) deficiências genéticas na produção de enzimas, como a deficiência de alfa 1 antitripsina.

O tratamento da criança hipersecretora dependerá da causa.

Quando houver sinusite, adenoidite ou amigdalite crônicas, o tratamento consistirá em antibióticos ou cirurgia. O tratamento do refluxo gastroesofágico é feito com o uso de antiácidos, antieméticos (remédios para vômitos) e postura adequada. Nos casos mais resistentes, a cirurgia estará indicada.

Mesmo com toda pesquisa clínica, são relatados casos de crianças que não se enquadram em nenhum diagnóstico específico. Em geral estas crianças conservam um ótimo estado geral, apesar da hipersecreção.

BEBÊ EXSUDATIVO

Há crianças que apresentam manifestações úmidas (exsudativas) da pele e das mucosas. Pode-se ter os seguintes diagnósticos:

a) dermatite atópica – lesões descamativas e exsudativas em largas extensões de pele ou em pequenas áreas. É comum lesões das dobras dos cotovelos. Nem sempre têm origem alérgica, embora seja esta a causa mais comum;

b) dermatite seborréica – eczema do couro cabeludo, da fronte, das sobrancelhas, dos condutos auditivos e das orelhas (principalmente atrás delas).

O tratamento consistirá em banhos com permanganato e aplicação de pomadas de cortisona. O uso de anti-histamínicos orais também é útil.

BEBÊ ATRASADO

Às vezes algumas mães passam por momentos de tristeza e preocupação quando percebem que seu bebê não conseguiu sustentar a cabeça aos três meses, não conseguiu se sentar aos seis, não ficou em pé nem engatinhou aos nove meses, nem ensaiou os primeiros passos e balbuciou ao terminar o primeiro ano de vida. São bebês atrasados, ou melhor, com retardo da sua evolução motora, acompanhado, às vezes, de mais lento amadurecimento do sistema nervoso central. Possivelmente ele acabará por recuperar todas as condições normais de motilidade e de inteligência com maior ou menor atraso.

Atrasado significa que a criança precisa, apesar das condições normais, de um período mais longo para realizar as etapas do seu desenvolvimento. Ele fará tudo, porém com atraso de meses, o que não se verifica no caso da criança excepcional, analisada igualmente neste capítulo, em que as possibilidades de atingir todas as faculdades motoras e mentais são problemáticas.

As causas que provocam atraso de movimentos nem sempre são perceptíveis. Uma gravidez acidentada, a ameaça de aborto, mães submetidas a dietas rigorosas, partos rápidos ou demorados demais, perturbações gastrointestinais nos dois primeiros meses de vida, dificuldade inicial de acertar o leite do bebê quando a mãe não pode amamentar são causas não tão bem definidas como as que se apresentam na criança excepcional. Assim, o bebê deverá ser submetido a um regime rico em vitaminas e sais minerais, banhos de sol e prevenção com as vacinas contra doenças.

CRIANÇA EXCEPCIONAL

O bebê que tem dificuldade em desenvolver habilidades musculares, que não consegue sentar, andar ou treinar seus hábitos higiênicos, como aquele que tem dificuldade no que se refere à inteligência, não realizando os testes correspondentes às diversas idades relatadas nos capítulos deste livro, é considerado um bebê excepcional. É excepcional porque necessita de cuidados e educação especiais – diferentes das normas habituais; precisa de auxílio e métodos diferentes para ser recuperado e educado.

O bebê excepcional pode revelar-se nas mais diversas condições, com pernas e braços rígidos, sem flexibilidade, ou então moles demais, ambos impedindo o desenvolvimento motor, bem como os que não despertam a inteligência e não apresentam aquisições progressivas com o tempo.

As crianças excepcionais são catalogadas em várias condições clínicas. Neste livro já estudamos duas, a paralisia cerebral (ver pág. 735) e o mongolismo (ver pág. 734). Neste capítulo estudaremos mais algumas, rapidamente.

As causas que podem levar uma criança a ser considerada excepcional são muitas, e os pais deverão sempre ser esclarecidos para que não se sintam culpados de terem gerado uma criança nestas condições. Neste capítulo, as causas são as mesmas das doenças que afetam o sistema nervoso central:

a) anteriores à gravidez: distúrbios genéticos, hereditários;

b) durante a gravidez: toxoplasmose, rubéola, sífilis;

c) incompatibilidade do fator Rh, toxemia, prematuridade;

d) problemas de parto (demorado, asfíxico, de fórceps, cesáreo);

e) pós-natal: infecções cerebrais (meningite, encefalite, abscessos) e coqueluche no primeiro ano de vida;

f) algumas anomalias cranianas, como a hidrocefalia e a cranioestenose, cabeça achatada dos lados, pontuda para a frente e para trás, ou alta e estreita. Para isto, medicamentos compostos de ácido glutâmico, vitaminas do complexo B e outras substâncias admitidas como estimulantes do córtex cerebral e tônico do sistema nervoso central, embora de eficiência muito discutível, têm sido comumente usados.

Retardo mental

O que caracteriza a criança excepcional é a sua dificuldade ou incapacidade de adaptação social independente. É um sintoma de alteração ou malformação cerebral durante a gravidez ou na infância.

A inteligência não é o resultado de simples processo mental, mas se compõe de um grupo de diferentes aptidões, incluindo pensamento abstrato, memória visual e auditiva, raciocínio causal, expressão verbal, capacidade de usar as mãos e compreensão do espaço. Todas as particularidades poderão ser avaliadas por testes, para verificar se a idade mental corresponde à idade cronológica, com apresentação expressiva através do quociente de inteligência (QI).

Embora o QI seja uma medida sujeita a erros e limitações, tem finalidade prática útil.

As crianças com QI entre 50 e 75 são consideradas ligeiramente retardadas, sendo “educáveis”. Podem chegar a aprender um ofício simples, que não exija muita abstração. Este grupo compreende 85 a 90% do total de retardados.

As crianças moderadamente retardadas têm QI entre 35 e 50. Podem ser “treinadas”, aprendendo a se vestir, a comer, a fazer pequenas tarefas domésticas ou trabalhar em ambientes protegidos etc. Este grupo compreende 5 a 10% do total.

Crianças com QI abaixo de 35 são profundamente retardadas. Não são “treináveis” e dependem totalmente de outras pessoas. Compreendem cerca de 5% do total de retardados e geralmente têm problemas físicos graves.

Autismo infantil

O bebê ou a criança revela-se extremamente fechado, voltado para si mesmo, auto-suficiente, insiste em ficar sozinho, não se relacionando absolutamente com situações e pessoas. São automáticos; suas ações não têm finalidade, nem emoção, repetindo constantemente o mesmo ato. Os pais queixam-se de não conseguir que prestem atenção à sua presença ou às pessoas.

Segundo alguns autores, já aos seis meses poderão revelar os primeiros sintomas; quando levados ao colo, não se ajustam à posição da pessoa que os segura; atiram-se para fora, bruscamente, sem razão alguma, tanto ao colo dos pais como no de pessoas estranhas. Mais tarde, são extraordinariamente obsessivos, resistem com violência a qualquer modificação da rotina, roupas, alimentos, móveis e quarto.

Esquizofrenia

É rara na infância; a criança apresenta-se fisicamente perfeita, porém o que mais a caracteriza é a absoluta falta de interesse para os fatos cotidianos; não toma conhecimento da presença dois pais, dos irmãos, da comida ou dos brinquedos. O bebê fica horas indiferente ou ocupado com um único objeto ou brinquedo. Aceita qualquer interrupção, sem demonstrar emoção ou contrariedade, ou então torna-se, repentinamente, e sem motivo, muito agressivo e zangado. A expressão da face é indiferente, aborrecida ou pensativa.

Fenilcetonúria

É uma doença grave, com grande retardo mental, porém fácil de ser evitada quando o diagnóstico é feito a tempo. Mais freqüente em crianças louras e de olhos azuis, é devida a um defeito congênito de uma enzima que toma parte na decomposição da fenilalanina, um aminoácido. A criança nasce perfeita, mas com os primeiros meses inicia um processo de deterioração cerebral com tendência à idiotia. Se o diagnóstico for feito antes dos dois meses, com um simples exame de triagem (teste do pezinho, ver pág. 145) e a prescrição imediata de dieta própria, será evitada a lesão cerebral. Este exame deverá ser feito, como rotina, entre o 10º e o 60º dias de vida. Os casos positivos deverão ser confirmados por exame de sangue.

Galactosemia

É outra doença metabólica. No caso, o defeito congênito é a ausência de uma enzima que toma parte de decomposição da galactose, um açúcar encontrado no leite materno e no de vaca. O acúmulo de galactose no organismo leva a retardo mental, icterícia, catarata etc. O diagnóstico deverá ser feito logo após o nascimento, por meio de exames de urina e às vezes de sangue. O tratamento consistirá em dieta sem lactose, que deverá ser mantida pelo resto da sua vida.

Hipotireoidismo

Deve-se fazer um exame de sangue de todas as crianças, logo após o nascimento, visando ao diagnóstico precoce desta doença. Este exame, caso seja positivo, deverá ser confirmado mediante testes específicos, a serem feitos sob orientação do endocrinologista. A criança que não for tratada imediatamente sofrerá grande atraso no seu desenvolvimento físico e principalmente mental, tornando-se retardada. Deste modo, confirmada a doença, a criança deverá receber imediatamente o medicamento (hormônio tireoidiano), que deverá ser tomado durante toda a vida.

Estas três doenças, a fenilcetonúria, a galactosemia e o hipotireoidismo, deverão ser pesquisadas em todos os recém-nascidos, mesmo que sejam aparentemente normais, pois o tratamento precoce e adequado evitará formas graves e irreversíveis de retardo mental.

BEBÊ FEBRIL

É um desespero para as mães o bebê que apresenta constantemente temperatura acima do normal, sem motivo aparente. Em primeiro lugar, a elevação da temperatura corporal pode significar infecção, ou apenas uma hipertermia, que traduz elevação da temperatura do bebê quando tomada ao nível das axilas ou virilhas, não devendo passar de 37°C, e se retal, não devendo ultrapassar 38°C. A temperatura interna é um grau mais elevada do que a temperatura periférica. Não há dúvida de que é problema do médico-assistente, e não da família, a investigação da febre, sem causa aparente, num bebê com excelente estado geral. Esta hipótese de aconselhar a família a não usar o termômetro para não se preocupar não procede, porque sempre o médico, após investigação cuidadosa, descobre a causa.

De modo geral existe um tipo de doença infecciosa que pode ter evolução febril com razoável estado geral, pelo menos nos primeiros dias, como algumas viroses, tuberculose ganglionar, infecção intestinal por colibacilo, infecção urinária, amigdalites, para citar as mais freqüentes. Existem, entretanto, inúmeras condições não-infecciosas que podem provocar elevação da temperatura; tem-se observado na prática inúmeras delas, das quais vamos relatar as mais prováveis: consumo de leite em pó muito concentrado, excesso de açúcar ou farinha, intervalos pequenos entre as refeições, crianças emotivas, que nasceram de parto difícil, demorado ou que necessitaram de manobra de reanimação com permanência na incubadora por alguns dias, crianças com baixo peso ao nascimento ou prematuras, bebês de pais que transpiram pouco, cujos filhos também apresentam dificuldade em transpirar nos dias quentes, pouca ventilação nos dias quentes (a falta de ventilação é mais prejudicial do que a temperatura elevada, porque impede a irradiação do calor produzido pelo organismo), bebês ou crianças com hipertireoidismo (funcionamento exagerado da tireóide), prisão de ventre crônica e excitação constante. Crianças que se agitam permanentemente também podem ter sua temperatura elevada.

Neste caso, deve-se deixá-las em repouso, na cama, por cerca de trinta minutos, e em seguida, ao medir novamente a temperatura, verificar se já está normalizada. Enfim, uma série de causas, muitas delas fáceis de ser removidas, para restabelecer a tranqüilidade da família.

O bebê com temperatura elevada deverá, em alguns casos, ser submetido aos raios X, testes e exames de laboratório etc., porque a possibilidade de haver doença de maior gravidade, embora muito rara na infância, deverá ser definitivamente afastada. Por fim, para a criança que apresenta temperatura elevada, sempre haverá um problema e uma solução.

BEBÊ HIDROLÁBIL

Existe um tipo de bebê, felizmente raro, que apresenta uma particularidade orgânica e congênita caracterizada pela facilidade de se desidratar quando sujeito às mais diferentes causas. No capítulo sobre a Desidratação (ver pág. 500), estudamos este assunto com mais detalhes. No momento, queremos chamar a atenção sobre o bebê que apresenta vômitos e diarréia, perdendo grande quantidade de água, sem conseguir mantê-la no seu corpo. Qualquer resfriado, qualquer perturbação gastrointestinal, otites, bronquites, dias de calor excessivo são motivos que podem causar desidratação nestas crianças. A causa de estes bebês apresentarem estas características parece estar ligada a fatores familiares. É preciso fazer o teste de suor para mucoviscidose, doença que pode provocar esta mesma sintomatologia. A importância do socorro imediato é evidente, sendo às vezes necessário recorrer à aplicação intravenosa de soro hidratante.

Tratamento. Um tratamento específico não existe. Manter a criança bem alimentada, protegida contra infecções e perfeito método de vida é sempre útil. A mãe, porém, não deverá ficar apavorada, mantendo seu filho afastado de tudo e de todos, protegendo-o excessivamente. A mãe prevenida sabe que, no decurso de qualquer infecção febril ou distúrbio gastrointestinal, a primeira preocupação é dar, imediatamente, líquido a seu filho, soro, água, suco de maçã, além de incluir na dieta carnes magras, arroz, batata, chuchu e cenoura (tudo com uma pitada de sal). O soro caseiro poderá ser preparado da seguinte maneira: 1 litro de água, 1 colher (das de café, cheia) de sal de cozinha, 1 colher (das de café, rasa) bicarbonato de sódio, 2 colheres (das de sopa, cheias) de açúcar e gotas de limão a gosto. Estabeleça, imediatamente, contato com o pediatra, para que ele decida se a hidratação por via oral é suficiente ou se haverá necessidade de intervenção com administração endovenosa e outras medidas correlatas.

BEBÊ MAGRO (bebê hipotrófico)

Entre as muitas preocupações que podem assaltar o jovem casal, está a de o seu bebê não acompanhar a tabela de peso considerada normal. A mãe que leva ao colo, ou para passear no seu carrinho, um bebê magro, sente-se profundamente humilhada em relação às suas amigas, principalmente por não ter um bebê fácil de engordar e crescer. De fato, o bebê magro não apresenta a exuberância de um bebê normal; sua pele é flácida, mole, com turgor e panículo adiposo diminuídos, pernas e braços com musculatura diminuída, embora alguns possam apresentar-se bochechudos. Apresentam-se, entretanto, compridos e com todas as atividades absolutamente normais.

As causas que levam o bebê ao estado de hipotrofia são muitas, porém a mais comum é a alimentação deficiente. O bebê não se alimenta na quantidade suficiente, ou então, apesar de ser correta em volume, não o é nas suas diluições, no caso do leite de vaca fresco, ou nas suas concentrações, no caso do leite em pó. A insuficiência da adição de farinha ou açúcar também pode contribuir. O maior problema está nos bebês que não aceitam as diluições e concentrações adequadas à sua idade, que respondem com vômitos e diarréia, e a subnutrição é conseqüência inevitável. Outro grande problema é o da criança alérgica; ela não aceita o leite de vaca, o leite em pó, o leite de soja, o leite materno ou o leite de cabra; é uma tortura para a mãe e para o médico-assistente em busca de uma solução, alimentar o bebê. Existem casos em que a criança come o que deve, e na quantidade certa, mas não se desenvolve, porque não assimila bem os alimentos. São bebês portadores de deficiências da secreção dos sucos digestivos. A possibilidade de parasitose precoce, sobretudo giárdia, ou mesmo de ancilóstomos e estrongilóides ou áscaris (lombrigas) deverá sempre ser considerada.

O bebê alérgico, sensível a processos respiratórios freqüentes, que vive com amigdalites, coriza, tosse, febre etc., necessitando da administração de antibióticos e antitérmicos, atravessando, portanto, períodos de inapetência, acaba também com o seu peso diminuído. O bebê que tem facilidade em apresentar fezes dispépticas (líquidas, com muco e catarro), provocadas pelo mais leve motivo, como erupção dentária, excitação decorrente de visitas e passeios ou variações da temperatura ambiente tem também a possibilidade de apresentar baixo peso.

A necessidade de levar o bebê, no primeiro ano de vida, todo mês ao médico, vigiando a curva do peso, altura e outros sinais de saúde, é a melhor maneira de se fazer a prevenção. Mantê-lo dentro da disciplina dos horários, das dietas prescritas e evitar visitas são medidas úteis.

Hoje, com as noções de puericultura dispensáveis, as mães já sabem acompanhar o desenvolvimento de seus filhos, percebendo as mínimas alterações e recorrendo logo ao médico, evitando, assim, que seus bebês permaneçam magros, subnutridos, até atingirem graus máximos de miséria orgânica, o que, infelizmente, ainda acontece em sociedades menos favorecidas da fortuna e do saber. Então assistimos à grande catástrofe da criança reduzida a condições precárias e miseráveis, toda em pele e osso, adquirindo a sua fisionomia o aspecto de macaco, ou então de velhinho.

De modo geral, as causas responsáveis pelo mau desenvolvimento do bebê são:

a) fatores hereditários – doenças com alterações genéticas bem definidas;

b) influências durante a gravidez, da sexta a décima quinta semana de gravidez (de um mês e meio até três meses) no primeiro trimestre;

c) influências no feto nos últimos três meses de gravidez, no terceiro trimestre;

d) tocotraumatismo (problemas por ocasião do parto);

e) doenças na infância (como viroses, coqueluche e diarréia crônica);

f) infecções respiratórias de repetição;

g) deficiência de estímulos emocionais e sociais. O bebê precisa da companhia de seus pais, principalmente da mãe em quantidade e qualidade. Isto é, ficando em sua companhia, como também brincando com ele, tornando seu tempo alegre, agradável, e não sendo indiferente à presença do bebê;

h) uso freqüente de anti-histamínicos, que poderão ser administrados "até" causar sonolência, podendo causar falta de apetite, náuseas, prisão de ventre ou diarréia;

i) uso de descongestionantes nasais, em gotas ou por via oral, aplicados constantemente;

j) uso de broncodilatadores, de modo mais ou menos contínuo, por via oral, por injeção intramuscular, por inalação ou na forma de supositórios;

l) uso de hormônios à base de cortisona (glicocorticóide) por via oral, injetáveis ou por inalação;

m) sendo o bebê inapetente rebelde a tudo, especialmente às proteínas do leite, a seus derivados e à carne;

n) alergia grave, asma ou alergia do aparelho digestivo, dificultando a assimilação dos alimentos;

o) alergia a leite de vaca e/ou leite de soja.

Tratamento. Dependerá da identificação da causa responsável pela diminuição de peso. Em primeiro lugar, deverá ser sempre investigado o regime alimentar; no caso de ser deficiente em quantidade ou diluição, bastará corrigi-lo. Em alguns casos há necessidade do recurso de improvisar uma solução alimentar, estabelecendo um horário, a cada três, quatro, cinco ou seis horas, com cinco, quatro ou três refeições diárias. Varie o tipo de leite ou a concentração do leite e açúcar, adicionando produtos que modifiquem o sabor. Um exame de fezes, para pesquisar a presença de protozoários (ameba ou giárdia) ou verminoses (áscaris, estrongilóides, necator), bem como a investigação de bactérias patogênicas (*coli*, *shigela*), que possam causar enterite ou colite crônica, é de máxima importância. A alergia do aparelho digestivo a alguns alimentos, sobretudo ao trigo, às proteínas do leite e ao ácido ascórbico das frutas cítricas deverá ser pesquisada. A administração dos chamados fermentos intestinais, que auxiliam a digestão e assimilação dos alimentos, de calmantes do sistema neurovegetativo (no caso de evacuações freqüentes), alguns medicamentos compostos de pectina, tanino e cálcio poderão ajudar. A administração de antibióticos e sulfas é perigosa, os quais devem ser prescritos exclusivamente pelo médico-assistente.

BEBÊ MIÚDO – (bebê hipoplásico)

É uma anomalia curiosa. O que caracteriza este estado é a exigüidade das dimensões do bebê. O bebê apresenta peso e estatura abaixo do normal e, no entanto, não é magro, sua pele é rosada, com panículo adiposo e turgor normais, ele dorme bem, tem bom humor, possuindo, enfim, todas as outras características de saúde.

É chamado de "bebê em miniatura", pequeno e perfeito. É o bebê visto pela extremidade maior (lentes) do binóculo, com suas dimensões diminuídas, porém harmoniosas.

O que caracteriza o bebê hipoplásico não é realmente seu peso, mas sua estatura; geralmente, ele nasce com menos de 48cm, mas apresenta-se gordinho, rosado e alegre. O hipoplásico, miúdo, lucra em peso, apesar de adquiri-lo mais morosamente, conservando-se sempre pequeno, mas com todos os sinais de saúde presentes e perfeitos.

Sua inteligência apresenta-se sempre normal e há até uma tendência para certa precocidade, desde que não tenha havido, naturalmente, problemas no parto. Este bebê deve ser criado como qualquer outro, absolutamente normal. A causa está geralmente ligada à hereditariedade, isto é, filho de pais de pouca estatura ou às vezes produto de um casamento consanguíneo.

Crianças que tiveram desenvolvimento insuficiente ainda no útero ("desnutridos intra-uterinos" ou "pequenos em relação à idade gestacional") tendem a permanecer pequenos pelo resto da vida. Quanto ao tratamento, o uso de hormônios de crescimento (GH) poderá aumentar seu peso e estatura rapidamente, mas estas crianças, assim, param de crescer antes do tempo normal, de modo que a altura final ficará prejudicada, menor do que se não recebesse o hormônio. Estes hormônios também promovem a virilização, isto é, aumentam o peso e o volume dos órgãos genitais, e isto constituirá um problema, principalmente no caso das meninas. Quando a deficiência de desenvolvimento deve-se à deficiência de hormônio do crescimento (GH) – o que só poderá ser determinado pelo endocrinologista, depois de serem feitos exames laboratoriais específicos –, seu uso oferece um resultado muito bom. Este hormônio só existe em quantidade muito reduzida atualmente, mas há perspectiva de que sua terapêutica se torne mais acessível.

Como regra geral, é importante manter a criança numa dieta rica em proteínas e vitaminas, resguardada contra infecções mais graves pela aplicação das vacinas e com educação sadia. Os esportes, como a natação e o uso da bicicleta, serão importantes.

BEBÊ INAPETENTE

Depois da febre, nada entristece mais os pais, os avós, a família inteira, do que a falta de apetite do bebê. Todos ficam transtornados; daí em diante, a alegria, a felicidade da família dependerá do apetite do bebê. O marido chega a telefonar do trabalho, interrompendo suas funções, para perguntar à esposa se o bebê aceitou a mamadeira das três horas da tarde ou outra qualquer; por sua vez, a mãe, depois de ele rejeitar a refeição, telefona desesperadamente à avó da criança, ou interrompe o trabalho do marido, para dizer que o bebê não quis comer. Entretanto, o bebê é o único que se mantém feliz e absolutamente ignorante de ser o motivo desta tragédia doméstica.

A situação não é tão grave como pode parecer. Na maioria das vezes o bebê, apesar de inapetente, consegue crescer e engordar, apresentando excelente estado geral. O fato de ele apresentar peso e altura um pouco abaixo da média não o impedirá de se desenvolver em condições perfeitamente normais. Por conseguinte, o primeiro ato terapêutico reside no restabelecimento da tranqüilidade e do equilíbrio emocional dos pais.

Em vários capítulos deste livro nós nos ocupamos deste assunto. Porém, agora, insistiremos nos pontos fundamentais:

1) Algumas crianças se desenvolvem muito bem se alimentando com uma quantidade de alimento relativamente pequena; outras aceitam somente três refeições por dia, com intervalo a cada cinco ou seis horas; algumas não gostam de leite, mas aceitam bem seus derivados (doce de leite, creme de leite, queijo, iogurte, sorvete de creme, requeijão) puros ou acompanhados de marmelada, compota de frutas, geléias e gelatinas; outras apresentam períodos de inapetência, intercalados por períodos de apetite razoável ou excelente. Algumas mães pensam que o bebê deve ingerir um volume de alimento superior à sua idade, ou mesmo da sua capacidade.

Na dificuldade de a criança aceitar o leite de vaca, estará indicado o leite de soja contendo cálcio e fósforo.

2) O modo como a criança recebe o alimento, seu aspecto, sua cor, sua temperatura, fatores ambientais, um lar barulhento ou desorganizado, os passeios, as visitas, os aniversários influenciam muito o apetite.

3) Crianças alérgicas ou nervosas não deverão ser submetidas a ingerir alimentos que detestam.

4) A possibilidade de o bebê estar realmente doente, febril, anêmico, com inflamações da boca e da garganta, sobretudo na forma crônica, deverá ser verificada.

O uso de estimulantes do apetite está contra-indicado. Deve-se observar as preferências do bebê, oferecendo-lhe alimentos que ele goste, sem forçar os que parece não gostar muito.

Finalizando, é muito mais fácil evitar a inapetência do que resolvê-la, e não desanime, haverá sempre uma solução!

BEBÊ LINFÁTICO

Outro tipo de bebê é o denominado linfático, termo muito antigo e igualmente usado pelos leigos nas mais diferentes ocasiões. Alguns médicos impugnam sua existência, e outros a aceitam. Mas não resta dúvida de que há bebês com características particulares, que podem ser catalogados como linfáticos. São crianças suaves, de aspecto angelical.

A maior característica deste tipo é a extrema tendência do organismo ao infarto ganglionar; pelo menor motivo, os gânglios aumentam de volume e são observados caroços no pescoço (ínguas). As amígdalas apresentam-se geralmente hipertrofiadas. As papilas da língua (em forma de "V" quando a criança põe a língua para fora), mostram-se também aumentadas. Além das amígdalas, as adenóides ("carne no nariz") estão igualmente aumentadas, fazendo com que as crianças ronquem, devido à diminuição do espaço por onde transita o ar inspirado. Os gânglios da região inguinal (virilhas) são facilmente palpáveis, sem estar doloridos. Em geral a pele apresenta palidez acentuada, sem entretanto a criança estar anêmica; por isso os lábios são bem corados e o tom da pele é levemente azulado; outra particularidade é a facilidade dos movimentos dos membros, sem haver resistência. São fleumáticos, um pouco indiferentes, não apresentando vivacidade. Os cílios são sedosos e longos; o olhar, de expressão tristonha. Logo que se resfriam, os gânglios cervicais ingurgitam-se e custam a voltar ao seu tamanho normal. São sujeitos a elevações de temperatura e custa-lhes, em alguns casos, ver-se livres de febre, assustando os pais.

Como tratá-los? Estas crianças deverão ser cuidadas como as demais, evitando-se, sobretudo, a superproteção. Deverão ser evitados os tratamentos desnecessários. O melhor meio de criá-las é proporcionando-lhes vida ao ar livre, levá-las à praia, expô-las banhos de sol, exercícios físicos etc.

BEBÊ NERVOSO

De todas as anomalias, talvez a mais freqüente seja a do bebê nervoso, neuropata, cujo desenvolvimento constitui sempre um problema para os pais e para o pediatra. Nela há uma predisposição a manifestações nervosas e motoras mais acentuadas do que o normal. O ambiente psíquico familiar, o quarto, a casa, o bairro em que mora a criança, o número de pessoas da casa e as que a freqüentam, todos estes detalhes têm extraordinária influência no agravamento dos sintomas. Possui algumas características, desde tenra idade, que requerem suspeita precoce. É uma criança que geralmente tem braços e pernas afilados em relação ao tronco, crânio relativamente grande, cabelos secos e finos, testa larga, com a fronte enrugada, olhos muito abertos; grita e se movimenta constantemente, virando a cabeça de um lado para outro, permanecendo assim por muito tempo. Um sinal interessante, observado nos casos mais graves, é o chamado "topete nervoso", ou "crista de galo", localizado na parte posterior da cabeça, volumoso, com os cabelos eriçados, em contraste com a escassez em volta.

Devido à sua constituição, este bebê possui hiperexcitabilidade e fatigabilidade acentuada. Estímulos externos, que em crianças normais nada provocariam, nele são o suficiente para causar reações intensas. É muito sensível aos estímulos que atuam sobre os órgãos dos sentidos, sobretudo olhos e ouvidos. Luz forte, ruídos intensos, alterações bruscas do modo de vida, mudança de quarto, muitas visitas, viagens, substituição de babás podem causar reações imediatas. E, assim, ele vomita, tem diarréias aparentemente inexplicáveis, regurgitações, choro intenso e persistente, perdas bruscas e periódicas de apetite, modificações do ritmo do sono (dorme de dia e fica acordado à noite), perde o sono sem motivo, muda de posição no berço constantemente, enfim, uma série de alterações perfeitamente explicáveis, se forem consideradas a sensibilidade exagerada e a falta de harmonia de seus nervos.

Logo ao nascer, manifesta-se o nervosismo, pois não quer pegar o bico do seio de maneira alguma. Chora, grita e somente após algum trabalho e paciência é possível fazê-lo aceitar o seio. Com alimentação artificial continua a mesma coisa, pois quer brincar com o bico da mamadeira, regurgita, vomita, sem sofrer de qualquer distúrbio nutricional. Quando lhe são oferecidas sopas de legumes e mingau, a tragédia aumenta. Tudo que modificar o paladar e a forma de alimento que ele estava acostumado a ingerir é o suficiente para acarretar reações fortes, exteriorizações pela repulsa ao novo alimento. Às vezes parece que aceita o alimento, para, em seguida, devolvê-lo pelos cantos da boca. Todos estes sintomas se agravam durante a erupção dentária.

Onze fatores permitem fazer o diagnóstico:

1) a natureza inquieta dos pais e avós;

2) criança mais comprida do que gorda;

3) sensível à audição, à visão, ao odor e ao paladar;

4) inquietação ao mamar;

5) tendência a vômitos ou regurgitação;

6) variação no volume das refeições (a tendência é ele se alimentar freqüentemente, mas não comer direito);

7) tendência a fezes dispépticas (diarréicas);

8) tendência às cólicas;

9) é manhoso e chora por qualquer motivo;

10) tendência à precocidade da inteligência e à agilidade motora;

11) os bebês apresentam pés e mãos frias e barriga quente.

Como tratá-lo? Em primeiro lugar, os pais é que deveriam procurar se tratar, diminuindo sua neurose, permitindo um ambiente próprio à criação do filho. Método rigoroso de vida, silêncio, um quarto em penumbra e tranqüilo. É importante que a criança seja levada ao médico, a fim de ele verificar a existência ou não de alguma doença. Na fase aguda, poderão ser receitados sedativos, conforme a idade, dissolvidos em 1 colher (das de chá) de água. Para crianças maiores, o uso de diazepínicos, sob prescrição médica, está indicado. Quanto à alimentação, a fase mais trabalhosa é a dos seis meses aos dois anos. Há duas hipóteses de conduta: com energia e com astúcia. Para algumas crianças, seja firme; se recusarem se alimentar, deixe-as mesmo sem ele, para que sintam fome, a fim de vencer sua resistência, gravando no seu subconsciente esta impressão. Para outras, seja astuto, conversando com ela, distraindo-a ou procurando sempre um tipo de tempero que a agrade mais (caldo de limão, tomate, cebola, sal, açúcar, baunilha). Em alguns casos, o que dá excelentes resultados é desambientar a criança (acima de dezoito meses) mandando-a para a casa de parentes, principalmente que tenham crianças que se alimentem bem. Logo no começo ela sentirá a diferença, mas dentro de três ou quatro dias a modificação será completa.

BEBÊ PREMATURO

O conceito de prematuridade tem variado com o tempo, com a região ou com o país. Recentemente sua definição foi padronizada de forma universal pela Organização Mundial da Saúde (OMS), conceituando como bebê prematuro ou pré-termo aquele nascido antes de 37 semanas de gravidez, como bebê a termo (ou de "nove meses") o nascido entre 37 e 42 semanas de gravidez e o bebê pós-termo ou pós-maturo, nascido após 42 semanas de gravidez. Deve ser ressaltado ainda que o método mais confiável para se determinar o tempo da gravidez é a data correta da última menstruação, principalmente quando a mulher tem certeza.

Além disto, definiu-se também a prematuridade extrema englobando os bebês que nascem antes de 28 semanas de gravidez, tendo em vista que o avanço técnico dos cuidados neonatais tem permitido a sobrevivência de bebês cada vez menores e muito prematuros.

Em relação ao peso ao nascimento, define-se o bebê com menos de 2.500 g como de baixo peso e aqueles que nascem com peso inferior a 1.500g são chamados de recém-nascidos de muito baixo peso ao nascimento.

O recém-nascido com baixo peso pode ser pré-termo, a termo ou pós-termo. Os bebês que nascem entre 37 e 42 semanas e com peso entre 2.500 e 3.700g são considerados adequados para a idade gestacional (AIG). Já aqueles que nascem com peso inferior ao esperado para a idade gestacional são ditos pequenos para a idade gestacional (PIG), e finalmente os bebês grandes, com peso acima de 3.700g, são considerados grandes para a idade gestacional (GIG).

Existem ainda situações em que os bebês sofrem retardo de crescimento intra-uterino (chamado RCIU), principalmente devido a doenças maternas, como hipertensão crônica, pré-eclâmpsia, diabetes ou por disfunções placentárias sem causa definida. Este retardo de crescimento fetal, dependendo da sua gravidade, pode ou não ocasionar um bebê desnutrido e/ou pequeno para a idade gestacional (PIG).

Por que os bebês nascem prematuros?

As causas mais importantes que levam ao término antecipado da gravidez e ao nascimento de bebês prematuros são: a rotura prematura da bolsa amniótica (causa mais comum); incompetência do colo uterino, levando a um trabalho de parto prematuro; infecções intra-uterinas, doenças que levam ao sofrimento fetal agudo ou crônico, obrigando a interrupção da gravidez (hipertensão crônica, pré-eclâmpsia, diabetes melitos ou gestacional, insuficiência placentária, cardiopatias etc.); eventos agudos, como o descolamento prematuro da placenta e hemorragias causadas por placenta prévia; doenças na gravidez que levam a mãe a correr risco de vida, como a eclâmpsia; doenças crônicas (como a tuberculose, a sífilis etc); gestações múltiplas (gemelaridade, trigemelaridade etc.); fertilização *in vitro*; malformações fetais etc.

Já as causas para o nascimento de bebês com baixo peso incluem, além das doenças que levam à disfunção da placenta, as infecções congênitas (adquiridas durante a gravidez e transmitidas para o feto através da placenta), como as causadas pela sífilis, toxoplasmose, rubéola, citomegalovírus, infecção pelo HIV etc. O tabagismo, o alcoolismo, o uso de drogas (como a cocaína) e doenças crônicas que levam à desnutrição materna, como a tuberculose, o câncer etc. também podem ser considerados.

Conhecendo o bebê prematuro

Os bebês prematuros possuem características especiais, que incluem pele fina e lisa, às vezes de aspecto gelatinoso, pés lisos ou com poucas marcas, orelhas lisas e sem cartilagem, dobrando-se com facilidade, olhos salientes, pêlos finos no dorso, nos ombros e nos braços (lanugem), mamilos pouco definidos, braços e pernas bastante flexíveis, nos meninos bolsa escrotal sem testículos, nas meninas os grandes lábios são pouco proeminentes, há a presença de *vernix caseosa* abundante (secreção viscosa e esbranquiçada produzida no útero para proteger a pele e evitar perda de calor), a cabeça pode ser desproporcional ao tamanho do corpo, o choro pode ser fraco, a sucção débil e a respiração rápida e predominantemente abdominal. Seu comprimento é inferior a 47cm e a circunferência da cabeça é menor que 33cm, variando conforme a idade da gravidez.

Quais são as possibilidades de o bebê prematuro sobreviver?

O avanço da medicina, o uso de novas drogas e tecnologias cada vez mais modernas e específicas tem possibilitado na área neonatal resultados excepcionais, salvando bebês cada vez mais prematuros, principalmente nos últimos dez anos. A mortalidade de bebês prematuros caiu vertiginosamente nos últimos anos e a preocupação atual não é mais apenas a sobrevivência, e sim a qualidade de vida que estes pequenos bebês terão após permanecerem dois a três meses internados em UTIs neonatais, se recuperando dos problemas relacionados à prematuridade, além do ganho de peso, fato muito esperado e que gera ansiedade nos pais.

O principal marco que melhorou muito a sobrevivência dos prematuros, além dos cuidados gerais de suporte, foi o uso de uma substância que faz o pulmão amadurecer logo após o nascimento, que no decorrer da gravidez leva semanas para acontecer. Esta substância chama-se *surfactante pulmonar*, e nos últimos anos tem tratado milhares de bebês que sofrem com a imaturidade pulmonar ao nascer, a principal causa de morte de prematuros.

Como conseqüência, as chances de sobrevida dos bebês pré-termos tem aumentado muito. Nos países do Primeiro Mundo, como os Estados Unidos, atualmente sobrevivem bebês com 300 a 400 gramas ao nascer, fato que também já acontece no Brasil. Nos melhores centros de terapia intensiva neonatal no Brasil, a possibilidade de sobrevivência, de acordo com o peso ao nascimento, é a seguinte:

- **2.000 a 2.500g** (98% de sobrevida)
- **1.500 a 2.000g** (90% de sobrevida)
- **1.000 a 1.500g** (85% de sobrevida)
- **750 a 1.000g** (75% de sobrevida)
- **500 a 750g** (50% de sobrevida)
- **Menos de 500g** (menos de 30% de sobrevida)

Hoje em dia, já se definiu nova faixa de peso para os prematuros de muito baixo peso – os microprematuros (com menos de 750g, peso de nascimento)

O prematuro no hospital

As chances de sobrevida dependerão não somente das condições ao nascimento e do tempo gestacional, mas também da assistência médica que ele receber. No caso da mulher que terá bebê prematuro, é de suma importância a escolha do local adequado, principalmente que disponha de UTI neonatal, e a presença obrigatória de um neonatologista e de equipamentos adequados na sala de parto, para que todo cuidado seja fornecido assim que o bebê nasça. No caso de um bebê prematuro ao extremo, a presença de mais de um neonatologista é importante para garantir assistência adequada. Ao nascimento, além de secá-lo bem e aspirar as secreções, é fundamental manter sua boa oxigenação, até que ele seja levado à UTI neonatal. Nos bebês com menos de 1kg, já há protocolos internacionais que recomendam a aplicação de surfactante pulmonar na sala de parto, dentro da primeira hora de vida, para diminuir as complicações da imaturidade pulmonar.

Atualmente os bebês prematuros que necessitam de tratamento especial e que deverão ser encaminhados à UTI neonatal são aqueles com peso inferior a 1.800g e todos que evoluam com sinais de imaturidade pulmonar e necessidade de oxigenoterapia. A manutenção da temperatura corporal do bebê prematuro é de suma importância, para evitar complicações nas suas primeiras horas de vida, e por isso o uso de uma incubadora é fundamental. A principal complicação, que muitas vezes pode ser catastrófica em termos de prognóstico e seqüelas, é a hemorragia intracraniana, que, quando vultuosa, pode comprometer o desenvolvimento neurológico do bebê.

"MÃE CANGURU"

Toda nova iniciativa é despertada pelas circunstâncias. Em 1979, Edgar Sanabria, pediatra colombiano, do Instituto Materno-Infantil de Bogotá, não tendo uma incubadora disponível, teve de encontrar uma solução para que um bebê prematuro de 680g sobrevivesse. Lembrou-se das cangurus fêmeas que completam a gestação dos seus filhotes numa bolsa no abdome, que contém não só os mamilos, como o calor indispensável ao prematuro. O Dr. Sanabria colocou o prematuro entre os seios maternos, diretamente em contato com a pele da mãe, e através dos tubos de oxigênio, de alimentação artificial e de medicamentos deu as condições essenciais de sobrevivência ao recém-nascido.

A surpresa foi que o bebê se desenvolveu bem, e rapidamente, e aos 75 dias de vida já atingia dois quilos e saía do hospital. Analisando a experiência bem-sucedida do Dr. Sanabria, alguns neonatologistas começaram a estudar a mesma alternativa em regiões de poucos recursos, e em casos excepcionais socorreram prematuros sem incubadoras.

A experiência denominada "Mãe Canguru" despertou o interesse da pesquisa científica como uma solução para o problema dos prematuros sem maiores recursos. No Brasil, o Ministério da Saúde criou um projeto de apoio ao método "Mãe Canguru" com recursos do Sistema Único de Saúde (SUS), diminuindo as despesas da entidade. Diversas maternidades que dispõem de pediatras neonatologistas, cuja presença é necessária, já estão usando o método.

Entretanto, em vários países sem condições de garantir assistência satisfatória (Unidade de Tratamento Intensivo – UTI), as maternidades só colocam o bebê junto aos seios da mãe se ele já consegue respirar sozinho, alimentando-se por sonda ou pela boca e se pesar, no mínimo, 1.200g. E só receberá alta quando atingir de 1.800 a 2.000g.

Nas maternidades com melhores recursos técnicos e com monitoração, ou seja, como uma manutenção e avaliação do prematuro por aparelhos, este método pode ser utilizado, dependendo de avaliação do neonatologista.

O importante é que tem sido observado que os bebês prematuros que permanecem com a mãe apresentam menos alterações dos batimentos cardíacos e melhores níveis de oxigenação do sangue. O calor e o pulsar do coração da mãe dão-lhe segurança, facilitando a respiração, um constante desafio para o recém-nascido antes do tempo.

No sossego do colo, os bebês prematuros ganham mais peso por dia do que os mantidos numa incubadora. Isto faz com que o período de internação hospitalar leve a metade do tempo habitual.

Esta informação veio confirmar o que observou o Dr. Harry Bakwin, professor da Universidade de Nova York, quando num congresso internacional de Pediatria, em 1965, em Tóquio, no Japão, ele afirmava que o isolamento prolongado do prematuro na incubadora, o silêncio e a falta de contato humano prejudicam seu desenvolvimento físico e emocional.

Certamente a escuta dos batimentos do coração da mãe, as vozes, os ruídos e o manejamento posterior são estímulos indiscutíveis para o desenvolvimento do bebê prematuro.

O recurso da "mãe canguru" é mais um ato de amor que ela faz pelo seu bebê. O sucesso do método "mãe canguru" levou à criação do "pai canguru" com os mesmos objetivos e resultados, incentivando a participação do pai no cuidado do bebê prematuro. Este método já vem sendo praticado em algumas maternidades públicas e privadas do país.

Cuidados com o prematuro:

1) Incubadora. O bebê prematuro com menos de 33 semanas, e aquele com peso inferior a 1.800g geralmente necessita de aquecimento em incubadora, já que não apresenta controle térmico amadurecido e a quantidade de gordura subcutânea também é escassa. A temperatura corporal ideal para o bebê é entre 36°C e 37°C, para que ele mantenha suas funções vitais e não perca peso além do esperado. Hoje não há necessidade de se colocar nenhuma outra fonte de calor no interior da incubadora (bolsas de água quente, lâmpadas etc.), não só pelo risco de queimaduras de pele, mas principalmente porque as incubadoras modernas fornecem o calor necessário e mantêm a temperatura adequada quando manipuladas por pessoas experientes. A higiene ou o banho do bebê poderão ser feitos no interior da incubadora (ou fora dela, se for rápido), com água morna e sabonete neutro, evitando-se que ele permaneça muito tempo fora dela.

Atualmente o bebê prematuro extremo é colocado em incubadora de dupla parede de última geração, que permite manter elevada a umidificação (80 a 90%) evitando perda de água pela transpiração da pele, mantendo-a íntegra e evitando lesões, prevenindo assim a perda de peso excessiva e a desidratação do bebê.

2) Icterícia e fototerapia. O prematuro é mais sujeito a se tornar ictérico (amarelo), não só pela imaturidade do seu fígado e dos rins, mas também pelo jejum mais prolongado e pelo trânsito intestinal mais lento. Nos casos indicados, a medição dos níveis de bilirrubina no sangue indicará a necessidade de fototerapia para o tratamento, o que atualmente é feito por meio de aparelhos modernos e potentes (*Bilispot*, com fototerapia halógena e *bilitron* – fototerapia azul). Com esta tecnologia dificilmente é necessária a troca de sangue para o tratamento da icterícia, como ocorria no passado.

3) Infecção e antibioticoterapia. O bebê prematuro é considerado imunodeprimido por natureza. Além da imaturidade imunológica, muitos bebês pré-termos estão sujeitos ainda à infecção logo ao nascimento, pois a rotura prematura da bolsa amniótica, as infecções urinárias e a incompetência do colo uterino já são fatores que facilitam o desenvolvimento de bactérias. Nestas situações específicas, se houver suspeita de infecção, deverão ser solicitados diversos exames, sendo tratado, então, se considerada positiva, com antibióticos.

Outro aspecto importante é que a internação em qualquer UTI neonatal também poderá predispor ao surgimento de infecções nos bebês pré-termos, não só pelo tipo de tratamento realizado, mas também por causa de bactérias mais resistentes aos antibióticos que existem no ambiente hospitalar, por mais que todos os cuidados de prevenção sejam tomados.

O prematuro em casa

Uma medida fundamental para se evitar a infecção nos bebês prematuros é a limpeza das mãos dos profissionais que cuidam do bebê e também dos pais antes e após qualquer contato com ele.

Os quadros de infecção nos prematuros são bastante diferentes dos bebês a termo, de crianças maiores e adultos. Normalmente estes bebês não apresentam febre, mas hipotermia, podendo-se observar ainda hipoatividade, respiração irregular, alteração da cor da pele, sangramentos, intolerância à alimentação, entre outros sinais.

Quando o bebê prematuro poderá receber alta?

Os critérios para a alta hospitalar de bebês prematuros após a permanência num centro de terapia intensiva neonatal incluem o peso adequado (acima de 2.000g), a sucção plena e eficaz no seio materno e/ou na mamadeira, e principalmente a segurança e a tranqüilidade dos pais em levar seu filho para casa após vários dias ou semanas sob cuidados especiais. Os pais deverão estar conscientes das necessidades do bebê e treinados para alguns cuidados, como banho, higiene, troca de fraldas, medicações, vacinas etc. Bebês prematuros com menos de 1.500g de peso ao nascer deverão receber cinco doses de imunoglobina antiviral Palivizumab (Synagis), sendo a primeira dose antes da alta da UTI neonatal e as demais durante os meses de inverno. Uma dose mensal intramuscular para prevenir a infecção pelo vírus sincicial respiratório (RSV), causador de pneumonia grave viral, reinternação e morte, principalmente no inverno. O acompanhamento pediátrico após a alta deverá ser mais freqüente (quinzenal ou semanal, se necessário) e a necessidade de tratamento fisioterápico, oftalmológico, neurológico etc. deverá ser sempre orientada por pediatra capacitado para este seguimento através da realização de exames clínicos especiais (Teste de Dubowitz, Teste de Baylen etc.) e detecção de problemas neurológicos e musculares que dependem de intervenção de especialistas.

4) A alimentação do prematuro. Segundo a experiência do neonatologista Dr. João Henrique Leme (Rio de Janeiro) não há um esquema clássico, tudo depende das condições do nascimento de cada prematuro. Vários cuidados são importantes quanto à alimentação do bebê pré-termo. Inicialmente deve-se saber que todo bebê deverá começar a ser alimentado tão logo seja possível, para possibilitar sua recuperação mais rápida, seu ganho de peso e fortalecer sua imunidade, prevenindo infecções.

O recém-nascido pré-termo inicialmente com doença pulmonar grave, o que sofreu asfixia perinatal e aquele que apresentou sofrimento intra-útero importante não deverão ser alimentados por via oral nos primeiros três a cinco dias, devendo receber alimentação venosa (nutrição parenteral total) até que a dieta oral forneça a quantidade de calorias suficientes, o que deverá ocorrer de sete a quatorze dias de vida, dependendo do caso. Esta conduta visa a evitar o surgimento de uma doença intestinal chamada enterocolite necrotizante, mais comum no prematuro e que pode levar a complicações severas, como degeneração e até perda de parte dos intestinos. Até o início da alimentação, o bebê deverá permanecer com uma sonda orogástrica, permitindo a saída de ar do estômago e facilitando a respiração.

A alimentação propriamente dita ocorrerá quando indicada, com pequena quantidade de leite, por sonda gástrica, para o bebê pré-termo que não possa sugar (peso inferior a 1.700g e idade gestacional inferior a 33 semanas), ou por via oral (sucção) naquele mais maduro e com maior peso. Para o bebê com peso inferior a 1.500g, a alimentação será fornecida de duas em duas horas, e com mais 1.500g, será de três em três horas. No caso de um bebê prematuro ao extremo, que não aceita bem a dieta por sonda (por gravidade), poderá ser utilizada a gastróclise (dieta por infusão contínua em bomba) em trinta minutos, uma ou duas horas, dependendo do caso.

O recém-nascido prematuro que consiga sugar o fará inicialmente na chuca ou mamadeira, e quando alcançar um volume maior de leite, com sucção eficaz, poderá sugar diretamente o seio materno e também o leite poderá ser dado através de copinhos ou seringas. Esta medida visa facilitar o desenvolvimento da sucção ao seio, já que o tipo de sucção em mamadeira é diferente daquele que o bebê desenvolve quando começa a mamar ao seio materno. Outro aspecto importante é que, no caso de um bebê prematuro que alcança condições de iniciar a sucção, a sonda poderá ser colocada através do nariz, para liberar a boca e permitir assim uma sucção mais eficaz.

Vale lembrar que o bebê prematuro extremo, que muitas vezes demora semanas para começar a sucção, pode apresentar dificuldades neste processo, não só por sua imaturidade, como também pela falta de estímulo, e muitos deles necessitarão de um fonoaudiólogo diariamente para desenvolver a sucção e a coordenação entre sucção e deglutição.

O volume inicial de leite dependerá do peso e das condições do bebê, habitualmente começando-se com 2 ou 3ml a cada duas ou três horas, com um ou dois aumentos por dia, que não poderão ser excessivos para não haver vômitos nem o retorno do leite pela sonda. Não há necessidade de se testar o trânsito intestinal com água ou glicose, podendo-se começar logo com o leite materno ou equivalente.

O leite materno é insubstituível para a alimentação do prematuro, principalmente o da sua própria mãe, que é mais calórico, pois é mais rico em gordura e possui maior quantidade de cálcio e fósforo. Na impossibilidade de utilização do leite da sua própria mãe, o prematuro deverá ser alimentado com fórmulas específicas para ele (Pré-Nan, Aptamil Pré, Enfamil etc.). O leite de qualquer mãe de bebê a termo não está indicado para nenhum prematuro, pois sua composição é diferente, estando ainda proibida qualquer forma de aleitamento cruzado direto (leite de outra mãe) pelo risco de transmissão de doenças, como Aids e Hepatite B. Todo leite materno que porventura seja utilizado sem ser da própria mãe do prematuro deverá ser proveniente do banco de leite, com cuidados de pasteurização e esterilização.

A média de ganho de peso para os prematuros com alimentação plena é de 20 a 30g por dia. Alguns bebês com peso inferior a 1.500g poderão apresentar ganho ponderal insuficiente só com o leite materno, e neste caso está indicado o uso de aditivos apropriados (FM 85, Enfamil etc.), que aumentam a quantidade de calorias do leite materno, evitando sua substituição por leite artificial, diluído no próprio leite antes de ser oferecido ao bebê. Outra possibilidade é concentrar o leite artificial na diluição de uma medida para 25ml de água em vez de uma medida para 30ml.

Como suplementação ao leite, deverão ser oferecidas as vitaminas A, C, D e E a partir do sétimo dia de vida ou assim que o bebê estiver com sua dieta controlada. A suplementação de ferro, por via oral está indicada a partir do 28º dia de vida, para o tratamento da anemia da prematuridade.

Instruções aos pais para o uso do índice de medicamentos

1) TODO MEDICAMENTO só deverá ser administrado sob orientação do pediatra.

2) ATENÇÃO COM OS MEDICAMENTOS (ver pág. 474)

3) Como o leitor perceberá, designamos diversos tipos de remédios unicamente pelos seus nomes genéricos, omitindo deliberadamente seus nomes comerciais ou de fantasia que constam nas embalagens. Por que procedemos assim? Para simplificar e seguindo a recomendação do Ministério da Saúde, tendo em vista a atual lei dos Genéricos, segundo a qual os médicos deverão receitar os medicamentos pelos respectivos nomes genéricos. Genérico corresponde ao termo oficial de cada substância química usada como medicamento. Por exemplo, Ampicilina é o nome genérico de um medicamento, e seu nome comercial é Binotal. Portanto, um medicamento genérico pode ser registrado por inúmeros nomes de fantasia, de acordo com a quantidade de laboratórios farmacêuticos que o comercializam.

4) Estão citados produtos farmacêuticos de laboratórios brasileiros e estrangeiros. Os postos de saúde distribuem gratuitamente alguns medicamentos, inclusive o contra a tuberculose.

5) Este capítulo é uma contribuição do autor para o esclarecimento dos pais e auxílio no caso de impossibilidade de ser prestado qualquer socorro médico.

6) Não se esqueça de que todo medicamento administrado ao bebê ou à criança, em qualquer idade, mesmo em doses absolutamente corretas, pode causar efeitos colaterais indesejáveis. Assim aconselhamos prudência e sugerimos sempre consultar um médico.

7) O Índice de Medicamentos, apresentado no final do livro, evidentemente não está completo. Contudo, procuramos seguir a ordem alfabética, de acordo com as denominações genéricas mais conhecidas, referente às condições clínicas mais comuns às crianças.

8) ANTITÉRMICOS e ANALGÉSICOS. Deve-se ter bastante cautela, pois o estado febril é geralmente uma reação de defesa do organismo, visando aumentar as respostas imunológicas e, assim, às vezes pequenas elevações da temperatura corporal não necessitam ser tratadas. Todavia, temperaturas acima de 39°C são perigosas, devendo ser tratadas com antitérmicos. Estas duas propriedades farmacológicas geralmente ocorrem simultaneamente, e em alguns medicamentos pode ocorrer também uma ação antiinflamatória. Os mais comumente usados são os derivados do ácido acetilsalicílico, como a aspirina e o salicilato de sódio (também antiinflamatórios), derivados do para-acetaminofenol, como o acetaminofeno (que não apresenta efeito antiinflamatório significativo) e os derivados da pirazolona, como a dipirona (Metamizol) e a aminopirina, que apresentam potente ação analgésica, antipirética e antiinflamatória. A família dos antiinflamatórios é muito grande, entretanto sua aplicação só deverá ser feita pelo pediatra (de diclofenaco, ibuprofeno etc.). Recentemente foi introduzida uma nova classe de antiinflamatórios, que podem causar reações colaterais menores (gastrite etc.). Preferimos não recomendar o uso de antiinflamatórios, sobretudo para crianças antes de dois anos de idade, porque são mais sujeitas a reações colaterais indesejáveis. Os pediatras acham mais adequado usar os analgésicos e antitérmicos habituais.

9) ANTIALÉRGICOS. Dentro desta classe, encontramos os *Anti-Histamínicos* e os *Anti-Serotonínicos.* A histamina é uma das principais substâncias liberadas no organismo das crianças durante uma crise alérgica. Desta forma, os anti-histamínicos são muito eficientes no tratamento das reações alérgicas. A família dos anti-histamínicos é muito grande e muitos destes compostos causam efeitos colaterais, como sedação, queda da temperatura corporal e sonolência exagerada. Os anti-histamínicos mais modernos, como o astemizol e a loratadine, poderão causar menores efeitos sobre o sistema nervoso central. Os bloqueadores dos receptores da serotonina parecem também apresentar efeitos benéficos, como antialérgicos (entre estes, podemos citar o cetotifeno).

10) ANTIASMÁTICOS. Seu uso poderá provocar em algumas crianças palidez, tremor e excitação. É prudente começar sempre com doses menores do que as aconselhadas pelo laboratório (bula).

11) ANTIBIÓTICOS:

a) As **PENICILINAS**, **AMPICILINAS**, **AMOXICILINAS** e **CEFALOSPORINAS** geralmente são bem aceitas pelas crianças, tanto por via oral como por via endovenosa. Entretanto, podem provocar, em alguns casos, erupções da pele. A penicilina injetável, contendo procaína, requer maior atenção.

b) A **RIFAMPICINA** e a **ERITROMICINA** são igualmente bem toleradas; entretanto as reações da pele são mais freqüentes do que as anteriores, porém sendo benignas.

c) Outros antibióticos poderão acarretar, em alguns casos, quando administrados em doses elevadas e por muitos dias seguidos, problemas clínicos que necessitarão de maiores cuidados.

Os **AMINOGLICOSÍDIOS** (para problemas renais), a **ESTREPTOMICINA** (que auxilia no caso de diminuição da audição), o **CLORANFENICOL** (depressão de glóbulos brancos e vermelhos) e as **TETRACICLINAS** (para combater lesão nos dentes e distúrbios de crescimento), nunca deverão ser dados antes de a criança completar oito anos. Estes antibióticos deverão ser usados sempre com acompanhamento médico.

12) DIARRÉIAS. Na aplicação dos medicamentos, deverá ser sempre levado em consideração o estado geral da criança. Se ela apresentar olhos fundos, boca seca, desânimo, cuidado com a desidratação.

13) CORTICÓIDES. Estes medicamentos são dotados de importantes efeitos benéficos para as crianças, mas devido a seus efeitos colaterais e mesmos tóxicos, só poderão ser administrados sob supervisão pediátrica.

14) CONVULSÕES. Os medicamentos utilizados no tratamento das convulsões só poderão ser aplicados sob orientação do pediatra, pois poderão causar poderosos efeitos nocivos no sistema nervoso central das crianças. Poderão induzi-las ao sono profundo, ou, às vezes, efeitos contrários, que poderão agravar o quadro clínico. Assim, a indicação e o acompanhamento médico são indispensáveis.

15) DESCONGESTIONANTES NASAIS. A tendência atual é a de somente utilizar descongestionantes à base de soro fisiológico, pois os descongestionantes que contêm agentes vasoconstritores tendem a agravar o quadro crônico da congestão nasal, além de produzir efeitos colaterais, como alterações no sistema nervoso central (excitação ou depressão) e mesmo hipotermia (queda de temperatura).

16) POMADAS. Sua aplicação às vezes não poderá dar o resultado desejado, até podendo piorar o quadro. É prudente observar seu resultado antes de continuar a usá-las. Poderão aparecer reações alérgicas.

17) POLIVITAMÍNICOS. A criança que consome três mamadeiras (600ml) ou mais, que se alimenta diariamente de frutas, legumes verdes e amarelos e vive ao ar livre praticamente não tem necessidade deles, sobretudo se o seu peso e altura estão normais.

18) SULFAS. Estes agentes quimioterápicos, apesar de bem tolerados por via oral pela criança, costumam tirar o apetite por algum tempo após a sua aplicação, podendo causar reações alérgicas.

19) TOSSE. Deve-se ter cautela na aplicação de sedativos derivados de opiáceos, como a codeína, principalmente nos dois primeiros anos de vida da criança. Doses elevadas podem causar distúrbios respiratórios e sedação.

20) TRANQÜILIZANTES e **ANSIOLÍTICOS.** São drogas pesadíssimas, podendo ser utilizadas somente com prescrição e acompanhamento médico.

21) VERMÍFUGOS. Antes de aplicá-los é sempre prudente providenciar um exame de fezes da criança para ver se são necessários e qual é o tipo de parasita que deverá ser combatido, pois para cada tipo de verminose há um tipo ideal de vermífugo.

22) REMÉDIOS CONTRA VÔMITOS. Geralmente estes medicamentos atuam no sistema nervoso central das crianças, deprimindo o centro do vômito; portanto, deverão ser usados com muito cuidado, principalmente em crianças nervosas, com problemas de comportamento e eletroencefalograma (EEG) anormal.

23) Os pais poderão dispor das denominadas "farmácias de manipulação", que preparam as fórmulas prescritas pelo pediatra.

Índice de medicamentos

1) ANTITÉRMICOS e ANALGÉSICOS

Acetaminofen ou Paracetanol: Tylenol, Dôrico
Ácido Acetilsalicílico: Melhoral, Aspirina, Bufferin
Dipirona: Anador, Baralgin, Conmel, Magnopyrol e Novalgina
Ibupropeno: Dalsy

2) ADRENALINA

Comercializada em ampolas (solução milesimal) por diversos laboratórios.

3) ANTIMÔNIO: Glucantime

4) ANTI-HISTAMÍNICOS (ANTIALÉRGICOS)

Clemastina: Agasten
Astemizol: Cilergil, Hismanal e Hisnot
Prometazina: Fenergan
Loratidine: Claritin
Clorafeniramina: Polaramine
Terfenadina: Teldane *(Atenção: este medicamento foi recentemente retirado das farmácias por induzir graves efeitos tóxicos)*

Anti-histamínicos aconselhados para estimular o apetite: Periatin, Cobactin e Buclivit

5) ADOÇANTES: Dietil, Suita, Adocyl e Stevia

6) ANTIAMÊNICOS
(Para combater a anemia):

Rarical, Fer-In-Sol, Combiron, Noripurum e Novo Fer / Sulfato ferroso

7) ANTIASMÁTICOS (BRONCODILATADORES e ANTIINFLAMATÓRIOS)

Aminofilina: Aminofilina Sandoz, Teofilina Bermacia e Eufilin
Corticoesteróides: Decadron, Celestamine e Meticorten
Fenoterol: Berotec
Salbutamol: Aerolin
Salmeterol: Serevent
Ipratrópio: Atrovent
Terbutalina: Bricanyl
Cromoglicato de Sódio: Intal
Nedocromil: Tilade
Beclometasona: Beclosol
Fluticasona: Flixotide e Flixonase
Cetotifeno: Asmen e Zaditen

8) AMEBICIDAS: Flagyl, Falmonox e Pletil

9) ANTIBIÓTICOS

Aminoglicosídios:
- **Amicacina:** Novamin, Briclin e Estreptomicina Wyeth
- **Gentamicina:** Garamicina

Cefalosporinas:
Cefaclor: Ceclor
Cefadroxil: Cefamox
Cefalexina: Keflex
Cefalotina: Keflin
Cefetamet P: Globacef
Cefixima: Plenax
Cefatoxima: Claforan
Ceftriaxona: Rocefin
Cefuroxima: Zinnat
Eritromicina: Ilosone e Eritrex
Lincomicina: Frademicina
Tetraciclinas (use somente após oito anos de idade da criança): Tetrex e Terramicina
Rifampicina: Rifaldin
Penicilinas: Penicilina G, Benzetacil e Despacilina
Penicilinas Orais: Pen-Ve-Oral e Oracilin
Penicilinas Semi-sintéticas:
- **Amoxicilina:** Amoxil, Clavulin e Hiconcil
- **Ampicilina:** Binotal e Amplofen
- **Carbenicilia:** Carbenicilina

Azitromicina: Zitromax
Minociclina: Minomax
Oxacilina: Staficilin
Nitrofunrantoina: Hanta
Cloranfenicol: Quemicetina
Bacitracina: Nebacetin (pomada)
Sulfas: Bactrim

Outros:
Barbitúricos (ver Tranqüilizantes, pág. 786)
Beclometasona (ver Antiasmáticos, pág. 783)
Beclosol (ver Antiasmáticos, pág. 783)
Benzodiazepínicos (ver Tranqüilizantes, pág. 786)
Broncodilatadores (ver Antiasmáticos, pág. 783)
Carbamazepina Tegretol
Cefalosporina (ver Antibióticos, pág. 783)
Cerotifeno (ver Antiasmáticos – Asmen e Zaditen)
Cloranfenicol (ver Antibióticos, pág. 783)
Codeína (ver Tosse; a codeína somente é usada em casos raros, e mesmo assim sob controle médico intensivo, pág. 785)
Clotrimazol Canasten e Lotramina (Ver Antimicóticos, pág. 785)
Cromoglicato (ver Antiasmáticos, pág. 783)
Cólicas Espasmo Luftal, Espasmo Silidron e Bentyl (contra cólicas)

10) ANTIINFLAMATÓRIOS

Celecoxib: Celebra
Diclofenaco: Flogan, Cataflan, Voltaren e Biofenac
Ibuprofeno: Actiprofen, Doretrim e Motrim
Nabumetona: Relifex
Piroxican: Feldene

11) COLÍRIOS

Anti-sépticos: Argyrol, Cloranfenicol, Neomicina, Neosporin e Garamicina Tobrex
Antibióticos à base de Cortisona: Maxitrol, Decadron, Cloranfenicol (com Cortisona) e Garasone

12) CONTRA CONVULSÕES

Barbitúricos: Fenobarbital e Gardenal
Fenitoínas: Epelin e Hidantal
Clonazepam: Rivotril
Carbamazepina: Tegretol e Tergretard
Benzodiazepínicos: Kiatrium, Valium, Dienpax e Diazepam
Ácido Valpróico (Valproato): Depakene e Valpakine

13) CORTISONA, CORTICOESTERÓIDES e GLICOCORTICÓIDES

Hidrocortisonas Injetáveis: Solucortef e Flebocortid
Prednisona: Meticorten
Prednisolona: Prednisolona Aventis, Prelone
Triamcinolona: Omcilon
Dexametasona: Decadron
Metilprednisolona: Depo-Medrol
Betametasona: Celestone e Diprospan
Beclometasona: Beclosol, Aldecina e Clenil
Deflazacort: Calcort
Fluticasona: Flixotide e Flixonase

14) CONTRA DESIDRATAÇÃO

(soros): PEDIALITE, HIDRAX e HIDRAFIX

15) CONTRA DIARRÉIA

Drogas que atuam nos movimentos intestinais:
Elixir Paregórico
Difenoxilato: Lomotil
Adstringentes: Carbonato de Cálcio: (sob preparação farmacêutica), Carvão Medicinal (Carbo Levedo) e Kaomagma e Kaopectate (Caulim e Pictina)
Restauradores da flora intestinal: Floratil, Camboacy e Bac Resistente

Outros:
Dipirona (ver Antitérmicos, pág. 783)
Eritromicina (ver Antibióticos, pág. 783)
Estimuladores do apetite (ver Anti-histamínicos, pág. 783)
Estreptomicinas (ver Antibióticos, pág. 783)

Etambutol Etambutol Ceme Myambutol
Expectorantes (ver Tosse, pág. 785)
Fenobarbital (ver Convulsões, pág. 784)
Fenoterol (ver Antiasmáticos, pág. 783)
Ferro (ver Anemias, pág. 708)
Gotas Auriculares (ver Otites, pág. 785)
Gotas Nasais (ver Resfriados, pág. 785)
Herpes: Zovirax e Aviral
Hidrázida (Fornecido pelo posto de saúde)
Hidrocortisona (ver Cortisona, pág. 784)
Hormônio da Tireóide: Cynomel e Puran T4
Ipeca (ver Tosse, pág. 785)
Interferon: Interferon Alfa 2B Humano Recombinante (Laboratório Biossintética)
Isoniazida: Fluodrazin F
Isoproterenol (ver Antiasmáticos, pág. 783)
Laxativos: Agarol, Ducolax, Supositório de Glicerina, Leite de Magnésia e Óleo Mineral
Kanamicina: Kantrex
Levamisol: Ascaridil e Cofasol
Mebendazol: Pantelmin, Necamin e Panfugan
Mesterolona: Proviron
Metoclopramida (ver Vômitos, pág. 787)
Monilíase (Sapinho): Micostantin, Nistatina e Nizoral
Oxacilina (ver Antibióticos, pág. 783)
Oxaminiquine: Mansil
Oxitocina: Syntoginon (em spray)
Otites: Lidosporin, Otalgan, Otoxilodase, Otosynalar, Otobiotic, Otosporin e Panotil
Pamoato de Pirvinio: Pyr-Pan
Contra piolhos (Pediculose): Pruritrat, Tetmosol, Acarsan e Deltacid
Penicilina (ver Antibióticos, pág. 783)
Piperazina: Otoveramin e Pipercream
Pirimetamina: Daraprin e Fansidar

16) PELE

Pomadas, Cremes e Loções:

Cortisona: Berlison, Betnovate e Drenison
Cortisona com antibióticos: Baycuten, Esperson N, Farmicetina P7, Oncilom e Quadriderm
Antibióticos: Nebacetin, Garamicina e Rifocina (em spray), Bactroban e Bactroneo
Anti-séptico: Anaseptil, Dreniformio, Furacin e PREP-CARE
Antiinflamatórios: Cataflan Gel, Benflogin, Hirudoid e Reparil Gel
Antipruriginosos (contra coceira): Fenergan Creme e Caladryl
Cicatrizantes: Fibrase, Trofodermin e Iruxol
Antimicóticos: Tralen (pomada), Tralen 28%, Cicatrene, Vodol, Nizoral e Lamisil
Protetores da pele: Protetor Solar 15 (Episol e Sundown), Pasta de Lassar e Hipoglós
Para queimaduras leves: Garamicina e Fibrase com Cloranfenicol
Contra sarna (Escabiose): Acarsan, Deltacid, Nopucid e Tetmasol
Contra seborréia: Cetonax (zampu), Nizoral (xampu) e Soapex (xampu)

17) CONTRA RESFRIADOS

Descongestionantes (gotas nasais): Rinossoro, Sorine Infantil, Conidrin e Afrin

18) SULFAS

Sulfas Associadas: Sulfametoxazol com Trimetoprima, Bactrim, Espectrim, Infectrim, Trimexazol e Triglobe

Outras:
Sulfato Ferroso (ver Anemia, pág. 708)
Teofilina (ver Antiasmáticos, pág. 783)
Terbutalina (ver Antiasmáticos, pág. 783)
Tetraciclina (ver Antibióticos, pág. 783)
Tetramizol (ver Vermífugos, pág. 787)
Tiabendazol (ver Vermífugos, pág. 787)
Thiabena (ver Vermífugos, pág. 787)

19) TOSSE

Sedativos (tosse seca): Silencium, Notus, Silomat, Vibral e Eritos

OBS.: os medicamentos que contêm codeína, como o Belacodid e o Setux, somente deverão ser usados sob recomendação pediátrica.

Expectorantes: Fluibron, Mucosolvan, Fluimicil, Mucolitic, Mucofan, Fenergan Expectorante e Limão Bravo

20) TRANQÜILIZANTES:

Sedativos Naturais: Maracugina, Passiflorine e Calmofilase
Anti-Histamínicos: Muricalm, Sonin e Fenergan Líquido Simples
Barbitúricos: Fenobarbital (produzido por diversos laboratórios) e Gardenal
Neurolépticos: Amplicil, Neozine e Neuleptil
Benzodiazepínicos: Valium, Kiatrium, Diempax, Lorax e Lexotan

21) CONTRA INFECÇÃO URINÁRIA

Ácido Nalidíxico: Wyntomilon
Sulfametoxazol com Trimetoprima (ver Sulfas Associadas, pág. 785)
Antibióticos: Ampicilina, Carbenicilina, Cefalosporina, Amoxicilina e Aminoglicosídeos (ver Antibióticos, pág. 783)

22) VACINAS (e seus laboratórios)

BCG (id)	Fundação Athaulfo De Paiva
Hepatite B *Recombivax*	Merck Sharp Dohme (MSD) Smithkline Beechan (SB)
Engerix B	Merck Sharp Dohme Smithkline Beechan
Hepatite A *(Vaqta)*	Smithkline Beechan
Hepatite A *(Havrix)*	Pasteur Merieux Pasteur Merieux
Hepatite A+B *(Twinrix)*	Merck Sharp Dohme Pasteur Merieux
Tríplice Bacteriana (DPT)	Pasteur Merieux
Tríplice Acelular *(Pertacel)* (DPAT)	Pasteur Merieux Pasteur Merieux e Wyeth
Tríplice Viral *(MMR)*	Pasteur Merieux
Tríplice Viral *(Trimovax)*	Wyeth Pasteur Merieux
Pólio *(Salk)*	Pasteur Merieux
Pólio *(Sabin)*	Pasteur Merieux
Tetra *(DPT + Hemophilus B)*	Merck Sharp Dohme Smithkline Beechan
Haemophilus B *(ACT-HIB)*	Pasteur Merieux Merck Sharp Dohme
Haemophilus B *(HIB-Titer)*	Pasteur Merieux Merck Sharp Dohme
Caxumba *(Imovax Mumps)*	Pasteur Merieux Instituto Finlay
Sarampo *(Rouvax)*	Pasteur Merieux
Rubéola *(Rudivax)*	Pasteur Merieux
Varicela *(Varivax)*	Merck Sharp Dohme
Varicela *(Varilrix)*	Smithkline Beechan
Antipneumocócica *(Pneumo 23)*	Pasteur Merieux

Antipneumocócica *(Pneumovax)*
Merck Sharp Dohme

Antigripal *(Vaxigrip)* Pasteur Merieux

Antigripal *(Fluarix)* Merck Sharp Dohme

Meningite Meningocócica *A/C*
Pasteur Merieux

Meningite Meningocócica *B/C*
Instituto Finlay

Dupla *(DT)* Pasteur Merieux

Raiva *(Verorab)* Pasteur Merieux

23) VITAMINAS (Gotas e Xaropes)

Vitamina A: Aprovit
Vitamina B (Complexo B): Benerva e Complexo B Roche (gotas)
Vitamina C: Cewin, Redoxon, Cetiva e Cebion
Vitamina D: Aderogil
Vitamina K: Kanakion
Vitaminas Associadas (complexo vitamínico): Protovit, Clusivol, Visyneral, Polivifluor, Kaliamon B12 e Trivifluor
Polivitaminas:
Gotas: Protovit, Dapta e Polivifluor
Suspensão (Xarope): Teragram, Clusivol e Visyneral

24) VERMÍFUGOS

Mebendazol: Pantelmin, Necamin e Panfugan
Tetramisol: Ascaverm
Levamisol: Ascaridil e Colasol
Piperazina: Ortovermin e Pipercream
Tiabendazol: Thiaben, Helmiben e Octecelmin
Metronidazol: Flagyl
Furazolidona: Giarlan e Furazolina
Niclosamida: Atenase
Pamoato de Pervinio: PYR PAN
Praziquantel: Cestox e Cisticid

25) CONTRA VÔMITOS

Líquidos que atuam sobre o estômago: Solução de Citrato de Sódio a 1% e refrigerantes muito gelados
Antiácidos: Mylanta, Maalox e Noacid
Bromoprida: Digesan e Pridecil
Clorpromazina: Amplictil
Dimenidrato: Dramin B6
Metoclopramida: Plasil e Eucil

Outros:
Xaropes (ver Tosse e Expectorante, pág. 754)
Lidocaína: Xilocaína (em spray), Geléia Viscosa
Palivizumab: Abbott (Synagis)

ATENÇÃO:

Considerando a atual lei dos Genéricos, que estipula que os médicos deverão receitar medicamentos pelos respectivos nomes da substância genérica que os compõem, o paciente poderá escolher o fabricante da sua preferência.

Com este último capítulo, terminou a 1ª infância da criança. Se os pais seguirem as instruções deste livro, os dois primeiros anos poderão ser os mais felizes de toda a vida deste bebê.

A mãe que tem *A vida do bebê* nunca estará só, pois terá sempre a seu lado um amigo auxiliando a criar o seu filho.

Referências Bibliográficas do capítulo "A Dentição"

ALTONEN, A. S. *The frequency of mother-infant salivary close contacts and maternal caries activity affect caries occurence in 4 year-old children.* Proc. Finn Dent. Soc, v. 87, n 3, p. 373-382, 1981.

AMERICAN DENTAL ASSOCIATION. *Your child's teeth.* Chicago: 1981.

BOINATI, I et al. "An epidemiological and genetic study of facial clefting in France. Epidemiology and frequency in relatives", In: *J. Med.*, 19: 8-15, 1982.

BÕNECKER, M.J.S., PINTO, A.C. Guedes; WALTER, L.R.F. "Prevalência, distribuição e grau de afecção de cárie dentária em crianças de 0 a 36 meses de idade", In: *Revista da APCD*, São Paulo: v. 51, n. 6, págs. 535-540, 1997.

____. *Caderno de Odontopediatria: Abordagem clínica.* São Paulo: Santos, 2001.

BROWN, J.P., JUNNER, C. e LIEW, V.A. "Study of Streptococcus Mutans levels in both infants with bottle caries and their mothers", In: *Australian Dental Journal*, v. 30, n 2, p. 96-98, 1985.

CAPELLOZA Filho, L. et al. "Conceitos vigentes na etiologia das fissuras lábio-palatinas", In: *Revista Brasileira de Cirurgia*, 78 (4), 233-240, 1988.

CORRÊA, M.S. Nahás Pires. *Odontopediatria na primeira infância.* São Paulo: Santos, 1998.

____. *Saúde bucal do bebê ao adolescente: guia de orientações para gestantes, pais, profissionais da saúde e educadores.* São Paulo: Santos, 2005.

ERONAT, N., EDEN, E. "A comparative study of some influencing factors of rampart of nursing caries in preschool children", In: *J. Clin. Pediat. Den.*: v. 16, n 4, p. 275-9, Summer, 1992.

KRASSE, B. *Risco de cárie: um guia prático para avaliação e controle.* São Paulo: Quintessence, 1986.

MATEE, M.I.N. et al. "Mutans Streptococci and lactobacilli in beastfed children with rampant caries", In: *Caries Res*, v. 28, n 3, p. 183-7, May/June, 1992.

NEWBRUN, E. *Cariologia.* São Paulo: Santos, 1988.

RUGG-GUNN, A.J. "Dieta e cárie dentária. A importância dos testes de cariogenicidade", In: *Açúcares: debate atual e ação futura.* ABOPREV, fascículo 2, maio 1992, p 8-10.

SANT'ANNA, Giselle Rodrigues. *Caderno de Odontopediatria: Cariologia, diagnóstico, controle e tratamento.* São Paulo: Santos, 2001.

TOMASI, E., VICTORE, C.G. e OLINTO, M.P.A. "Padrões e determinantes do uso de chupeta em_crianças", In: *Jornal de pediatria, 70*: 167-171, 1994.

WALTER, Luiz Reynaldo de Figueiredo, FERELLE, Antônio e ISSAO, Myaki. *Odontologia para o bebê: odontopediatria do nascimento aos 3 anos.* Porto Alegre: Artes Médicas, 1996.

Índice

A

B

C

D

E

F

G

H

I

L

M

N

O

P

Q

R

S

T

U

V

Agradecimentos:

Climuno
Clínica Perinatal Laranjeiras
Dra. Aline Pinheiro
Dra. Andréa Bacelar
Professor Dr. Carlos Giesta
Professor Dr. Carlos Roberto Paiva Gonçalves
Dra. Gisela Mello Schmidt
Dr. João Bosco Magalhães
Dr. João Henrique Leme
Professor Dr. José Manoel Jansen
Dr. Josther Garcia
Professor Dr. Luís Cesar Póvoas
Dr. Nelson Moraes
Dra. Paula Leme
Dra. Rafaela Marins
Professor Dr. Roberto Soares de Moura
Dra. Rosa Célia

Claudia Lebelson
Elisabeth Pasin
Funny Faces
Josélia Paula de Carvalho
Maria Torres
Patrícia Falbo Alves de Oliveira
Regina Célia Gonzalez Faria
Sheila Soares

Crianças:

Allana Martins Pinto, Ana Clara Monteiro Marinho, Barbara Biancucci, Beatriz Lagemann Moura, Brenda Engelage, Bruna Machado, Bernardo Hippert, Caio de Moura Felgueiras, Carolina Corrêa Barros, Carolina Pasin, Caroline Aszmann, Davi Reis, Débora Cunha Luterman, Gabriel de Chermont, Gustavo Fidalgo M. Costa, Gustavo Lerner Moreira, Gustavo Moreno Silva Anciães, Iarin Nigri, Isadora Corrêa Barros, Isadora Goldbach, João Ivanissevich, João Pedro Barbosa de Oliveira, João Pedro Gomes Vieira, Katharina Leal Araujo, Luana Belmont Firpo, Lucca Barroso Filipaki, Lucca Martins Pais, Luisa Hippert, Luiza Garboggini, Luma Machado, Luna Augusto de Figueiredo Rodriguez, Mariana Garboggini, Marina Pamplona Moll, Matheus Godoy, Nina Martins Pais, Pablo Zippinotti Zanith Leal, Thiago Godoy, Victor Mairos Antônio, Yasmin Quintas Arias Gomes

Este livro foi composto em Adobe Garamond e Futura e impresso pela Ediouro Gráfica sobre papel LWC 60g para a Ediouro em 2009.

Telefones úteis

Pediatra:

Polícia:

Assistente:

Corpo de Bombeiros:

Pronto-socorro Infantil:

Táxi:

Hospital próximo:

Escola:

Farmácia:

Parentes/amigos:

A leitora que queira contribuir para o aperfeiçoamento deste livro, enviando sugestões, apontando falhas, deverá endereçá-los para:

Dr. Geraldo Leme

Avenida Nossa Sra. de Copacabana, 664 – Portaria nº 4 – grupo 206 – Copacabana, RJ – CEP 22.050-000

telefones (21) 2547 5302 ou (21) 2547 0900